劉兆祐教授春風化雨五十年紀念文集

施隆民 題

劉兆祐教授春風化雨五十年紀念文集編委會 編

臺灣學生書局 印行

兆祐兄杏壇耕耘半世紀

正本清源千萬冊
春風化雨五十年

弟 劉源俊
民國九十九年四月
賀

劉兆祐教授春風化雨五十年紀念文集
編輯委員會

劉兆祐教授伉儷

劉兆祐先生全家福（2010 年 7 月攝）

前排右起：劉知穎、劉知靜、劉兆祐、趙愛蕙、郭允琁、郭允寧

後排右起：吳秀婉、劉宇衡、郭兆家、劉宇凡

1974 年秋東吳大學中研所碩士班第一屆師生合影

前排右起：鄭騫、屈萬里、王夢鷗、張敬、臺靜農、徐可熛等先生

後排右起：丁原基、王次澄、劉兆祐先生、周全、吳堅立

劉兆祐先生伉儷、劉源俊教授與東吳大學中文系 59-81 級學生合影

2007 年 3 月 26 日劉兆祐先生於中山文化暨古典文獻國際學術研討會專題演講

劉兆祐先生（前排左五）與前東吳大學劉源俊校長（前排
右四，時任臺北市立教育大學校長）以及與會嘉賓合影

劉兆祐教授著作書影（一）

劉兆祐教授著作書影（二）

劉兆祐教授著作書影（三）

紀念文集編輯委員校對樣稿後留影

照片右起：張曉生、丁原基、陳仕華、林慶彰、黃文吉、王國良

序

丁原基
東吳大學中國文學系教授兼東吳大學圖書館館長

　　這本《劉兆祐教授春風化雨五十年紀念文集》（省稱《紀念文集》）早就應該出版了，距離 2007 年 4 月 28 日，大家歡聚在玉喜餐廳的晚宴，一晃三年，令人欣慰的是大家都保持身心健康，生活充實且愉快；但也不是沒有變化，例如王國良先生由臺北大學古典文獻學研究所所長改任文學院院長；張雙英先生從政治大學退休，被淡江大學延攬並兼任中國文學系主任；張曉生先生出任臺北市立教育大學儒學中心主任；這些都是令人欣慰的佳音，也代表了彼此更加忙碌，相對地這本《紀念文集》的出版也一再「Delay」。而今此編總算在千呼萬喚中推出，畢竟圓了大家共同的願望——表達對兆祐師春風化雨五十年由衷的敬意。這，豈能不高聲歡呼！！

　　《紀念文集》內容分上、下兩編：上編是紀念文集，皆是由兆祐先生的學生們執筆撰寫，內容約略分成三部分。首先是：〈劉兆祐教授與中央圖書館〉（陳惠美）、〈劉兆祐教授與東吳中文系〉（丁原基）、〈啟迪和教誨——劉兆祐教授在臺北市立教育大學〉（馮永敏）等三篇，足以將先生生涯中最具代表性的工作與成就，敘述清楚。其次是：〈淺述劉兆祐教授的目錄學研究〉（王國良）、〈劉兆祐先生的版本學〉（陳恒嵩）、〈劉兆祐先生與圖書辨偽〉（林慶彰）、〈劉兆祐教授的宋代文獻學〉（黃智明）、〈劉兆祐教授與古籍整理〉（黃智信）、〈劉兆祐教授

與圖書文獻學研究〉（陳仕華）、〈寓教於文——論劉兆祐教授現代文學創作之特色〉（張雙英）等七篇，闡述先生個人在學術上的成就，也重新喚起幾乎被人遺忘了的兆祐先生在現代文學的創作上亦有驚人的成績；〈一盞學術明燈——劉兆祐教授的《國學導讀》〉（黃文吉）、〈劉兆祐教授與《治學方法》〉（馮曉庭）、〈劉兆祐教授與國語文教育〉（葉純芳）、〈劉兆祐教授與雙溪文學獎〉（游勝冠）及〈臨溪路印象〉（鹿憶鹿）等篇是訴諸感性之文字。最後有張曉生的〈劉兆祐教授學行年表〉，總括兆祐先生執教杏壇的優越紀錄。

下編是 2007 年 4 月 27、28 兩日假臺北市國父紀念館舉行「中山文化暨古典文獻國際學術研討會」的論文，計二十三篇（篇目詳目次）。

2007 年 4 月「中山文化暨古典文獻國際學術研討會」能順利舉辦，必須感謝張瑞濱先生。事情緣起是 2006 年 5 月中旬，劉兆祐先生應邀於臺北市國父紀念館演講，館長張瑞濱博士，是東吳大學中文系 63 級畢業，與筆者同窗；亦是劉先生鍾愛的弟子。特於劉老師演講結束，設宴款待。邀請兆祐先生摯友臺北市立教育大學劉源俊校長赴宴，以及同門王國良、沈心慧、林慶彰、孫劍秋、陳仕華、陳恆嵩、張雙英、張曉生、黃文吉及筆者等劉師歷屆的學生座陪。笑談間咸以為在座多為研究古典文獻而術有專精者，舉辦一場文獻學研討會，藉以檢驗東吳大學中國文學研究所成立三十年，學術衍枝蓬勃發展的成果，作為報答師恩及慶賀先生壽誕。張瑞濱館長欣然支持，歡迎利用館內中山講堂場地舉辦。兆祐師則以為既在國父紀念館舉辦學術研討會，有責任闡揚中山先生學說與近代文獻學興盛的關連性，因此確定研討會主題。翌年研討會結束後，獲臺灣學生書局鮑邦瑞總經理（筆者按：鮑邦瑞先生不幸於 2009 年 6 月 15 日遽逝，年僅 56，令人扼腕。）鼎力贊助出版論文集，讓會議宏論公諸同好。

林慶彰先生認為研討會論文集尚不足以表達學生對師恩的感戴，倡議凡受業者各寫專文一篇，再匯集文獻學相關的論文，刊印成「劉兆祐教授春風化雨五十年紀念文集」，方顯景仰之思。因此這本文集，充分展現了君子以文會友和以友

輔仁的精義，只可惜學生們的學養功力，仍不足以將老師無怨無悔的教學熱誠，篤實嚴謹的治學成就，圓融幹練的行政才能清晰闡述。謹期望吾師萬年長青，在古典文獻學園地沾溉學子，根深葉茂，不久勝過此編的佳作名篇源源湧現，則此編拋磚引玉庶幾無憾。

　　為增色此《紀念文集》，特央請先生摯友國內名書法家市立教育大學施隆民教授墨寶題簽；劉源俊教授親書自撰聯語「正本清源千萬冊，春風化雨五十年」，表達賀忱，對兆祐師的學行生涯更有畫龍點睛之妙。最後，謹祝兆祐師福體安康，延年益壽，闔府幸福滿滿！！

劉兆祐教授春風化雨五十年紀念文集

目　次

下　編

上　編

劉兆祐教授與國立中央圖書館

陳惠美

樹人醫護管理專科學校助理教授

一、在南海學園的八年歲月

民國五十六年（1967）八月，劉兆祐教授還在國立臺灣師範大學國文研究所就讀碩士班時，有一天，為了碩士論文的一些疑難，特地到國立中央圖書館（國家圖書館前身）向正擔任館長的論文指導教授屈萬里院士請益。屈院士問先生：「願不願到中央圖書館工作？」因中央圖書館環境優雅、藏書豐富，於是先生立刻欣然的接受。屈院士為了方便先生撰寫論文，安排先生到特藏組當工讀生。每日工作半天，月薪新臺幣四百元。

那時特藏組人員並不多，主任是昌瑞卿（彼得）先生，另有編纂鄭毅菴先生和編輯喬衍琯先生。當時特藏組正負責編輯《國立中央圖書館善本書目》（增訂本）、《國立中央圖書館普通線裝書目》及臺灣公藏聯合善本書目的統整工作，先生從事校對的工作。校對時，遇有疑義，須查考各種書目。那時候的善本書，都還庋放在從南京運來的木箱裡，為了安全，書庫裡沒有電源，提書時得從外頭把燈提進去，先找到箱子再找書，是一件十分辛苦的工作。但是先生認為那種找書的經驗，一方面可以認識書，一方面也留下了許多寶貴的回憶。

五十七年（1968）七月，先生獲碩士學位。當時屈萬里院士已卸下中央圖書館

的職務，回到臺灣大學擔任中文系主任兼中文研究所所長，館長一職由包遵彭先生繼任。屈院士曾徵問先生的意願：「要到學校教書或繼續留在中央圖書館？」屈院士並表示希望先生留在中央圖書館，因為很少年輕人願意從事目錄版本學的研究，而中央圖書館正好有一個編輯的職缺。就這樣，先生從八月一日起，成為正式的編輯，派在特藏組工作。

五十九年（1970）九月，先生進入國立臺灣師範大學國文研究所博士班就讀。當時全國就讀博士班的人數並不多，公費和獎學金相當高，不比一個講師的薪水少，但是先生捨不得中央圖書館的琳琅秘籍，於是放棄了公費和各項獎學金，仍留住原職，帶職進修。

六十二年（1973）十月，先生獲博士學位，陞任簡任編纂，主編《國立中央圖書館館刊》。在國民政府遷臺以前，中央圖書館曾先後編行數種期刊：中文的有《學觚》、《圖書月刊》和《中央圖書館館刊》，英文的則有《書林季刊》。後來由於經費及時局艱難，也都先後停刊了。一直到民國五十六年（1967）五月，屈萬里院士擔任館長期間，才陸續復刊。其中《中央圖書館館刊》，大約自六、七卷起，開始由先生負責主編。主編《館刊》期間，先生一直秉持《館刊》的特色，那就是刊載「圖書館學」、「目錄版本學」、「校讎學」領域的專論，及「新書提要」、「各國圖書概況」、「學林消息」等。

六十四年（1975）八月，先生接受了東吳大學中國文學系教授兼系主任的聘書，也負責籌設中國文學研究所，於是辭去了深愛的圖書館工作，結束了在南海學園坐擁書城的歲月。

二、參與善本書的研究工作

中央圖書館特藏組的工作，主要是負責善本圖書的典藏、整理、考訂和傳佈。先生任職特藏組期間，就撰寫了許多善本書志，先後發表於《國立中央圖書館館刊》，茲列舉於下：

〈《晞髮集》（善本書志）〉，《國立中央圖書館館刊》新 2 卷 2 期，民國 57 年
　　10 月，頁 77-80。

〈《書經講義彙編》（善本書志）〉，《國立中央圖書館館刊》新 2 卷 3 期，民國
　　58 年 1 月，頁 88-91。

〈《所南翁集》（善本書志）〉，《國立中央圖書館館刊》新 2 卷 3 期，民國 58
　　年 1 月，頁 93-96。

〈《逸周書分編句釋》（善本書志）〉，《國立中央圖書館館刊》新 2 卷 4 期，民
　　國 58 年 4 月，頁 68-70。

〈《使琉球錄》（善本書志）〉，《國立中央圖書館館刊》新 2 卷 4 期，民國 58
　　年 4 月，頁 70-71。

〈《純常子枝語》（善本書志）〉，《國立中央圖書館館刊》新 2 卷 4 期，民國 58
　　年 4 月，頁 71-74。

〈《唐餘紀傳》（善本書志）〉，《國立中央圖書館館刊》新 2 卷 4 期，民國 58
　　年 4 月，頁 74-76。

〈《明詩人小傳稿》十四卷（善本書志）〉，《國立中央圖書館館刊》新 3 卷 1 期，
　　民國 59 年 1 月，頁 53-56。

〈《群書疑辨》十二卷（善本書志）〉，《國立中央圖書館館刊》新 3 卷 1 期，民
　　國 59 年 1 月，頁 57-60。

〈《韓山人詩集》（善本書志）〉，《國立中央圖書館館刊》新 3 卷 2 期，民國 59
　　年 4 月，頁 60-61。

〈《祝氏詩文集》（善本書志）〉，《國立中央圖書館館刊》新 4 卷 1 期，民國 60
　　年 3 月，頁 37-38。

〈《鐫出像楊家府世代忠勇演義志傳》（善本書志）〉，《國立中央圖書館館刊》
　　新 4 卷 2 期，民國 60 年 6 月，頁 47-48。

〈《東西晉演義》（善本書志）〉，《國立中央圖書館館刊》新 4 卷 2 期，民國 60

年 6 月，頁 48-50。

〈《弨罋集》(善本書志)〉，《國立中央圖書館館刊》新 4 卷 2 期，民國 60 年 6
月，頁 51。

〈《小爾雅義證》(善本書志)〉，《國立中央圖書館館刊》新 4 卷 4 期，民國 60
年 12 月，頁 40-42。

〈《稽瑞樓祕冊》(善本書志)〉，《國立中央圖書館館刊》新 4 卷 4 期，民國 60
年 12 月，頁 42-45。

〈《南山黃先生家傳集》(善本書志)〉，《國立中央圖書館館刊》新 6 卷 1 期，
民國 62 年 3 月，頁 69-70。

〈《昭甫集》(善本書志)〉，《國立中央圖書館館刊》新 6 卷 1 期，民國 62 年 3
月，頁 70-71。

〈「國朝典故」(善本書志)〉，《國立中央圖書館館刊》新 6 卷 2 期，民國 62
年 9 月，頁 93-96。

〈「嚴文靖公集」(善本書志)〉，《國立中央圖書館館刊》新 6 卷 2 期，民國 62
年 9 月，頁 96-97。

〈「馬文莊公文集選」(善本書志)〉，《國立中央圖書館館刊》新 6 卷 2 期，民
國 62 年 9 月，頁 97-98。

除了「善本書志」的撰寫，先生亦參與善本圖書的整理、出版工作，推廣善
本圖書，提供學術界使用。

民國五十九年（1970），中央圖書館輯印館藏元人別集善本為《元人珍本文集
彙刊》，由臺灣學生書局總經銷。所收元人善本別集計十種：

《桐江集》，〔元〕方回撰，鈔本。

《養蒙先生文集》，〔元〕張伯淳撰，舊鈔本。

《程雪樓文集》，〔元〕程鉅夫撰，湖陽陶氏覆刊明洪武本。

《申齋劉先生文集》，〔元〕劉岳申撰，鈔本。

《閒居叢稿》，〔元〕蒲道源撰，舊鈔本。

《吳正傳先生文集》，〔元〕吳師道撰，明鈔本。

《安雅堂文集》，〔元〕陳旅撰，鈔本。

《滋溪文稿》，〔元〕蘇天爵撰，鈔本。

《僑吳集》，〔元〕鄭元祐撰，鈔本。

《清宓閣全集》，〔元〕倪瓚撰，清康熙間刊本。

　　其中《養蒙先生文集》、《閒居叢稿》、《僑吳集》、《滋溪文稿》四種，由先生負責整理研究，並選定版本，撰寫「敘錄」。所撰「敘錄」，除了見載於各書卷首之外，〈《養蒙先生文集》敘錄〉、〈《閒居叢稿》敘錄〉兩篇，尚發表於《國立中央圖書館館刊》新 3 卷 2 期（59 年 4 月），〈《僑吳集》敘錄〉、〈《滋溪文稿》敘錄〉兩篇，則刊載於《館刊》新 3 卷 3、4 期合刊（59 年 10 月）。

　　民國六十年（1971）六月間，中央圖書館為推行中華文化復興運動，發揚固有倫理道德，提供學術研究資料，於是特地揀選館藏全相平話和演義七種，整理影印出版，其目如下：

《新刊全相平話武王伐紂書》三卷。

《新刊全相平話樂毅圖齊七國春秋後集》三卷。

《新刊全相秦併六國平話》三卷。

《新刊全相平話前漢書續集》三卷。

《新刊全相平話三國志》三卷。

《東西晉演義》十二卷。

《鐫出像楊家府世代忠勇演義志傳》八卷。

　　其中《新刊全相武王伐紂平話》、《新刊全相平話樂毅圖齊七國春秋後集》、《楊家府世代忠勇演義志傳》三種，由先生負責整理研究，並撰寫各書「敘錄」，載諸卷首。

　　在此之前，屈萬里院士於民國五十八年（1969）十月，曾主編《明代史籍彙刊》，

由臺灣學生局出版。所選圖書十一種，均是中央圖書館所藏善本。每一書「敘錄」，均由先生撰寫。「敘錄」除冠諸每一書卷首外，並發表於《書目季刊》4 卷 2 期（民國 58 年 12 月）。

民國五十九年（1970）十月，屈萬里院士又主編《明代史籍彙刊第二輯》，所選圖書十三種，均是中央圖書館善本，「敘錄」仍由先生撰寫。「敘錄」冠諸每一書卷首外，並發表於《書目季刊》5 卷 2 期（民國 59 年 12 月）。

民國六十年（1971）八月，屈萬里院士主編《雜著秘笈叢刊》，選中央圖書館善本書十七種，由臺灣學生書局印行。「敘錄」由先生撰寫，除冠諸每書卷首外，並發表於《書目季刊》6 卷 1 期（民國 60 年 9 月）。

在中央圖書館工作期間，先生常利用星期假日或晚上，留在館裡從事研究工作。在夜闌人靜時，獨自埋首書海，享受讀書的樂趣。每每通宵達旦，忘了睡眠，忘了飢餓。先生於此時深刻體驗到「琳琅秘籍，足以療飢」。因此，先生除了考訂善本書，撰寫「善本書志」及「敘錄」外，在那段時間，還有許多豐碩的研究成果：

〈晁公武之生平〉，發表於《國立中央圖書館館刊》新 2 卷 2 期，民國 57 年 10 月，頁 59-66。

〈記《萬曆邸鈔》〉，載《中央日報》「副刊」，民國 57 年 11 月 10 日。

〈心史的著者問題〉，載《書目季刊》3 卷 4 期，民國 58 年 6 月，頁 25-32。

〈《吳下塚墓遺文》敘錄〉，載《書目季刊》4 卷 2 期，民國 58 年 12 月，頁 93。

〈《明代中州人物志》敘錄〉，載《中原文獻》5 卷 12 期，民國 62 年 12 月。

三、持續關心圖書館事業

先生雖於民國六十四年（1975）辭去中央圖書館的工作，專力於教育事業，但還是經常回到中央圖書館，看看那些珍貴的善本書，拜訪一些昔日的同事好友。對於中央圖書館及圖書館事業的關懷之情，可以說是無時或忘。甚至在後來所撰

寫的學術論文中，也不時流露出深切的關懷與期望：

〈臺灣所藏珍貴文史資料舉要——為臺灣成為世界漢學研究中心作證〉，《幼獅月刊》41 卷 4 期，民國 64 年 4 月，頁 22-27。

〈國際漢學會議與國際漢學中心〉，《中國之文化復興論文集》，行政院出版，民國 70 年 2 月，頁 48-57。

〈成立國會圖書館芻議〉，《自立晚報》4 版，民國 71 年 3 月 7 日。

〈琳琅萬卷，中樞玄覽——從國立中央圖書館的善本書，淺談有關善本書的基本知識〉，《幼獅月刊》361 期，民國 72 年 1 月，頁 50-54。

〈建立一個高尚的書香社會：對「文化中心圖書館」的期待〉，《幼獅月刊》58 卷 4 期，民國 72 年 10 月，頁 38-41。

〈圖書館事業再認識〉，《聯合報》8 版，民國 75 年 6 月 24 日。

〈圖書館事業再認識——國立中央圖書館向新里程邁進〉，《文史哲雜誌》3 卷 1、2 期合刊，民國 75 年 9 月，頁 23-24。

〈止於至善，支援研究〉，《國立中央圖書館遷館紀念特刊》，民國 75 年 9 月，頁 44。

〈現代文化的火車頭——國家圖書館的任務〉，《中國時報》8 版，民國 75 年 9 月 28 日。

〈琳琅祕籍可以療飢——回憶在南海學園的一段歲月〉，《國立中央圖書館館訊》11 卷 2 期，民國 78 年 5 月，頁 30-31。

先生曾在〈從現代到古典——訪劉兆祐教授談「教」與「學」的心路歷程〉（《幼獅月刊》58 卷 6 期，72 年 12 月，頁 8-11）一文提到：「在中央圖書館看見數十萬卷珍本祕笈，琳瑯滿目，不僅是一大享受，更重要的是，我置身在這些古籍中，一方面好像面對歷代古聖先賢，聆聽他們的教誨；一方面，才發覺文學的殿堂是如此的閎偉富麗，而自己卻是那樣的渺小，不知不覺中，培養了為學的開闊胸襟。」先生在中央圖書館工作八年，獲益很多，看了很多書，寫了很多作品，也完成了

碩士論文《晁公武及其郡齋讀書志》及博士論文《宋史藝文志史部佚籍考》。因此，先生在上文中又說：「在這裡（中央圖書館）八年，對我學問的紮根工作，有非常大的幫助。」後來，先生雖離開了中央圖書館，但是很多作品，都與中央圖書館的工作有關，例如先生升等教授的論文《四庫全書總目提要元人別集提要補正》，所利用的文獻，大多是中央圖書館的善本。又如從民國六十三年（1974）獲國科會獎助，迄今每年都獲獎助，研究工作所用的文獻，大部分都使用中央圖書館的善本。其他論文也是如此。

先生離開中央圖書館後，仍然持續參與善本圖書的整理、出版工作，希望能讓這些秘藏於善本書室的珍貴圖書廣為流傳，方便學術界使用。民國六十六年（1977），先生與屈萬里院士共同主編《明清未刊稿彙編初輯》及《明清未刊稿彙編二輯》，由聯經出版事業公司出版，所收書，均是中央圖書館善本。先生為臺灣學生書局所編《中國史學叢書三編》（民國 75 年出版），收書六十五種，也都是中央圖書館的善本。

先生曾於〈琳琅秘籍可以療飢——回憶在南海學園的一段歲月〉（《國立中央圖書館館訊》11 卷 2 期，民國 78 年 5 月，頁 30-31）一文末了，賦詩兩首，一以憶往，一以抒願：

其一

八載備書忽已遷，宋元鉛槧夢中旋；先賢手跡皆精絕，坐對琳琅竟忘年。

其二

欲效向歆校簡編，奈何歲月逝如煙；退休盡去塵間事，讐點手鈔了宿緣。

先生對中央圖書館的感懷，對圖書事業的牽掛，於焉可見。

劉兆祐先生與東吳中文系

丁原基

東吳大學中國文學系教授兼圖書館館長

引　言

　　劉兆祐先生，祖籍廣東梅縣，民國二十五年（1936）出生於新竹市。東吳大學中國文學系五十四級（1965）畢業，國立臺灣師範大學國文研究所博士班畢業，國家文學博士。曾任小學教師、臺北一女中國文老師、國家圖書館簡任編纂及東吳大學、臺北市立教育大學等校教授、主任、所長，現為文化大學中文系教授暨中國文學、文藝創作兩組的系主任。

　　先生杏壇執教五十年，在東吳大學服務近三十年，最為長久，尤以擔任系主任八年期間的慘淡經營，有意無心之間，播下文獻整理的種子，影響國內近二十年來在文獻學領域，研究成果卓有建樹之青壯學者，無不或多或少地受到兆祐先生的啟迪與指導。先生提攜後進不遺餘力，適逢眾學長為兆祐先生春風化雨五十年賀慶，筆者忝為劉師學生之一，且自民國六十五年（1976）進入東吳中文系執教，親歷中文系各種變遷，試略述劉兆祐先生與東吳中文系的關係。

東吳中文人

　　東吳大學中國文學系成立於民國四十五年（1956），劉兆祐先生是四十九年

（1960）進入中文系。在此之前已擔任國小教師五年。進入大學殿堂，他從喜愛新文學的創作，轉為對古典文學的研究，這個轉變主要是受到胡適之和梁啟超兩位先生的影響。胡先生曾用兩句淺顯的口號，指引年輕人讀書：「為學要如金字塔，要能廣大要能高。」至於梁啟超曾擬定「最低限度的必讀書目」近三十種，凡是中國人都該一讀。劉兆祐先生認為，自己身為中國的讀書人，又要做一個中國的文學家，應該念更多的書，不僅包括梁氏擬定的近三十種線裝書。同時也要去尋求學問上的突破，精益求精。在學期間，他專注於學業，浸淫在古籍經典之中，在徐子明、曹昇之和閔孝吉諸位老師的指導，潛心研究，古典文學方面的底子日趨深厚。像是徐子明先生的考試，全都是用背誦方式，凡教過的《史記》、《左傳》從中抽背一句，學生就要接著背下去，再接著詢問意義，這種熟背經典的方式對日後嚴謹治學，自有左抽右旋之便。曹昇之先生教授詩經、歷代文選，閔孝吉先生教授孟子，皆對他在治學上有很大的啟發。

學業之外，當時他也熱衷於校內活動，與喜愛新詩的同學共同自費創辦《大學詩刊》，同時創辦以儒家思想研究為主的《達德學刊》，以及《中文季刊》等校內刊物，並擔任社長。也擔任中文學會及畢聯會副主席，主編《東吳青年》。這些創辦刊物的經驗，為他日後在中文系成立「雙溪現代文學獎」奠定基礎。

回母校任教

民國六十二年（1973），劉兆祐先生以兩年半時間於師大國文研究所博士班完成博士論文，獲得「國家文學博士」，同年回母校東吳專任教職，擔任副教授兼中文系副主任。六十四年（1975），接中文系主任，接著又兼任所長。擔任系主任暨所長期間，推動許多新的措施，包括課程設計、聘請師資、舉辦徵文比賽，系上呈現一股嶄新氣息。而中文系的許多制度亦都在此時建立，至今仍持續前進，當日東吳中文系的課程與師資，教學與研究，足與台大、師大，鼎足並立。師生和睦，系務蓬勃發展。以下略述劉兆祐先生當時訂定的幾項重要措施：

創立雙溪現代文學獎

民國六十九年（1980），劉兆祐先生為了加強文藝教育，提升校園文化素質，培養校內寫作風氣，出力出錢，成立全國第一個全校性徵文活動—「雙溪現代文學獎」，讓東吳學生的創作得以有發表的園地。他曾說：「文學的發展，像一棵樹，瞭解古典，是植根的工作；創作寓有現代精神的作品，就是要這棵古老的樹，長出茂盛的新葉，綻放燦爛的花朵。」在這樣的思維下，「雙溪現代文學獎」誕生了！每年舉辦一次，分為小說、散文、現代詩三個組別，評審分初審、複審、決審三個階段，過程相當嚴謹。當時擔任文學獎評審的有余光中、瘂弦、琦君、李喬、亮軒、鍾肇政、鄭清文、洛夫、羅青、尹雪曼、韓道誠（寒爵）、張曉風、司馬中原、洛夫、胡有瑞等人，都是名重一時的作家，藉由完整的參賽制度、專家評審講評，得獎作品能夠被推薦刊登在《聯合副刊》、《中央副刊》、《臺灣文藝》、《人間副刊》、《幼獅文藝》等知名刊物上。民國七十一年（1982），文建會主動邀請，參加中國文藝協會與新生報社聯合舉辦的「中華民國歷屆文學獎得獎作家作品展」，首開校園文學獎應邀參展的殊榮；民國七十四年（1985）五月，國立中央圖書館主辦的「當代文學史料展」，亦收錄本獎相關文獻。而歷屆得獎人受到各方面的鼓勵，有的籌組「漢廣」、「南風」詩社，出版詩刊；有的不斷創作小說、散文。現在不少享譽文壇的作家，是經歷過雙溪文學獎的激勵，成為優秀的寫作人才，像是鹿憶鹿、張曼娟、彭樹君、王志誠（路寒袖）、楊敏盛（阿盛）、盧思岳、孫梓評、王宣一、游勝冠等等。

堅強師資與多元課程的規劃

中文系首開「比較文學」、「自然科學」、「社會科學概論」、「現代文學」等課程，延攬學養俱佳的師資，例如邀請金榮華先生擔任「比較文學」、「人文科學概論」；由《科學月刊》主編、物理系劉源俊教授開設「自然科學概論」，讓學生拓展視野，接觸更多不同面向的知識。邀請服務中央圖書館的鄭恆雄、張錦郎兩位先生分別教授「研究方法」，因此東吳中文系畢業生善用圖書館資源檢

索文獻，成為特色。系上也開設屬於中文系的日語選修課程，學生可以在修習英文之外，學習第二外語，對其日後有志從事漢學研究的實力，無疑是一大助益，這些在當時是一大開創。

中文系基礎課程的師資，都是一時之選，堪稱各學科最具代表性的教授，像是裴普賢先生教授《詩經》，于大成先生教授《淮南子》，傅錫壬先生教授《楚辭》，黃錦鋐先生教授《莊子》，王更生先生教授《文心雕龍》》，羅宗濤先生教授「敦煌」，莊嚴先生、陳瑞庚先生教授「書法」，曾永義先生教授「戲曲」，程元敏先生教授《尚書》，黃慶萱先生教授「修辭學」，賴明德先生教授《史記》，何淑貞先生教授「思想史」，吳宏一、陳文華兩位先生教授「詩選」，張夢機、張子良兩位先生教授「詞選」、沈謙先生教授「新文藝批評」，瘂弦先生教授「現代詩」，金榮華先生教授「比較文學」，劉源俊先生教授「自然科學概論」等等，師資媲美臺大、師大，不遑多讓。

成立碩士班及博士班

民國六十二年（1973），劉兆祐先生為中文系副主任，系主任是徐可燡先生。徐先生原任政治大學西語系主任，退休後擔任東吳中文系主任，系務大致委由劉先生規畫。在劉先生悉心規畫下，於六十三年（1974）成立碩士班，六十六年（1977）接著成立博士班，成為東吳大學第一個設有博士班的研究所。

在當時，很多大學想辦研究所，教育部審查很嚴，尤其是博士班的申設，更是匪易。東吳中文研究所為什麼能在碩士班成立才三年就成立博士班呢？主要原因是劉先生經由屈萬里院士的關係，敦聘了許多最有名望的師資。

劉先生是屈院士的高足。劉先生在臺灣省立臺北師範就讀時，他的導師是費海瑾老師，費老師就是屈夫人，所以屈院士是師丈。劉先生就讀師大國文研究所時，碩士論文《晁公武及其郡齋讀書志》、博士論文《宋史藝文志史部佚籍考》，都是由屈萬里院士指導的。所以東吳成立中文研究所，劉先生除了懇請屈先生到東吳授課外，並禮聘臺靜農、戴君仁、鄭騫、張敬、昌彼得等先生，到東吳授課。

凡是公立學校退休的老師，全部聘為研究教授，東吳中文研究所的師資，陣容堅強，所以很快的成立了博士班。

當時能禮聘到那麼多優秀師資到大學部及研究所教學，都是靠劉先生對教師的禮遇。所有專任教師，年紀只要比劉先生長的，劉先生每年都一定親自送聘書到府上。至於兼任教師，劉先生亦親送聘書到府。年長的老師，他們的生日，劉先生一定為他們祝壽。劉先生常說，這些都是讀書人應做到的禮貌。

常態性學術研究討論會

目前東吳中文系每個月定期舉辦系上老師的常態性學術研究討論會，到 2010年 4 月已進行至第 156 次，這是劉兆祐先生擔任系主任時訂定的制度。由系上專任老師和博士班研究生一起輪流發表論文，開放全系師生聆聽討論。常態性學術研究討論會的設置，主要是為了提高學術研究水準、加強系上專任教師的研究風氣。這個學術研討會不僅可以讓系上老師發表論文，也能讓學生了解本系老師目前的研究方向為何。對大學部學生來說，可以藉此作為日後決定研究方向之參考；而碩、博士班的學生，多了一個討論的空間，經由聽取不同老師的學術意見，增廣見聞，拓展自己的視野。當初設立之辦法要點大致如下：

一本會以提倡本系（所）同仁及研究生學術研究風氣及交換研究心得為宗旨。

一以每月舉行一次為原則，得視情況增加。

一本會暫由系主任（所長）擔任主持人。

一每次討論會原則上由一位同仁擔任主講，亦得由兩位同仁聯合主講，但其講題應有連帶關係，內容須密切配合。並由主持人商請一位同仁或校外學者為特約討論員。

一主講人由本所（系）專任教師及博士研究生輪流擔任為原則，亦得約請兼任教師及校外學人主講。

一每次討論會之主講人及講題，經主持人洽定後，於兩週前交演講綱要並公佈講題。綱要內容文言白話不拘，應包括研究旨趣、章節、研究方法（前人研究資料）、

參考引據資料（附引用資料）、結論。

　　劉兆祐先生不僅要求系上教師注重研究，對自己的學術研究亦不因擔任行政而有所忽略。自民國六十三年（1974）起，他陸續在《國立中央圖書館館刊》、《書目季刊》、《東吳文史學報》、《幼獅學誌》等刊物，發表學術論文。獲國科會獎助，四十年來從未間斷。前臺灣大學外文系教授兼文學院院長朱炎先生擔任國科會副主任委員時，曾做過調查統計，以瞭解國內教授的研究情形，結果發現全國獲國科會獎助最多次、且從未間斷的是劉兆祐教授。朱先生對劉先生極為推崇。

　　劉兆祐先生除撰寫嚴謹的學術論文外，也應邀撰寫專欄文章，如《民眾日報》有〈學林雜帖〉專欄、《臺灣時報》有〈象牙塔外〉專欄、《中國時報》有〈市井觀察〉及〈書林談趣〉兩個專欄、《臺灣日報》有〈臺灣文化觀察站〉專欄、《中央日報》有〈藏書家與藏書章〉專欄。這些專欄文章，是將枯燥無趣地古文獻知識，以幽默的雋語，深入淺出地介紹中國的典籍文化，期望能對學術殿堂外的社會大眾，提升其重視人文書香，使我們社會達到富而好讀書，呼籲將客廳的酒櫃換成藏書櫃。

積極培養人才

　　劉兆祐先生對中文系的一大貢獻，是他積極培養本系研究生，無論是不是他親自指導的學生，他都能夠慧眼識英才，全力拔擢。像是他在擔任系主任時曾協助臺灣學生書局，主編《書目季刊》，特闢「新書提要」專欄，提供學界與出版界互通學術訊息的平台，其後將這份工作交付林慶彰先生；慶彰先生於博士班學分修畢，在撰寫論文期間，劉兆祐先生即聘為中文系專任講師。其後林慶彰先生經營《國文天地》月刊與萬卷樓圖書公司，乃將此專欄移交給學弟黃文吉先生，之後再由學弟陳仕華先生接續此工作。林慶彰、黃文吉、陳仕華三位先生都是東吳中研所的博士，《書目季刊》的「新書提要」專欄，多年來是掌握與瞭解海峽兩岸出版文史哲最新論著的重要刊物。

　　昔日國立中央圖書館編纂《中國近二十年文史哲論文分類索引》，也是由劉

兆祐先生向張錦郎先生推薦王國良先生擔任編輯。這種積極推薦學生參與學術活動、編纂書籍，不僅是讓學生有更多的學習機會，儘早進入相關的學術領域，同時也使學生對研究更有信心與心得，得到成就感，進而加倍努力，有所收穫。這些播下的種子，未來若能成就自身的學術成果，再去指導更多的學生，將專業領域的學問傳承下去，這正是劉兆祐先生的期望，事實證明，凡在劉兆祐先生耳提面命、殷殷指導下的學生，今日不僅能獨立治學，若是擔任學術行政，也多能有所建樹。

劉兆祐先生擔任系主任時，還有兩項培育人才的措施。一是研究生的論文，原則上都請資深教授指導，劉先生則盡量從旁協助。像王國良先生，他在政治大學中文研究所的碩士論文，是劉先生指導的，他的博士論文，起初也要求劉先生指導，但劉先生親自敦請臺靜農先生為王國良先生的指導教授。劉先生常常告訴同學：屈萬里先生、臺靜農先生、戴君仁先生、鄭騫先生、潘重規先生、張敬先生、昌彼得先生等，年高德劭，一代碩儒，由他們指導，獲益必多。像林慶彰先生的博士論文，起初也是劉先生敦請屈先生為指導教授，屈先生去世後，才由劉先生指導。另外一項措施，就是在博士研究生修完學分後，安排擔任大一國文的教學，這個制度也是在此時確立的。博士研究生將學分修畢，資格考通過後，基本上就只剩下發表單篇論文與撰寫博士畢業論文這兩大關卡，讓博士候選人在大學部擔任教學，既收教學相長的激勵，也可紓解校內大一國文師資不足的情形，更別有苦心的是讓東吳畢業的博士，擁有在大學教書的資歷，對其未來謀求教職具備更多的競爭優勢。

至於劉兆祐先生指導的東吳研究生博碩士論文，表列如下：

民國	姓名	論文名稱	學位	備註
71	陳鎮亞	《楊維楨研究》	碩士	
72	林慶彰	《明代考據學研究》	博士	與昌彼得教授共同指導
73	林清科	《宋代偽撰別籍考辨》	碩士	
74	陳仕華	《玉海藝文部研究》	碩士	
75	李丙鎬	《王國維之文獻學研究》	博士	
77	李光筠	《朱鶴齡詩經通義研究》	碩士	
78	張曉生	《姚際桓及其「尚書『禮記』學」》	碩士	
86	陳恆嵩	《「五經大全」纂修研究》	博士	
87	吳栢青	《張元濟及其輯印四部叢刊之研究》	碩士	
89	陳仕華	《姚振宗「隋書經籍志考證」研究》	博士	
91	張曉生	《郝敬及其四書學研究》	博士	

另外，如中文系助教張劍霞先生的講師升等論文《范成大研究》，丁原基先生的副教授升等論文《清代康雍乾三朝禁書原因之研究》及教授升等論文《許瀚之文獻學研究》等，也都經劉兆祐先生從旁指導。

用人唯才，唯才是用

劉兆祐先生不僅在禮聘師資方面，經常是「三顧茅廬」，邀請到教學生動，指導論文嚴謹的名師。他在助教的選擇上亦有一套公正公開的作法。他選助教的基本原則，就是應屆第一名畢業品學兼優的學生，如果第一名的人選另有生涯規畫，他才退而求其次，讓第二名遞補。所以歷來凡在他系主任任內當過助教或研究所助理的，如沈心慧、洪湘卿、張劍霞、陳雅蓉、王偉勇、陳仕華、蔡勝德等等，其後無論是升學或轉任校內其他行政單位，都有出色的表現。

曾擔任劉兆祐先生的助教，而在東吳大學校園的，像沈心慧，現為中文系副教授，文字學和古典小說研究是其專長；張劍霞，現為研究事務組組長及科技管理學程兼任講師；陳雅蓉，擔任過註冊組組長，現任招生組組長；王偉勇獲得東

吳中文博士後，是中文系副教授，擔任過學校的總務長、主任秘書，現在任教於成功大學中文系，擔任過成大中文系主任，目前任該校通識教育中心主任。

　　中文系助教在其他大學，也有突出的表現。如蔡勝德獲得東吳中文博士後，現任教於嘉義大學中文系；陳仕華獲得東吳中文博士後，現為淡江大學中文系副教授兼漢語文化暨文獻資源研究所所長，在在證明，當初劉兆祐先生慧眼視人，擇選助教不僅會讀書，經其指導與訓練，也有擔任行政工作的才能。

與學生互動良好

　　劉兆祐先生十分重視與學生的互動，由於他有過人的記憶力，凡是被他點過一次名的學生，他都能叫出姓名。當時中文系日間部四個年級，每個年級兩班；夜間部有五個年級，每個年級也是兩班，一班平均是 60 人，日夜間學生加起來超過一千名，還有研究生、選讀生，他幾乎能喊出每個學生的名字，學生對學系自然就有濃厚的向心力。他是非常支持系學生會所舉辦的各項活動，認為學生除了唸書之外，應該也要多去參與系上的事務。德、智、體、群、美，這五項應該並重。那時候連續幾屆系學會的會長，都和劉兆祐先生有深厚的師生情誼，像是張志炫、江櫻嬌、袁守方、林致平等人，都是當時擔任過系學會的會長，現在在社會上也都敬業樂群，有優異的表現。

　　系上師生互動良好，像個大家庭一樣，相處十分融洽。每年暑假甫始，他會和賴明德先生結伴帶領系上老師、助教及學生到野外健行，走過太平山翠峰湖、北橫、中橫、溪頭阿里山縱走、南橫、墾丁佳洛水等。他也鼓勵學生參加社團，像是「停雲詩社」便是在劉兆祐先生任系主任時成立的。停雲詩社屬於文藝性社團，主要是學習古典詩歌朗誦，定期邀請專家來教唱，以中文系學生參加居多。多年發展下來，已是東吳中文系的一大特色與榮耀。

結　語

　　劉兆祐先生曾說：「做自己喜歡做的事情，執著走下去最重要。」這是他的

的人生哲學，也是他做學問的態度。回顧他擔任東吳中文系主任、所長這八年的時間，東吳中文系在原有的基礎上向前邁進，開啟了一個新的紀元。這段時間，劉先生除了穩固中文系古典文學的傳統，也將現代文學這塊新的趨勢帶進東吳中文系，「雙溪現代文學獎」、《雙溪文穗》的創辦，都為中文系寫下輝煌的一頁。他個人在學術上的認真與全力栽培莘莘學子的努力，是大家有目共睹的，東吳中文系經過這八年的成長茁壯，也以更茁壯姿態活躍於中文學界。

劉兆祐先生於民國八十年（1991）離開東吳大學，前往台北市立師範學院語文教育學系專任教職，協助該系成立應用語文研究所碩士班及博士班。九十年（2001）屆齡退休，東吳大學校長劉源俊先生特禮聘先生擔任東吳大學端木愷講座教授，連續三年。九十三年（2004）先生復被文化大學延攬擔任中文系所主任至今。

民國九十六年（2007）4月27、28兩日，多年來受先生栽培的學生們假臺北市國父紀念館舉辦了一場古典文獻學的國際學術研討會。邀請先生專題演講〈百年來圖書文獻整理之回顧與展望〉，重溫昔日硯窗之樂，其門生亦於會中發表多篇論文，藉以慶賀先生春風化雨五十年，功在教育。

學生們為表達對老師的教誨之恩，特於4月28日晚上於臺北市玉喜餐廳舉辦「感恩謝師晚宴」，席開七桌，座上嘉賓除劉老師、師母伉儷，還包括了共事的知交，如金榮華、傅錫壬、張錦郎、賴明德、吳哲夫、鄭恆雄、古國順、施隆民、陳正治、何淑貞、葉鍵得等教授；東吳大學前校長、時任台北市立教育大學校長劉源俊教授、發展處處長陳立剛教授與文學院院長黃兆強教授皆出席晚宴。參加謝師晚宴的學生，有劉兆祐先生指導過的碩、博士研究生，主持東吳中文系務期間的助教，以及歷屆中文系學生會會長，師生們一起重溫在外雙溪畔的點點滴滴，與會來賓也熱情地分享他們和兆祐先生幾十載的共事情誼。劉源俊先生以「正本清源千萬冊，春風化雨五十年」撰聯祝賀，推崇劉兆祐先生對東吳中文系的貢獻，不僅是身處當時的學生可以感受得到，現在中文系的老師、學生，都站在當時建立的基礎上，追求更高的目標。

　　筆者簡述劉兆祐先生和東吳的關係，深信劉師春風化雨澤被東吳中文系，絕非區區數年而已，其影響必是源遠流長的。

附註：本文寫作感謝東吳大學中國文學研究所碩士班研究生于千喬同學協助整理
　　　資料

啟迪和教誨
——劉兆祐教授在臺北市立教育大學

馮永敏

臺北市立教育大學中國語文學系教授

　　劉師桃李芬芳，我未曾一日列門牆，但我與劉師卻結緣甚早，雖為路旁一株蒲公英，卻也曾受煦煦春風吹拂。首先，本校在臺北市立師範學院時代，我曾兼辦過「國學講座」工作，初識劉師，繼而有幸多次敦請劉師蒞校擔任講座，屢次伴隨聆聽。其次，在臺灣師範大學就讀國文研究所博士班時，劉師蒞所講演有關文獻學方面的研究，環視教室滿是碩博士生，雖屬淺嚐，本不足以深知劉師學術的精要，但由於材料充實，旁搜遠紹的精采內容，造成研究生間極大的迴響，頗受好評。在聽講中，劉師表述十分從容暢達，令人耳目一新之外，同時更讓人見識到劉師生動活潑、機智風趣的風采。此情此景，至今深印腦海，如影歷歷。

　　劉師於民國八十一年八月至臺北市立師範學院任教，民國九十年八月屆齡退休，前後共計十年。但我與劉師相識，說起來時間不算短，將近二十年的光陰。下面試就個人體會，感受較深者，簡單談談劉師在北市師院（現已改制為臺北市立教育大學）的為人風範。

指點提攜後進

劉師治學主要以古籍文獻為根基，得到學界高度評價。受聘本校之前，即是全國知名學者，但劉師為人溫煦，不以自己之所長自詡，不擺學者架子，常對根底甚淺的我輩晚生殷切開導。當時劉師知我準備撰寫學術論文，立刻主動介紹我去拜訪張錦郎教授，當面請益論文相關文獻。獎掖後生之熱忱，當時就已沁入肺腑；爾後我在教學及寫論文時，劉師常給予關懷，給予啟發。對晚輩來說，何其有幸能獲如此的教導與引領。

劉師經常關心詢問系上年輕晚輩有沒有提國科會論文申請，近來有沒有寫論文等。本系年輕教師正徬徨準備進修博士，劉師立即傾其所知，耐心分析，無私點化，舉手投足之間，那麼自然，那麼親切，對正準備在學術上摸索前行的年輕人來說，感動之深，真是難以言表。待年輕教師考取博士班，將至南部一所國立大學就讀時，劉師不僅殷殷切切關懷學習，更用心推薦指導教授，親切熱誠，厚道多義，令後輩永銘不忘。

此外，劉師名滿學林，有所造詣，有所成就，卻絕無旁若無人的傲慢。他經常對外宣揚本系諸多特色科目，如「兒童文學」、「國語文教材教法」等領域，並鼓勵年輕教師多研究，增益所學，更介紹本系兒童文學年輕教授到他校兼課，發揚其專精特長，令人深受感動。劉師在無形之中提攜後學的特質，是如此珍貴，卻也是最不容易學會的精神。

宏觀寬闊視野

劉師民國八十五年一月擔任語文教育學系第四任系主任。劉師重視專業能力的養成，於任內首先爭取系選修多一些學分。由於當時學生仍為公費生，必修教育學分甚多，改制為師院之後，選修學分數仍受侷限，經與校方溝通，獲得一定改善，也為學生奠定扎實專業基礎。

其次，規劃成立研究所。當時各校多僅以「中文研究所」為思考點。但是，劉師不畫地為限，局於一隅，深入了解他校各自發展方向後，認為分類過於瑣碎，知識過於專門，會降低與限制學術視野和求知胸懷，主張兼收並蓄語言文學等方向，為教師與學生拓寬視野。是以，突破創新，提出計畫時，接受系上各師長的建議，取徑較寬，以「應用語言文學研究所」為名。民國八十七年研究所成立，早於其他師範院校。劉師於民國八十七年八月接任應用語文研究所第一任所長。八十八年《應用語文學報》創刊號發行。民國八十九年臨退休前，仍用心規劃「語言文學之應用國際學術研討會」。研究所在既有穩固基礎上，發展茁壯。其後，經下屆所長努力，又向教育部提出成立博士班之申請，順利於民國九十三年八月招生，至今仍是各教育大學中語系中，唯一一所有成立博士班的學系。隨時代之前進，中國語文學系師生受其沾溉，因而邁越前修，領袖群倫。綜觀其間更新和開拓的歷程，實肇因於劉師視瞻高遠，指明方向，給中國語文學系帶來至深至遠的影響。

為提升學術風氣，劉師嚴謹求實，在規劃研究生專題演講方面，並不專主一類，而能闊擴諸方，匯通今古，篳路藍縷之功誠不可沒。而就所延聘的專家學者來看，涉及的領域極廣，內容豐富，均為一時之選，走在時代之先，給師生提供有益的啟示。如在原住民文學，有夏曼藍波安教授「雅美人的文學創作經驗」；在少數民族文學，撒可努先生「少數民族文學——與作家面對面」；在民俗方面，李豐楙教授「嚴肅與遊戲-臺灣的節慶與廟會」等。思想方面兼採古今，有董金裕教授「對宋明理學的評價」、黃錦鋐教授「莊子與佛學之關聯性」、莊萬壽教授「莊子與自然生態」等。國際漢學研究如林慶彰教授「日本漢學研究近況」、陳慶浩教授「域外漢文學」等。大陸學者如鄭百重先生「六法漫談」、范培松教授「世紀之交——中國散文大爆炸」等。觀劉師安排之用意，學術研究者實需走博學通貫之路，對為學來說，需要廣積，因涉獵甚廣，將有所融會。正是因劉師百川匯海的胸襟和壁立千仞的氣度所致，也為今後研究所的發展奠下寬厚的根基。

通達寬厚待人

劉師眼界和思想極開闊練達，不囿於封閉狹窄的圈子裡，且善於納新，見識通達，為師友所重。雖然在現實中，他也會遇到一些不盡如人意的事，也未因此流露出任何沮喪或苦悶情緒，總能從容不迫，平心靜氣以對，克服重重困難。

在校內，我見到劉師，總是衣著整齊，精神奕奕。與人相處，爽朗健談，寬和待人，廣結善緣。與教師、學生、職員等等，相處慈祥和煦，親切熱誠。有時，同事或師生聚餐時，往往一室酣暢，聊聊學者雅士的軼事逸聞，幽默風趣，和樂融融。

我一個晚生後學，雖未隨劉師問學，但有幸與他在校朝夕相處，深受劉師和易藹如的教誨與多方的啟迪，在做人為學上所獲的教益，恐超過劉師的群弟子。倉卒完成此文，只求沛然從肺腑中出，其中所述只是片斷，自然掛一漏萬，亦僅屬門外「記學」，難寫得詳盡周全。謹借此表達我對劉師的敬重之情。

淺述劉兆祐教授的目錄學研究

王國良

臺北大學古典文獻學研究所教授兼人文學院院長

一、引 言

　　劉兆祐教授，原省立臺北師範學校普師科畢業，任教三年後進入東吳大學中文系就讀。他把原先偏向現代文學創作的興趣逐漸轉向中國古典學術的研讀與探討。大學畢業，隨即考上臺灣師範大學國文研究所，從林景伊（尹）教授習文字學、高仲華（明）教授習文獻學，再跟屈翼鵬（萬里）教授習目錄版本之學，民國五十七年（1968 年）撰成碩士論文：《晁公武及其郡齋讀書志》。五十九年入同校國文研究所博士班，六十二年夏完成博士論文：《宋史藝文志史部佚籍考》。三十餘年來，劉教授持續不斷的在文獻目錄等領域進行專注的探討與著述，不下數百萬言，成果十分可觀。鄙人有幸忝門下受教，並研讀劉師著作多年，對於目錄文獻之學稍知途徑，用敢略就所見，聊述一二，以為先生七秩晉二壽慶獻禮。

二、宋元目錄學相關著述

㈠ 《晁公武及其《郡齋讀書志》》

　　趙宋一代，目錄之書繁夥，官修目錄而外，私家撰述尤多。唯傳世者以南宋初期晁公武撰《郡齋讀書志》最早，敘釋亦最精。

劉先生在屈翼鵬教授指導下，完成此篇碩士學位論文，民國五十八年六月，刊載於《師大國文研究所集刊》第十三號；同年同月，別由嘉新水泥公司文化基金會出版。本書分別探討晁公武之生平、《郡齋讀書志》的版本及體例、《讀書志》辨偽書及所著錄今世佚書，最後則以評判其優點與缺點做結。既注重考證晁氏之生平事蹟，肯定其在學術上應用的地位，尤其詳細評論《讀書志》的體例、內容，藉以闡明該書在目錄學上的價值和貢獻。

㈡ 《宋史藝文志史部佚籍考》

宋代國勢雖非鼎盛，而著述數量則遠遠超過前代。其中，史書部帙繁多，體例完備。然由於黨爭外患頻仍，私家野史雜傳等，每遭查禁燬板；書籍文獻，又多毀於兵燹。今以《宋史·藝文志》史部所著錄觀之，其中史籍泰半已佚，實在可惜。

先生在撰寫碩士論文期間，嘗檢閱晁氏《讀書志》所著錄而今亡佚之書，深感宋代史籍亡佚過甚，若不加以考索，則將長久晦而不彰，遂興起考徵宋代已佚史書之志。既入國文研究所博士班，繼續由屈翼鵬教授指導撰寫學位論文。經過三年勤奮鈎稽今存宋人文集、筆記、類書、小說、方志等文獻資料，並吸收近現代學者研究成果，終於在民國六十二年六月完成厚達二〇四五頁的博士論文《宋史藝文志史部佚籍考》。此部書稿，經過十年左右的補充修訂，民國七十三年四月由國立編譯館中華叢書編審委員會正式排印出版。

本書以著錄宋代典籍較完備之《宋史·藝文志》史部為範圍，取其已亡佚者詳予考證。其要點為：⑴辨識《宋史·藝文志》史部各書的存佚情形；⑵訂正《宋志》史部漏略卷數、撰人，以及誤題作者、書名，甚或複出，分類錯誤等缺失；⑶依據歷代公私藏書目錄，考定各書約略亡佚之時代；⑷探究佚書之撰著緣由及內容，俾略知原書的大概情形。

此書增修排印本，正文厚達九一三頁，計考訂已佚而無輯本者，一三八三種；已佚而有輯本者，四十六種。每條內文，大抵仿《四庫全書總目》各篇提要的體

例，廣引相關文獻，對該書之撰人生平及著作內容等，加以輯錄敘述。全書頗多精審意見，足資宋代史籍研究者檢閱參照，中國大陸吉林大學古籍研究所張固也教授《唐代佚著考證釋例》，譽其為「當代書目考證少見之巨著」（見北京大學出版社，《唐研究》第七卷，頁429，2001年12月），堪稱確評。

(三) 《宋代史籍考》（未出版）

清代乾隆、嘉慶間，章學誠曾纂輯《史籍考》三百二十五卷，書未完竣；嗣後，謝啟昆、潘錫恩、許瀚等，迭加增訂，可惜此稿本已毀於清文宗咸豐六年(1856)太平軍之亂。至於考錄斷代史書的著作，則有清章宗源《隋書經籍志考證（史部）》，謝國楨《晚明史籍考》、《清初三藩史籍考》，朱希祖《蕭梁舊史考》、《西夏史籍考》等。

劉先生既撰《宋史藝文志史部佚籍考》，有感於學界尚無考證宋代史籍的專書，遂決定擴大研究面，根據《宋史·藝文志》史部所著錄的宋人著述為基礎，補錄《宋志》所未收者，不論存佚，詳為輯考。由於宋代史籍部帙浩繁，只得分年逐類撰寫。自民國六十七年六月起，至八十七年十二月止，分別在《中央圖書館館刊》（《國家圖書館館刊》）、《國立編譯館館刊》、《漢學研究》發表了廿八篇論文，共考證《宋志》正史、編年、別史、史鈔、故事、職官、傳記、儀注、刑法、目錄、霸史十一類，一千六百三十部史著，以及《宋志》未收編年類、目錄類、譜牒類史籍九十三種。至於譜牒、地理兩類史籍之考述，亦已完稿，正等待刊登。相信先生在教學暨公務之暇，將再逐類增訂，然後彙整成一部總字數超過兩百萬言，足以傳諸久遠的鉅著——《宋代史籍考》，吾人且拭目而待。

(四) 《四庫著錄元人別集提要補正》

清紀昀等撰《四庫全書總目》，將中國歷代典籍分著錄、存目兩大類，共計一萬零二百八十九部，逐一為撰提要，號稱詳博。惟其考定作者、內容，每見訛誤疏漏。近代以來，胡玉縉、余嘉錫等人已多所補正糾謬。

先生以臺灣公藏元人詩文集大致完備，於是動念匡補四庫館臣所撰元人別集

提要之錯誤，積極取用公藏善本，與《四庫提要》所著錄《永樂大典》本、抄本、明以後刻本，以及殘闕本、節略本等，詳加比勘，補充訂正原提要的缺失。民國六十七年二月，由東吳大學中國學術著作獎助委員會出版。此書對於稽考元代典章制度、史事人物，與乎鑑賞研究元人文學作品，均大有助益。

三、善本書志、專科目錄等著述

書志乃讀書志的簡省，通稱為敘錄、解題、提要。這是中國目錄的重要體製之一，旨在揭示作者生平、書籍體例篇目、版本源流，兼及內容得失，方便指導讀者涉學之門徑，功用甚大。

國立中央圖書館（今國家圖書館）遷臺，運來線裝善本不下十餘萬冊。當時特藏組執事者，決定在整理館藏圖書時，能依循傳統解題體例，尤詳於敘述各書版本刊刻源流與遞藏情形，陸續撰寫善本書志，擇處刊登，俾便於讀者參考利用。

民國五十七年十月，劉先生服務於中央圖書館特藏組，在《中央圖書館館刊》新 2 卷 2 期發表第一篇《晞髮集》善本書志。其後陸續在該刊及《書目季刊》、《幼獅學誌》等學術刊物發表《書經講義會編》、《所南翁集》、《使琉球錄》、《唐餘紀傳》……等舊籍之善本書志，以及《明代史籍彙刊》、《明代史籍彙刊（二輯）》、《元人珍本文集》、《雜著秘笈叢刊》、《明清未刊稿彙編初輯》、《中國史學叢書三編第一輯》、《中國史學叢書三編第二輯》等叢書相關子目敘錄，不下百篇，為古籍整理研究累積不少成果，足以沾溉學林。

九〇年代，國立編譯館委請前臺灣師範大學國文系周何教授主持《十三經注疏》整理工作小組，擬定多項工作計畫。其中，十三經論著目錄、十三經著述考二種，係繼《十三經注疏》分段標點之後的兩項重要工程，由小組成員分別承擔。劉先生所負責者，計有：《周禮論著目錄》、《儀禮論著目錄》、《三禮總義論著目錄》，合訂為一冊，民國七十九年六月，由臺北洪葉文化公司出版。另外，《三禮總義著述考（一）》、《周禮著述考（一）》、《儀禮著述考（一）》三冊，

分別於民國九十二年七月、十月、十一月，由國立編譯館印行。這兩套書，分冊收錄先秦至民國八十二年（1993年）止，中外有關研究《周禮》、《儀禮》與三禮總義之論著暨歷代著述資料，體例詳悉，搜羅完備，實為儒學經典研究必備工具。

四、目錄學史及其他

清王鳴盛《十七史商榷》云：「目錄之學，學中第一緊要事。必從此問途，方能得其門而入。」可見『目錄學』實為研治任何學術之基礎學科，亦為從事研究工作不可或缺的基礎學識。吾人苟能持此鎖鑰，得門而入，必能事半功倍。

先生多年來任教於東吳大學、中國文化大學、政治大學、中興大學、臺北市立師範學院等校中文系所，講授「中國目錄學」課程，編有完整之講稿。為方便學子研習，並與相同領域學者進行切磋交流，遂予以增訂，於一九九八年七月由五南圖書公司印行。全書共分：第一章〈緒論〉，綜論目錄學的意義、功用與體制；第二章〈目錄之分類〉，除了討論傳統之分類法外，兼及近代中文圖書分類法；第三章〈歷代目錄舉要〉，包含：史志目錄、政書目錄、方志目錄、官修目錄、私家藏書目錄、專科目錄、特種目錄、域外漢籍目錄八單元；第四章〈目錄學之相關基礎學識〉，討論與目錄學關係密切之版本學、校讎學、辨偽學及索引等；第五章〈目錄學之實踐與目錄之運用〉，論述如何將目錄學知識，有效運用於治學過程及研究工作中，並提示使用圖書目錄時應行注意事項；第六章〈結綸──中國目錄學之展望〉，以加強目錄學教育、善用現代科技、加速目錄之編纂三要事作結。這是一部理論與實務兼顧，既具宏觀又重微觀的目錄學最佳教科書。

民國九十一年前後，《中國目錄學》初版售罄，先生又增補第三章〈歷代目錄舉要〉之專科目錄、特種目錄及域外漢籍目錄等相關新資料，並編製〈人名‧書名綜合索引〉。增訂本於二〇〇二年三月問世，洵為治文史學者必讀之要籍。

民國六十年，臺灣師範大學國文系程發軔教授主編《六十年來之國學》系列叢刊。第三冊史學之部，劉先生擔任其中〈六十年來漢書之研究〉一篇，彙整民

國初年至六十年間《漢書》研究專書暨單篇論文資料為專科目錄。民國六十七年，中央研究院院士屈翼鵬教授七十榮慶，劉先生以入室弟子身分，編成〈屈萬里先生七十著述表〉。民國七十二年七月，先生撰〈民國以來之四庫學〉，發表於《漢學研究通訊》二卷三期；同年十月，刊登〈兩千年來詩經研究之回顧〉一文於《幼獅學誌》十七卷四期。民國七十九年，〈宋代向高麗訪求佚書書目的分析討論〉專文，收錄於臺北聯合報基金會出版《第三屆中國域外漢籍國際學術會議論文集》。民國八十五年，撰成〈臺灣地區博碩士論文在整理古籍方面之成果並論古籍整理人才之培育〉，刊載於《書目季刊》三十卷二期。其他相關論述，諸如：〈臺灣所藏珍貴文史資料舉要〉（《幼獅月刊》四十一卷四期）、〈從文獻觀點看《文學選集》〉（《文訊月刊》二十三期）、〈挖掘文獻聚寶盆──我國編纂文學總集的回顧與展望〉（《國文天地》六卷二期）。這些專文都與古典目錄學或現代目錄學有直接間接的關係，皆值得有心人士細讀。

五、結　語

劉先生在大學時代就讀於中國文學系，開始了中國古典學術奠基工作；進入國文研究所碩士班、博士班，確定了目錄版本為主的治學方向。在往後四十年的學術道路上，孳孳矻矻黽勉從事者，亦以目錄版本學相關範疇為優先考量（有關著述，參閱本文附錄：〈劉兆祐教授目錄學著作簡目〉）。吾人從先生主要論著中，不止獲得學問上諸多新知卓見，尤其能體會出一位傑出的文獻學家堅毅專注的精神與特色，這才是最值得學習效法的一面。

附錄

劉教授兆祐目錄學著作簡目

一、專書

1. 《晁公武及其郡齋讀書志》，嘉新文化基金會，1969.6，189頁。

2. 《宋史藝文志史部佚籍考》（上）（中）（下），臺灣師範大學國文研究所博士論文，1973.6，2045頁。

3. 《四庫著錄元人別集提要補正》，中國學術著作獎助委員會，1978.2，284頁。

4. 《宋史藝文志史部佚籍考》，國立編譯館中華叢書委員會，1984.4，1198頁。

5. 《中國目錄學》，五南圖書公司，1998.7，444頁。

6. 《周禮論著目錄》·《儀禮論著目錄》·《三禮總義論著目錄》，洪葉文化公司，2000.6，121、105、133頁。

7. 《中國目錄學》（增訂本），五南圖書公司，2002.3，515頁。

8. 《三禮總義著述考（一）》，國立編譯館，2003.7，633頁。

9. 《周禮著述考（一）》，國立編譯館，2003.10，1037頁。

10. 《儀禮著述考（一）》，國立編譯館，2003.11，884頁。

二、論文

11. 〈晞髮集〉（善本書志）國立中央圖書館館刊，1968.10，2：2，頁77-80。

12. 〈明代史籍彙刊敘錄〉書目季刊，1969.12，4：2，頁61-73。

13. 〈養蒙先生文集敘錄〉國立中央圖書館館刊，1970.4，3：2，頁57-58。

14. 〈閒居叢稿敘錄〉國立中央圖書館館刊，1970.4，3：2，頁59-60。

15. 〈滋溪文稿敘錄〉國立中央圖書館館刊，1970.10，3：3，4，頁68-70。

16. 〈僑吳集敘錄〉國立中央圖書館館刊，1970.10，3：3，4，頁71。

17. 〈明代史籍彙刊第二輯敘錄〉書目季刊，1970.12，5：2，頁99-104。

18. 〈雜著秘笈叢刊敘錄〉書目季刊，1971.09，6：1，頁33-55。

19. 〈宋史藝文志·史部編年類佚籍考（一）〉中央圖書館館刊，1973.12，6：3，4，頁34-53。

20. 〈六十年來漢書之研究〉六十年來之國學（三），1974.05，頁47-78。

21. 〈評介《中文報紙文史哲論文索引》〉書目季刊，1974.06，8：1，頁77-78。

22. 〈宋史藝文志·史部編年類佚籍考（二）〉中央圖書館館刊，1974.6，7：1，頁115-134。

23. 〈宋史藝文志·史部編年類佚籍考（三）〉中央圖書館館刊，1974.12，7：2，頁183-186。

24.〈臺灣所藏珍貴文史資料舉要——為臺灣成為世界漢學中心作證〉幼獅月刊，1975.04，41：4，頁 22-27。

25.〈宋史藝文志匡謬舉隅〉東吳學報，1975.09，4：5，頁 7-32。

26.〈宋史藝文志·史部編年類佚籍考（四）〉中央圖書館館刊，1976.12，8：2，頁 63-74。

27.〈宋代正史類史籍考（上）——宋代史籍考之一〉國立中央圖書館館刊，1978.06，11：1，頁 1-18。

28.〈屈萬里先生七十著述年表〉屈萬里七十榮慶論文集，1978.09，頁 629-650。

29.〈宋代正史類史籍考（下）——宋代史籍考之一〉國立中央圖書館館刊，1978.12，11：2，頁 60-74。

30.〈宋代傳記類（聖賢、總錄、題名之屬）史籍考（上）——宋代史籍考之二〉國立中央圖書館館刊，1979.06，12：1，頁 67-85。

31.〈宋代傳記類（聖賢、總錄、題名之屬）史籍考（下）——宋代史籍考之二〉國立中央圖書館館刊，1979.12，12：2，頁 33-50。

32.〈宋代傳記類名人之屬史籍考〉國立編譯館館刊，1980.12，9：2，頁 23-56。

33.〈宋代傳記類年譜之屬史籍考——宋代史籍考之三〉國立中央圖書館館刊，1980.12，13：2，頁 78-96。

34.〈宋代傳記類雜錄之屬史籍考（上）——宋代史籍考之四〉國立中央圖書館館刊，1981.6，14：1，頁 44-55。

35.〈宋代傳記類雜錄之屬史籍考（下）——宋代史籍考之四〉國立中央圖書館館刊，1981.12，14：2，頁 65-78。

36.〈宋代故事類史籍考上編——宋代史籍考之五〉國立編譯館館刊，1982.12，11：2，頁 1-42。

37.〈民國以來之四庫學〉漢學研究通訊，1983.07，2：3，頁 146-151。

38.〈兩千年來詩經研究之回顧〉幼獅學誌，1983.10，17：4，頁 37-55。

39.〈宋代故事類史籍考中編——宋代史籍考之六〉國立中央圖書館館刊，1983.12，16：2，頁 38-65。

40.〈宋代職官類史籍考（上）——宋代史籍考之七〉漢學研究，1984.12，2：2，頁 599-621。

41.〈屈萬里先生著述年表〉屈萬里院士紀念論文集，1985.05，頁 217-243。

42.〈宋代職官類史籍考（下）——宋代史籍考之七〉漢學研究，1985.06，3：1，頁 235-254。

43.〈宋代史鈔類史籍考——宋代史籍考之八〉國立中央圖書館館刊，1985.06，18：1，頁 18-50。

44.〈《中國史學叢書三編第一輯》提要〉書目季刊，1986.03，19：4，頁 3-13。

45. 〈從文獻的觀點看《文學選集》〉文訊月刊 23，1986.04，頁 44-46。

46. 〈《中國史學叢書三編第二輯》提要〉書目季刊，1986.06，20：1，頁 17-30。

47. 〈宋代儀注類史籍考上編──宋代史籍考之九〉國立中央圖書館館刊，1986.12，19：2，頁 81-113。

48. 〈宋代儀注類史籍考中編〉國立中央圖書館館刊，1987.12，20：2，頁 85-111。

49. 〈宋代儀注類史籍考下編〉國立中央圖書館館刊，1988.06，21：1，頁 49-72。

50. 〈宋代霸史類史籍考〉國立中央圖書館館刊，1989.06，22：1，頁 87-118。

51. 〈宋代別史類史籍考上編〉國立中央圖書館館刊，1990.06，23：1，頁 105-130。

52. 〈挖掘文獻聚寶盆──我國編纂文學總集的回顧與展望〉國文天地，1990.07，6：2，頁 11-15。

53. 〈宋代向高麗訪求佚書書目的分析討論〉第三屆中國域外漢籍國際學術會議論文集，1990.11，頁 271-288。

54. 〈宋代別史類史籍考下編〉國立中央圖書館館刊，1990.12，23：2，頁 83-118。

55. 〈宋代編年類史籍考初編〉國立中央圖書館館刊，1991.06，24：1，頁 113-139。

56. 〈續考宋代編年類史籍二十一種〉國立中央圖書館館刊，1992.06，25：1，頁 73-98。

57. 〈宋代編年類史籍十八種彙考〉國立中央圖書館館刊，1993.04，26：1，頁 251-276。

58. 〈宋史藝文志未收宋代編年類史籍十九種考錄〉國立中央圖書館館刊，1993.12，26：2，頁 181-195。

59. 〈宋代目錄類（經籍之屬）史籍考初編〉國立中央圖書館館刊，1995.06，28：1，頁 79-109。

60. 〈宋史藝文志所未收宋代目錄類（經籍之屬）史籍二十八種考錄〉國立中央圖書館館刊，1995.12，28：2，頁 71-94。

61. 〈臺灣地區博碩士論文在整理古籍方面之成果並論古籍整理人才之培育〉（兩岸古籍整理學術研討會論文），書目季刊，1996.09，30：2，頁 35-43。

62. 〈宋代目錄類（金石之屬）史籍考〉國家圖書館館刊，1996.12，1，頁 97-127。

63. 〈宋代刑法類史籍考初編〉國家圖書館館刊，1997.12，2，頁 167-189。

64. 〈宋史藝文志所未收宋代譜牒類史籍四十六種考錄〉國家圖書館館刊，1998.12，3，頁 235-260。

劉兆祐先生的板本學

陳恆嵩

東吳大學中國文學系副教授

一、前 言

　　劉兆祐先生，臺灣省苗栗縣人。國立臺灣師範大學國文研究所博士班畢業，獲國家文學博士學位。曾經擔任國立中央圖書館（國家圖書館）簡任編纂，東吳大學中國文學系系主任、中文研究所所長，臺北市立師範學院教授兼語文教育系主任，現任中國文化大學中國文學系系主任兼所長。先生著有《晁公武及其郡齋讀書志》、《宋史藝文志史部佚籍考》、《四庫著錄元人別集提要補正》、《中國的古文字》、《水中撈月》、《中國目錄學》、《治學方法》、《文獻學》、《認識古籍版刻與藏書家》等書，主編有《明清未刊稿彙編》、《中國史學叢書續編》及《超群國語字典》、《超群國語詞典》等書。

　　劉先生於學生時代受教於臺灣大學的經學專家屈萬里先生，屈萬里先生不僅為國內的經學專家，同時也是國內極為知名的圖書文獻學專家，舉凡目錄學、板本學、金石學等各方面皆有極精深的造詣，對國內圖書文獻學的推廣與發展，有相當重大的影響與貢獻。劉先生承繼屈萬里先生的板本目錄學及文獻學方面的專長，多年來在大學中文系所講授文獻學及板本目錄學的課程，培養出相當多學有專精的文獻學者，對學術界的貢獻，也是大家有目共睹的。

板本學主要是以研究中國古代典籍的圖書板本為對象的專門學問。歷來難免予人艱澀呆板，枯燥乏味之感，而劉先生稟承屈先生推廣圖書文獻學的精神，撰寫《認識古籍版刻與藏書家》，將所學的板本學知識，以淺顯生動的方式講述出來，將艱深生澀的專門知識與術語，化為淺顯有趣的敘述文字，讓初學者易於閱讀。古籍板本學的基本知識，透過劉先的介紹，舉凡刊刻方法及過程，古籍版式的行款特色、古籍裝訂方式、古人題跋等，都變得簡單易懂，書中並穿插敘說古籍版刻的趣聞，與知名藏書家的軼事，內容深入淺出，具體而有系統，文字平淺易讀，趣味橫生。本文即嘗試《認識古籍版刻與藏書家》及其他善本書籍敘錄等文章，以闡述先生在板本學上的成績，及其對古籍板本學普及教育的貢獻與影響。

二、詳盡介紹古籍版刻知識，以廣流傳

至今猶記得三十年前剛入大學就讀，大一的課程有一門「古籍導讀」，授課教師就是時任中國文學系主任的劉先生，他採用屈萬里先生編著的《古籍導讀》作為教本，《古籍導讀》課本用淺近文言寫作，簡潔扼要。屈先生治學樸實嚴謹，從事學術研究講求證據，注重文獻資料的版本。劉先生授課時秉承師說也相當重視圖書版本在從事學術研究上的重要性。對於讀慣高中國文課本的初學學生而言，對版本學的相關知識及術語，可說相當艱澀枯燥茫然。學習起來相當辛苦，遂請教老師是否有相關的參考書籍可供參閱，老師就推薦屈萬里先生的《圖書板本學要略》作為個人自行進修閱讀的參考書籍。屈先生的《圖書板本學要略》一書係以文言文撰寫，文筆相當簡練，言簡意賅，是早期有關圖書板本學方面的經典著作。然從初學者的角度來說，由於本身相關基礎知識的不足，加上文言的書寫體裁，讀起來可說相當困難。但在三十年前國內普遍缺乏與課程相關參考書籍的年代，只能在懵懵懂懂且一知半解的情況下進行閱讀，事倍功半，學習情況相當吃力，而所收到效果卻相當緩慢。

劉老師有鑑於國內一般民眾對於古籍的一些相關知識，缺乏基本的瞭解，於

是在民國七十七年中國時報開闢〈書林談趣〉專欄，將有關古籍的基礎知識及趣
聞，用深入淺出的方式寫出，介紹給一般讀者。

　　劉先生認為古籍是古代先賢聖哲智慧的結晶，文字又是最能夠將聖賢智慧結
晶傳留給後世最主要的載體，因此有必要對古籍版刻的相關知識有所清楚，才能
對古人的環境與生活方式有所瞭解，也更能增進讀書的樂趣。

　　古書的內容，大都使用文言文或駢文等文體來書寫，由於時代的變遷，語言
的變化，造成古今使用的文體與語言的差異。現代人自從胡適等人提倡白話文及
新文化運動以來，日常生活習慣於使用語體文，對於古書所使用的文言體裁的文
字的不習慣，往往會覺得古書內容艱澀難懂，不容易親近，久而久之，自然產生
隔閡陌生感，進而去排斥它，愈發不願去翻閱古籍。劉先生對此種現象深有所感，
他在談論今人何以仍然需要去閱讀古書時就說：

> 「古籍」離開我們太遙遠，因此，閱讀古籍，必然是痛苦困難的。其實，
> 祇要你翻開古籍，一定會發現閱讀古籍其實是一件愉快的事。除了古典作
> 品裡高深的智慧與典雅的文句外，古籍古樸的文字、精緻的插圖、名家的
> 題跋，都是很引人入勝。

古籍書寫的年代，距離我們已相當遙遠，無論語言辭彙或內容，都與現今不大相
同。一般人閱讀書籍的普遍心理，大都是著眼於書籍內容的趣味性與可讀性，劉
先生認為古書不僅有高深的智慧與典雅的文句，書內的文字、插圖以及名人的題
跋，都是引起人們閱讀的樂趣。

　　劉先生首先從古書版刻的各種專門術語介紹起，如何謂「魚尾」？何謂「象
鼻」？什麼是「書耳」？對版刻的行款名詞，一一做詳細的解說，進而對紙張作
解說，他認為「就現有的出土文獻來看，商代的文字多數寫在龜甲或獸骨上；後
來則寫在竹簡或布帛上。寫在竹簡上的稱為『冊』，又寫為『策』；寫在布帛上
的稱為『卷』。自從漢代蔡倫發明紙張後，古書的抄寫和刊刻，就以紙張為主。」，

但是紙張的種類繁多，會因原料、產地的不同而有不同的名稱。劉先生接著對紙張的色澤及其分別作詳盡的說明，他說：

> 用竹子造成的紙，放置久了，多呈褐黃或茶黃色，質地脆薄易碎；而用白棉及楮樹、桑樹等樹皮造成的紙，色澤較白；至於青檀樹皮製造的紙，最為柔韌潔白，勻淨細膩，很能吸收水分。不過，不少古書的紙張，都白中帶黃，不一定就是竹子造的，也不完全是年代久遠，陳舊老化的緣故，而可能是為了防蟲蛀食的緣故。古人為了防蠹，通常會在紙漿中加上黃檗的溶液。黃檗，也叫黃柏，樹皮可入藥，具有降火、去溼、解毒清涼等功效。它由於含有鹼，所以可殺蟲。早在宋代趙希鵠所寫的《洞天清錄集》一書裡，就說紙張「染以黃檗，取其避蠹。」凡是含有黃檗的紙張，都是黃色。古人除了用黃檗防蠹外，有時也用辣椒粉。椒粉辛辣，可以驅蟲。早在漢代的時候，就已懂得把椒粉摻在泥土中圬牆，以驅蚊蟲。漢代把皇后的住處稱為「椒房」，一方面固然是希望皇后像辣椒多子，一方面是由於牆壁中摻有椒粉以驅蚊蟲的緣故，這種紙漿中含有椒粉的紙，叫做「椒紙」。

經過劉先生對紙張質地的詳細解說，我們就可以很清楚的瞭解到古代紙張色澤所呈現的變化，也可以知道它們的功用。

古書的裝訂形式，自簡帛書寫以來，幾經改進，從最早的卷軸方式，逐漸演變為唐代以前的旋風裝、龍鱗裝，宋代以後改為蝴蝶裝，蝴蝶裝的裝訂方式是版心向內，不用絲線裝訂，而是將書葉黏貼在厚紙做成的書背上，每一葉都是薄薄一張，翻書時像蝶翼般的輕薄，故名蝴蝶裝。劉先生說明蝴蝶裝裝訂方式的好處，認為一則版心向內，有書背保護，書較不容易受污損。二則邊欄部位變成書口，邊欄外有寬廣的空白，不易損傷到書中文字。元代以後又改為包背裝及線裝。兩者都是書口向外，線裝裝訂時穿孔訂線，包背裝則不鑿孔穿線，只捻棉紙來固定首葉，其餘都用黏貼。古書又都會在書葉裡夾上白紙，稱為襯紙。古書中所添加

的襯紙究竟有什麼作用？劉先生認為：

> 襯紙的作用很多：一方面可以免得前半葉的字透到後半葉；二方面紙張加厚，易於翻閱；而最重要的是，襯紙可以上下加長，翻書時不會觸到書葉，書葉不會沾上污漬，有保護書本的功用。這種襯紙，有很多好聽的名稱：因為它是活動的，可以隨時抽換更新，所以也叫做「活襯」；因為它是套在書葉裡，所以也叫做「袍套襯」；一般古書的紙，略顯黃色，而襯紙較新、較白，把潔白如玉的襯紙，夾在發黃的古書裡，所以也叫做「金鑲玉」。

經過劉先生的詳細解說，使人可以很清楚的瞭解到古書加裝襯紙的功用，以及古人為保護鍾愛的古籍所費的苦心及其智慧。

此外，吾人若翻閱古籍敘錄、善本書志及善本書目，經常會出現許多專門術語，諸如：「版心」、「界格」、「魚尾」、「包角」、「書衣」、「書籤」、刊本、經廠本、坊刻本、抄本等各種版本學專門術語，困擾學者，劉先生都詳細區分類別，依序簡單扼要解說，使人清楚明白各名詞的意義指向，從此不再為名稱所困惑。

三、研治學術需具備板本學知識，以免疑誤

版本學研就的範圍，主要雖然是研究各種傳本的行款（包括書本的長寬、行數、每行的字數、邊欄、版心、字體及圖書的用紙、裝訂、藏書章等）、各種傳本的流傳經過、各種傳本之間的異同、板辨版本的真偽等項目。但對學術的研究工作，仍具有相當關鍵的影響，屈萬里先生撰寫〈讀古書為什麼要講究版本〉文章中說明古書要講究版本的理由有三點：一是欲辨圖書真偽不能不講究版本，二是欲知圖書有無殘闕不能不講究版本，三是欲免受錯字之欺騙不能不講究版本，又說：

> 善本圖書之可貴，約有數端：其一，孤本獨傳，為世人所罕見。其二，他

本多經刪節，而此本獨全。其三，他本訛字孔多，而此本獨無誤處。夫從事研究工作，所憑藉之資料愈富，則所得之成果必愈豐。此理易明，固不待言。而一二字之誤，往往影響甚巨，此亦治學者所共知。

歷代圖書因經過多次的傳抄或刊刻，雖然同為一書，由於版本的差異，導致兩書有所不同，其原因或許文字有差異，或許篇章卷數多寡有不同，或許內容有所刪節增減，或許書籍名稱遭到改異，各種情況均將影響學者研究的成果，屈先生之言清楚指出版本學對研究重要之處。

　　劉老師受屈先生影響及個人數十年從事學術研究心得，為文著書時特別注重古書版本的考究。例如屈萬里先生曾將國家圖書館所藏清代的王紹蘭所撰寫的《蕭山王氏所著書》、余邦昭的《爨庵遺書》、祁寯藻的《壽陽祁氏遺稿》、張澍的《張介侯所著書》、方濬頤的《方忍齋所著書》、蔣超伯的《通齋先生未刻手稿》、李祖望《江都李氏所著書》、汪鋆的《硯山叢稿》、陳作霖的《冶麓山房叢書》、王寶庸的《竹里全稿》等十家著者的手稿本彙編為《明清未刊稿彙編》出版行世，書前敘錄即由劉老師撰寫，劉先生在敘錄中說：

　　稿本之可貴，其一在於不論刊本或鈔本，無不以稿本為底本，刊本或鈔本每有刪削或誤字，可藉稿本補足或訂正。其二稿本之未刊者，不獨為孤本秘笈，且富於學者所尚未發見之珍貴資料。

稿本的文字保留原貌，未曾遭到書估與刊刻者的刪削或誤字，最能完整呈現出作者的思想面貌，其可貴之處經過劉老師說明，讓人清楚的了解它的價值與功用。

　　劉老師曾協助屈先生編輯過《明代史籍彙刊》第一、二輯、《中國史學叢書三編》第一二輯、《雜著秘笈叢刊》及《明清未刊稿彙編》等大套叢書，書前敘錄均由劉老師負責撰寫。古書的敘錄，又被稱為「解題」，或是「提要」，為板本目錄學重要的體制之一，其功用主要是說明圖書的內容主旨、價值，考訂書籍

作者的生平事迹、學術源流及一書的板本、校勘內容等。劉老師在每篇敘錄的文章中，均詳細介紹所收各書的作者經歷，內容要旨及版本流傳經過，以及文字的優劣之處，對使用該套叢書的讀者清晰交代板本來源及價值，對讀者的幫助極大。

四、藉介紹藏書家的趣事軼聞，以鼓勵讀書風氣

我國古代由於書寫工具不發達，圖書的獲得相當不容易，再者由於帝王專制，圖書大都集中在官府，民間的藏書十分有限。民間藏書家從唐代開始較多，但由於印刷術尚不盛行，圖書獲得仍極為稀少，一般圖書都靠抄寫流傳。要到五代宋朝以後，私人藏書才大量多起來。古代讀書人極為重視藏書，視「為士人生平第一要事」（高濂），又認為「欲致力於學者，必先讀書；欲讀書者，必先藏書。藏書者，通讀之資，而學問之本也。」（張金吾）因此，愛書的讀書人和藏書家，一生傾財求書，捨命護書，進而拼命抄書與讀書，產生我國歷史上許多相當感人的藏書故事，至今讀來仍令人感奮。劉先生對藏書家傾其一生聚書護書的行為，認為是在對古代社會文化的保存作貢獻，他說：

> 藏書家對社會文化有正面的意義，其主要貢獻有二：一是私人藏書可補官府藏書的不足。官府藏書由於有其特定藏書標準，所以有些圖書不得入藏，而私人藏書則隨藏書家的喜好，所藏是多樣化。……其次是，在少有公共圖書館的古代，私人藏書樓或多或少提供了當地人讀書的機會。在古代，除了少數的書院或佛寺，將其藏書提供眾人閱讀，可算是一種公共的圖書館外，一般的公共圖書館並不常見。部分胸襟開闊的藏書家，會把藏書借人傳抄，或定時開放，發揮了類似公共圖書館的功能。此外，藏書家勤於勘正古籍的錯誤，或勤於蒐訪已失傳的，或把家藏的秘笈刊刻流傳，使孤本秘得以化成萬千數種，造福學林，這些都是藏書家對社會文化的貢獻。

劉先生用簡淺明白的話，說明古代的藏書家在坐擁書城之餘，其實也對社會的文

化保存做出其貢獻，並且將藏書分享他人，兼具私人圖書館的功能。

劉先生在書中介紹從明代的范欽、錢謙益至民國初年張元濟、王獻唐等二十四位藏書家藏書愛書的故事。各篇內容都是介紹歷代藏書家的生平簡歷，藏書的情形、藏書章及有關的遺聞軼事。

歷代藏書家雖然多方蒐求，傾囊而購，甚至不惜典衣購書，至藏書古籍數萬卷，然大多將所藏珍秘典籍私藏，不願供諸同好，無法達成造福社會的功能。在歷代為數眾多的藏書家中，劉先生特別贊許清代的張金吾絕不藏私的胸襟。張金吾為江蘇常熟人，常熟歷來文風鼎盛，張金吾家中世代藏書，張氏早年喪父，由叔父張海鵬撫養長大，張海鵬藏書豐富，且立志刻書傳世，並時常告誡朋友說：「藏書不如讀書，讀書不如刻書。讀書祇以刻書，刻書可以澤人。上以壽作者之精神，下以惠後來之沾溉。」先後運用家中豐富的藏書，刊刻了《學津討源》、《借月山房彙鈔》及《墨海金壺》等大型叢書，豐富藝苑。張金吾從小在張海鵬這種精神的潛移默化下，平日亦勤於蒐羅四部典籍，分別庋藏在「詒經堂」、「詩史閣」、「求舊書莊」及「愛日精廬」等四個藏書室。他特別鍾愛「愛日精廬」這個藏書室，編纂的藏書志以它命名，原因為何？劉先生為我們解說理由，「愛日」一詞出自西漢大文豪揚雄的《法言》，書中的〈孝至篇〉有說：「事父母自知不足者，其舜乎！不可得而久者，事親之謂也。孝子愛日。」可知張氏鑒於自己沒有機會奉養雙親的遺憾，因而將書齋命名為「愛日精廬」以抒發對父親的懷念之情。透過先生的說明，不但讓我們得以瞭解書室命名的緣由及其孝思，也更增添對張氏人格的敬仰之情。

在文章之中，劉先生更強調張金吾平日不但將家裡藏書拿出來刻印行世，以廣流傳，更樂於將書借人，公諸同好，也時常與友人互通有無，以達到充分運用圖書淑世的社會功效。

劉老師所以在書中選擇這二十四位藏書家，除著重介紹藏書個人愛書的故事外，也儘量敘述其特殊而對現今社會具有啟示作用的事迹故事。劉老師就說他寫

作這些文章的目的，主要有兩個，「一方面想從文化的角度探討社會現象，一方面則希望大家能從培養讀書風氣開始，以豐富精神生活，改善社會風氣，提升文化水準。」

五、考辨古籍，以辨明典籍的偽託

研究國學者除需熟諳基本經典要籍，也要對文獻資料的真偽有所辨別，以免辛苦鑽研的學術成果，因為誤用偽書資料而使效果受到損害。近人梁啟超在《中國近三百年學術史》指出：「無論做那門學問，總須以別偽求真為基本工作。因為所憑藉的資料若屬虛偽，則研究出來的結果當然也隨而虛偽，研究的工作便算白費了。中國舊學，十有九是書本上學問，而中國偽書又極多，所以辨偽書為整理舊學裡頭很重要的一件事。」張之洞在《輶軒語》中也說：「一分真偽，而古書去其半。」可見中國古書偽書資料相當多，如何辨別文獻的真偽，實為學者極為重要的事項。

劉老師曾經任職國立中央圖書館，在館期間終日接觸古代典籍，所見古籍版刻甚多，版本知識愈豐，遂利用相關版本知識以考辨明代古籍的偽託。劉老師曾寫過一篇〈明刊本陸汴編《廣十二家唐詩》考辨〉（《東吳文史學報》第一期，民國 65 年 3 月）文章，論辨國家圖書館所典藏的明陸汴編《廣十二家唐詩》一書係明人刻書作偽的典型例子。文中敘述劉老師發現館中善本書室有明代蔣孝編刊的《中唐詩》八十一卷，為明嘉靖二十九年毗陵蔣氏原刊本，另外又有同為明人陸汴所編的《廣十二家唐詩》八十一卷，然不著編刊年月。兩本書除編者、書名不同外，而在書籍的內容及板刻方面，可說完全相同。劉先生想起屈萬里先生曾為文提及宋版書作偽的風氣開始於明代，明代書估作偽的方法，有的抽換序跋，有的剜補牌記，有的則是在板心的地方補印刻書年代，有的割裂書本，有的偽造有名學者的題跋及印記，有的則以殘本節本冒充完本，作偽的方法可說千奇百怪，防不勝防。因此就採取屈先生所提及的作偽的方法去作考辨，劉先生從「從陸刻自敘見

其偽造，從陸序以十二家分隸四唐辨其偽造，從陸本書版之叢脞知其非為新刻，從蔣、陸二編刊刻之異同證二本為一版」等四個方面，針對兩本書作詳細考查，從而發現蔣孝《中唐詩》刊印於嘉靖年間，陸汴《廣十二家唐詩》刊刻於萬曆以後。陸刻的板式與所收的唐人十二家詩，全部與蔣孝刻本相同，僅有印書紙張較蔣本大，卷首抽掉蔣序，而改以陸汴的〈刻廣十二家唐詩序〉代替，又將書名改題以欺騙世人。

劉老師又曾撰寫《書經講義會編》善本書志時說：

> 《適園叢書》本《千頃堂書目》（卷一）著錄「申時行《書經講義會編》十二卷」，下注「萬曆丁丑序」。按丁丑為萬曆五年，此本序作於萬曆丁酉（二十五年），兩序相去二十年，然今所見諸本，未有丁丑年序者，丑字當係酉字之誤，然則此本當係此書最早之刊本。

申時行在明神宗年輕時，曾擔任神宗皇帝的經筵講官，《書經講義會編》即是他為明神宗皇帝講授《書經》時留存下來的講義資料。書前所寫的序跋是證明寫作年代的最佳證據。劉老師根據國家圖書館所藏的申時行《書經講義會編》序跋，考辨訂正《適園叢書》本《千頃堂書目》本著錄刊刻記載的錯誤。

國家圖書館又收藏兩部明崇禎年間刊印的《心史》，一部二卷，一部七卷。《心史》一書，舊題為南宋鄭思肖所撰。鄭思肖初名某，宋朝被蒙元滅亡以後，改名思肖，億翁，號所南。思肖，就是「思趙」的意思。億翁及所南，也都蘊涵有北面臣服異族的意思。鄭思肖隱居吳郡，坐必向南，不與北人來往；若聽到北方語言，必定掩耳疾走。擅長繪畫，畫蘭不畫土根，人詢問他原因，就回答說：「為番人有，猶不知耶？」可見鄭氏個性相當貞潔狷介。鄭氏至今僅存《所南翁集》、《錦錢集》及一些題畫詩而已，其餘大都亡佚。《心史》至明代才出現，由於發現時間關係，其書的真實性，自清代以來迭遭王敬所、閻若璩、萬斯同、全祖望、《續文獻通考》等懷疑，然迄未提出有力證據以證明為偽造。劉先生利

用前人資料及館藏舊鈔本《所南翁集》、《錦錢集》及題畫詩等文獻進行考辨。鄭氏自述生卒年不符、所載元世祖建年號年代與史實不合從及從文辭上的比較等諸疑點上，論證《心史》當係明人所偽造。並從《心史》的發現地點及時間，懷疑偽撰者，當係與承天寺頗有關係之人。劉先生充分利用板本學的知識去進行古籍考辨，也能獲得非常實際的效果。

六、結　語

手上捧著《認識古籍版刻與藏書家》及《文獻學》等書，詳細閱讀其中有關版本學知識的介紹章節，總不免會回想起三十年前在東吳大學中國文學系受教育的情形，劉老師在課堂上總是殷殷叮嚀，從事學術研究工作要講求版本，以免為偽本資料所欺騙。時光飛逝，如今已然身列教職，也教導學生如何從事學術資料的蒐集與論文的寫作，更深刻體會到版本學是學術研究者必須具備的基礎知識。自己在從事學術研究，都遵循劉老師當年在課堂上的教導，先注意文獻版本的講求。劉老師的版本學相關知識，總以清楚明白、簡明實用為目標，閱讀起來淺顯易懂，對有心從事學術研究者，是最值得作為學習的引導典籍。

劉兆祐先生與圖書辨偽

林慶彰

中央研究院中國文哲研究所研究員

一、前　言

　　民國六十年九月，我是東吳大學中國文學系三年級的學生，系裡把訓詁學的課程排在三年級，由劉兆祐老師來擔任。當時劉老師在臺灣師範大學國文研究所博士班就讀，又在國立中央圖書館特藏組工作，可說是相當出色的青年學者。我和同學張雙英、蕭鴻光，有時會到劉老師位於士林前街的家拜訪，偶而也會到中央圖書館拜訪老師，順便體驗十多萬本古籍善本的滋味。劉老師專研圖書文獻學，對古書目錄、版本、校勘、輯佚、辨偽都有很深的研究。碩士班二年級時，劉老師擔任校讎學的課程，除循序教導校勘學的知識外，有時也會強調辨偽在治學上的重要性。我的碩士論文是考辨明代中晚期豐坊和姚士粦的偽書，升教授的論文是《清初的群經辨偽學》❶，經過兩次大的磨練，對辨偽工作也有一些了解。民國九十六年暑假，同學們開會商討要為劉老師編祝壽論文集時，我就認了這個題目。

---

❶　本書於民國 79 年 3 月，由臺北文津出版社出版。

二、辨偽理論的繼承和深化

劉老師的辨偽著作可分成兩方面來討論，一是辨偽的專門論文，有：

1.明刊本陸汴編《廣十二家唐詩》考辨

　　東吳文史學報　第 1 期　頁 82-101　民國 65 年 3 月

2.心史作者考辨

　　東吳文史學報　第 4 期　頁 15-27　民國 71 年 4 月

這一部分考辨陸汴編《廣十二家唐詩》、《心史》二書，是辨偽理論的實際應用。
另一是專著中部分章節論及辨偽者，如：

1.辨別偽書

　　治學方法　第三章　研讀古籍的方法　第四節　頁 65-72　臺北市　三民
　　書局　民國 88 年 9 月

2.辨偽學

　　同上　第六章　治國學所需具備的基礎學識　第二節　頁 246-256　同上
此一部分著重在辨偽理論的論述。是對前人辨偽理論的深化研究。

就辨偽書的活動來說，是先有偽書才逐漸發展出辨偽書的方法。從辨偽書的
歷史發展來看，辨偽的活動很早就已開始，但要到明代的胡應麟才提出比較有系
統的辨偽方法。他的《四部正譌》說：

> 凡覈偽書之道：覈之《七略》，以觀其源；覈之群志，以觀其緒；覈之並
> 世之言，以觀其稱；覈之異世之言，以觀其述；覈之文，以觀其體；覈之
> 事，以觀其時；覈之撰者，以觀其託；覈之傳者，以觀其人。覈茲八者，
> 而古今贗籍亡隱情矣。❷

---

❷　胡應麟：《四部正譌》（臺北市：世界書局，民國 69 年　月），卷 1。

胡氏這八點辨偽方法，可說相當周到，歷來常為學者所引用。但並未舉出應用的實例，初學者很難完全理解這八種方法的內涵。劉老師在《治學方法》一書第六章第二節〈辨偽學〉中討論辨偽方法時，將胡應麟所舉的八點方法，加上實例，對深化了解胡氏理論有相當幫助。茲將劉老師的說明逐點錄出，並略加申述。第一點「覈之《七略》，以觀其源」，對初學者來說，《七略》是什麼書，為何可以觀其源？劉老師的說明是：

> 《七略》一書，是漢代劉歆所撰，班固的《漢書》〈藝文志〉，主要就是根據《七略》刪編而成。所以凡是漢代以前的著作，如果《七略》沒有著錄，或其書名、篇卷等與《七略》有出入，則就要注意是否為偽書。《七略》今已亡佚，可以用《漢書》〈藝文志〉來代替《七略》這方面的功能。（《治學方法》，頁247）

簡短的說明，已把《七略》的重要性，和《漢書》〈藝文志〉的關係，說的很清楚，且找不到《七略》的人，也知道要找《漢書》〈藝文志〉來核對。第二點「覈之群志，以觀其緒」，群志是什麼？為何可以觀其緒？也有待解釋。劉老師的說明是：

> 「群志」就是史書的藝文經籍志，至於政書中的藝文志，如《通志》〈藝文略〉、《文獻通考》〈經籍考〉，及公私藏書目錄，如《崇文總目》、《郡齋讀書志》、《直齋書錄解題》等，也可說是「志」的一種。例如《關尹子》（一卷），舊題周關令尹喜撰。此書《漢書》〈藝文志〉著錄，但是《隋書》〈經籍志〉、《舊唐書》〈經籍志〉、《新唐書》〈藝文志〉，都沒有著錄，到了《宋史》〈藝文志〉又突然出現，可以據此流傳的情形，懷疑宋代以後所流傳者是偽書。（同上，頁247-248）

一般把正史的經籍、藝文志稱為史志，胡應麟所說的「群志」，應包括劉老師所

說的政書中藝文志和公私藏書目錄，才有「群」的含意，不然稱呼史志即可，何必稱為群志。群志的含意之外，劉老師又舉《關尹子》一書為例，說明在史志中流傳的情形，以作為判斷是否為偽書的根據，這就是觀其緒。第三點「覈之並世之言，以觀其稱」。所謂「並世之言」，是指同時代人的說法；「觀其稱」，是指同時代人怎麼談論這本書。劉老師的說明是：

> 一部書的人名、地名、官制、器物等，和同一時代著作裡的人名、地名、官制、器物等，如不相符合，則其書必是偽作。或書完成後，當時人都沒有人看過或談論它，甚至當時人已認為有問題，則其書也值得懷疑。如《通鑑節要》（六十卷）一書，題宋司馬光撰，但是宋代的晁公武《郡齋讀書志》及朱熹《朱子語錄》，都已認為不是溫公所節，則其為偽書，應可確定。
> （同上，頁248）

劉老師舉《通鑑節要》為例，來闡釋胡應麟的話。《通鑑節要》題宋司馬光撰，但晁公武《郡齋讀書志》和朱熹《朱子語錄》，都不認為司馬光所作。司馬光的時代稍早於晁公武和朱熹，但都是宋人，他們兩人的話，就是並世之言，看看他們怎麼說，就是「觀其稱」。第四點「覈之異世之言，以觀其述」，劉老師的說明是：

> 一部書所用的文字、詞彙、人名、地名等，如果是後代才應有的，則這一部書應是後代偽造的。如《文中子》（十卷）一書，舊題隋王通撰，書中談到隋文帝曾在太極殿召見他。但是根據《唐會要》的記載，太極殿本稱太興殿，直到唐高祖武德元年（618）五月才改稱太極殿，可見此書是偽造的。
> （同上）

劉老師舉《文中子》一書為例，該書題隋王通撰，書中談到隋文帝曾在太極殿召見他。但是根據《唐會要》的記載，太極殿本稱太興殿，要到唐高祖武德元年（618）

五月才改稱為太極殿。《文中子》題隋王通撰，《唐會要》對它來說，就是一種「異世之言」。第五點「覈之文，以觀其體」，劉老師的說明是：

> 每個時代的文體都有其特色，這是用文體來辨證偽書的方法。如《六韜》
> （六卷），舊題周呂望撰，《四庫全書總目提要》認為它「詞意淺近，不類
> 古書」，又認為書中「避正殿」、「將軍」等名稱，都是春秋戰國以後才
> 有的，所以定其為偽作。這是一方面用文體，一方面又用異世之言來辨偽
> 的方法。（同上）

因為每個時代都有其獨特的文體，劉老師以舊題太公呂望撰的《六韜》為例，《四庫全書總目》認為該書「辭意淺近，不類古書」，這就是利用文體特色來辨偽的好例子。第六點「覈之事，以觀其時」，就是考核書中所記載的事情，就可能知道該書大約的時代。劉老師的說明是：

> 一部書說是某時代作的，但是書中卻談到後代的事，則其書必是偽造。如
> 《慎子》（一卷）一書，舊題周代趙國慎到撰，可是書中稱孟子為「孟子輿」。
> 孟子本無字，三國的王肅才稱孟子「子居」，晉代傅玄則說孟子「子輿」，
> 今本《慎子》預知後代的事，可見非周慎到原書。（同上，頁248-249）

劉老師舉舊題周代趙國慎到所撰的《慎子》一書為例，以為書中稱孟子為「孟子輿」，孟子本無字，三國的王肅才稱孟子為「子居」或「子車」，晉傅玄則說孟子字「子輿」，今本《慎子》用後代的事，可知是偽造的。第七點「覈之撰者，以觀其託」，劉老師的說明是：

> 這是用作者的思想、生平事蹟等來考辨真偽的方法。一部書說是某人作的，
> 但是書中所論的思想及生平事蹟，卻與作者的思想、生平事蹟不符，則其
> 書有偽造之嫌。如《列子》（八卷）一書，舊題周列禦寇撰，梁啟超以其書

中所說全屬晉代清談家頹廢思想，與周、秦諸子無論何派，皆帶積極精神者不符，而定其為依託。（同上，頁 249）

劉老師認為用作者的事蹟和思想，也可以考辨書籍的真偽，例如舊題周列禦寇撰的《列子》，梁啟超以為書中全是晉代清談思想，與周秦諸子思想不合，認為是後人偽託。第八點「覈之傳者，以觀其人」，劉老師的說明是：

> 每一部書，都有它傳授、流傳的經過，如一部書其來源不明，只說出於山巖、石壁或古井、屋壁，則有偽造之嫌。如《石經大學》二卷及《魯詩世學》（三十六卷）二書，明代豐坊時始出現，豐坊說是傳自遠祖，實際上就是豐坊自己偽造的。豐氏喜好偽造古書，《子貢詩傳》、《申培詩說》等，也都是他所偽造的。（同上）

劉老師強調一部書都有他的傳授、流傳的經過，如果這些經過都不清楚，很可能是偽造。他舉豐坊的《石經大學》和《魯詩世學》為例，說明到明代豐坊始出現，且假託傳自宋代的遠祖豐稷，其實是他自己偽造的。

三、明刊本陸汸編《廣十二家唐詩》考辨

偽書的作者往往有某些企圖心和目的，像魏晉時代出現的《古文尚書孔傳》，目的是在助古文學一臂之力，晚明時代把新編的《千家詩》題名謝枋得編，主要是強化民族氣節。這可說是學術或政治的目的。另一種是書估作偽，剜改序跋、牌記，來冒充宋元版，這可說是商業的目的。書商作偽歷代都有，其中以明代的情況最嚴重。屈翼鵬師曾作〈晚明書業的惡風〉❸一文，詳述書商作偽的種種情狀。

---

❸ 見《國立臺灣大學三十週年校慶特刊》（民國 65 年 3 月），頁 26-29。收入劉兆祐、林慶彰編《屈萬里先生文存》（臺北市：聯經出版事業公司，民國 74 年 2 月），第 2 冊，頁 995-1002。

國立中央圖書館（已改名「國家圖書館」）所藏明刊本最多，其中不乏書商作偽者。像明蔣孝編刊《中唐詩》八十一卷，是明嘉靖二十九年（1550）毘陵蔣氏原刊本（以下簡稱蔣刻）；又藏有明陸汴編刊《廣十二家唐詩》，也是八十一卷，但沒有刊刻年月，今稱之為明刊本（以下簡稱陸刻）。二書的編者、書名不同，內容、版刻並無二致。陸刻應是書商竄改蔣刻而成。劉老師所以作〈明刊本陸汴編《廣十二家唐詩》考辨〉一文，他在文末的〈後記〉中說：「唐詩選本傳世者頗多，吾人得據以品第唐詩。然選本每多重複雜亂，亟須整理考訂，始便取資，此筆者所以草述唐詩選本之研究者也。去歲八月，業師屈翼鵬先生命兆祐檢核蔣、陸二刻之異同，遂發現陸刻乃係偽造，命兆祐試撰一文辨之。此本文所以作也。」可知，劉老師撰作此文，一方面因為唐詩選本「多重複雜亂，亟須重新考訂」才方便學界利用。另一方面，是屈翼鵬師交代他要撰一文辨偽。

劉老師此文先大略敘述蔣氏的生平行誼，並提到蔣氏所刻書卷末都有「三經草堂」牌記，明末秀水蔣之翹曾刊刻名人遺集，也有「三經草堂」牌記，大概是蔣孝的後人。皆者敘述蔣孝刊本的行款、編刊旨趣，並將所收中唐詩人十二家之詩集名、卷數、作者列出，再敘述陸氏刊本的行款、內容，劉老師說：

> 陸刻版式與所收十二家詩，悉與蔣刻同，惟印書之紙，視蔣本為大；且卷首抽去蔣序，易之陸氏〈刻廣十二家唐詩序〉。是以若不取兩本斠核，不易見其偽。

劉老師既將兩種版本的異同，做過仔細核對後，舉出陸刻作偽的證據有三點：

㈠ 從陸刻自敘見其偽造

為了辨偽時引用方便，劉老師先將陸刻的序錄出一大段：

> ……則以今所傳十二名家者，朝哦而夕諷之，不啻飲河之鼠。嗣是續十二家出，足備閱覽，而卒無以並乎先駕之駟，乃百家益以高閣矣。余請告歸

里中，門無剝啄，因發篋中百家詩讀之，若斬木揭竿之夫，遊乎武庫而不覺其目動膽懼也。固以性所近，臆所解者，拈出以便省覽。初唐得一人焉：曰孫舍人逖；盛唐得二人焉：曰儲侍御光義，曰獨孤刺史及；中唐得八人焉：錢與二劉之外，曰盧戶部綸，曰崔補闕峒，曰張司業籍，曰王司馬建，曰賈長江島；晚唐得一人焉：曰李吏部商隱。合之為廣十二家。嗟夫！先我而續者，既已無加於初，廣於何有？聞道百，徒以見笑於大方，況約百而十乎！是進與退兩無當也。姑存之以識吾過。

劉老師說，所謂「今所傳十二名家」，即指蔣孝之書，所謂「嗣是續十二家出」、「先我而續者」，即指朱子著之書。但所謂陸刻之十二家，與蔣刻內容全同，安得稱為「廣十二家」？這是從書前序的破綻，指出陸刻是變名以欺人。

㈡ 從陸序以十二家分隸四唐辨其偽造

劉老師以為陸刻所收十二家，蔣刻和朱刻都並稱中唐，陸刻則將其分四唐，將孫逖入初唐，將李義山入晚唐，都與歷來選本不合，劉老師說：「今陸序強分此十二人隸屬四唐者，殆欲以之合《廣十二家唐詩》之名歟！而其為偽作之跡益著矣。」

㈢ 從陸本書版之叢脞知其非為新刻

陸刻既自稱《廣十二家唐詩》，理應重新雕版，但從其印本多影寫修補，可知其非新刻，而是將蔣刻舊版冒充新刻。劉老師將陸刻修補之處一一列出，多達數十處。

㈣ 從蔣、陸二編刊刻之異同證二本為一版

蔣、陸二本，版刻全同，漫漶處亦相同，可見陸刻用的是蔣刻的舊版片修補刷印而成。文末劉老師的結論是「由以上四端，足證所謂陸刻，其實即蔣刻。蔣本鏤於嘉靖間，陸本則當是萬曆以後，陸氏既購得蔣刻舊版，乃抽去蔣序，易以陸序；復另題書名，用以欺世。」

四、考辨《鐵函心史》

《孟子》〈萬章下〉說：「頌其詩，讀其書，不知其人，可乎？」是以要考辨一部書之前，就要先了解該書的作者。劉老師對《心史》的作者作最詳密的考證，先說明鄭思肖的生年是宋理宗淳祐元年（1241），卒於元仁宗延祐五年（1318），年七十八。接著，考定鄭思肖名字和字號的含意，劉老師說：

> 初名某，宋室亡了以後，才改名思肖，字憶翁，號所南。思肖，就是思趙的意思；憶翁與所南，也督育有不北面他姓的意義。

再說明鄭思肖的事跡見於《宋遺民錄》、《南宋書》、《宋史翼》、《宋季忠義錄》等書。接著，敘述鄭思肖的著作及其存佚。根據老師考訂，有《所南翁集》一卷、《錦錢集》一卷、《題畫詩》一卷、《釋氏施食心法》一卷、《太極祭煉》一卷、《謬餘集》一卷。現存《所南翁集》、《錦錢集》及《題畫詩》，其餘皆佚。至於《心史》一書是劉老師所要考訂的對象，對其內容自應做更詳細的介紹。他說，《心史》凡七卷，其內容是：《咸淳集》一卷、《大義集》一卷、《中興集》二卷、《久久書》一卷、《大義略序》一卷。末附〈後序〉五篇、〈正覺摩醢首天王療一切病咒〉、〈卓行傳〉及跋文十五篇。由於《心史》所載事蹟很多與正史不合，因此，很受研究宋元之際的文史學者的重視。不過，該書直到明崇禎十一年（1638）才行於世，也引起學者的懷疑。

劉老師指出，最先懷疑該書是偽託的，是清初的全祖望。全氏的在《鮚埼亭集》〈外編〉卷三十四〈心史題詞〉裡說：

> 亡友王敬所嘗為余言：「《心史》必是偽作。」予是其言，而無徵也。已讀閻百詩集，其中引萬季野語，以為海鹽姚叔祥所依託，則敬所已下世，嘆其不得聞此佳證也。嘗以語錢唐厲樊榭，則謂叔祥豈能為此詩文？予謂閻、萬二丈皆不妄語者，必有所據。所南別有《錦錢集》，明崇禎中尚存，

> 黎洲先生曾見之，予今求之不得，但不知叔祥何故造為是書？雖非真本，要屬明室將亡之兆也已。吳兒喜欺人，至今謬稱智井中舊物，以索高價。凡有數本，予見其二。

全祖望以為《心史》是姚士粦所偽造，劉老師認為沒有充分的證據，反駁說：

> 今檢視文集所載詩，多作出世語，頗類寒山子，與《心史》裡的詩，風格完全不同，以此作為《心史》是偽造的旁證尚可，但卻不可據此以證《心史》是姚叔祥所偽造的。全祖望沒能提出充分的證據，所以不能令人信服。

接著是《欽定續文獻通考》以為《心史》是明末好異之徒所偽作，但也沒有提出確切的證據。劉老師以為，相信《心史》鄭思肖所作，而能加以辯證的，應當推余嘉錫。劉老師說：

> 余氏之駁《四庫提要》，所見可取，然這只是說提要之說未的，卻不足以證《心史》確為思肖所作。

可見劉老師也不認為余嘉錫的考辨是正確的。根據劉老師的研究，《心史》和鄭思肖毫無關係，全是他人偽造。劉老師的考證方法是：

㈠ 從生年資料考辨

劉老師以為，最讓人懷疑的是鄭氏自述生年不符。鄭所南的生年，據姜亮夫《歷代名人年里碑傳總表》所載，生於宋理宗嘉熙己亥三年（1239）。按：《所南先生文集》〈答吳山人詞遠遊觀地理書〉說：

> 今六十四歲矣。二十二歲壬戌二月，我父菊山先生卒於吳中；十一月，於常洲縣贈山之原，天性保全四十三年，略無他說……

劉老師考辨說，壬戌為宋理宗景定三年，元世祖忽必烈中統三年，當西元一二六

二年，時思肖自云二十二歲，以此逆推，則思肖當生於宋理宗淳祐元年（1241）。
〈先君菊山翁家傳〉說：

> 先君自叔起，號菊山，名與字之下字同，早年嘗名正東方之卜。生於慶出
> （元）己未，終於景定壬戌，壽六十四歲。先君四十歲始生思肖。

慶元己未為西元一一九九年；四十歲生思肖，其時當為理宗嘉熙戊戌二年（1238）。
兩書自述生年竟相去三年，謂之為出自一人之手，殊為可怪！我以為必是偽造《心
史》的人，一時誤算，致露出馬腳。

㈡ 從與史實不合考辨

〈大易略序〉說：

> 咸淳初，韃始僭號元；寶祐丙辰，韃始僭年號曰中統，次曰至元。

劉老師指出元世祖忽必烈中統元年為宋理宗景定元年，西元一二六〇年，寶祐丙
辰則為西元一二五六年，相隔四年。鄭思肖生於理宗淳祐元年（1241），不應不熟
悉當時事，竟然舛誤至此！必是後人偽作，沒有詳考史事，才會誤寫。

㈢ 從文詞上考辨

《四庫全書總目》謂《心史》「文詞皆蹇澀難通」，今取所南翁〈一百二十
圖詩〉、〈錦錢集〉二十四首與《心史》相比較，確如所言。《四庫全書簡明目
錄》（卷十六）著錄〈菊山清雋集〉一卷，附〈題畫詩〉一卷，〈錦錢集〉一卷，
〈雜文〉一卷，下面的提要說：

> 〈菊山清雋集〉，宋鄭震撰，元仇遠編。〈題畫詩〉，〈錦錢集〉及〈雜
> 文〉，皆其子思肖撰。其曰錦錢者，言如以錦為錢，雖美無用也。震倦遊
> 稿久佚，遠所選錄，不愧清雋之目。思肖詩惟意所云，多如禪偈，然清風
> 高節，迹接東籬，譬古柏蒼松，支離不中繩墨，終勝於桃李妖妍也。

劉老師以為《心史》裡的詩，平凡庸俗，但作憤慨語氣，了無韻味。以思肖之文才，即使是憤懣填膺，為詩當亦不如此粗俗。

四 《心史》的作者問題

《心史》既非鄭思肖所作，究竟成書於何時？劉老師以為，這是頗為不易考訂的問題。因為書中以敘事為多，而事多不常見，我們只能懷疑其真實性，卻不足據以考證成書時代；詩歌贈答的作品，所記人名或係杜造，或不見於記載，也無從考訂。

劉老師又指出，從一個「○」字來看，也可以推斷它可能是明代人偽造的。按《心史》下卷〈大易略敘〉說：

> 諸酋稱虜主曰即主，在即主傍素不識臣，唯稱曰○奴碑。○者至微至賤之謂。

○字，蒙古人譯名多有用此字者，如《宋史》：「有元帥宋都○。」《元史》：「有斷事官尤忽○。」按：○字《說文解字》未著錄，《玉篇》裡說：「○，多改切，音歹，義闕。」其後，一直到元以前的字書，或未見此字，或有而無微賤之義。此字之有微賤之義，殆從《字學三正》一書始。《字學三正》說：「○，與好歹之歹同。」《字學三正》（四卷），明郭一經撰，劉老師推測《心史》釋○字有至微至賤之義，很可能受《字學三正》或同時代字書的影響。如果這種推測可以成立的話，《心史》就當是明人所偽造的了。

偽造《心史》的人是誰，劉老師認為，首先要了解《心史》的發現始末。〈承天寺藏書井碑陰記〉說：

> 崇禎戊寅歲，吳中久旱，城居買水而食，爭汲者相捽於道。仲冬八日，承天寺狼山中房濬智井，鐵函重匱，錮以堊灰，啟之，則鄭所南先生藏《心史》也。外書「大宋鐵函經」五字，內紓「大宋孤臣鄭思肖百拜封」十字。

自勝國癸未迄今，閱歲三百五十六歲，楮墨猶新，古香觸手。……

而當時人之所以相信是鄭思肖所撰的原因，是因為這書是在承天寺發現的。原來鄭思肖和承天寺是有關係的。《所南翁集》〈十方禪剎僧堂記〉（一名佛法正論）說：

我三十年來，幅巾藜杖，獨行獨住獨坐獨臥獨吟獨醉獨往獨來古闔盧城，每一至於萬壽承天虎丘諸禪剎之間，必喟然嘆曰：「我生也晚……」……

可見承天寺是思肖常到的地方，偽造的人讀到《所南翁集》的「每一至於萬壽承天虎丘諸禪剎之間」，遂引起了依託的動機。劉老師懷疑《心史》是當時承天寺寺僧達始所偽造。

劉老師以為《心史》是承天寺僧達始所偽作，雖無確切證據，但是合理的推論，比起全祖望以為是姚士粦所偽作，要合理得多。要真正考知《心史》的作者是誰，恐怕是相當艱難的事情。根據筆者研究明代學術思想三十多年的經驗，有幾點可提供讀者參考：⑴從古井裡撈出古書的作法，是明末知識分子一貫的伎倆；⑵明末外患日亟，知識分子希望加強民族意識，所以很多偽託宋代民族英雄的書相繼出現，例如：《千家詩》就假託謝枋得所編。《心史》假託鄭思肖所作，也是理所當然的事。⑶《心史》中提到喇嘛穿黃衣的問題，喇嘛教有紅教和黃教之分，黃教創始於明朝永樂年間，鄭思肖是宋人，怎知明朝時候創始的喇嘛黃教呢？❹從這一點也可以證明《心史》是偽造的。

五、結　語

從以上的討論分析，可以得知，考辨古代偽書，雖僅是劉老師諸多學術活動

---

❹　這一點為李則芬先生所提出，詳見李氏著：〈明人歪曲了元代歷史〉收入李氏著：《文史雜考》（臺北市：臺灣學生書局，民國68年2月），頁189。

中的一部分，但至少有數點學術意義：

其一，辨偽工作須理論與實踐相配合才能形成一種學問，而系統的理論往往從諸多辨偽實例歸納而來。然後，再利用這些理論作為辨偽工作的指導原則。可見，辨偽理論的完備與否，關係到辨偽成效的好壞。明代胡應麟《四部正訛》所提出的八點辨偽方法，並未作詳細的說明，讀者很難深入了解理論的內涵。劉老師提到這八點時，各舉實例作補充說明，不但加強胡氏理論的實用性，也深化該理論的內容。

其二，學者大多知道晚明書商好作偽，屈翼鵬師曾作〈晚明書業的惡風〉和〈普林斯敦大學所藏中文善本書辨疑〉❺二文討論此事。但真正考辨這些偽書的論文並不多見。劉老師在翼鵬師的授意下，完成〈明刊本陸汴編《廣十二家唐詩》考辨〉一文，從陸刻的自序、分類、版刻入手，證明該書實是篡改蔣孝所編刊《中唐詩》一書而成。這看似一個小小的例子，但辨偽方法卻通用於各種書商作偽的書，充實了這一類偽書的辨偽理論。

其三，《心史》的辨偽從明末就已萌芽，真偽兩面都有學者支持。劉老師從學術的角度，提出(1)《心史》述鄭思肖生年與《所南先生文集》不合；(2)《心史》所記史事與史實不合；(3)《心史》文詞粗鄙與鄭思肖風格不合等三個疑點，並懷疑作偽者是承天寺僧達始。這說法雖有待證實，但是相當合理的推測。也為《心史》的作者問題，多了一個思考的方向。

---

❺ 見《圖書館學報》第 10 期（民國 58 年 12 月），頁 1-10。收入劉兆祐、林慶彰編《屈萬里先生文存》（臺北市：聯經出版事業公司，民國 74 年 2 月），第 2 冊，頁 1133-1156。

劉兆祐教授的宋代文獻學

黃智明

東吳大學中國文學系兼任講師

一、前　言

前幾年，教授非中文系學生讀國文，同學經常會問：「中文系在讀些什麼？」近幾年，教授中文系學生讀專業科目，同學的問題變成了：「我想考研究所，考上了能研究什麼？」中文系，全稱是「中國文學系」或「中國語文學系」，其實課程內容涵蓋經、史、子、集。想用簡單幾句話說明中文系讀些什麼，確實很困難；要讓同學清楚什麼可以研究、怎麼研究？就更加不容易。最近和學弟妹們聊起研究所與大學部在讀書方法上有什麼不同？往往不加思索，便脫口而出：「目錄是門徑，文字是基礎。」這是當年老師們在課堂上訓示的話，如今回想起來，依然是恆久不變的真言。

劉兆祐教授是引領我一窺目錄學門徑的業師。碩士班修課的時間不算長，只能夠選修劉老師的兩門課。離開了校園，也就沒有機會再在課堂上親炙老師「咳唾成珠玉，揮袂出風雲」的風采。後來，老師的《認識古籍版刻與藏書家》、《中國目錄學》、《治學方法》、《周禮著疏考》、《儀禮著疏考》、《三禮總義著述考》、《國學導讀》、《文獻學》等專著先後出版，反覆誦讀之下，許多理不清、識不明的問題都在書中得到了解答。當時既歡喜老師精神矍鑠，對學術研究

依然充滿熱情，也對後來學者能夠輕易取得老師數十年來積累的治學經驗，感到欣羨不已。

一日，林慶彰先生說：「讀了老師的著作，如果有所心得，應當會有話要說。」即以「劉兆祐教授的宋代文獻學」為題，命我試著撰寫文章。我的學殖淺薄，對於文獻學的瞭解連一知半解也還談不上，而老師學問博湛淵深，哪裡是我能夠談論的呢？因此逡巡許久，不知該如何落筆。後來讀到段玉裁《經韻樓集·與諸同志論校書之難》，其中一段話說：「按經之法，必以賈還賈，以孔還孔，以陸還陸，以杜還杜，以鄭還鄭，各得其底本，而後判其義理之是非，而後經之底本可定，而後經之義理可以徐定。」想起老師講授文獻學，特別強調文獻學的功用與內涵，如果能夠借用老師獨到的文獻學見解，來證成老師在宋代文獻學上的貢獻，不是非常具有意義嗎？於是不揣側陋，援筆屬文，用就教於吾師。

二、為什麼要研究文獻學？──文獻學的內涵與功用

先生認為，文獻是記載人類知識成長及文化變遷的紀錄，世界各地，只要有文明的地方，都有文獻的存在。即使是沒有文字的地區，也有文獻。因為文獻的內涵，不限於文字的紀錄，舉凡器物、生活習俗、傳說、歌謠等，都是文獻的一部分。所以要了解人類的進化，惟有仰賴對文獻的了解與研究。先生以往在授課時，最常舉馬端臨《文獻通考》做為例子，來告訴學生為什麼要了解文獻。馬氏這部書，分成了二十四個門類：

㈠田賦考：包括考述歷代田賦制度與水利田、屯田、官田有關的文獻。

㈡錢幣考：考述歷代錢幣的行使及幣值演變的文獻。

㈢戶口考：考述歷代戶口丁中賦役及奴婢制度的文獻。

㈣職役考：考述歷代鄉黨版籍職役及復除制度的文獻。

㈤征榷考：考述歷代征商、鹽鐵、榷酤、榷茶、坑冶及其他雜征斂等制度的文獻。

㈥市糴考：考述歷代均輸市易和買、常平義倉租稅及社倉等制度的文獻。

㈦土貢考：考述歷代土貢制度的文獻。

㈧國用考：考述歷代國用、漕運、賑恤、蠲貸等制度的文獻。

㈨選舉考：考述歷代有關選舉制度的文獻。

㈩學校考：考述歷代太學、祠祭褒贈先聖先師、幸學養老、郡國鄉黨之學等制度的文獻。

(十一)職官考：考述歷代官制的文獻。

(十二)郊社考：考述歷代祭祀天地制度的文獻。

(十三)宗廟考：考述歷代宗廟制度的文獻。

(十四)王禮考：考述歷代王者禮儀制度的文獻。

(十五)樂考：考述歷代與樂歌相關制度的文獻。

(十六)兵考：考述歷代軍事制度的文獻。

(十七)刑考：考述歷代刑法制度的文獻。

(十八)經籍考：考述歷代圖書著述的文獻。

(十九)帝系考：考述歷代君王之傳承、在位年數及生卒年的文獻。

(二十)封建考：考述歷代封爵制度的文獻。

(二十一)象緯考：考述歷代日月五星現象的文獻。

(二十二)物異考：考述歷代禎祥妖孽之事的文獻。

(二十三)輿地考：考述歷代地理沿革的文獻。

(二十四)四裔考：考述古代中國域外地理、風俗的文獻。

舉凡宋以前所有典章制度的相關資料，都囊括在這部書中。不讀這部書，如何能夠知曉古代文明演進的軌跡呢？先生又指出，馬氏收錄的文獻，都侷限於典籍上的文字資料，而於書本以外的文獻，如簡牘、石刻等資料，則罕見利用。其實，中國的文獻，依其內容分，有文史方面的文獻，有自然科學的文獻，有生物醫學的文獻，有宗教的文獻，有社會科學的文獻。依其形式分，有用文字記錄的文獻，

像是甲骨文、鐘鼎文、小篆、隸書、楷書及其他古文字，與少數民族文字如滿文、蒙文、藏文、麼些文等；有實物的文獻，像是甲骨、銅器、碑石、陶器、瓷器、玉器、竹簡、壁畫、帛書等。範圍十分廣泛。所以今日「文獻」的內涵，應該超越傳統侷限於圖書的觀念，要包括甲骨文、金器、石刻、竹簡、帛書等非圖書資料。

中國文獻如此博富繁雜，要想讓研究中國學術者，都能了解這些文獻的價值，並進一步有效運用這些文獻，必須從文獻的內涵、文獻的類別，到文獻的整理方法，都建立起一套嚴密而細膩的理論。而「文獻學」，正是將文獻從事有系統研究的一門學科。過去講說文獻學的學者，有的以四部圖書的形成過程為文獻學討論的重要，有的以目錄的結構及內容為文獻學主要的內涵。先生認為，「文獻學」的內涵，至少應該包括幾個重點：㈠研究文獻的內容，㈡研究文獻流傳的經過，㈢研究文獻亡佚殘缺的原因及存佚的情形，㈣研究說解及整理文獻的方法，㈤研究與利用文獻及整理文獻相關的學識，㈥研究歷代重要文獻學家的文獻理論及成就。而「目錄學」、「板本學」、「校讎學」、「輯佚學」、「辨偽學」等學科，則是與「文獻學」有關的基礎學識。

至於修讀文獻學的目的與功用，先生以為：一是可以懂得如何掌握文獻，以充實研究內容及提升研究品質。二是熟悉蘊藏文獻最豐富的圖書，並確知其資料來源及流變，俾能左右逢源，享受研究之樂趣。三是能分辨文獻的真偽、完整與否，並善於甄擇直接材料，以免誤用文獻，損及研究成果的價值。四是能以科學方法，有系統的整理文獻，俾學者能更正確、更方便的運用文獻。

本文以闡發先生的「宋代文獻學」為主題，之所以連帶引用了先生對於文獻學內涵、文獻學功用的相關論述，原因在於宋代文獻學是中國文獻學當中的一環，了解先生對於這些問題的看法，必定更能領悟先生學術研究的旨趣。

三、《宋史藝文志史部佚籍考》
——當代書目考證少見之巨著

長期以來，先生的研究與教學，都以推闡文獻學的內涵及功用為主要課題，尤其是在宋代文獻考證這片領域，成果最為輝煌。張曉生學長編有〈劉兆祐教授學行年表〉，著錄先生相關譔述至為詳細，這裡就不再一一列舉了。只按照先生所揭示的文獻學的功用，來闡述先生在宋代文獻學上的貢獻。

先生的學術成就，早先以現代文學創作為主。民國五十七年，在屈萬里先生的指導下完成《晁公武及其郡齋讀書志》，取得碩士學位，從此興趣轉向對古典學術的探索。民國六十二年六月，先生博士論文《宋史藝文志史部佚籍考》告蕆。這部書的撰著動機，載於先生《宋史藝文志史部佚籍考·自序》中，略撮其大要如下：

> 有清一代，稽考典籍存佚者甚多，其通考歷代之書者，如朱彝尊博稽歷代典籍，撰《經義考》三百卷，歷代經學著作，於是燦然可徵。謝啟昆又為《小學考》五十卷，補朱氏之不及，而歷代小學之書，亦灼然可知。他如沈廷芳《續經義考》、翁方綱《經義考補正》等，並皆是類之作。然通考史籍者蓋寡。清乾隆間，章學誠嘗撰《史籍考》，洪亮吉、凌廷堪、武億等助之。據其總目，多至三百二十五卷，分類詳密，規模亦閎，惜其書未竟，稿亦不存。道光間，許瀚為潘錫恩修《史籍考》，光緒初余葟皋撰《史書綱領》，蓋並踵章氏之書，以通考古今史籍者，惜今亦皆未見傳本。聊可慰者，考錄斷代史書之作，尚可得一二家，而以章宗源《隋書·經籍志》史部考證最稱詳密。迨乎近世，謝國楨之《晚明史籍考》、《清開國史料考》、《晚明流寇史籍考》、《清初三藩史籍考》，及朱希祖之《蕭梁舊史考》、《西夏史籍考》等，相繼行世，斯學遂極一時之盛。雖然，探究宋代史籍之作，則殊罕見。

宋人著作中，史書最可注意，此不惟以其部帙繁多，且其體例最備也。以方志之書為例，隋、唐以前作品，不過圖經、政紀、山川、風土、人物、古蹟、物產等類而已，且每類多分別單行，各自為書。及宋人修方志，則薈萃各體，並兼載職官、賦稅、鄉里、風俗、人物、方技、金石、藝文、災異等事。又由於宋代多黨爭外患，私家著述遠較前代為夥。其野史雜說，多得之傳聞及好事者之緣飾，雖不可盡信，而李燾《長編》曾多所採擷，其不可廢亦明矣。惜宋代黨爭外患不息，黨爭則多禁私史，甚或燬版，外患則群書每多燬於兵燹。以《宋史·藝文志》史部所著錄者而言，今則泰半已佚。宋代去今僅七百年，而史籍佚亡之多如此，可慨也已。

趙宋一代，目錄之學甚盛，考《宋史·藝文志》目錄類載六十八部，六百七卷，泰半為宋人所編，今則十九亡佚。可得見者，官錄有《崇文總目》、《四庫闕書目》、《祕書省續編到四庫闕書目》、《中興館閣書目》、《續書目》、《宋中興國史藝文志》等，然並非全帙。私家書目之存者，則惟尤袤《遂初堂書目》、晁公武《郡齋讀書志》及陳振孫《直齋書錄解題》三家而已。元人入主中華，史官率多讜陋，托托等所編《宋史》，於諸史中最稱蕪雜，其〈藝文志〉尤多紕繆，前後複沓牴牾者，比比皆是，致有譏其為諸藝文志中最叢脞者，實非過當之論。雖然，以今所能見之資料言之，〈宋志〉仍為著錄當時書籍最備之目錄書也。

其實，先生在撰寫碩士論文《晁公武及其郡齋讀書志》時，檢點晁《志》著錄而後世亡佚之書，已感慨宋代史籍亡佚過甚，以為：「今存之書，吾人固可取而觀覽；其佚而不存者，若不加以考索，則將永晦不彰。」當時便興起考徵宋代已佚史書之計劃。

這部書以《宋史·藝文志》史部所著錄而後世已佚之書為範圍，仿《四庫全書總目》的體例，於撰人生平及著作內容，都盡可能的加以論述。凡見於史傳、

方志、碑銘、年譜、序跋等資料，如有助於考證者，則視情況斟酌引錄。全書要點為：㈠辨別《宋史・藝文志》史部各書的存佚情形，㈡訂正〈宋志〉史部之謬誤，㈢依據歷代公私藏書目錄，考定各書約略亡佚之時代，㈣探究佚書之撰著緣由及內容，俾略知原書的大概情形。

在先生此書完成以前，曾對各史藝文志加以考證訂補的，《前漢書》有宋王應麟《漢藝文志考證》十卷，清劉光蕡《前漢書藝文志注》一卷，清姚振宗《漢書藝文志拾補》六卷，孫德謙《漢書藝文志舉例》一卷，顧實《漢書藝文志講疏》，張舜徽《漢書藝文志通釋》、《漢書藝文志釋例》；《後漢書》有清盧文弨《續漢書志注補》一卷、清錢大昭《補續漢書藝文志》一卷、清勞順《補後漢書藝文志》一卷、清洪怡孫《補後漢書藝文志》一卷、清顧櫰三《補後漢書藝文志》十卷、清侯康《補後漢書藝文志》四卷、清姚振宗《後漢藝文志》四卷、《漢書藝文志條理》八卷、清曾樸《補後漢書藝文志》一卷、《考》十卷；《三國志》有清侯康《補三國藝文志》一卷，清姚振宗《三國藝文志》四卷；《晉書》有清秦榮光《補晉書藝文志》四卷，清黃逢元《補晉書藝文志》四卷，清丁國鈞《補晉書藝文志》四卷、《附錄》一卷，清文廷式《補晉書藝文志》六卷，吳士鑑《補晉書經籍志》四卷；《宋書》有聶崇歧《補宋書藝文志》一卷；《南齊書》有陳述《補南齊書藝文志》四卷；《南、北史》有清汪士鐸《南北史補志》十四卷，徐崇《補南北史藝文志》三卷；《隋書》有清章宗源《隋書經籍志考證》十三卷，清姚振宗《隋書經籍志考證》五十二卷，清張鵬一《隋書經籍志補》二卷；《五代史》有清顧櫰三《補五代史藝文志》一卷；《遼、金、元史》有清倪燦撰、盧文弨校正《補遼金元藝文志》一卷，清厲鶚《遼史拾遺補經籍志》，清金門詔《補三史藝文志》一卷，清吳騫《四朝經籍志補》，清王仁俊《遼史藝文志補證》一卷，清繆荃孫《遼藝文志》一卷，黃任恆《補遼史藝文志》一卷，孫德謙《金史藝文略》，龔顯曾《金藝文志補錄》，清王仁俊《西夏藝文志》一卷，清錢大昕《補元史藝文志》四卷，清張錦雲《元史藝文志補》。唯獨《宋史》，就只有清

倪燦《宋史藝文志補》一卷，〈宋志〉之難治，可以想見。吉林大學古籍研究所張固也教授在〈唐代佚著考證釋例〉一文中贊譽先生此書為「當代書目考證少見之巨著」（載《唐研究》第 7 卷〔北京：北京大學出版社，2001 年 12 月〕，頁 429），絕非溢美之詞。

《宋史藝文志史部佚籍考》完成於民國六十二年夏季，最初僅以手稿本影印百餘部行世。民國七十三年四月，纔正式由國立編譯館中華叢書編審委員會排印出版。這十餘年間，先生為使全書內容更加完善，又陸續從王重民《敦煌古籍敘錄》、張國淦《中國古方志考》、朱士嘉《中國地方志綜錄》等書補鈔了許多相關資料。先生治學之嚴謹，由此可見一斑。

《宋史藝文志史部佚籍考》一書，是先生早年圓熟運用文獻資料，然後陶鍊而成的具體成果。自民國六十七年六月起，先生又陸續在《中央圖書館館刊》（後來改名為《國家圖書館館刊》）、《國立編譯館館刊》、《漢學研究》等刊物發表宋代正史、編年、別史、史鈔、故事、職官、傳記、儀注、刑法、目錄、霸史等類史籍考，共計考證一千六百三十部史著，以及《宋史·藝文志》未曾著錄的編年類、目錄類、譜牒類史籍九十三種，意欲彙編為《宋代史籍考》。這部書將來問世，不僅是承繼了前人未竟的事業，對於探索宋代學術，肯定會產生更大的作用。

四、強調熟悉文獻，以豐富研究成果

前文約略敘述了先生的鉅著《宋史藝文志史部佚籍考》一書的著作動機及全書體例、要點及貢獻。以下再分別就先生治文獻學時最重視的幾個原則加以論述。

先生從事學術研究迄今四十餘年，曾說從事學術研究最主要的目的，就是希望能獲致創見。而創見之獲得，是要以豐富的文獻為基礎。在《文獻學》一書中，先生引用了閻詠《左汾近稿·先府君行述》裡的一小段文字：

> 府君讀書，每於無字句處精思獨得，而辯才鋒穎，證據出入無方，當之者

輒失據。常曰：「讀書不尋源頭，雖得之，殊可危。」手一書至檢數十書
相證，侍側者頭目為眩，而府君精神湧溢，眼爛如電，一義未析，反覆窮
思，飢不食，渴不飲，寒不衣，熱不扇，必得其解而後止。

這段話原本是閻詠自敘其父若璩平日治學的情況。先生據此，進一步闡釋說：「文
中所說『讀書不尋源頭，雖得之，殊可危』，是說明閻氏重視原始文獻的價值；
『手一書至檢數十書相證』，則說明其熟悉文獻，從事研究時，得左右逢源，豐
富其研究成果。」先生平日，不僅以此教導後進，自己從事學術研究時，聞知有
未曾經見或新出土的文獻資料，也會想方設法去鈔錄或覆印。先生曾在《宋史藝
文志史部佚籍考·自序》中感慨地說：「稽考今存宋人之書，已非易事；而探究
佚書，尤為艱難，蓋文獻不足故也。」然而即便在文獻不足的情況下，先生仍然
訂正〈宋志·史部〉之謬誤多達二百餘條，略舉數例如下：

㈠ **漏略卷數**

　　如〈刑法類〉「宋何執中等撰政和重修敕令格式五百四十八冊」，原注云：
「卷亡」，先生據《宋會要輯稿》，知此書凡一百三十八卷。

㈡ **漏略撰人**

　　如〈刑法類〉「淳熙重修敕令格式及隨敕申明二百四十八卷」，〈宋志〉不
著撰人，先生據《宋會要輯稿》補題「宋李彥穎等撰」。

㈢ **誤題作者**

　　如〈故事類〉「崇聖恢儒集三卷」，〈宋志〉著錄「吳若虛撰」。先生據《玉
海》卷一一三云：「宣和中，幸大學，學諭莫若紀奉安宣聖訖于臨幸三十四條為
《崇聖恢儒集》三卷。」知此書當為宋莫若撰。

㈣ **誤題書名**

　　如〈傳記類〉「賓佐記一卷，唐杜佑撰」，〈新唐志〉、《通志·藝文略》
皆著錄作「賓佐記」，先生認為，此書〈宋志〉本作「賓佐記」，「賓」、「濱」

二字形似而誤。

㈤ 重複著錄

如「運曆圖三卷，宋龔穎撰」，《宋史·藝文志》編年類作三卷，別史類複出作八卷。先生認為，此書《郡齋讀書志》作六卷，據《玉海》所云，似文三卷，圖二卷，合為五卷。疑本書三卷，而後人多附異也。

又如〈刑法類〉「嘉祐祿令十卷、驛令三卷，宋吳奎等撰」，先生云：「〈宋志〉刑法類又著錄『張方平嘉祐驛令三卷，又嘉祐祿令七卷』，〈宋志〉重出也。」

㈥ 考定各書約略著成之時代

如〈別史類〉「史系二十卷，不著撰人」，先生據《通志·藝文略》正史著錄「史系二十卷」，注云：「自會昌至光啟時事，有〈禮樂〉、〈刑法〉、〈食貨〉、〈五行〉、〈地理〉、〈孝行〉、〈忠節〉、〈儒林〉、〈隱逸傳〉。」會昌為唐代武宗年號，，光啟為唐僖宗年號，疑此書為唐末後五代人所撰。

㈦ 考定各書約略亡佚之時代

如〈別史類〉「正史雜論一卷，後蜀楊九齡撰」，先生考得《通志·藝文略》正史著錄此書，其他公私書目則未見著錄，知宋以後此書即已罕見。

又如〈故事類〉「集賢注記二卷，唐韋述撰」，先生以此書〈新唐志〉、《通志》、《直齋書錄解題》並作三卷，而《郡齋讀書志》及《中興館閣書目》但作二卷，知至南宋時完本已不多見。

㈧ 探究佚書之撰著緣由及內容

如〈傳記類〉「賓佐記一卷，唐杜佑撰」，先生引用《唐書·杜佑傳》的記載：「佑性勤而無倦，雖位極將相，手不釋卷，質明視事，接對賓客，夜則燈下讀書，孜孜不怠。與賓佐談論，人憚其辯而伏其博。設有疑惧，亦能質正。」判斷「此書殆載其與賓佐談論之言也」。

又如〈傳記類〉「雞林記二十卷，宋吳栻撰」，先生注云：「高麗，宋時或稱雞林，哲宗年間，其國有雞林公熙者為國王。《宋史》列傳外國高麗條云：『崇

寧二年，詔戶部侍郎劉逵、給事中吳栻往使。」此書蓋纂載出使之見也。」

若非精熟典籍，如何能夠推論出這樣的結果呢？又《宋史藝文志史部佚籍考》在民國七十三年四月正式排印出版時，為方便讀者覆按，於是將參考書目連同手稿本舊有的引用書目一齊編排，補入全書之末，作為附錄。細數之，「參考及引用書目」竟高達八百六十餘種（據說明解縉、姚廣孝奉敕纂修的《永樂大典》，全書二萬二千八百七十七卷，三億七千萬字，收錄各類圖書是七千餘種），便能看出先生對於文獻的熟悉程度，絕不下於閻若璩。

近年來，先生論述的重點，逐漸轉向於對各種文獻資料的定義、內容、種類、特色、價值及運用某類資料時應注意的事項等課題。先後發表有〈宋代向高麗訪求佚書書目的分析討論〉（收入《第三屆中國域外漢籍國際學術會議論文集》〔臺北：聯合報基金會國學文獻館，1990 年 12 月〕，頁 271-288），〈雜著筆記之文獻資料及其運用〉（載臺北市立教育大學《應用語文學報》第 2 號，2000 年 6 月，頁 1-33），《三通綜合研究》（國科會成果報告），〈宋代雜著筆記（五種）文獻解題〉（收入《金榮華教授七秩華誕祝壽論文集》〔臺北：萬卷樓圖書公司，2007 年 2 月〕），〈宋代雜著筆記所徵引佚書二十一種考述〉（載《國家圖書館館刊》2007 年第 2 期，2007 年 12 月，頁 65-90）等篇章。上述篇章所討論的文獻材料，大致可分作三類：一是載有大量文獻，為研究者最常取資稽考的，如叢書、類書、政書、雜著筆記，二是域外所刊的中國古籍。

所謂域外漢籍刊本，是指中國以外地區所印行的中國古籍。目前所存的域外漢籍刊本，以日本及韓國最多。中國古籍流傳到了域外，經過當地書肆刊雕，必定會與在中國國內流傳的刊本稍有不同。有時候中國所傳的刊本殘缺或亡佚了，而域外流傳的反而完好無缺，這些刊本便具有了很高的文獻價值。先生曾舉宋代陳元靚所編的《群書類要事林廣記》為例，先生所見有四個本子：一是元建安椿莊書院刻本，題《新編纂圖增類群書類要事林廣記》，前集十三卷，後集十三卷，續集存八卷，別集存八卷，計存四十二卷，藏臺北國立故宮博物院。二是影印元至元庚辰十七年鄭氏積誠堂刊本，題《纂圖增新群書類要事林廣記》，分甲、乙、

丙、丁、戊、己、庚、辛、壬、癸等十集，亦藏於臺北故宮。三是明成化十四年劉廷賓寫福建刊本，題《新編纂圖增類群書類要事林廣記》，前集十卷，後集十卷，續集十卷，別集十卷，共四十卷，藏國家圖書館。四是日本元祿十二年（相當於康熙三十八年）刊本，題《新編群書類要事林廣記》，甲集十二卷，乙集四卷，丙集五卷，丁集十卷，戊集十卷，己集十卷，庚集十卷，辛集十卷，壬集十卷，癸集十三卷，計九十四卷。四個本子，刊刻時代不同，卷數不同，卷目不同，內容亦多不同，殊堪玩味。經先生考證，這種現象可能是：一、《事林廣記》為一類書，其功用甚宏，因此歷來書肆，競相刊行。二、類書之內容，每隨時代增益，宋以來類書，即有此現象。三、流傳於海外之古書，多據購自中國之刊本翻刻，而其所據底本，頗有在中國已罕見者。此書日本刊本所據元刊本，與其他元刊本不同，即為明證。學過校勘學的讀者都知道，校勘必定要講求版本，如果對文獻不熟悉就無法掌握所有的版本，掌握了版本卻沒有足夠的學養判別版本的優劣，也無法達成預定的研究目標。

　　至於叢書、類書、政書、雜著筆記等文獻資料，先生在《文獻學》一書中，對於每一種類型的圖書的起源、體制、種類、價值、缺失，都有詳盡的介紹。其中雜著筆記，先生尤為注意。數年前，曾在國家圖書館舉行館藏善本圖書整理座談會中，建議積極整理這類文獻。先生提唱的整理方法為：㈠編纂雜著筆記的專門書目，㈡編纂雜著筆記的專門叢書，㈢編纂雜著筆記綜合索引，㈣整理稿本。

　　這幾種圖書文獻，為什麼特別受到先生的重視呢？因為它們都具有彙聚眾多文獻資料於一編的性質。「叢書」，叢字的本義就是聚集；「類書」，是將各種文獻依類纂輯；「政書」，收錄範圍以與「國政朝章六官所職」為限；「雜著」，則是依所見所聞，隨意錄載。換句話說，就是採摭眾說以成編。資料採錄的越多，門類區分的越廣，文獻價值自然就越高。然而，先生也特意指出這些圖書文獻大多有因襲前代資料、輾轉鈔錄的毛病，前代資料有誤，後來刊刻的書本也跟著錯誤，運用時必須謹慎注意。

五、強調非圖書文獻的重要

所謂非圖書文獻，就是指不是記載在書本上的文獻，例如甲骨文、石刻、銅器、器物及生活習俗等都是。非圖書文獻的重要性如何？先生引用了王國維在《古史新證・總論》中的話說：

> 研究中國古史，為最糾紛之問題。上古之事，傳說與史實混而不分。史實之中，固不免有所緣飾，與傳說無異；而傳說之中，亦往往有史實為之素地。二者不易區別，此世界各國之所同也。……吾輩生於今日，幸於紙上之材料外，更得地下之新材料。由此種材料，我輩固得據以補正紙上之材料，亦得證明古書之某部分全為實錄，即百家不雅馴之言，亦不無表示一面之事實。此二重證據法，惟在今日始得為之。雖古書之未得證明者，不能加以否定，而其已得證明者，不能不加以肯定，可斷言也

先生認為，王氏「二重證據法」的理論，最可說明非圖書文獻在治學材料中的地位。

先生進一步指出，利用非圖書文獻從事學術研究，在漢代已有。像是《漢書・郊祀志下》，就記載了宣帝時，張敞用出土的鼎和上面的款識，考訂史事的例子。東漢許慎撰《說文解字》，所錄以小篆為主，而兼及古文、籀文，其中有一部分，就是得諸銅器上的文字。宋代的學者非常重視非圖書文獻，編輯考訂地下文物的風氣很盛，尤其是在金器方面的研究，影響後世最為鉅大。

最先留意到宋代金器研究的學者是王國維。王氏撰有〈宋代金文著錄表〉（載《王觀堂先生全集》第十冊），將宋代與金器有關的專門著作十一種，歸納為三大類：㈠圖象類：呂大臨《考古圖》、王黼等《宣和博古圖》、不著撰人《續考古圖》等書，屬於此類。㈡款識類：王俅《嘯堂集古錄》、薛尚功《鐘鼎款識法帖》、王厚之《復齋鐘鼎款識》等書，屬於此類。㈢考錄類：歐陽修《集古錄跋尾》、

趙明誠《金石錄》、黃伯思《東觀餘錄》、董逌《廣川書跋》、張掄《紹興內府古器評》等書，屬於此類。王國維〈宋代金文著錄表序〉曾就宋人在金器方面考訂工作的情形及成就，有如下的說明：

> 古器之出，蓋無代而蔑有。隋、唐以前，其出於郡國山川者，雖頗見於史，然以識之者少，而記之者復不詳，故其文之略存於今者，唯美陽與仲山甫二鼎而已。趙宋以後，古器愈出，……古文之學，勃焉中興。……國朝乾、嘉以後，古文之學頗盛，輒鄙薄宋人之書，以為不屑道。竊謂《考古》、《博古》二圖，摹寫形制，考訂名物，其用力頗鉅，所得亦多。乃至出土之地，藏器之家，苟有所知，無不畢記，後世著錄家當奉為準則。至於考釋文字，宋人亦有鑿空之功，國朝阮、、吳諸家，不能出其範圍。

簡單的說，宋人在金器方面的研究，有三大貢獻：一是奠定研究金器的方向，即摹繪圖形、摹寫款識及著錄考證；二是為著錄金器的方法奠定規範；三是考釋文字。

王國維〈宋代金文著錄表〉一文，僅討論了宋人與金器有關的專門著作在治學上的價值。其實，宋代雜著筆記中，還保留了許多與非圖書文獻相關的資料，不過一般人卻很少懂得參考利用。先生撰有〈宋代雜著筆記所載文獻之綜合研究——非圖書文獻部分〉一文（國家科學委員會九十六年度專題研究計畫成果報告），從洪邁《容齋隨筆》、《續筆》、《三筆》、《四筆》、《五筆》、黃伯思《東觀餘論》、高似孫《緯略》、徐度《却掃編》、葉氏（失名）《愛日齋叢鈔》、史繩祖《學齋佔畢》、朱翌《猗覺寮雜記》、張淏《雲谷雜記》、程大昌《演繁露》、劉昌詩《蘆浦筆記》、王楙《野客叢書》、魏了翁《經外雜鈔》、宋敏求《春明退朝錄》、王洙《王氏談錄》、王得臣《麈史》、葉夢得《巖下放言》、趙彥衛《雲麓漫鈔》、陸游《老學庵筆記》、車若水《腳氣集》、袁文《甕牖閒評》、呂希哲《呂氏雜記》、費袞《梁谿漫志》、陳郁《藏一話腴》、姚寬《西溪叢語》、王觀國《學

林》、楊延齡《楊公筆錄》、馬永卿《嬾真子》、張邦基《墨莊漫錄》、沈作喆《寓簡》、孫奕《示兒編》、張世南《游宦紀聞》、黃朝英《靖康緗素雜記》、陳叔方《潁川語小》、趙與峕《賓退錄》、沈括《夢溪筆談》、宋祁《宋景文筆記》、蘇軾《東坡志林》、（舊題）李如箎《東園叢說》、謝宗伯《密齋筆記》、邢凱（不著撰人）《坦齋通編》等四十餘種宋人雜著筆記中，將所記載的非圖書文獻，一一加以鉤稽，分為「金器」、「石刻」、「建築」、「器物」、「名物」、「習俗」、「諺語」、「書畫」等八類，而後纂輯成編。這些資料，對於考訂古籍有相當重大的作用，茲舉數例如下：

㈠ 訂正古書的錯誤

　　如史繩祖《學齋佔畢》卷三〈因古碑辨後漢建武中元四字年號及永憙年號以正史傳之誤〉條云：「《雅安志》云：雅州古碑垻有漢碑，蜀郡掾治道，記其碑，紀年號云『建武中元二年』。李巽巖先生燾仁甫為雅州郡從事日，跋其碑云：『蜀郡掾治道，自建武中元二年丁巳，距今紹興二十有一年辛未，凡千九十有三年，蓋光武時，蜀抵卬筰徼外，途實由此，今已蕪廢弗治，野人樵蘇見之，始傳墨本，漢隸未有若此奇古也。』按《後漢紀》『建武三十二年，改為中元』，無『建武』字。又按〈祭祀志〉『改建武三十二年為建武中元元年』，此記與志合，紀失之矣。宋鄭公嘗輯《紀年通譜》，謂紀、志俱出范氏，而所載不同，此必帝紀傳寫脫誤。蓋官書累經校定，學者失於精審，但見改元，復有『建武』二字，輒妄以意刪去，故先定著『建武中元元年』，又謂流俗以帝紀為正，久而未悟，乃并列『中元』之號，疑以傳疑，鄭公之慎也。然《續漢志》實司馬彪所撰，鄭公謂俱出范氏，則非矣。及司馬溫公作《資治通鑑》，雖存鄭公說，頗從帝紀，止稱中元，蓋袁宏《後紀》亦止稱中元，不冠建武，事無明證，固宜從眾也。若此記早出，其真偽立見，則鄭公必不併列兩元，溫公必不承范、袁之誤矣。溫、鄭皆大儒，於出入證據之學尤詳，偶未見此，頗有遺恨。歐陽永叔留意《集古錄》，謂可正史傳缺謬，詎不信夫。惜此記又不使永叔見之也。」這是根據古碑來改正《後

漢書·光武帝紀》中元年號錯誤的例子。

二 可補史傳的不足

如王楙《野客叢書》卷十八〈薛戎事〉條云：「《唐書·薛戎傳》云：『柳冕為福建使，辟戎為佐，冕病免，復為藩府交奏，稍遷河南令，累遷浙東觀察使。』載戎履歷，僅此而已。以〈元積碑〉考之，轉侍御史，給事中，拜刑部員外郎，改河南令，遷衢州刺史，不周月而政就，移刺湖州，濬荻塘百餘里，改刺常州，不累月刺越州，仍以御史中丞觀察浙東而卒。其更迭內外如許之多，凡典四州，竝不一見。傳文疏略如此之甚，不獨一〈薛戎傳〉如此，他傳往往而然。大抵碑之述事，不無浮誇，然載履歷，則甚詳且確也。故僕於碑，率以此補史文之缺。又考《越州題名》云：戎以元和十二年正月，自常州刺史授浙東觀察使。長慶元年九月，隨表入覲而卒。碑與傳皆言薨於越州，此為不同。」這是根據〈元積碑〉志文來補苴《唐書·薛戎傳》疏漏的例子。

三 可資參證經義

孫奕《示兒編》卷三〈相鼠〉條云：「『相鼠有體，人而無禮，胡不遄死』，相，州名。陸璣云：『河東有大鼠能人立，交前兩腳於頭上跳舞，善鳴。』故退之城南聯句云：『禮鼠拱而立』。按地志相州屬河北，與河東相鄰，則知相州有此鼠，能拱而人立，其有禮之體如此，詩人蓋取譬焉。毛氏以相為視，信如毛說，則試物之有體與皮者，皆可喻禮，何取於鼠哉？或謂相州當平聲呼，非也。世言『相纈』，亦有所本。陳無已詩云『相州紅纈鄂州花』，相字可平音呼哉？東坡《指掌圖》亦云：河亶甲居相，即今相州是也。」這是利用名物來糾正《毛傳》釋義錯誤的例子。

一般讀者或許會認為：圖書文獻與非圖書文獻，應該是兩種毫無相關的材料。讀了先生這篇文章，應該會有不同的思考。

六、注重以科學方法，有系統的整理文獻

所謂科學的方法，是指有具體的方法、合理的步驟。中國學術使上，運用科學的方法整理文獻，而取得很大成就的，首推清乾嘉考據學派。清代考據學最大的特色，是先由客觀的歸納文獻中的通例入手，而後將歸納得到的結果，用以考察古書裡的各種歧誤。像是戴震校《水經注》，採用「審其義例，按其地望，兼以各本參差」的比勘法，得出經與注行文的規律有三：「一曰獨舉、複舉之不同。經文甚簡，首舉水名，下不再出；注文每一水內，必詳其注入之小水，以間廁其間，是以主水之名屢舉不厭，雖注入小水有所攜帶者相間，亦屢舉小水之名，經文斷無是也。一曰『過』、『逕』之不同也。經必曰『過某』，注則必曰『逕某』，所以別於經。一曰『某縣』及『某縣故城』之不同也。注所謂『某縣故城』者，即經之『某縣』也。經時之縣，注時多為故城，經無言故城者也。執此三例，沛乎莫禦，鏊之有如振稿，承學讀至白首不解者，豁然開朗。王伯厚、顧景范、胡朏明、閻伯詩稱引之誤，今皆可正。」這三個條例，王國維至為推服，說：「謂酈書之有善本，自戴氏始可也。」可見得以科學方法歸納文獻通例的重要性。

先生認為，前人以科學方法整理文獻，劉向、劉歆父子具有開啟之功。向、歆父子整理文獻最主要的方法有三：一是校勘，二是分類編目，三是撰寫敘錄。不過，隨著文獻之日益繁富與駁雜，劉氏父子的三個方法，已不足以使所有文獻有系統的流傳，於是更多的方法，如注釋、編集、辨偽、輯佚等方法，應運而生。

在《治學方法》一書中，先生著重論述了治國學所需具備的四種基礎常識，即目錄學、辨偽學、版本學、校讎學。而在《文獻學》一書中，則以多達六十頁的篇幅，探討了校勘、編目、注釋、輯佚、編纂、考佚、補缺等七種重要文獻整理方法的源流、範疇及功用，不僅解說得詳盡細密，也糾正了前人在觀念上的不少誤解。例如輯佚，從前學者若不是誤將「編輯」當成輯佚（像是把《全唐詩》當成輯佚書），就是將輯佚的界域割裂得太過細碎（像是說：從輯佚的對象特點分類，輯佚可分

成六種類型──輯集亡佚之書、輯補缺佚之書、輯校脫佚之文、輯拾漏佚之篇、輯匯散佚之篇、輯錄佚書之目）。先生獨運匠心，依據書籍的形式與性質，給「輯佚」、「編纂」、「考佚」、「補缺」四種文獻整理方法，做了最恰當合理的界定：㈠「輯佚」，就是將亡佚不傳的古籍，從其他尚見流傳的文獻中，鉤沉纂輯，俾學者得復見佚書內容的工作。明末孫瑴所輯的《古微書》，清代王謨所輯的《漢魏遺書鈔》、《漢唐地理書鈔》，馬國翰所輯的《玉函山房輯佚書》等，都屬此類。㈡「編纂」，就是將文獻依讀者的需要，用不同的方式彙輯成編，以方便檢索的一種文獻整理方式。梁蕭統所編的《昭明文選》，宋李昉等所輯的《文苑英華》，明馮惟訥所輯的《古詩記》，清王仁俊所輯的《遼文萃》、《西夏文綴》等，都屬此類。㈢「考佚」，就是從事佚書的考述工作。「考佚」與「輯佚」不同，輯佚只是將佚書鉤輯出來，考佚則是進一步考論佚書的作者、篇卷、真偽、流傳、亡佚時代及內容等問題。清代朱彝尊《經義考》、謝啟昆《小學考》、章宗源《隋書經籍志考證》（史部）、姚振宗《隋書經籍志考證》、近人張國淦《中國古方志考》，雖然不是專為考訂佚書而作，但其中所考述者，不少是佚書。至於先生所著的《宋史藝文志是部佚籍考》一書，便是專考佚書之作。㈣「補缺」，就是原書有不全者或殘缺者，為之從事增補的工作。補缺有兩個方式，一是補原書所無者，如姚振宗《後漢藝文志》，《後漢書》本無〈藝文志〉，姚氏補之；一是補原書所缺者，如丁丙補吾丘衍《竹素山房詩集》、鮑廷博補顧瑛《玉山璞稿》之缺。經由先生的解說，不僅徹底廓清了長久以來對於古書體式認知的淆亂，也更能使讀者瞭解各種文獻整理方法之間仍具有一定的關聯性。

早先學者們寫到「文獻學的方法」，大都是照著「目錄」、「版本」、「校讎」的順序依次加以論述。每一種方法底下，又依著時代順序，詳細介紹各個時期重要的文獻學家。這種敘述方式，固然可以看出各種文獻整理方法的源流演變，也容易比較出每個朝代在文獻整理上的特色，不過這些都是屬於「文獻學史」的範疇。先生強調以科學方法整理文獻，最大的目的，是要讓讀者知曉為什麼需要

整理文獻？整理文獻對學術有何影響？文獻整理的方法應如何？整理文獻該有什麼樣的態度？從事文獻整理需具備哪些修養？至於各種文獻整理方法的源流演變，先生在著述中大多點到即止，沒有刻意去加以論述或辨證，這是為了避免模糊「文獻學」該當注意的焦點。

在宋代文獻學家當中，先生最肯定鄭樵的成就，曾撰有〈鄭樵之文獻學〉，發表於臺北市立教育大學《應用語文學報》第六號，這是先生少數以學人為論題所撰寫的研究論文。在這篇文章中，先生表揚了鄭樵在文獻學方面的重要觀念和主張：㈠強調整理文獻的必要性，㈡闡述圖書分類的重要性，㈢創發新的圖書分類法，㈣創發三段類例法，㈤主張編次目錄應同時著錄佚書，㈥提出蒐求文獻的具體方法，㈦重視圖譜文獻，㈧重視金石文獻，㈨制定編纂目錄的原則，㈩主張整理文獻者須專職久任。

鄭樵是宋代著名的文獻學大家，所撰寫的《通志》一書，與杜佑《通典》、馬端臨《文獻通考》並稱為「三通」。鄭樵之所以值得提出來單獨討論，是因為他在文獻學的理論及方法上，確實有其獨到的創見與足以影響後世的偉大貢獻。像是他在《通志·校讎略》「求書之道有八論」中，所提出蒐求文獻的八個具體方法：即類以求、旁類以求、因地以求、因家以求、求之公、求之私、因人以求、因代以求，就深深影響了明代藏書家祁承㸑，祁氏撰有《澹生堂藏書訓約》，當中談到：

> 鄭漁仲論求書之道有八，……可謂典籍中之經濟矣。……余於八求之外，更有三說：如書有著於三代而亡於漢者，然漢人之引經多據之；書有著於漢而亡於唐者，然唐人之著述尚存之；書有著於唐而亡於宋者，然宋人之纂集多存之。每至檢閱，凡正文之所引用、注解之所證據，有涉前代之書而今失其傳者，即另從其書各為錄出。如《周易坤靈圖》、《禹時鈎命訣》、《春秋考異郵》、《感精符》之類，則於《太平御覽》中間得之；如《會

稽典錄》、張璠《漢紀》之類，則於《北堂書鈔》間得之；如晉簡文《談
疏》、《甘澤謠》、《會稽先賢傳》、《渚宮故事》之類，則於《太平廣
記》間得之。諸如此類，悉為裒集。又如漢唐以前，殘文斷簡，皆當收羅。
此不但吉光片毛足珍重，所謂舉馬之一體，而馬未常不立於前也。

這段話經常被輯佚學者所引用，其實他的求書三法，受到鄭樵相當大的啟發。

除了鄭樵之外，宋代還有許多在文獻學上有重大貢獻的學者，如彭叔夏校勘
《文苑英華》訛誤舉出的四十五例，對於後來洪亮吉〈上石經館總裁書〉提出的
校石經誤字二十四法、王念孫《讀書雜志》校《淮南內篇》提出的古書常見的錯
誤現象六十餘種，必然也有相當的影響。但是一方面因為文獻學的範疇太過廣泛，
一方面由於篇幅的限制，這些重要的文獻學家或具有代表性的個別圖書，先生未
能在著作中做更多的討論。這是作為讀者感到最為遺憾的地方。

七、結　語

先生執教杏壇三十餘年，對學問沒有感到滿足的時候，耐心教人而不知倦怠，
手不停披，著述日出。《論語·先進》篇：「子曰：『不踐跡，亦不入於室。』」
〈子張〉篇：「子貢曰：『夫子之牆數仞，不得其門而入，不見宗廟之美，百官
之富。』」先生《文獻學》等新著，指示治學的門徑，不啻度人之金針，學海之
津筏。後來學者追躡先生的腳步，學問也就易於精進了。

劉兆祐教授與古籍整理研究

黃智信

中央研究院中國文哲研究所計畫助理

一、前　言

　　劉兆祐教授，字仲豫，民國二十六年出生於新竹市。民國五十四年，自東吳大學中國文學系畢業後，在屈翼鵬（萬里）教授指導之下，分別於民國五十七年、六十二年，完成碩士論文《晁公武及其郡齋讀書志》、博士論文《宋史藝文志史部佚籍考》，取得臺灣師範大學國文研究所碩士、博士學位，並獲頒國家文學博士學位。曾任國立中央圖書館特藏組編輯、編纂，東吳大學教授兼中國文學系所主任、所長，臺北市立教育大學教授兼語文教育系所主任、所長，中山學術講座，東吳大學講座教授，政治大學中文研究所兼任教授，臺北大學古典文獻學研究所兼任教授等。現任中國文化大學教授兼中國文學系所主任、所長。多年來，教學成績斐然可觀，研究成果之創獲尤多。

　　拙文謹就先生於古籍整理與研究上之成就與貢獻，略呈所見，以為先生壽。先生之學，門庭廣大，識見閎深，非智信所能見其涯涘。挂一漏萬，是所難免，惟勉力以為之。

　　何謂「古籍」？先生於〈吉光片羽的《玉函山房輯佚書》〉（《國文天地》第二卷第七期，民國七十五年十二月）一文中，有明確的定義云：「這裡所指的『古籍』，

只限於清代以前，用木刻、活字排印或抄寫的書籍及一些清代以前的稿本。至於近代用影印方法印行的古書，則不在此範圍。通常我們把明末以前刊印的書，稱為『善本』；清代所印的書，稱為『普通本線裝書』。這兩種都是本文所指稱的『古籍』。」

至於整理古籍的方法，先生於〈臺灣地區博碩士論文在整理古籍方面之成果並論古籍整理人才之培育〉（《書目季刊》第三十卷二期，民國八十五年九月）一文，做了深入分析云：「歷代整理古籍的方式，主要有下列幾種：一是校勘；二是編目；三是撰寫敘錄（提要）；四是注釋；五是章句；六是纂輯；七是輯佚；八是辨偽；九是語譯；十是編製索引；十一是重新排印。」

另兩處，先生談的是整理文獻的方法，也可互參。其一是〈挖掘文學聚寶盆——我國編纂文學總集的回顧與展望〉（《國文天地》第六卷第二期，民國七十九年七月）一文，歸納兩千年來，國人整理文獻的最主要方式，大致有三：一是編纂類書，二是編纂叢書，三是編纂總集。

其二則為《文獻學》（臺北：三民書局，民國九十六年三月）第四章〈文獻的整理〉第一節〈整理文獻的方法〉所論前人整理文獻的方法有以下七項：一、校勘，二、編輯目錄，三、注釋，四、輯佚，五、編纂，六、考佚，七、補缺。

以下，即根據先生對於「古籍」與「古籍整理」的看法，嘗試從「古籍整理與研究教育工作的推動」、「古籍整理與研究具體成果的呈現」、「古籍整理與研究可行方法的提示」等三個方面，討論先生於古籍整理與研究上，所從事的工作與取得的成就。

二、古籍整理與研究教育工作的推動

先生自民國五十八年七月應聘為東吳大學中國文學系兼任講師以來，於大學任教已長達四十餘年，其間對於古籍整理與研究教育工作的推動，總是不遺餘力，至少在「開設課程」、「指導研究生」、「編寫教科書」等三個方面的具體工作

上，有不凡的成績與卓越的貢獻。

㈠ 開設相關課程

先生所曾經開設的相關課程非常多，僅就研究所的課程而言，如東吳大學中國文學研究所的「中國文獻學研究」、「校讎學研究」、「目錄學研究」，臺北市立教育大學應用語言文學研究所的「治學方法研究」、「中國目錄版本學研究」，政治大學中國文學研究所的「治學方法」、「中國文獻學研究」、「目錄版本學」、「校讎學」，臺北大學古典文獻學研究所的「校讎學研究」，中國文化大學中國文學研究所的「治學方法」、「目錄版本學」、「文史資料討論」等，開設的課程無論數量或種類，均頗為可觀。

㈡ 指導研究生

多年來，經先生細心指導而完成的學位論文，數量不少。其中與古籍整理及研究相關，在碩士論文方面，如：

1. 孔建國　《文獻通考經籍考研究》　政治大學中國文學研究所　六十三學年度

2. 王國良先生　《唐代小說敘錄》　政治大學中國文學研究所　六十四學年度

3. 林清科　《宋代偽撰別集考辨》　東吳大學中國文學研究所　七十三學年度

4. 陳仕華　《玉海藝文部研究》　東吳大學中國文學研究所　七十四學年度

5. 李光筠　《朱鶴齡詩經通義研究》　東吳大學中國文學研究所　七十七學年度

6. 張曉生　《姚際恆及其尚書禮記學》　東吳大學中國文學研究所　七十八學年度

7. 吳栢青　《張元濟及其輯印四部叢刊之研究》　東吳大學中國文學研究所八十七學年度

8. 李盈萱　《盧文弨及其群書拾補之研究》　臺北市立師範學院應用語言文學研究所　八十九學年度

9.陳仕侗　《魏了翁及其春秋左傳要義研究》　臺北市立師範學院應用語言文學研究所　八十九學年度

10.潘宜君　《藝文類聚引史部傳記類圖書研究》　中國文化大學中國文學研究所　九十七學年度

在博士論文方面，如：

1.林慶彰先生　《明代考據學研究》　東吳大學中國文學研究所　七十二學年度（與昌彼得教授共同指導）

2.李丙鎬　《王國維之文獻學研究》　東吳大學中國文學研究所　七十五學年度

4.陳恆嵩　《五經大全纂修研究》　東吳大學中國文學研究所　八十六學年度

4.陳仕華　《姚振宗隋書經籍志考證研究》　東吳大學中國文學研究所　八十九學年度

5.林淑玲　《陸心源及其皕宋樓藏書志史部宋刊本研究》　中國文化大學史學研究所　九十學年度

6.王書輝　《兩晉南北朝爾雅著述佚籍輯考》　政治大學中國文學系　九十學年度（與簡宗梧教授共同指導）

7.張曉生　《郝敬及其四書學研究》　東吳大學中國文學研究所　九十一學年度

8.陳惠美　《清代輯佚學》　中國文化大學中國文學研究所　九十三學年度

㈢ 編寫教科書

先生於歷年所開設與古籍整理及研究相關的課程時，多編寫了詳細的講義，並撰寫了不少相關的研究論著。將這些講義與相關論著彙整編纂，就成了非常理想的教科書。例如：

1.《中國目錄學》　臺北　五南圖書公司　民國八十七年七月；民國九十一年三月二版

2.《治學方法》　臺北　三民書局　民國八十八年九月

3.《國學導讀》第一篇〈緒論〉　臺北　五南圖書出版公司　民國九十一年十一月；北京　中國人民大學出版社　二〇〇五年十一月

4.《文獻學》　臺北　三民書局　民國九十六年三月

這幾種專著，除了反映出先生多年來掌握的資料之豐富外；更重要的，是融入了大量先生多年來治學的心得與經驗。如果說「開設課程」與「指導研究生」，是先生所給予受業弟子以親切的教導的話；這幾種教科書，則是將金針度與更多莘莘學子，而更顯其沾漑之無窮了。

三、古籍整理與研究具體成果的呈現

㈠ 編纂工具書

先生非常重視工具書的編纂與使用，於所撰〈學術研究與工具書〉（《幼獅月刊》第六十二卷第四期，民國七十四年十月）一文，詳細說明工具書在學術研究上所具有的以下幾項功用：

1.延長了研究者的學術生命，

2.可綜覽古今中外的學術著作，

3.指引正確的研究方向，

4.賴以得知前人著述的因襲現象，

5.賦予舊資料以新生命，

6.養成做學問的正確態度。

於〈為「工具書」設個獎〉（《民生報》民國七十六年一月二十二日第四版）一文說：「『工具書』的範圍很廣，除了字典、辭典、百科全書外，還包括年表、書目及索引等。編工具書的人，都是『捨己為人』，甚為辛苦。同時由於銷路不廣，一般出版社也不太樂意印行。『金鼎獎』除了鼓勵出版界和作者以外，也有指引讀者買書的功能。希望為『工具書』設個獎，以指引讀者正確的治學觀念。」

文中，除說明工具書所包括的範圍外，更建議為「工具書」設立專門獎項，以鼓勵編纂優秀的工具書。正因先生對於工具書的重視，對於教導學人如何使用工具書的「工具書指引」或「參考用書指引」一類書籍的編纂，先生亦多所鼓勵。因此分別為張錦郎、陳正治兩先生的專著，撰寫了〈資料常新的工具書指南——《中文參考用書指南》三版序〉（《中文參考用書指引》，臺北：文史哲出版社，一九八三年十二月增訂三版）、〈學術研究往下紮根——《怎樣應用中文工具書》序〉（《怎樣應用中文工具書》，高雄：復文圖書出版社，一九八四年五月）兩篇序。而先生自己所撰之《治學方法》一書中的第四章，即是〈善用工具書〉，《國學導讀·緒論篇》第二章第四節也是〈善用工具書〉。

先生本人所從事工具書的編纂工作，主要在於字典與目錄的編輯。

1.字典的編輯

擁有體例完備，蒐羅豐富，資料準確的字、辭典，對於古籍整理與研究工作的進行，影響甚鉅，意義十分重大。

先生主編有《超群國語字典》（臺南：南一書局，民國七十五年七月），雖成書較早，但具備許多的優點，詳參鄭明娳教授〈如何選擇好字典——從《超群國語字典》談起〉（《國文天地》第二卷第五期，民國七十五年十月）一文。

先生對於字、辭典，既有實際編纂工作的經驗，並撰寫過〈臺灣編纂字、辭典工作的檢討與展望〉（《國文天地》第七卷第七期，民國八十年十二月）、〈從兩岸語文之差異論今後編纂字典詞典之方向〉（《第一屆兩岸漢語語彙文字學術研討會論文專集》，臺北：中華語文出版社，民國八十三年三月）二文，對於臺灣字、辭典編纂工作，有深入的探討，且對於未來的發展方向，提出了許多具體可行的建議。可惜臺灣大型字、辭典的編輯成果，至今依然十分有限。

2.目錄的編纂

國立編譯館委由周何教授主持《十三經論著目錄》與《十三經著述考》二項計畫的編輯工作，先生所負責前項計畫中的《周禮論著目錄》、《儀禮論著目錄》

與《三禮總義論著目錄》，於民國八十九年六月，由臺北洪葉文化公司出版。後項計畫尚未完成，即因國立編譯館的改制，而被迫終止。所編纂的資料《三禮總義著述考（一）》、《周禮著述考（一）》、《儀禮著述考（一）》，雖先生謙稱之為「不完之稿」，也已分別於民國九十二年七月、十月、十一月，由國立編譯館印行出版。兩套書分別收錄了《周禮》、《儀禮》、三禮總義之相關研究論著與歷代著述文獻，體例完備，資料豐富，是研究三禮之學重要的參考書籍。

專書之外，如〈六十年來漢書之研究〉（收入《六十年來之國學》〔第三冊〕〔臺北：正中書局，民國六十三年五月〕）一文，整理了民國初年至六十年間《漢書》研究之專著與單篇論文資料；〈民國以來的四庫學〉（《漢學研究通訊》第二卷第三期，民國七十二年七月）一文，整理了七十年來《四庫全書》研究之專著與單篇論文資料。二文蒐羅資料豐富，同樣具備目錄的功能。

(二) **撰寫善本書志、敘錄、提要或解題**

自民國五十七年十月，先生服務於中央圖書館特藏組，即陸續在《中央圖書館館刊》、《書目季刊》、《幼獅學誌》等刊物發表善本書志；並為《明代史籍彙刊》、《明代史籍彙刊（二輯）》、《元代珍本文集彙刊》、《雜著秘笈叢刊》、《明清未刊稿彙編初輯》等叢書所收各書，分別撰寫敘錄；為《中國史學叢書三編第一輯》、《中國史學叢書三編第二輯》撰寫提要。詳細考訂各書之作者生平、全書內容大要，乃至諸書傳世之版本，便於讀者能迅速掌握各書之梗概，明瞭各書的特點及其重要之處。清代潘介祉纂輯之《明詩人小傳稿》，所收資料較錢謙益《列朝詩集小傳》與陳濟生《啟禎遺詩小傳》都更加完備，可惜此書並未刊行，中央圖書館藏有此書編者的手稿本。先生所撰之〈明詩人小傳稿敘錄〉，將編者潘介祉的家世生平、此稿本的行款、引書情況，以及流傳與入藏經過等，都作了清楚的論述。此篇敘錄，原載於《中央圖書館館刊》新第三卷第一期，其後收入國立中央圖書館據稿本所整理編輯《明詩人小傳稿》之卷前，對於使用與研讀此書的讀者而言，當有不少幫助。

〈宋代雜著筆記（五種）文獻解題〉（《金榮華教授七秩華誕祝壽論文集》，臺北：中國文化大學中國文學系，民國九十六年二月）則是針對宋代葉大慶《考古質疑》、朱翌《猗覺寮雜記》、宋敏求《春明退朝錄》、周密《齊東野語》、沈括《夢溪筆談》等五種雜著筆記，考撰者生平、論文獻價值、列重要版本，以撰寫各書之解題。

㈢ **編輯叢書**

　　叢書方面，先生與屈翼鵬（萬里）教授合編了《明清未刊稿彙編初輯》、《明清未刊稿彙編二輯》，選擇國立中央圖書館所藏重要稿本，影印出版。初輯收錄了清王紹蘭《蕭山王氏所著書》等十種，二輯收錄了《全唐詩稿本》一種。初輯每一書卷前均有先生所撰敘錄，二輯卷前則附先生所撰〈御製全唐詩與錢謙益季振宜遞輯唐詩稿本關係探微〉一文。此外，先生還主編了《中國史學叢書三編第一輯》、《中國史學叢書三編第二輯》，第一輯收書十九種，第二輯收書十一種，先生均一一為之撰寫提要。

㈣ **對各種文獻知識的介紹與深入研究**

　　1. **對文獻知識的介紹**

　　先生多年來致力於各種文獻知識的介紹，以使更多學子能建立正確的治學觀念、培養嚴謹的治學方法、奠定深厚的治學根基。因此，除了開設各種相關課程外，還撰寫了為數甚多的論文，編寫上述幾種教科書。許多論文的精要，也融入這數種教科書中。

　　於幾種教科書所涉及的相關內容之外，相關介紹各種文獻知識的論文，如〈琳琅萬卷·中樞玄覽——從國立中央圖書館的善本書淺談有關善本書的基本知識〉（《幼獅月刊》第五十七卷第一期，民國七十二年一月）談中央圖書館所藏善本書的特色，並說明讀書為何必須選擇善本。而〈為甚麼讀古書要當心錯字？〉（《國文天地》第一卷第一期，民國七十四年六月）與〈古書的標點符號〉（《國文天地》第二卷第八期，民國七十六年一月）二文，則提醒年輕學子應注意古書中的錯字，與古書中的標點符號運用情況，並建議多練習如何標點古書。

　　專著方面,如《認識古籍版刻與藏書家》（臺北：臺灣書店,民國八十六年六月）一書,取原為《中國時報》「書林趣談」專欄（內容多敘說古籍版刻的一些趣聞）與《中央日報》「藏書家與藏書章」專欄（內容多談論藏書家的軼聞軼事）的文章為基礎,重新改寫、增補,增加一些篇章,補充了一些知識性資料與圖片。希望藉此可以使讀者具備了古籍版刻的基本認識,增進閱讀古書的興趣,進而豐富現代人日趨枯竭的精神生活。此書既有其學術上增進古籍知識的嚴肅目的,也有生活上推廣古籍閱讀的積極意義。

　　〈春秋左傳釋義〉（《幼獅月刊》第四十七卷第二期,民國六十七年二月）、〈古老的傳記文學太史公書──《史記》解題及其讀法〉（《幼獅月刊》第五十七卷第二期,民國七十二年二月）、〈公孫龍子及其文學〉（《幼獅月刊》第六十卷第五期,民國七十三年十一月。又收入《中國文學講話》〔第三冊〕〔臺北：巨流圖書公司,民國七十七年三月〕）、〈漢書藝文志的讀法〉（《中國文學講話》〔第四冊〕,臺北：巨流圖書公司,民國七十七年三月）、〈漢書選讀──霍光傳〉（《中國文學講話》〔第四冊〕,臺北：巨流圖書公司,民國七十七年三月）等論文,則分別具體地揭示了研讀《左傳》、《史記》、《公孫龍子》、《漢書》等書的方法。

2. 對偽書的考辨

　　先生〈心史作者考辨〉（《東吳文史學報》第四期,民國七十一年四月）一文,論證《心史》非宋人鄭思肖所作,而是出於後人的偽造。偽造《心史》者,很可能是明代一位和承天寺頗有關係的人。

　　〈明刊本陸沔編「廣十二家唐詩」考辨〉（《東吳文史學報》第一期,民國六十五年三月）,則考論國立中央圖書館所藏明陸沔編刊《廣十二家唐詩》一書,即明蔣孝所編刊之《中唐詩》。蔣本鏤於明嘉靖間,陸本則為萬曆以後,陸氏購得蔣刻舊版,抽去蔣序,易以陸序,又另題書名,以刷印行世,實係偽書。

3. 對古籍注釋的研究

　　〈古籍注釋中之文獻及其價值〉（《昌彼得教授八秩晉五壽慶論文集》,臺北：臺灣學

生書局，民國九十四年二月）一文，歸納了古籍注釋資料中所載文獻之價值有六：

⑴留存佚書資料，可供輯佚之資。

⑵彙聚各家說解，方便取資。

⑶多採異本，可考見古籍流傳之情行。

⑷頗載異文，可供校勘之資。

⑸留存古代名物制度，可供稽考之資。

⑹留存非圖書資料，可補圖書文獻之不足。

4.對經部的研究

先生於經部的整理與研究，主要在編輯《周禮論著目錄》、《儀禮論著目錄》、《三禮總義論著目錄》，以及《三禮總義著述考（一）》、《周禮著述考（一）》、《儀禮著述考（一）》等書。撰寫〈兩千年來詩經研究的回顧〉（《幼獅學誌》第十七卷第四期，民國七十二年十月。又題〈歷代詩經學概說〉，收入《中國文學講話》〔第二冊〕〔臺北：巨流圖書公司，民國七十七年三月〕）與〈春秋左傳釋義〉（《幼獅月刊》第四十七卷第二期，民國六十七年二月）。

5.對史部的研究

⑴對方志的研究

〈中國方志中的文學資料及其運用〉（《漢學研究》第三卷第二期，民國七十四年十二月），又收入《治學方法》第五章〈重要的文史資料〉第三節〈重要的文史資料之二──方志〉，內容有所改易增補。提示了方志所著錄文學資料的功用有：

①可資輯佚，

②可資校讎

③可補史傳的不足，

④可補史志的不足。

文中並提出運用方志中文學資料時，應注意的事項：

①應注意編刊的時代，

②應注意是否為善本，

③注意不實的記載。

⑵對政書的研究

先生對於「政書」之研究，主要成績尤在於《文獻通考》一書，撰有以下二文：〈《文獻通考》之文獻資料及其運用與整理——「政書」文獻資料研究之一〉（《應用語文學報》第三期，民國九十年六月）、〈「文獻通考」版本考〉（《國家圖書館館刊》九十四年第二期，民國九十四年十二月），二文主要內容又收入《文獻學》第二章〈圖書文獻〉第三節〈政書〉中。二篇文章主要論述了以下八項：

①「政書」之內涵與文獻資料，

②《文獻通考》的內容，

③《文獻通考》的取材，

④《文獻通考》輯錄文獻的方法，

⑤《文獻通考》的文獻價值，

⑥運用《文獻通考》時應注意的事項，

⑦《文獻通考》的整理方法，

⑧《文獻通考》的各種版本。

並歸納《文獻通考》的文獻價值有四：

①可補史志的不足，

②可資輯佚，

③可資校勘，

④方便文獻的檢索。

而運用《文獻通考》時，應注意的事項有二：

①應瞭解《文獻通考》的二項缺失：1.徵引的文獻，每多刪節。 2.標著文獻的出處不明確。

②應同時稽考其他相關文獻，以補《文獻通考》之未備。

(3)對宋元目錄學的研究

這方面，先生撰有《晁公武及其郡齋讀書志》（臺北：嘉新水泥公司文化基金會，民國五十八年六月）、《四庫著錄元人別集提要補正》（臺北：私立東吳大學中國學術著作獎助委員會，民國六十七年二月）、《宋史藝文志史部佚籍考》（臺北：國立編譯館中華叢書編審委員會，民國七十三年四月）三種專著。

《晁公武及其郡齋讀書志》考證了晁氏的生平事蹟，以肯定其在學術上應有的地位；並詳論《郡齋讀書志》的體例與內容，以闡明其在目錄學上的價值與貢獻。《四庫著錄元人別集提要補正》針對《四庫全書》所著錄元人詩文集一百六十九家中的九十九家，參稽史傳及歷代藏書目錄，又詳校今存善本。於《提要》缺者補之，誤者正之。《宋史藝文志史部佚籍考》以著錄宋代典籍較為完備之《宋史·藝文志·史部》為範圍，取其中已亡佚者詳加考證。總計考訂已佚而無輯本者，一三八三種；已佚而有輯本者，四十六種。

先生既撰《宋史藝文志史部佚籍考》，繼而又以《宋史·藝文志·史部》所著錄宋人史籍為基礎，補錄其未收者，不論存佚，詳為輯考。自民國六十七年六月起，至八十七年十二月止，共發表了二十餘篇題為〈宋代史籍考〉的論文。俟此文完成，彙整出版，將成為一部字數超過兩百萬言的煌煌鉅著。

6.對子部的研究

(1)對雜著筆記的研究

先生於「雜著筆記」之研究，主要成績在於撰有以下三文：〈雜著筆記之文獻資料及其運用〉（《應用語文學報》第二期，民國八十九年六月。又收入《文獻學》第二章〈圖書文獻〉第四節〈雜著筆記〉）、〈宋代雜著筆記（五種）文獻解題〉（《金榮華教授七秩華誕祝壽論文集》，臺北：中國文化大學中國文學系，民國九十六年二月）、〈宋代雜著筆記所徵引佚書二十一種考述〉（《國家圖書館館刊》九十六年第二期，民國九十六年十二月）。文中指出雜著筆記的文獻價值在於：

①可資輯佚，

②多存佚聞,

③可資校勘,

④方便檢索文獻。

雜著筆記的缺失,有:

①多有不注明出處者,

②考證偶有疏誤,

③引文每有增省刪改。

而宋代雜著筆記所引佚書資料的文獻價值,則在:

①可供輯佚之資,

②可補史書藝文志及公私藏書目錄之未備,

③可補史傳之不足。

運用雜著筆記時應注意的事項有:

①應注意其出處,

②應注意改編篡匿,

③應注意傳本的優劣。

⑵對類書的研究

〈中國類書中的文獻資料及其運用〉（《國立中央圖書館館刊》新第二十二卷第二期,民國七十八年十二月）,又收入《治學方法》第五章〈重要的文史資料〉第二節〈重要的文史資料之二——類書〉,以及《文獻學》第二章〈圖書文獻〉第二節〈類書〉。三者內容略有異同,可互相參看。文中提出類書在文獻上的價值有:

①可為輯佚之取資,

②可為校勘之佐證,

③方便資料之檢索。

運用類書中的文獻資料應注意的事項有:

①類書中所徵引的資料,並不盡可信。原因在於:類書大多成於眾手、類

書每經後人改竄、類書多因襲前代資料。

②要擇善本而用之。

③要瞭解類書的體例。

另，〈略說《永樂大典》〉（《中國時報》民國八十一年十月十四日〈人間副刊〉）一文，論述了《永樂大典》編纂的政治背景、價值，與散佚的經過。指出此書是歷來編纂的類書中，價值最高的一部。

(3)對志人小說與笑話書的研究

先生撰有關於「志人小說」與「笑話書」的論文二篇：〈志人小說與笑話書〉（《中國文學講話》（第五冊），臺北：巨流圖書公司，民國七十四年六月）、〈古代笑話書知多少〉（《國文天地》第五卷第十期，民國七十九年三月）。前篇中分析了志人小說與笑話書產生的原因；列舉了幾種重要的志人小說與笑話書，一一介紹其內容；並闡述志人小說與笑話書的價值。而後文，則分析笑話書之性質，並歸納笑話書的整理與編纂方法。指出志人小說與笑話書的價值在於：

①瞭解古人的佚聞佚事，以補史傳的不足。

②記錄各時代的風俗習慣。

③保存各時代的語言資料。

④具有訓誡作用。

⑤著錄當時的器物及飲食。

⑥其他，如許多典故即出於此類之書的記載而來。

7.對集部的研究

〈集部概說〉（《中國文學講話》（第一冊），臺北：巨流圖書公司，民國七十七年三月）提出前人研究集部的方法有五種：

①校勘，

②輯佚，

③彙編，

④評點，

⑤欣賞與批評。

⑴對清代以前文學總集的研究

〈挖掘文學聚寶盆——我國編纂文學總集的回顧與展望〉（《國文天地》第六卷第二期，民國七十九年年七月）歸納清代以前文學總集的編纂方式有：

①把歷代各體詩文，選擇一部分彙為一編的，如《文選》、《文苑英華》。

②把唱和的詩，薈為一編的，如《同文館唱和詩》、《坡門酬唱集》。

③把相同體製的作品，薈為一編的，如《萬首唐人絕句詩》、《樂府詩集》。

④把昆弟的作品編為一集的，如《竇氏聯珠集》、《清江三孔集》。

⑤把內容性質相類的作品，彙為一編的，如《香奩集》、《觀妓集》。

⑥把同一時期的作品選擇其中一部分彙為一編的，如《唐文粹》、《晚唐十二名家詩集》。

⑦把一個時代的詩或文，彙為一編的，如《全金詩》、《全唐詩》。

⑧把一地的詩文輯為一編的，如《成都文類》、《赤城集》。

對於清代以前所編文學總集，先生經過檢視，提出三項問題，其要點如下：

①偏重於詩文，對其他體製的文學作品，像小說、戲曲等，少有為之編纂總集的。

②前人編纂總集，少有「凡例」以說明其體例的。前人對於編輯體例，並不很重視。

③前人編纂總集，多半偏重在「取用方便」的目的，而少有從保存文獻的眼光來從事編纂的。多數以文體分類，少有以人、以時代為主的。所蒐羅的詩文，也少有完整的。

⑵對《全唐詩》的研究

清康熙四十二年輯刊之《全唐詩》，是研究唐詩最重要也最完備的一部總集，而中央圖書館所藏清代錢謙益、季振宜遞輯之《全唐詩稿本》，經先生仔細比勘，

斷定即為《全唐詩》編纂所據之底本。先生為此一發現，撰寫了一系列的文章做了深入的探討，主要的篇目如下：一、〈御製全唐詩與錢謙益季振宜遞輯唐詩稿本關係探微〉（《幼獅學誌》第十五卷第一期，民國六十七年六月。又收入《全唐詩稿本》〔臺北：聯經出版事業公司，民國六十八年九月〕卷前）。二、〈清錢謙益季振宜遞輯唐詩稿本跋——兼論御定全唐詩之底本〉（《東吳文史學報》第三期，民國六十七年六月）。三、〈《全唐詩》底本的發現〉（《幼獅文藝》第四十九卷第一期，民國六十八年一月）。四、〈清康熙御製全唐詩底本及其相關問題之探討〉（《中央研究院國際漢學會議論文集》，臺北：中央研究院，民國七十年十月）。

8.對叢書的研究

先生〈論「叢書」〉（《應用語文學報》創刊號，民國八十八年六月）一文，較收入《治學方法》第五章〈重要的文史資料〉第四節〈重要的文史資料之三——叢書〉者，內容加詳。文中歸納叢書的種類有九項：

①彙聚四部之書者，如《百川學海》、《學海類編》、《四庫全書》、《四部叢刊》等。

②彙聚一代之書者，如《唐宋叢書》、《廣漢魏叢書》、《昭代叢書》、《皇清經解》、《續皇清經解》等。

③彙聚同類之書者，如《十三經注疏》、《百衲本二十四史》、《歷代地理志彙編》、《觀古堂書目叢刊》等。

④彙聚一地文獻者，如《嶺南叢書》、《畿輔叢書》、《湖北叢書》、《豫章叢書》、《武林掌故叢書》等。

⑤彙聚專人之著作者，如《亭林遺書》、《船山遺書》、《黃黎州十八種》、《夏峰全書》等。

⑥彙聚佚書者，如《漢魏遺書鈔》、《玉函山房輯佚書》、《漢學堂叢書》等。

⑦彙聚佚存域外之書者，如《佚存叢書》、《古逸叢書》等。

⑧彙整未刊稿本者，如《明清未刊稿彙編初輯》、《明清未刊稿彙編二輯》
等。

⑨彙聚叢書而成者，如《叢書集成》、《百部叢書》等。

叢書的價值，則有五項：

①彙聚圖書，保存文獻。

②所收錄者多為有用之書。

③多收罕見或未單行之書。

④可資校勘之資：1.叢書所收，多見異本。1.叢書所收，多有善本。3.叢
書所收，多經校勘。

⑤分類輯刊，方便求書。

叢書的缺失，主要有三項：

①所收頗有刪削或不完之本。

②考證不精，偶有疏誤。

③誤題作者或漏題撰人者，亦時有所見。

⑴對《四庫全書》的研究

對於《四庫全書》，先生曾經撰寫了幾篇論文，如一、〈民國以來的四庫學〉
（《漢學研究通訊》第二卷第三期，民國七十二年七月），二、〈古籍瑰寶化作萬千書種
——談「四庫全書」的印行〉（《新書月刊》創刊號，民國七十二年十月），三、〈中國
最大的一套叢書——《四庫全書》〉（《國文天地》第二卷第一期，民國七十五年六月）。
檢討了《四庫全書》的研究情況；對臺灣商務印書館影印《四庫全書》提出幾項
建議；更重要的，是對於《四庫全書》的價值、缺失，與運用方法，深入加以探
討。

《四庫全書》的價值有三：

①使歷代的重要文獻，得以留存下來。

②把各種不同性質的書，給予詳細的歸類，使人一看其類屬，就知道每一

書的性質。

　③歷來圖書多在私人藏書樓，不易借閱，《四庫全書》有三分放在類似今日公共圖書館的「文匯」、「文宗」、「文瀾」三閣，方便了學者。

《四庫全書》的缺點則有四：

　①所收錄的圖書並不完全。

　②所收的書，有不少是不完整的，或者所依據的版本並不是最好的。

　③四庫館的館臣在決定那些書該收錄，那些書不該收錄時，不盡公正客觀。

　④鈔寫錯誤、殘缺不全或任意改竄文字。

至於利用《四庫全書》的方法，則有：

　①要熟悉《四庫全書》的分類方法。

　②要先讀《四庫全書總目提要》，但《提要》不盡正確，要留意其中的錯誤和偏見。可參閱胡玉縉、余嘉錫和先生有關補正提要的著作。

　③《四庫全書》所收的書並不完備，所以《四庫全書》所沒有的，要從其他的叢書或單行本中檢索。

　④《四庫全書》所收錄的書，其依據的版本非全是善本，所以要注意每一書的傳本，以免誤信劣本。

　⑤《四庫全書》中的圖書，雖然經過詳細的校勘，但是仍免不了錯字、脫漏、衍字及有意的改易，不能不注意。

　(2)對《四部叢刊》的研究

　於〈實用與善本並重的《四部叢刊》〉（《國文天地》第二卷第三期，民國七十五年八月）一文，指出《四部叢刊》的特色有：

　①實用性高，

　②保存文獻的原始面貌，

　③所選用的多為善本，

　④多撰「校勘記」及「札記」，

⑤每一書在封頁裡都說明所根據的版本和出處。

(3)對《四部備要》的研究

〈聚珍倣宋版《四部備要》〉（《國文天地》第二卷第四期，民國七十五年九月），
指出《四部備要》的優點：

　　①《四部備要》所收錄的書，都是四部中最基本的要籍。所以《四部備要》
　　　的書目，也可以看成一種「國學基本要籍書目」。

　　②校勘經審。

《四部叢刊》與《四部備要》的比較：

　　①叢刊收錄的書，以「實用」及「善本」並重；備要則強調「擇要」收錄
　　　四部的菁華。所以，叢刊比較適合從事研究的人使用，備要則比較適合
　　　初學及一般人士閱讀。

　　②備要所選的書較少；叢刊則收錄較多。

　　③在集部方面，叢刊所收的，多是歷代詩文別集和總集，而備要則收錄了
　　　大量的元雜劇，這備要的特色。

　　④叢刊完全採用影印，備要則重新以活字排印。從研究工作者的立場來說，
　　　叢刊影印的方式較能保存文獻的原始面目。從初學或一般讀者的立場來
　　　說，則備要以清新的活字排印，較方便閱讀。

　　⑤如果從事學術研究工作，則以叢刊的本子為底本，備要的本子為輔本。
　　　如果是從事一般閱讀，則以備要本為方便。

(4)對《百衲本二十四史》的研究

〈彙集善本的《百衲本二十四史》〉（《國文天地》第二卷第五期，民國七十五年十
月），指出《百衲本二十四史》的價值：

　　①保存文獻較原始的面貌，

　　②從事辛苦的配補工作，

　　③每書撰有「跋」，

④為善本留下書種。

⑸對《古逸叢書》的研究

〈為流失海外的古籍傳書種——《古逸叢書》〉（《國文天地》第二卷第二期，民國七十五年七月），指出《古逸叢書》的價值有：

①其中不少是在我國早已失傳的古書。

②所有的書，都是元代以前刊刻的，部份日本的鈔本，也都在早期鈔寫的，提供了每一種書較原始的真實面貌。

⑹對《玉函山房輯佚書》的研究

〈吉光片羽的《玉函山房輯佚書》〉（《國文天地》第二卷第七期，民國七十五年十二月），指出《玉函山房輯佚書》的特色是：

①收書最多，

②態度嚴謹，

③每一書撰有提要，

④從事校勘，

⑤辨別偽書。

9.對域外漢籍的研究

先生討論所及之「域外漢籍」，包括域外所刊行之中國古籍，以及佚存於域外之中國古籍。

⑴日本刊行之中國古籍

先生有關的論文，如：一、〈中華民國國立中央圖書館藏日本所刊善本圖書〉（《第一屆中國域外漢籍國際學術會議論文集》，臺北：聯合報文化基金會國學文獻館，民國七十六年十二月）。二、〈論中國古籍日本刊本之價值〉（《書目季刊》第二十七卷第四期，民國八十三年三月）。三、〈跋日本刊「新編群書類要事林廣記」〉（《第七、八屆中國域外漢籍國際學術會議論文集合刊》，臺北：聯合報文化基金會國學文獻館，民國八十四年十月）。此三篇經彙整後，又收入《文獻學》第二章〈圖書文獻〉第五節〈域外漢籍刊本〉

中。

　　文中詳細列舉了中央圖書館所藏日本刊善本圖書一百三十部，並舉例說明中國古籍日本刊本的價值有三：

　　　　①留存中國古籍之異本，

　　　　②留存中國已失傳之古籍，

　　　　③留存中國古籍罕見之完本。

　⑵佚存於韓國之中國古籍

　　〈宋代向高麗訪求佚書書目的分析討論〉（《第三屆中國域外漢籍國際學術會議論文集》，臺北：聯合報文化基金會國學文獻館，民國七十九年十一月）則針對《高麗史》所載宋哲宗元祐六年（1091），宋朝向高麗訪求佚書的書目做了分析。

10.對中國古籍刊本中的域外地圖的研究

　　〈中國古籍刊本中的域外地圖〉（《第五屆中國域外漢籍國際學術會議論文集》，臺北：聯合報文化基金會國學文獻館，民國八十年十二月；又收入《興大中文學報》第五期，民國八十一年一月；以及《文獻學》第二章〈圖書文獻〉第六節〈古籍刊本中的域外地圖〉）。文中說明中國古籍刊本中的域外地圖值得注意之處有三：

　　　　①地圖的內容，深受西方地圖的影響。

　　　　②這些地圖，是研究中國人認識西方世界過程的重要文獻。

　　　　③這些地圖，是研究地裡版刻的重要文獻。

11.對非圖書文獻資料的研究

　　先生《國學導讀》第一篇〈緒論〉第三章〈研治國學的資料〉下，列「圖書資料」、「非圖書資料」二節。「圖書資料」下，詳細說明「類書」、「叢書」二種文獻資料。「非圖書資料」下，詳細說明「甲骨文」、「鐘鼎文」、「石刻」、「習俗及其他」等四種文獻資料。而《文獻學》第三章〈圖書文獻〉中「非圖書資料」下，也列舉「甲骨文」、「金器」、「石刻」三項加以論述。

　　此外，於〈上窮碧落下黃泉、動手動腳找資料——談閱讀古籍與實物習俗的

關係〉（《幼獅月刊》第四十八卷第二期，民國六十七年八月）一文中，尤其著眼於實物及習俗對於古籍閱讀的重要性，文中云：「做學問，尤其是閱讀古籍，應該用科學的方法和態度。所謂科學的方法，就是要重視證據。為古籍找證據，最好的證物就是實物與習俗。」

12.對重要文獻學家的研究

先生分別撰寫過〈鄭樵之文獻學〉（《應用語文學報》第六期，民國九十三年七月）、〈屈萬里先生之文獻學〉（《國家圖書館刊》九十三年第二期，民國九十三年十二月）、〈王國維之文獻學〉（《應用語文學報》第八期，民國九十五年六月）。而《文獻學》第五章〈重要的文獻學家〉，列舉上述三位文獻學家外，又增入劉向、劉歆兩位。

《認識古籍版刻與藏書家》下篇〈認識藏書家〉，更介紹了重要藏書家二十四位。

四、古籍整理與研究可行方法的提示

㈠ 強調文獻要及時整理，並應擴大收集之範圍

先生於〈彙集善本的《百衲本二十四史》〉（《國文天地》第二卷第五期，民國七十五年十月）一文說：「張元濟先生在編輯《百衲本二十四史》時，費盡了心血，從各處網羅善本。……這些書，如今有一部分已經不知流落何處，所幸當時影印流傳，謂善本祕笈，留存了書種。……文獻是要及時整理的，如果不及時整理出版，一但世事變遷，則珍貴的文化遺產，將永遠沈霾，不見天日了！」

於〈文獻要及時收藏〉（《民生報》民國七十六年四月二日第九版）一文中也說：「任何與文化有關的文獻，都要及時蒐藏整理。一般人多留心於舊文獻的蒐藏整理，而對眼前的文獻，以為隨時隨處可得，以致多所忽略。……一個時代的文化，是要從各個不同的角度去探討的，所以各行各業的文獻，都是構成今日文化的要素。大者如百科全書，小者如學校的班刊，都同樣的值得蒐藏。裝潢精美，價錢昂貴的經典，固然是文獻，那些擺在廟口，任人取閱的善書，又何嘗不是文獻？蒐藏

整理這些文獻，僅賴少數有心人士是不夠的，從個人到專司文化的單位，都需要同心關注。在個人方面，隨時注意保存週遭的文獻；在文化機構方面，於努力保留舊日文獻之同時，也要及時蒐藏今日的文獻。文獻一旦湮沒，再來蒐集，將是事倍功半。」

㈡ 應重視臺灣所藏珍貴的文史資料

〈臺灣所藏珍貴文史資料舉要——為臺灣成為世界漢學研究中心作證〉（《幼獅月刊》第四十一卷第四期，民國六十四年四月；又收入《治學方法》第五章〈重要的文史資料〉第一節〈臺灣所藏的珍貴文史資料〉）。此文分析臺灣所藏珍貴文史資料包括有：

1.所藏善本書之特色有：富藏珍貴的刊本、富藏宋明資料、富藏名家的稿本。

2.藏有豐富的古器物與書畫。

3.藏有豐富的地方文獻。

4.藏有完備的明清和近代史的原始檔案。

㈢ 提供學位論文整理研究古籍的意見

於〈臺灣地區博碩士論文在整理古籍方面之成果並論古籍整理人才之培育〉（《書目季刊》第三十卷第二期，民國八十五年九月）文中，認為博碩士論文對整理古籍也有一定的貢獻，因此先生提出四點意見，提供研究生寫作論文的參考，其要點如下：

1.多數論文偏重於文學作品，尤其是唐宋作品的校注與研究，且內容多所重複，如能有完整計畫對尚未整理、研究過的四部要籍，按類別與時代先後，依次整理，可以避免人力的浪費，並使整理古籍的成果更加顯著。

2.學位論文的撰寫，可以考慮以集體研究的方式，多人共同從事同一書的整理研究，則部帙巨大的古籍，才有機會從事整理與研究。

3.出版社如能善用博碩士論文，將之與古籍同時印行，一方面能讓研究成果廣為流傳，一方面能賦予古籍新的面貌。

4.國內圖書館所藏善本圖書中，稿本為數不少，撰寫學位論文時，可善用這

批資料，從事稿本的整理與研究。

㈣ 對古籍整理人才培育之建議

〈臺灣地區博碩士論文在整理古籍方面之成果並論古籍整理人才之培育〉一文，並針對如何培養大量優秀的整理古籍人才，提出以下幾項建議：

　　1.成立研究整理古籍的研究所，

　　2.在一般大學部及研究所開設有關課程，

　　3.各研究所應與圖書館合作，

　　4.與出版機構合作，

　　5.成立整理古籍的專責機構，

　　6.訂定獎勵辦法。

關於第一項建議成立研究整理古籍的研究所方面，在中國大陸，許多高等院校早已設有古典文獻專業或古籍整理研究所，並由教育部下所設之「全國高等院校古籍整理研究工作委員」，專門負責組織、協調這些高等院校古籍整理的研究與人才培育工作，整理與研究古籍的成績十分顯著。先生此文，係為一九九六年九月於臺北舉辦之「兩岸古籍整理學術研討會」所撰之論文，當時國內於專門研究與整理古籍的研究所，卻一直付之闕如。臺北大學古典文獻學研究所一直要到二○○一年二月，經教育部通過申設案，並准予次年春季開始招生，全臺灣的第一所文獻學專業研究所才正式成立。而首任所長，即由籌畫本所的先生高足王國良教授擔任。

關於第二項在一般大學部及研究所開設有關課程的建議，除先生本人，及其所培養的幾位高足弟子於幾所學校講授相關課程外，開設有相關課程的系所似乎依舊不多。

第三項建議各研究所應與圖書館合作方面，如東吳大學與故宮博物院合作整理《古今圖書集成電子版》與架設《寒泉古典文獻全文檢索資料庫》，是一個例子，但類似這樣的合作案似乎也不多見。

第四項建議與出版機構合作方面，如文听閣出版公司與幾位教授合作主編出版之《全臺文》、《民國時期經學叢書》、《民國文集叢刊》、《民國詩集叢刊》等套書，是其中的例子，雖書中所收還稱不上「古籍」，但也可以算是學界與出版界合作的成功案例。此外，如中央研究院歷史語言研究所傅斯年圖書館與新文豐出版公司合作，整理館藏所出版之《俗文學叢刊》，則是圖書館與出版機構合作的成功案例。

第五項成立整理古籍的專責機構方面，先生認為在國立編譯館或國立中央圖書館可以先設立「古籍整理中心」，或在行政院文化建設委員會設置一專責單位，均是可以考慮的辦法。然國立編譯館後來經過改制，許多計畫──包括先生所參與的「十三經著述考」都驟然中止，。國立中央圖書館（後易名為「國家圖書館」）與行政院文化建設委員會，都尚未見有成立整理古籍的專責單位的計畫。此一情況，相較於大陸在國務院下設有「全國古籍整理出版規畫領導小組」，負責統籌國家古籍整理與出版的規畫工作，期間對於古籍整理與出版的重視程度，相去甚遠。至於，大陸還設有專門的古籍出版社，如上海古籍出版社、江蘇古籍出版社（後易名為「鳳凰出版社」）、江蘇廣陵古籍刻印社（後易名為「廣陵書社」）等，以及像中華書局、書目文獻出版社（其後兩次易名為「北京圖書館出版社」、「國家圖書館出版社」）這樣深具規模，可以出版大量古籍整理研究專著的出版社。此一優勢，更是臺灣所難以企及的。

在國內這種古籍整理與研究工作不受重視的情況下，先生第六項訂定獎勵辦法的建議，也就同樣難以落實了。

五 揭櫫各種文獻資料的整理與編纂方法

1.工具書、參考用書指引

先生於〈資料常新的工具書指南──《中文參考用書指南》三版序〉（《中文參考用書指引》，臺北：文史哲出版社，一九八三年十二月增訂三版）一文中，強調工具書與參考用書指引應時時加以增訂，說：「所謂工具書，又稱為『參考用書』。……

『工具書指引』，『參考用書指引』，……可以說是『工具書的工具書』。……一部好的工具書，需要具備的條件很多，譬如資料的蒐集是否充實，編輯的體例至否完善等，都是決定工具書良窳的因素。至於號稱『工具書的工具書』的『參考用書指引』，則除了要注意一般工具書應備的條件外，更要注意到評介是否客觀、深入。除了這些，對好的工具書及參考用書指引來說，還有一個最重要卻最容易為人忽視的條件，那就是所收錄的資料要保持常新。我們常發現一些早期流傳很廣的工具書，如今已很少人使用它，這就是由於所收錄的資料沒能跟上時代保持常新的緣故。……同樣的，參考用書指引，如果不能時時增訂，時時從事汰舊換新，則不久即不再適用。」

〈學術研究與工具書〉（《幼獅月刊》第六十二卷第四期，民國七十四年十月）一文，則提出對於工具書的希望：

(1)從事學術研究的人都能重視工具書，

(2)要正確使用工具書，

(3)有心之士多編輯工具書，

(4)建議購書先買工具書。

〈臺灣編纂字、辭典工作的檢討與展望〉（《國文天地》第七卷第七期，民國八十年十二月），提出對於字典、辭典編纂的二項期望與三項展望（亟於從事的工作）：

(1)二項期望：一、成立字典、辭典編纂中心，二、編纂自己的百科全書。

(2)三項展望：一、薈萃各學科人才，二、字典、辭典多元化，三、資料要時時增訂。

2.政書

先生對於〈《文獻通考》之文獻資料及其運用與整理——「政書」文獻資料研究之一〉（《應用語文學報》第三期，民國九十年六月）一文，提示《文獻通考》的整理方法：

(1)校勘善本。

⑵補正文獻通考：1.補正每一則文獻之出處，2.補正遭刪節之文獻，3.收錄
後人之相關考證。

⑶編製索引。

3.雜著筆記

先生於〈雜著筆記之文獻資料及其運用〉（《應用語文學報》第二期，民國八十九年
六月）中，言及雜著筆記的整理方法：

⑴編纂雜著筆記的專門書目，

⑵編纂雜著筆記的專門叢書，

⑶編纂雜著筆記的綜合索引，

⑷整理稿本。

4.類書

〈中國類書中的文獻資料及其運用〉（《國立中央圖書館館刊》新第二十二卷第二期，
民國七十八年十二月），提出整理類書文獻的幾項建議：

⑴從事歷代類書的調查工作，編輯《中國歷代類書總目》。

⑵編寫類書解題。

⑶編纂各類書的索引。

⑷編纂類書引書考。

⑸從事類書的校勘工作。

5.志人小說與笑話書

先生於〈古代笑話書知多少〉（《國文天地》第五卷第十期，民國七十九年三月）分
析了以下四項笑話書的整理與編纂方法：

⑴分類整理，

⑵採錄他本笑話書裡的資料加以改寫，

⑶把一地的笑話輯錄成書，

⑷改寫成語體文。

6.文學總集

〈挖掘文學聚寶盆——我國編纂文學總集的回顧與展望〉（《國文天地》第六卷第二期，民國七十九年年七月）一文，建議今後編纂文學總集時，應注意以下幾項：

(1)不應再侷限於詩文，舉凡地方戲曲、童話、歌謠等，都應該編纂總集，為每個時代的文學作品，留下完整的紀錄。

(2)應多注意「凡例」的訂定。凡例應清楚說明：

①所收錄作品的範圍，

②作品的來源，

③作品排比先後次序的原則，

④作者小傳的寫作原則及資料來源，

⑤校勘的過程，

⑥各種疑難問題的處理方式。

(3)應兼顧反映文學的發展和文獻的完整，儘量按作者的時代先後而不以分類的方式編纂。如此，可以反映作者作品風格演變的歷史軌跡與每個時代的作品風尚，同時不致遺棄不屬於固定類別中的文學作品。

(4)應注重「小傳」的編寫，將作者的文學思想與作品風格，做適切的論述。

(5)應注意體例的完善。

①卷前除了「序」、「凡例」、「目錄」外，應附所應用的文獻的目的，這些文獻，包括書名、卷數、作者、版刻。

②小傳的資料來源要說明。

③所有收錄的文學作品，均應註明出處。

④卷末應編製人名、篇名索引，俾便索檢。

7.文學選集

〈從文獻的觀點看「文學選集」〉（《文訊》第二十三期，民國七十五年四月）一文中，先生認為編纂「選集」的目的，與其說是編給現代人看，不如說是為後代提

供研究的資料。為使「選集」更具備文獻的價值,先生提出了編輯選集的幾項原則:

(1)在編輯的體例上:

①卷前要有編輯的凡例,

②要有完整的作者傳記,

③要注明寫作年代或出處,

④要附錄有關作家或作品的討論文字。

(2)在編輯的態度上要公正。

(3)選錄的詩文,要具備文獻上的特色。

①能反映一個作家風格的作品,

②能反映一個時代的文學風尚,

③能依序表現文學與時代相互影響的脈絡。

8.域外漢籍

〈中華民國國立中央圖書館藏日本所刊善本圖書〉(《第一屆中國域外漢籍國際學術會議論文集》,臺北:聯合報文化基金會國學文獻館,民國七十六年十二月)文中呼籲重視域外所刊之中國古籍,建議將之有計畫地整理出版,以供學界使用。

〈宋代向高麗訪求佚書書目的分析討論〉(《第三屆中國域外漢籍國際學術會議論文集》,臺北:聯合報文化基金會國學文獻館,民國七十九年十一月)也提出「中國的古籍,佚存在海外的不少,因此,今日研究漢學,全世界漢學家,應該共同合力編輯完整的『漢籍目錄』,供漢學家充分掌握存世的漢籍文獻。」

五、結　語

先生於大學任教,已四十餘年。對於古籍整理與研究教育工作的推動,卓然有成。不但自己仍執教於大學與研究所中,許多高足弟子,或於各大學承擔起相關課程的教學任務,或者接續起古籍整理的編纂工作。而先生積四十餘年從事研

究與教學工作的心得與經驗，融入所撰之論著中，其中所蘊含的豐富內容與身後學養，更將持續啟發著後繼而起的莘莘學子。臺灣的古籍整理與研究工作，要建立長久的制度與宏大的規模，已在這些努力之下，逐漸奠定了良好的基礎，更有待大步地向前邁進。

劉兆祐教授與圖書文獻學研究

陳仕華

淡江大學中文系副教授

　　劉兆祐教授原籍廣東梅縣，民國二十五年出生於新竹市。省立宜蘭中學畢業後，進入省立臺北師範學校普通師範科就讀。教職服務五年後，轉入東吳大學中文系研讀，再進入臺灣師範大學國文研究所碩士班、博士班。在碩士生期間，即進入國立中央圖書館工作，為時共八年。六十三年至東吳大學任教，曾任中文系主任。並參與規劃籌設中文研究所後，擔任所長。八十年轉至市立臺北師範學院語教系，並創設應用語言研究所。九十三年，應中國文化大學之聘，為中文系主任、中文所所長迄今。

　　先生在師範學院，偏重於現代文學創作，舉凡現代詩、散文、劇本、童話都刊登在《野風》、《藍星》、《公論報》、《中央日報》、《新生報》、《徵信新聞報》、《國語日報》等知名刊物。至四十九年攻讀中文系，才由新文學的創作，轉向到古典文學作品的探索。而研究所期間，師從屈翼鵬（萬里）院士，並至中央圖書館工作，見到琳瑯滿目的珍本秘笈，始致力於圖書文獻學的研究。

　　本文因篇幅所限，筆者謹就先生圖書文獻學之研究重點論述如下：

一、著重於宋元圖書文獻學之研究

　　有宋一代，武功不競，而學術昌明。尤其是印刷發達，求書容易，圖書的編

目自然衍申繁多。再加以編刊的緣故，今日所見之圖書，大多數經由宋人之手。由此可見研究宋代圖書文獻學的重要性。晁公武《郡齋讀書志》體制完備、考證翔實，是北宋重要的目錄書。先生即以此為起點，詳加研究，完成碩士論文《晁公武及其《郡齋讀書志》》。

宋人著作中史部卷帙最多，而且著書的體例也最為完備。可惜宋代黨爭外患不曾止息。因為黨爭，書籍遭查禁，甚至燬版。外患卻致使文獻毀于兵燹。書籍亡佚的情形，讓人心驚。先生認為佚而不存的書，如不加以考索，則將永久沉埋。對宋代史學的研究將造成不可彌補的缺陷。於是撰寫《宋史藝文志史部佚籍考》，這書研究的重點包括了：辨別宋志史部各書的存佚情形，訂正宋志史部的謬誤，依據歷代公私藏書目錄，考定亡佚的約略時代，及各輯本的異同，如尚有佚文也鉤稽徵引。並探究佚書作者生平、撰著的緣由與內容。尤其是最後一項，是依照《四庫全書總目提要》的體例，旁徵博引，考證精詳。是目錄學的正統主流。

先生以此書作為基礎，擴大研究面。根據《宋史藝文志》史部所著錄的宋人史籍為基礎，補錄其未收者，宋人史籍不論存佚，詳為通考。撰著《宋代史籍考》。此研究自民國六十七年迄今，約兩百萬字。使宋代史籍，明白可徵。

史籍考的撰作，最著名者為章學誠的《史籍考》。根據總目多到三百二十五卷，可見規模之大。可惜書未完竣，稿亦不存。嗣後許瀚、余萃皋、章宗源、謝國楨踵武章氏，著作相繼行世，蔚為風氣。先生此書體例除沿襲《史籍考》外，在每書下分記存、殘、輯、佚情形，若未敢確定為佚者，則記為「未見」。存的部分，如有多種傳本，則註明國內所藏善本或彙刻於某叢書，並詳著圖書的版式及各本的優劣。輯的部分，讓研讀者可按圖索驥，進一步作研究。這些體例，都表現出目錄學「涉學指導」的核心價值。

《四庫提要》考定作者、內容，往往訛誤，所以余嘉錫、胡玉縉等人多所辯證。先生以臺灣所藏元人詩文集大抵多備，於是補正四庫所著錄元人別集提要的錯誤。對於四庫館臣所見永樂大典輯本、殘闕本、節略本、鈔本、明以後刻本皆

能以公藏善本相比勘。撰成《四庫著錄元人別集提要補正》。對研究鑑賞元人文
章，考見元代制度人物，補史書之不足。有極大的幫助。

二、著重於圖書文獻學的基礎教育

王鳴盛於《十七史商榷》云：「目錄之學，學中第一緊要事，必從此問途，
方能得其門而入。」屈萬里《古籍導讀》分上中下三編，其中一編〈明版本與辨
偽書〉，詳述治學與材料、圖書版本問題、辨別偽書問題。先生撰著《國學導讀》
於〈研治國學所需修讀的基本學科〉也專章討論「目錄學」、「版本學」、「校
讎學」。這些學者都說明了治學的基本訓練。先生專治圖書文獻之學，教導學生
也著重於基礎的訓練。故致力於教科書的編寫，如《國學導讀》（五南書局）、《治
學方法》（三民書局）、《中國目錄學》（五南書局）。

這些教科書都能表現某些特點，如《國學導讀》，除了經史子集的介紹由他
人執筆，緒論就由先生撰寫：特別著重於研治國學的方法、資料及所應具有的基
本能力。即是很實際的教導學生應有的認識與能力。而《治學方法》更強調了類
書、叢書、方志等多種文獻類型的認識與應用。又如《中國目錄學》共分六章。
〈目錄的分類〉一章除討論傳統的分類法外，兼論近代中文圖書分類法，使得讀
者瞭解古籍在傳統目錄及近代圖書分類的相關位置，進而深切認知每一類古籍的
性質與彼此間的相互關係。〈歷代書目舉要〉一章除一般常看到的目錄類別外，
特別論述「方志目錄」與「專科目錄」中的「臺灣研究目錄」；方志中的藝文多
記載當地人士的著作，可補史書藝文志的不足，為徵文考獻者所不能忽略。至於
臺灣研究，近來已成為顯學，所以有關臺灣研究書目，也不可輕忽。〈目錄學之
相關基礎學識〉一章列舉版本學、校讎學、辨偽學、索引學。以便於與目錄學相
互為用。〈目錄學之實踐與目錄之運用〉一章則在論述如何將目錄學的知識，有
效運用在治學的過程與研究工作中，並討論運用圖書目錄時應該注意的事項。此
章是先生從事教學及研究經驗的心得，彌足珍貴。末章先生以加強目錄學教育、

善用現代科技、加速目錄之編纂三事作結。針砭現今研究者在運用資訊檢索的同時，卻往往忽略了學術資料的淵源、真偽、版本的流傳與優劣。而先生也呼籲加速編纂清末迄今之總目錄、歷代藝文總志、歷代著作解題目錄、各種專科目錄、全世界漢籍目錄。

為了基礎教育，其實先生不只編寫教科書，如何將圖書文獻學的基礎知識，透過深入淺出的方法，介紹於世。成為先生寫作的另一重點。民國七十七年五月，中國時報開始連載〈書林談趣〉。次年十月，中央日報也開闢〈藏書家與藏書章〉專欄，前者是敘述古籍的知識、趣聞，引起一般人的興趣。後者介紹藏書家的生平、藏書內容、藏書章及相關的遺文軼事。嗣後先生在《國文天地》開闢〈叢書特寫〉專欄，介紹叢書的特點與運用方法。這些專欄藉由淺白的文字、精美的插圖，表現圖書的知識性與生活性，於當時提倡建構書香社會，有莫大的助益。前兩個專欄，後來再經過修訂，加寫一些篇章，獲中山學術基金會資助出版《認識古籍版刻與藏書家》，由臺灣書店印行於世。

三、著重於圖書文獻學學理的實踐

㈠撰寫善本敘錄：敘錄亦稱提要、解題，是中國目錄重要之體制。其目的在於揭示作者生平，書籍之篇目大旨、內容得失，學術淵源、版本源流等，可指導讀者涉學之途徑。所以可稱是中國目錄學之優良傳統。此傳統創自西漢目錄學家劉向。劉向在校理書籍後，即撰寫敘錄一篇，闡述其校勘經過，介紹撰者生平、書之得失等。事後輯為《別錄》一書，此書雖已失傳，但現存《孫卿書》、《晏子春秋》的敘錄中，尚可見其梗概。後世的《直齋書錄解題》《郡齋讀書志》《四庫全書總目》都能遵循這個體例。中央圖書館遷臺後，館藏線裝善本約十四萬冊，當時整理圖書時，即希望依循傳統體例，更詳加敘述各書版本刊刻源流與遞藏情形，陸續撰寫善本書志，俾便讀者利用，提昇學術水準。民國五十七年，先生於《國立中央圖書館館刊》發表第一篇善本書志——《晞髮集》。後又陸續發表《明

代史籍彙刊》、《元人珍本文集》、《雜著秘笈叢刊》、《明清未刊稿彙編》、《中國史學叢書三編》等叢書的子目書志百餘篇，沾溉學林，為古籍的研究，提供良好的條件。

㈡編印善本叢書：刊刻叢書最早者，當推宋代余鼎孫《儒學警悟》。經過明清兩代，踵事增華，代有其人。到了清代末年，張之洞勸人多刻叢書，認為可以「傳先哲之精蘊，啟後學之困蒙，亦利濟之先務，積善之雅談」。但編選叢書並不容易，因為選書需要學術眼光，瞭解書籍的學術價值。先生迄今已編印兩套叢書。

民國六十五年，與屈萬里院士合編《明清未刊稿彙編》（聯經出版事業公司）。共收書四百餘種。若就學術資料的價值來說，稿本較宋元本更值得重視，因為寫本與刊本，都是依據稿本；刊本、寫本往往有刪節、錯誤，而稿本卻完整而又正確。至於稿本如未經過刊印，就是孤本秘笈，令人寶愛。如清咸豐時潘介祉的手稿本《明詩人小傳稿》四十卷，所收人物起自明太組，終於劉天和，多達三千餘家。較之學者常用的錢謙益《列朝詩集小傳》收的更為齊備。實在是研究明代文史者的拱璧。又如明代文人王思任，國家圖書館藏有《王季重詩文稿》是存世的孤本。國家圖書館存藏稿本五百餘部，多是明清稿本，其中又以史部居多。兩位先生就以此特點，立題編選。一則為學人提供豐富的資料，以提高學術研究水準。一則讓珍貴的文化遺產，整理後化身千百，以廣流傳。尤其值得一提的是：這部叢刊每一種書前都有敘錄，詳述作者生平、內容價值。並搜採作者傳記及其他著作序跋，輯為附錄，以便讀者參考。並在書前詳編目錄，以彌補稿本大多沒有目錄的不便。再者稿本多簽註，編輯時都影印於書眉。其他題記觀款，都能印出，以盡量保存文獻。撰寫提要敘錄，可見出編者的學術能力，也顯現出資料的學術價值。其他看似枝節小事，但可見出編者的用心專業，以及了解讀者的需要。

十年後，先生又編選了《中國史學叢書三編》（臺灣學生書局）。一編二編由當代史學家吳相湘主編。本編所收的文獻都是明清兩朝文獻，編選的重點有四：一為經濟史料，如《九省鹽務議略》、《度支津梁》等；二為政治史料，如《穎州

奏稿》、《皇明疏鈔》等；三為邊政及地理史料，如《盧龍塞略》、《修攘通考》等；四為明代方志，如《弘治八閩通志》等。共收書六十五種，九百一十一卷。這些書的版本或是宇內孤本，或是罕見秘笈，都有一定的學術價值。每書卷首也都冠以提要，說明作者生平、一書之內容及版本，做為研讀者的參考。

先生相當關切臺灣的學術環境，曾撰文〈臺灣所藏珍貴文史資料舉要——為臺灣成為世界漢學研究中心作證〉，認為臺灣有足夠的人才與豐富的圖書文獻，成為全球漢學中心，也因此才能證明中國文化的維護者在臺北。先生藉由專業的學理，汲汲於古籍的整理出版，其緣由亦在此。

㈢主編《書目季刊》：民國七十一年六月先生兼任《書目季刊》主編。該刊創刊於民國五十五年，首任主編為屈萬里院士，曾多次榮獲全國雜誌優良獎，在臺灣素有盛名。除秉承優良之傳統外，更請林慶彰先生開闢「新書提要」專欄，使讀者能很快掌握新書的出版，並掌握新書內容之梗概。國林、簡映先生開闢「書評索引」，收錄國內報章雜誌上有關圖書評介之文章，使讀者在浩瀚的書海中，能有取捨；又承繼「中華民國文史界學人著作目錄」專欄，改為「當代漢學家著作目錄」，從文史界擴大為漢學研究的範疇，並涵蓋介紹外籍學者的研究成果。另外也刊載專科書目，加強圖書文獻學的工具性。這些編輯方向的興革專欄皆能提升對讀者的服務，避免學術期刊學報化。

長期資助《書目季刊》的臺灣學生書局也乘勢聘請先生為書局總編輯。先生持續原先出版新儒家牟宗三、唐君毅、徐復觀著作外，也大量出版羅光、劉述先、陳榮捷、蔡仁厚等學者之著作，奠定書局成為新儒家之出版重鎮。再者先生為因應圖書館學、圖書文獻學之發展，敦請一時俊彥，如黃淵泉、王振鵠、沈寶環、張錦郎、鄭恒雄、鄭良樹、林慶彰等先生出版著作，蔚為風潮。此外，先生支持王秋桂編輯《善本戲曲叢刊》，自行編輯《中國史學叢書三編》等。厚植書局出版實力，發揚中國傳統學術之研究。

先生對學術熱心執著，必然對能改善學術環境的服務，也義不容辭。先生執

教已逾五十年，誨人不倦，桃李滿天下。也曾多次參與籌畫、創辦東吳大學中文研究所、臺北市立師院應用語言研究所，奠定學術研究與教學的良好基礎。而中文系所都有古典與現代之分，但先生都能以其學術成長背景與理念，融合兩者，開設課程，使之相互為用。在提倡現代文學時，多獎掖創作人才，如在系主任任內，創辦「東吳大學雙溪現代文學獎」，當時得獎者，今已多是有名的作家，如：路寒袖、鹿憶鹿、張曼娟等。凡此都可見先生的服務精神與學術行政長才。先生常以「士不可不弘毅，任重而道遠」勉勵學子。並引章太炎的解釋說：「任重須彊，不彊則力絀；致遠須決，不決則志渝」，學問廣博，才能使力彊；執著熱心，才能使向著學術的心，永遠不變。先生是如此的教誨著我們。

一盞學術明燈
——劉兆祐教授的《國學導讀》

黃文吉

彰化師範大學國文學系教授

一、前　言

記得 35 年前，也就是民國 61 年的時候，我念完東吳大學中文系一年級，囿於社會的價值觀，我申請轉企業管理學系，但並未轉成，心中相當懊惱。在別無選擇之下，只有繼續留在中文系。在二年級安排的課程中，已結束大一的通識課，正式進入中文系的專業領域，如國學導讀、中國文學史、聲韻學、歷代文選及習作、歷代詩選及習作、經典選讀等，課業相當繁重。

過去中文系的任課老師，大都來自大陸不同的省份，他們多多少少帶有各種鄉音，因此都需要一段時間適應。二年級的任教教授中，擔任國學導讀的劉兆祐老師，當時他最年輕，講課的語言和我們最沒有距離，因此這門課很快就進入狀況。

後來慢慢才知道劉老師是師範學校畢業，再讀東吳大學中文系，接著又考上臺灣師大國文研究所，得到碩士學位後繼續攻讀博士，當時他一面授課，一面仍在寫博士論文，我們對老師不斷上進的求學歷程相當景仰。

劉老師上課時除了用屈萬里老師的《古籍導讀》當教材外，也補充了相當多的資料，他經常很工整的寫在黑板上，從右到左，連私名號、書名號也一一標註，老師是經過師範學校的養成教育，因此在板書的使用上，可說是一絲不苟，這對不太會做筆記的同學，相當方便。

我們雖然已經讀了一年的大學，但對學術仍舊懵懵懂懂，劉老師是受過完整學術訓練的年輕學者，他教我們這一年的國學導讀，帶領同學認識了國學的內涵，研治國學的方法，讓我們茅塞初開，了解到學術為何物。

大學三年級，劉老師擔任「訓詁學」，四年級，我又選修老師開的「四史選讀」，在老師的引導下，我逐漸的走上學術之路。東吳中文系在老師的奔走下，陸續成立了碩士班、博士班，我恭逢其盛，成了第二屆碩士班、第四屆博士班的研究生。攻讀學位期間，我又修習老師在碩士班所開的「文史資料研究及討論」、及在博士班所開的「中國文學專題研究及討論」等課程，所以在學術的養成過程中，劉老師一路給我許多教導，讓我受益無窮。

博士班畢業後，我開始在大專院校任教，從亞東工專、政戰學校、彰化師大，輾轉之間已經二十多年，算一算也符合退休年齡，每次遇見劉老師，老師仍然精神矍鑠，和以前並沒有多大差別。最近同學提起為老師祝壽事宜，才驚覺老師已經七十歲了。歲月固然匆匆，三十五年是不算短的日子，但老師當年在外雙溪講授「國學導讀」，充滿學術熱誠的神情，依然印象深刻。

近幾年，劉老師與四位教授共同出版了一本《國學導讀》（臺北：五南圖書出版公司，2002年11月），計有845頁，是一本非常有份量的著作。劉老師負責的是緒論部分，經部則由江弘毅（元智大學中語系教授）、史部由王祥齡（逢甲大學中文系教授）、子部由熊琬（政治大學中文系教授）、集部由蘇淑芬（東吳大學中文系教授）等分別撰稿，透過專長分工合作而成的國學入門書。

本文擬透過這本《國學導讀》的緒論部分，來介紹劉老師對國學的概念，以及引導學子研治國學的方法。

二、國學概念明確清晰

　　劉老師身為《國學導讀》緒論的撰稿人，首先要面臨的是「國學」的義界問題，因為「國學」一詞，並非自古以來就有的名稱，它起源清代末期，是相對於西學的傳入而產生。在清道光、咸豐以後，西方列強勢力不斷壓迫中國，當時的改良派和洋務派為了鼓勵接受西方科學文明，以救亡圖存，於是提出「中學為體，西學為用」的主張。「中學」是中國傳統學術的統稱，是和西方傳入的學問──「西學」相對的。

　　清光緒中期以後，知識分子強烈感受到傳統學術所受西方學術的衝擊，於是有人提出保存「國粹」的主張，如鄧實、黃節等人在上海成立「國學保存會」，以「研究國學，保存國粹」為宗旨，並發行機關刊物《國粹學報》。

　　雖然某些知識分子基於民族感情，將傳統學術稱為「國粹」，但事實上傳統學術也有一些糟粕，並非全是精粹，於是章太炎便將「國粹」改稱「國故」，他也寫了一本名叫《國故論衡》的書。

　　中國的門戶被打開之後，外國人為了瞭解這個歷史文化悠久的國家，也有不少人投入研究中國傳統的學術，他們於是稱這門學術為「中國學」、「支那學」或「漢學」。

　　國學既然有那麼多的異稱，我們應該用哪一個名稱較為恰當呢？劉老師在第一章〈國學的名義及內涵〉就說：

> 「國粹」與「國故」，很容易讓人聯想它是一門守舊、與時代脫節的學術。
> 至於「漢學」一詞，在我國學術史上有兩種涵義：一是指漢代的學術；一
> 是指以訓詁、校勘等為主的考據之學，它常和講求義理的「宋學」對稱。
> 所以國人自己稱之為「漢學」並不適當，用「國學」一詞較為適切。

劉老師認為使用「國學」這個名稱比較合適，並且很明確的為它下了定義：「『國

學』，就是指我國固有的學術。」

了解「國學」一詞的意義之後，劉老師接著為讀者介紹它所涵蓋的內容。一般談到「國學」的內涵，都以為就是經、史、子、集四部圖書的研究。但劉老師並不贊同這種說法，他認為：

> 經、史、子、集四部，基本上是圖書的分類，而不是學科的分類，所以，
>
> 經、史、子、集四部，只是國學典籍的內涵，並不完全等於國學的內涵。

既然「國學」的內涵是從事國學研究的內容，老師於是相當務實的從過去學界所發表的國學論文著手。民國 18 年至 25 年間，國立北平圖書館曾出版《國學論文索引》（分為初、二、三、四編），收錄清光緒至民國 24 年間國學方面的論文，這四編的目錄索引，是根據實際從事國學研究的論文編纂而成，因此老師認為它的分類相當能反映國學的內涵，其類目如下：

1.總論。 2.群經。 3.語言文字學。 4.考古學。 5.史學。 6.地學。 7.諸子學。 8.文學。 9.科學。 10.政治法律學。 11.經濟學。 12.社會學。 13.教育學。 14.宗教學。 15.音樂。 16.藝術。 17.圖書目錄學。

以上這十七種類目，代表著各種不同的學科，它已涵蓋國學研究的內容。另外老師也特別說明，這些學科研究的內涵，必須是根據古籍從事對古代事物的研究，但如果是根據近代的文獻，研究近代的事物，就不屬於國學的範圍了。

三、研治國學的方法具體可行

國學的範圍相當廣泛，時代又如此長遠，常讓許多年輕學子視為畏途，即使有興趣者，也苦於不知從何著手。劉老師在〈緒論〉第二章便提出「研治國學的方法」，指引年輕學子一條明確的道路。老師所提的方法共分為四部分，茲依序介紹如下。

㈠ 熟讀基本要籍

　　研治國學首先要奠定國學的基礎，要奠定國學的基礎當然要多涉獵國學相關的書籍，這是不容置疑的。所以過去許多學者經常為年輕學子開書單，期勉他們應該要讀哪些書。如梁啟超《國學必讀書及其讀法》共分五大類：1.修養、應用思想史關係書類；2.政治史及其他文獻學書類；3.韻文書類；4.小學書及文法書類；5.隨意涉覽書類；每類各舉書若干，共舉圖書約一百六十種。胡適〈一個最低限度的國學書目〉，則分三類：1.工具之部；2.思想史之部；3.文學史之部；共舉圖書一百八十餘種。陳鐘凡在《古書讀校法》書中也附了〈治國學書目〉，該書目分為七類：1.學術流別及目錄學書目；2.文字學及文法書目；3.經學類書目；4.史學書目；5.諸子學術思想書目；6.文學書目；7.彙書及札記書目；每類所列圖書甚多，但他認為特別重要的則以雙圈「◎」或單圈「○」標示。屈萬里老師的《古籍導讀》也列有〈初學必讀古籍簡目〉，是按經、史、子、集四部分類，共舉圖書約四十種。

　　劉老師認為以上四位學者的初學必讀書目，比較適合一般學文史的初學者參考使用。但老師除了將這四位學者的書目一一列出以供讀者參考之外，也不忘作如下的提醒：

1. 各家所列的書目，重點有很大的差異，這是由於他們個人研究方向及領域　不同所致。其中又以梁啟超和胡適兩人所開具的書目，差異最大。由於胡　先生的研究，偏重於哲學和文學，所以所開具的書目偏重於和思想史、文　學史有關的書目，像佛經、理學家的著作及小說、戲曲等方面的書，為數　不少。因此參考各家所開的書目，還是要斟酌自己的興趣與研究方向。

2. 上述四家書目，距離現在已經有一段時日。梁啟超、胡適、陳鐘凡三家的　書目，都是在一九二三年所擬訂的，屈先生的書目，則是載於一九六四年　所出版的《古籍導讀》。因此，有些近人所撰的注本，由於用了新的出土　文獻或新發現的資料，要比前人的注本好，但未能收錄。所以在參用這四

家書目之餘,也應留意近人重要的相關著作。

3.在所舉四家書目中,以屈先生的書目最少,但是卻比較符合現代青年人的需要,這是由於屈先生的書目成於最晚,比較切合實際。但不論這四家書目的多寡,絕對無法適合人人的需要。這是由於國學的範疇太廣,書單不論怎麼開,總是無法面面周到,樣樣兼顧。

所以劉老師建議初學者,除了參考這四家書目外,還可以參考下列書目:

1.張之洞所撰《書目答問》。

2.清乾隆年間永瑢等所編《四庫全書總目》。

3.中華書局所輯編《四部備要》所收的書。

4.商務印書館所輯編《四部叢刊》各編所收的書。

老師認為:「如果能把自己研究領域有關的基本要籍加以熟讀,則研治國學時,可以左右逢源了。」

(二) 明瞭學術發展的途徑

研治國學者熟讀基本要籍之後,接著應該明瞭學術發展的途徑,如此才有宏觀的視野,不會只侷限在某一點上,而見樹不見林。劉老師所說「學術發展的途徑」,指的是:每一學科發展的過程、每一朝代或時代階段學者研究的成果、每一時代學術的風尚、每一個學者的學術淵源等,這些對研治國學者都是相當重要的。如一個想要研究李白詩歌的學者,如果他對詩歌的發展過程認識不清,如何瞭解李白擅長古風、絕句在詩歌發展史上所具有的意義?又如果他對唐代以降乃至現代研究李白的成果不瞭解,他又如何以前人的研究成果為基礎而進一步去研究李白詩歌呢?另外唐代詩歌的創作風氣、李白詩歌的創作淵源,也都是研究李白詩歌不可忽視的。

既然學術發展的途徑對研治國學者如此重要,那麼要如何去瞭解呢?劉老師在書中提出兩個方法:

1.熟讀各史書的〈藝文志〉(〈經籍志〉)及有解題的目錄。史書的〈藝文志〉

（〈經籍志〉），著錄當代的著作（像《漢書·藝文志》、《隋書·經籍志》、《新唐書·藝文志》、《宋史·藝文志》等，除著錄當代人的著作外，也著錄前代人的著作），我們可以透過這些史志的類目及著作的多寡，了解每一時代的著作及當時的學術風尚。

2.熟讀記述學者學術淵源的傳記，例如各史書裡的〈儒林傳〉、朱熹的《伊雒淵源錄》、馮從吾的《元儒考略》、黃宗羲的《宋元學案》及《明儒學案》、徐光啟的《清儒學案》、江藩的《國朝漢學師承記》及《國朝宋學淵源記》等。從這些著作中，可以清楚了解每一位學者的學術淵源，進而了解某一學派、某一時代的學術發展過程。

劉老師所提出的方法相當具體可行，但第二個方法舉例時，偏重於儒學家，所以讀者要能舉一反三，如果研究文學家時，則要參考各史書裡的〈文藝傳〉（〈文苑傳〉、〈文學傳〉），以李白為例，則可閱讀《舊唐書·文苑傳》、《新唐書·文藝傳》或《唐才子傳校箋》等書。

㈢ 具備基本的文化知識

國學所涵蓋的範圍極為廣泛，所涉及的古籍又相當可觀。古籍裡涉及的人、事、物也非常複雜，因此想要研治國學，則一定要具備豐富的文化知識。劉老師在此小節中，特別列舉三項與研治國學相關的文化知識為例來加以說明，其一是動植物的知識，老師說：

> 《詩經》裡有很多鳥獸草木蟲魚的名稱。其實，不僅《詩經》如此，其他的文學作品，尤其是詩、詞、賦，都有各種各樣的動植物名稱，治國學者，如能有豐富的動植物知識，有助於對古籍的了解。

像我過去曾寫過一篇論文〈唐宋詞中「鵲鳥」的意義〉（發表於《宋代文學研究叢刊》8 期，2002 年 12 月），由於鵲鳥聲音喳喳吵雜，顯得特別喧鬧，似乎和喜慶的熱鬧氣氛相呼應，自古就被認為是喜事來臨的象徵，因此詞人心目中的鵲鳥，以報喜

最為大宗。鵲鳥生性喜歡乾燥，在天氣放晴時經常在第一時間出來喧叫，因此詞人的作品中又有報晴的說法。又鵲鳥有築橋讓牛郎織女相會的傳說，所以宋代詞人吟詠七夕時也將這則民間故事寫入詞中。凡此種種，如果缺乏鵲鳥這方面的知識，對詞作的理解將會大打折扣。

其二是天文的知識，老師說：

> 在古籍裡，有許多文獻是涉及天文學的，如果不具備最基本的天文學知識，對古籍是很難透徹了解的。就以《詩經》為例，試舉幾首涉及天文的詩句，如：〈小星〉：「嘒彼小星，維參與昴。」〈女曰雞鳴〉：「子興視夜，明星有爛。」〈綢繆〉：「綢繆束薪，三星在天。」〈七月〉：「七月流火，九月授衣。」〈漸漸之石〉：「月離于畢，俾滂沱矣。」如果不了解什麼是「參」「昴」，什麼是「明星」、「三星」及「流火」，又怎能理解詩中的意義？如果不了解星宿運行的道理，又怎能了解「月離於畢，俾滂沱矣」的現象？

由於古代沒有光害，晚上舉目所見經常是滿天星斗，許多文人從事創作時，很自然的將星象寫入作品中，並且以星象作譬喻。如杜甫著名的〈贈衛八處士詩〉云：「人生不相見，動如參與商。」他為什麼要用「參」與「商」兩個星座來比喻別離呢？原來中國古代的天文學家，依東西南北四個方位劃分天空中的恆星，稱為二十八宿，其中心宿（即商星）在東方，參宿在西方，兩者在天體相差一百八十度，互不相見，因此文人才用來比喻分離或形容乖隔。閱讀古籍要具備天文學的知識，由此可見一斑。

其三是避諱的知識，所謂「避諱」，就是迴避某些人的名諱。避諱通常是為了表示尊敬，約可分為三種：避自己先人的名諱、避聖人的名諱，以及避皇帝的名諱。研治國學為什麼要有避諱的知識呢？劉老師認為有兩個主要的原因：

一是由於避諱的緣故，古書常常遭到改字，如果沒有避諱的知識，就不能使古書恢復原來的面目，而引起誤解。二是可以用避諱的知識，幫助我們從事各種研究考證的工作，使研究成果更為完善。

老師在書中也特別舉例說明避諱的原則、以及避諱的方法，這對讀者研治國學都非常實際有用。

㈣ 善用工具書

我們出外旅行，都會選擇最便捷的交通工具，以安全舒適的抵達景點；研究任何一門學問，也需要利用工具書，以求事半功倍來達成研究目標。劉老師在書中除了說明工具書的特質外，也分別介紹工具書的類別，共分為以下八類：

　　1.書目。 2.索引。 3.字典與辭典。 4.傳記參考資料。 5.年鑑、年表。 6.地理參考資料。 7.法規、統計。 8.名錄、手冊。

老師對於每一類工具書的功用，都有簡單扼要說明，並列舉數種工具書供讀者參考使用。最後還告訴讀者如何正確使用工具書，提出了五點應注意的事項：

　　1.要熟悉排列檢字法。 2.要了解工具書的編輯體制。 3.要了解同類工具書的異同。 4.要隨時注意新的工具書與新資料。 5.要注意工具書的錯誤。

以上這些叮嚀確實能夠使工具書發揮最大的效用。如劉老師提醒我們「要隨時注意新的工具書與新資料」，因為現代學術研究日新月異，新的工具書與新資料不斷產生，如果不注意新的出版資訊，往往無法掌握最新的治學工具。尤其現在是e 化的時代，許多資料透過電腦網路資料庫或古籍電子檔，彈指之間即可獲得，老師在書中雖然沒有特別提到如何利用電腦檢索，但老師目前也已使用這種迅捷的治學工具，這種求新求變的精神可以給後學一些鼓舞與啟示。

四、研治國學的資料介紹詳盡

我們常引用老子的話：「治大國若烹小鮮」，不僅治國可以用烹魚譬喻，其

實研究學問和做菜也相當類似，治學的資料就像做菜的食材，治學的方法就像烹、煮、煎、烤、燉等各種做菜方法，好的食材必須配合好的手藝才能烹調出可口的料理，好的手藝也必須有好的食材才能供其揮灑；治學也是如此，只有資料而沒有方法，是很難突顯資料的價值；只有好的方法，而沒有新的資料可供運用，就像巧婦難為無米之炊，則不太可能寫出有價值的論文。劉老師有鑑於國學資料的重要性，特別建立專章討論研治國學的資料問題。老師將研治國學的資料，清楚的劃分為「圖書資料」與「非圖書資料」兩部分。

㈠ **圖書資料**

從先秦到清末，歷代的著作，雖經過了多次的戰爭、火災、黨爭、文字獄等災厄而毀棄不少，但數量仍然十分可觀。在那麼多的古籍中，要一冊一冊的檢索資料，的確很困難。有一些圖書，像類書、方志、叢書、政書、筆記雜著等，把各種資料或圖書，彙聚在一起，提供學者方便檢索各種資料。所以老師在此節中，完全針對類書與叢書做介紹，指引讀者能正確使用這些圖書。

老師介紹類書時，一方面從檢索的角度——「以類繫事」和「以字繫事」，來談類書的體制及著錄資料的方式。另外則舉較常用的類書並作說明，以供讀者參考，共舉了以下十種：

1.唐徐堅等奉敕撰《初學記》。 2.唐虞世南撰《北堂書鈔》。 3.唐歐陽詢等奉敕撰《藝文類聚》。 4.宋李昉等奉敕撰《太平廣記》。 5.宋李昉等奉敕撰《太平御覽》。 6.宋王欽若、楊億等奉敕撰《冊府元龜》。 7.明解縉等奉敕撰《永樂大典》。 8.清張玉書等奉敕撰《佩文韻府》。 9.清康熙敕撰《駢字類編》。 10.清陳夢雷奉敕編撰、蔣廷錫等奉敕重校《古今圖書集成》。

以上這些類書對於檢索詞藻、典故相當方便，但老師也不忘提醒讀者：「索得所需資料後，宜再取原典覆核，免得為類書的錯誤所誤導。」因類書編纂往往陳陳相因，假若初編者有誤，後代類書也隨之而誤，這是讀者使用時不可不留意的。

老師介紹叢書時，先解釋叢書的意義及其由來，再參酌各叢書的性質，分為

以下九類：

　　1.彙聚四部之書者。 2.彙聚一代之書者。 3.彙聚同類之書者。 4.彙聚一地文獻者。 5.彙聚專人之著作者。 6.彙聚佚書者。 7.彙輯佚存域外之書者。 8.彙輯未刊稿本者。 9.彙聚叢書而成者。

瞭解叢書編纂的不同類別之後，老師又從治學材料的角度來告訴讀者，叢書有以下三點功用：

　　1.彙聚圖書，保存文獻。 2.所收錄者多為有用之書。 3.多收罕見或未單行之書。

如研究詞學者都知道，明毛晉輯《宋六十名家詞》、朱祖謀輯《彊村叢書》、吳昌綬、陶湘輯《景刊宋金元明本詞四十種》、趙萬里輯《校輯宋金元人詞》等叢書，對詞學界的貢獻，因為有這些叢書的基礎，所以後來唐圭璋才得以完成《全宋詞》、《全金元詞》的編纂，而這些全集的出版，對研究宋金元詞，可以說莫大的便利。再加上《全宋詞》、《全金元詞》數位化之後，研究者對於研究資料的取得，彷如乘坐飛機般的迅速。

㈡ 非圖書資料

　　圖書資料大家都知道指的是記載在書本上的文獻，那什麼是「非圖書資料」呢？劉老師在書中有很清楚的解釋，他說：

> 所謂「非圖書資料」，就是指那些不是寫在書本上的文獻，這包括地下的文物，如甲骨、石碑、銅器等；也包括地上的文物，如草、木、蟲、魚、鳥、獸、書、畫、磨崖、碑碣等；另外如生活習俗、民間信仰等，都屬於「非圖書資料」的範圍。這些「非圖書資料」，常可用來印證古籍上的記載，成為釋疑解惑的最佳佐證。

老師並從甲骨文、鐘鼎文、石刻、習俗及其他等五項非圖書資料，來論述它們對閱讀古籍的助益。老師論述每一項非圖書資料時，都舉數個實例作為印證，不僅

讓讀者了解其重要性，也有舉一反三的效果。如老師在論述石刻的功用時，就舉
《後漢書·鄭玄傳》載〈戒子益恩書〉：「吾家舊貧，不為父母昆弟所容」為例
來加以說明：

> 依《後漢書》說法，鄭玄由於讀書不治生產，不能得到父母兄弟的寬容諒
> 解。清乾隆末年，阮元視學山東，展視鄭玄墓，見墓園毀壞，於是撥款修
> 復。無意間在積沙中發現金朝承安五安五年（相當於南宋寧宗慶元六年，西元 1200
> 年）重刻的唐代萬歲通天（此為武則天年號）史承節所撰的碑文，上寫「為父
> 母群弟所容」。可見《後漢書·鄭玄傳》的「不」字是個衍字。阮元說：
> 「為父母群弟所容者，言徒學不能為吏以益生產，為父母群弟所含容也。」
> （說見《揅經室集》）。這個碑文，訂正了史書的錯誤，對研究鄭康成的生平，
> 助益很大。

雖然「不為父母昆弟所容」和「為父母群弟所容」，只差兩個字，但多出一個「不」
字，使整個文意肯定變成否定了，讓大家對鄭玄「父母昆弟」的胸襟都產生不良
印象，也對鄭玄不避諱談論家庭隱私感到不解，幸好有這塊石碑幫鄭玄說話，也
幫鄭玄的「父母群弟」說話，使整個文意逆轉，可見石刻對研究國學的重要。

另外老師論述習俗對閱讀古籍的助益時，特別舉他在民國四十四年（1955）參
加畢業教學參觀旅行所見為例，他說：

> 在臺東和花蓮，看到原住民負物爬山時，就是用額等頂著繩帶，竹簍則放
> 在背上傴僂而行，與《溪蠻叢笑》及《雲南風土記》所載完全相同。這倒
> 不是邊疆民族或原住民的額頭多力，而是爬山時身體向前傾斜，這種負法
> 是最省力的。

老師經過自己的觀察，不僅印證宋代朱輔《溪蠻叢笑》及清代張詠《雲南風土記》
對邊疆民族用頭負物習俗的記載，同時也反駁了張詠在《雲南風土記》所說的：

「雖大木巨石亦用此法，豈其額多力，異於他處耶？」從上述的例證，可以瞭解非圖書資料的重要性，另外也可知道要獲得這些非圖書資料：「一方面要充分利用已出土的文物，一方面則養成實地考察、蒐採文物的習慣。」

五、研治國學所需修讀的基本學科切合實際

大學中文系的課程中，有三門研究字形、字音、字義的學問，即「文字學」、「聲韻學」、「訓詁學」，這三門可說是閱讀古籍的基本學科。另外像「中國文學史」、「中國思想史」等課程，提供學生宏觀認識中國文學、思想之演變歷程，對研究國學也相當重要，這些課程中文系一般都列為必修學分。劉老師認為這些課程，大家遲早都會修讀，所以在書中不再討論。而老師所提出討論的，是和從事研究工作時關係較為密切的學科，他特別以三小節的篇幅，分別論述「目錄學」、「版本學」、「校讎學」這三門學科。

㈠ 目錄學

所謂「目錄學」，就是研究歷代圖書目錄的體制、分類、性質等，據以作為辨章學術、考鏡學術源流的工具，這種學問，就叫做「目錄學」。老師認為研治國學必須修讀「目錄學」有以下八種原因：

1.熟悉目錄，可以明治學的途徑。 2.可以考見學術的發展源流。 3.可以考訂圖書的存佚。 4.可以辨古籍的真偽。 5.可以考知佚籍的梗概。 6.可以得知圖書的版刻。 7.可以得知一書的性質。 8.可以得知一書的作者及篇卷。

修讀「目錄學」之後，研治國學各個領域，就好像掌握到鎖鑰一般。研究任何一門學問，對該門學問的典籍及前人研究成果必須先行了解，這必須藉助於目錄，否則就無法取得研究學問的入場券。東吳大學中文系所過去由於劉老師對「目錄學」的重視，所以許多他教過的學生在不同領域中，也都非常重視這門學問。如目前擔任臺北大學古典文獻學研究所所長的王國良教授，他研究六朝小說及唐傳奇，因此編纂有《魏晉南北朝文學論著集目正、續編》、〈近五十年臺灣地區六

朝小說論著目錄〉、〈唐五代書目考〉等目錄。又如擔任中央研究院中國文哲研究所研究員的林慶彰教授，他研究經學績效卓著，也編纂有《經學研究論著自錄》（正編、續編、三編）、《日本研究經學論著目錄》、《乾嘉學術研究論著目錄》等，對研究經學者極為稱便。個人在研究詞學與文學史的同時，也編纂《詞學研究書目》、《臺灣出版中國文學史書目提要，附中國文學史總書目》等，以自利利人。從上述的例子中，可知「目錄學」對研治國學者是一門相當重要的學科。

㈡ 版本學

所謂「版本學」，就是研究圖書製作有關的一門學問。包括：各種版本的行款（包括圖書的長寬、行數、每行字數、版心、邊欄、封面、用紙、裝訂、藏書章等）、各種版本的流傳經過、各種版本的優劣、版刻的真偽、各種版本的比較等的研究。劉老師認為研治國學必須具備「版本學」的知識，有以下兩個最重要原因：

1.為了避免錯字的欺騙。 2.為了避免刪節的欺騙。

老師在說明原因時也一一從古書中舉例以資印證，使讀者愈了解「版本學」的重要性。根據個人研究的經驗，不僅古書有版本的問題，現代人的著作也要注意版本，如過去臺灣在「漢賊不兩立」的戒嚴時期，中國大陸出版的書都被列為「匪書」，有些出版社鑒於市場的需要偷偷翻印「匪書」，但為了避免被查扣，於是將作者、書名加以變造，如夏承燾的《唐宋詞論叢》（上海：中華書局，1962 年增訂版），臺灣宏業書局翻印時將作者改為「夏燾」；又如楊海明的《唐宋詞風格論》（上海：上海社會科學院出版社，1986 年 3 月），臺灣木鐸出版社將書名改為《唐宋詞的風格學》，作者姓名也被刪除，所以我們從事詞學研究時，若不留意版本，那麼在引用這些研究成果時，若出現「夏燾」的《唐宋詞論叢》、不著作者的《唐宋詞的風格學》，這豈不是很奇怪嗎？

現代文學研究仍然存在版本的問題，如陳列寫的〈玉山去來〉這篇散文，原載於 1991 年 4 月 28 日《中國時報》的〈人間副刊〉，陳義芝主編《臺灣文學二十年集 1978-1998·散文二十家》（臺北：九歌出版社，1998 年 3 月）時即將此文收入，

我們再看陳列後來出版的散文集《永遠的山》（臺北：玉山社，1998 年 2 月），也收入此文，但他已將文章做了不少的更動，所以我們要研究〈玉山去來〉時，就必須留意這個問題。

（三）**校讎學**

所謂「校讎學」，就是研究與校讎相關知識，使校讎工作成為一門有系統的學術。校讎的目的，就是要使圖書的文字、篇章得以精確的流通。為了使圖書的文字正確、篇章完善，需要涉及很多的學問和方法，例如校勘的基礎學識、圖書常見的訛誤現象、校勘時所需涉及的資料、校勘的過程，乃至校勘凡例的撰寫、校勘記的寫作等，都得加以研究。至於校讎學發展的歷史、歷代重要校讎學家的理念、校讎方法及他們的校勘成就等，也有必要認識，做為從事校讎的借鏡。

劉老師認為校讎古籍的目的，是使圖書恢復原來的面貌，使研究工作能有正確的論說。所以他從以下三方面論說研治國學必須具備「校讎學」的知識：

1.校讎古書，可補簡冊錯亂、缺脫之失。 2.校讎古書，可改正誤字、衍字、脫字、妄乙等之失。 3.校讎古書，可改正句讀錯誤之失。

老師論說每一方面的用處時，都從古籍中舉出許多例子，讀者不僅從例證中可以獲得了解，也有舉一反三的效果。個人於民國八十六年時，從國家圖書館所藏的明抄本《天機餘錦》中，發現了它保存許多宋金元明佚詞，曾撰寫〈詞學的新發現——明抄本《天機餘錦》之成書及其價值〉（發表於《宋代文學研究叢刊》第 3 期，1997 年 9 月）等一系列的論文，其中一篇〈瞿佑詞校勘輯佚及板本探究〉（發表於《國文學誌》第 4 期，2000 年 12 月），就是透過瞿佑詞的校勘發現：「《天機餘錦》收瞿佑詞有一四五首（含〈殿前歡〉曲一首），今存《樂府遺音》一卷本，收瞿佑詞一一三首，附北曲十七首。經過比對之後，兩者只有十八首相同，而且文字常有很大的差異。可見《天機餘綿》絕對不是選自《樂府遺音》本。」因此我推論：「《天機餘錦》收錄的瞿佑詞一四五首，是錄自《天機雲錦》，所以《天機餘錦》保存了大部分《天機雲錦》的作品。……尤其當年瞿佑被貶之後已經『散亡零落』的

《天機雲錦》，居然藉《天機餘錦》的收錄而重見天日，這恐怕連瞿佑在世時都不敢置信吧？」所以從校勘中可以發現古籍版本的源流，這也是研治國學不得不具備「校讎學」知識的個人體驗。

現在網路資訊發達，但建構網站或資料庫時，如果不重視校勘，致使許多文獻的電子檔錯誤百出，又經過網路的傳播，以訛傳訛，這種後果相當嚴重，正如明人刻書不重視校勘，因此遭受後世譏為「明人刻書而書亡」，身為現代的學者，引用網路資料時，更應該格外小心謹慎。

六、結　語

劉老師與江弘毅等教授合著這本《國學導讀》，老師負責的是緒論部分，旨在論述國學的名義及內涵，研究國學的方法、資料，與研治國學所需修讀的基本學科等。經過以上的介紹分析，可看出老師所闡釋的國學概念相當明確清晰，所提出研治國學的方法具體可行，所介紹研治國學的資料非常詳盡，所論述研治國學所需修讀的基本學科切合實際，所以老師的緒論，可以說是《國學導讀》中的「導讀」，對有志於從事國學研究的年輕學子，具有相當良好的引導作用。

由於撰寫本文，重新仔細閱讀老師的這本《國學導讀》，腦海中總是老師三十多年前講課的點點滴滴，猶如時光倒流，回到外雙溪行政大樓的教室。當年老師所教導研究國學的功夫，雖然沒有「驚動武林、轟動萬教」般的炫人耳目，但一點一滴，「聚水成河、聚沙成塔」，相當紮實有用。回想出道走出外雙溪後，在學術研究的旅程中，能夠有一些收穫，就不得不感謝外雙溪這個學術源頭，尤其劉老師的啟發教導更是點滴在心頭。

劉兆祐教授與《治學方法》

馮曉庭

嘉義大學中國文學系副教授

一、緒　論

　　1986 年 10 月，筆者於初入東吳大學中國文學系受教，儘管胸中充滿著對於所謂「中國文學」的無比興趣，然而在面對各項課程以及諸般書籍之際，卻不免滿心疑慮與困惑。疑慮的是典籍浩瀚，何者才是當務之急；困惑的是文字古奧，何處能得輔益良方。懵懵懂懂，毫無端緒，直至修學劉兆祐老師講授的「國學導讀」課程，方才在訓誨之中，逐漸得識求習國學應當研讀的基本書冊、閱覽典籍務要具備的基本知識、解除疑義必須查檢的基本注釋以及面對文獻定需抱持的理性態度。於是，求學之路稍見坦途，而前人於我，遂為良師益友，文章典籍，盡成可取之資。

　　大學畢業之後，承師長錯愛，筆者有幸進入碩士班深造，從此直至取得博士學位，九載之間，除受業師林慶彰先生照撫以外，又常蒙劉老師指導。當時老師先後開班講授三項課程，即「文史資料研究及討論」、「治學方法研究與討論」、「中國文獻學研究」等，而這些課程的主要內容與方針，則都與治學方法的建立息息相關。由於碩、博士班課程著重研究能力以及自我獨立思維的養成，所以在授課過程中，老師每以自撰學術論文做為講述教材，通徵博覽，條理分疏，受業

諸生經過老師的引導啟發，逐漸體認為學的基本方法，因而近能窺見學術堂奧、遠得盱衡治學脈絡，終成識見。

劉老師的學術成就以「文獻學」為最，可謂學術界同見共知，四十年來，浸淫日廣，信手拈來，動見心得。因此，於傳授學子治學法門與規模之際，基本上總是由「文獻學」的角度出發，課堂之中所引，諸如〈中國方志中的文學資料及其運用〉（《漢學研究》第3卷第2期，頁845-862，1985年12月）、〈中國類書中的文獻資料及其運用〉（《國立中央圖書館館刊》第卷22第2期，頁117-128，1989年12月）、〈中國古籍刊本中的域外地圖〉（《興大中文學報》第5期，頁109-131，1992年1月）、〈論中國古籍日本刊本之價值〉（《中國書目季刊》第27卷第4期，頁44-62，1994年3月）、〈論「叢書」〉（《應用語文學報》第1期，頁1-26，1999年6月）、〈雜著筆記之文獻資料及其運用〉（《應用語文學報》第2期，頁1-33，2000年6月）、〈《文獻通考》之文獻資料及其運用與整理——「政書」文獻資料研究之一〉（《應用語文學報》第3期，頁1-37，2001年6月）等篇，不僅申述的至理讜論是老師學問精髓所在，蘊藏於其中的治學方針，更是為學者理應奉為圭臬的法門指歸。綜合諸篇所敘以及老師日常講學實行，可以歸納出老師治學的三大基本法式，即：「善用工具書」、「懂得甄辨文獻」、「多引用直接資料、少用間接資料」❶。這些方式或觀念，前人或許有所述及，因為缺乏明例實證，其可信程度也就遠遠不及老師所論；而這些法式雖然劃分為三，其指向卻可歸納為一，即：「要想在文史研究方面提出創見，必須建立在豐富的文獻基礎上」。❷

劉老師在大學執教三十餘年，所講授的課目，例如開設於大學部的「中國目錄學」、「國學導讀」、「論文寫作方法」，開設於碩、博士班的「文史資料研究及討論」、「治學方法研究與討論」、「中國文獻學研究」、「校讎學研究」

---

❶ 劉師兆祐：《治學方法》（臺北：三民書局，1999年9月），〈自序〉，頁1。

❷ 劉師兆祐：《治學方法》，第一章〈序論〉第二節〈治學與資料〉，頁3。

等，有些著重於古籍研讀法的研究，有些探討文獻資料的甄辨與運用，有些分析校勘古籍的方式、有些則傳授學術論文寫作方法，雖然內容紛陳，但絕大多數可以歸納於「治學方法」的範疇當中。西元 1999 年 6 月，老師以「治學方法」課程講義為基礎，益以其他相關資料，編成《治學方法》一書，由臺北三民書局梓印發行。本書的出版，除了完整建構老師於「治學方法」範疇的理論體系之外，對於初學者建立治學門徑、精進者鶴步學術殿堂，更有如迷津指南、汗牛捷徑，能夠發揮清晰且明確的指導作用。《治學方法》一書，除〈自序〉外共分七章，以下便就《治學方法》一書的內容，以及筆者門下受教二十載之所見所聞，略述老師對於「治學方法」的讜議與高論。

二、《治學方法》的內容與體制——基礎部分

第一章　緒　論

〈緒論〉下含三節，分別說明若干基本概念，並對全書內容略加紹介。

第一節「治學與方法」，列舉前人數例，說明治學須重方法，才能循序漸進，終有所成。並將第二章〈治學入門之必讀書目〉、第三章〈研讀古籍的方法〉、第四章〈善用工具書〉列為專門討論「治學方法」的篇章。

第二節「治學與資料」，在「徒有資料，沒有科學的方法，則不能發現問題，提出新的見解；徒有方法，沒有資料，則所言空疏，不切實際」的基本認知下，列舉漢代司馬遷（前 145-86）、宋代司馬光（1019-1086）均能採用豐富多元的資料、終而完成不朽巨著《史記》與《資治通鑑》為例，說明治學必須掌握豐富的文獻資料，如此方成成就高深學問。並將第五章〈重要的文史資料〉列為專門討論「文獻資料」的篇章。

第三節「治學成果之發表」，以為治學若有成果，一定要撰成論文，而一篇出色的論文，除了寫作方法正確以及符合學術規範之外，最重要的就是要有「創見」。那麼何謂「創見」？如何方能提出「創見」？「創見」所依據的「證據」

為何？怎麼尋得這些「證據」？找到「證據」之後如何分辨真偽善劣？都是治學成果發表之前會面臨的命題或困難。要解決這些困難，就必須要通過某些基礎訓練、具備某些基本知識，所以本書的第六章〈治國學所需具備的基礎學識〉、第七章〈撰寫學術論文的方法〉，就是針對這些問題而設。

綜合〈緒論〉的論述可以知道，劉老師的《治學方法》，依其內容指向大體上可以區分為三個部分，即：

其一，第二至四章，為「基礎篇」，討論治學相關基本知識；

其二，第五章，為「進階篇」，討論文獻的實質效益及運用方式；

其三，第六、七章，為「實用篇」，討論文獻判讀、治學成果發表的相關知識與
　　方法。

三個環節相輔相成，由淺入深，誠為有心從事學術研究者的最適切指引。

第二章〈治學入門之必讀書目〉

本章先引清人顧炎武（1613-1682）編纂《日知錄》以及閻若璩（1636-1704）撰寫《古文尚書疏證》二例，說明治學要有成果，必須博覽群書。然而典籍浩瀚，何者當先？何者當精？入門者實難抉擇。有鑒於此，劉老師於是蒐羅清代以來各家說法，並參以己身研究心得，提出初學者研讀漢學（國學）必讀書四十二種及其讀法，以為學子指引。

第一節「歷來學者所推薦的必讀書目」，列舉清代張之洞（1833-1909）以來七家所舉「必讀書目」，並說明其選書原則與形成背景，藉古鑑今，以為學子參考：

其一，清代張之洞《書目問答》；

其二，梁啟超（1873-1929）《國學必讀書及其讀法》；

其三，梁啟超《最低限度之必讀書目》；

其四，胡適（1891-1962）《一個最低限度的國學書目》；

其五，胡適《中學生自修的古文書》；

其六，胡適《中學國故叢書》；

其七，屈萬里（1907-1979）《初學必讀古籍簡目》。

　　第二節「初學者必讀書目及其讀法」，分部列出「必讀書目」四十二部，並於其研讀方法詳加提點：

其一，經部：《周易》、《尚書》、《詩經》、《禮記》、《春秋左傳》、《論語》、《孟子》、《爾雅》、《說文解釋》、《釋名》、《經學歷史》等十一部。

其二，史部：《史記》、《漢書》、《後漢書》、《三國志》、《資治通鑑》、《國語》、《戰國策》、《水經注》、《考信錄》等九部。

其三，子部：《荀子》、《韓非子》、《墨子》、《呂氏春秋》、《淮南子》、《論衡》、《老子》、《列子》、《莊子》、《世說新語》、《顏氏家訓》等十一部。

其四，集部：《楚辭》、《陶淵明集》、《李太白集》、《杜工部集》、《韓昌黎集》、《柳河東集》、《白氏長慶集》、《蘇東坡集》、《文選》、《文心雕龍》、《詩品》等十一部。

第三章〈研讀古籍的方法〉

　　針對第二章所述各種古籍，本章提出各種應對方針，導引學子正確閱讀古籍，而收事半功倍之效。

　　第一節「明辨句讀」，申明句讀的功能，並舉例陳述句讀不明所引發的文義誤解。對於古人之所以不使用標點符號，老師提出兩項推測，一是部分文字如「者」（逗號或句號）、「也」（句號）、「歟」「乎」「哉」（問號或驚嘆號）等虛辭，已經具備標點功能，讀者可自行分辨；一是不使用標點符號的經典白文，可以啟發研讀者的想像力與思考力。關於老師稱述的兩項意見，第一項是已是學界通說，第二項則是老師的創見，老師甚至推衍梁啟超的說法，認為「那些沒有標點的古書，就正如早期未開闢的美洲，只要去開闢，一定可以開採到無限的寶藏，獲得無限

的意外驚喜」❸。所謂「無限的寶藏」，指的就是因為多面向理解古書而產生的文化認識與思維資產。

　　第二節「留意古籍的互通關係」，以為中國典籍中的許多資料，各書所載，彼此有互通關係。倘使閱讀古籍不關注這個面向，則容易犯上「見樹不見林的」的缺失。例如研讀《荀子》，就不能不參讀《禮記》以及《史記》中的〈荀卿列傳〉（此為四部互通）；讀《史記》，就不能不讀《漢書》（此為同部互通）；讀《老學庵筆記》，就不能不讀《揮麈錄》、《石林燕語》（此為同類書互通）；讀《宋史》的〈王安石傳〉，就不能不讀〈仁宗、英宗、神宗本紀〉以及司馬光、蘇軾、呂惠卿等人的〈傳〉（此為同書前後互通）。留意古籍之間的互通關係，就是一種博覽群書的基本態度，而能夠善盡此道，則可達成以下功效：

其一，有助於瞭解思想源流；

其二，有助於瞭解不同的句讀方法；

其三，有助於文獻的互通互補；

其四，有助於校勘錯誤；

其五，有助於分辨直接資料與間皆資料。

　　第三節「慎擇善本」，以張之洞「不誑不闕」為基調，說明讀書須用「善本」的原因與影響，並以臺北國家圖書館《國立中央圖書館中文圖書編目規則》為準據，為「善本」明定意義。

　　第四節「辨別偽書」，說明偽書產生的因由，並引用梁啟超《古書真偽及其年代》一書中的〈辨偽及考證年代的必要〉一章，從「史蹟」、「思想」、「文學」三方面觀察「辨偽的必要」。面對古籍之中真偽相參的狀況，劉老師認為，「正確的去甄辨資料的真偽，進一步使偽書轉化為有用的資料」，是面對偽書的最正確態度，也是正確的讀書方法之一。

---

❸　劉師兆祐：《治學方法》，第三章〈研讀古籍的方法〉第一節〈明辨句讀〉，頁47。

第五節「細讀古注」，說明讀古書必須先詳細閱讀古人注解，循序而進，方能有了解透徹，有所成就。除了詳細解說「注」、「箋」、「疏」、「傳」、「索隱」、「音義」、「集解」等古注的名稱、義涵與體制之外，並舉例陳述古注的功能與作用：

其一，校勘文字；

其二，解釋古今明物制度；

其三，提供方言資料；

其四，說明典故出處；

其五，記述地理山川；

其六，解說一書之體例；

其七，徵引群書，可為校讎輯佚之資。

第四章〈善用工具書〉

劉老師認為，學術「創見」，必須建立在客觀而充足的證據之上，要獲得客觀而充足的證據，則需要全盤掌握相關文獻資料。然而，文獻資料數量浩瀚，全憑個人閱讀記憶、鈔撮摘錄，是很難掌握周全的。「最精確而快速掌握、檢索資料的秘訣，就是善用『工具書』」❹。

第一節「『工具書』的界說」，劉老師所謂的「工具書」，指的是「將資料經過特殊的方法排比，俾讀者方便檢索的一種圖書」❺。張錦郎先生《中文參考用書指引》所提及的「工具書四大定義」——「解答問題」、「部分閱讀」、「編排體制不同」、「內容廣博」，可以說是對於「工具書」最為完善的定義。此外，「工具書」還應該包含一項特色，即「處理資料要簡明，而且能提綱挈領」❻。

第二節「文史研究常用的『工具書』」，將從事文史研究工作所需的工具書

---

❹ 劉師兆祐：《治學方法》，第四章〈善用工具書〉，頁83。

❺ 劉師兆祐：《治學方法》，第四章〈善用工具書〉第一節〈「工具書」的界說〉，頁83。

❻ 劉師兆祐：《治學方法》，第四章〈善用工具書〉第一節〈「工具書」的界說〉，頁84。

規劃為四大類，以便學者檢覽：

其一，檢索清代以前著述的工具書；

其二，檢索現代著述的工具書；

其三，檢索單篇論文的工具書；

其四，檢索傳記資料的工具書。

三、《治學方法》的內容與體制——進階與實用部分

第五章〈重要的文史資料〉

劉老師以為，研究者需要文獻資料，固然可以利用工具書查找，然而更重要的是，「研究者一方面要先認識自己的週遭有什麼資料？自己身邊的資料有什麼特色？一方面要熟悉從那些圖書中最容易獲得資料？」❼必須先釐清周遭資料的狀況，主要原因有二：一是身邊的資料取得容易，不必遠渡重洋。二是倘若能充分利用身邊獨具特色的資料，則比較容易寫出具有特色的論文。

另一方面，熟悉重要圖書資料的結構，便可以不必費盡心力在廣闊的書海中孜孜爬梳，只要能夠善用前人整理文獻的成果，便可收事半功倍之效。同時，對於圖書資料的認識，也能夠史學者有效判別什麼是「直接資料」、什麼是「間接資料」，對於學術「創見」水平的高下，極具影響力。

第一節「臺灣所藏的珍貴文史資料」，以周法高（1915-1994）與屈萬里兩位先生的意見為基礎，分析介紹臺灣所藏珍貴文史資料的內容與結構，使學者易於檢尋，進而撰寫具有特色的學術論文：

其一，臺灣所藏善本書及其特色；

其二，臺灣藏有豐富的古器物與書畫；

其三，臺灣藏有豐富的地方文獻；

---

❼　劉師兆祐：《治學方法》，第五章〈重要的文獻資料〉，頁111。

其四，臺灣藏有完備的明清和近代史的原始檔案。

第二節「重要的文史資料之一──類書」，就「類書的定義」、「類書的種類」、「類書的體制」、「類書著錄文獻的方式」、「類書在文獻上的價值」、「運用類書中的文獻資料應注意的事項」、「類書的索引」等七大命題，討論「類書」的內蘊、使用方法以及「類書」對於學術研究的貢獻與影響。

第三節「重要的文史資料之一──方志」，就「方志的定義」、「方志之內容」、「方志的種類」、「方志記載地方文獻的特色」、「方志資料的價值」、「運用方志資料應注意的事項」等六大品項，討論「方志」的內蘊、使用方法以及「方志」對於學術研究的貢獻與影響。

第四節「重要的文史資料之一──叢書」，就「叢書的定義」、「叢書的種類」、「叢書的價值與功用」、「檢索叢書的目錄」、「重要叢書考述」等六大品項，討論「叢書」的內蘊、使用方法、重要的「叢書」，以及「叢書」對於學術研究的貢獻與影響。

第六章〈治國學所需具備的基礎學識〉

除了「基礎篇」所敘述的各種基本能力之外，劉老師認為，凡是研治國學，無論著重的是經、史、子、集的那個類別，討論的方式若何，都必須具備「目錄學」、「辨偽學」、「版本學」、「校讎學」等學問，如此方能獲得圓熟的學術成就、「創見」。

第一節「目錄學」，就「目錄學的定義」、「目錄學的功用」、「應具備的目錄學知識」等三項，討論「目錄學」的內涵、「目錄學」對於學術研究的價值以及為學者應該具備的「目錄學」知識。

第二節「辨偽學」，就「辨偽學的定義」、「辨偽的方法」、「辨偽的重要著作」等三項，討論「辨偽學」的內涵、歷代名家的「辨偽」法則以及為學者可以運用的「辨偽」重要著作。

第三節「版本學」，就「版本學的定義」、「治學應具備的版本學知識」、

「考訂版本的重要書目」等三項，討論「版本學」的內涵、為學者應該具備的「版本學」知識以及可資參酌的「版本」考訂重要著作。

第四節「校讎學」，就「校讎學的定義」、「古籍常見的錯誤現象」、「校勘的過程」、「校勘的方法」、「校勘的術語」等五項，討論「校勘學」的內涵、從事校勘者應當掌握的古籍中常見錯誤，並說明校勘古籍的過程、方法、術語等實際狀況與事例。

第七章〈撰寫學術論文的方法〉

本章以治學有成、初試論文為先決假設，於撰寫論文的過程逐一進行模擬，由題目敲訂到全篇完成，各步驟均有詳細說明，從而賦予研究者撰寫論文的基本素養。

第一節〈如何訂定論文題目〉，劉老師認為，研究者在擬定論文題目之際，必須進行以下考量：

其一，題目應適合自身的興趣與特長；

其二，最好是前人未曾研究的；

其三，初學者擬定的題目，不宜過巨，以免牽涉過廣，導致文獻掌握困難；

其四，擬定題目時，務必考量「人力」（即指導師資）以及「圖書設備」等客觀環境；

其五，所擬定的題目，必須運存延伸性與發展性；

其六，除了「論述性」的體裁之外，也可以選擇「箋注」、「集釋」、「校勘」、「輯佚」等方式撰寫論文。

第二節〈如何擬定大綱〉，對於制定論文「大綱」的基本認識與實際原則，劉老師提出以下，以為研究者參考：

其一，必須充分熟悉文獻，如此方能確實掌握前人論述；

其二，必須充分了解論文所要達成的目的，才能有效完成具有價值的論文；

其三，大綱所擬論文章節的標題，都必須與論文主題相關；

其四，必須在大綱當中凸顯個人創見及新發現的史料文獻；

其五，論文章節次地的安排，必須層次分明，前後一貫；

其六，必須注重論述過程的合理性，「導論」（或「序論」）置於論文最前，「結論」置於最末，而「參考書目」、「附錄」等等，則置於論文最末，此外，「附注」若非隨頁註解形式，則至於每章之後。

　　第三節〈註釋的寫作方法〉，除了說明註釋的體制、聲明註釋文字必須力求簡潔之外，劉老師在本節也清晰地說明注釋的五項主要功用，藉此告知研究者合宜的註釋寫作方式與態度：

其一，說明資料出處；

其二，補充說明相關資料；

其三，提示參閱前註；

其四，提示參閱相關資料；

其五，說明異文；

其六，除了「論述性」的體裁之外，也可以選擇「箋注」、「集釋」、「校勘」、「輯佚」等方式撰寫論文。

　　第四節〈如何編纂引用及參考書目〉，劉老師以為，附錄於論文最後的「引用及參考書目」，具有四項重要功能：

其一，作者可據以說明所根據的文獻，為資料出處負責；

其二，便利讀者據此檢索覆核原始文獻；

其三，閱讀者可以透過「引用及參考書目」了解作者的學養；

其四，閱讀者可因此獲得與論文領域相近的相關資料。

此外，本節也以「書目的排比」以及「版本的著錄」為中心，實際說明「引用及參考書目」建構的原則，在「書目的排比」方面，老師認為：

其一，引用及參考文獻，應該劃分為「專書」與「（單篇）論文」兩大類；

其二，文獻的排比，應依據傳統圖書分類法，按「經」、「史」、「子」、「集」編排。

至於「版本的著錄」方面，老師認為：

其一，「專書」部分，每書都應該敘述「書名」、「作者」、「卷帙」、「版刻（出版時地）」等項；

其二，「（單篇）論文」部分，每篇都應該敘述「篇名」、「作者」、「報刊名稱」、「卷期」、「頁次」、「出版年月」等項。

　　第五節「學術論文的要求」，在充分敘述了「基本知識的建立」、「治學方法的架構」、「深入研究的施行」、「學術成果地發表方法」等議題之後，老師在本節首先為成功的學術論文擬定定義：

其一，見解創新——觀點超越前人；

其二，內容充實——引用文獻完備、見解正確；

其三，方法得當——推理論述嚴謹恰當；

其四，資料得宜——文獻資料的引用處理得宜；

其五，結構完整——論文章節均衡而有系統；

其六，文字精練——論述文筆順暢、精確、簡潔扼要；

其七，貢獻實用——具學術價值或實用性。

其次，老師對於學術研究最當注重的「創見」，也予以定義，即「發現新理論」、「發明新方法」、「使用新資料」。最後，在撰寫學術論文須秉持「三貴」——「立說貴創意」、「資料貴豐富」、「析論貴深入」，以及避免「三忌」——「忌獺祭成章」、「忌胸有成見」、「忌盲從權威」的陳述中，老師提出了對於學子的期許與忠告，也同時為《治學方法》畫上完美句點。

四、結　語

　　筆者於八載之前蒙劉老師賜贈《治學方法》一書後，即勤力閱讀，數年之間，雖陸續完成論文數篇，取得博士學位，於書中所讜論，卻猶然懵懂難瞭，於老師之用心，體悟甚微。近二、三年來，時向老師暨業師林慶彰先生請教，並投身教

學工作，學教之際，遂能於老師之深意略有所窺，是以不忝冒昧，肆言論述於上，至於老師撰述《治學方法》的旨趣，謹推臆敘述如下：

其一，從本書的章節安排可以發現，老師治學，著重按部就班。先明確為學應治之書，次據正當法式研讀典籍，再善用工具書籍充實研究知識；基本知識充足完備之後，則詳實查驗相關可取的文獻資料；資料範疇確立，則據「目錄」、「辨偽」、「版本」、「校讎」等進階知識逐步檢覈；文獻資訊確實，研究知識充分，則學習成果發表之各項方法與理念。基本知識俱全、文獻史料全般掌握、研究資訊清晰、發表理念完備，則必定能夠「立說創新」、「資料豐富」、「析論深入」，而一篇成功的學術論文也就由此而生。如是的過程，可以視為老師培育學生的理想與期許，而這樣的方法，隨然可能耗費許多時日，但卻是最為確實最可依據的法式，學子於此，不能不深為省思。

其二，老師日常講學授課，每每鼓勵學子閱讀古書需多思考，並善用工具書籍、相關文獻，切勿強背死記，並常舉實例啟發受教者，本書所述，大多因此氣風。例如講「明辨句讀」時，認為明確標點古籍，可以訓練學子思維以及多元觀察能力；講閱讀古籍，認為必須注重文獻互通，事事相參，以獲取最完整正確資訊；講參考文獻，極為注重工具書籍的使用以及「類書」、「方志」、「叢書」的運用。如斯種種，都可以說是發前人所未發，能指引學子賣上學術研究的坦途。

其三，老師於書中大力鼓吹為學作文須有「創見」，並於書末指出論文「三貴」──「立說貴創意」、「資料貴豐富」、「析論貴深入」，以及論文「三忌」──「忌獺祭成章」、「忌胸有成見」、「忌盲從權威」。諸般觀點，可以說是時下研究者應奉為圭臬的法則。尤其是近年來網路資訊發達，學子於學習之初，便已習慣藉網路檢索尋求資料，於讀書一事，遂不用心，殊不知「耳食」之事，人云亦云，於為學最有傷害，常此以往，只能「獺祭成章」，論文之中，立說必無創意、資料必非豐富、析論必難深入，而顧炎武「廢銅」之譏，必然俯拾皆是，這是學術界全體成員必須要正視的問題。

寓教於文——論劉兆祐教授現代文學創作之特色

張雙英

淡江大學中國文學系教授兼系主任

在國內的中文學界裡，一提到劉兆祐教授，便會讓人立即聯想到我國傳統國學中的目錄學、輯佚學、校勘學、版本學和文獻學等學術，這是由於劉教授在這些學術領域裡的研究已獲得斐然的成果，因而使他成為這領域中的標竿性學者所致。如今，我們這些效法他的步伐，也在學術領域裡從事研究工作的他的學生，為了慶賀他的七秩晉二華誕，乃希望藉由提出我們在各自領域中的研究心得作為賀禮，來向他表達深深的謝意與由衷的敬意。

忝為劉教授最早期的學生之一，本人因研究領域偏重在文學上，所以對老師的國學成就向來都只能仰望，而未能深入吟味。這次，因為研究領域的屬性之故，乃被學長們指定來闡釋劉老師在現代文學上成就。這一工作，我當然責無旁貸；只是，在正式向大家報告筆者的研讀心得之前，筆者實無法壓抑此時心中的一股衝動，一種想要立刻與大家分享我的特殊感受的衝動，那是一種揉合了驚訝、感動和敬佩的複雜情緒。我驚訝的是，原來被普遍認為是傳統學術健將的劉老師，竟然曾經是一位不折不扣的熱血文藝青年；而令我感動的是，在他豐富的現代文學創作中，滿佈的都是對學童能否順利成長的殷切關懷與耐心地鼓勵他們努力向

上的期待；當然，更讓我敬佩的是，他以高明的寫作技巧，流暢而有興味的文字，在無形之中將深厚的國學知識澆灌在我們這個文化根基仍然甚淺的現代社會之上了。

　　劉教授除了以本名來發表他的現代文學創作外，也使用過許多筆名，如柳鬱、青野、苗笛、金笛、萬宇、魯夷、雪枝、雪裏枝、賀文雙、冬青樹、劉豫、清波齋主、……等；其中，尤以「柳鬱」一名出現的頻率最高。而若從「文類」的角度來看，劉教授的作品則涵蓋了新詩、散文、小說、童話、廣播劇和歌詞等。基本上，他的作品篇幅都不甚長，這可能是因為它們所刊登的園地多為報紙，如公論報、香港時報、國語日報、民眾日報、中央日報、中國時報、徵信新聞報、……等，以及雜誌，如幼獅文藝、幼獅月刊、幼獅學誌、野風、教學生活、大學詩刊、中國語文等所致。但是，它們的數量卻非常多，如散文（含寓言）有好幾百篇，新詩有近百首，小說有近十篇（另有童話數十篇），廣播劇有三齣，以及歌詞有兩首等。其中，以散文類最多，而且有不少作品係以專欄的方式出現。

　　因劉教授所發表的現代文學作品分散在許多報章雜誌上，並未集結成書，所以想對它們進行整體性的闡釋並不容易。但即便如此，卻仍有一些有識之士早已注意到此；譬如何常先生便有如下的說法：

> 學術圈內的人士都知道，劉兆祐是年輕一輩學人中版本目錄學的專家，他治學態度嚴謹認真，一絲不苟，擅長於義理和考據；可是很少人知道，劉兆祐早年也是一位熱情大膽的作家，新詩、散文、小說和戲劇，樣樣都寫，做過詩社（現代詩）的社長，電臺也播出過他的劇本。❶

基於此，筆者本論文乃希望以更為具體和系統的方式來析論劉教授的現代文學創作與論述。這樣的作法，對筆者個人而言，或許只是將業師早年在現代文學上的

---

❶　何常〈劉兆祐發現全唐詩的底本〉，《聯合報》，12 版《文壇點線面》，民國 67 年 7 月 3 日。

辛勤創作成果加以勾勒出來而已，但擴大來看，這一研究在充實該年代中的臺灣現代文學之內涵上，也應具有若干正面的貢獻才對。底下，本文將以「文類」為分析架構，逐類來探討劉教授在現代文學的創作和論述上的特色。

一、散文類

劉教授創作最多的是「散文」類作品。不過，在分析劉教授的「散文」類文學作品之前，有一個根本的問題必須略加說明，那就是「散文的定義」。

將「散文」視為一種文學的類型（literary genre），大抵不會有人反對。問題是「散文」類文學作品的外型與內容到底是什麼，卻是一項迄今為止仍無法獲得文學界共識的課題。這種情況並非由於未曾有人對「它」加以說明所致，相反的，對「它」提出解釋的人其實甚多。只是他們的說法若不是使用過於抽象的語言，便是採用迂迴曲折的方式來解釋。我們可以舉以下兩個例子來看看：

㈠張毅說：「較之詩歌對韻律、想像力、句法變易等的要求，散文來得更加隨便、自然。較之小說技巧性的要求、頗高的想像世界的複雜營造，散文的文體運作更為簡潔精當。……從總體角度上說，散文是一種抒情達意的語言藝術，也是一種文體的語言運作自由的藝術。」❷

㈡鄭明娳說：「散文可以說是以現實生活感思為基礎，以切身體驗或閱歷所得為素材，重新組織而成『創作』，並且可以揉合詩、小說、戲劇等寫作技巧的一種獨特文類。」❸

這兩段分別摘自大陸和臺灣學者的文字所提出的觀點當然各有見地，只是在讀者仔細地讀過它們之後，內心之中所產生的，卻是一種似乎已約略感覺到「散文」的某些特色，但又無法真正確定「散文」到底是什麼的感受。會出現這樣的

---

❷ 張毅《文學文體概說》（北京：中國人民大學，1993 年），頁 238。

❸ 鄭明娳〈當代散文的兩種「怪誕」〉，收在其所編的《當代都市文學論叢》（臺北：時報文化出版公司，1995 年），頁 134。

結果，筆者認為應該是因它們既未明確地指出「散文」的特定外型，也未能說明「散文」的特定內容是甚麼之故。

還有另一種說明「散文」是什麼的普遍方式，就是把歷來所出現，但卻無法歸入已經有明確定義的詩歌、小說和戲劇等文類的「各種不同類型的文章」都涵蓋進來，然後再依它們的外型、內容、性質或寫作方法等等來加以分類的作法。例如楊牧的《中國近代散文選》便將近代散文區分為小品、記述、寓言、抒情、議論、說理、雜文等七種；❹鄭明娳的《現代散文縱橫論》則將現代散文分為小品、雜記、隨筆、遊記、日記、尺牘、序跋、報告文學、傳記等八種；❺而楊昌年在他的《現代散文新風貌》中更把現代散文劃分為詩化散文、意識流散文、寓言體散文、揉合式散文、連綴式散文、新釀式散文、靜觀式散文、手記式散文、小說體散文、譯述散文、論評散文等十種。❻客觀而論，這三位學者所提出來的論述都頗具理論基礎，然而他們所羅列出來的散文種類卻有甚大的差異。這當然是因為他們所選取的論述角度不同所致。

由於，「散文」的性質複雜度太高，所以不論是從分類的角度去入手，或是採取直接描述的方式，「它」仍然是一個無法與詩歌、小或戲劇等文類一樣，擁有一個明確的定義之文類。因此筆者乃認為，研究這一文類的最好策略，應該是針對的研究對象來分析即可，而不必堅持非要給它一個明確的定義不可。底下，本文將以散文類中的「次文類」為架構，❼來分析劉教授的散文特色。

㈠ 寓言

在劉教授的散文類作品中，「寓言」所佔的比率非常高。「寓言」是一項頗

---

❹ 臺北：洪範書店，民國 70 年。

❺ 臺北：長安出版社，民國 75 年。

❻ 臺北：東大圖書公司，1988 年。

❼ 有關「次文類」的內涵、特色與功能等問題，請參拙著《文學概論》（臺北：文史哲出版社，民國 91 年），頁 99-106。

為普遍的文類。有關「寓言」的定義為何，古今中外已有許多學者提出了許多不
同的說法；其中以陳蒲清的論述最為言簡意賅。陳氏認為，「寓言」必須具備兩
個不可或缺的要素，就是故事與寓意。❽此外，他也精確地指出，「寓言」的最
普遍功能就是「對青少年的教育」。❾

　　劉教授的「寓言」作品正是具備了前述的三大特色：既有故事，又富寓意，
更具有對青少年的教育功能。如果我們從劉教授創作大量「寓言」作品時的身分
是小學教師來推測，則他創作這類作品的動機應可合理地推測為：1.希望能夠增
加接受文學教育的學童人數，2.藉著引發學童的興趣來提高教學的效果，3.想盡
到一個小學國文教師應有的責任，4.希望滿足其個人對文學的喜好。

　　我們先從作品的「題材」來觀察劉教授的「寓言」作品之特色。首先，它們
多是將「題材」與「寫作方法」融合在一起的。在「題材」上，劉教授的「寓言」
作品中最常出現的角色是動物、植物與人。至於在「寫作方法」上，我們似乎可
依作品中主要角色的多少來將其區分為「集中描寫一個主角」、「設計兩個角色
並重」，以及「以三個角色形成鼎足之勢」等三種。

　　在第一種作品上，雖然出現於「寓言」中的角色並不少，但作者所精心刻畫
的對象卻顯然集中在一個角色上，因此常呈現出故事輪廓清楚而主題非常分明的
特色。我們可舉兩個實例來印證這一說法：

　　其一是〈驕傲的公雞〉，它的內容在描述一隻外表亮麗，啼聲宏亮，因而非
常驕傲的公雞，在看到一隻又醜又矮的小鴨之後，先是向牠提議來比賽唱歌，但
因小鴨知道公雞只是想藉此來譏笑牠，因而便以今天喉嚨不好而拒絕了。接著公
雞又提議來賽跑，小鴨也知道自己跑不過公雞，所以再用自己的腿短為由而拒絕
了。這時，小鴨突然想到自己很會游泳，因而乃提議比賽游泳；公雞雖知道自己

---

❽　陳蒲清《寓言文學理論·歷史與運用》（板橋：駱駝出版社，民國 81 年），頁 11。

❾　同前註，頁 347-388。

不善游泳，卻因為怕丟臉，所以就答應了。當牠們游到小河的中心時，公雞便逐漸下沉；小鴨看到後，就立刻把牠救上岸。公雞在上了岸後，慚愧地向小鴨表示感謝，並說從此以後，絕不再自大了。「寓言」的最後，作者以「公雞不再驕傲，因為牠知道每一個人都有各自的特長，不應該輕視別人。」來作結的。（《臺灣學生周報》，民國 46 年 12 月 16 日）

其二是〈一棵桃樹〉，其內容在描述一隻小羊看到了一棵桃樹被風颳倒在山坡上，便想將它抬回家去種，以便將來可以有許多果子吃。但因樹太重，所以牠去請小猴子來幫忙，並以答應小猴可以分到果子為條件。搬回去後，小猴卻不同意要等到將來桃樹結了果子後再分，而堅持立即把桃樹砍成上下兩段，並把滿佈蔥綠枝葉的上半段拿回去種；當然，小羊能種的就是又短又難看的下半段樹根了。一星期後，猴子所種的桃樹竟然葉子都枯萎了，而小羊所種的桃樹上卻長出了許多新芽。小羊因此向滿心後悔的猴子解釋說，樹要有根，才能藉著吸收水分而長大，只有葉而無根的樹是無法生長的。最後，作者以「小羊仍然願意在將來讓猴子分享桃樹長出的果子，兩人此後便成為好朋友。」來作結。（《微信新聞報·兒童樂園版》，民國 48 年 12 月 14 日）

從特色上來看，這兩個「寓言」所表現出來的，正是故事清楚，主題明確，而且教育寓意也非常明顯。

在第二種作品上，作者設計了兩個角色，讓他們形成對立的關係，並藉著牠們大約相當的地位，來產生一種對峙的張力。因此，作品中乃產生了一股衝擊著讀者內心的情感與思想的強勁力道。底下，我們舉三個實例來印證這一說法：

其一是〈老鷹和母雞〉，其內容在描述一隻母雞為了保護牠的小雞，乃奮不顧身地抵抗要來抓小雞當食物的老鷹。經過一番辛苦的搏鬥後，母雞終於打敗了飢餓的老鷹，而使小雞們都沒有受傷的故事。最後，作者以「小雞們真幸福，因為牠們有一位慈愛的母親保護牠們。」作結。（《臺灣新生報·兒童之頁》，498 期）

其二是〈懶惰的麻雀〉，它的內容在描述一對麻雀夫妻，因妻子認為築新巢

只需半個鐘頭就可以了，所以反對丈夫想要立即築新巢的意見。沒想到在當晚，竟出現了狂風大雨，致使牠們的舊鳥巢被大風颳下來，而巢內的小鳥也因此摔死了。最後，作者便以「從此，麻雀太太不敢再懶惰了。」作結。（《臺灣新生報·兒童之頁》，502 期）

其三是〈蜘蛛和蒼蠅〉，此「寓言」的內容在描述一間屋子裏，有一隻飛來飛去的蒼蠅，在只知玩樂的同時，還刻薄地譏諷屋裏那隻正辛勤結網的蜘蛛不懂得像牠一樣，可以隨時去吃人類的鮮果和嫩肉等美食。沒想到後來，蒼蠅竟然自己撞上蜘蛛網而被黏住，無法掙脫。牠雖然央求蜘蛛放了牠，卻被蜘蛛訓斥只知享受而不工作，然後被蜘蛛吃掉了。最後，作者以「蒼蠅……，只怪自己平日做的事情太不應該，終於喪失了生命。」作結。（《臺灣新生報·兒童之頁》，503 期）

上面這三個「寓言」，都含有兩個重要性相當，而立場卻相反的角色來對話。這樣的設計，不但藉著緊繃的張力而營造出讓人印象深刻的效果，也將其中所蘊含的教育意涵成功地傳遞出來了。

在第三種作品上，作者先則設計了三個立場不同的角色，讓他們在同一課題上表現出各自的看法，然後，再由另一個超然的角色來綜合該三種看法，最後再導出一個最為周延，且寓有教育意義的觀點。劉教授在這種作品中最具代表性的為「三兄弟」系列。底下，讓我們舉三個例子來稍加討論：

其一是「爬山」。它的內容是三個兄弟在放學後，因時間還早，所以父親帶著他們到附近去爬山。父親要他們順著山路，比賽看誰能最先到達山頂。由於山很陡，山路又迂迴，老大和老二為了能夠獲勝，乃抄捷徑走，而只剩老三規矩地順著山路爬。老大和老二因為路不熟，所以迷了路；等他們滿頭大汗地從草叢中找到正路，爬到山頂時，爸爸和老三早已在山頂等他們了。最後，作者以他們的父親向老大和老二說「競賽是要公平的，老三走迂迴的山路，你們卻自己找路走，這怎麼叫做競賽呢？你們為了抄捷而迷路，就算是一個小小的教訓吧。」作結。（《微信新聞報·兒童樂園》，民國 48 年 12 月 21 日）

其二是「秋季遠足」。其內容是有三個兄弟，他們在某個星期六一早都去參加學校的秋季遠足。老大的班級是去爬山，老二的班級是去參觀水泥廠，老三的班級則到公園去玩。傍晚回家吃過飯後，父親要他們說說遠足的經過。老大敘說的是採集植物的標本和爬山的有趣情形，老二則敘說了水泥工廠的情形和水泥的製造過程，老三因年紀小，所以只會說很好玩，玩得很累。最後，作者安排他們的父親來說：「遠足不但可以鍛鍊身體，也可以獲得許多知識，所以將會常帶他們去遠足。」作結。（《微信新聞報·兒童樂園》，民國 49 年 10 月 23 日）

其三是「一群螞蟻搬東西」。其內容是有三個兄弟，他們看到了一群螞蟻排成很長的隊伍在搬東西。老大看到後的感想是，因為牠們一齊做事，所以「很合作」；老二則以牠們見面時都會互相點頭，所以認為牠們都「很有禮貌」；老三則直接地說，牠們比人們會「排隊」。最後，作者安排他們的父親來說「小動物既然都懂勤勞、合作，又有禮貌，守紀律，我們應該向牠們學習。」作結。（《微信新聞報·兒童樂園》，民國 49 年 11 月 13 日）

作者以「三兄弟」為名的「寓言」甚多，而它們的共同特色則是簡單易懂。但此一特色並不表示這些作品的價值不高；相反的，由於作者把這類「寓言」的讀者設定為小朋友，所以該三兄弟的小學生身分不僅可以引發小讀者們的認同感，甚短的篇幅也在簡單易懂中，明白地把作品的教育寓意傳達出來了。此外，這種從三個不同的面向來探討同一個課題的方式，對小朋友在分析問題上的縝密度和思考問題上的周延度等，也都是很有助益的。

(二) 雜文

許多現代散文研究者，譬如楊牧或鄭明娳，在對散文進行分類時，都列有「雜文」一項。這或許是因為大作家魯迅在廿世紀的前半葉曾發表過太多不僅著名，而且影響力巨大的「雜文」所致。一般說來，「雜文」的最根本特色就是以自由的文體來批判社會；換言之，「雜文」作家的創作目的，通常是為了反映時代，並希望社會能反省這些批判而有所改革和進步。

劉教授的雜文類散文篇數甚多，其中，有五個專欄式雜文系列最具代表性：一是「學林雜帖」系列（民眾日報，民國 68-69 年），有三十多篇，主要描繪的對象是讀書人；二是「象牙塔外」（《臺灣時報》，民國 74-75 年）系列，有四十多篇，以社會百態為討論範圍；三是「市井觀察」（《中國時報》，民國 77 年）系列，有三十多篇，主要在批判或諷刺社會上的不尋常現象；四是「書林談趣」（《中國時報》，民國 77-78 年）系列，有五十多篇，以介紹古往今來與圖書和讀書人有關的趣聞為主；五是「藏書家與藏書章」（《中央日報》，民國 78-79 年）系列，以介紹古代的愛書人如何收藏圖書為主。雖然這幾個系列的雜文都各有其特定的描寫和探討對象，但卻都擁有觀察上的細膩，見解上的新穎和論證的詳實等特色。尤其對讀者而言，它們都具有啟發性的功能。不過，筆者在此特別想強調的，則是這些雜文在題材上的選擇，與劉教授早期因關注孩童的語文能力而發表的「作文教室」（《民眾日報》，民國 47 年）、「作文講話」與「寫作指導」（《徵信新聞報》，民國 49 年）等文章系列，顯然有甚大的差別。細索其原因，應是作者的身份有了改變：後者的身分是小學教師，而前者則已成為大學教授，致使其關心的範圍、焦點和對象也有了轉變。

如過這樣的觀察可以被認同，則我們似乎可以作如此的推論：劉教授之所以創作「雜文」，他個人喜好文藝固然是原因之一，但我們若以這些「雜文」的根本特質：或提供讀者訊息，或灌輸讀者知識，或拓寬讀者的視野，或啟發讀者的心智，或批判社會的各種不正常現象，……等等作為依據來判斷，則他心中的「寓教於文」觀念應是寫作雜文的更重要動機。

筆者在這裡也需交代的是，劉教授除了創作前述幾類的散文外，也發表過兩、三篇抒情散文；它們或在記述父親的言行，或是表達對母親的懷念；因其具有內容真切，文筆清新之優點，所以也頗值一讀。只是因數量不多，而本論文的篇幅又有限，所以無法在此詳細討論。

二、新詩類

自文學創作的角度而言，劉教授是先從新詩類開始創作的。❿事實上，我們如果從劉教授現代文學作品的內容來論，他的新詩類作品實彌足珍貴。因為劉教授的文學創作，不論是那一種文類，大都含有教育的寓意在內，因此，其作品雖多具條理井然、冷靜客觀等優點，但卻每每讓人覺得有理性重於感性的傾向。而劉教授所創作的數十篇新詩作品，⓫正好可以讓讀者有稍睹其內心之中感性世界的內涵與樣態之機會。

即便如此，因劉教授的創作都有理性的色彩，所以我們若能先掌握住劉教授對新詩的主要看法，在解讀其詩作上也應該會有若干程度的助益。他在民國 52 年曾發表〈為臺灣目前的新詩看看病〉一文，對當時的臺灣新詩具體地提出以下數點針砭：

其一，新詩的派別之見太深。這是指當時的新詩壇中甚具勢力的「象徵派」和「現代派」詩人，不僅固執地認為只有自己的觀點和方向才是正確的，而且也只與同陣營的詩人相互標榜。至於對意見不同的詩人與評論家，他們所採取的方式則是攻擊與謾罵。

其二，新詩讓人不懂。當時很多詩人的心態是反傳統的，因此，不但喜歡在新詩中使用生澀的外國名詞，也違反了中國式的詞語和句法，以至於造成了新詩無法讓人了解的弊病。⓬

一年後，劉教授在同一刊物上又發表了〈大學詩刊兩年來之回顧——兼論我對詩之看法〉一文，主張新詩和任何其他文學體裁一樣，必然都具有一定的演化

---

❿ 請參劉兆祐〈我的近況——從小學教到大學，從新詩寫到古典〉，《民眾日報》，12 版。民國 68 年 5 月 16 日。

⓫ 劉教授有一本《高山流水》新詩集，筆者無法收集到。據聞，詩人李喬收有此詩集，唯筆者因交稿時間緊湊，故尚未來得及向李先生求證與請益。

⓬ 請參東吳大學的校刊《東吳》，4 卷 3 期（民國 51 年 3 月 29 日），頁 26-28。

歷史,而非突然出現的。因此,新詩絕不是,也不宜從西洋移植過來,而應該要含有民族文學的特色。換言之,即使是在時移勢易之下,新詩在形式上的使用白話和打破格律也已經成為不可擋的趨勢,然而同樣重要的是,新詩的語文和內容也必須適合時代和社會,才能創造出超越前人的風骨。❸

這兩篇文章不僅如實地描述出廿世紀 50、60 年代的臺灣新詩狀況,對該狀況的批評也頗為中肯。❹至於在創作上,劉教授所發表的新詩作品並不少,只是因本文的篇幅有限,所以只能把勾勒出劉教授的新詩特色作為目標。底下,筆者將以他的新詩創作中數量最多的兩類新詩為對象,自其中各選兩首為例,來討論它們的特色。

首先是「抒情詩」:

尋

妳曾在這裡笑過,也曾在這裡哭過

我是為了追尋妳的歌聲而來

我是為了綴拾妳的淚珠而來

滿園已是荒涼,落葉和殘花

遮蓋了妳的足跡,帶走了我花樣的日子

一切都那麼幽靜,孤獨和寂寞窒息著我

懷著憂傷悄悄離去

沒和曾經偷聽我們情話的微風話別

沒和曾經偷窺我們相會的星星話別

---

❸　同前註,頁 37-38,民國 52 年 10 月 10 日。

❹　有關臺灣廿世紀 50、60 年代的新詩現象及其問題,筆者在去年出版的拙著《廿世紀臺灣新詩史》（臺北:五南圖書出版公司,2006 年）的第四章〈政治壓抑與西化解脫〉裡有深入的討論:頁 125-242。

誰又能帶給我妳在何處的消息

(《東吳》，民國 51 年 2 月 1 日)

宴

妳的影子在酒杯裡

感情自眼睛溢出，注滿一杯

我一飲而盡，飲妳的影子，妳的感情

嘴唇被燒炙，心點起火，燃燒全身

我是第一次捕獲麋鹿的獵人，狂笑而醉

我們坐在圓桌直徑的兩端

酒杯羞澀的、輕輕的碰在一起

一盞微笑的燈，亮在妳的臉上，閃耀在酒裡

像一陣微風，掠過湖面

漣漪一圈推一圈，以至無限

心跳動著，影子搖愰著，宇宙似一個

滾動的水晶球

(《東吳》，民國 52 年 3 月 29 日)

　　這兩首新詩的內容，都是男子在抒發對心中所愛的女子之深情。前一首所傳達的，是男子因曾經與他相伴的女子已離開，且不知往何處去，所以經常到兩人駐足過的地方，去懷念兩人曾經相處的種種情景。由於流露感情的方式是含蓄的，所以詩中的字裡行間乃浮現著一股淡淡的，卻十分綿長的憂傷。後一首則恰好相反，描述的是男子的快樂心情。男子因為和愛戀的女子坐在一張圓桌的兩端，而且還杯碰杯地喝酒，所以他不但覺得週遭的一切事物都與那女子一樣美麗迷人，自己內心之中也快樂地充滿熱烈的愛意。因表達感情的方式是直接而熱烈的，所以詩中所洋溢的，是一股興奮且快樂的氣氛。

特別值得注意的是它們的寫法。由於使用了恰當的詞語與平順的句法，所以這兩首新詩與所謂的現代派或象徵派的新詩不同，不僅其意思並不難懂，而且可說是表達得非常清楚。但更重要是「重複」與「押韻」寫法的運用。在這兩首新詩中，由於運用了許多「重複」的詞語型式和句子型式，所以不但在作品的外型上營造出某些規律性，也藉此在讀者心中一次又一次地喚起對它們這些特定外型的印象。此外，作者在作品的行文中，也以詩中語氣可以停頓（或聲音可以拉長）的詞語或句子（不是詩行）為單位，讓它們的停頓（或拉長）字之音尾（也就是韻）相近或相同，因而也在聲音上創造出重複的效果。如此，不但使作品在聲音上形成了具有完整結構的特色，也在聲音上讓讀者產生印象更為深刻的效果。

其次，讓我們也來看看劉教授的「寫景詩」：

古樹

不屑與撒嬌的花草為伴

不屑聽蝴蝶綿綿的情話

高傲的俯視穹蒼

孤獨的似一個醉者

黑夜　大地睡了　惟我清醒

熱情的星星　似我年少的日子

愛笑的月亮　似我夢裡的形象

我滿意的歎息

數不出多少歲月

我守候春的消息

來自何方

何處有我的春天

（《大學詩刊》，第 3 期，民國 50 年 11 月）

千年

公路依然蜿蜒

斷崖依然高懸

山，依然是千年的山

水，依然是千年的水

只是，矗立著水泥廠的山已斑駁

長長的水泥輸送管

像一隻患有幻想症者的手

無情的把鹽酸潑在美女的臉上

美女失去了迷人的容顏

失去了醉人的眼神

霧，不再駐足

瀑布已喑啞

只有烏鴉在枯樹上哀啼

想叫醒千年的綠

穿過依然蜿蜒的路

俯看依然高懸的崖

心中的綠，不再嫵媚

心中的千年，逐漸惘然

（《聯合報》，第 8 版，民國 73 年 7 日 4 月）

從內容上來看，這兩首新詩都是在描寫景物；但寫法卻不相同。前一首以「古樹」為說話人「我」，也就是以第一人稱為立足點，然後藉著表達出「我」自己對外在景物的看法來呈現出自己獨特的個性、姿態和感覺。因此，它是屬於主觀式的寫景。通常，採取這種寫法的詩所要提供給讀者的，並非詩中到底出現了那

些景物？且各有何特色？以及它們的關係是什麼？……等等，而是說話者「我」，也就是「古樹」的特色何在！至於後一首詩，則是屬於客觀式的寫景。詩中所描寫的景物甚多，有公路、斷崖、山、水、水泥廠、水泥輸送管、霧、瀑布、烏鴉、……等等，但若以主題為觀察的焦點，則它便不屬於只是純粹的寫景了，而是藉著描寫出公路、斷崖、山和水等景物在人們的作為下，不僅出現了醜陋的形貌，而且已無法再恢復其秀麗的原貌，同時，連霧也消失了，瀑布也沒水可流了，……等等。因此，作品的真正目標顯然是希望經由這樣的描寫，來點出自然環境被破壞的嚴重性，進而呼籲環境保護時已刻不容緩了。

這兩首詩能夠讓讀者感到印象深刻的原因，首先是它們擁有吸引人的主題，其次是高明的寫作手法。它們的手法先是表現在作品的外形設計上；也就是利用許多「重複」的詞型和句型，使作品的外型產生頗具規律性的特色，也藉著這種重複來加深讀者對這類詞語和句子的印象。另外，詩中的關鍵處——尤其是語氣應停頓或聲音宜拉長之處——也採用了押韻的寫法，因此乃成功地使作品在聲音上產生出律動與和諧的效果，讓讀者願意來享受閱讀的樂趣。

除了新詩之外，劉教授也寫過兩首歌詞，是他在擔任建功小學與達人女中的教師時，為這兩所學校的校歌所填的歌詞，並刊在學校的刊物上。它們也都具備了校歌的歌詞所應有的典雅文句，壯闊氣勢，以及點出學校的特徵和對學生期許等特色。

三、小説類

在劉教授所創作的現代小說中，即使把「童話」類作品也包括進來，其數目並不多。底下，筆者就以「童話」和「一般小說」兩種，來討論劉教授小說類作品的特色。

㈠ 童話

「童話」是兒童文學中非常重要的一種體裁；但迄今為止，其定義卻仍處於

言人人殊的狀態。由於它是一種特別為兒童而寫的文學創作，因而多以具有豐富的想像、充滿趣味性、甚至是沒有什麼不可能等為其特質。雖然有些學者曾費心地條列出「物我關係是混亂的」、「人、物、鬼、怪等都被擬人化了」、「沒有現實中的時間和空間的關係和次序」、⋯⋯等數項為「童話」的「世界」之基本條件，❺但本文在這裡所要強調的，則是「童話」對孩童的教育功能，尤其是以什麼方法來豐富孩童的想像、淨化孩童的心靈和養成正確的人生觀等。

　　劉教授的「童話」作品不少，而其主要的創作目的，也就是在如何能有效地教育孩童上。底下便舉兩個例子來討論劉教授的「童話」作品之特色。

　　其一是〈快樂島〉，它的主要內容在描述一隻長得很可愛的小白兔，雖然有爸爸和媽媽疼牠，牠卻只知貪玩而不願工作。有一天，因為其他小動物都忙於工作，無法陪牠玩，牠便獨自駕著一條小舟要到「快樂島」去，因為牠以為那是一個可以不必工作就有好東西吃，可以天天都只玩耍的好地方。經過了十天的辛苦航行，牠終於到了「快樂島」，並接受島上的動物們熱烈的歡迎。但是一天後，牠就發現了那裏的動物們並非只有在玩樂，而是一面辛勤地工作，一面快樂地唱歌。而當牠聽了小花貓的解釋後，終於明白了必須工作才會有收穫的道理。於是，牠也學著大家一邊工作，一邊唱歌，終於也忘了什麼是疲勞。最後，作者以小白兔漸漸習慣島上的生活，也覺得工作是一件快樂的事，同時，「快樂島」也更加繁榮、美麗和快樂來作結。（《故事天地周刊》，民國 47 年 4 月 4 日）

　　其二是〈花姑娘〉，它的主要內容在描述一個在街上賣花維生的小女孩，既是孤兒，家裡又窮，又長的不漂亮，所以街上的孩子們不僅不願意跟她做朋友，還常常嘲弄她。有一天，女孩又到城中心去賣花時，看到一個衣著襤褸、頭髮蓬亂的憔悴老婦人坐在地上，向圍觀的群眾乞討食物。然而群眾雖多，卻沒有人拿

---

❺　請參林文寶《楊喚與兒童文學》（臺北：萬卷樓圖書公司，民國 85 年），頁 160-167。林氏此處實參考小學生版林良的《童話研究專輯》，頁 10-15。

東西給她吃。這時，賣花女孩便把身上僅有的一元送給她，而且還因她已走不動，所以跑去買兩個饅頭來給她。老婦人為了感謝女孩的慈悲心腸，便從賣花女的籃子裡選了一支桃花，插在地上。說也奇怪，那支桃花竟然漸漸長出葉子，然後長成桃樹，最後還開滿了桃花。當大家都看呆了時，樹上已掛滿又大又紅的桃子了。老婦人向大家說，這些桃子不但味道甜美，吃了還會精神好，若是女孩子還會變得更漂亮。由於一個桃子只賣一元，大家又都很好奇，所以一下子就賣光了。果然，吃了桃子的人都稱讚味道甜美，而且女孩子吃了後，臉蛋果真變得又紅潤又美麗。老婦人親自選了一個最大的桃子給賣花女孩吃；她吃了後，也變成一個非常美麗的小姑娘。桃子賣光後，老婦人搖了搖桃樹，桃樹立刻逐漸變小，最後成了一棵樹苗。老婦人把賣桃子的錢全送給賣花女，並叫她把樹苗拿回去種；而當女孩向老婦人致謝時，老婦人卻不見了。最後，作者以花姑娘不但因賣桃子而變富有，人也長得很漂亮，所以孩子們都喜歡跟她做朋友，大人們也喜歡買他的桃子，她就過著快樂的生活來作結。（《臺灣新生報》，民國 49 年 4 月 25 日）

這兩篇作品不但都具有豐富的想像、擬人化的動物等「童話」的基本要件，也含有很吸引人的故事。而藉著故事的吸引人，作者的確有效地把什麼才是「有意義的快樂」，以及「好心必有好報」等富有教育性的意涵灌輸到小讀者的心裡面去了。

但我們或許可以在此稍為提一下，就是「童話」與「寓言」兩種文類雖然不易區分，但儘量把教育的意涵隱藏在作品的字裡行間，而不必清楚地把它說出來，則是前者之所以異於後者的關鍵之處。

(二) **一般小說**

劉教授所發表的小說作品不多，而且特色也頗為一致，就是篇幅短，情節單純，同時，也多以作者個人的經驗為作品內容的主要材料，因而也都含有一些教育的意涵。他的這類作品中，如〈一幅奇怪的畫象〉（《國語日報·兒童版》，民國 47 年 8 月 19～23 日）、〈珍珠魚鉤〉（《國語日報·兒童版》，民國 48 年 1 月 27～31 日）、〈虎

女的故事〉（《國語日報·兒童版》，民國48年6月23～27日）、〈魔石〉（《國語日報·少年》，民國48年7月28日～8月1日）等，就是都屬於篇幅短小，情節單純，而且以故事為重心的作品。作者會讓這幾項成為這些小說的特色，是因為把它們的讀者群鎖定在小朋友上，希望小朋友在輕易地了解內容和享受新奇的故事之時，已於不知不覺中增長了見識或體會到一些道理了。

另外值得一提的是篇幅比較長，並且是以作者個人的經驗為基的兩篇寫實性作品〈黑小鷹〉（《教育輔導月刊·教育文藝》，20期）和〈阿牛〉（《國教月刊》，6卷11期，民國48年11月）。這兩篇作品的內容，都是有關作品中的敘述者（作者）在偏僻山區的小學任教時，如何關懷與教導一位班上的特殊（有問題）孩子，使他在長大後不但走上保國衛民的道路，而且還來向分別已數年的老師表達謝意的故事。由於係建基於個人的經驗之上，且文筆親切流暢，所以讀來頗能感人。至於在敘述方法上，這兩篇小說的大架構也甚接近，都是以現在的時間為敘述的起點。接著再藉著「回想」的方式來帶出過去的故事，並使其成為小說的主幹。最後則以雙方的再次見面或取得聯繫作結。

總之，在小說類創作上，劉教授的作品並不多，其內容與形式也不複雜。最讓人矚目的是，他的這類作品中也都含有「寓教於文」的意涵。

四、戲劇類

在戲劇類作品方面，劉教授約創作了三齣劇本。這三齣篇幅都不長的劇本，在性質上似乎都可以歸入寓有教育意涵的兒童劇。底下，便舉其中的兩齣為例來說明劉教授的劇本之特色。

第一齣的標題是「菓園裡的故事」。❻其內容在描述五個小孩（四個小學生和一個尚未入學的六歲小孩）去一個菓園偷摘柿子，卻因而認識了慈祥的菓園主人劉老伯

---

❻　此劇刊於臺北女師出版的《國教月刊》，第6卷1、2期合刊（民國48年1月），頁10-14。

伯。這位老伯伯不但未處罰或責怪他們，還送他們許多柿子，並且跟他們講了一個他兒子在十五年前為了救人而犧牲自己的故事。在孩子們要回家時，老伯伯還請他們常來菓園玩。

此劇本因是寫給小朋友看的，所以其內容淺顯易懂。但它並沒有忽略劇本類作品的組成要素，譬如說，它也含有在真正的內容出現之前，需有一人物表的簡介來限定劇中人物的身分、特性和他們之間的關係。更重要的是，它也利用孩子們之間的不同意見，以及偷摘果子而快被發現之時的緊張情況等，來包含戲劇類作品的最重要元素「衝突」。因此，此這一作品也擁有動人的力道。

這齣劇本的主題其實不難掌握，因為當我們讀到劇本的最後，作者以老伯伯說「菓樹又長高了！」來作結時，便可合理地聯想到，劉老伯伯顯然是把菓樹和他的兒子與五個孩子看成一體的。因而，他心中所想的，乃是希望這些孩子們能夠像他種的菓樹一樣，天天長大，而他也可以去領受自己的兒子也像他們一樣的幸福感。

第二齣的標題是「小敏的生日」。[17]其內容在描述就讀小學四年級的小敏，有一天放學後不回家，因為她想，繼母在當天一定不會像她已過世的媽媽一樣，在去年的生日為她準備蛋糕，她也不會獲得去年媽媽答應今年要送她當生日禮物的皮鞋。因此，她便與小瑛、小華接受小玲的邀請，先到小玲家去吃晚飯，然後再一起去看電影。但事實上，繼母已經在家裡都準備好了，並與小敏的爸爸在等她。可是他們從下午四點多一直等到七點多，並焦急地打電話到學校詢問，卻得到小朋友們都已回家的回答。當小玲與三個同學看完電影，由她們陪著回到家時，竟發現繼母不但為她做了豐盛的晚餐等她回來，更早在一星期前就準備好她心中的禮物——皮鞋後，乃感動地哭著向繼母道歉。最後，在大家又吃了繼母準備的豐盛晚餐和生日蛋糕，並在小玲唱「甜蜜的家庭」中結束。

---

[17] 此劇本刊於新竹師範出版的《教學生活》（民國48年11月30日），頁17-19。

　　與前一齣劇本約略相當，此劇所表達的內容也很清楚。在結構上，因它的前頭也有一個簡單的人物表，所以並沒有缺漏。只是，劇本中所描述的「衝突」性似乎不甚顯著，這或許是因為作者把衝突點放到主角小敏的心裡面所致。原因很容易懂，因為小敏既然是一個年幼的孩童，當然不會有複雜且豐富的人生經歷來作為內心衝突的基礎。至於本劇的主題，也在作品最後當小玲唱出「甜蜜的家庭」時，清楚地顯現出來了。

　　總之，這兩齣都是兒童劇；而作者創作它們的目的，與他所創作的其他大多數作品一樣，就是想「寓教於文」。因此，其重心不在講就技巧上的複雜多變，而制著眼於如何把主題清楚地呈現出來。

　　以國學研究知名的劉教授在現代文學上的創作，不但兼括了各種文類，其數量之多更令人驚異。在他身上，我們看到了一位古典與現代兼融，學者與作家合一的典範。從他數量龐大的現代文學作品中，細心的讀者應可發現一個共同的傾向，就是「寓教於文」。而這一特色所隱含的，乃是一個熱忱負責的教師如何把其興趣與志業結合，希望借助文學的潛移默化功能，讓孩子們有機會在充滿興味的學習過程中逐漸奠定健全人格的深意。因此，當我們在肯定劉教授於創作上的成績時，也應該特別留意這一項特色。

後記：本人必須在此向中研院文哲所林慶彰教授及其助理，以及國家圖書館孫秀玲小姐表達由衷的謝意。如果沒有他們費心地從許多數十年前的報章和雜誌上收集和影印劉教授所發表的作品，本文將不可能完成。

劉兆祐老師與國語文教育

葉純芳

北京大學儒藏編纂中心客座研究員

一、前　言

　　民國四十九年十月二十日，劉兆祐老師在《聯合副刊》寫了〈我為何選讀中國文學？〉一文，他說：

> 記得我要報考大專聯考的時候，爸的意思是要我學理工，可是我說：「爸，我沒興趣。」「那你要考什麼？」「乙組。」爸到底懂得些讀書要有興趣的道理，因此也就不太勉強我報考甲組，可是有個條件，那就是要我學經濟或會計，將來好當個會計師，一方面可以理財，一方面收入要好些，我當時只得答應了。可是，當我填寫報名表的時候，卻選擇了我所喜歡讀的系──中國文學。雖然，我知道這將使父親失望，但是我為什麼要背棄自己的興趣去學自己不喜歡的學科呢？……
>
> 我為什要瞞著父親，寧願受朋友「卑式的關心」，不去鑽熱門，偏偏選讀被人打入冷宮的中文系？最主要的原因，當然是我對文學有興趣，對它較有緣分；另一方面，我國的文學資料缺乏人才去整理，是一件非常可惜的

事，這項工作，聰明人都不願幹，我們少數傻人何妨發傻勁去做做？❶

相信直到今天，這仍是很多中文人的共同經驗。不論以前或現在，社會對男孩子的期待都很高，他們應該從醫、從商，創造大事業，才能被世俗所肯定。但劉老師捨棄了將來會賺大錢的科系，堅持了自己的興趣與理想，不可謂不勇敢。正如林文月先生在〈讀中文系的人〉一文中，說道：

> 任何一個國家都沒有理由不珍惜其傳統古典，因為傳統古典是民族血脈之所稟承，也是民族自尊之所依托。故每一個國家的大學裡都有他們的「國文系」或「國學系」，以維護其傳統古典於不墜不滅。……從這個角度說來，讀中文系的人實在與讀其他系科的人一樣正昂首闊步著。因為我們雖然鑽入古籍之中，卻不至於暮氣沉沉，我們是一群充滿自信與朝氣的傳統文化之傳遞者，我們明白自己肩負著神聖而嚴肅的責任，我們也有弘毅的知識勇氣。❷

我們應該要抬頭挺胸，昂首闊步，因為我們所做的工作，與醫生、會計師、律師同樣有價值，因為我們不僅在維護傳統古典，還教育著下一代，我們是國語文教育的傳遞者，怎能不勇敢呢？

劉老師在長達五十年左右的教育生涯中，為這塊土地的中小學國語文教育投注的時間與心力，是身為學生的我們難以想像的。從老師的身上，我們看到一個教育工作者對受教者的耐心、愛心與熱情。他不僅僅把教書當作一份工作，更當起自己口中的「傻人」，憑著一股傻勁在教育崗位上盡忠職守，教書之餘，全心只想改善當時的教育環境，並提出具體而可行的方案。雖然，筆者在碩士班才開始修習劉老師在東吳大學開設的課程，但仍想嘗試以〈劉兆祐老師與國語文教育〉

---

❶　〈我為何選讀中國文學〉，《聯合報》，聯合副刊，1960 年 10 月 20 日。
❷　林文月撰：〈讀中文系的人〉，《讀中文系的人》（臺北：洪範書局，1986 年 2 月），頁 40-41。

為題,為劉老師在國語文教育的貢獻上作一歸納與見證。

二、對小學國語文教育的貢獻

㈠ 開闢「作文教室」專欄

　　小學階段是國語文教育最重要的時期,從小奠定良好、穩固的基礎,在中學、大學階段,才能在此基礎上慢慢累積,並加以應用、發揮。老師深諳其中的道理,也知道小學生最怕的就是寫作文,他在「作文教室㈠」的〈作文難不難〉中說道:

> 我們人類傳達感情的工具有二,一種是語言,另一種是文字。語言,就是說話。但是,說話只能用在兩人距離很近的時候,如果距離遠了,說話就沒法聽見,於是,就得用文字來表達我們的意見,把我們想要說的話,用文字寫出來,就成為一篇文章。所以,「作文就是把我們所想的,所看見的,所聽到的,所想要說的,用文字寫出來的過程」。
>
> 我們知道,做一件事是很容易的,但是要把工作做得很成功,一定要多加練習。寫文章也是一樣,作文固然要靠天生的聰明才智,但是,最重要的還是要靠勤加練習。那麼練習作文的方法有哪些呢?就是多看、多寫。

語言與文字是人類傳達感情的工具,為了幫助小學生能夠沒有障礙地表達自己的感情,突破「怕寫作文」的難關,老師認為勤加練習是不二法門。不同於一般的教育工作者,老師身體力行,與小學生們共同突破這個難關。民國四十四年四月,老師仍在師範學校求學的階段,即於《公論報》上為一位小學生連續寫了十篇關於研究怎樣寫作的信,從「寫作興趣的培養」,「如何修改文章」、到「寫作的環境與態度」、「為什麼要寫作」等,幫小學生解答了許多作文課上的難題。

　　這些文章並獲得許多家長與小朋友的迴響,因此,民國四十七年二月十五日,老師在《公論報》正式開闢「作文教室」專欄。在〈寫在「作文教室」前面〉一文中,他說到開闢這個專欄的動機:

我當時寫那些信的時候，我還是一個正在師範學校裡求學的「大朋友」，對於各位小朋友在作文課上所感到的困難，不能夠知道得很詳細。現在我已經在國民學校裡跟各位小朋友共同生活了兩年多，當我和各位小朋友共同上作文課的時候，常常發現了許多問題，這些問題，也可以說是小朋友最容易犯的錯誤或感到困難的問題。為了使每個小朋友的作文能夠進步，為了解答小朋友在作文上所遇到的疑問或困難，於是，我又再提起筆開始寫「作文教室」這一欄的文字，想跟各位親愛的小讀者共同研究「怎樣作文」的各項問題。❸

老師認為還沒當上小學老師前，為小朋友所寫的那些解答作文疑難的信，無法真正體會小學生們在寫作上的難處；但當上正式的小學老師之後，因常常指導小學生的作文，從經驗中了解、歸納小學生們寫作時的疑問與困難，因而設計出幾個主題，以幫助小學生寫作。內容分為「作文講話」、「批改示範」、「範文選讀」、「測驗練習」。

「作文講話」可說是老師的寫作理論，有系統地引導一個完全不會寫作文的人如何蒐集寫作資料、材料的選擇與排列、標點符號的意義與用法、詞的種類及用法、句的構造、文體的說明，到最後能夠寫出一篇完整的文章。

「批改示範」則是將小學生寄給報社的習作登出來，同時將批改的評語與經過老師修飾、整理過的文章也刊登出來，讓大家知道要如何把文章寫好。老師為這個專題取了一個很貼切的名稱——「文章病院」。老師的評語，除了可以感受到他誠懇地提出改善的意見外，內容具體、易懂，如對苗栗縣建功國校四年級學生楊竹君的〈校慶日〉，有以下的評語：

　　寫記敘文，最要緊的簡潔，不拖泥帶水，這樣，使人唸起來，才不會覺得

---

❸　〈寫在「作文教室」前面〉，《公論報》，1958 年 2 月 15 日，第 6 版。

浮雜無章，這篇〈校慶日〉，在大體上來說，能夠注意到這一點，使整篇顯得很具體。但是這篇文章也有一些不適應的地方：

①段落不分明：在第一段裡，除了說明十月二十五日是校慶日外，又敘述了一些當天的活動情形，而把下午和晚上的活動情形，又分段敘述，這樣寫起來，就不能把當的活動情形有系統的寫出來。我認為如果能把第一段中關於活動情形的敘述和第二、三兩段合併為一段，也許會好些。

②第一段和最後一段太簡單：第一段最好能加上當天的熱鬧情形。第三段可以寫上會後要怎樣使學校成為更好的學校。

③關於詞句：詞句很通順，但是「我」字用得太多，例如「我爸爸摸到一盒牙膏」、「使我的學校發揚光大」，這兩句的「我」字可以刪除。

並以正面、肯定的態度鼓勵學生：

四年級的小朋友，在思考和寫作的技巧方面，當然比不上五、六年級的小朋友。一方面，由於他們的思想簡單，所以都寫得很短；另一方面由於剛練錫寫作，所以對段落的劃分，各種符號的使用或詞彙的使用都要差些，不過，只要能好好的多寫，多讀，一定會進步。

這篇文章是楊竹君小朋友寫的，她對各方面具有天才，尤其對於唱歌、寫作、演說三方面，更表現出驚人的才華。她曾經得到苗栗縣的獨唱冠軍和全校的演說冠軍，謝謝她提供我們這篇文章，並祝她前程光明。❹

不僅如此，老師也提醒為人師的教育工作者，作文評語的重要性：

很多教師往往漠視了評語的重要性，兒童自然也就不重視教師之評語了。其實，評語能提示兒童作文之優劣處，並進而提示寫作之方法，對兒童寫

---

❹　〈文章病院〉，《兒童文摘月刊》，第 4 期，1958 年 12 月 10。

作能力之增進，裨益極大。因此每當我上第一堂作文課時，就告訴小朋友：「以後發下作文簿，先看評語，次看內容，最後才看成績。」我之所以這樣告訴學生，是在於培養兒童重視評語的習慣，進而以提高其寫作之能力。一學期以後，小朋友的作文能力果然有了很大的進步。僅將此作文教學心得提出，請諸同仁不妨試一試。❺

「範文選載」是將國內外小學生的好作品刊登出來，讓大家相互觀摩欣賞。「測驗練習」則是編寫和作文有關的各種習題，供大家練習。

民國四、五〇年代，兒童讀物缺乏，除了學校課本，小學生獲得知識的管道有限，劉老師透過報紙與全國各地的小學生對話，為小學生解決寫作上的種種難題，在當時算是一項創舉，也是非常新穎的構想。文筆的好壞或許有某一部分是一種天份，但經由老師這種循序漸進的教學方式，讓不會寫作的小學生對作文不再恐懼，也因為老師鄭重地看待每一篇寄來的小學生作文，認真批改、時時鼓勵，讓許多小學生進而對寫作產生濃厚的興趣。

㈡ 創作童話故事與改編歷史故事

有鑑於當時兒童讀物的缺乏，老師曾寫過〈救救孩子們——一個小學教師的呼籲〉一文，說明社會充斥荒誕不經的連環漫畫與武俠小說，對兒童並不適合，應該發展出兒童特有的健康讀物。因此，老師常在報紙、期刊上發表自己創作的童話故事，如〈快樂島〉、〈快樂農場〉等；童話詩，如〈五月的花園〉等；廣播劇本，如〈樹影在搖曳〉、〈果園裡的故事〉等。或是將古代歷史改寫成小學生看得懂的歷史故事。

㈢ 編寫國語字、辭典

小學生最早接觸的工具書，就是字典和辭典。老師認為，臺灣早期所編的國

---

❺ 〈先看評語〉，《教育輔導月刊》，第 8 卷，第 11 期，1958 年 11 月 15 日。

語辭典，不僅為數不多，且大部分是影印大陸早期的作品，如《辭源》、《辭海》。國內自行編輯字典、辭典，也是近三十年的事，而民國七十年左右，坊間更是出版了各式各樣名為適合中、小學生使用的國語字典和辭典，不過，從一個有多年教學經驗的老師的角度來看，這些字、辭典仍有許多常見的缺失。民國八十年十二月，老師應《國文天地》之邀，寫了〈臺灣編纂字、辭典工作的檢討與展望〉❻一文，提出以下的看法：

1.抄掠因襲

不少字典、辭典，是由抄撮數本字、辭典而成，因此，只要翻開字、辭典時，發現其中字義的解釋、詞條的說解大同小異時，這些都是蹈陳因襲他書而來的。

2.不重視體例

工具書最重要的是體例，體例嚴謹與否，影響到工具書是否方便使用，但早期臺灣有不少字、辭典連凡例都沒有。一部不重視體例的字、辭典，除了讀者使用不便外，最重要的是其內容會前後解釋不一，或不周延完整，如《東方國語辭典》對《周易》八卦各卦的解釋：

乾：卦名（☰）。

坤：卦名：☷。

震：☳八卦之一，萬物發動之象。

巽：卦名。

坎：八卦之一：☵。

離：八卦之一：☲其象為火，為日，為電。

艮：卦名，其象為山、徑路、小石、少男。

兌：八卦之一：☱。

這八條解釋、體例、標點符號、內容，沒有一條是一樣的，如此，讀者對「八卦」

---

❻　〈臺灣編纂字、辭典工作的檢討與展望〉，《國文天地》，第7卷第7期，頁11-15，1991年12月。

便無從獲得完整可靠的基本知識。而且六十四卦裡，對於「未濟」、「革」、「升」、「井」、「比」、「賁」等都未收錄，這是收錄不周延的例子。

那麼，一步完善的字、辭典的凡例，應該具備哪些條件呢？老師認為：

1. 收錄的字（詞）及使用的字體——讓讀者了解這部字、辭典適用的範圍，並說明使用的字體是否標準寫法，有沒有附收俗字、簡體字。

2. 查字的方法——說明查字的方法，如：部首查字、同音查字、四角號碼查字等。

3. 文字和詞條排列的次序——除了比畫的多寡，必須說明同筆畫的字如何排比，同字數的詞條如何排比。

4. 注音的方法——破音字、又讀、語音、讀音及第二式（又名「國語羅馬音」或「譯音符號」）的標示方式之根據。

5. 釋義的方法——說明詞性的先後，一字有兩義如何定其先後。

6. 符號的說明——符號不宜太過繁雜，並說明每種符號代表的涵義。

7. 術語的說明——在解釋字義時，常有「一作」、「亦稱」、「通用」、「或作」等專門術語，應作統一的規範和說明，又如「互見」的方法，也應說明。

8. 附圖的說明——附圖的標準、比例的大小、取材等說明。

9. 附錄的內容——說明有那些附錄、功用如何、如何使用。

如果沒有詳盡嚴謹的體例說明，就不可以算得上是一部好字、辭典。

此外，成立字典、辭典編纂中心並編纂屬於臺灣的百科全書，是老師對臺灣文化事業的期望。在有了多年的教學經驗與不斷的思考、檢討，老師於一九八六年編有《超群國語字典》、一九九〇年編有《超群國語辭典》❼，是目前許多小

---

❼ 劉兆祐主編：《超群國語字典》（臺南市：南一書局，1986 年 7 月），共 1056 頁；《超群國語辭典》（臺南市：南一書局，1990 年 2 月），共 940 頁。

學「查字典比賽」指定使用的字典。

在〈樂為國校教育〉一文中，老師提到初中作文課時，他的老師出了「我的志願」的題目，當時，他豪不猶豫寫著：

> 我不願做宦海裡的浮萍，更不願享浮雲般的豪華，我願終生陪伴著小天使，我要將我的愛，獻給純真的孩子們……❽

對於小學國語文教育的貢獻，老師有寫作的理論，有創作、並編有字、辭典，還有的是對教學無限的熱情。

三、對小學國語文教學方法的建議

過去，我們戲稱臺灣的教育是填鴨式的教育，老師在臺上不斷地灌輸學生知識，不管學生理不理解，只要考試知道標準答案即可；學生坐在臺下只是被動的吸收，不懂，就死背下來，說不定哪一天頓悟了，就懂了。這樣的教育方式，雖然讓許多教育家與家長搖頭，但為了升學，也只能默許。

劉老師認為，這樣的教學方法，並不能順利的將知能傳授給學生，而只能給予學生一些瑣碎無用的文字符號而已。為此，老師提出幾點建議，以改善小學國語文的教學方法❾：

㈠ 啓發學生之思考

盡量以問題法以激發學生之思考能力。傳統的教師講演法，學生只能靜聽，被動地吸收，使用問題法教學，除了能啟發學生思考，更能培養其懷疑的態度，進一步養成探究答案的科學態度。

㈡ 教學活動不應以知識之傳授為限

---

❽ 〈樂為國校教育〉，《苗栗教育》，1957 年 1 月 1 日，第 7 版。

❾ 〈如何改進國校教學及訓導方法〉，《教學生活月刊》，第 8 卷第 1 期，頁 20-23，1958 年 11 月 30 日。

如民族精神方面的教育、道德的訓練，以及優良的態度和理想的培育，均應以實際的行動去引導學生學習。

(三) 去經驗、去做、去反應

教導學生學習的歷程是去經驗、去做、去反應。除了教科書中的文字符號外，更應該讓學生多去接觸各種的知識環境。

(四) 供應大量的學習環境

讓學生在各種活動中去親身經歷，以代替過去唯一的聽講，讓學生在各種活動中與各方面有關材料相接觸，以代替過去的專讀教科書：

1. 指導學生學習的方法：教師不僅指導學生選擇適當的活動，並要指導學生自行活動的方法，以免學生在呆版、枯燥、沉悶的氣氛中進行學習活動。

2. 利用視聽器材輔助學習活動：能使學生對抽象的知識獲得正確而具體的概念。

3. 供應多量的教材：所謂的教材，並不限於教科書，舉凡事宜的學生讀物、參考書、圖片、器材，以及社會上可利用的各種資源，皆在教材的範圍之中。

4. 供給較長的活動時間：學校所供給的學習經驗，大都是零碎的、片段的，為每節固定的教學時間所分割，教學方法中的設計法、單元法，常需要較長的活動時間，卻在進行活動時，被此種制度中斷。學校即使不便從事大規模的改組，至少須有兩節或兩節以上相連的教學時間，以利學生各項活動的進行。

5. 教室管理的革新：在供應大量活動以備學生進行學習的情況之下，如仍承襲過去的陳腐觀念，把教室秩序管理成為陰森的，一塘死水一樣的寂靜狀態，已不適用，應讓學生可自由活動，勇於表達自己的意見。

此外，當時補習的風氣鼎盛，老師認為惡性補習是對正常教育體制的一種嚴重警告，補習是學校教師的教學方法不良所導致的後果。因此，要根除惡性補習，每個學校的老師都必須肩負起檢討自身的教學方法才好。

四、對中學國語文師資的培育與訓練的看法

除了本身對國語文教學的貢獻，老師也非常重視國語文師資的培育、訓練與環境，自民國七十二年起，陸續撰有〈語文教育在當前國家建設中所擔負的任務〉、〈我國國語文師資的培育與訓練〉、〈推行精緻化的國語文——今後國語文教育的展望〉等論文。就當時的教育制度與環境，提出一些建議。

民國七十九年六月，老師寫了〈我國國語文師資的培育與訓練〉❿一文，文中指出，國語文教學，是所有課程的基礎，語文師資的培養與訓練，可想而知，就越顯重要。其中又可歸納為職前的培育與訓練、職中的訓練兩部分。職前的培育與訓練，指的是師範教育；而職中的訓練，多數指的是職中的進修工作，這兩個階段，事實上是相輔相成的。

國語文師資的範圍甚廣，從小學、中學（包括職業學校）、專科學校及大學，乃至於社會教育（空中大學）等，都有國語文課程。其中，以中、小學的語文課程最為重要，因為此階段的語文教育，對一個人未來的語文程度，影響最為顯著。

㈠ 對職前的培育與訓練的看法

以中學語文教育為例，臺灣早期的中學教育師資，主要為師範大學的國文系。為了補充中學國文師資之不足，師範大學其他學系以國文系為輔系者，亦可擔任中學國文教師；而一般大學中國文學系之畢業生，在師範大學進修教育學分後，也可取得中學國文教師的資格。

中學國文教師的在職訓練與進修，主要依靠師範大學所設進修班，提供中學在職國文教師修讀碩士課程，此外，在當時的臺灣省設有「臺灣省國民學校教師研習會」，臺北市設有「臺北市教師研習中心」，定期舉辦各種專題演講或訓練，提供中學教師各項在職進修。

---

❿ 〈我國國語文師資的培育與訓練〉，《教育資料集刊》，第 15 輯，頁 21-39，1990 年 6 月。

　　要培養好的國語文師資，老師認為優良的師資，完善的圖書設備、良好的教材及合理的課程，都是不可缺的要素，其中以課程的設計，對這些將來要成為人師的學生來說，影響最為顯著。

　　以培養師資的角度來看，當時各師範學校所開設的課程而言，老師以為國文系在教育專業課程和語文專門課程的比例為一比二，相當合理。但以國文系為輔系的專門課程，比起國文系之專門課程，明顯少了許多，尤其是部分重要的語文課程，如訓詁學、經學、諸子學等，都未開設。因此，這批以國文系為輔系的畢業生，將來能否勝任語文課程，則值得研究。

　　以受教學生的角度來看，由於臺灣是升學主義掛帥國家，因此國語文教育重心都放在要繼續升學的基礎上進行。但大家似乎都忽略了，高中教育除了普通高中外，尚包括各類職業學校，如：工、商、農、家、海、醫護、戲劇學校等。老師認為，每一類學校中的國文教師，除了具備語文的專門知識外，還必須具備該類職業教育的基本學識，如商業學校國文課本中選了宋代葉適〈財計論〉，今人李國鼎的〈經濟發展與倫理建設〉；農業學校選了許士琝的〈畜牧獸醫與公共衛生〉、李崇道的〈農村建設與工商企業發展之關聯〉，如果國文教師不具備職業類科的基礎知識，在講解上就不容易使學生產生共鳴。

　　為此，老師在〈從科技整合觀點論高級職業學校國文教材之編輯〉一文中，指出兩個方法：

　　1.在師範大學設置第二部，招收各大學各科系畢業生，與以二至三年之國文及教育專業訓練，畢業後可分發至各職業學校教授國文。此項師資，容易從事科技整合教學。

　　2.師範大學國文系中，開設農、工、商、家事等職業教育相關的選修課程，俾有志到各職業學校任教者，具備基本專門職業知識。

這樣的構想雖不容易做到，卻對莘莘學子們有利，職業學校的國語文教學，如果和一般國高中相同，並不能切合學生們的需求，如果可以選擇有關類別的文章，

貼近他們的需求,更能使學生有動力學習。而一般的國文系、中文系的學生並不具備這些專業的知識,無法有效教學。如果能夠如老師以上所言,對職業學校的國語文教學,可以更有效地推廣。

老師認為,不論是師範大學國文系或是各大學的中國文學系,主要以培養古典文史知識為主,不過,面對各種新知日益發達,身為中學國語文教師,對於這些知識,不可一無所知,因為語文知識的傳授,不僅要使學生認識傳統語文的優越及正確的使用,應更進一步培育學生如何將此等語文知識或用於日常生活中。或從課文中學習到生活上或職業上應有的知識。因此,適當地調整國文系、中國文學系的課程,注意各科際（如社會科學、自然科學、資訊科學及環境保護等）的整合,才能培育出更具時代性、前瞻性知識的國語文教師。

㈡ 職中的訓練

國語文教師的在職訓練的重要性,不亞於師範學校時的養成教育,但老師認為,當時的環境,並無完善的在職訓練制度。所有的在職訓練工作,都是間歇性、局部性的。所謂間歇性,指的是一位教師從師範學校畢業後,沒有時常接受在職訓練的機會;所謂局部性,指的是全體教師,僅有少部分有接受在職訓練的機會。這種現象,自然有礙於教師素質的提升。當時中學教師的在職訓練工作,主要負責的機構可分為兩類,一為師範院校或政府機構辦理的訓練,例如師範大學的中學教師碩士進修班;二是由社會團體辦理的在職訓練,例如圖書館學會或語文學會所舉辦的學術研討會,這類訓練通常為期較短。

真正對現職中學國語文教師予以教學方法、教材探討等方面從事訓練工作的,是臺灣省中等學校教師研習會及臺北市教師研習中心。老師針對教師研習中心所負責的業務與舉辦的研習活動,有以下的建議:

1. 接受在職訓練者過少,如能在各縣市成立中學教師研習中心,並分設語文、數理、社會等組,舉辦經常性的在職訓練,對提升教師素質才有助益。
2. 有效汲取外國教學之特色,應時常甄選中學教師到國外進修,接受新的語

文教學法及語文教學媒體使用的訓練，以改善語文教學。

3.應充實各校的語文圖書，改善語文教師進修的環境。

五、結　語

通常我們形容一個人的著作很多的時候，我們會說某某人「著作等身」，而很多時候，那只是一種誇飾的形容法，很難相信，我們這輩子能夠認識到像這樣的人。直到有一天，林慶彰老師要我寫〈劉兆祐老師與國語文教育〉這篇文章，並到林老師家裡幫忙師母整理劉老師的文稿，我才真正見識到什麼叫做「著作等身」。聽師母說，劉老師的文章，小至新詩創作，大至學術論文，可以蒐集到五、六百篇，還不包括老師的專書。

我曾經在碩士班修過劉老師的「校讎學研究」，在博士班修過「中國文獻學研究」，了解到老師在文獻學上的成就，鮮少有人能與他相提並論。卻從不知道老師對中小學國語文教育的用心、貢獻是這麼地大。他為小學生們在報紙上開闢「作文教室」專欄，專門解答小學生在作文上的疑難雜症，常常，在字裡行間，老師也不忘勉勵他們，不要氣餒，成功的果實，總是為勤勞的人加油打氣的。或許大部分的小學生對這個熱心的作文老師都無緣見面，但人的緣分，又豈只能限於會面，才叫做有緣分呢？透過報紙專欄，小學生們獲得的是比「見面」更大的收穫。

不僅僅是對國小的語文教育，對中學的語文教育環境、師資的培養與訓練，老師都有一套完整的藍圖，或訴諸文字，或竭盡自己的力量實踐它。即使後來老師將重心放在研究工作上，在文獻學的領域中造福後代學子，但在他的心中，仍時時關心國語文教育的發展。畢竟，從小學開始有良好的國語文基礎，將來才有能力傳承經典，維護我們的文化。張錦郎老師曾經說過：「當一個人無所求時，他才能夠說真話。」我也相信，當一個人無所求時，他也才能無私地奉獻自己，給當時正起步的中小學國語文教育。

劉兆祐教授與雙溪文學獎

游勝冠

成功大學臺灣文學研究所副教授

雙溪文學獎創辦於一九八○年，我在大學生涯中的某一年曾與她發生過關係，那時她已經「大四」，我才大二。現在回想那段與創作關係最為親密的日子，只記得當時前幾屆得獎的學長盧思岳、王志誠等人與山上文大的幾位詩友合組了漢廣詩社，鄭重其事地發行了頗有特色的詩刊，仰慕之餘，僅僅拿出一點點的膽識，在文研社瞎混一陣子，參與一下「南風詩刊」的創辦，之後，再做一陣子不切實際的文學夢，就因為對自己才質的認識越來越深，而務實地將為賦新詞強說愁的心境放逐了。大二，懵懵懂懂的年紀，創作，對自己來說本就是高不可攀，從來不知道自己為什麼會在那個階段留下那麼一筆？也渾然不知雙溪文學獎的家世背景，當然更不知道她日後對我，或對其他得獎人會造成怎樣的影響。

原本以為跟這個獎比較有關係的，應該是另一位常像他高中時代的詩人老師一樣叼著煙斗的老師，後來我才發現原來是當時的系主任劉兆祐老師三年前創辦的。原本納悶著這位要到大四才會上到課，上的又是枯燥的訓詁學，聽學長講，老師專攻又是一點文學趣味也沒有的版本目錄學的主任、老師、學者，怎麼會在當時學術氛圍保守的中文系推動現代文學的創作獎呢？後來，隨著自己的知識追求逐漸越過中國古典文學的界線，才在張良澤的現代文學評論集中看到新銳作家「劉兆祐」的名子，才發現原來這位以治學嚴謹出名的師長，年輕時也曾浪漫過，

也曾以文字追逐過風月，難怪。後來，進入研究所就讀，跟老師接觸的機會也越來越多，大學時代所想像的刻板印象也逐一地被打破，記得有一次老師問我，與宜蘭的游姓省議員有沒有親戚關係，當時我還納悶，為什麼非要把我跟那樣的政治人物聯想一起？後來，因為自己做的學術議題，也觸及了臺灣文學中的敏感政治問題，我才意識到，原來老師有一定的現實關懷，他不安分的憂心，早就越過學院層層戒備的藩籬。

　　大學畢業以後，我以為我跟老師創辦的雙溪文學獎就再也不會有關係了，當完兵又回東吳讀碩士班，沒想到，我的碩士論文題目鎖定的就是臺灣現代文學思潮，之後，很多人都覺得困惑，在中文系那樣保守的學術環境中，是什麼樣的因緣際會，我會選擇這樣具有政治敏感度的研究議題？眨眨眼，我笑而不答，心裡想到卻是，劉老師在我大學時代幫我牽線的這段情緣。碩士班畢業離開東吳，我以為我真的要跟雙溪文學獎斷絕關係了，然而不然，翻開報紙的副刊，看到的不是張曼娟，就是彭樹君這些名聲越來越響的前得獎者的作品與消息；當自己對現實的關懷越深，越關注八〇年代後期民主運動的發展時，電視新聞播出的卻是盧思岳在衝突現場屬聲疾呼的聲影；陳水扁參選臺北市長，路寒袖延續他得獎詩作風格的競選歌詞，就此一路被傳唱，跨過二〇〇〇年的政黨輪替，直到二〇〇四年的槍聲響起。進入學院教書，心想疏離夠久、夠遠了，不會再這樣陰魂不散了吧！沒想到，學術研討會上碰到須文蔚，一握手寒暄，才知道東吳法律系畢業的他也是雙溪的，後來還被文學收編，背棄了法律，遊走在網路文學的虛擬空間；臺文系所一一成立後，為了窺探敵情，上中興大學臺文所的網站看看師資的資歷，才猛一發現，原來研究戰後小說的陳國偉，也曾是雙溪文學獎的得主……

　　聽說，由學校接辦後的雙溪文學獎的獎金提高了不少，當時，我到底領到多少獎金？想記也記不起來了，不過獎金很快地揮發成身邊那群狐群狗黨歡聚的高亢情緒，倒是可以想見的。現在想來，獎金多寡好像不是那麼重要，大學時代對自己不是那麼有信心的我，經由雙溪文學獎的指定，讓自己比較不猶豫地走上以

文學為業的道路，好像才比較重要。那些日後在文學各領域逐漸開花結果的得獎者，相信，跟我也有同樣的體會吧！回頭，瞻顧來時路，相信他們也會同意：不是劉兆祐老師當初開闢了雙溪文學獎這個園圃，那一粒粒埋藏在各自心中的文學種子，是不會有地方著床、抽長，更遑論現在的蔚然成林。

臨溪路印象

鹿憶鹿
東吳大學中國文學系教授

　　考大學時，我以為自己會考上心目中的理想學校。在兩天考試中，一場嚴重感冒，我知道自己的成績完全走樣。放榜時，我心不甘情不願地來到一間臨溪的校地狹小大學。啊！學校真小。我有個鬱悶的新鮮人生活，日日在臨溪路走著，覺得沮喪至極。

　　除了上課，就是到圖書館，我用專注於書本來填補自己心裡不平衡的缺憾。系主任是劉兆祐老師，他上我們「國學導讀」的課。獨來獨往到有些自閉的自己被主任關切，他鼓勵我往學術研究的路走，「一定要讀研究所」，因此我在大一就決定繼續讀研究所。

　　鑽研版本目錄學，強調學術研究的主任並不排斥現代文學創作。

　　1980 年，東吳大學舉辦第一屆雙溪文學獎，我讀大二。當時的劉兆祐老師，請了許多名家擔任評審，鄭清文先生、瘂弦先生、洛夫先生。我獲得第一屆雙溪文學獎散文組的第一名，爾後，劉老師每一次見到我就要我多創作，創作與研究可以相得益彰。

　　大學時對臨溪路的印象，因為讀研究所與創作兩件事而有了不同的意義。

　　劉老師積極鼓勵學術研究、文學創作，相較於後來的主任枉顧學生選課權

益，而以檢查學生圈點當必修課，或舉辦有如電視綜藝節目的文字遊戲比賽來為自己曝光，不啻霄壤。

劉兆祐教授學行年表

張曉生
臺北市立教育大學中國語文學系副教授兼儒學研究中心主任

編輯說明：

1. 本編所記先生學術活動及著作以文學創作與學術研究為主，編輯年限暫止於民國 96 年。

2. 本表雖經先生過目，然其中若干事實年月久遠，檢索不全，至盼各方先進指教，以資日後補正。

3. 先生筆名甚多，主要有：青野、劉青野、柳鬱、金笛、苗笛、青波齋主、劉豫、魯夷、萬宇、劉翁等。此編中先生以筆名發表之作品，已盡量蒐集，若有疏漏，請容日後增補。

民國 25 年，西元 1936 年，歲次丙子，1 歲。

◎ 6 月 8 日，先生出生於新竹市黑金町。

民國 32 年，西元 1943 年，歲次癸未，7 歲。

◎ 8 月 1 日，先生入新竹市花園國民小學就讀。

民國 38 年，西元 1949 年，歲次己丑，13 歲。

◎ 先生畢業於新竹市東門國民小學。

民國 41 年，西元 1952 年，歲次壬辰，16 歲。

◎ 7月，先生畢業於省立宜蘭中學初中部。

◎ 8月，先生以第一名錄取「省立宜蘭農業學校農產製造科」，同時亦考取「省立臺北師學範學校普通師範科」，選擇進入省立臺北師範學校就讀，從學於費海瑾（屈萬里先生之夫人，講授教育概論，並任導師）、黃念容（黃季剛先生之女，潘重規先生之夫人，講授國文）、那宗訓（筆名林梢，兒童文學家，講授國語）、林國樑（講授國語）、司琦（講授教育行政）、蔡震（小說家，講授教育史）、叢靜文（劇作家，講授教育哲學）、夏起晉（講授教育實習）、柯維俊（講授教材教法）諸位先生。在學期間，勤於閱讀，並在《野風》、《藍星》等詩刊發表新詩作品，在《公論報》副刊「日月潭」和《香港時報》副刊發表散文，在《新生報》、《中央日報》、《徵信新聞報》（《中國時報》前身）發表童話。在《國語日報》「少年」、「兒童」、「國民教育」、「語文周刊」等發表散文、新詩、教育及語文論著。

民國42年，西元1953年，歲次癸巳，17歲。

◎ 先生於《國語日報》發表散文〈蒲公英〉。

民國43年，西元1954年，歲次甲午，18歲。

◎ 1月17日，先生於《香港時報》第7版發表〈談做事方法〉。

◎ 2月19日，先生於《香港時報》第5版發表〈臺師軍事訓練〉。

◎ 2月22日，先生於《香港時報》第7版發表〈樂觀與悲觀〉。

◎ 5月6日，先生於《香港時報》第5版發表〈理想與恆心〉。

◎ 5月10日，先生於《香港時報》第7版發表〈臺北勝地：指南宮紀遊〉。

◎ 5月31日，先生於《香港時報》第7版發表〈自尊與自信〉。

◎ 6月7日，先生於《香港時報》第7版發表〈青春〉。

◎ 6月13日，先生於《香港時報》第5版發表〈夢裏的故鄉〉。

◎ 6月30日，先生於《香港時報》第5版發表〈錶的故事〉。

◎ 10月，先生於《北市青年》發表〈祝國慶‧懷先烈〉。

◎ 11 月 8 日，先生於《香港時報》第 7 版發表〈《居禮夫人傳》讀後〉。

◎ 11 月 20 日，先生於《香港時報》第 5 版發表〈社教與建國〉。

◎ 11 月 22 日，先生於《香港時報》第 7 版發表〈回頭是岸──《坦白集》讀後〉。

◎ 11 月 29 日，先生於《香港時報》第 7 版發表〈觀感與期望〉。

◎ 先生於《香港時報》發表〈晨戀〉。

◎ 先生於《香港時報》發表〈我反對中學生談戀愛！〉。

◎ 先生於《野風》發表新詩〈別〉。

民國 44 年，西元 1955 年，歲次乙未，19 歲。

◎ 1 月 27 日，先生於《香港時報》第 5 版發表〈寫作的苦樂〉。

◎ 2 月 9 日，先生於《香港時報》第 5 版發表〈星星的懷戀〉。

◎ 2 月 19 日，先生在《國語日報》〈少年〉發表〈新生活的意義──寫在新生活運動紀念日〉。

◎ 3 月 29 日，先生於《北師青年》發表散文詩〈獻給青年──寫在青年節〉、新詩〈誓語──寫在青年節〉。

◎ 3 月，先生於《國語日報》〈少年〉發表〈怎樣慶祝青年節〉。

◎ 4 月 9 日，於《公論報》〈小朋友園地〉發表〈懺悔〉（兒童故事）。

◎ 5 月，先生於《公論報》副刊〈日月潭〉發表短篇小說〈盲戀〉。

◎ 6 月 8 日，先生於《公論報》副刊〈日月潭〉發表短篇小說〈苦菓〉。

◎ 6 月，先生於《公論報》副刊〈日月潭〉發表散文〈未老吟〉。

◎ 7 月，先生自省立臺北師範學校普通師範科畢業。

◎ 8 月，至苗栗縣頭屋鄉明德國民小學鳴鳳分校任教，擔任 1、2 年級教師。在此期間，出版新詩集《高山流水》（油印版）。

◎ 9 月 3 日，先生於《公論報》〈小朋友園地〉發表〈一朵小花〉（兒童文學）。

◎ 9 月，先生於《野風》第 48 期頁 62 發表新詩〈凋零了的山茶花〉。

◎ 先生於《教育輔導月刊》發表小說〈珍子的畫像〉。

◎ 先生於《國語日報》〈國民教育〉發表〈如何實施晨間檢查〉。

◎ 先生於《國語日報》〈國民教育〉發表〈教學雜感〉。

◎ 先生於《國語日報》〈國民教育〉發表〈補課問題〉。

◎ 先生於《國語日報》〈國民教育〉發表〈男女分班的弊病〉。

◎ 先生於《國語日報》〈國民教育〉發表〈跟兒童生活在一起〉。

◎ 先生於《國語日報》〈國民教育〉發表〈學校教育與家庭教育應當密切聯絡〉。

◎ 先生於《國語日報》〈兒童〉（613 期）發表〈明明上街〉（七百字故事）。

◎ 先生於《國語日報》〈兒童〉（643 期）發表〈貪心的乞丐〉（七百字故事）。

◎ 先生於《國語日報》〈少年〉（2204 期）發表散文〈骨氣〉。

◎ 先生在《國語日報》〈少年〉發表〈今天和明天〉。

◎ 先生於《國語日報》副刊〈國風〉發表散文〈酸葡萄〉。

◎ 先生於《國語日報》〈國風〉發表〈頂上滄桑〉。

◎ 先生於《北師青年》發表散文〈路〉。

◎ 先生於《北師青年》發表〈國民教育與建國——寫在本校九屆校慶〉。

◎ 先生於《公論報》〈小朋友園地〉（321 期）發表童話〈給媽媽的禮物〉。

◎ 先生於《公論報》〈小朋友園地〉（330 期）發表〈種花記〉（兒童文學）。

◎ 先生於《公論報》〈小朋友園地〉（332 期）發表童話〈小白兔慧慧〉。

◎ 先生於《公論報》〈小朋友園地〉發表童話〈三個兄弟分財產〉。

◎ 先生於《公論報》〈小朋友園地〉發表〈一枚徽章的故事〉（兒童故事）。

◎ 先生於《公論報》〈小朋友園地〉發表〈爬山的故事〉（兒童故事）。

◎ 先生於《公論報》〈小朋友園地〉發表童話〈一隻小蟲〉。

◎ 先生於《公論報》〈小朋友園地〉發表〈祖父的故事〉（兒童文學）。

◎ 先生於《公論報》副刊〈日月潭〉發表散文〈童年〉。

◎ 先生於《公論報》副刊〈日月潭〉發表散文〈百葉窗的戀眷〉。

◎ 先生於《公論報》副刊〈日月潭〉發表散文〈生命〉。

◎ 先生於《臺灣教育輔導月刊》〈教學集錦〉發表〈誰的責任？〉。

◎ 先生於《臺灣教育輔導月刊》〈教學集錦〉發表〈團體制裁〉、〈故事課〉。

◎ 先生於《教育輔導月刊》發表〈現在國民學校中最嚴重的一個問題〉。

◎ 先生於《綠竹文藝》發表新詩〈囈語〉。

◎ 先生於《今日世界》雜誌發表新詩〈秋晨〉。

◎ 先生於《自由青年》雜誌發表短篇小說〈犧牲〉。

◎ 44、45 年間，先生於《藍星》詩刊發表新詩〈致流星〉。

◎ 先生於《野風》發表新詩〈信〉。

◎ 先生於《野風》發表新詩〈燕子〉。

◎ 先生於《野風》發表新詩〈別〉。

民國 45 年，西元 1956 年，歲次丙申，20 歲。

◎ 1 月，先生於《野風》第 88 期頁 69 發表新詩〈別〉。

◎ 2 月 2 日，先生於《民聲日報》副刊發表新詩〈乘上希望的金車〉。

◎ 3 月 11 日，先生於《民聲日報》副刊發表小說〈小黑李〉。

◎ 3 月 26 日，先生於《國語日報》〈國民教育〉發表〈漫談教室管理〉。

◎ 3 月，先生於《野風》第 90 期頁 63 發表〈夜行〉（新詩）。

◎ 4 月，先生於《教學生活》第 6 卷 4 期頁 24 發表〈教師的自述〉（新詩）。

◎ 5 月 1 日起至 5 月 9 日，先生於《民聲日報》以卯刀金筆名發表《犧牲》（短篇小說連載）。

◎ 6 月，先生於《國語日報》發表新詩〈貝殼〉。

◎ 7 月 20 日，先生於《國語日報》〈少年〉發表新詩〈豐收〉。

◎ 7月22日，先生於《國語日報》〈少年〉發表新詩〈寄〉。

◎ 8月，先生奉調回明德國民小學本部任教。

◎ 8月，先生於《野風》第95期發表〈葬禮〉（新詩）。

◎ 9月3日，先生於《新生報》〈兒童之頁〉發表〈木馬〉（兒歌）。

◎ 9月11日，先生於《國語日報》〈少年〉發表新詩〈升旗〉。

◎ 9月15日，先生於《國語日報》副刊〈國風〉發表散文〈同學會〉。

◎ 9月，先生於《國語日報》〈少年〉發表散文〈鄉居〉。

◎ 9月，先生於《國語日報》〈少年〉發表新詩〈給孩子們——從教一年有感〉。

◎ 10月10日，先生於《國語日報》〈兒童〉發表兒童故事〈雪山掘寶〉(一)。

◎ 10月11日，先生於《國語日報》〈兒童〉發表兒童故事〈雪山掘寶〉(二)。

◎ 10月12日，先生於《國語日報》〈兒童〉發表兒童故事〈雪山掘寶〉(三)。

◎ 10月13日，先生於《國語日報》〈兒童〉發表兒童故事〈雪山掘寶〉(四)。

◎ 10月14日，先生於《國語日報》〈兒童〉發表兒童故事〈雪山掘寶〉(五)。

◎ 10月，先生於《教學生活》第6卷10期頁22發表〈我們永遠在一起〉（新詩）。

◎ 10月28日，先生於《衛生新聞·青年園地》發表〈晨〉（新詩）、〈公園〉。

◎ 11月25日，《衛生新聞·兒童衛生》發表〈飲食的衛生〉、〈住的衛生〉。

◎ 12月，先生於《野風》第99期頁65發表〈夜思〉（新詩）。

◎ 先生於《國語日報》〈國風〉週刊第67期發表〈我還年輕〉。

◎ 先生於《國語日報》〈少年〉版第2584期發表〈收穫〉。

◎ 先生於《國語日報》〈少年〉版發表〈夜車〉。

◎ 先生於《國語日報》〈少年〉發表新詩〈螢〉。

◎ 先生於《國語日報》〈少年〉發表新詩〈夜歸〉。

◎ 先生於《國語日報》發表新詩〈我有一首小詩〉。

◎ 先生於《野風》發表〈夜遊〉、〈鳳凰木及其他〉、〈黃昏〉、〈雨〉（新詩）。

◎ 先生於《野風》發表新詩〈信〉。

◎ 先生於《野風》發表新詩〈夜〉。

◎ 先生於《國語日報》以筆名柳鬱發表〈黃昏〉、〈貝殼〉（新詩）。

◎ 先生於《藍星》詩刊發表〈雲〉、〈夜車〉。

◎ 先生於《自由青年》發表新詩〈夜〉。

◎ 先生於《民聲日報》〈副刊〉發表新詩〈失眠夜〉。

◎ 先生發表〈新老師〉。

◎ 先生於《北師青年》發表新詩〈夜之航行〉（筆名為劉青野）。

◎ 先生於《民聲日報》副刊發表新詩〈幻想的虹〉、〈春之讚禮〉。

◎ 先生於《教學生活》發表新詩〈校鐘〉。

◎ 先生於《教學生活》發表新詩〈我們永遠在一起〉。

◎ 先生於《苗栗教育》發表新詩〈園丁〉。

◎ 先生於《苗栗教育》發表新詩〈校鐘〉。

◎ 先生於《苗栗教育》發表新詩〈祝福你·孩子們〉。

◎ 先生於《苗栗教育》發表新詩〈別〉。

◎ 先生於《苗栗教育》發表〈寄語〉。

◎ 先生發表新詩〈雨夜的懷念〉。

◎ 先生發表兒歌〈小弟弟〉。

民國 46 年，西元 1957 年，歲次丁酉，21 歲。

◎ 1 月 1 日，先生於《苗栗教育》第 7 版發表〈樂為國小教師〉。

◎ 1 月 6 日，《衛生新聞·兒童衛生》發表〈睡眠的衛生〉。

◎ 2 月，先生奉調至苗栗鎮建功國民小學任教，並兼任文書組長。

◎ 3 月 30 日，先生於《國語日報》發表〈溺愛不明〉（七百字故事）。

◎ 4 月 4 日，先生於《國語日報》〈兒童〉版第 616 期發表〈兒童節紀念品〉（七百字故事）。

◎ 4 月，先生於《教學生活》第 7 卷 4 期頁 4 發表〈校鐘〉（新詩）。

◎ 4 月，先生於《教學生活》第 7 卷 4 期頁 15 發表〈漫談教學一日一句〉。

◎ 6 月，先生於《教學生活》第 7 卷 6 期頁 14 發表〈談兒童故事的寫法——兼評流血樹（江文雙、劉金泉合撰）〉。

◎ 6 月 25 日，先生於《國語日報》第 3 版以筆名柳鬱發表〈社會就是學校〉。

◎ 7 月 31 日，先生於《國語日報》〈兒童〉版以筆名萬宇發表〈哥哥回來了〉。

◎ 8 月，先生於《教學生活》第 7 卷 7,8 期頁 16-18 發表〈視聽教育研習心得報告〉。

◎ 8 月，先生於《教學生活》第 7 卷 7,8 期頁 24 發表〈清晨〉（新詩）。

◎ 9 月 3 日，先生於《國語日報》〈少年〉版發表〈國家需要你〉。

◎ 9 月 22 日，先生於《國語日報》〈少年〉版發表〈日曆〉。

◎ 10 月 21 日，先生於《臺灣學生周報》發表〈合作才能成功〉。

◎ 11 月 3 日，先生於《中華日報》第 4 版〈中華兒童〉第 53 期以筆名柳鬱發表〈弱女大姑〉（兒童故事）。

◎ 12 月 16 日，先生於《臺灣學生周報》發表〈驕傲的公雞〉（童話）。

◎ 12 月 17 日，先生於國語日報第 2 版發表〈新生〉。

◎ 12 月 25 日，先生於《公論報》〈日月潭〉副刊發表〈童心〉。

◎ 先生於《教育輔導月刊》頁 47-53 發表〈黑小鷹〉（小說）。

◎ 先生於《苗栗教育》發表〈園丁書簡〉(一)。

◎ 先生於《苗栗教育》發表〈園丁書簡〉(二)。

◎　先生於《苗栗教育》發表〈園丁書簡〉(三)。

◎　先生於《苗栗教育》發表〈園丁書簡(四)再談走向鄉村〉。

◎　先生於《苗栗教育》發表〈園丁書簡〉(五)。

◎　先生於《苗栗教育》發表〈園丁書簡(六)談進修(上)〉。

◎　先生於《苗栗教育》發表〈園丁書簡(七)談進修(下)〉。

◎　先生於臺灣新生報〈兒童之頁〉以筆名魯夷發表〈工作最快樂〉（童話）。

◎　先生於臺灣新生報〈兒童之頁〉以筆名柳鬱發表〈醜小鴨〉（童話）。

◎　先生於臺灣新生報〈兒童之頁〉第 390 期發表〈小文不再寂寞了〉。

◎　先生於臺灣新生報〈兒童之頁〉第 474 期發以筆名柳鬱發表〈籠中鳥的悲哀〉（童話）。

◎　先生於臺灣新生報〈兒童之頁〉第 489 期發表〈蜜蜂與蝴蝶〉（童話）。

◎　先生於臺灣新生報〈兒童之頁〉第 498 期以筆名苗笛發表〈老鷹和母雞〉（童話）。

◎　先生於臺灣新生報〈兒童之頁〉第 502 期以筆名苗笛發表〈懶惰的麻雀〉（童話）。

◎　先生於臺灣新生報〈兒童之頁〉第 503 期以筆名魯夷發表〈「蜘蛛」和「蒼蠅」〉（童話）。

◎　先生於《教學生活》頁 15 發表〈漫談教學一日一句〉。

◎　先生於《教學生活》頁 16-18 發表〈視聽教育研習心得報告〉。

◎　先生於《教學生活》頁 16-18 發表〈苗栗建功國民學校社會中心教育實施概況〉（代鍾萬錢校長撰作）。

◎　先生於《教學生活》發表新詩〈清晨〉。

◎　先生於《國語日報》〈少年〉版發表〈奮鬥〉。

◎　先生於《國語日報》〈少年〉版發表〈小老師〉。

◎　先生於《國語日報》〈少年〉版發表〈書迷談書〉。

◎ 先生於《國語日報》〈少年〉版發表〈賣獎券的女孩子〉（以筆名魯夷發表）。

◎ 先生於《國語日報》發表〈見義勇為的車夫〉（七百字故事）。

◎ 先生於《國語日報》〈少年〉版第 2808 期發表〈燃燒自己‧照亮別人〉。

◎ 先生於《國語日報》〈少年〉版第 2814 期發表〈祝國慶‧懷大陸〉。

◎ 先生於《國語日報》〈少年〉版第 2852 期發表〈寫作甘苦談〉。

◎ 先生於《國語日報》〈少年〉版第 2862 期發表〈新生〉。

◎ 先生於《臺灣學生周報》發表〈弱女大姑〉。

◎ 先生於《臺灣兒童》發表〈聰明的小鴨〉。

◎ 先生於《臺灣兒童》以筆名柳鬱發表〈周幽王的故事〉。

◎ 先生於《臺灣兒童》發表〈白象使者〉（新書介紹）。

◎ 先生於《野風》發表〈雨後的原野〉。

◎ 先生以筆名柳鬱發表〈談兒童讀物之選擇與閱讀指導〉、〈奮鬥〉、〈送出征〉、〈兩棵小草〉（發表刊物待查）。

◎ 先生於發表新詩〈燕子〉。

民國 47 年，西元 1958 年，歲次戊戌，22 歲。

◎ 先生於本年二月十五日起，在《公論報》發表〈作文教室〉系列專文，至七月二十六日止，共發表十九講，指導小學生如何寫好「作文」。詳細篇目如下：

⑴ 47 年 2 月 15 日，〈寫在「作文教室」前面〉（第 6 版）。

⑵ 47 年 3 月 1 日，〈怎樣寫一篇文章〉（作文教室之一）（第 6 版）。

⑶ 47 年 3 月 8 日，〈怎樣搜集寫作材料〉（作文教室之二）（第 6 版）。

⑷ 47 年 3 月 15 日，〈寫作材料的選擇〉（作文教室之三）（第 6 版）。

⑸ 47 年 3 月 22 日，〈寫作材料的排列練習〉（作文教室之四）（第 6 版）。

⑹ 47 年 3 月 29 日，〈範文選載與練習仿作〉（作文教室之五）（第 6 版）。

(7) 47 年 4 月 5 日，〈標點符號的意義與種類〉（作文教室之六）（第 6 版）。

(8) 47 年 4 月 19 日，〈標點符號用法舉例〉（作文教室之七）（第 6 版）。

(9) 47 年 4 月 26 日，〈標點符號的練習〉（作文教室之八）（第 6 版）。

(10) 47 年 5 月 3 日，〈詞的種類〉（作文教室之九）（第 6 版）。

(11) 47 年 5 月 10 日，〈詞的用法及舉例(上)〉（作文教室之十）（第 2 版）。

(12) 47 年 5 月 17 日，〈詞的用法及舉例(下)〉（作文教室之十一）（第 2 版）。

(13) 47 年 5 月 24 日，〈詞的練習之一〉（作文教室之十二）（第 6 版）。

(14) 47 年 5 月 31 日，〈詞的練習之二〉（作文教室之十三）（第 6 版）。

(15) 47 年 6 月 7 日，〈詞的綜合練習〉（作文教室之十四）（第 6 版）。

(16) 47 年 6 月 14 日，〈句的構造〉（作文教室之十五）（第 6 版）。

(17) 47 年 6 月 21 日，〈再談句的構造〉（作文教室之十六）（第 6 版）。

(18) 47 年 7 月 5 日，〈句的練習〉（作文教室之十七）（第 6 版）。

(19) 47 年 7 月 12 日，〈主語和述語的練習〉（作文教室之十八）（第 6 版）。

(20) 47 年 7 月 19、26 日，〈幾個普通文體的說明與舉例〉（作文教室之十九）（第 6 版）。

◎ 先生於本年以〈國民小學作文教學之研究〉，獲得首屆全國小學教師語文競賽一等獎。

◎ 1 月 20 日，先生於《臺灣學生周報》第 3 版發表〈勇於改過的咪咪〉（童話）。

◎ 4 月 1 日，先生於新竹市東門國民學校《校慶特刊》發表〈九年〉（散文）。

◎ 4 月 4 日，先生於《故事天地》週刊創刊號頁 2-3 發表〈快樂島〉（童話）。

◎ 5 月，先生於《教學生活》頁 11-13 發表〈如何實施國民學校科學教育〉。

◎ 5 月 1 日，先生於《國語日報》〈少年〉版第 2955 期發表〈快樂的生活——寫在五一勞動節〉。

◎ 5 月 11 日，先生於《國語日報》第 3 版發表〈青草湖的懷念〉（散文）。

◎ 6 月，先生於《苗栗教育半月刊》第 35-36 期發表〈「兒童讀物研究」一文補遺〉（共 2 頁）。

◎ 6 月 5 日，先生於《國語日報》〈少年〉版發表〈剪報〉。

◎ 6 月 16 日，先生於《中央日報》470 期第 4 版發表〈快樂農場〉（童話）。

◎ 7 月 1 日，先生於《青苗》（宜蘭縣五結國校主編）發表〈友情〉。

◎ 7 月 6 日，先生於《中華日報》4 版發表〈五月的花園〉（童話詩）。

◎ 8 月 1 日，先生於《防癆新聞》〈防癆副刊〉發表〈師生之間〉。

◎ 8 月 1 日，先生於《教育輔導月刊》頁 16 發表〈記苗栗縣國校教師自製教具展覽〉。

◎ 8 月 4 日，先生於《中央日報》〈兒童周刊〉發表〈阿威的牧笛〉。

◎ 8 月 8 日，先生於《國語日報》〈少年〉版發表〈我的父親〉。

◎ 8 月 9-13 日，先生於《國語日報》〈兒童〉版連載〈洞裡的小貓〉。

◎ 8 月 10,12,13,14 日，先生於《國語日報》〈少年〉版連載〈談旅行〉。

◎ 8 月 19-23 日，先生於《國語日報》〈兒童〉連載〈一幅奇怪的畫像〉。

◎ 9 月 1 日，先生於臺灣新生報〈兒童之頁〉發表〈不守時的米加〉（童話）。

◎ 9 月 3 日，先生於《國語日報》〈少年〉版第 3044 期發表〈給三軍將士們的一封信〉。

◎ 9 月 6 日，先生於《苗栗各界紀念漢陽烈士特刊》發表〈起來吧！青年們〉。

◎ 9 月 10 日，先生於《國語日報》〈兒童〉版第 1512 期發表〈國王和鳥〉（兒童故事）。

◎ 9 月 23 日，先生於《國語日報》〈兒童〉版發表〈端午節出生的孩子〉（七百字故事）。

◎ 10 月 2 日，先生於國語日報〈兒童〉版發表〈林肯〉。

◎ 10 月 5 日，先生於《兒童文摘》月刊第 2 期頁 18-19 發表〈文章病院

——示範文批改〉。

◎ 10 月 5 日，先生於《兒童文摘》月刊第 2 期頁 22-23 發表〈作文教室(一)作文講座——作文難不難？〉。

◎ 10 月 13 日，先生於《國語日報》〈科學〉版第 478 期以筆名柳鬱發表〈禽獸的表情〉。

◎ 10 月 15 日，先生於《臺灣教育輔導月刊》第 8 卷 10 期頁 15-16 發表〈中學實施職業指導的步驟及人員〉。頁 38 發表〈暑假作業〉、〈開級會〉（教學集錦）。

◎ 10 月 22 日，先生於《臺灣新生報》〈兒童之頁〉發表〈誰的過錯〉、〈猴子種桃樹〉（童話）。

◎ 10 月 22 日，先生於《臺灣新生報》〈青年園地〉發表〈富貴如浮雲〉。

◎ 10 月 25 日，先生於《建功通訊》第 1 期發表〈建功頌〉（歌詞）。

◎ 10 月 30 日，先生於《國語日報》〈少年〉版發表〈讀書樂〉。

◎ 10 月 30 日，先生於《教學生活》月刊第 8 卷 10 期，頁 23-24 發表〈如何改進國校教學及訓導方法〉（桃園、新竹、苗栗三縣徵文第二名）。

◎ 10 月 31 日，先生於《國語日報》〈少年〉版第 3086 期發表〈獻禮——研讀「蘇俄在中國」心得〉。

◎ 11 月 3 日，先生於第 4 版發表〈朱茅瑩〉（好學生）。

◎ 11 月 4 日，藍祥雲於《國語日報》〈少年〉版發表〈友情書簡——致劉兆祐〉。

◎ 11 月 5 日，先生於《兒童文摘》月刊第 1 卷 3 期，頁 14-15 發表〈作文教室(二)——每月習作〉。頁 20-21 發表〈文章病院——示範文批改〉。

◎ 11 月 10 日，先生於《國語日報》第 4 版發表〈鍾以衡〉（好學生）。

◎ 11 月 14 日，先生於《國語日報》〈少年〉版發表〈病中雜記〉。

◎ 11 月 15 日，先生於《臺灣教育輔導月刊》第 8 卷 11 期，頁 40 發表〈上

了一堂遠足課〉、〈先看評語〉（教學集錦）。

◎ 11 月 21 日，先生於《國語日報》第 4 版發表〈楊竹君〉（好學生）。

◎ 11 月 22 日，先生於《國語日報》〈兒童〉版發表〈林肯〉。

◎ 11 月 28 日，先生於《國語日報》〈少年〉版以筆名苗笛發表〈我與稿費〉。

◎ 11 月 30 日，先生於《教學生活》月刊第 8 卷 11 期，頁 20-23 發表〈如何改進國校教學及訓導方法〉（續）。頁 23-24 發表書評〈兩本好的教育論著〉。

◎ 12 月 10 日，先生於《兒童文摘》月刊第 4 期頁 18-19 發表〈文章病院(三)——批改示範〉。

◎ 12 月 15 日，先生於《國語日報》〈科學〉版發表〈花也睡嗎？〉。

◎ 12 月 15 日，先生於《臺灣教育輔導月刊》發表〈檢紙屑的習慣〉。

◎ 12 月 22 日，先生於《國語日報》《國民教育》周刊發表〈從「我的志願」談起〉。

◎ 12 月 26 日，先生於《國語日報》〈語文周刊〉第 521 期頁 1 發表〈談怎樣批改作文〉。

◎ 先生於《苗栗教育》發表〈園丁書簡（九）怎樣寫教育文章(上)〉。

◎ 先生於《苗栗教育》發表〈園丁書簡（十）怎樣寫教育文章(下)〉。

◎ 先生於《苗栗教育》發表〈園丁書簡（十一）怎樣發掘教學上的實際問題〉。

◎ 先生於《臺灣新生報》〈兒童之頁〉第 590 期發表〈騙不了我〉（童話）。

◎ 先生於《教育輔導月刊》發表〈心理衛生應由家庭學校及社會共同配合實施〉。

◎ 先生於《苗栗青年》頁 25-27 發表〈樹影在搖曳〉（廣播劇）。

◎ 先生於《臺灣新生報》以筆名柳鬱發表〈下雨天〉（童話詩）。

◎ 先生於《國語日報》發表〈見義勇為的車夫〉（兒童故事）。

◎ 先生於《教學生活》頁 23 以筆名柳鬱發表〈怎樣才能成為一個優良的教師──獻給即將畢業的師範生〉。

◎ 先生發表〈鸚鵡的悲哀〉（童話）（發表刊物待查）。

◎ 先生發表〈生命的開始〉（新詩）（發表刊物待查）。

民國 48 年，西元 1959 年，歲次己癸，23 歲。

◎ 1 月，先生於《國教月刊》第 6 卷 1、2 期合刊頁 10-14 發表〈菓園裡的故事〉（廣播劇）。

◎ 1 月 6 日，先生於《國語日報》〈兒童〉版發表〈舒伯特〉（名人小故事）。

◎ 1 月 7 日，先生於《國語日報》〈兒童〉版發表〈費拉里〉（名人小故事）。

◎ 1 月 10 日，先生於《兒童文摘》月刊第 5 期，頁 14-15 發表〈文章病院(四)──批改示範〉。

◎ 1 月 14 日，先生於《國語日報》〈兒童〉版發表〈大仲馬〉（名人小故事）。

◎ 1 月 17 日，先生於《國語日報》〈兒童〉版發表〈愛倫坡〉（名人小故事）。

◎ 1 月 19 日，先生於《國語日報》〈科學〉版 492 期發表〈尾巴的作用〉。

◎ 1 月 19 日，先生於《臺灣新生報》以筆名苗笛發表〈印度的募化者〉。

◎ 1 月 20 日，先生於《臺灣新生報》發表〈師範畢業服務期滿申請保送升學現行辦法似欠合理〉。

◎ 1 月 27-31 日，先生於《國語日報》〈兒童〉版連載〈珍珠魚鉤〉（兒童故事）。

◎ 2 月 20 日，先生於《國語日報》〈少年〉版發表〈窗〉。

◎ 3 月 2 日，先生於《國語日報》〈科學〉版發表〈溫泉〉。

◎ 3 月 4 日，先生於《國語日報》〈兒童〉版發表〈蕭邦〉（名人小故事）。

◎ 3 月 6 日，於《國語日報》發表〈學校風光〉（多人合撰）。

◎ 3 月 9 日，先生於《國語日報》〈科學〉版以筆名苗笛發表〈貴重的金剛石〉。

◎ 3月9日，先生於《國語日報》發表〈詹璧如〉（好學生）。

◎ 3月16日，先生於《國語日報》〈科學〉版發表〈銅綠是什麼？〉。

◎ 3月21日，先生於《國語日報》〈兒童〉版發表〈李文克霍〉（名人小故事）。

◎ 3月30日，先生於《國語日報》〈科學〉版發表〈花的香氣〉。

◎ 3月30日，先生於《保防月刊》頁45-48發表〈國民保防教育的重要性〉。

◎ 4月1日，先生於《臺灣教育》第100期頁16發表〈一個理想校長應有的風度〉。

◎ 4月20日，先生於《國語日報》〈科學〉版發表〈魚的住所及生育〉。

◎ 5月4日，先生於《國語日報》〈科學〉版發表〈樟腦〉。

◎ 5月4日，先生於《國語日報》發表〈劉玉蓮〉（好學生）。

◎ 5月10日，先生於《兒童文摘》月刊第8期頁2發表〈寫作指導——文中常見的錯誤〉。

◎ 5月25日，先生於《國語日報》〈科學〉版發表〈有毒的魚〉。

◎ 6月23-27日，先生於《國語日報》〈兒童〉版連載〈虎女的故事〉（兒童故事）。

◎ 7月，藍祥雲於《國教月刊》第6卷7、8期合刊發表〈友情書簡——寄兆祐〉。

◎ 7月28-8月1日，先生於《國語日報》〈兒童〉版連載〈魔石〉（兒童故事）。

◎ 8月30日，先生於《教學生活》第9卷7、8期合刊發表〈作一個好園丁——勉新進為師的師範畢業同學〉。

◎ 9月8日，先生於《國語日報》〈少年〉版以筆名金笛發表〈颱風〉（作文觀摩）。

◎ 9月10日，先生於《國語日報》〈少年〉版以筆名金笛發表〈我的生日〉

（作文觀摩）。

◎ 9 月 14 日，先生於《臺灣新生報》〈兒童之頁〉第 654 期發表〈蘋果樹〉
（童話）。

◎ 9 月 17 日，先生於《國語日報》〈少年〉版以筆名金笛發表〈月餅〉（作
文觀摩）。

◎ 9 月 20 日，先生於徵信新聞報〈兒童樂園〉第 19 期發表〈小鴨迷路了〉
（童話）、〈三兄弟〉。

◎ 9 月 27 日，先生於徵信新聞報〈兒童樂園〉20 期第 5 版發表〈快樂島〉
（童話）。

◎ 10 月 2 日，先生於《國語日報》發表〈鍾年陞〉（好學生）。

◎ 11 月，先生於《國教月刊》第 6 卷 11 期頁 8-10 發表〈阿牛〉（小說）。

◎ 11 月 9 日，先生於《中央日報》〈中央副刊〉發表〈三角店〉。

◎ 11 月 12 日，先生於《臺灣新生報》〈新生副刊〉發表〈晚宴〉。

◎ 11 月 12 日，先生於《國語日報》〈少年〉版發表〈國父的學生時代〉。

◎ 11 月 25 日，先生於《國語日報》第 3 版發表〈哭聖惠〉。

◎ 11 月 30 日，先生於《教學生活》月刊頁 17-19 發表〈小敏的生日〉（兒
童廣播劇）。

◎ 12 月 4 日，先生於《國語日報》〈少年〉版發表〈給前線戰士們的一封
信〉（作文觀摩）。

◎ 12 月 13 日，先生於《國語日報》〈少年〉版以筆名柳鬱發表〈寫日記〉
（作文觀摩）。

◎ 12 月 14 日，先生於《徵信新聞報》第 6 版發表〈一棵桃樹〉（童話，筆
名金笛）。

◎ 12 月 15 日，先生於《國語日報》〈少年〉版以筆名柳鬱發表〈送老師
入營〉（作文觀摩）。

◎ 12 月 16 日，先生於《國語日報》以筆名柳鬱發表〈選舉鎮長〉（作文觀摩）。

◎ 12 月 21 日，先生於《徵信新聞報》第 6 版《兒童樂園》以筆名苗笛發表〈三兄弟〉（童話）。

◎ 12 月 22 日，先生於《國語日報》第 4 版發表〈黃淑媛〉（好學生）。

◎ 12 月 31 日，先生於《國語日報》〈少年〉版以筆名柳鬱發表〈菊花〉（作文觀摩）。

◎ 先生於本年十二月十四日起，在《徵信新聞報》第 6 版以筆名柳鬱發表「作文講話」系列專文，至隔年（49 年）十一月二十日止，共發表廿一講。詳細篇目如下：

⑴ 48 年 12 月 14 日，〈寫甚麼？〉（作文講話之一）。

⑵ 48 年 12 月 21 日，〈怎樣寫？〉（作文講話之二）。

⑶ 48 年 12 月 28 日，〈想好了再寫〉（作文講話之三）。

⑷ 49 年 1 月 11 日，〈寄給小讀者──作文講話的話〉（作文講話之四）。

⑸ 49 年 1 月 18 日，〈怎樣寫日記？〉（作文講話之四）。

⑹ 49 年 2 月 15 日，〈怎樣選擇寫作材料？〉（作文講話之六）。

⑺ 49 年 3 月 7 日，〈段是怎樣組成的？〉（作文講話之七）。

⑻ 49 年 3 月 28 日，〈怎樣寫景？〉（作文講話之八）。

⑼ 49 年 4 月 18 日，〈怎樣寫遊記〉（作文講話之九）。

⑽ 49 年 5 月 2 日，〈寫好了多修改〉（作文講話之十）。

⑾ 49 年 5 月 30 日，〈人物的描寫〉（作文講話之十一）。

⑿ 49 年 6 月 6 日，〈寫作的基本條件〉（作文講話之十二）。

⒀ 49 年 6 月 13 日，〈文中常見的錯誤〉（作文講話之十三）。

⒁ 49 年 6 月 20 日，〈文體的種類〉（作文講話之十四）。

⒂ 49 年 10 月 2 日，〈選擇適當的詞〉（作文講話之十五）。

⒃ 49 年 10 月 9 日，〈怎樣寫「節日文章」？〉（作文講話之十六）。

⒄ 49 年 10 月 16 日，〈比喻的用法〉（作文講話之十七）。

⒅ 49 年 10 月 23 日，〈比喻用法舉例〉（作文講話之十八）。

⒆ 49 年 10 月 30 日，〈「季節」的文章〉（作文講話之十九）。

⒇ 49 年 11 月 13 日，〈句的構造〉（作文講話之二十）。

㉑ 49 年 11 月 20 日，〈主語和述語〉（作文講話之二十一）。

民國 49 年，西元 1960 年，歲次庚子，24 歲。

◎ 先生進入東吳大學中文系就讀。

◎ 1 月 13 日，先生於《國語日報》〈少年〉版發表〈編壁報〉（作文觀摩）。

◎ 1 月 16 日，先生於《國教雜誌》周刊第 1 卷 2、3 合期，頁 7 發表〈救救孩子們——一個小學教師的呼籲〉。

◎ 1 月 19 日，先生於《國語日報》〈少年〉版以筆名柳鬱發表〈樹〉（散文）。

◎ 1 月 22 日，先生於《國語日報》〈少年〉版發表〈不自由，毋寧死〉。

◎ 1 月 24 日，先生於《國語日報》〈少年〉版以筆名柳鬱發表〈我的祖母〉（作文觀摩）。

◎ 1 月 25 日，先生於《徵信新聞報》〈兒童樂園〉以筆名柳鬱發表〈欣賞和批評：讀書的樂趣〉（寫作指導）。

◎ 2 月 7 日，先生於《國語日報》〈少年〉版以筆名柳鬱發表〈剪報〉（作文觀摩）。

◎ 2 月 8 日，先生於《徵信新聞報》第 6 版以筆名柳鬱發表〈作文練習三題：寒假中日記一則、報告假期生活的一封信、樹〉（寫作指導）。

◎ 2 月 22 日，先生於《徵信新聞報》〈兒童樂園〉以筆名柳鬱發表〈欣賞和批評：報紙〉（寫作指導）。

◎ 2 月 25 日，先生於《國語日報》〈少年〉版以筆名柳鬱發表〈鏡子〉。

◎ 2 月 29 日，先生於徵信新聞報〈兒童樂園〉以筆名柳鬱發表〈作文練習〉（寫作指導）。

◎ 2 月 29 日，先生於《教學生活》第 10 卷 2 期頁 8-9 發表〈談進修〉（園丁書簡）。

◎ 3 月，先生於《國教月刊》第 7 卷 3 期頁 5-6 發表〈橋的故事〉（小說）。

◎ 3 月 14 日，先生於《徵信新聞報》〈兒童樂園〉以筆名柳鬱發表〈欣賞和批評：我怎樣準備升學考試〉（寫作指導）。

◎ 3 月 21 日，先生於《徵信新聞報》〈兒童樂園〉發表〈習作三題：日出、我讀過的一本書、談恆心〉（寫作指導）。

◎ 4 月 25 日，先生於《臺灣新生報》〈兒童之頁〉發表〈花姑娘〉（童話）。

◎ 5 月 16 日，先生於《徵信新聞報》〈兒童樂園〉發表〈習作三題：假如我考上了中學、我為什麼要升學、雨夜〉（寫作指導）。

◎ 6 月 30 日，先生於《教學生活》10 卷 6 期頁 23 發表〈怎樣進修〉。

◎ 9 月 25 日，先生於《徵信新聞報》發表〈我們又見面了——寄小讀者短簡〉。

◎ 9 月 27 日，先生於《國語日報》〈少年〉版發表〈祝福——寫給苗栗建功國校老師及小朋友們〉。

◎ 9 月 30 日，先生於《教學生活》第 10 卷 9 期頁 17-19 發表〈實施社會中心教育的幾個問題〉。

◎ 10 月 5 日，先生於《國語日報》〈少年〉版第 3584 期發表〈星期日的生活〉。

◎ 10 月 7 日，先生於《國語日報》〈少年〉版發表〈媽媽的生日〉。

◎ 10 日 9 日，先生於《徵信新聞報》〈兒童樂園〉發表〈三兄弟〉（兒童故事）。

◎ 10 日 20 日，先生於《國語日報》〈少年〉版發表〈勤儉〉。

◎ 10 日 20 日，先生於《聯合報》〈聯合副刊〉發表〈我為何選讀中國文學？〉。

◎ 10 日 23 日，先生於《徵信新聞報》〈兒童樂園〉發表〈三兄弟〉（兒童故事）。

◎ 11 月 1 日，先生於《自由青年》雜誌第 22 卷 5 期頁 31 發表〈大一第一週〉。

◎ 11 月 6 日，先生於《徵信新聞報》〈兒童樂園〉發表〈範文欣賞：雙溪的春天〉（寫作指導）。

◎ 11 月 6 日，先生於《徵信新聞報》發表〈三兄弟〉（兒童故事）。

◎ 11 月 13 日，先生於《徵信新聞報》〈兒童樂園〉發表〈三兄弟〉（兒童故事）。

◎ 11 月 19 日，先生於《國語日報》〈兒童〉版發表〈林肯〉（名人小故事）。

◎ 11 月 20 日，先生於《徵信新聞報》發表〈三兄弟〉（兒童故事）。

◎ 11 月 30 日，先生於《教學生活》第 10 卷 11 期頁 7-12 發表〈作文基本練習的種類及舉例〉。

◎ 12 月 2 日，先生於《國語日報》〈少年〉版發表〈響應不隨地吐痰的運動〉。

◎ 12 月 3 日，先生於《國語日報》〈兒童〉周刊發表〈萬拜不拜〉（歷史故事）。

◎ 12 月 9 日，先生於《國語日報》〈少年〉版發表〈充實課外知識〉。

◎ 12 月 11 日，先生於《國語日報》〈少年〉版發表〈落葉〉。

民國 50 年，西元 1961 年，歲次辛丑，25 歲。

◎ 2 月，先生因感染肺結核，申請休學一年。

◎ 5 月，先生於《大學詩刊》創刊號頁 6，以筆名柳鬱發表〈夜車〉（新詩）。

◎ 5 月 30 日，先生於《東吳》發表〈三角店〉（散文）。

◎ 6月，先生於《大學詩刊》第 2 期頁 8 發表〈致流星〉（新詩）。

◎ 11 月，先生於《大學詩刊》第 3 期頁 6 發表〈古樹〉（新詩）。

民國 51 年，西元 1962 年，歲次壬寅，26 歲。

◎ 1月1日，先生於《東吳》第 4 卷 2 期頁 4（社論）發表〈新年獻辭〉。
頁 27-28 發表〈蓉姐〉（小說）。頁 37 發表〈致友人書〉。頁 39 發表〈尋〉
（新詩）、〈山中〉（七絕）、〈日出〉（七絕）。

◎ 3月，先生於《大學詩刊》第 5 期發表七絕〈山中〉一詩。

◎ 6月，先生於《大學詩刊》第 6 期發表七絕〈壬寅端午弔屈原〉一詩。

◎ 10 月，先生於《大學詩刊》第 7 期頁 5 發表〈八斗子海濱〉（新詩）。

◎ 11 月，先生於《大學詩刊》3 期發表新詩〈古樹〉。

民國 52 年，西元 1963 年，歲次癸卯，27 歲。

◎ 1月，先生於《大學詩刊》第 8 期頁 7，以筆名柳鬱發表〈當月圓的時候
——讀『滿月下』賦詩貽無窮藍〉（新詩）。

◎ 1月，先生於《大學詩刊》第 8 期發表〈橋——迎一九六三年詩貽諸文
友〉（新詩）。

◎ 1月，先生於《大學詩刊》第 8 期發表詞〈一剪梅（迎春）〉一闋。

◎ 3月29日，先生於《東吳》第 4 卷 3 期頁 4（社論）發表〈青年節獻詞〉。
頁 26-28 發表〈為臺灣目前的新詩看看病〉。頁 38 發表〈霧〉、〈宴〉
（新詩）、〈登獅頭山〉（七絕）、〈遊獅頭山水廉洞〉（七絕）。

◎ 6月8日，先生於《東吳》5 卷 4 期頁 6-7 發表〈詩助字辨釋（關雎、葛覃、
卷耳、樛木）〉。

◎ 6月，先生於《大學詩刊》第 10 期頁 9 以筆名柳鬱發表〈寫在六月八日
／我的生日的兩首詩〉——〈六月的歌〉、〈窗外〉（新詩）。

◎ 6月10日，先生於《達德學刊》第 1 期頁 3 發表〈中國文化之特質〉。

◎ 10 月 10 日，先生於《東吳》第 6 卷 1 期頁 37-38 發表〈大學詩刊兩年

來之回顧——兼論我對詩之看法〉。

◎ 11月，先生於《中文季刊》第52期頁7-10發表〈詩助詞辨釋（螽斯、桃夭、兔置、漢廣、汝墳、麟之趾、鵲巢、采蘋、甘棠、行露、羔羊、殷其靁、摽有梅）〉。

◎ 12月，先生於《皇冠》第20卷4期頁87發表〈一首詩〉（新詩）。

◎ 12月，先生於《皇冠》第118期發表〈眼〉（新詩）。

◎ 12月15日，先生於《慧炬》第20期頁10-11發表〈《憨山大師年譜》讀後〉。

◎ 先生於《野風》發表〈林間〉（新詩）。

民國53年，西元1964年，歲次甲辰，28歲。

◎ 1月10日，先生於《達德學刊》第2期頁3發表〈孔孟學說之時代性〉。

◎ 1月，先生於《大學詩刊》第12期發表五言古詩〈在校三年肄業書懷〉。

◎ 3月，先生於《中文季刊》第3期頁26-29發表〈孔孟學說與時代需要〉。

民國54年，西元1965年，歲次乙巳，29歲。

◎ 3月，先生於《東吳》第7卷3期頁18-20發表〈論乾坤之德性〉。

◎ 6月，先生自東吳大學中國文學系畢業。

◎ 考取臺灣省立師範大學（今國立臺灣師範大學）國文研究所碩士班及中國文化研究所（今中國文化大學）文學門碩士班。

◎ 7月，先生入伍服預備軍官役。

民國55年，西元1966年，歲次丙午，30歲。

◎ 7月，先生退伍。

◎ 8月，先生進入臺灣省立師範大學國文研究所攻讀碩士學位。

◎ 8月，應聘到省立臺北第一女子中學夜間部專任教師，講授國文。

民國56年，西元1967年，歲次丁未，31歲。

◎先生進入國立中央圖書館（今「國家圖書館」前身）特藏組工作。

民國57年，西元1968年，歲次戊申，32歲。

◎ 6月16日，與趙愛蕙女士結婚。

◎ 7月，先生自國立臺灣師範大學國文研究所畢業，由屈萬里先生指導，以《晁公武及其郡齋讀書志》論文獲碩士學位。

◎ 8月，先生升任國立中央圖書館特藏組薦任編輯。

◎ 10月，先生於《國立中央圖書館館刊》新 2 卷 2 期發表〈晁公武之生平〉（頁 59-66）、〈「晞髮集」（善本書志）〉（頁 77-80）。

◎ 11月10日，先生於《中央日報》「副刊」發表〈記《萬曆邸鈔》〉。

民國 58 年，西元 1969 年，歲次己酉，33 歲。

◎ 1月，先生於《國立中央圖書館館刊》新 2 卷 3 期發表〈「書經講義彙編」（善本書志）〉（頁 88-91）、〈「所南翁集」（善本書志）〉（頁 93-96）。

◎ 3月10日，長女劉宇凡誕生。

◎ 4月，先生於《國立中央圖書館館刊》新 2 卷 4 期發表〈「逸周書分編句釋」（善本書志）〉（頁 68-70）、〈「使琉球錄」（善本書志）〉（頁 70-71）、〈「唐餘紀傳」（善本書志）〉（頁 71-74）、〈「純常子枝語」（善本書志）〉（頁 74-76）。

◎ 6月，先生碩士論文《晁公武及其郡齋讀書志》由臺北市嘉新水泥公司文化基金會獎助出版（共 189 頁）。

◎ 6月，先生碩士論文《晁公武及其郡齋讀書志》收入《國立臺灣師範大學國文研究所集刊》第 13 期頁 463-574。

◎ 6月，先生於《書目季刊》第 3 卷 4 期頁 25-32 發表〈心史的著者問題〉。

◎ 7月，應聘為東吳大學中國文學系兼任講師。

◎ 12月，先生於《書目季刊》第 4 卷 2 期頁 61-73 發表〈明代史籍彙刊敘錄〉共 11 篇：〈「明紀史闕」敘錄〉、〈「建文皇帝事蹟備遺錄」敘錄〉、〈「革朝遺忠錄」敘錄〉、〈「謇齋瑣綴錄」敘錄〉、〈「皇明嘉隆兩朝見聞紀」敘錄〉、〈「兩朝平攘錄」敘錄〉、〈「使琉球錄」敘錄〉

（〔明〕蕭崇業、謝杰撰）、〈「使琉球錄」敘錄〉（〔明〕夏子陽、王士楨撰）、〈「攻渝諸將小傳」敘錄〉、〈「皇明名臣墓銘」敘錄〉、〈「明代登科錄彙編」敘錄〉。

◎ 12 月，先生於《書目季刊》第 4 卷 2 期頁 93 發表〈吳下塚墓遺文敘錄〉。

民國 59 年，西元 1970 年，歲次庚戌，34 歲。

◎ 1 月，先生於《國立中央圖書館館刊》新 3 卷 1 期發表〈「明詩人小傳稿」十四卷（善本書志）〉（頁 53-56）、〈「群書疑辨」十二卷（善本書志）〉（頁 57-60）。

◎ 4 月，先生於《國立中央圖書館館刊》新 3 卷 2 期發表〈「養蒙先生文集」（元人珍本文集敘錄）〉（頁 57-58）、〈「閒居叢稿」（元人珍本文集敘錄）〉（頁 59-60）、〈「韓山人詩集」（善本書志）〉（頁 60-61）。

◎ 8 月，先生進入國立臺灣師範大學國文研究所博士班就讀。

◎ 10 月，先生於《國立中央圖書館館刊》新 3 卷 3、4 期合刊頁 68-71 發表〈「僑吳集」敘錄〉、〈「滋溪文稿」（三十卷、〔元〕蘇天爵撰）敘錄〉（元人珍本文集敘錄）。

◎ 12 月，先生於《書目季刊》第 5 卷 2 期頁 89-104 發表〈「明代史籍彙刊」第二輯敘錄〉，共 13 篇：〈「大明律集解附例」敘錄〉、〈「大明一統文武諸司衙門官制」敘錄〉、〈「內閣行實」敘錄〉、〈「明功臣襲封底簿」敘錄〉、〈「皇明永陵編年信史」敘錄〉、〈「明史列傳」敘錄〉、〈「皇朝中州人物志」敘錄〉、〈「殷頑錄」敘錄〉、〈「嵒辭」敘錄〉、〈「通糧廳志」敘錄〉、〈「通漕類編」敘錄〉、〈「蒼梧總督軍門志」敘錄〉、〈「徽州府賦役全書」敘錄〉。

民國 60 年，西元 1971 年，歲次辛亥，35 歲。

◎ 3 月，先生於《國立中央圖書館館刊》新 4 卷 1 期頁 37-38 發表〈「祝氏詩文集」（善本書志）〉。

◎ 3月15日，長子劉宇衡誕生。

◎ 6月，先生於《國立中央圖書館館刊》新4卷2期頁47-48發表〈「鐫出像楊家府世代忠勇演義志傳」（善本書志）〉（頁47-48）、〈「東西晉演義」（善本書志）〉（頁48-50）、〈「芻蕘集」（善本書志）〉（頁51）。

◎ 9月，先生於《書目季刊》6卷1期頁33-55發表〈「雜著秘笈叢刊」敘錄〉，共17篇：〈「野客叢書附野老紀聞」敘錄〉、〈「古今考續古今考」敘錄〉、〈「升庵外集」敘錄〉、〈「正楊」敘錄〉、〈「剡溪漫筆」敘錄〉、〈「思問初編」敘錄〉、〈「麗事館余氏辨林」敘錄〉、〈「名義號」敘錄〉、〈「徐氏筆精」敘錄〉、〈「槎庵小乘」敘錄〉、〈「授書隨筆」敘錄〉、〈「藝林彙考稱號編」敘錄〉、〈「海外全書」敘錄〉、〈「松崖筆記」敘錄〉、〈「九曜齋筆記」敘錄〉、〈「彊識篇」敘錄〉、〈「管窺」敘錄〉。

◎ 10月，先生發表〈「全相武王伐紂平話」敘錄〉，收錄於國立中央圖書館出版《全相武王伐紂平話》卷首（頁1-6）。

◎ 10月，先生發表〈「全相平話樂毅圖齊七國春秋後集」敘錄〉，收錄於國立中央圖書館出版《全相平話樂毅圖齊七國春秋後集》卷首。

◎ 10月，先生發表〈「楊家府世代忠勇演義志傳」敘錄〉，收錄於國立中央圖書館出版《楊家府世代忠貞演義志傳》卷首。

◎ 12月，先生於《國立中央圖書館館刊》新4卷4期發表〈「小爾雅義證」（善本書志）〉（頁40-42）、〈「稽瑞樓祕冊」（善本書志）〉（頁42-45）。

民國61年，西元1972年，歲次壬子，36歲。

◎ 4月1日，先生於《書和人》第183期頁8發表〈「滋溪文稿」敘錄〉。

民國62年，西元1973年，歲次癸丑，37歲。

◎ 2月，由屈萬里（翼鵬）先生指導，以《宋史藝文志史部佚籍考》一文，通過國立臺灣師範大學國文研究所博士學位口試，成為教育部博士候選

人。

◎ 3 月，先生於《國立中央圖書館館刊》新 6 卷 1 期頁 69-70 發表〈「南山黃先生家傳集」（善本書志）〉、〈「昭甫集」（善本書志）〉（頁 70-71）。

◎ 9 月 25 日，先生通過教育部博士學位評定口試，獲頒國家文學博士學位。

◎ 9 月，先生於《國立中央圖書館館刊》新 6 卷 2 期發表〈「國朝典故」（善本書志）〉（頁 93-96）、〈「嚴文靖公集」（善本書志）〉（頁 96-97）、〈「馬文莊公文集選」（善本書志）〉（頁 97-98）。

◎ 11 月，先生升任國立中央圖書館特藏組簡任編纂。

◎ 12 月，先生於《中原文獻》第 5 卷 12 期發表〈「明代中州人物志」敘錄〉。

◎ 12 月，先生於《國立中央圖書館館刊》新 6 卷 3、4 期合刊期發表〈宋史藝文志史部編年類佚籍考之一〉。

民國 63 年，西元 1974 年，歲次甲寅，38 歲。

◎ 先生應東吳大學端木愷校長之延攬，兼任中國文學系副主任，並規畫籌設中國文學研究所碩士班。

◎ 3 月，先生於《國立中央圖書館館刊》第 7 卷 1 期發表〈宋史藝文志史部編年類佚籍考之二〉。

◎ 4 月，先生於《中華文化復興月刊》第 7 卷 4 期頁 63-64 發表〈「宋史藝文志史部佚籍考」自序及凡例〉。

◎ 5 月，先生為程發軔先生主編，正中書局出版之《六十年來之國學》第三冊撰寫〈六十年來漢書之研究〉（頁 47-48）。

◎ 6 月，先生於《書目季刊》第 8 卷 1 期發表〈評介「中文報紙文史哲論文索引」（張錦郎編著）〉。

◎ 9 月，先生於《國立中央圖書館館刊》第 7 卷 2 期發表〈宋史藝文志史部編年類佚籍考之三〉。

◎ 10 月，所撰《宋史藝文志史部佚籍考》，獲行政院國家科學委員會（以下簡稱國科會）63 年度獎助。

◎ 12 月 23 日，先生於《中央日報》第 10 版發表〈評介「中國近六十年來圖書館事業大事記」（張錦郎著）〉。

民國 64 年，西元 1975 年，歲次乙卯，39 歲。

◎ 先生規畫成立東吳大學中國文學研究所博士班，奉准招生。先生應聘為中國文學系主任。

◎ 1 月 16 日，先生於《中央日報》第 10 版發表〈藏書的樂趣〉。

◎ 2 月 28 日，先生於《中央日報》第 12 版〈副刊〉發表〈流落海外的我國古籍〉。

◎ 3 月 15 日，先生於《書和人》第 257 期頁 1-8 發表〈徐繼畬及其《瀛寰志略》〉。

◎ 4 月，先生於《幼獅月刊》第 41 卷 4 期頁 22-27 發表〈臺灣所藏珍貴文史資料舉要——為臺灣成為世界漢學研究中心作證〉。

◎ 9 月，先生於《東吳學報》第 4、5 期合刊頁 7-23 發表〈宋史藝文志匡謬舉隅〉（獲國科會 64 年度獎助）。

◎ 12 月，先生於《國立中央圖書館館刊》第 8 卷 2 期發表〈宋史藝文志史部編年類佚籍考 -續完-〉。

◎ 12 月 15 日，先生於《中央日報》第 10 版發表〈臺灣珍藏的古籍稿本及其價值——兼談《明清未刊稿彙編》的出版〉。

民國 65 年，西元 1976 年，歲次丙辰，40 歲。

◎ 3 月，先生於《東吳文史學報》第 1 期頁 82-101 發表〈明刊本陸汴編「廣十二家唐詩」考辨〉（本文獲國科會 65 年度獎助，亦收錄於該年《國科會論文摘要》，頁 436）。

◎ 6 月，先生於《國立中央圖書館館刊》新 9 卷 1 期發表〈四庫全書總目

提要元人別集提要補正 -上篇-〉。

◎ 7 月，先生與屈萬里先生共同主編《明清未刊稿彙編初輯》，由臺北市
聯經出版事業公司出版，全套共 106 冊。

◎ 10 月，先生於《幼獅學誌》第 13 卷 1 期頁 22-29 發表〈中國文化研究
中心亟應做的幾項基本工作〉。

◎ 12 月，先生於《國立中央圖書館館刊》新 9 卷 2 期發表〈四庫全書總目
提要元人別集提要補正 -下篇-〉（上下篇共 36 頁）。

◎ 是年，先生以《四庫全書總目提要元人別集提要補正》，升等為教授。

民國 66 年，西元 1977 年，歲次丁巳，41 歲。

◎ 3 月，先生於《幼獅學誌》第 14 卷 1 期頁 9-40 發表〈「明清未刊稿彙
編初輯」敘錄〉，共 10 篇：〈「蕭山王氏所著書」敘錄〉、〈「孌庵遺
書」敘錄〉、〈「壽陽祁氏遺稿」敘錄〉、〈「張介侯所著書」敘錄〉、
〈「方忍齋所著書」敘錄〉、〈「通齋先生未刻手稿」敘錄〉、〈「江
都李氏所著書」敘錄〉、〈「硯山叢稿」敘錄〉、〈「冶麓山房叢書」
敘錄〉、〈「竹里全稿」敘錄〉。

◎ 5 月，先生於《自立晚報》〈副刊〉刊出鐵英（張良澤）所撰〈劉兆祐博
士的新詩〉。

◎ 8 月，先生於《幼獅月刊》第 46 卷 2 期頁 53-57 發表〈理想的中學圖書
館〉。

◎ 9 月，先生撰〈屈萬里先生七十著述年表〉，刊載於《屈萬里先生七秩
榮慶論文集》（聯經出版事業公司出版）。

◎《四庫全書總目提要元人別集提要補正》，獲國科會 66 年度獎助。

民國 67 年，西元 1978 年，歲次戊午，42 歲。

◎ 2 月，先生於《幼獅月刊》第 47 卷 2 期頁 65-72 發表〈春秋左傳釋義〉。

◎ 2 月，《四庫著錄元人別集提要補正》，由東吳大學中國學術著作獎助

委員會出版（共 284 頁）。

◎ 6 月，先生於《幼獅學誌》第 15 卷 1 期頁 101-136 發表〈御製全唐詩與錢謙益、季振宜遞輯唐詩稿本關係探微〉。

◎ 6 月，先生於《東吳文史學報》第 3 期頁 28-59 發表〈「清錢謙益、季振宜遞輯唐詩稿本」跋——兼論御定全唐詩之底本〉。

◎ 6 月，先生於《國立中央圖書館館刊》新 11 卷 1 期發表〈宋代史籍考之一——宋代正史類史籍考 -上篇〉（獲國科會 67 年度獎助）。

◎ 8 月，先生於《幼獅月刊》第 48 卷 2 期頁 17-23 發表〈上窮碧落下黃泉、動手動腳找資料——談閱讀古籍與實物習俗的關係〉。

◎ 9 月，先生撰寫〈屈萬里先生七十著述年表〉，收錄於聯經出版事業公司出版之《屈萬里先生七十榮慶論文集》頁 629-650。

◎ 10 月 7 日，先生於《書和人》第 348 期頁 1-8 發表〈「四庫全書元人別集提要補正」自序〉，（本文亦收錄於民國 68 年《國科會論文摘要》，頁 408）。

◎ 12 月，先生於《幼獅月刊》第 48 卷 6 期頁 60-71 發表〈屈翼鵬（萬里）先生七十著述年表〉。

◎ 12 月，先生於《國立中央圖書館館刊》新 11 卷 2 期發表〈宋代史籍考之一——宋代正史類史籍考 -下篇〉（獲國科會 67 年度獎助，上下篇共 34 頁）。

民國 68 年，西元 1979 年，歲次己未，43 歲。

◎ 1 月，先生於《幼獅文藝》第 49 卷 1 期頁 88-97 發表〈「全唐詩」底本的發現〉。

◎ 2 月 16 日，先生恩師屈翼鵬（萬里）院士，以肺癌病逝臺灣大學附設醫院，享年七十三。

◎ 2 月 28 日，先生為《聯合報》12 版撰寫〈不平凡的「書傭」〉。

◎ 3 月，先生於《出版與研究》第 42 期頁 15-17 發表〈屈翼鵬先生對中國圖書館事業的貢獻〉。

◎ 4 月 7 日，先生於《書和人》第 361 期頁 6-8 發表〈屈翼鵬先生與國立中央圖書館〉。

◎ 5 月 4 日，先生為《民眾日報》第 12 版撰寫〈推動文學創作欣賞水準的兩隻手〉。

◎ 5 月 5 日，先生為《聯合報》第 12 版撰寫〈新文學的再出發「無比的信心，深切的期待」〉。

◎ 5 月 16 日，先生為《民眾日報》第 12 版撰寫〈我的近況——從小學教到大學，從新詩寫到古典〉。

◎ 5 月 26 日，聯經出版事業公司代印《中央研究院院士屈翼鵬先生哀思錄》，收錄先生所撰〈屈翼鵬先生與國立中央圖書館〉、〈屈翼鵬先生對中國圖書館事業的貢獻〉、〈屈萬里先生著述年表〉等三篇。

◎ 6 月，先生於《人與社會》第 7 卷 2 期頁 4-6 發表〈現階段的文化建設工作〉。

◎ 6 月，先生於《國立中央圖書館館刊》新 12 卷 1 期發表〈宋代傳記類（聖賢、總錄、題名之屬）史籍考——宋代史籍考之二 -上篇〉（獲國科會 68 年度獎助，上下篇共 37 頁）。

◎ 7 月，先生與屈萬里先生共同主編《明清未刊稿彙編二輯》，由臺北市聯經出版事業公司出版，全套共 71 冊。

◎ 8 月，先生為《文化講座專集》第 152 期撰寫〈中華文化表現於交友之道〉（頁 1-12）。

◎ 9 月 16 日，先生於《民眾日報》第 12 版發表〈鄉土文學，文學鄉土〉。

◎ 先生於本年 11 月 3 日起，在《民眾日報》以筆名清波齋主發表「學林雜帖」系列專文，至 69 年 6 月 10 日止，共發表二十七篇。詳細篇目如下：
⑴ 11 月 3 日，〈作家不死〉（學林雜帖之一）。
⑵ 11 月 10 日，〈文物下鄉〉（學林雜帖之二）。

⑶ 11 月 17 日，〈馬水龍教授的寂寞〉（學林雜帖之三）。

⑷ 11 月 24 日，〈繳稅的小白鼠〉（學林雜帖之四）。

⑸ 12 月 1 日，〈哀文獻會〉（學林雜帖之五）。

⑹ 12 月 8 日，〈學術界沒有機密〉（學林雜帖之六）。

⑺ 12 月 15 日，〈誰該「走路」？〉（學林雜帖之七）。

⑻ 12 月 23 日，〈「中大」勿譜急就章〉（學林雜帖之八）。

⑼ 12 月 29 日，〈給行政首長講一個故事〉（學林雜帖之九）。

⑽ 69 年 1 月 7 日，〈為私校教師說幾句話〉（學林雜帖之十）。

⑾ 69 年 1 月 12 日，〈提高青年活動的境界層面〉（學林雜帖之十一）。

⑿ 69 年 1 月 19 日，〈楊逵精神〉（學林雜帖之十二）。

⒀ 69 年 1 月 26 日，〈莫讓科學幼苗夭折〉（學林雜帖之十三）。

⒁ 69 年 2 月 2 日，〈專家領導文化建設〉（學林雜帖之十四）。

⒂ 69 年 2 月 9 日，〈學人從政〉（學林雜帖之十五）。

⒃ 69 年 2 月 22 日，〈教育當局「欺小怕大」〉（學林雜帖之十六）。

⒄ 69 年 2 月 28 日，〈「老」的界說〉（學林雜帖之十七）。

⒅ 69 年 3 月 10 日，〈談「不稱職校長調任教師」〉（學林雜帖之十八）。

⒆ 69 年 3 月 21 日，〈與朱部長談種樹〉（學林雜帖之十九）。

⒇ 69 年 4 月 6 日，〈「院士」走出象牙塔〉（學林雜帖之二十）。

(21) 69 年 4 月 21 日，〈觀光欺騙〉（學林雜帖之二十一）。

(22) 69 年 4 月 28 日，〈遠來的和尚會念經〉（學林雜帖之二十二）。

(23) 69 年 5 月 12 日，〈科學獎助像雞肋〉（學林雜帖之二十三）。

(24) 69 年 5 月 22 日，〈何日再見滑稽〉（學林雜帖之二十四）。

(25) 69 年 5 月 29 日，〈武俠風暴〉（學林雜帖之二十五）。

(26) 69 年 6 月 5 日，〈學術退出大學〉（學林雜帖之二十六）。

(27) 69 年 6 月 10 日，〈為魏火曜喝采〉（學林雜帖之二十七）。

◎ 12 月，先生於《中國圖書館學會會報》第 31 期發表〈屈翼鵬（萬里）先生對中國圖書館事業的貢獻〉。

◎ 12 月，先生於《國立中央圖書館館刊》新 12 卷 2 期發表〈宋代傳記類（聖賢、總錄、題名之屬）史籍考──宋代史籍考之二 -下篇〉（獲國科會 68 年度獎助，上下篇共 37 頁）。

◎ 12 月，先生於《訓育研究》第 18 卷 3 期頁 17-19 發表〈中華文化表現於交友之道〉。

民國 69 年，西元 1980 年，歲次庚申，44 歲。

◎ 先生於東吳大學創設「雙溪現代文學獎」。第一屆「雙溪現代文學獎」自四月一日起開始徵稿，分小說、散文、現代詩三組，聘請鍾肇政、鄭清文、方瑀、韓道誠（寒爵）、余光中、王慶麟（瘂弦）等為評審委員，先生擔任召集人，主持評審工作。得獎者有王志誠（路寒袖）、鹿憶鹿、盧思岳等。詳細情形，載 70 年 1 月 10 日出版之《雙溪文穗》新第 9 期。

◎ 4 月，先生於《東方雜誌》第 13 卷 10 期發表〈敬覆阮廷焯君撰「宋史藝文志史部佚籍考糾謬」〉。

◎ 4 月 16 日，先生於《大同半月刊》第 62 卷 8 期頁 2 發表〈書趣〉。

◎ 5 月，先生接受《東吳大學中文系 69 級畢業紀念班刊》編輯群之訪問，經整理為〈訪劉主任談本系學生應有的責任與認識〉（頁 6-10）。

◎ 8 月 19 日，先生於《聯合報》第 12 版發表〈從藏書樓到圖書館〉。

◎ 12 月，先生於先生於《國立中央圖書館館刊》新 13 卷 2 期頁 78-96 發表〈宋代傳記類年譜之屬史籍考──宋代史籍考之三〉。（獲國科會 69 年度獎助）。

◎ 12 月，先生於《國立編譯館館刊》第 9 卷 2 期頁 23-56 發表〈宋代傳記類名人之屬史籍考──宋代史籍考之三（部份）〉（國科會獎助）。

◎ 12 月，《書目季刊》13 卷 3 期發表〈中華民國文史界學人著作目錄──

劉兆祐〉（劉德漢撰）。

民國 70 年，西元 1981 年，歲次辛酉，45 歲。

◎ 先生擔任《中國文化研究論文目錄》第一冊「國父與先總統蔣公研究·
文化與學術·哲學·經學·圖書目錄學」、第二冊「語言文字·文學類」、
第三冊「歷史類」及第五冊「傳記類」之校訂工作。

◎ 2 月 9 日，先生於《民眾日報》第 12 版發表〈教與學相長〉。

◎ 5 月 16 日，先生擔任東吳大學第二屆「雙溪文學獎」召集人，邀請韓道
誠（寒爵）、張健、王慶麟（瘂弦）、方瑀等為評審委員。得獎者有王志誠
（路寒袖）、鹿憶鹿、王瓊玲、盧思岳、姚儀敏等人。詳細情形，見 70
年 11 月 26 日出刊之《雙溪文穗》特刊。

◎ 先生為行政院主編之《中國之文化復興論文集》撰寫〈國際漢學會議與
國際漢學中心〉（頁 48-57）。

◎ 6 月，先生於《國立中央圖書館館刊》新 14 卷 1 期發表〈宋代傳記類雜
錄之屬史籍考──宋代史籍考之四 -上篇〉（獲國科會 70 年度獎助，上下篇共
26 頁）。

◎ 6 月，先生於《幼獅文藝》第 53 卷 6 期（總 330 期，頁 171-175）發表〈常
保數百卷書，千載不為小人〉。

◎ 8 月 3 日、4 日，分別在花蓮、臺東縣政府動員月會發表演講〈中國語文
和文化〉，講稿收錄在教育部出版之《文化講座彙編》第十六冊。

◎ 10 月，先生參加中央研究院主辦之「國際漢學會議」發表〈清康熙御製
全唐詩底本及其相關問題之探討〉，收在由中央研究院出版之《中央研
究院國際漢學會議論文集》頁 363-401。

◎ 10 月，先生於《世界客屬雜誌》第 1 卷 3 期頁 28-29 發表〈評介一本客
家方志《頭份鎮志》（陳運棟撰）〉。

◎ 10 月，先生撰〈國際漢學會議與國際漢學〉一文，刊載於中國文化大學

出版之《中國之文化復興》一書。

◎ 12 月，先生於《國立中央圖書館館刊》新 14 卷 2 期發表〈宋代傳記類雜錄之屬史籍考——宋代史籍考之四 -下篇〉（獲國科會 70 年度獎助，上下篇共 26 頁）。

民國 71 年，西元 1982 年，歲次壬戌，46 歲。

◎ 1 月，先生於《幼獅文藝》第 337 期頁 6-7 發表〈讓文學的古樹，再開花結果（新年新希望）〉。

◎ 3 月 7 日，先生於《自立晚報》第 4 版發表〈成立國會圖書館芻議〉。

◎ 4 月，先生於《東吳文史學報》第 4 期頁 15-30 發表〈心史作者考辨〉。

◎ 4 月 18 日，先生於《中央日報·晨鐘》第 10 版發表〈舊書香與新文化〉。

◎ 4 月 20 日，先生於《聯合報》第 12 版發表〈關於「屈萬里先生文存」〉。

◎ 5 月 16 日，先生擔任東吳大學第三屆「雙溪文學獎」召集人。邀請鍾肇政、鄭清文、韓道誠（寒爵）、潘希珍（琦君）、方瑀、尹雪曼、吳宏一、王慶麟（瘂弦）等人為評審委員。得獎者有彭樹君、張曼娟等人。詳細情形，見 71 年 11 月 26 日出刊之《雙溪文穗》特刊。

◎ 5 月，先生為臺灣學生書局出版之《中文參考資料》撰寫〈《中文參考資料》序〉。

◎ 6 月，先生兼任臺灣學生書局總編輯，並主編《書目季刊》。

◎ 6 月，先生為聯合報社出版之《聯副三十年總目》撰寫〈「聯副三十年總目」序——三十年聯副作家智慧的總結〉。

◎ 6 月，先生為聯合報社出版之《聯副三十年總目》撰寫〈「聯副三十年總目」序——三十年聯副作家智慧的總結〉。

◎ 6 月 6 日，先生於《聯合報》第 12 版發表〈《雙溪集》楔子〉。

◎ 6 月 29 日，先生於《中央日報》12 版發表〈三十年來學術界的智慧結晶——「中國文化研究論文目錄」（上、下）〉。

◎ 9 月 20 日，先生為《聯合報》第 8 版撰寫〈三十年聯副作家智慧的總結
——我讀「總目卷」〉。

◎ 12 月，先生於《國立編譯館館刊》第 14 卷 2 期頁 1-42 發表〈宋代故事
類史籍考上編——宋代史籍考之五〉（獲國科會 71 年度獎助）。

◎ 12 月，先生為巨流圖書公司《中國文學講話》（第一冊）撰寫「集部概說」
（頁 357-369）。

◎ 12 月 15 日，先生於《自立晚報》第 10 版發表〈播下文學的種籽〉。

民國 72 年，西元 1983 年，歲次癸亥，47 歲。

◎ 1 月，先生於《幼獅月刊》第 361 期頁 50-54 發表〈琳琅萬卷，中樞玄
覽——從國立中央圖書館的善本書，淺談有關善本書的基本知識〉。

◎ 2 月，先生於《幼獅月刊》第 362 期頁 45-49 發表〈古老的傳記文學：
太史公書——史記解題及其讀法〉。

◎ 4 月，先生於《國立中央圖書館館刊》新 16 卷 1 期頁 37-41 發表〈屈翼
鵬先生與國立中央圖書館〉。

◎ 4 月，先生於文經社出版之《800 字小語》頁 28-29 發表〈書趣〉。

◎ 5 月 17-18 日先生於《聯合報》第 12 版發表〈鈐章纍纍溢書香——藏書
家印記談趣(上、下)〉。

◎ 7 月，先生為《臺灣文藝》第 83 期頁 66-67「談鬼」專題撰寫〈代鬼鳴
冤〉。

◎ 7 月，先生於《漢學研究通訊》第 2 卷 3 期頁 146-151 發表〈民國以來
之四庫學〉。

◎ 8 月，先生由東吳大學推薦，獲「中華民國中山學術文化基金董事會」
聘為「中山講座」。

◎ 10 月，先生於《幼獅學誌》第 17 卷 4 期頁 37-55 發表〈兩千年來詩經
研究之回顧〉。

◎ 10 月，先生於《新書月刊》第 1 期頁 4 發表〈買書的錢，應該列為所得稅扣除額〉。頁 27-29 發表〈古籍塊寶化作萬千書種：談「四庫全書」的印行〉。

◎ 10 月，先生於《幼獅月刊》第 58 卷 4 期頁 38-41 發表〈建立一個高尚的書香社會：對「文化中心圖書館」的期待〉。

◎ 10 月 6 日，先生於《中央日報》第 10 版發表〈「詩經欣賞與研究四集」裴溥言跋〉。

◎ 11 月 12 日，先生接受東吳大學中文系學生之訪問，訪問稿〈一席縱橫談——訪系主任記〉，刊載於《雙溪文穗》第 16 期。

◎ 11 月，先生參與《大學雜誌》第 32 卷 4 期「專家談『邁向書香社會——文化建設的新出發』」（頁 21-22）。

◎ 11 月，先生於《華文世界》第 31 期頁 1-7 發表〈語文教育在當前國家建設中所擔負的任務〉。

◎ 11 月，先生於《新書月刊》第 2 期頁 10-11 發表〈一家一齋運動〉。

◎ 11 月，先生於《國教月刊》第 30 卷 11 期頁 5-14 發表〈閱讀與寫作〉。

◎ 11 月 30 日，先生於《中央日報》第 10 版發表〈資料常新的工具書指南——《中文參考用書指南》三版序〉。

◎ 11 月 30 日，先生接受《大學雜誌》之訪談，題目為〈邁向書香社會——文化建設的新出發〉，訪談內容發表於《大學雜誌》第 171 期。

◎ 12 月，《幼獅月刊》第 58 卷 6 期（總 327 期）頁 8-11 刊載郭慧敏所撰〈當代學人〉——〈從現代到古典：訪劉兆祐教授談「教」與「學」的心路歷程〉。

◎ 12 月，先生於《國立中央圖書館館刊》新 16 卷 2 期發表〈宋代史籍考之六：宋代故事類史籍考 -中編-〉（頁 38-65）（獲國科會 72 年度獎助）。

◎ 12 月，先生於《新書月刊》第 3 期頁 9 發表〈評鑑出版社〉。

民國 73 年，西元 1984 年，歲次甲子，48 歲。

◎ 1 日，先生於《幼獅月刊》第 59 卷 1 期（總 373 期）頁 14-18 發表〈建立書香社會面面觀〉。

◎ 1 月，先生於《新書月刊》第 4 期發表〈懷念一生獻身學術著作如林的「書傭」：屈萬里院士其人其書〉。

◎ 3 月 17 日，先生應《民生報》之邀，參加「國內文學博士教育現況檢視與展望」座談，其記錄刊載於 3 月 22 日《民生報》。

◎ 3 月，先生於《書目季刊》第 17 卷 4 期頁 32-34 發表〈資料常新的工具指引書：張錦郎著「中文參考用書指引」三版序〉。

◎ 4 月 25 日，先生於《中央日報·晨鐘》第 10 版發表〈學術研究往下紮根——「怎樣應用中文工具書」（陳正治著）序〉。

◎ 4 月，先生博士論文《宋史藝文志史部佚籍考》，由國立編譯館叢書委員會收入《中華叢書》出版（共 1198 頁）。

◎ 6 月，先生所著《中國的古文字》，由行政院文化建設委員會出版（共 63 頁）。

◎ 6 月，先生於《書目季刊》第 18 卷 1 期頁 71-72 發表〈「中文參考資料」（鄭恆雄著）序〉。

◎ 7 月，先生於聯合報社出版之《大書坊》發表〈鈐章纍纍溢書香——藏書家印記談趣〉（頁 43-47）。

◎ 7 月 4 日，先生於《聯合報》第 8 版發表〈千年〉（新詩）。

◎ 7 月 4 日，先生應邀參加漢學中心舉辦之「方志學專題座談會」，發言紀錄刊載於《漢學研究通訊》第 3 卷 4 期。

◎ 9 月，先生為巨流圖書公司《中國文學講話》（第四冊）撰寫〈漢書藝文志的讀法〉（頁 235-246）、〈漢書選讀——霍光傳〉（頁 247-270）。

◎ 9 月，先生於《中國歷史學會會訊》第 14 期頁 7-9 發表〈屈萬里先生（當

代史學家簡介）〉。

◎ 10 月，《漢學研究通訊》第 3 卷 4 期頁 205-210 發表〈「方志學專題座談會」紀錄〉，其中紀錄先生於編纂方志之主張。

◎ 11 月，先生於《幼獅月刊》第 60 卷 5 期頁 26-29 發表〈公孫龍子及其文學〉。

◎ 12 月，先生於《漢學研究》第 2 卷 2 期發表〈宋代職官類史籍考——宋代史籍考之七 -上篇-〉。（獲國科會 73 年度獎助，上下篇共 24 頁）。

民國 74 年，西元 1985 年，歲次乙丑，49 歲。

◎ 2 月，先生為《文訊》第 16 期撰寫〈對「漢學中心」的希望〉（頁 8-14）。

◎ 2 月，先生為《文訊》第 16 期撰寫〈中文系新文藝教育的檢討〉（頁 58-59）。

◎ 2 月，先生與林慶彰先生合編之《屈萬里先生文存》由臺北聯經出版事業公司出版。

◎ 3 月，先生於《書目季刊》第 18 卷 4 期發表〈屈萬里先生著述年表〉。

◎ 3 月，先生於《教育資料與圖書館學》第 22 卷 3 期頁 250-255 發表〈學術研究與工具書〉。

◎ 4 月，先生於《囊螢》第 4 期頁 6 發表〈感懷數則〉。

◎ 4 月，先生於《文訊》第 23 期頁 44-46 發表〈從文獻的觀點看「文學選集」〉。

◎ 5 月，先生所撰〈屈萬里先生著述年表〉，收錄於《屈萬里院士紀念論文集》（頁 217-243），由臺北聯經出版事業公司出版。

◎ 5 月 27 日，馮平於《商工日報》發表〈學人消息——劉兆祐編書忙碌〉。

◎ 6 月，先生於《國立中央圖書館館刊》新 18 卷 1 期頁 18-50 發表〈宋代史籍考之八：宋代史鈔類史籍考〉。（獲國科會 74 年度獎助）。

◎ 6 月，先生於《漢學研究》第 3 卷 1 期發表〈宋代職官類史籍考——宋代史籍考之七 -下篇-〉（獲國科會 73 年度獎助，上下篇共 24 頁）。

◎ 6 月，先生為《國文天地》第 1 卷 1 期撰寫〈為甚麼讀古書要當心錯字？〉（頁 46-49）。

◎ 6 月，先生為巨流圖書公司《中國文學講話》（第五冊）撰寫〈志人小說與笑話書〉（頁 503-535）。

◎ 8 月，先生為《國文天地》第 1 卷 3 期撰寫〈我的國文老師——黃念容先生〉（頁 26-29）。

◎ 8 月，先生於《幼獅文藝》第 380 期頁 5 發表〈難忘的背影〉（散文）。

◎ 先生於本年八月八日起，在《臺灣時報》以筆名劉豫發表「象牙塔外」系列專文。

◎ 8 月 8 日，先生於《臺灣時報》發表〈「研究費」應該免稅〉（象牙塔外之一）。

◎ 8 月 29 日，先生於《臺灣時報》發表〈大學何處有書香〉（象牙塔外之二）。

◎ 9 月 5 日，先生於《臺灣時報》發表〈徒有虛名的「博士」〉（象牙塔外之三）。

◎ 9 月 12 日，先生於《臺灣時報》發表〈行道樹·人造花·港都文化〉（象牙塔外之四）。

◎ 9 月 26 日，先生於《臺灣時報》發表〈哀《新書月刊》〉（象牙塔外之五）。

◎ 10 月 9 日，先生於《臺灣時報》發表〈「官話」與「真話」〉（象牙塔外之六）。

◎ 10 月 23 日，先生於《臺灣時報》發表〈快樂而受尊敬的老人〉（象牙塔外之七）。

◎ 10 月 30 日，先生於《臺灣時報》發表〈「明星學校」何罪？〉（象牙塔外之八）。

◎ 10 月，先生於《幼獅月刊》第 62 卷 4 期頁 61-65 發表〈學術研究與工具書〉。

◎ 10 月，先生於《文訊》第 20 期發表〈饒有文學感性的傳記：「歷史人物剪影」序〉。《中國歷史人物剪影》一書由故鄉出版社於民國 74 年 9 月出版。

◎ 10 月，先生獲「孫哲生先生學術基金會」聘為「孫哲生先生講座」。

◎ 11 月 1 日，先生於《臺灣時報》發表〈紀政的眼淚〉（象牙塔外之九）。

◎ 11 月 13 日，先生於《臺灣時報》發表〈教授的「紅皮書」〉（象牙塔外之十）。

◎ 11 月 20 日，先生於《臺灣時報》發表〈「金鼎」不如「金馬」〉（象牙塔外之十一）。

◎ 12 月 4 日，先生於《臺灣時報》發表〈「中藥」與「西藥」〉（象牙塔外之十二）。

◎ 12 月 11 日，先生於《臺灣時報》發表〈提升小學教師的地位〉（象牙塔外之十三）。

◎ 12 月 18 日，先生於《臺灣時報》發表〈落實圖書館的功能〉（象牙塔外之十四）。

◎ 12 月 27 日，先生於《臺灣時報》發表〈為《胡適全集》催生〉（象牙塔外之十五）。

◎ 12 月，先生於《書目季刊》第 19 卷 3 期頁 30-33 發表〈「中國史學叢書」三編出版說明〉。

◎ 12 月，先生於《漢學研究》第 3 卷 2 期頁 845-862 發表〈中國方志中的文學資料及其運用〉。

◎ 12 月，先生為《國文天地》第 7 期頁 42-48 撰寫〈「語文法」面面觀〉。

民國 75 年，西元 1986 年，歲次丙寅，50 歲。

◎ 1 月 1 日，先生於《臺灣時報》發表〈問道於盲〉，（象牙塔外之十六）。

◎ 1 月 10 日，先生於《臺灣時報》發表〈編譯館必也名實相副乎〉（象牙

塔外之十七）。

◎ 1 月 16 日，先生於《臺灣時報》發表〈師大也該升格了〉（象牙塔外之十
八）。

◎ 1 月 29 日，先生於《臺灣時報》發表〈跟林洋港副院長爬山去〉（象牙
塔外之十九）。

◎ 1 月，先生於《幼獅月刊》第 63 卷 1 期頁 1 發表〈從另一個角度看〉。

◎ 2 月，先生為《文訊》第 12 期頁 1 撰寫〈璅說「文學」〉。

◎ 2 月 5 日，先生於《臺灣時報》發表〈慈禧·柴契爾夫人·南茜〉（象牙
塔外之二十）。

◎ 2 月 12 日，先生於《臺灣時報》發表〈走出象牙塔外〉（象牙塔外之二十
一）。

◎ 2 月 15 日，先生於《臺灣時報》發表〈「私立」與「民立」〉（象牙塔外
之二十二）。

◎ 2 月 20 日，先生於《臺灣時報》發表〈歷史博物館的方向〉（象牙塔外之
二十三）。

◎ 2 月 27 日，先生於《商工日報》發表〈璅說「文學」〉。

◎ 3 月 7 日，先生於《臺灣時報》發表〈大學教師的升等論文〉（象牙塔外
之二十四）。

◎ 3 月 15 日，先生於《臺灣時報》發表〈誰參加漢學會議〉（象牙塔外之二
十五）。

◎ 3 月，先生於《書目季刊》第 19 卷 4 期頁 3-13 發表〈「中國史學叢書
三編第一輯」提要〉，共 15 篇：〈「九省鹽務議略」提要〉、〈「汴遊
助賑叢鈔」提要〉、〈「銅政便覽」提要〉、〈「錢穀絜要」提要〉、
〈「金穀瑣言」提要〉、〈「度支津梁」提要〉、〈「明徐州蠲免房租
書冊」提要〉、〈「山西兵事輯略」提要〉、〈「閩槖底稿滇槖底稿」

提要〉、〈「潁州奏稿」提要〉、〈「退圃老人宣南奏議」提要〉、〈「哈
密事蹟附趙金鑴牘」提要〉、〈「衢州奇禍記」提要〉、〈「槎客瑣記」
提要〉、〈「直講簪豪記」提要〉。

◎ 4月3日，先生於《臺灣時報》發表〈電腦閱卷可以休矣〉（象牙塔外之二
十六）。

◎ 4月10日，先生於《臺灣時報》發表〈大學生要「識貨」〉（象牙塔外之
二十七）。

◎ 4月16日，先生於《臺灣時報》發表〈大學生評鑑教學的條件〉（象牙
塔外之二十八）。

◎ 4月30日，先生於《臺灣時報》發表〈私校教師自求多福〉（象牙塔外之
二十九）。

◎ 4月，先生為《文訊》第23期「我理想中的文學選集」專題撰寫〈從文
獻的觀點看「文學選集」〉（頁44-46）。

◎ 5月7日，先生於《臺灣時報》發表〈國科會打破「瓶頸」與「偏見」〉
（象牙塔外之三十）。

◎ 5月14日，先生於《臺灣時報》發表〈「該管」與「不該管」〉（象牙
塔外之三十一）。

◎ 5月28日，先生於《臺灣時報》發表〈學術界需要「混血」〉（象牙塔外
之三十二）。

◎ 5月31日，先生於《臺灣時報》發表〈慎選典試委員〉（象牙塔外之三十
三）。

◎ 6月13日，先生於《臺灣時報》發表〈成本最高的國樂演奏〉（象牙塔外
之三十四）。

◎ 6月20日，先生於《臺灣時報》發表〈王安石依然寂寞〉（象牙塔外之三
十五）。

◎ 6月，先生於《書目季刊》第 20 卷 1 期頁 17-30 發表〈「中國史學叢書三編第二輯」提要〉，共 11 篇：〈「皇明疏鈔」提要〉、〈「玉鏡新譚」提要〉、〈「登陴紀略」提要〉、〈「經略復國要編」提要〉、〈「頌天臚筆」提要〉、〈「讀律瑣言」提要〉、〈「兵政紀略」提要〉、〈「皇祖四大法」提要〉、〈「皇明寶訓」提要〉、〈「皇明通紀述遺」提要〉、〈「憲章外史續編」提要〉。

◎ 6月，先生為《國文天地》第 2 卷 1 期撰寫〈中國最大的一套叢書:《四庫全書》〉（頁 66-68）。

◎ 6月6日，先生於《中國時報》第 8 版發表〈「專業」與「專門」之間〉。

◎ 6月24日，先生於《聯合報》第 8 版發表〈圖書館事業再認識〉。

◎ 6月30日，先生為近代中國出版社所出版之《中華民國名人傳》撰寫〈屈萬里先生傳〉（頁 133-150）。

◎ 7月17日，先生於《臺灣時報》發表〈做「別人做不到的」〉（象牙塔外之三十六）。

◎ 7 月，先生主編《中國史學叢書三編》，由臺灣學生書局出版，全套共收書 65 種，138 冊。

◎ 7月，先生主編《超群國語字典》，由南一書局出版（共 1056 頁）。

◎ 7月，先生為《國文天地》第 2 卷 2 期頁 39-41 撰寫〈為流失海外的古籍傳書種──《古逸叢書》〉。

◎ 8月1日，先生為《幼獅月刊》第 64 卷 2 期（總 404 期）主持「應用文與現代生活」專題座談（頁 12-29）。

◎ 8月1日，先生於《中國語文》第 59 卷 2 期轉載〈「專業」與「專門」之間〉，討論師專改制的問題（頁 4-7）。

◎ 8月1日，先生為《國文天地》第 2 卷 4 期撰寫〈實用與善本並重的「四部叢刊」〉（頁 55-57）。

◎ 8月16日，先生於《中國時報》第8版發表〈隨意開卷有隨緣益〉。

◎ 8月16日，先生於《臺灣時報》發表〈知識份子的墮落〉（象牙塔外之三十七）。

◎ 9月，先生為《國文天地》第2卷4期撰寫〈聚珍倣宋版「四部備要」〉（頁28-31）。

◎ 9月，先生為《國立中央圖書館遷館紀念特刊》撰寫〈止於至善，支援研究〉（頁44）。

◎ 9月，先生於《文史哲雜誌》第3卷1、2期合刊頁23-24發表〈圖書館事業再認識——國立中央圖書館向新里程邁進〉，以慶賀國立中央圖書館新館啟用。

◎ 9月3日，先生於《臺灣時報》發表〈行政掛帥的大學教育〉（象牙塔外之三十八）。

◎ 9月28日，先生於《中國時報》第8版發表〈現代文化的火車頭——國家圖書館的任務〉。

◎ 10月，先生為《國文天地》第2卷5期撰寫〈彙集善本的「百衲本二十四史」〉（頁62-65）、〈我編工具書〉（頁40-42）。

◎ 11月14日，先生於《民生報》第3版發表〈圖書的「售後服務」〉。

◎ 11月26日，先生於《臺灣時報》發表〈什麼樣的教授，領什麼樣的薪水〉（象牙塔外之三十九）。

◎ 11月28日，先生於《民生報》第4版發表〈圖書館與觀光資源〉。

◎ 12月，先生於《國立中央圖書館館刊》新19卷2期頁81-113發表〈宋代史籍考之九——宋代儀注類史籍考——上編〉（獲國科會75年度獎助）。

◎ 12月，先生為《國文天地》第2卷7期撰寫〈吉光片羽的「玉函山房輯佚書」〉。

◎ 12月，先生為《漢學研究通訊》第5卷4期撰寫〈記第一屆中國域外漢

籍國際學術會議〉（頁 177-178）。

◎ 12 月 9 日，先生於《臺灣時報》發表〈哀「學者專家」〉（象牙塔外之四十）。

◎ 12 月 14 日，先生於《民生報》第 4 版發表〈願大家使用優雅的語文〉。

◎ 12 月 19 日，先生於《臺灣時報》發表〈大聰明與小聰明〉（象牙塔外之四十一）。

◎ 12 月 22 日，先生於《民生報》第 9 版發表〈書品與書價〉。

◎ 12 月 25 日，先生於《民生報》第 9 版發表〈天天書展〉。

民國 76 年，西元 1987 年，歲次丁卯，51 歲。

◎ 1 月，先生為《國文天地》第 2 卷 8 期撰寫〈古書的標點符號〉（頁 29-31）、〈說文解字解題及其讀法〉（頁 20）。

◎ 1 月 2 日，先生於《民生報》第 9 版發表〈買書的順序〉。

◎ 1 月 10 日，先生於《民生報》第 9 版發表〈做個出版家〉。

◎ 1 月 20 日，先生為《金石堂文化廣場月刊》第 25、26 期合刊撰寫〈以服務為宗旨的「文訊月刊」〉（頁 38-39）。

◎ 1 月 22 日，先生於《民生報》第 9 版發表〈為「工具書」設個獎〉。

◎ 1 月 26 日，先生於《自立晚報》第 12 版發表〈前瞻出版話題〉。

◎ 1 月 27 日，先生於《臺灣時報》發表〈學術之路是寂寞的〉（象牙塔外之四十二）。

◎ 2 月，先生於《國文天地》第 2 卷 9 期發表〈優雅的語文〉（頁 7）。

◎ 2 月，《國文天地》第 2 卷 9 期頁 68-71 刊出馮珍芝所撰〈早期從事文學創作的學者——遊遍宇宙的旅行者〉，論述先生之文藝創作。

◎ 2 月 1 日，先生於《臺灣時報》第 8 版發表〈希望出版為文化傳薪的書〉。

◎ 2 月 6 日，先生於《民生報》第 9 版發表〈編製合理的「版權頁」〉。

◎ 2 月 19 日，先生於《民生報》第 9 版發表〈出版品的附加價值〉。

◎ 3月，《國文天地》第2卷10期「應用文的現代化」專輯，先生參與座談，並撰〈現代應用文舉例〉（頁24-26）一文，以及〈藏書章的故事〉（頁52-55）、〈小錯誤，大問題〉（頁7-8）。

◎ 3月10日，先生於《臺灣時報》發表〈先有圖書再招生〉（象牙塔外之四十三）。

◎ 4月2日，先生於《民生報》第9版發表〈文獻要及時收藏〉。

◎ 4月11日，先生於《臺灣時報》發表〈悔不生在今日〉（象牙塔外之四十四）。

◎ 4月17日，先生於《民生報》第9版發表〈重視書目的編製和使用〉。

◎ 4月30日，先生於《民生報》第9版發表〈書店的教育功能〉。

◎ 5月12日，先生於《民生報》第9版發表〈書，要用才有意義〉。

◎ 5月15日，先生於《臺灣時報》發表〈刀口朝向自己〉（象牙塔外之四十五）。

◎ 6月，《國文天地》第3卷1期「現代中文何處去」專題，邀請先生撰文〈淺論「外來語」〉。

◎ 7月15日，先生於《民生報》第9版發表〈大家來寫回憶錄〉。

◎ 8月，先生為中華民國科際整合研究出版之《我國人文社會教育科際整合的現況與展望》撰寫〈從科際整合觀點論高職國文教材之編輯〉（頁185-198）。

◎ 9月，先生為南一書局出版的《國中國文》撰寫〈中學生如何學好國文〉（頁1-3）。

◎ 9月，先生於《聯合文學》第3卷11期（總35期）頁218-220發表〈為現代文學史建立史料基礎——評介「抗戰文學資料叢書」〉。

◎ 12月，先生赴日本參加第一屆中國域外漢籍國際學術會議所發表之論文〈中華民國國立中央圖書館藏日本所刊善本圖書〉，收入聯合報國學文

獻館出版之《第一屆中國域外漢籍國際學術會議論文集》。

◎ 12 月，先生於《國立中央圖書館館刊》新 20 卷 2 期頁 85-113 發表〈宋代史籍考之九:宋代儀注類史籍考中編〉（獲國科會 76 年度獎助）。

民國 77 年，西元 1988 年，歲次戊辰，52 歲。

◎ 先生於本年一月四日起，在《中國時報》發表「市井觀察」系列專文，至本年 11 月 20 日止，共發表 20 講。詳細篇目如下:

⑴ 1 月 4 日，〈花開花落〉（市井觀察之一）。

⑵ 1 月 8 日，〈路邊文化〉（市井觀察之二）。

⑶ 1 月 18 日，〈讓我們海釣去〉（市井觀察之三）。

⑷ 1 月 24 日，〈大家都是明星〉（市井觀察之四）。

⑸ 1 月 31 日，〈享用薑椒的藝術〉（市井觀察之五）。

⑹ 2 月 7 日，〈吳大猷的銀髮〉（市井觀察之六）。

⑺ 2 月 24 日，〈只瞄一眼〉（市井觀察之七）。

⑻ 2 月 28 日，〈以天下人為「班底」的胸襟〉（市井觀察之八）。

⑼ 3 月 12 日，〈下臺的快樂〉（市井觀察之九）。

⑽ 5 月 21 日，〈快樂的枝頭小鳥〉（市井觀察之十）。

⑾ 6 月 3 日，〈股市與人才〉（市井觀察之十一）。

⑿ 6 月 18 日，〈紅磚啊！民脂民膏〉（市井觀察之十二）。

⒀ 7 月 11 日，〈「遊戲」滿人間〉（市井觀察之十三）。

⒁ 7 月 28 日，〈烏髮何以變白〉（市井觀察之十四）。

⒂ 8 月 20 日，〈「聽話」的藝術〉（市井觀察之十五）。

⒃ 9 月 11 日，〈盆景與人才〉（市井觀察之十六）。

⒄ 9 月 21 日，〈孔子說：「你們都生病了！」〉（市井觀察之十七）。

⒅ 10 月 9 日，〈把名字留在什麼地方？〉（市井觀察之十八）。

⒆ 10 月 28 日，〈「罵經」也要有個水準〉（市井觀察之十九）。

⑳ 11 月 20 日，〈都是包裝惹的禍〉（市井觀察之二十）。

◎ 5 月，先生開始為《中國時報》撰寫〈書林談趣〉系列專文，至本年 12 月 9 日止，共發表 30 講。詳細篇目如下：

⑴ 5 月 8 日，〈斑爛娛目的套色書〉（書林談趣之一）。

⑵ 5 月 15 日，〈古籍的版權頁〉（書林談趣之二）。

⑶ 5 月 22 日，〈古代的盜版書〉（書林談趣之三）。

⑷ 5 月 29 日，〈宋版書的價錢〉（書林談趣之四）。

⑸ 6 月 5 日，〈兼具文學與美術價值的題跋〉（書林談趣之五）。

⑹ 6 月 12 日，〈有眼不知傳世寶〉（書林談趣之六）。

⑺ 6 月 19 日，〈藏書樓的命名〉（書林談趣之七）。

⑻ 6 月 26 日，〈錯把「壯月」當「牡丹」〉（書林談趣之八）。

⑼ 7 月 4 日，〈雅賊的故事〉（書林談趣之九）。

⑽ 7 月 18 日，〈都是「麻沙本」惹的風波〉（書林談趣之十）。

⑾ 7 月 25 日，〈借書大不易〉（書林談趣之十一）。

⑿ 8 月 1 日，〈曝書的快樂〉（書林談趣之十二）。

⒀ 8 月 15 日，〈以校書為樂〉（書林談趣之十三）。

⒁ 8 月 29 日，〈百宋、皕宋、千元、五十萬〉（書林談趣之十四）。

⒂ 9 月 5 日，〈「鈔書」的趣聞〉（書林談趣之十五）。

⒃ 9 月 12 日，〈古書的袖珍本〉（書林談趣之十六）。

⒄ 9 月 19 日，〈行賄與讀書同步，典籍共禮物一包——當作禮物的「書帕本」〉（書林談趣之十七）。

⒅ 9 月 26 日，〈傳續古人智慧的一雙手〉（書林談趣之十八）。

⒆ 10 月 3 日，〈百衲本〉（書林談趣之十九）。

⒇ 10 月 10 日，〈乾隆皇帝怕見「活字」〉（書林談趣之二十）。

㉑ 10 月 17 日，〈宋體、近體、怪體〉（書林談趣之二十一）。

⑵ 10 月 24 日，〈魚尾、象鼻、墨蓋子〉（書林談趣之二十二）。

⑵ 10 月 31 日，〈圖書本一家——美妙精絕的插圖〉（書林談趣之二十三）。

⑳ 11 月 7 日，〈皇帝名諱有「亮」——文章不能見「光」〉（書林談趣之二十四）。

⑳ 11 月 14 日，〈方寸之間百味陳——從藏書章看人間悲喜〉（書林談趣之二十五）。

⑳ 11 月 21 日，〈翻書如旋風，書葉像龍麟——旋風裝和龍麟裝〉（書林談趣之二十六）。

⑳ 11 月 28 日，〈蝴蝶裝、背包裝和線裝〉（書林談趣之二十七）。

⑳ 12 月 5 日，〈救海外珍典回娘家〉（書林談趣之二十八）。

⑳ 12 月 12 日，〈誰是第一等藏書家？〉（書林談趣之二十九）。

�30 12 月 19 日，〈好書需有好屋藏〉（書林談趣之三十）。

◎ 6 月，先生於《國立中央圖書館館刊》新 21 卷 1 期頁 49-72 發表〈宋代儀注類史籍考下篇〉。（獲國科會 77 年度獎助）。

◎ 6 月 7 日，先生於《世界日報》第 42 版發表〈書趣〉。

◎ 6 月 30 日，先生為近代中國出版社出版之《中華民國名人傳》撰寫〈徐志摩傳〉（頁 195-210）。

◎ 7 月 5 日，先生為時報文化出版公司出版之《史記——歷史的皇城》撰寫〈讓英雄人物重現歷史舞臺——序蔡志忠先生漫畫《史記——歷史的皇城》〉（頁 6-7）。

◎ 10 月，先生為教育部人文及社會學科教育指導委員會出版之《人文及社會學科展望》撰寫〈高級職業學校國文教學的回顧與展望〉（頁 25-35）。

◎ 10 月，先生於《國立中央圖書館館訊》第 11 卷 2 期頁 30-31 發表〈琳琅祕籍可以療飢〉。

民國 78 年，西元 1989 年，歲次己巳，53 歲。

◎ 5 月，先生於《國立中央圖書館館訊》第 11 卷 2 期（頁 30-31）發表〈琳琅祕籍可以療飢——回憶在南海學園的一段歲月〉。

◎ 6 月，先生於《國立中央圖書館館刊》新 22 卷 1 期頁 87-118 發表〈宋代霸史類史籍考——宋代史籍考之十一〉（獲國科會 78 年度獎助）。

◎ 9 月，先生為《國文天地》第 5 卷 4 期撰寫〈「八股文」的比法〉（頁 6）。

◎ 10 月 23 日起，為《中央日報》〈長河〉版撰寫〈藏書章裡故事多〉（藏書家與藏書章之 1）。

◎ 10 月，先生為《國文天地》第 5 卷 5 期撰寫〈「兵書」還是「素書」？〉（頁 7）。

◎ 11 月，先生獲教育部聘為教育部國語推行委員會委員。

◎ 11 月 6 日，為《中央日報》〈長河〉版撰寫〈毛晉的宋版書被劈成柴片煮茶〉（藏書家與藏書章之 2）。

◎ 11 月 27 日，為《中央日報》〈長河〉版撰寫〈首創「祭書」典禮的黃丕烈〉（藏書家與藏書章之 3）。

◎ 12 月，先生於《國立中央圖書館館刊》新 22 卷 2 期頁 117-128 發表〈中國類書中的文獻資料及其運用〉（獲國科會 79 年度獎助）。

◎ 12 月 11 日，為《中央日報》〈長河〉版撰寫〈蒐羅域外古籍的楊守敬〉（藏書家與藏書章之 4）。

◎ 12 月 25 日，為《中央日報》〈長河〉版撰寫〈皕宋樓主人陸心源〉（藏書家與藏書章之 5）。

民國 79 年，西元 1990 年，歲次庚午，54 歲。

◎ 1 月 8 日，為《中央日報》〈長河〉版撰寫〈圖書與金石兼富的「鐵琴銅劍樓」〉（藏書家與藏書章之 6）。

◎ 1 月 22 日，為《中央日報》〈長河〉版撰寫〈坐擁書城與美妾的錢謙益〉（藏書家與藏書章之 7）。

◎ 2月，先生主編《超群國語辭典》由南一書局出版（共 940 頁）。

◎ 2月 12 日，為《中央日報》〈長河〉版撰寫〈從廢紙堆裡繕補秘籍的丁丙〉（藏書家與藏書章之 8）。

◎ 2月 26 日，為《中央日報》〈長河〉版撰寫〈刻書積善的鮑廷博〉（藏書家與藏書章之 9）。

◎ 3月，《浙江月刊》第 22 卷 3 期轉載先生所撰〈從廢紙堆裡繕補秘籍的丁丙〉一文。

◎ 3月，先生為《國文天地》第 5 卷 10 期撰寫〈古代笑話書知多少〉（頁 19-22）。

◎ 3月 12 日，為《中央日報》〈長河〉版撰寫〈有功寺院藏書的阮元〉（藏書家與藏書章之 10）。

◎ 4月 9 日，為《中央日報》〈長河〉版撰寫〈以校書為樂的顧廣圻〉（藏書家與藏書章之 11）。

◎ 4月 30 日，為《中央日報》〈長河〉版撰寫〈以「藏書約」示子孫的祁承爜〉（藏書家與藏書章之 12）。

◎ 5月 14 日，為《中央日報》〈長河〉版撰寫〈以文化報國的張元濟〉（藏書家與藏書章之 13）。

◎ 6月，先生於《教育資料集刊》第 15 期頁 21-40 發表〈我國國語文師資的培育與訓練〉。

◎ 6月，先生於《國立中央圖書館館刊》新 23 卷 1 期頁 105-130 發表〈宋代別史類史籍考 -上編-──宋代史籍考十二〉。（獲國科會 80 年度獎助）。

◎ 6月 18 日，為《中央日報》〈長河〉版撰寫〈不私秘珍藏的張金吾〉（藏書家與藏書章之 14）。

◎ 7月，先生於《國文天地》第 6 卷 2 期發表〈挖掘文學聚寶盆──我國編纂文學總集的回顧與展望〉（頁 11-15）及〈周公叫「姬旦」，還是「周

旦」？——談中國古代的姓氏〉（頁 98-100）。

◎ 7 月 2 日起，為《中央日報》〈長河〉版撰寫〈典衣購書的繆荃孫〉（藏書家與藏書章之 15）。

◎ 7 月 9 日起，為《中央日報》〈長河〉版撰寫〈寒可無衣，飢可無食，不可一日無書的吳騫〉（藏書家與藏書章之 16）。

◎ 7 月 23 日起，為《中央日報》〈長河〉版撰寫〈獨鍾蘇東坡的翁方綱〉（藏書家與藏書章之 17）。

◎ 8 月 6 日起，為《中央日報》〈長河〉版撰寫〈血寫「南無阿彌陀佛」護書的張蓉鏡〉（藏書家與藏書章之 18）。

◎ 8 月 20 日起，為《中央日報》〈長河〉版撰寫〈由「禮陶」「寶陶」而「夢陶」的周書〉（藏書家與藏書章之 19）。

◎ 9 月，先生為《教育資料集刊》第 15 期撰寫〈我國語文師資的培育與訓練〉。

◎ 9 月，先生於《幼獅文藝》第 72 卷 3 期頁 107-110 發表〈社會變遷的清涼劑——我讀「心的絲路」〉。

◎ 9 月 10 日起，為《中央日報》〈長河〉版撰寫〈今存最古藏書樓「天一閣」及共創人范欽〉（藏書家與藏書章之 20）。

◎ 9 月 24 日起，為《中央日報》〈長河〉版撰寫〈自比猩猩見酒的盧文弨〉（藏書家與藏書章之 21）。

◎ 10 月 15 日起，為《中央日報》〈長河〉版撰寫〈「琉璃廠銜書鼠」莫友芝〉（藏書家與藏書章之 22）。

◎ 10 月 29 日起，為《中央日報》〈長河〉版撰寫〈提倡建立「儒藏」的周永年〉（藏書家與藏書章之 23）。

◎ 11 月，先生參加第三屆中國域外漢籍國際學術會議所發表〈宋代向高麗訪求佚書書目的分析討論〉，收在《第三屆中國域外漢籍國際學術會議

論文集》（頁 271-288），由聯合報基金會國學文獻館出版。

◎ 11 月 13 日起，為《中央日報》〈長河〉版撰寫〈熟悉書林掌故的葉德輝〉（藏書家與藏書章之 24）。

◎ 11 月 30 日，先生於《聯合報》第 25 版發表〈瀛寰志略〉。

◎ 12 月，先生於《國立中央圖書館館刊》新 23 卷 2 期頁 83-118 發表〈宋代別史類史籍考 -下編——宋代史籍考之十三〉（獲國科會 80 年度獎助）。

◎ 12 月 24 日起，為《中央日報》〈長河〉版撰寫〈蒐羅鄉邦文獻的王獻唐〉（藏書家與藏書章之 25）專欄。

民國 80 年，西元 1991 年，歲次辛未，55 歲。

◎ 先生應聘至臺北市立師範學院語文教育系任教。

◎ 2 月，先生於《國文天地》6 卷 9 期發表〈釋「禮失而求之野」〉。

◎ 6 月，先生文集《水中撈月》，由國家文藝基金管理委員會出版（共 63 頁）。

◎ 6 月，先生於《國立中央圖書館館刊》新 24 卷 1 期（頁 113-139）發表〈宋代編年類史籍考初編——宋代史籍考之十四〉。（獲國科會 81 年度獎助）。

◎ 8 月 14 日，先生於《聯合報》第 25 版發表〈「愛書人」的寂寞〉。

◎ 11 月 6 日，先生於《世界日報》發表〈「愛書人」的寂寞〉。

◎ 12 月 1 日，先生於《國文天地》第 7 卷 7 期（總 79 期）頁 11-15 發表〈臺灣編纂字、辭典工作的檢討與展望〉。

◎ 12 月，先生參加「第五屆中國域外漢籍國際學術會議」所發表之〈中國古籍刊本中的域外地圖〉，收在《第五屆中國域外漢籍國際學術會議論文集》頁 195-225，由聯合報國學文獻館出版。

民國 81 年，西元 1992 年，歲次壬申，56 歲。

◎ 1 月，先生於《興大中文學報》第 5 期發表〈中國古籍刊本中的域外地圖〉。

◎ 1 月，先生為漢藝色研文化事業公司所出版之《古典搜奇錄》撰寫〈為古典注入新義——寫在亡友蔡茂雄教授「古典搜奇錄」出版前〉（頁 2-4）。

◎ 2 月，先生為《國文天地》第 81 期撰寫〈中國古代的「避君諱」〉（頁 8-9）。

◎ 5 月，先生參加「第二屆國際華學研究會議」所發表之〈評論「四庫全書經部春秋類圖書著錄之評議」〉，收在《第二屆國際華學研究會議論文集》頁 745-746，由中國文化大學出版。

◎ 6 月，《國立中央圖書館館刊》新 25 卷第 1 期頁 73-98 發表〈續考宋代編年類史籍二十一種——宋代史籍考之十五〉。（獲國科會 82 年度獎助）。

◎ 9 月，先生為《李光筠先生紀念集》撰寫序文，悼念弟子李光筠。收錄於當月之《國文天地》頁 1-4。

◎ 10 月 14 日，先生於《中國時報》〈人間副刊〉發表〈略說「永樂大典」〉。

民國 82 年，西元 1993 年，歲次癸酉，57 歲。

◎ 4 月，先生於《國立中央圖書館館刊》新 26 卷第 1 期頁 251-276 發表〈宋代編年類史籍十八種彙考——宋代史籍考之十六〉（獲國科會 83 年度獎助）。

◎ 12 月，先生於《國立中央圖書館館刊》新 26 卷第 2 期頁 181-195 發表〈宋史藝文志未收宋代編年類史籍十九種考錄——宋代史籍考之十七〉（獲國科會 84 年度獎助）。

民國 83 年，西元 1994 年，歲次甲戌，58 歲。

◎ 3 月，先生於《書目季刊》第 27 卷 4 期發表〈論中國古籍日本刊本之價值〉。

◎ 3 月 6 日，先生在「兩岸漢語語彙文字學術研討會」，發表論文〈從兩岸語文之差異論今後編纂字典詞典之方向〉，論文收錄在《第一屆兩岸漢語語彙文字學術研討會論文專集》（1995 年 2 月，中華語文出版社）。

民國 84 年，西元 1995 年，歲次乙亥，59 歲。

◎ 6 月，先生於《國立中央圖書館館刊》第 28 卷第 1 期頁 79-109 發表〈宋代目錄類（經籍之屬）史籍考初編——宋代史籍考之十八〉（獲國科會 85 年度獎助）。

◎ 10 月，先生發表〈跋日本刊「新編群書類要事林廣記」〉，收在聯合報文化基金會國學文獻館出版之《第七、八屆中國域外漢籍國際學術會議論文集合刊》。

◎ 12 月，先生於《國立中央圖書館館刊》新 28 卷第 2 期頁 71-94 發表〈宋史藝文志所未收宋代目錄類（經籍之屬）史籍二十八種考錄——宋代史籍考之十九〉（獲國科會 86 年度獎助）。

◎ 12 月，先生為教育部人文及社會學科教育指導委員會編印之《國語文教育之趨勢》撰寫〈推行精緻化的國語文——今後國語文教育的展望〉（頁 27-41）。

◎ 12 月，先生為教育部人文及社會學科教育指導委員會編印之《國語文教育研究》撰寫〈文言文的欣賞與翻譯〉（頁 73-86）。

民國 85 年，西元 1996 年，歲次丙子，60 歲。

◎ 6 月，參加「五十年來臺灣文學研討會」，先生擔任張錦郎教授〈臺灣文學需要什麼樣的工具書〉一文之特約討論，其〈特約討論〉載《臺灣文學中的社會——五十年來臺灣文學研討會論文集(一)》（85 年 6 月，行政院文化建設委員會出版）。

◎ 9 月，先生參加「兩岸古籍整理學術研討會」，發表〈臺灣地區博碩士論文在整理古籍方面之成果並論古籍整理人才之培育〉，亦收錄於《書目季刊》第 30 卷 2 期，頁 35-43。

◎ 9 月 26 日，先生於《臺灣日報》第 23 版發表〈什麼是臺灣話？〉（〈臺灣文化觀察站〉專欄之一）。

◎ 10 月 18 日，先生於《臺灣日報》第 23 版發表〈把臺灣百科全書送進聯

合國〉。

◎ 10 月 31 日，先生於《教改通訊》第 25 期頁 32 發表〈國立編譯館的存廢與定位〉。

◎ 12 月，先生於《國家圖書館館刊》85 年第 2 期頁 97-127 發表〈宋代目錄類（金石之屬）史籍考——宋代史籍考之二十〉（獲國科會 87 年度獎助）。

民國 86 年，西元 1997 年，歲次丁丑，61 歲。

◎ 2 月 3 日，先生於《臺灣日報》第 23 版發表〈為藝術工作者撰寫起居注〉。

◎ 6 月，先生於《人文及社會學科教學通訊》第 7 卷 6 期發表〈教育部人文及社會學科教育指導委員會「高級職業學校國文教材評鑑」報告〉。

◎ 12 月，先生於《國家圖書館館刊》86 年第 2 期頁 167-189 發表〈宋代刑法類史籍考初編——宋代史籍考之二十一〉（獲國科會 88 年度獎助）。

◎ 先生所著《認識古籍版刻與藏書家》由臺灣書店出版。

民國 87 年，西元 1998 年，歲次戊寅，62 歲。

◎ 6 月，先生撰成〈校史篇——師範學院時期〉，載臺北市立師範學院所出版之《臺北市立師範學院校史簡編》。

◎ 7 月，先生所著《中國目錄學》由五南圖書出版公司出版（共 515 頁）。

◎ 8 月，先生所著《治學方法》由三民書局出版（共 341 頁）。

◎ 12 月，先生於《國家圖書館館刊》87 年第 2 期頁 235-260 發表〈宋史藝文志所未收宋代譜牒類史籍四十六種考錄——宋代史籍考之二十二〉（獲國科會 89 年度獎助）。

民國 88 年，西元 1999 年，歲次己卯，63 歲。

◎ 6 月，先生於《應用語文學報》創刊號頁 1-26 發表〈論「叢書」〉。

◎ 6 月，先生為《語文教育學系畢業論文集》第二輯撰寫〈《語文教育學系畢業論文集》第二輯出版弁言〉，由臺北市立師範學院語文教育學系出版，頁 1-2。

民國 89 年，西元 2000 年，歲次庚辰，64 歲。

◎ 6 月，先生於《應用語文學報》第 2 號頁 1-33 發表〈雜著筆記之文獻資料及其運用〉（獲國科會 90 年度獎助）。

◎ 6 月，先生參與編輯《十三經論著目錄》之《周禮論著目錄》（共 127 頁）、《儀禮論著目錄》（共 105 頁）、《三禮總義論著目錄》（共 133 頁），由國立編譯館主編，臺北市洪葉文化事業有限公司出版。

◎ 7 月起，先生休假一年。

◎ 8 月 8 日，先生於《臺灣日報》副刊發表〈為臺北市立美術館致哀〉（臺灣文化觀察站之）。

◎ 8 月，先生應聘擔任東吳大學「端木愷講座」兼任講座教授。

民國 90 年，西元 2001 年，歲次辛巳，65 歲。

◎ 6 月，於《應用語文學報》第 3 號頁 1-37 發表〈《文獻通考》之文獻資料及其運用與整理——「政書」文獻資料研究之一〉（獲國科會 91 年度獎助）。

◎ 7 月，先生自臺北市立師範學院退休。

◎ 8 月，先生應聘擔任東吳大學「端木愷講座」專任講座教授。

民國 91 年，西元 2002 年，歲次壬午，66 歲。

◎ 3 月，先生所著《中國目錄學》由五南圖書出版公司出版（2 版 1 刷）（共 515 頁）。

◎ 11 月，先生編著《國學導讀》（與王祥齡等合著），由五南出版事業公司出版（共 845 頁）。

民國 92 年，西元 2003 年，歲次癸未，67 歲。

◎ 6 月，先生於《應用語文學報》第 5 號頁 1-26 發表〈屈萬里先生之學術成就及對中國圖書館事業之貢獻〉。

◎ 6 月，先生於《傳記文學》第 82 卷 6 期頁 96-100 發表〈功在東吳——記

端木校長對東吳大學的貢獻〉。

◎ 先生參與編輯《十三經著述考》之《周禮著述考》（10 月，共 1037 頁）、《儀禮著述考》（11 月，共 884 頁）、《三禮總義著述考》（7 月，共 633 頁），由國立編譯館出版。

民國 93 年，西元 2004 年，歲次甲申，68 歲。

◎ 7 月，於《應用語文學報》第 6 號頁 1-21 發表〈鄭樵之文獻學〉。（獲國科會 92 年度獎助）。

◎ 8 月，先生策畫編輯出版《端木愷校長紀念集》，收錄先生所撰〈功在東吳──記端木校長對東吳大學的貢獻〉一文。

◎ 8 月，先生應聘擔任中國文化大學中國文學系中國文學組教授兼系主任、所長。

◎ 12 月，於《國家圖書館館刊》93 年第 2 期發表〈屈萬里先生之文獻學〉。

◎ 先生所著《治學方法》由三民書局出版。

民國 94 年，西元 2005 年，歲次乙酉，69 歲。

◎ 10 月，先生撰〈《陸心源及其《皕宋樓藏書志》史部宋刊本研究》序〉。此書為林淑玲撰，94 年 12 月，花木蘭文化工作坊出版。

◎ 10 月，先生撰〈《徐霞客遊記研究──以文獻觀察為重點》序〉。此書為陳淑卿撰，94 年 12 月，由花木蘭文化工作坊出版。

◎ 12 月，先生於《國家圖書館館刊》94 年第 2 期發表〈「文獻通考」版本考〉（獲國科會 93 年度獎助）。

民國 95 年，西元 2006 年，歲次丙戌，70 歲。

◎ 2 月，先生發表〈古籍注釋中之文獻及其價值〉，收在淡江大學中文系及漢語文化暨文獻資源研究所主編，臺灣學生書局出版之《昌彼得教授八秩晉五壽慶論文集》。

◎ 6 月，先生於《應用語文學報》第 8 號頁 1-22 發表〈王國維之文獻學〉。

民國 96 年，西元 2007 年，歲次丁亥，71 歲。

◎ 2 月，先生發表〈宋代雜著筆記（五種）文獻解題〉（獲 94 年度國科會獎助部份成果），收在中國文化大學中國文學系出版之《金榮華教授七秩華誕祝壽論文集》。

◎ 2 月，先生撰〈金榮華教授七秩華誕祝壽論文集・序〉，刊於該論文集卷首。

◎ 3 月，先生所著《文獻學》，由三民書局出版（共 457 頁）。

◎ 3 月 1 日，《國文天地》第 22 卷 10 期，頁 108-112 刊出〈劉兆祐教授與圖書文獻學研究〉（陳仕華撰）。

◎ 12 月，先生於《國家圖書館館刊》96 年第 2 期，頁 65-90，發表〈宋代雜著筆記所徵引佚書二十一種考述〉（獲 95 年度國科會獎助）。

下　編

百年來圖書文獻整理
之回顧與展望

劉兆祐

中國文化大學中國文學系教授兼系主任

一、前　言

　　自　國父肇造民國以來，已近百年。此百年間，政治紛擾，外侵不斷，兵燹不息，所幸在圖書文獻的整理工作，由於歷來圖書文獻學者的努力及印刷工具與技術的進步，仍有相當可觀的成果。另一方面，我們也不能不承認，我們的圖書文獻整理工作，仍有不足的地方。本文試就近百年來的圖書文獻整理工作，做一回顧，並展望未來應從事的重要工作及方向。

二、百年來圖書文獻整理之重要成果

　　在談到百年來圖書文獻整理的情形，可先瞭解前人整理圖書文獻的方法。

　　前人整理圖書文獻的方法，隨著圖書的日漸增多或印刷術之日益進步而有不同。例如西漢末年劉向、劉歆父子，他們整理圖書文獻的方法，主要有三，那就是校勘、分類編目、撰寫敘錄。到了後來，圖書文獻需要解釋，於是開始以注釋的方法來整理；到了魏晉以後，偽書的出現越來越頻繁，於是唐宋以後，部分學

者在整理圖書文獻時，注意到圖書真偽的考辨問題；到了隋唐時，部分魏晉以前的圖書已佚而不傳，於是宋代以後開始用輯佚的方法從事整理文獻。一般說來，清代以前整理文獻的方法，有校勘、編輯目錄、撰寫解題，編纂總集及叢書、辨偽、輯佚等方法。民國以後，除了延續前人的方法外，整理圖書的方法和項目，都有相當的進步。以整理圖書文獻的方法來說，譬如編目錄，在清代以前所編的目錄，不外乎是官府藏書目錄或私家藏書目錄，而近幾十年來，我們編輯了大量的聯合書目。在目錄裡著錄圖書的分類和方法上，也有很多的進步。由於時間的關係，現在就從百年來圖書文獻整理的成就，列舉較其要者，做一回顧與檢討。

百年來整理圖書文獻的重要成就，可分下列幾項來說：

(一) 標點古籍

這是民國以來整理古籍最常見的方式。由於時代的差距，早期的字義，語法等都與現代不同，所以古籍難以閱讀，於是有句讀的必要。這種以句讀方式整理古籍的情形，漢代時稱之為「章句」之學。就是將古意分章斷句。民國以來，商務印書館、世界書局等，都做了不少這方面的工作。其中如世界書局的《新校資治通鑑》、《諸子集成》，商務印書館的《叢書集成初編》，由顧頡剛先生等所完成《標點本二十五史》等，都是這方面的重要成果。在臺灣，則以國立編譯館所出版的《分校標點十三經注疏》及由中央研究院文哲研究所研究員林慶彰教授所領導的古籍整理小組所完成的一系列點校補的古籍，如《經義考》等為最著。

(二) 編輯叢書

《說文解字》云：「叢，聚也。」所謂叢書，就是將多種圖書彙聚在一起，成為另一種書。例如把《史記》、《漢書》、《後漢書》、《三國志》等二十五種正史彙聚成為《二十五史》，《二十五史》就是叢書。

以編輯叢書來整理圖書文獻，漢代就有，不過到了宋代才漸漸盛行，這應該和出版技術的發展有關。近百年來，由於印刷技術的進步，編纂大部叢書，已不是難事。例如商務印書館編印的《四部叢刊》、《百衲本二十五史》、《叢書集

成初編》，中華書局編印的《聚珍版四部備要》，開明書店編的《二十五史補疏》，世界書局的《諸子集成》等，都是民國以來較早所編纂的叢書。在臺灣，近六十年來，也編輯了不少很好的叢書，如國家圖書館編的《明代藝術家集彙刊》、《明代藝術家集彙刊續輯》、《歷代畫家詩文集》、《歷代通俗演義》，聯經出版事業公司出版的《明清未刊稿彙編初輯》、《明清未刊稿彙編二輯》，臺靜農先生編的《百種詩話類編》，王秋桂、李豐楙共同編輯的《中國民間信仰資料彙編》、王秋桂先生主編的《善本戲曲叢刊》，臺灣銀行經濟研究室所主編的《臺灣文獻叢刊》等。

㈢ 編輯目錄

近百年來所編輯的目錄遠超過清代以前的目錄。一九四九年以前所編的目錄，除各公共圖書館目錄外，如劉復於民國廿一年編印的《中國俗曲總目稿》，民國廿八年張心澂《偽書通考》等，都是很有價值的專科書目。一九四九年後，所編輯的目錄更多，也更具特色。譬如清代以前所編的目錄，以史志目錄、私家藏書目錄、公藏目錄等三種目錄為主，民國以來，則以學科目錄最為繁夥。另外像學位論文目錄、譯書目錄、聯合書目等，都是清代以前所沒有的。

㈣ 索引

「索引」的大量編製，也是民國以來整理圖書文獻的主要項目。

「索引」在清代以前就有。像清代康熙年間編的《駢字類編》和《佩文韻府》，就是一種索引。不過早期的索引，種數不多，編製方法也不是很科學。民國以後，受到西方的影響，索引開始大量編製，方法也越方便索檢。民國三十八年以前，重要的索引有一九四三年刊行的《通檢叢刊》十五種，民國二十年至卅九年陸續出版的《哈佛燕京學社引得》四十一種。一九四九年以來，臺灣也編了許多索引，例如丁原基教授的《元雜劇韻檢》，金榮華教授的《敦煌俗字索引》，張錦郎教授的《中國近二十年文史哲論文分類索引》及《中文報紙文史哲論文索引》等。

其他在個人全集的出版，年鑑、年表、大事紀的編製，都是圖書文獻整理的

工作。

三、近百年來整理圖書文獻的特色

近百年整理圖書文獻的成果如此豐碩，有幾項特色值得提出來一談：

㈠ 在整理圖書文獻的方法上有很大的進步：

就以編輯叢書來說，有兩點是前人所沒有的：

1.清代所編叢書，除《玉函山房輯佚書》等少數幾種外，多無敘錄或校勘記。近百年來由於主編叢書有多數為學者，所以所編輯的叢書，書前不少撰有敘錄，或書末附有校勘記。例如商務印書館由張元濟先生輯編的《四部叢刊》各編，多數都附載校勘記。臺灣近幾十年出版的叢書，如國家圖書館輯印的《明代藝術家集彙刊》、《明代藝術家集彙刊續輯》、《元代珍本文集彙刊》、《歷代通俗演義》，臺灣學生書局出版由屈萬里院士主編的《雜著祕笈叢刊》，筆者所主編的《中國史學叢書三編》，聯經出版事業公司所出版，由屈萬里院士與筆者共同編輯的《明清未刊稿彙編初輯》、《明清未刊稿彙編二輯》等，每一書前都撰有「敘錄」，說明作者生平，每一書內容的得失及版本等，方便讀者。

2.在清代以前所編的叢書，有綜合性叢書、地方性叢書、專科叢書、輯佚類叢書、及個人叢書等。「綜合性叢書」，如清代曹溶所輯編的《學海類編》，收錄的書包括了經、史、子、集四部的著作。所謂「地方性的叢書」，如清代丁丙所輯編的《武林掌故叢編》，專收杭州地區人物的著作。所謂「專科叢書」，就是專收一門學科的叢書，例如清代魏清江編的《陽宅大成》，專收看風水的書；清代魏憲編的《皇清百名家詩》，收的全是詩作。所謂「輯佚類叢書」，就是所收都是佚書，將佚書的遺文輯出，彙聚成編，例如清代馬國翰所輯的《玉函山房輯佚書》，王謨輯的《漢魏遺書鈔》等都是。所謂「個人叢書」，也就是所收全是一個人的著述，例如《焦氏叢書》，所收都是清代焦循一個人的著述；《崔東壁遺書》，所收都是清代崔述的著作。民國以來所編的叢書，和清代以前比較起

來，有得有失。失的是民國以後，輯佚類的叢書很少，得的是民國以後由於印刷術的進步和圖書集中於公家圖書館，所編纂的叢書，有些是清代以前難以做到的。例如聯經出版事業公司出版的《明清未刊稿彙編初輯》、《明清未刊稿彙編二輯》，收錄的都是明清未刊行的稿本，如果在清代以前，由於稿本都是秘不示人，是很難把它們輯編為叢書的；另一方面，稿本的字很潦草，不工整，從前用版刻是無法廣為流傳的，惟有現在的影印技術才得以印行。又如藝文印書館印行的《百部叢書集成》，也是由圖書集中於公共圖書館才得以完成。

又如在輯編目錄方面，民國以後所編的目錄和清代以前所編的目錄，顯著不同的地方有三：一是清代以前的藏書目錄，私家藏書目錄較多，公家藏書目錄較少；民國以後，由於私人藏書逐漸多為公家圖書館所購，私人藏書目錄不再編製，民國以後編製的，幾乎都是公家藏書目錄。二是受到西方圖書分類目錄的影響，民國以後圖書的分類，已不再一律採用四部分類法，即使是古籍的善本書目，也不全然採用四部分類法，例如國家圖書館的善本書目，就是把叢書部獨立出來。每部中的類目也有很多改善。三是編纂目錄的方法體制也有很大的改進。以板本項的著錄方法來說，清代以前的書目，其著錄板本的方式很簡單，且不一致，例如「宋刊本」、「元刊本」、「民初刊本」等，但是民國以後，板本的著錄逐漸改進。民國廿九年屈萬里先生撰成《國立中央圖書館善本書目初稿》，板本項的著錄，做了最完整的規範。到了民國四十一年，屈先生根據《國立中央圖書館善本書目初稿》一書的板本項，整理歸納，撰成《中文舊籍目錄版本項著錄舉例》一文，從此，海內外的中國古籍目錄板本項的著錄，有了統一的規範。目前國家圖書館善本書的編目規則，就是以《中文舊籍目錄版本項著錄舉例》為藍本。

㈡ **近些年來，逐漸注意到本土文獻的整理：**

以叢書來講，臺灣銀行經濟研究室所編的《臺灣文獻叢刊》、高志彬主編的《臺灣先賢詩文集彙刊》、鍾肇政、葉石濤主編的《光復前臺灣文學全集》等，都是本土圖書文獻的整理。

四、圖書文獻整理的展望

展望未來在圖書文獻的整理工作，有幾項工作是亟需完成的。

1. 編纂全世界漢籍總目。

2. 影印海外佚存的圖書文獻。

3. 加強古籍的標點、注釋及校勘工作。

4. 利用新出土資料以整理圖書文獻。

5. 加強輯佚工作。

6. 加強本土圖書文獻之整理。

7. 加強文獻教育工作。

中國文獻學之發展趨向

駱　偉

廣州中山大學資訊管理系教授

【摘　要】　中國文獻學是一門在長期實踐中而產生的傳統學科，它對我國古代典籍的搜集、整理、版本鑒定、書目編制、校勘、考證、注釋、辨偽以及輯佚等，作了一定貢獻，為傳承和弘揚祖國優秀文化，發揮了重要作用。然而，中國文獻學不能停留在古典文獻的研究基點上，應有它內容和形式上的時空延伸，這不僅不影響中國古典文獻學的研究，而且更充實、豐富和發展了中國古典文獻學的學科內容和範圍，這是時代賦予我們的歷史使命。為此，本文首先回顧了中國文獻學產生與發展的軌跡，繼而對它的基本理論和體系結構作了論述。

【關鍵詞】　中國　文獻學　發展　趨向　研究

　　我國文獻學是在長期實踐中產生的一門傳統學科，在上個世紀以來，不斷有學者推陳出新，加以研究、擴充、更新和拓展，使這門學科漸趨完善，並產生了多部專著，為高等教育和文獻學研究，提供了專業建設和科研成果。然而，我國文獻學的研究，與其他學科相比，尚有一定差距。究其原因，主要長期把研究範圍定位在古典文獻上，雖然古典文獻學博大精深，具有中國文化特點，尚有諸多問題需要大家作深入探索。但一門學科，應有它的研究對象和研究範圍，不能固

守在一種載體和方向上，應與時俱進，拓展研究領域，完善一門學科應具有的基礎理論和學科建設，不然，老據守在一點上，它就失去生命力了。創新，是任何學科與科學技術的永恆主題，為此，本文試就文獻學相關問題作一探索，以期供專家同行參考指正。

一、文獻學的產生與發展

文獻工作，在我國有悠久的歷史，可以追溯到春秋戰國的孔子時代，後來漢代劉向、劉歆整理宮廷典籍，明代編類書《永樂大典》（初名《文獻大成》）、清代編《古今圖書集成》和《四庫全書》等，都是大規模的文獻整理工作。但「文獻學」這個名詞的提出者為近代的梁啟超，他認為廣義的史學即文獻學，但未加予詳細的闡述。因此，這門學科的產生，卻是上世紀初的事。正如張舜徽先生在《中國文獻學》一書所說：「我國古代，無所謂文獻學，而有從事於研究、整理歷史文獻的學者，在過去稱之為校讎學家。所以校讎學無異成了文獻學的別名。」這段話，使我們認識我國古代到近代從事整理和研究文獻工作，雖然經歷了漫長的歷史時期，也積累了豐富的經驗，但始終沒有得到正名，有稱之為「校讎」，或稱之為「整理國粹」、「國學研究」等等。把它上升為「文獻學」，卻遠遠落後於西方。可見，這們學科的研究，還處在初級階段。張先生所著的《中國文獻學》，主要論述、研究我國古文獻的分類、目錄、版本、校勘、辯偽、注釋、編纂與印刷源流的一門學科。早在上世紀 20 年代末，我國已有鄭鶴聲、鄭鶴春編著出版了《中國文獻學概要》，其內容與《中國文獻學》基本相同。因此，我國文獻學常被認為對古代典籍的研究。正如臺灣出版的《中文大辭典》將文獻學解釋為：「研究一民族之語言文學，以瞭解其文明程度之學術，謂之文獻學。」這種定義，未免過於含混簡單和疏漏失當了。近年來，我國又陸續出版了吳楓先生《中國古典文獻學》、王欣夫先生《文獻學講義》、杜澤遜先生《文獻學概要》、張玉勤先生《實用文獻學》、洪湛侯先生《中國文獻學新探》、劉青松先生《中國古典文

獻學概要》、熊篤和許廷桂先生《中國古典文獻學》、張三夕先生《中國古典文獻學》、張家璠、閻崇東《中國古代文獻學家研究》、王餘光《中國文獻史》、張舜徽《文獻學論著輯要》，以及趙國璋和潘樹廣先生《文獻學辭典》等等。但從內容上說，大多沒有脫離古文獻學的範圍。如王欣夫先生所說：「廣義的『文獻學』是無法在課堂上講授的；然而，既稱為『文獻學』，就必須名副其實，至少要掌握怎樣來認識、運用、處理、接受文獻的方法。」（王欣夫《文獻學講義》，頁 4-9）他把目錄、版本、校讎三個部分作為文獻學的主要內容，「編目錄為了介紹文化遺產，講版本為了檢擇可靠的材料，校讎是整理材料的方法。」應該說，這是我國古典文獻學的基本內容。倒是洪湛侯先生的觀點，頗具創意：「文獻學本是關於文獻研究和整理的一門學問，文獻本身的特點、文獻整理的方法、文獻學的歷史、文獻學的理論都應包括在內，簡單地說，文獻學應包括文獻的體、法、史、論等幾方面的內容，並把這些熔為一體，進行系統研究，逐步建立文獻學的完整體系。」（見洪湛侯《中國文獻學新探》，頁 3）

因此，我國這幾部有關文獻學的專著，有的書名稱為「古典文獻學」，無可非議；稱「文獻學」的，實際也多是古代文獻學，並沒有涉及近現代文獻以及國外文獻學基本情況和研究的問題。

無庸置疑，中國古典文獻學仍具有廣闊的空間和強大的生命力，主要由於我國古典文獻流存數量大、內容博大精深、整理任務艱巨，而且對它的研究深度、廣度有待提高，更不用說其開發利用和保護修復等現實問題了。例如，在研究方面，關於文獻的定義，權威工具書《辭海》、我國頒佈《文獻著錄總則》（GB37921-83）、《文獻學辭典》以及專家學者的論述，在文字表述和觀點上，都有異議，至今仍未取得共識；其次，在構建文獻學的學科體系上，也存在嚴重分歧，如著名文獻學家王欣夫先生的「三個內容」（即目錄、版本、校讎），是構成文獻學的主體，這種觀點有一定代表性，但它未必全面周妥。因為目錄、版本，多為圖書館古籍整理的要點，而校讎、考證、注釋等，卻為古文獻研究所和高校、科研機構

文、史工作者的任務。遠遠超出「三個內容」的提法。而且有不少著作，只是論述整理的方法，對文獻學基本理論、體系、方法等，卻忽略疏漏了。值得指出的是洪湛侯先生力作《中國文獻新探》，指出了文獻學的「體、法、史、論」四個部分，這是頗有創意的。這說明構建文獻學尚存意見分歧，也印證了文獻學這門學科，至今仍不夠成熟，有待提高和完善。

其次，在文獻整理技術上，也存在一些現實問題。如古籍著錄規則，這是任何整理工作必須制訂和遵守的規範、準則。目前，內地早在上世紀八十年代已頒佈了國家標準《古籍著錄規則》（ISBD），但各地圖書館在卡片、電腦和書本目錄上，按此著錄的不多，而這項國家標準是與國際接軌的一項文獻著錄舉措，卻未引起應有的重視；其次，在附注項和提要項的做法上，即使是古籍善本，各地也是自行其是，有詳有略，隨意性、不穩定性較大。我們可以從有的正式出版《館藏古籍善本書目》中看到，有的單位把藏書中的印章忽略了，我曾問過有的圖書館：「為什麼不著錄印章？」回答很輕巧：「我們不會辯認篆字！」難道不會就不學不著錄了嗎？這是頗令人費解的事情。雖然「印章」是文獻的外形特徵，但它對考察文獻流傳收藏經過和版本鑑定，卻提供了有用的資訊，我認為在古籍善本的著錄中，無論真偽印章必須查證著錄，這是從事古籍整理工作人員文字學的基本功。至於版本鑑定、「書牌」、「藏版」、「序跋」的考證，就更為複雜，需要更多的專業知識和豐富實踐經驗了。

可喜的是，近年對古代和現代文獻學的研究方興未艾，許多學者，已不囿於古典文獻學的桎梏，他們從宏觀文獻學、專科文獻學、應用文獻學等視角，探索現代文獻學的產生、發展、佈局、存貯、傳播和應用等規律問題，在刊物發表了《現代文獻工作基本概念》（袁翰青）、《論文獻學》（王餘光）、《試論大文獻學》（于鳴鏑）、《文獻資訊學》（黃宗忠）、《文獻學綜論》（駱偉）等等，並出版了一批專著，如倪波《文獻學概論》（1990）、黃鎮偉、涂小馬《文獻學綱要》（2000）、柯平《文獻經濟學》（2001）、周慶山《文獻傳播學》（1997）、卿家康《文獻社會

學》（1994）胡昌平、邱均平《科技文獻學》等等，改變了過去《古典文獻學》一統天下的局面，給人們帶來了新的啟迪、新的思路和新的希望，令人耳目一新，為之振奮。並在鄭州等地召開了文獻學學術研討會，交流和促進了文獻學的學科建設的發展。

現代文獻學是古代文獻學的繼承和發展，隨著時代的發展和科技的進步，特別是新學科與新型文獻載體的出現，那些不適應時代發展內容的文獻相應減少。因此，文獻的類型擴大了，文獻整理的技術進步了，文獻研究的方法更新了。現代文獻學是適應國際與國家發展的要求，是一個時代的產物。古典文獻學主要研究我國古典文獻的源流、特點、處理原則和方法及其利用的一門學科。現代文獻學就要與圖書館學、電腦科學、傳播學、資訊學、電子技術、系統科學等學科緊密結合，更注重研究文獻的產生、分佈、交流、開發、利用等規律的探索。

西方「文獻學」這個辭彙，是 1905 年由比利時的保爾·歐萊特律師（Paul Otlet，1868－1944）提出來的，也是從法文 documentation 一詞演變而來的，當時他主要是將文獻工作作為一種人類實踐活動來認識，以至出現了文獻工作和文獻學的混淆與紛爭，甚至有人只承認文獻工作而不承認文獻學這種現象，反映了西方文獻學也還不很成熟。

我們只要看看西方多位著名的文獻學家的說法，便略知一二。例如：

英國文獻學家 S·C·布拉德福認為：「文獻學是搜集、分類和迅速提供所有形式的精神活動的技藝」。

德國學者 R·S·泰勒認為：「文獻學指一系列的技術而言，其目的是為了有條不紊地提供組織傳遞記錄的專業知識，使所包含的情報達到最高的取得率和利用率」。

美國文獻學家 J·H·希拉認為：文獻學研究主要目的「在於發展新分析、組織和檢查的方法，使它能夠充分的利用各種記錄得來的知識」。

上述大多側重於文獻處理的技術和方法，並沒有全面系統的闡明文獻學的定

義。就是近年來由我國江蘇教育出版社出版的《文獻學概論》，也存在這種情況。但該書對文獻定義、社會功能、框架結構、文獻資訊、文獻載體、文獻類型、文獻交流、文獻規律等，做了較深入的闡述和剖析，應該說，還是很有新意的。

　　從上述國內外學者的觀點可以看出，文獻學的定義和內容已大大擴展了，文獻學研究和工作也有根本性的變化，它不囿於文獻的分編、校勘、版本、典藏等模式，而是注重於文獻的產生、分佈、規律的探討。它的明顯特點是對文獻從收集、典藏轉到開發利用，即從靜態特徵研究轉為動態特徵研究。這是文獻工作與文獻學研究的一個質的飛躍。因此，文獻學的研究，除與傳統的目錄學、校勘學、版本學結合以外，還應與圖書館學、情報學、資訊學以及教育學、數學、電腦科學等新學科結合起來，而且有的學科內容已成為文獻學本身構成的有機部分。

二、文獻學的定義和研究對象及內容

　　任何一門學科都有它獨特的定義、研究對象和研究內容，這三者既有聯繫又有區別。學科定義，是對於一種事物的本質特徵或一個概念內涵與外延的確切而簡要的說明；研究對象，是指人們行動或思考時作為目標的事物和認識的客體；研究內容，是指研究對象的內部實質和外部聯繫。這些都是每門學科基礎理論的重大課題。同時，上述原理，往往又不是一門學科剛建立時就明確的，只有隨著學科的發展成熟和不斷研究探討才能趨於一致。根據以上所說，我認為可以這樣來界定文獻學的定義：文獻學是研究文獻運動與規律的科學。文獻學的研究對象就是文獻流，即研究文獻系統的社會性、開放性、可統計性（可計量性）、動態性等特點。當今科學發展已進入「大科學」時代，反映科學成長的文獻量隨著「大科學」急劇增長。同時，人類社會活動的多樣化、複雜化，也導致了文獻資訊的「爆炸」，科學文獻的增長率，在十九世紀是每50年增加一倍，到二十世紀中每10年增加一倍，70年代後每5年增加一倍，而目前大約每3年就增加一倍（據英國學者詹姆斯·馬丁測算）。科學文獻和非科學文獻的更新與匯合，使人們目不暇接。

文獻形式和載體的多樣化,給文獻組織和交流帶來急劇的變革,這就是「文獻流」。文獻學的研究內容包括下面幾個主要方面:

1.研究文獻的定義、特點、規律、功能、結構、類型等等,即要研究文獻的本質及各種表現形態。

2.研究文獻流運動現象和規律。把文獻作為一種資訊流,探索其發展變化和開發利用的規律。通過統計分析、定量參數、數學模型等方式,考察文獻運動規律。

3.研究文獻交流的現象。主要是研究文獻交流和科學交流的相互關係,探索文獻交流的機制,建立有效的文獻交流保障系統,克服文獻交流過程中存在的障礙等。

4.研究文獻物質載體形態的變化。當前,文獻載體形態的特點是多樣化,它深刻的影響文獻交流的模式管道以及人們的思維方式,並促進圖書館組織管理的變革。當前,最熱門的是文獻數字化、網絡化、電子化、自動化等。

5.研究文獻資源的配置和整合。加強文獻資源的建設和服務,促進文獻資源共建共享。

6.研究文獻發展史。文獻史有著豐富的內容和不同的發展階段。文獻的內容反映了人類在一定時期的社會狀態和意識形態,而文獻的形式(包括文字的記錄手段、書寫材料和形態)又受到社會科學技術發展水準的影響。

三、文獻學體系結構

體系,是指若干事物或某些意識相互聯繫、相互制約而構成的整體;結構,是指客觀事物整體當中各個部分的組成狀況及其相互關係。一般說:結構是一切事物和意識整體中不可缺少的形式,物質有物質的結構,科學有科學的結構。著名的英國科學家《科學學》的創始人貝爾納(J.D. Bemal,1901－1971)指出:「科學發展的一般模型,……與其說類似於一棵樹,倒不如說更類似於網或說是像網一

樣的交織物。」（見蘇聯 п..A.拉契科夫著《科學學》）

文獻學是一門綜合性學科，既有理論，又有技術方法，構成一個完整系統和多層次的結構。

文獻學可以區分為三個門類：理論文獻學、技術文獻學、應用文獻學。

理論文獻學。是研究文獻基本運動形式的科學，它的學科結構主要以運動形式來聯繫。構成理論文獻學的基本分支學科，主要有：普通文獻學（古代文獻學、現代文獻學）、文獻學史、文獻學方法論（包括調查法、問卷法、訪談法、分析法以及信息論、系統論、控制論、突前論、協同論，耗散結構論等）、文獻未來學以及文獻比較學等等：

技術文獻學。是理論文獻學知識在實踐中運作，介於理論文獻學和應用文獻學之間。構成技術文獻學的基本分支學科有：文獻採訪學、文獻整理學、文獻編纂學、文獻分類學、文獻目錄學、文獻計量學、文獻管理學等。

應用文獻學，主要研究理論文獻學和技術文獻學如何轉化成專門的文獻學理論和技術方法。構成應用文獻學的基本學科有：社會科學文獻學、自然科學文獻學、歷史文獻學、地理文獻學、數學文獻學、化學文獻學、生物文獻學、醫學文獻學、法學文獻學、文學文獻學、哲學文獻學、地方文獻學等。

根據以上門類結構原理，文獻學可以歸納成如下一個體系結構表：

文獻學學科體系結構表					
文獻學	理論文獻學	普通文獻學	古典文獻學	目錄學、版本學、校讎學、考據學、輯佚、注釋、辨偽等	普通文獻學
			現代文獻學	文獻資訊、分佈、族系、交流、規律、文獻工作標準化、現代化、開發利用等	
		基礎理論		文獻的定義、特徵、功能、地位、研究對象、內容、體系結構、相關學科等	
		文獻學方法論			
		文獻類型學			
		比較文獻學			
		文獻學史			

	文獻採訪學				
技術文獻學	文獻整理學				
	文獻編纂學				
	文獻分類學				
	文獻書目學				
	文獻閱讀學				
	文獻檢索語言				
	報刊文獻學				
	文獻保護學				
	文獻管理學				
應用文獻學	社會科學文獻學	哲學文獻學 經濟文獻學 文學文獻學 法學文獻學 歷史文獻學 地理文獻學等		專門文獻學	
	自然科學文獻學	數理及化學文獻學 生物文獻學 農業文獻學 醫學文獻學 科技文獻學等			
	地方文獻學	東北文獻學、京津文獻學、西北文獻學、 瀟湘文獻學、齊魯文獻學、荊楚文獻學、 江浙文獻學、巴蜀文獻學、臺灣文獻學、 港澳文獻學、嶺南文獻學等			

四、文獻學與其他學科的關係

　　與圖書館學——文獻是構成圖書館的主題，因此，文獻學與圖書館學關係密切，因圖書館學的先驅是文獻學。

　　與檔案學——檔案學屬於文獻的範疇，只不過檔案是文獻的原始資料，因此，文獻學與檔案學是一種傳承關係。

　　與資訊學——當今資訊主要是數據庫、網絡和媒體資訊，但也包括文獻資訊，因此，文獻學與資訊學可起互補關係。

與版本學、校讎學、目錄學——版本學是研究一種圖書不同版本，並指出各種版本的特點和優劣。從漢代開始，文獻學和版本學、校讎學、目錄學聯繫在一起，成為文獻學的主要內容，至今仍傳承這種關係。

五、結束語

我國是世界四大文明古國之一，早在五千年前的夏代，就已跨進了文明的社會。文明是指人類社會從野蠻演化到理智的一種進步行為和規範，而文化則是人類創造的物質與精神財富的總和，每一個國家、每一個民族、每一個地區以及每一個時代，都具有其獨特的文化背景。長期以來，我國各族人民創造了輝煌燦爛的文化，而這種文化的特點，必然伴隨各個時期所產生的大量文獻，因為文獻是人類智慧的結晶，是社會生產、生活與精神的記錄。所以，它是我國文化遺產中的重要組成部分，由於我國歷史悠久，其遺存文獻之多，內容之豐富，載體之多樣，可以說在世界上是無與倫比。國家和地區的發展，民族的進步，與文明、文化息息相關，而文化必須依託文獻的傳承。所以，文明、文化和文獻，它們之間總是一脈相承的，古往今來，是任何因素都無法把它們分割的。因此，作為文獻表述的文獻學，它具有時空延伸的發展空間，理應受到國人的關注，才能長盛不衰。

參考文獻

1.吳楓　中國古典文獻學　濟南：齊魯書社　1982

2.王欣夫　文獻學講義　上海：古籍出版社　1986

3.杜澤遜　文獻學概要　北京：中華書局　2001

4.倪波　文獻學概論　南京：江蘇教育出版社　1990

5.洪湛侯　中國文獻學新探　臺灣：學生書局　1992

6.趙國璋、潘樹廣　文獻學辭典　南昌：江西教育出版社　1991

7.駱偉　文獻學綜論　圖書館論壇　2003(6)

《四庫提要》分纂稿
之整理與研究

吳　格

復旦大學中國古代文學研究中心教授兼圖書館古籍部主任

一、《四庫提要》與《四庫提要》分纂稿

清乾隆間官方修纂之大型叢書《欽定四庫全書》（下簡稱《四庫全書》），薈萃十八世紀前中國傳統文化典籍於一編，影響深遠。對於《四庫全書》之評價，二百餘年來毀譽參半，迄未定論。據近二十年來世界華語文化圈內《四庫全書》及「四庫系列叢書」之影印流傳情況觀察，可知其對於今人研究中國古代典籍與傳統文化，仍具有無可替代之作用。

《四庫全書》，自清乾隆三十七年（1772）頒發徵書諭旨、三十八年（1773）正式設立四庫館始，至乾隆五十二年（1787）江浙三閣本《四庫全書》繕寫告竣止，前後歷時十餘年，完成 3460 餘種歷代典籍之整理，並傳鈔七部，分藏南北。為完成以上圖書之著錄及選鈔，四庫館實際徵集整理之圖書在二萬種以上，工程浩繁，堪稱前所未有之鉅製。

與《四庫全書》同時編纂之《四庫全書總目提要》（下簡稱《四庫提要》），除著錄《四庫全書》已鈔入典籍外，又著錄「存目」書 6790 餘種，總計 11000 餘種，

基本涵蓋先秦以來中國傳統文化基本典籍。《四庫提要》著錄之書，辨章學術，考鏡源流，提要鉤玄，各作解題，反映傳統目錄學發展最高成就，成為後人研習古代典籍之指南，沾溉來學，裨益無窮。

自清乾隆以降，文獻學者由研讀《四庫提要》入門，又隨學術風氣之轉移、相關史料之鉤稽，對《四庫提要》作辯證考訂、增補續編，成果豐富（如余嘉錫《四庫提要辨證》、胡玉縉《四庫全書提要總目提要補正》、東方文化委員會《續修四庫全書總目提要》等）。對《四庫全書》及《四庫提要》研究之深入開展，促成「四庫學」之繁榮。《四庫提要》研究中，對「《四庫提要》分纂稿」之收集與整理，亦具重要意義。

所謂「《四庫提要》分纂稿」，即《四庫全書》編纂初期，四庫館各纂修官校閱圖書之整理記錄及所撰提要初稿。《四庫提要》之編纂，先由各纂修官分工撰寫初稿，後經總裁等批閱、纂修官改寫重撰，最後由總纂官紀昀等修訂成稿。現存文獻資料表明，《四庫提要》由分纂稿至於定稿付刻，前後歷時二十餘年，屢經修改，先後流傳，形成多種不同版本。如《四庫提要》傳存各稿本外，又有《四庫全書》「書前提要」、「刻本提要」，並衍生出《摛藻堂四庫全書薈要》提要、《武英殿聚珍版叢書》提要、《四庫全書簡明目錄》等相關書目。

今人所見通行本《四庫提要》，因經四庫館反復修訂而成，已非各纂修官所撰分纂稿之原貌。《四庫提要》之完成，中經《四庫全書》編纂史上諸多事件，涉及清代學術史及制度史方面大量有待深入研究之課題。《四庫提要》之編纂體例、人員分工、修改潤色、增刪取捨等情況，均須目睹原稿並與定稿作比勘，始能「水落石出」，明其原委。

文獻徵存，後學之責，筆者因整理《翁方綱纂四庫提要稿》之役，搜討及於各家《四庫提要》分纂稿。現收集《四庫提要》分纂稿約 1100 篇（約占通行本《四庫提要》之十分之一），經同人襄助，編為《四庫提要分纂稿》，交付出版（上海書店出版社，2006）。

《四庫提要分纂稿》之收集，發端於《四庫提要》翁方綱分纂稿之整理。2001

年，筆者承澳門圖書館及上海圖書館主持人之囑，承擔翁氏手稿整理工作。經辨
識原稿、過錄文字、標點分段、添加校注、增補別錄、編目索引等工作，歷時五
載，始克完命。該書係據澳門中央圖書館所藏翁氏稿本之影印本過錄，內容含翁
氏於四庫館校閱圖書時所撰札記及提要初稿，全書近百萬字，札記部分內容約佔
五分之四，體例較為龐雜。為方便利用，遂將其中《四庫提要》分纂稿輯出，並
自清人文集、叢書及「四庫底本」中搜集各家分纂稿，集腋成裘，合為一編，以
供同行研究之助。所知有限，遺漏待補，四方同道，聞見周洽，倘承見教，感盼
之至。

二、現存《四庫提要》分纂稿述略

　　流傳至今之《四庫提要》分纂稿，有以下幾種形式：㈠四庫纂修官之稿本，
如上述《翁方綱纂四庫提要稿》，即為翁氏服務四庫館期間之校書札記及提要手
稿；㈡已經刊刻之四庫纂修官所撰提要初稿，如清代學者姚鼐、邵晉涵、余集、
陳昌圖等人文集中所見（部分清人刻本書前所冠提要稿，亦有采自分纂稿者）；㈢保留於「四
庫底本」中之提要初稿，即粘貼或直接書寫於《四庫全書》底本封面、封內之提
要稿，隨原本保留至今（國家圖書館、上海圖書館等均有收藏）。以上稿本、刻本、鈔
本形式之《四庫提要》分纂稿，《四庫提要分纂稿》中均有收入，茲簡介如次。

㈠ 翁方綱分纂稿（982 篇）

　　翁方綱（1733－1818），字正三，號覃溪，直隸大興人。清乾隆十七年（1752）
進士，授編修，官至內閣學士。翁氏於乾隆三十八至四十三年間，多年參與《永
樂大典》分校及《四庫全書》編纂。現存翁氏分纂稿，係翁氏任四庫館「校辦各
省送到遺書纂修官」期間，校閱各省采進圖書時所撰札記與提要之底稿，計 1100
餘篇（經部 183 篇、史部 209 篇、子部 162 篇、集部 413 篇、叢部 15 篇），為現存篇幅最大、
內容最富之《四庫全書》編纂原始記錄。翁氏校閱之千餘種圖書，其中八百餘種
已收入《四庫提要》（三分之二入於「存目」）。翁氏手稿（經折裝 150 冊）二十世紀初

（1913）曾經吳興劉氏嘉業堂收藏，1942 年自嘉業堂流出後，輾轉遞藏於澳門中央圖書館。原稿以外，現已有影印原稿本（上海科技文獻出版社，2000 年）及整理本（上海科技文獻出版社，2005 年）先後問世，可供參閱。

(二) 姚鼐分纂稿（89 篇）

姚鼐（1732－1815），字姬傳，號惜抱，安徽桐城人。清乾隆二十八年（1763）進士，官刑部郎中。四庫館開，以薦任四庫館纂修官（時非翰林院編修而任纂修者八人，姚氏為其一），參與校辦各省採進圖書。乾隆三十九年（1774）歸里後，以講學終其身。姚氏學問博洽，經史詞章兼長，尤以古文名家，晚年聲望益隆。與人論學，以為「諸君皆欲讀人未見之書，某則欲讀人所常見書耳」。姚氏在四庫館服務時間較早且短，校閱圖書則遍及四部，所撰提要稿之內容，後多經修改。其晚年致友人尺牘中，對於紀昀等主持《四庫提要》修訂，「厭薄宋元以來儒者以為空疏，剖擊訕笑之不遺餘力」風氣，頗致微詞（稿藏上海圖書館）。姚氏分纂稿現有清光緒五年（1879）桐城徐宗亮刻本，題為《惜抱軒書錄》（分為經錄、史錄、子錄、集錄四卷），上海圖書館藏《四庫全書》底本《經籍異同》、《引經釋》中，尚存姚氏手書提要稿一篇。

(三) 邵晉涵分纂稿（37 篇）

邵晉涵（1743－1796），字與桐，號二雲、南江，浙江餘姚人。清乾隆三十六年（1771）進士，官至翰林院侍讀學士。四庫館開，以翰林院編修任《四庫全書》纂修官。邵氏長於史學，後世述四庫館掌故，稱其於《四庫全書》史部書整理多所貢獻。現存邵氏所撰提要稿，確以史部書為主，內容多為《四庫提要》沿用。該稿曾以《四庫全書提要分纂稿》為名，清道光十二年（1832）由胡敬刻入邵氏《南江文鈔》（卷十二），其後又有光緒間徐氏刻《紹興先正遺書》（第四集）本。

(四) 陳昌圖分纂稿（12 篇）

陳昌圖（1741－？），字南琴，號玉臺，浙江仁和人。乾隆三十一年（1766）進士，改翰林院庶吉士，散館授編修。官至直隸天津道。四庫館開，以翰林院編修

任《四庫全書》纂修官，同時參與《永樂大典》校輯。陳氏所撰提要稿，內容多涉及《永樂大典》輯本，其稿清乾隆五十六年陳寶元刻入所著《南屏山房集》（卷二十一）。

囯 **余集分纂稿**（7 篇）

余集（1738–1823），字蓉裳，號秋室、秋石，錢塘人。清乾隆三十一年（1766）進士，官至翰林院侍講學士。四庫館開，以裘曰修薦任纂修官，授翰林院編修。後歷任湖北、四川鄉試及會試考官。余氏所撰《四庫提要》分纂稿，多為《詩經》類著作，清道光間刻入所著《秋室學古錄》（卷一至二）。

囼 **鄒奕孝分纂稿**（1 篇）

鄒奕孝，江蘇無錫人。乾隆二十二年（1757）一甲三名進士，授翰林院編修，官至內閣學士兼禮部侍郎銜。四庫館開，以文淵閣校理任《四庫全書》纂修官。書成，議敘加一級。鄒氏長於律呂之學，曾官國子監祭酒兼管樂部事務，並參與《樂律全書》、《律呂正義》等修訂。鄒氏所撰《四庫提要》分纂稿，現僅見《儀禮釋宮》（宋李如圭撰）提要一篇，錄自國家圖書館藏清孔繼涵傳鈔四庫館《永樂大典》輯本卷首。

囿 **鄭際唐分纂稿**（1 篇）

鄭際唐，字大章，一作子章，號雲門、須庵，室名傳研齋，福建侯官人。乾隆三十四年（1769）進士，官至內閣學士兼禮部侍郎。四庫館開，以翰林院編修任纂修官，并獻書若干種。鄒氏長於書法，并精鑑賞。所撰《四庫提要》分纂稿，現僅見《筆史》（明楊思本撰）提要一種，錄自國家圖書館藏《四庫全書》底本卷末。

圀 **程晉芳分纂稿**（1 篇）

程晉芳（1718–1784），原名志鑰，又名廷璜，字魚門，號蕺園，歙縣人，居江都。清乾隆三十六年（1771）進士，授吏部文選司主事。四庫館開，以薦任《四庫全書》協勘總目官，並獻書多種。書成，授翰林院編修。程氏所撰《四庫提要》

分纂稿，現僅見《南夷書》（明張洪撰）提要一種，錄自國家圖書館所藏《四庫全書》底本卷首。

(九) 佚名撰分纂稿（6 篇）

《春秋年考》（明天畸人撰）提要一篇，錄自遼寧省圖書館藏清鈔本；

《金石遺文》（明豐道生撰）提要一篇，錄自湖南省圖書館藏清鈔本本；

《兩朝綱目備要》（佚名撰）提要一篇，錄自國家圖書館善本部藏清鈔本；

《金氏文集》（宋金君卿撰）提要一篇，錄自國家圖書館善本部藏清翰林院鈔本；

《東齋紀事》（宋范鎮撰）提要一篇，錄自國家圖書館善本部藏清鈔本；

《秋巖詩集》（元陳宜甫撰）提要一篇，錄自國家圖書館善本部藏清鈔本。

以上所述《四庫提要》分纂稿，現均編入《四庫提要分纂稿》。所收各家提要，均經核對原稿（或影印件），斷句標點，統一格式，按人編次。篇目較多之提要稿（如翁氏、姚氏稿等），又據內容略加分類。為便讀者研究參考，各篇提要之下，均附注該提要是否已收入通行本《四庫提要》、或見於《四庫提要》何部類。分纂稿著錄之書名卷數與通行本不同，或曾遭禁燬等情況，亦酌加說明，例：

謹按：《了齋易說》一卷，宋陳瓘著。瓘字瑩中，自號了翁，南延平人。建中靖國初為右司諫，移書責曾布，及言蔡京及卞之姦，章疏十上，除名編隸合浦。靖康中，贈諫議大夫。陳振孫曰，《了翁易說》晚年所著，止解六十四卦，詞旨深晦，其子正同紹興十二年知常州，刊於官舍。今此鈔本有正同跋，然刊本題云「了翁易說」，而此鈔本云「了齋易說」，「齋」字蓋誤也。是書前有山陰祁氏、秀水朱氏諸印，當是收藏舊本。而其中卦次與說辭顛倒錯互，如〈臨〉卦內忽說〈睽〉、說〈觀〉，〈坎〉卦後忽接〈咸〉，〈咸〉後忽畫「離下兌上」之一卦，而其畫又非〈革〉，其所說又似說〈離〉，後又失去〈革〉卦。如此之類，紛然失序，即鈔寫之誤

亦不應至如此之甚。應仍從《宋志》存《了翁易說》一卷之目，而此鈔本書名、卦次之誤亦應附著焉。（翁方綱分纂稿）

格按：《四庫全書總目》／「經部易類二」著錄《了翁易說》一卷。

謹按：《霏雲居續集》二十四卷，明張燮著。燮字紹和，漳州龍溪人。萬曆間舉於鄉，與蔣孟育、高克正、林茂桂、王志遠、鄭懷魁、陳翼飛稱「七才子」。《明史藝文志》載燮《羣玉樓集》八十四卷，此本止其詩之續集。應存其目。（翁方綱分纂稿）

格按：《四庫全書總目》未著錄。又《軍機處奏准全燬書目（第三次）》著錄《霏雲居續集》，稱「中第十九卷有指斥之語，應請銷燬」。

三、《四庫提要》分纂稿研究舉隅

對於《四庫提要》分纂稿之研究，以往因資料稀見，研究文章偏於文獻介紹。現因《翁方綱纂四庫提要稿》及《四庫提要分纂稿》之整理出版，相關資料集中，可為深入研究提供基礎。茲取《四庫提要》分纂稿與通行本比勘，發現其中所含《四庫全書》編纂史料，可為《四庫全書》及《四庫提要》研究提供諸多研究課題。嘗鼎一臠，略舉數端。

㈠ 由分纂稿見《四庫提要》初稿形式

翁氏分纂稿作為《四庫提要》原稿，尚保留四庫館纂修官分工校閱各地徵集至京圖書，並撰寫提要之原始面貌：

彙雅二十卷（眉注：《明藝文志》云「張萱《彙雅》前編二十卷後編二十卷」）

明萬曆乙巳至日嶺南張萱孟奇父自序

自序文義亦有未盡妥者。其「華」皆寫「華」，此粵人之故習，不必與之深辨。

每篇先列《爾雅》（下據注疏，亦有萱自釋），次列《小爾雅》、《方言》、
《釋名》、《廣雅》。

此書凡三大冊，每卷前有「吳郡／趙頤光／家經籍」印。卷前有紅筆「常
熟許玉森芝田校閱」。一卷末有黃筆「萬曆己酉三月十九日小宛堂閱」。

張萱所釋語，雖多出己意，亦頗間有發明。

紅筆所閱，有別加添注一條或數字，而又自塗抹去者。

第一冊末紅筆云：康熙十有九年庚申閏八月初二日念皇塾中閱畢，凡二百
三十二葉。芝田。

第二冊二百七十五葉。

一卷末有「己酉三月二十二日閱」。

末卷尾紅筆有「己酉三月廿二下春天階館閱」。

紅筆：康熙辛酉歲立秋日閱畢於登仁家塾。此種書雜陳名物，無甚意味可
喜，故人鮮寓目焉。即趙凡夫原本，亦粗理正文而已。芝田氏識。

據此跋，則前數卷末丹黃草篆書年月，皆凡夫筆蹟也。

謹按：《彙雅》二十卷，明中書張萱著。萱，廣東博羅人。熟於典故，周
見洽聞，著書頗多。此書有萱自序。每篇皆先列《爾雅》，次以《小爾雅》、
《廣雅》、《方言》、《釋名》之屬，下載注疏，附以萱自釋語，亦頗有
所發明。此書世間久無傳本，今此本丹黃處尚有吳郡趙宧光手蹟，宧光亦
究心六書之學者，洵為校閱之善本矣，應刊刻以禪小學。（翁方綱分纂稿）

現存翁氏分纂稿，均採用以上形式，即先作校書札記，然後擬寫提要。「謹
按」以下為翁氏所擬提要文字（原稿五行一百餘字），提要之前則為札記，記錄原書
序跋、藏印、題識等甚備，間下評語（原稿占十七行）。翁稿中札記鈔錄之詳，尚有
數倍於此者，於此既可見翁氏治學之勤勉，又足證四庫館臣「祗承欽命」校書之
慎重。以翁氏分纂稿形式推測，各纂修官撰寫提要之過程，大致與此相同。

㈡ 由分纂稿見四庫館圖書審查要求

　　翁氏所撰各提要稿結尾，均有對該書是否應刻、應抄、應存目、應禁燬之處理意見，其他各家提要稿中，也有類似標註，反映四庫館纂修官校辦各省采進圖書之初，即已遵照弘曆「分晰應刻、應鈔及應存書目三項，各條下撰有提要」之諭旨（乾隆三十九年七月二十五日），於撰寫提要同時，承擔圖書清查之責，如翁氏所撰《貞玄子詩草》、《確庵文稿》提要：

> 謹按：《貞玄子詩草》一冊，未分卷數，明項穆著。穆字德純，嘉興人，墨林主人項元汴之長子。元汴字子京，其天籟閣鑒藏古籍、法書、名畫甲於天下，故穆以書法擅名，嘗著《書法雅言》一書，詩特其寄意耳。應存其目。

> 謹按：《確庵文稿》四冊，常熟陳瑚著。瑚，崇禎壬午舉人。是書十卷以前皆詩，十卷以後皆文，而文皆不題卷次。似是編輯未成之書，難以存目。其書內有應簽出諸條，今俱簽記於書內。

　　以上兩書，《貞玄子詩草》同翁氏意見，《四庫提要》著錄於「集部別集類存目七」，《確庵文稿》則未見《四庫提要》著錄。查《確庵文稿》後入禁書目錄，《軍機處奏准全燬書目（第四次）》稱「其詩文多作於明福王時，內有詆觸字面，應請銷燬」。

　　四庫館對於校閱各書應否刻、抄、存目之審查要求，層層把關，十分嚴格。由翁氏分纂稿發現，翁氏校閱各書，均由四庫館據「校閱單」頒下。頒發之書，已有「備刻」、「擬抄」、「備抄」、「僅存名目」之初步歸類，各書名下並附簡要題解。如「纂修翁第二次分書三十四種」校閱單中，列明張萱《彙雅》等「備刻者二種」、明張敔《雅樂發微》等「擬抄者十二種」、明周汝登《聖學宗傳》登「備抄者八種」、明黃虞稷《禮樂合編》等「僅存名目者十二種」，即為其例。對於「校閱單」之初步處理意見，纂修官可作附議，也可提出異議，而纂修官之

處理意見，又需交總裁等覆審。如上述「校閱單」中所列明黃廣《禮樂合編》一書，原已列入「存目」，翁氏則以為「大約編次既無體例，敘次又乖文義，毫無條理，竟不成書，並其目亦不必存矣」；又明朱睦㮮《授經圖》一書，原已列入「擬鈔」者，翁氏亦以為「應鈔存之」，副總裁李友棠則批云「無所發明，存目可也」；又明張敔《雅樂發微》一書，翁氏同意「擬鈔」意見，以為其書「頗於樂制有可考證，應鈔錄」，而副總裁李友棠批云「亦是老生常談，存其目而已」。

(三) 由分纂稿見《四庫全書》收書標準

《四庫全書》編纂，除利用宮廷藏書、民間徵書外，從《永樂大典》中輯出明清以來已佚之書，亦為底本收集一大來源。陳昌圖分纂稿中著錄《李忠愍公集》云：

> 右《忠愍集》，《宋藝文志》作十卷，馬氏《通考》作十二卷，後二卷係附錄其死節事。公本名若冰，以靖康出使，改今名。陳直齋謂，集雖不多，「而詩有風度，文有氣概，足以知其所存矣」。南宋時曾有鋟本，今已不傳。茲蒐拾《永樂》散篇，編釐四卷。以《宋史》本傳及建炎時誥詞冠諸卷首，而仍列附錄一卷，載希齋跋語及姚孝寧、薛邁祭文各一篇。又其孤淳所云「秭歸費守樞為先公作文集序，能不沒其實」云云，今費序無攷，以淳所識附諸篇末焉。（陳昌圖分纂稿）

《李忠愍公集》原本已佚，《四庫全書》收入館臣所輯《永樂大典》本三卷，《四庫提要》「集部八別集類八」著錄此書，言其「雖蒐羅補綴，非復蜀本之舊」，因得自輯佚，十分重要：

> 忠愍集三卷（永樂大典本）。宋李若水撰。若水本名若冰，欽宗為改今名，字清卿，曲周人。靖康初，以上舍登第，由太學博士歷官吏部侍郎。從欽宗如金營，以力爭廢立，不屈死。建炎初，贈觀文殿學士，諡忠愍。事蹟

具《宋史》本傳。《書錄解》題載《李忠愍集》十二卷,蓋以其追諡名集。劉克莊《後村詩話》作《忠烈集》,當由傳寫之誤。《宋史藝文志》作十卷。考《書錄解題》稱後二卷為附錄其死節時事,《宋志》蓋但舉其詩文,其實一也。若水當金兵薄城之時,初亦頗主和議,於謀國之計未免少疎,而卒能奮身殉節,揩拄綱常,與斷舌常山後先爭烈,使敵人相顧嘆息,有「南朝惟李侍郎一人」之語。其末路足以自贖,史家以忠義稱之,原其心也。其詩具有風度而不失氣格,其文亦光明磊落,肖其為人。南宋時蜀中有鋟本,劉子翬《屏山集》有《題忠愍集》詩,詞極悲壯。今原集不傳,茲就《永樂大典》中所散見者掇拾編次,釐為三卷,以建炎時誥詞三道附錄於後。其子淳跋是集,云「秭歸費守樞為先公作文序,能不沒其實」,今費序已無,惟淳跋僅存,亦併附諸篇末。雖蒐羅補綴,非復蜀本之舊。然唐儲光羲詩格古雅,其集亦裒然具存,徒以苟活賊庭、身污偽命,併其詩亦不甚重。至於張巡所作,僅〈聞笛〉及〈守睢陽〉兩篇,而編唐詩者無不采錄,豈非以忠孝者文章之本耶。今若水詩文尚得三卷,不止巡之兩篇,殘編斷簡,固皦然與日月爭光也。

然而也有相反之例,陳昌圖分纂稿又著錄沈繼祖《梔林集》一種,同為宋人著作,提要如下:

右《梔林集》十卷,宋沈繼祖撰。繼祖與胡紘等比附韓侂冑。據《胡紘傳》云,侂冑以趙汝愚之門及朱熹之徒多知名士,乃設「偽學」之目,使紘草疏排擊之,會改官太常,以稿授繼祖,繼祖論熹,皆紘筆也云云。則其人固不足齒,陳振孫亦謂其詩無足觀,豈非以詭隨貼誗者,所著述俱不足愛惜歟。馬氏《經籍考》作十卷。今仍之以完其舊云。(陳昌圖分纂稿)

《梔林集》原本已不存,而《永樂大典》中收有此書。宋人詩文集,傳至清

代已歷數百年，況原本不存，理應重視。由陳氏提要所言，知其書已經輯成。今檢《四庫全書》，未見收錄該書，《四庫提要》也未存目。《四庫提要》「子部雜家類四」著錄宋孔平仲撰《珩璜新論》時提及此書，並有一段說明：

> 考平仲與同時劉安世、蘇軾，南宋林栗、唐仲友，立身皆不愧君子，徒以平仲、安世與軾不協於程子，栗與仲友不協於朱子，講學家遂皆以寇讐視之。夫人心不同，有如其面，雖均一賢者，意見不必相符。論者但當據所爭之一事斷其是非，不可因一事之爭遂斷其終身之賢否。韓琦、富弼不相能，不能謂二人之中有一小人也。因其一事之忤程朱，遂併其學問文章、德行政事一槩斥之不道，是何異佛氏之法，不問其人之善惡，但皈五戒者有福，謗三寶者有罪乎。安世與軾，炳然與日月爭光，講學家百計詆排，終不能減其著述。平仲則惟存本集、《談苑》及此書，栗惟存《周易經傳集解》一書，仲友惟存《帝王經世圖譜》一書，援寡勢微，鑠於眾口，遂俱在若存若亡間，實抑於門戶之私，非至公之論。今仍加甄錄，以持其平。若沈繼孫之《梔林集》，散見於《永樂大典》者尚可排緝成帙，以其人不足道，而又與朱子為難，則棄置不錄，以昭袞鉞。凡以不失是非之真而已。

㈣ 由分纂稿見《四庫提要》修訂改寫

《四庫提要》由分纂稿至改定稿，其間曾屢經修訂。現存翁方綱、邵晉涵、姚鼐等分纂稿著錄之書，即使已收入《四庫全書》者，取與通行本《四庫提要》比勘，其文字詳略、內容深淺，仍相去甚遠，足證分纂稿經反復修改之事實。試舉翁方綱、陳昌圖所撰分纂稿經修改兩例（黑體字為文字相近者）如次：

> 《楓山集》四卷，明蘭溪章懋著。懋字德卿。懋，成化丙戌進士，入翰林，與莊昶、黃仲昭諫內廷張燈，杖闕下。今集內第一篇即《諫元宵燈火疏》也。歷官至南京禮部尚書，學者稱楓山先生。懋為學恪守先儒訓義，有勸

以著述者，曰，先儒之言至矣，芟其繁可也。集應抄存。（翁方綱分纂稿）

《楓山集》四卷《附錄》一卷（浙江巡撫采進本），明章懋撰。懋有《楓山語錄》，已著錄。懋初在詞垣，以直諫著名。今集中第一篇即其原疏。考元旦張燈，未為失德，詞臣賡韻，亦有前規，而反復力爭，近乎伊川之諫折柳，未免矯激太過。然其意要不失於持正，故君子猶有取焉。至其生平清節，矯矯過人，可謂耿介拔俗之操。其講學恪守前賢，弗逾尺寸，不屑為浮誇表襮之談，在明代之儒，尤為淳實。《明史》本傳稱，或諷之為文章，則對曰，此小技耳，予弗暇。有勸以著述者，曰，先儒之言至矣，芟其繁可也。蓋其旨惟在身體力行，而於語言文字之間非所留意，故生平所作，止於如此。然所存皆辭意醇正，有和平溫厚之風，蓋道德之腴，發為詞章，固非蠟貌梔言者所可比耳。（《四庫全書總目》「集部別集類」二四）

《廬山記》。右宋屯田員外郎嘉禾（《宋史》作烏程）陳舜俞令舉撰。有自序、總序山水篇第一，山北篇第二，山南篇第三，凡三篇。蓋當熙寧中，不奉青苗法，謫監南康軍酒稅，因取劉渙舊記，並《九江圖經》、前人雜錄，考核銘誌，凡唐以前碑記，備詳其歲月爵里。又別作「俯視圖」，紀尋山先後之次。凡五卷，圖今不存。劉渙凝之、李常公擇皆為之序。直齋陳氏謂，南康守廣陵馬玕又有《續記》四卷。今亦未見。（陳昌圖分纂稿）

《廬山記》三卷附《廬山記略》一卷（兵部侍郎紀昀家藏本）。宋陳舜俞撰。舜俞字令舉，烏程人，所居曰白牛村，因自號白牛居士。慶曆六年進士，嘉祐四年又中制科第一，歷官都官員外郎。熙寧中出知山陰縣，以不奉行「青苗法」，謫南康監稅。事蹟具《宋史》本傳。舜俞謫官時，與致仕劉渙遊覽廬山，嘗以六十日之力，盡南北山水之勝，每恨慧遠、周景武輩作山記疏略，而渙舊嘗雜錄聞見，未暇詮次，舜俞因採其說，參以記載、耆

舊所傳，晝則山行，夜則發書考證，泓泉塊石，具載不遺，折衷是非，必可傳而後已。又作「俯仰」之圖，尋山先後之次以冠之，人服其勤。自記云：余始遊廬山，問山中塔廟興廢及水石之名，無能為予言者，雖言之往往襲謬失實。因取《九江圖經》、前人雜錄，稽之本史，或親至其處，考驗銘志，參訂耆老，作《廬山記》。其湮洷蕪沒、不可復知者，則闕疑焉。凡唐以前碑記，因其有歲月甲子爵里之詳，故并錄之，庶或有補史氏云云。其目有總敘山篇第一，敘北山篇第二，敘南山篇第三，而無第四、五篇，圖亦不存。勘驗《永樂大典》，所缺亦同。然北宋地志傳世者稀，此書考據精核，尤非後來廬山紀勝諸書所及，雖經殘缺，猶可寶貴，故特錄而存之。釋惠遠《廬山記略》一卷，舊載此本之末，不知何人所附入，今亦併錄存之，備參考焉。（《四庫提要》「史部地理類三」）

今存各家分纂稿內容，與通行本《四庫提要》之差異多類此。由翁稿與《四庫提要》均述章懋諫張燈及答人勸著述二事、陳稿與《四庫提要》均記《廬山記》之成書原委，可知兩稿實有淵源，通行本《四庫提要》似非另行重撰。由前稿之簡略變為後稿之詳贍，證明分纂稿多經修改潤色。兩相比較，《四庫提要》人物評價平允，版本介紹深入，文字更為妥實。今國家圖書館、上海圖書館藏有《四庫全書總目》鈔稿本數種，均為《四庫提要》付刻前之修訂稿。該稿內容、形式已接近《四庫提要》定本，而篇目、分類、次第、底本等仍多更動，且有大量抽燬撤銷、刪落修改痕跡，可證《四庫提要》成書過程中，修訂工作迄未停止。分纂稿作為《四庫提要》之最初形式保留至今，有待研究者深入比勘研究。

四、《四庫提要》分纂稿與四庫館圖書禁燬

《四庫全書》及《四庫提要》編纂中，對「違礙」圖書之清查禁燬逐步深入。由於弘曆之干預，乾隆五十年前後南北各閣《四庫全書》繕寫完成後，仍對其中

遺留之「違礙」圖書清查撤換，不惜返工。《四庫提要》因著錄大量「存目」書，成書過程尤經反復。《四庫提要》編纂自乾隆三十八年（1773）始，至四十六年二月初稿完成，四十七年七月進呈，其後又由紀昀主持修改，數易其稿，直至乾隆五十七年（1792）後始付刻。《四庫提要》刻本與《四庫全書》書前提要、趙懷玉所刻《四庫全書簡明目錄》及今存各分纂稿於內容文字、底本著錄等方面之差異，多與四庫館清查撤銷圖書有關。《四庫提要》分纂稿中保留四庫館禁燬撤銷圖書記錄甚富，又反映圖書清查中諸多細節，值得引起重視。

㈠ 分纂稿中圖書禁燬紀錄舉隅

四庫館校辦各省采進圖書之初，即嚴格區分應刻、應鈔、應存目及不收之書，實為執行弘曆查禁「違礙」圖書之具體措施。人主嚴令屢申，館臣凜遵唯謹。翁氏分纂稿保留大量禁燬書史料，為定本《四庫提要》中所不載。翁氏校書凡遇心存疑慮者，即於「詆觸違礙」處粘簽，並開列「簽記清單」，隨提要一併送呈，以候總裁定奪。翁稿著錄圖書千餘種中，有近三十種書名上注有「燬」字。以翁稿著錄與《清代禁燬書目（補遺）》、《清代禁書知見錄》、《索引式的禁書總錄》三目核對，實際禁燬書近八十種（尚有上述禁書目錄未著錄而仍屬禁書者多種，如宋洪皓《金國文具錄》、清尹會一《尹母年譜》等書）。試舉數例：

> 謹按：《嶧桐集》三冊，明劉城著。城，貴池人。文與詩皆無卷數，其詩前曰「五言」、「七言」矣，後又曰「詩部」，又不分種。蓋未經編定者，且多違礙應簽記處，除已逐處加簽外，可毋存目。（旁注：不寫恭校。）

所謂「不寫恭校」，係指示鈔胥謄鈔提要稿時之具題格式。據此可知，「可毋存目」之書，「簽記清單」及提要稿雖仍呈總裁，書寫格式已有所區別。《嶧桐集》未見《四庫提要》著錄，檢《軍機處奏准全燬書目（第五次）》著錄此書，稱「集中《封疆局面說》及《上史閣部書》諸篇多悖礙之語，兼挖空處甚多，應請銷燬」。又翁氏分纂稿原擬「存目」意見，後未見《四庫提要》著錄而成為禁

書之例甚夥：

> 謹按：《石閭山房集》十七卷，明劉一焜著。一焜字元丙，南昌人。萬曆壬辰進士，歷官右僉都御史巡撫浙江。是集前詩後文，有目無序。應存目。

> 謹按：《姑山遺集》三十卷，明沈壽民著。壽民字眉生，宣城人。縣學生，舉賢良方正，故集中稱曰「徵君」。此集是其門人梅枝鳳、施閏章等所梓。《明詩綜》載其集曰《剩庵詩稿》，此本詩止三卷，文二十七卷。應存其目。

以上二書《四庫提要》均未存目。檢《抽燬書目》著錄《石閭山房集》六本，稱：「其詩集卷一《獨漉篇》、《劉稗師詩》，卷三《從軍行》、《聞警》五首、《挽羅尚之》第二首，卷四《送丁右武備兵》、《莊浪家乘》，卷八《湖山府君行狀》，俱有違謬處，應請抽燬。」可知其書後經重新審查。又《軍機處奏准全燬書目（第八次）》著錄《姑山遺集》，稱：「壽民生於明季，入國朝至康熙初尚存，而書中語多違礙，且有挖空處，應請銷燬。」又翁氏《東垣集》提要：

> 謹按：《東垣集》二十二卷，明鄧澄著。澄字于德，建昌新城人。萬曆甲辰進士，官監察御史。其集前十四卷皆文，後八卷皆詩。除應記粘籤數處外，或酌存其目。

此書翁氏雖已「粘籤數處」，仍擬議「或酌存其目」，而《四庫提要》後未著錄。檢《軍機處奏准全燬書目（第五次）》著錄《東垣集》，稱：「此書刊本內留有黑臺，按其文義，多係指斥語，應請銷燬。」可見即使館臣認為可「存目」之書，經總裁覆審時仍可否決。其實，不僅《四庫提要》撰寫過程中，原擬刻抄者僅入存目，原擬存目者未入存目，變動情況不少，甚至《四庫全書》發鈔階段，仍存在撤出增入、抽燬銷燬情況。翁氏分纂稿著錄之書，有一百餘種既不見於《四

庫全書》，亦未入於存目，其書今多罕觀，或已湮沒不傳，僅賴翁稿略存梗概。

㈡ 四庫館圖書剔除與圖書禁燬

近人「四庫學」研究中，對於四庫館圖書禁燬問題較為關注，討論所及，對於《四庫全書》編纂中圖書剔除與圖書禁燬活動，區別不夠嚴密，有「擴大化」傾向。現據《四庫提要》分纂稿可知，四庫館初期整理各地送到圖書時，有因內容重複、卷帙不完及版本不合而作剔除者，並非均因其內容存在「違礙」。

如翁氏分纂稿中記錄，宋周必大所撰《思陵錄》、《龍飛錄》兩種，已載入《文忠集》；《靈星小舞譜》一種，已載《樂律全書》中。因全書已收，故零種不再立目。重複者不收以外，內容不全者亦予剔出，如翁撰《宋徽宗宮詞》提要謂：「非全書也，不應入校閱單內。」《澄水帛》、《六月譚》提要謂：「此二種係在茅元儀所著各種內，不必存目，并不應入校閱單內，亦毋庸印戳記，不列銜名。」（二書後遭禁燬）。又如陳繼儒《白石樵真稿》提要謂：「《明史藝文志》載其《晚香堂集》三十卷，此合尺牘纔二十八卷而無詩，且其前有眉公《見聞錄》自序一篇，則《見聞錄》應在集中，而集中無之，則此集未全，不必專存其目也。」

四庫館采集圖書來源頗廣，采進之書版本情況又甚複雜，如不加清理，則重收誤收，勢所難免。館臣校書多係分工作業，於所見之書須先確定其卷帙完整與否，提出處理意見，再由總纂協調定奪，此實集體編書時不可或缺之安排。以上兩種情況以外，分纂官遇某書版本與有關著錄不符，亦取慎重態度。如：

> 《寶日堂初集》三十二卷，明華亭張鼐著。《明史藝文志》載其《寶日堂集》六卷。此集以今館臣恭辦《全書》之體論之，自是不應存目。雖《明史藝文志》內亦已載其集，然但曰「六卷」，或非此本亦未可知，而此集則不應存也。（翁方綱分纂稿）

> 《鏡山庵集》二十五卷，明高出著。出字孩之，萊陽人，萬曆戊戌進士，知曲周、高陽、盧氏三縣，升南京戶部主事，歷官河南按察使。朱彝尊《明

詩綜》載其有《盧隱》、《郎潛》二集，而此乃全集，蓋統編又在後耳。

彝尊稱其為詩不襲歷下，然其中古樂府之類，亦全襲面目，陳陳相應而已。

（翁注：以下空，不寫衙。）

此種集以今館臣恭辦全書之體，似不應存目。然明人萬曆年間以後之集恐不止此，應否商定畫一。且不應校辦。

以上只就集論集，若辦其書，則方綱另有粘簽，請總裁酌定。並請定一畫一之例，以館中之書恐不止此一種也，且不應校辦。

簽曰：《鏡山庵集》二十五卷，明高出著。其集之是非勿論已，即以今館臣恭辦《全書》之體，此等集不但不應存目，且不應校辦；不但不應校辦，而且應發還原進之人。從前於明末茅元儀所著書卷前亦已粘簽，候總裁大人酌定。明人萬曆以後之書恐不止此，應如何商定畫一，請酌定，俾各纂修一體照辦。方綱謹識。（翁方綱分纂稿）

以上二書後均入禁書目錄，翁氏分纂稿所撰提要及簽記，除指出其「不但不應存目，且不應校辦」外，同時反映所見之本與《明史藝文志》、《明詩綜》等著錄不合，故特「粘簽」提請總裁注意，希望針對版本差異問題定出統一體例，以便處理明末刻印圖書時有所據依。

㈢ 四庫館圖書清查禁燬之重點

據《四庫提要》分纂稿可知，四庫館初期清查圖書之重點，在明代萬曆以後人所撰史部及集部著作。細檢翁氏分纂稿中注「燬」各書提要，如陳繼儒《白石樵真稿》、艾南英《天傭子集》、黃宗羲《明文案》、蔡復一《遯庵全集》、李應升《落落齋遺集》、周宗建《周來玉奏議》等，呈稿時均附有「簽記清單」，以供總裁覆核。如《白石樵真稿》書名下記「此內詆觸違礙共記廿一簽」，並詳列簽出之條在某卷某頁某行；又《遯庵全集》書名下記「共記悖觸違礙五十簽」，並細列某頁某行「悖觸」、某頁某行「違礙」，甄審綦嚴。

　　此外，翁氏發現有「違礙」處並經粘籤記之書，所撰提要仍多建議「存目可也」、「應存其目」，如《天傭子集》提要謂：「至其編次評語內多引述呂留良、錢謙益之處，則宜痛加削去者也，應存目而核正之。」又《遯庵集》提要謂：「此書有悖觸違礙處粘籤至五十處，而又有一本全籤出者，恐不可據此存目，則或除應銷毀者外，另就餘卷存目可否。」由此可知，各纂修官承命校書，乃屬例行功課，各書最終之應燬應存，均由總裁官定奪。翁稿中書名旁所注「燬」、「酌」字，疑為經總裁審校後所加。翁稿未注「燬」字而仍入於禁書目錄者，則反映四庫館禁書範圍後來逐步擴大。

　　四庫館初期清查明末圖書，對萬曆前及萬曆初刊之書，禁例尚寬。如明鄒德涵《鄒聚所文集》下記：「此人卒於萬曆九年，是以無違礙記籤處。」明程文德《程文恭遺稿》下記：「此人卒於隆、萬之際，其第三卷內諸疏言嘉靖間山西等處之事，皆非違礙，是以毋庸記籤。」據此可知初期清查圖書，僅以時代為界，未及逐書爬梳，究查至苛。至四庫館後期，禁例愈嚴，清查愈細，翁氏初擬刪除違礙之語後仍入存目者，自然均在禁燬之列。

　　綜上所述，《四庫提要》分纂稿之收集與整理，對於《四庫全書》及《四庫提要》編纂之研究，已提供大量可供深入探討之史料。新史料之發掘，對於相關課題研究視野之開拓作用，無須贅言。存世《四庫提要》分纂稿尚待訪求，比勘研究，尤其遠未有盡，深盼中外同道相與切磋，共同致力於此，庶不負四庫纂修官遺稿流傳至今並經彙集之機緣。

文溯閣本《四庫全書》研究

郭向東

甘肅省圖書館館長

　　文溯閣《四庫全書》現藏甘肅省圖書館，並得到甘肅省的高度重視和有效保護。對於文溯閣《四庫全書》的比較研究，先賢雖有所涉獵，但系統成果並不是很多。應該說，這套書自其誕生之日起就倍受重視。首先，體現在其貯藏地之重要；在「盛京宮闕」瀋陽故宮收藏，其用意一是供皇帝前來祭祀時使用，二是藉此提高盛京故宮的地位，以示其不忘根本，敬重祖宗之意。其次，體現在「文溯閣」命名之寓意；第三，其成書兩百餘年，保護與傳承可謂歷盡波折。無論從哪一方面來講，對其進行進一步研究，都有著積極的意義。為此，本文將就文溯閣本《四庫全書》的成書、流傳與其他六閣之異同進行探微，並對歷史上對文溯閣《四庫全書》做出貢獻的歷史人物進行考評。

一、文溯閣《四庫全書》的編纂與修訂

㈠ 文溯閣《四庫全書》的編纂

　　文溯閣《四庫全書》是七部《四庫全書》中的第二部告成之書。在繕校的過程中，乾隆皇帝對將送往先祖聖地的這部書可謂格外關心，乾隆四十七年（1782年）十一月，館臣的奏摺中說：「謹查歷次進呈文溯閣四庫全書內，蒙指出訛錯之處，俱隨時交武英殿總校、提調等查對原本，臣等在行詳看改正。其一、二字

訛舛者,即行挖補,如錯至數行及半頁者,即行換篇裝訂,不致遺漏遲誤。」❶
可見要求之嚴格。編校中,乾隆曾經多次抽閱,指出錯訛之處,並要求館臣認真
改正。此後,在閱看其他進呈書籍過程中所發現的訛錯,需要改正之處,也逐條
記檔,並專文告知盛京將軍等地方官員,「按卷檢齊,遇便委員帶來,再行照改
發往。並將節次遵旨改挖各書,開寫清單進呈」。❷

　　乾隆四十七年十一月二十八日,「奉命辦理第二分全書」的總裁永瑢等人因
「繕校全竣」,專折奏稱:「自本年二月十七日起,除《永樂大典》及各館未辦
成書酌量留空函外」,所有第二分「為盛京文溯閣陳設四庫全書繕校完竣」,「業
經全數呈覽」。❸是日,乾隆因「第二分《四庫全書》校繕完竣,辦理尚屬迅速」,
特諭將總校王燕緒、朱鈐,收掌吳樹萱、柴模等人予以議敘授職。❹

㈡ 文溯閣《四庫全書》的修訂

1.《四庫全書》重檢的起因

　　編纂《四庫全書》採用的是逐字謄錄的方式,其優點是可以隨時將書中「語
涉違礙」之處簽出不錄或刪改挖補;但另一方面,魯魚亥豕走筆之類錯誤,乃勢
所難免。修書伊始,乾隆皇帝便預料到了這一弊端,所以繕寫內廷四閣全書時,
四庫館各部門當中,繕書處所用人員最多,除謄錄之外,還敕令設置總校官4人,
分校官179人,規定於每書抄繕完成之後,都要進行詳細的校勘及考成。另外,
乾隆在繕寫期間,督課也極為嚴格,乾隆三十九年(1774年)二月二十一日曾頒旨
曰:「但能每本抽閱數處,時為駁正,則校對及謄錄等皆知有所敬畏經心」。❺
要求負責館臣再就校對後的書本,進行抽樣考核,並訂定獎懲辦法,設立功過簿,

---

❶ 乾隆四十七年十一月十五日軍機大臣奏摺,《纂修四庫全書檔案》下冊,頁1680。
❷ 乾隆五十年二月十七日將軍大臣奏摺,《纂修四庫全書檔案》下冊,頁1862。
❸ 乾隆四十七年十一月二十八日多羅質郡王永瑢奏摺,《纂修四庫全書檔案》下冊,頁1688-1689。
❹ 乾隆四十七年十一月二十八日諭,《纂修四庫全書檔案》下冊,頁1689-1690。
❺ 乾隆三十九年二月二十一日諭,《纂修四庫全書檔案》上冊,頁198-199。

將抽閱結果，按功過標準予以記錄處理。可見《四庫全書》修纂之初，對於人為疏失所可能導致書中錯誤的防範，設想相當周全。然而當乾隆四十六年（1781年）十二月第一分四庫全書告成後，乾隆對進呈的書冊，偶加翻閱，陸續發現不少瑕疵。據乾隆四十七年（1781年）二月十九日館臣奏云：「昨發下《通鑑長編》內，於廟諱僅缺一筆，不行敬謹全避，分校官未經看出改正，實屬錯誤。……伏思遇有廟諱、御名，上一字自當缺筆，下一字理應敬避。……但現在辦竣之第一分全書內，有無似此不行全避字樣，應一體查明挖改，並請交各總裁轉飭分校各官，嗣後遇有廟諱上一字仍照例缺筆外，下一字敬謹全避，以昭劃一」。❻

同時，乾隆本人也發現書中有嚴重錯誤存在，並於乾隆四十七年（1782年）十月二十九日上諭中說道：「四庫館進呈原任翰林院檢討毛奇齡所撰《詞話》一書，內有『清師下浙』字樣，殊屬背謬。毛奇齡系康熙年間翰林，書內著載我朝時事，理應稱大兵、王師等字樣，乃指稱清師抬寫，竟似身事前明、未經在本朝出仕者，謬妄已極。……此等書籍經纂修、校對閱過，即應按照館例簽改進呈，乃漫不經心，俱未看出，實非尋常疏忽可比。」❼

此後，又陸續發現了一系列問題。如乾隆四十七年（1782年）十一月館臣奏曰：「謹查歷次進呈文溯閣四庫全書內，蒙指出訛錯之處，俱隨時交武英殿總校、提調等查對原本，臣等再行詳看改正。其一、二字訛舛者，即行挖補，如錯至數行及半頁者，即行換篇裝訂，不致遺漏遲誤。」❽

由以上事例可推知，修纂四庫全書北四閣告成之後，書中有不少錯字、缺行、缺卷、重複等缺失。甚至於書中避清室帝諱體式不一，已直接影響到清帝威嚴，更令乾隆皇帝不滿。至於語涉違礙，甚至將狂悖妄誕之書，都雜入《四庫全書》之中，更讓乾隆難以容忍，於是他下令對已經纂修完成之書，進行大規模的重檢。

❻　乾隆四十七年二月十九日軍機大臣奏摺，《纂修四庫全書檔案》上冊，頁 1467－1468。

❼　乾隆四十七年十月二十九日諭，《纂修四庫全書檔案》下冊，頁 1667－1668。

❽　乾隆四十七年十一月十五日軍機大臣奏摺，《纂修四庫全書檔案》下冊，頁 1680。

2. 文溯閣書籍初次復校

在內廷四閣中，文溯閣書籍因庋藏於盛京，路途較遠，且負責之陸錫熊當時正出任福建學政，故其書籍的復校工作最晚進行。

陸錫熊，字健男，一字耳山，上海人。乾隆二十六年（1761 年）進士，二十七年賜內閣中書，充方略館纂修，值軍機處，三十三年擢刑部郎中。《四庫全書》開館後，與紀昀同被薦為總纂官。在館期間，陸錫熊協同紀昀「考字畫之訛誤，卷帙之脫落，與他本之互異，篇第之倒置，斬其是否不謬于聖人。又博綜前代著錄諸家議論之不同，以折衷於一是，總撰人之生平，撮全書之大概」❾，纂成《四庫全書總目》，時人多稱其功，陸錫熊也因此擢任侍讀學士，授大理寺卿，遷都察院左副都御史。因在《四庫全書》復校的過程中，各閣分別簽出的訛誤不一而足，乾隆皇帝遷怒于原辦理《四庫全書》各員，而當時擔任總纂、總校職務的紀昀、陸錫熊、陸費墀等人首先獲咎。因而下令「將文淵、文源、文津三閣書籍所有應行換寫篇頁，其裝訂挖改各工價，均令紀昀、陸錫熊二人一體分賠」❿；並罰令陸錫熊於福建學政差滿後，帶同原校文津閣疏漏之員，前往盛京校文溯閣書籍。乾隆五十四年（1789 年）十一月初九日又頒旨說：「文淵、文源、文津三閣四庫全書，前已派員逐分校閱，將錯誤處詳晰簽改。至文溯閣全書一分，現在應往盛京原勘之陸錫熊業已差滿，俟到齊即行前往校辦」。⓫乾隆五十五年（1790 年）三月，任滿回京不久的陸錫熊便會同其他「任滿回京時令同陸錫熊前赴盛京罰校文溯閣書籍」⓬的劉權之、翁方綱、鄭際唐、潘曾起、關槐等人陸續到達盛京，正式開始了復校工作。

在開始校勘之前，陸錫熊等人首先根據文溯閣書籍的實際情況，參考前三閣

---

❾　王昶《春融堂集·陸君墓誌銘》，卷五五。
❿　乾隆五十二年六月十二日上諭，《纂修四庫全書檔案》下冊，頁 2025－2027。
⓫　乾隆五十四年十一月初九日諭，《纂修四庫全書檔案》下冊，頁 2169。
⓬　乾隆五十二年十月十八日上諭，《纂修四庫全書檔案》下冊，頁 2074－2077。

全書的校閱經驗，商酌制定了詳細的工作規程：「酌令同來看書之編修邱庭瀧專司收發事宜，立檔存記，臣等按照部分次第校看」。全書共 6100 餘函，由陸錫熊「總司核籤，仍兼分閱，與詳校之劉權之、鄭際唐、關槐、潘曾起、翁方綱等，每人應分一千餘函。謹將各書逐段勻派，按股圖分，以專責成而均功力」。同時考慮到「全書各分，繕校原非一手，誤字脫簡不盡相同，至其間應行刪削、刊正之文，諒無歧異。臣等業將彭元瑞、紀昀辦過詳校各檔，查取全帶，於各書籤出之條再行互相參證，以防掛漏。如有經臣等看出而前檔所無者，亦容知會查明，畫一辦理，務與三閣珍函同臻盡善。此內有應行另寫者，臣等即行分別賠寫」。至於應行譯改遼金元人名地名之處，則制定專人，「將帶來翻譯各檔逐一查對，詳悉改正」，對「各書卷首應添部分、門類兩行」，也一併「按部添入，其卷末原附考證，應行撤去者，亦均照依三閣章程一律辦理」。由於文溯閣書籍遠在盛京，查閱底本頗多不便，因此，陸錫熊除將翰林院、武英殿存貯底本中緊要者揀出運帶，以備核校外，還從「原派應赴盛京」校書人員中指定一人即張燾，留京專辦底本，凡遇「應需查對者，即陸續移取，雇人齎送盛京應用，可無曠誤」。❸如校勘開始不久，就「查出遺漏繪圖者有《大清會典》、《易象正》、《明集禮》三種，脫寫全卷者有《欽定康濟錄》、鄭樵《通志》二種，脫寫原目敘錄者有《東都事略》、《戰國策校注》二種。此內帶有底本者，臣等即查照補繕；其應查底本者，亦已寄知原辦提調查取底本，分別賠寫」。❹

在復校過程中，當地官員對書籍的管理十分嚴格，校勘各員每日早晚需領交書籍，盛京將軍指派專人「查照總裁官開列書名圖記清單，赴閣照單查出書籍，登記冊檔，用黃盤連匣盛貯妥協，派官敬謹押役抬交收發所查收。校畢發回時，仍令照前敬謹押回」，查點明確後「歸架銷檔」。❺

---

❸ 乾隆五十五年三月二十九日副都御史陸錫熊奏摺，《纂修四庫全書檔案》下冊，頁 2173－2175。

❹ 乾隆五十五年五月初四日副都御史陸錫熊奏摺，《纂修四庫全書檔案》下冊，頁 2175－2176。

❺ 乾隆五十五年三月二十八日盛京將軍嵩椿奏摺，《纂修四庫全書檔案》下冊，頁 2172－2173。

　　從三月二十六日始校，至七月十二日竣事，將近四個月的時間，陸錫熊與劉
權之、翁方綱等人每日卯入戌出，細心翻檢，不敢稍有懈怠。此次校書，「計閱
過書六千一百餘函，此內點畫訛誤處隨閱隨改外，共查出謄寫錯落、字句偏謬書
六十三部，漏寫書二部，錯寫書三部，脫誤及應刪處太多應行另繕書三部，匣面
錯刻、漏刻者五十七部」，並分別作了處理，「內除錯落偏謬各書俱已隨時繕補
改正，匣面錯落各處亦經一面抽改添刻外，其漏寫、錯寫等書，俟回京同紀昀查
明，與應行另繕之本，俱自行賠寫完妥」❶之後，齎送盛京，按函抽換。校書結
束後，盛京地方官員還會同陸錫熊「照依新改架圖次序排定，務使書名前後與匣
蓋所刻流水相符，方行歸架」。對那些「應行撤回另辦之書」，則先「面同陸錫
熊查明，立檔存記，以便改繕畢送回時，敬謹抽換入函」。❷全部書籍挖改重抄
費用，俱由陸錫熊罰賠。此為文溯閣書的第一次檢校。

　　此次校勘的結果，「遺漏錯誤之處，不一而足，甚至有脫寫全卷者，辦理殊
為草率。」令乾隆甚為惱火，經軍機大臣奏議，罰令「此次查出原本文（溯）溯閣
全書疏漏各員，除業經病故、革職者毋庸置議外，所有總纂官紀昀、孫士毅、陸
錫熊，提調官韋謙恒、吳裕德、關槐，及單開之總校、分校各官」，校勘摛藻堂、
味腴書屋所貯之《四庫全書薈要》二分，共計二萬四千冊。「並請將纂辦未竣之
《八旗通志》等書，及各館應繕空函書籍，開列清單，一併交予紀昀等，率同各
該員纂辦繕寫，以補前數而贖前愆。」❸對此處理結果，乾隆並不滿意，認為「文
溯閣全書訛謬甚多，且有脫寫全卷者，皆原辦各員校辦草率所致，自應將《四庫
全書薈要》二分及各館應纂、應繕各書罰令校勘纂繕，以贖前愆。」此外，還將
「總校王燕緒、吳紹潔，分校李斯詠，除罰校書外，仍交部從重議處，以示懲

❶　乾隆五十五年七月十二日副都御史陸錫熊奏摺，《纂修四庫全書檔案》下冊，頁2191－2192。
❷　乾隆五十五年七月十二日盛京工部侍郎成策奏摺，《纂修四庫全書檔案》下冊，頁2190－2191。
❸　乾隆五十五年九月十六日軍機大臣阿桂等奏摺，《纂修四庫全書檔案》下冊，頁2193－2197。

傚。」❶由此可見，乾隆皇帝對《四庫全書》書籍質量之重視。

3.文溯閣全書的再次復校

文源、文淵兩閣書籍再次復校查出的諸多錯誤，使軍機大臣對遠在盛京的文溯閣全書的質量表示擔憂。雖然陸錫熊「于上年往盛京詳校閣書，業將應行抽改駁換者查明改正，其留空函書彼時俱亦歸架，亦經校閱更改，似可不至仍滋謬誤。但卷帙繁多，難保盡無一、二掛漏」。於是，決定讓原指定留京專辦底本的張燾借送書歸架的機會，先行前往抽閱。「若訛闕較多，斷非一人所能辦理，即令呈明軍機處請旨，仍令陸錫熊及前此同往看書各員前赴盛京，復加詳閱。」❷陸錫熊本人也深知文源、文淵、文津三閣書校畢後定該輪到文溯，又聞高宗已命人去檢查文淵閣書第一次檢校的質量。若必待皇上「偶閱」指出錯訛，或已去奉天的張燾查出問題罰往校書，則不若先行請纓為好。因此，五十六年十二月二十一日，陸氏遂上折請赴盛京再校文溯閣書。略謂：「全書卷帙繁富，屢校即屢有改正，讎勘實不厭精詳。所有文溯閣全書自亦應一體復加詳核，俾得益臻完善。臣斷不敢因甫經校過，即不須詳慎重閱，以致自貽咎戾。……但臣在京，現無緊要事件，而文溯閣系臣專辦，相應奏明于張燾未經呈報之先，一交新春後，臣則啟程馳赴盛京，多帶看書熟手，詳加復閱，仍與紀昀彼此知會，互相校核。如有闕卷脫文，俱行參考同異，畫一釐正，務期周密詳盡，毋致再有沿誤，以蘄同歸精審。至挖改換寫等事，即就近查辦，其有成部、成卷駁換者，仍帶回分別交賠之處，均遵軍機大臣原議辦理」。❸同日，禮部侍郎劉權之亦奏請「情願自備資斧，另行倩覓校書熟手，率同前赴文溯閣復加詳核，並鈔錄紀昀此次所奏二閣清單，逐細查檢，斷不敢稍有回護」。❹十二月二十九日，山東學政翁方綱亦上折懇准其子翁

---

❶ 乾隆五十五年九月十七日諭，《纂修四庫全書檔案》下冊，頁2197-2198。

❷ 乾隆五十六年十月初十日軍機大臣阿桂等奏摺，《纂修四庫全書檔案》下冊，頁2242-2145。

❸ 乾隆五十六年十二月十一日都察院侍郎陸錫熊奏摺，《纂修四庫全書檔案》下冊，頁2277-2278。

❹ 乾隆五十六年十二月十一日禮部右侍郎劉權之奏摺，《纂修四庫全書檔案》下冊，頁2278-2279。

樹培將其「所專校各函，再為逐細重閱前校各書再校一遍」。❷

　　為了趕在張蕙未呈報之前先到盛京，乾隆五十七年二月，五十九歲的陸錫熊未及天氣轉暖便帶領原班人馬匆匆上路。是時，山海關外大雪封道，地凍天寒。及至千里迢迢趕到盛京，一路風寒勞累，遂患重病，竟於二月二十五日離開人世，可謂以身殉職。同行的禮部右侍郎劉權之遂接替陸錫熊的職任，將原應由陸錫熊校閱的一千餘函書籍，與各詳校攤勻分閱，責成各詳校認真復核，「並每人各付一冊檔，填寫姓名，其簽改之處，並令詳載各書卷數及某頁某行，以便按籍抽核」，同時對照文源、文淵二閣的核閱清單，「隨時核對繕補」。❷為配合校書，盛京地方官員「商同在文溯閣左近尋覓寬敞房間，作為閱書公所，應需器皿並收發書籍一切事宜，悉照上次所辦妥協預備，仍派妥員敬謹照料外」。盛京將軍還「不時親往查案，以昭慎重」。❷這樣大致過了兩個月，文溯閣全書的再次復校便基本告竣了。

　　校書工作結束後，盛京地方官員將所有校出各書，「逐卷詳查，照依次序，敬謹歸架」。只有《性理大全》一書，交由劉權之撤出，帶回另繕。同時，初校時「撤回改繕各書，內除《南巡盛典》、《八旗通志》、《四庫全書總目》三種尚在改繕未經送到外，其餘撤回各書俱已發來，照存記原檔查點無闕，一併歸架」。❷

　　文溯閣《四庫全書》共計 6144 函，36000 餘冊。由於其規模宏大，收錄繁多，就算參與復校的人員都兢兢業業，亦很難將各書之謬誤一一校出。更何況參加這兩次復校的人員，均是以前被校出錯誤書籍的原辦人員被罰往盛京校書，情緒難免低落，加上每人須校閱 1000 餘函，計 6000 餘冊，精力有限，又迫於程限，難

---

❷　乾隆五十六年十二月二十九日山東學政翁方綱奏摺，《纂修四庫全書檔案》下冊，頁 2287。

❷　乾隆五十七年二月二十五日禮部右侍郎劉權之奏摺，《纂修四庫全書檔案》下冊，頁 2293－2294。

❷　乾隆五十七年二月二十日盛京將軍琳寧等奏摺，《纂修四庫全書檔案》下冊，頁 2292。

❷　乾隆五十七年四月二十二日盛京將軍琳寧等奏摺，《纂修四庫全書檔案》下冊，頁 2303－2304。

免虛走形式。另外，文溯閣遠在盛京，一則查閱底本有諸多不便，只好過多地參照其他各全書的校閱清單；二來天高皇帝遠，特別是第二次復校，主帥先亡，使參校者心裏蒙上一層陰影，也難免有懈怠之心，給復校帶來諸多不利影響。不過這兩次復校，畢竟每次都查出了許多訛誤錯謬，小至一字半字的空白舛誤，大至整篇整卷甚至整部的漏寫錯寫，均查找底本一一加以改正，這對於提高文溯閣《四庫全書》的質量，還是起到了積極而有效的作用。

三 文溯閣《四庫全書》的續補

由於乾隆皇帝修纂《四庫全書》，本有推展政教之寓意，因而藉四庫全書修纂之機，將欽定、御撰等書籍，盡加著錄，並開方略館、三通館、國史館、翻書房等趕辦各種書籍，以便及早完成，彙入《四庫全書》之中，作為垂范方來的讀物。但因同一時期內修纂的書太多，無法趕在全書完成之前竣事，四庫館臣於是為之預留空函，以待補入。自乾隆四十六年至四十九年，內廷四閣全書雖依次完成，但其中還有二百余空函尚待補入。文溯閣全書送藏時，即有空書匣 364 個同時送達，當為儲空函書之用。所應補入者，大多是敕撰書，或因繕寫未竟，或因纂辦未完，還有一些如《盛京通治》、《一統志》、《職官表等書》，則因增纂展限。所以直至數年後尚未歸函插架。乾隆五十二年（1787 年），又撤出李清、吳其貞、周亮工、潘檉章等人的著作 11 種，致使空函的數量更多。乾隆皇帝也注意到了這些情況，並於乾隆五十三年（1788 年）十月十五日頒發對敕撰各書「亟應予限嚴催，毋任延緩」的諭令：「所有武英殿、國史館、方略館、三通館、翻書房承辦各種書籍，著派八阿哥、彭元瑞、金簡會同該館總裁，督飭纂修、謄錄等上緊趕辦。……應用繕書之費，在於議敘謄錄等罰交項下按數支用。惟各館分投趕辦，稽查為難，並著軍機大臣定立限期，隨時查核，以期迅速完竣。」**❷❼**

乾隆五十三年（1788 年）十月十五日館臣奉旨將所留空函，尚未補全各書，開

---

❷❼ 乾隆五十三年十月十五日諭，《纂修四庫全書檔案》下冊，頁 2137。

列書單上奏曰：「臣等遵旨帶同紀昀至文源閣查看，得各書均係上年八阿哥、劉墉督同詳校官各員詳加校正，尚無匣頁損壞之處，所有空函二百四十九匣，現在各館分投抄錄辦理。臣等再行遵旨嚴催，務令迅速繕寫、校對詳妥，辦竣後按架歸函，以期毋誤。所有應補各書，分繕清單，恭呈御覽。至文淵、文津、文溯三閣留空各函及應撤換補入各書，臣等亦一併查明，嚴催各館上緊趕辦歸架，謹奏。」

空匣補寫各書：

《御製文集》、《御製詩集》、《欽定宗室王公功績表傳》、《欽定蒙古王公功績表傳》、《欽定蘭州紀略》、《欽定平定兩金川方略》、《欽定蘭州紀略》、《欽定皇朝通典》、《欽定皇朝通考》、《欽定皇朝通志》、《欽定續文獻通考》、《欽定續通志》、《欽定盛京通志》、《欽定勝朝殉節諸臣錄》、《大清一統志》、《開國方略》、《滿洲源流考》、《蒙古源流考》、《翻譯五經四書》、《歷代職官表》、《遼金元國語音義》、《元史》、《明史》

未經留空現在纂辦及抄錄各書：

《萬壽盛典》、《日講詩經解義》、《詩經樂譜》、《翻譯琴譜》、《石峰堡紀略》、《平定臺灣紀略》

以上各種，俟辦成後，按照次序在前後各匣內歸併排空添入。❷❸

以上各書，共 29 種，1600 餘冊，到乾隆五十四年（1789 年）年底，空函書籍的繕寫工作大都順利完成，僅有幾部新纂書籍尚在趕辦之中。又經過兩年時間才基本辦理完竣，並由武英殿陸續裝函庋閣，每分計 1600 餘冊，250 多函。由於這些書籍大多繕成在四庫館撤銷以後，未經分校、復校的層層磨勘。而修書館臣深懼其中有類似其他各書的錯誤，於是奏請仿重檢各閣全書之例，對後續補入之書，派員予以重檢。乾隆五十六年（1791 年）十月十日阿桂奏云：「臣等伏查，四庫全書共六千一百四十四函，內五千八百五十餘函，早已繕成歸架，業於乾隆五十二

---

❷❸ 乾隆五十三年十月十五日軍機大臣奏摺，《纂修四庫全書檔案》下冊，頁 2137－2139。

年間派員詳校一遍。其各館新纂各書共二百五十餘函，俱系留空，於乾隆五十三、四年（1788、1789 年）陸續繕補，未經詳校，自應一律派員校讎，俾歸完善。」並根據紀昀的建議，對各閣留空函書的檢閱事宜作了安排。其中文源閣留空函書即交該閣應議罰之員閱看，由「武英殿及各館檢出留空函書各底本，送交紀昀，轉發各員逐一查對，每員每日按照舊例各看二萬字，立定章程」，並限定期限，要求最遲在本年冬天校閱完畢。文淵閣留空函書，也一併照文源閣之例，由該閣應議罰人員閱看。文津閣留空函書，則「俟文源、文淵兩閣書校竣之後，令紀昀查明應議之詳校各員，擇其條數較多、過失較重者，即令隨同紀昀前赴熱河詳加校閱，以示薄懲」。在校閱過程中，如有挖改換頁或成部卷駁換之書，仍發回武英殿，「查明經手原提調及校對各員分別賠寫」。❷至於文溯閣留空函書，已於乾隆五十五年初次復校時，因當時俱已歸架，亦一併校閱更改，此次校勘，則與該閣全書的再次復校工作同時進行，不再另行安排。這樣，隨著內廷四閣全書第二次復校工作的進行，各閣留空函書的集中校閱也陸續開始。乾隆五十六年底，文源閣留空函書的校閱工作如期完成。次年初，文淵閣相繼告竣。文溯閣和文津閣留空函書的校閱工作，也與該閣全書的復校工作同時進行，並於乾隆五十七年（1792年）春夏之間先後結束。這次大規模的集中校閱，對辦理倉促，未經磨勘的數百函留空書籍，在一定程度上起到了減少訛錯，提高質量的作用。

對於文溯閣《四庫全書》來講，空函書籍的辦理，使得原有空函得以補足，從而成為全帙。

㈣ 文溯閣《四庫全書》撤改與復校之得失

1.全書質量有所提高

文溯閣《四庫全書》的兩次復校，均在其他三閣之後，因而每次均將其他各閣詳校之檔冊隨身攜帶，作為參考，俱加改正外，還校勘出許多其他閣書沒有校

---

❷ 乾隆五十六年十月初十日軍機大臣阿桂等奏摺，《纂修四庫全書檔案》下冊，頁 2243－2245。

出的問題。如僅初次校書之成果，「共查出謄寫錯落、字句偏謬書六十三部，漏寫書二部，錯寫書三部，脫誤及應刪處太多應行另繕書三部，匣面錯刻、漏刻者五十七部」，並分別作了處理，「內除錯落偏謬各書俱已隨時繕補改正，匣面錯落各處亦經一面抽改添刻外，其漏寫、錯寫等書，俟回京同紀昀查明，與應行另繕之本，俱自行賠寫完妥」。「查出遺漏繪圖者有《大清會典》、《易象正》、《明集禮》三種，脫寫全卷者有《欽定康濟錄》、鄭樵《通志》二種，脫寫原目敘錄者有《東都事略》、《戰國策校注》二種。此內帶有底本者，臣等即查照補繕；其應查底本者，亦已寄知原辦提調查取底本，分別賠寫」。**❸**校書結束後，盛京地方官員還會同陸錫熊「照依新改架圖次序排定，務使書名前後與匣蓋所刻流水相符，方行歸架」。這些訛錯、疏漏的改正，在一定程度上提高了文溯閣全書的質量。就連乾隆皇帝本人也認為：「前因卷頁浩繁，中多舛錯，特令總纂等復加詳細讎校，俾無魯魚亥豕之訛。茲已釐訂藏工，悉臻完善。」**❸**但雖經兩次復校，改正了不少錯訛之處，但仍未根除，足見官修大型書籍之難。

2.造成文溯閣本提要與《總目》及其它閣本提要之間的差異更大

各閣全書之間，尤其是書前提要之間，由於完成時間不一，在加上繕校人員敬業程度不一等諸多原因，本來就存在不少差異，經過此次撤改，使得這種差異更為複雜。以撤出之周亮工著作為例。周亮工的著述，四庫全書著錄五種，存目三種。其中《書影》一書，被《四庫提要》多處引用，稱其「記述典贍，足為文獻之徵」。**❸**乾隆五十二年，復勘四庫全書，詳校官祝堃因其所著《讀畫錄》有「人皆漢魏上，花亦義熙餘」的詩句，認為違礙，特行簽出。於是周亮工的著作包括已著錄及存目各書一律被撤出或扣除，撤出對著錄言，扣除對存目言。這樣一來，已刻提要當中有周亮工及《書影》之名者必須進行挖改，已經抄錄的閣本

---

❸ 乾隆五十五年五月初四日副都御史陸錫熊奏摺，《纂修四庫全書檔案》下冊，頁 2175－2176。

❸ 乾隆四十六年十一月初六日內閣奉上諭注，《四庫全書總目》卷首。

❸ 陳垣撰：《四庫提要中之周亮工》，載《陳垣學術論文集》第二集，頁 49－58。

提要也必須進行挖改，才能削泯其痕跡。紀昀在挖改上花了相當大的力氣，《四庫全書》和《總目》初步編成之後，接下來有許多年的時間，紀昀主要是從事提要的撤改和修訂工作。但是由於《四庫全書》浩博龐雜，紀昀不可能將每一個提要都看一遍、改一遍，所以在提要中留下了許多沒有挖改乾淨的痕跡。由於各閣挖改的人員不同，認真程度也不盡相同，所以諸閣本提要出現了更為複雜的差異。對此陳垣曾作過專門的對比研究。

如《疑耀》明李贄撰　雜家類三　第 7 頁後

今本❸為：相傳坊間所刻贄四書。

底本❹為：周亮工書影稱贄四書。

此條文溯閣本作「贄書多出依託，如四庫」云云，文津閣本則刪去周亮工以下 30 字。

又如《丹鉛錄餘錄》明楊慎撰　雜家類三　第 2 頁後

今本為：書帕之本，校讎草率，訛字如林。

原本為：周亮工書影稱其訛字如落葉。

此條文溯閣本作「鋟板失於校讎，其訛字如落葉」，文津閣本則作「或者稱其訛字如落葉」。

又如《說郛》明陶宗儀編　雜家類七　其 21 頁後

今本為：因樹屋書影稱。

底本為：周亮工書影稱。

此條只改周亮工三字，可能認為二字不甚顯眼。殿本《四庫提要》則刪去周亮工以下 30 字，文津閣本刪去尤多，文溯閣本則改為「或謂曾見秦淮」六字。

諸如此類的情況，在《四庫全書》中還有很多，這些差異的存在，不僅會給

---

❸　由湖州沈氏復刻之廣州小字本《四庫提要》。

❹　按：四庫館精繕提要底本六十冊，中有紀昀筆跡，所改多與今本同，1922 年，由陳垣獲得，遂作為此對比。

全書的使用者造成困惑，不知所從，也給恢復古籍原貌造成了一定的困難。

3.破壞了所錄文獻完整性與真實性，一定程度上降低了文溯閣《四庫全書》的文獻價值與學術價值。

清代修纂四庫全書時，政治因素嚴重影響到學術是非的論定以及學術的公允態度。在修纂過程中，只要片言支字涉言無狀，引致忌諱，均加以刪改，或將違礙文字，予以撤出毀棄。在這種情況下，四庫全書著錄之群書中，便有不少書籍曾經館臣動過手腳，或刪汰或杜撰。凡是被認為對金、元、清人有詆毀侮辱處更是無不加以改竄，甚至成段成篇地刪除。纂修完成後，進行的大規模的重檢，對多種書籍進行撤改，無異於雪上加霜，那些僥倖被收入四庫之中的著作，也難逃改易、抽換及撤毀的命運。

仍以撤出之周亮工著作為例，如：

《全閩詩話》清鄭方坤編　詩文評類二　第 20 頁後

今本為：尚以其全作七言律詩，辨其出於依託。

原本為：尚引周亮工書影之說，辨其出於依託。

此條文津閣本與殿本相同，只有文溯閣本作「為三山志所載者，亦能辨其出於依託」。

又如《雞肋》宋趙崇絢撰　類書類一　第 42 頁後

今本為：方中德之古事比，其體例源於此。

原本為：周亮工之同書，其體例實源於此。

此條文溯閣改為「陳元龍之鏡原」，文津閣本則改為「朱謀垔駢雅」。皆為避周亮工之名。

如此情況還有很多，雖然各版本之間雖時有不同，但刪除周亮工、李清等及違礙著作之名卻相同，如果不是陳垣先生看到了原本，誰能知其所刪為何。這些做法即破壞了原著的精神，也損傷到一部著作的完整性。這對於一部具有重大歷史價值的巨著無疑是無可彌補的遺憾。也成為 20 世紀以來，不少人提出批評的集

中之點。

二、文溯閣《四庫全書》的卷冊及裝幀

(一) 種數冊數函數

　　各閣《四庫全書》當日究竟裝入若干冊，素來無確切文獻可考，我們只能從少量文獻中找到一些蛛絲馬跡。據清高宗御製詩五集卷九題文淵閣疊去歲詩韻云：「茲三萬六千冊內，一語為君難最精。」**❸❺**另外，卷九八題文津閣云：「癸巳始之乙巳成。（其下注：至乙巳年四分全部告成，每部三萬六千冊，可謂書城之巨觀矣）。」**❸❻**其中所提到的三萬六千冊，估計只是一個大概的整數罷了。此後，清同治年間平步青著《霞外捃屑》云 3460 種，1935 年出版的任松如著《四庫全書答問》云 3457種；1937 年出版的郭伯恭著《四庫全書纂修考》則云 3470 種。可謂眾說紛紜，莫衷一是。因此「種數問題」一直的學界探討的一個重要問題。

　　在各閣全書的流傳過程中，不少人對其進行了清點，也形成了多種結論。對於文溯閣《四庫全書》收書種數，目前就有多種說法：一是 3474 種（此據 1935 年金毓黻輯錄《文溯閣四庫全書提要》）；二是 3590 種（此據 1938 年偽滿國立奉天圖書館編《文溯閣四庫全書要略及索引》）；三是 3590 種（此據 1946 年國立瀋陽圖書館編《文溯閣四庫全書概況》）；四是 3590 種（此據周之風所撰《瀋陽博圖兩館接收記》）；五是 3474 種，6141函，36315 冊（此據 1966 年遼寧省圖書館向甘肅省圖書館移交文溯閣本《四庫全書》時的清點記錄）；六是 3590 種（此據 1989 年上海古籍出版社出版《中國古籍善本書目》）；七是 3477種，36315 冊，7.9 萬卷（此據 2001 年 6 月甘肅省圖書館文溯閣《四庫全書》清點冊）。其中3477 種是最新統計結果。

　　有學者認同 3474 種的說法，並據此下結論：「文溯閣本《四庫全書》乃屬現

---

❸❺ 清高宗御製詩五集，卷九。
❸❻ 清高宗御製詩五集，卷九八。

存《四庫全書》中收書最多的一部。」「較臺灣故宮所藏文淵閣本《四庫全書》所收 3460 種（據影印本統計）多 14 種；較北京國家圖書館藏文津閣《四庫全書》所收 3470 種多 4 種；較浙江圖書館所藏文瀾閣本《四庫全書》所收 3450 種多 24 種。」**㊲**其結論是否準確尚有待證明。

據最新研究成果，利用現存各閣之權威目錄，即《景印文淵閣四庫全書目錄》（1986 年臺灣商務印書館出版）、《甘肅省圖書館文溯閣《四庫全書》清點冊》（2001 年 6 月）、《金毓黻手定本文溯閣《四庫全書》提要》（1999 年影印本）以及《文津閣收存書籍數目清單》（光緒二十五年五月二十六日熱河總管世綱、英麟奏摺所附）相互比較、核對，發現除了《日講詩經解義》一書在文溯閣本和文津閣本的目錄中雖有但分別注明是「有函無書」和「空函」，而在文淵閣本的目錄獨無之外，三部書的書目僅就書名（不考慮卷數、冊數和頁數）而言，三部書種數是完全一致的，並無此有彼無的情況。之所以產生種數的差異，是各目錄在對某些書籍著錄時尤其是書籍附錄和合刊的處理方式不一致造成的。如表所示：**㊳**

序號	部類	書　目	文淵閣目錄	金毓黻本提要	甘肅省目錄	文津閣目錄
1	經部易類	（楚蒙山房易經經解之一、之二、之三學易初探、易翼宗、易翼說	3	1	1	3
2	經部易類	（《易緯》八種）乾坤鑿度、乾鑿度、稽覽圖、坤靈圖、乾元序制記、是類謀、通卦驗、辨終備	8	8	1	1
3	經部易類	禹貢論、禹貢山川地理圖	1	1	2	1
4	經部詩類	毛詩寫官記、詩劄	2	2	1	2
5	經部春秋類	春秋經解、春秋例要	1	1	2	1
6	經部四書類	孟子集注考證、論語集注考證	1	1	2	1
7	史部雜史類	世宗憲皇帝上諭八旗、世宗憲皇帝上諭八旗議覆、世宗憲皇帝諭行旗務奏議			1	1

㊲ 王清源：文溯閣與〈四庫全書〉，載《文獻》2002 年第 3 期。

㊳ 易雪梅，吳明亮：〈《四庫全書》的種數問題〉，《文獻》2004 年第 1 期。

由此看來，各閣全書的種數不同問題，即可迎刃而解了。但不可否認現存各閣之間依然存在不少的差異，將其進行對比研究，仍然具有很大的價值。

㈡ **裝幀**

各閣四庫全書，均仿照《永樂大典》，在裝幀形式上一律採用包背裝。而由於全書部頭碩大，浩如煙海，裝幀時特意對經、史、子、集四部，採用不同顏色的絹面，以便辨識類別。據稱這四種封面顏色的創意出自陸錫熊。其在全書抄寫近尾聲的時候向乾隆建議，《四庫全書》卷冊頗多，經、史、子、集四類，若用不同顏色封面裝幀，豈不便於翻閱？乾隆聽取了這一建議，決定用象徵四季的顏色來表明書的類別。並賦詩曰：「浩如慮其迷五色，挈領提綱分四季。經誠元矣標以青，赤哉亨哉史之類，子肖秋收白也宜，集乃冬藏黑其位。」

從現存各閣書的實際裝幀情況來看，文溯閣本《四庫全書》絹面，總目為黃色、經部為綠色、史部為紅色、子部為藍色、集部為灰色。與現存中國國家圖書館的的文津閣全書及臺灣故宮博物院的文淵閣全書相同，由此可推之，當時北四閣全書裝潢情況當屬一致。至於南三閣全書，據僅存的文瀾閣，經部為葵綠色、史部為紅色、子部為白色、集部為灰色，是因「南三閣」由地方官紳捐助裝潢，還是故意與「內廷四閣」相區別，現在不得而知。與詩中所說雖然稍有差異，但大體還是不錯的。

書中各冊書頁框界皆為朱色，四周雙邊，半葉八行，行二十一字。版心上欄題「欽定四庫全書」，中為書名。各書卷首，均冠以提要。每冊之首尾二頁，均鈐有「文溯閣寶」和「乾隆御覽之寶」璽印。全書工楷書寫，字體娟秀，墨色古雅，展卷令人心曠神怡。

至於紙張亦有所不同，文溯閣全書及其他內廷三閣用的是產自浙江開化的上等開化榜紙，質地潔白堅韌，是紙中上品。南三閣則用堅白太史連紙，質地略次於開化紙，而且紙幅較狹，對折後的數頁比開化紙橫向裏窄七、八分。之所以存在此種差異，是因為北四閣書是專為皇帝閱覽準備的「御用品」，而南三閣書的

閱讀者，則是一般官員及廣大文人士子，身份不同，必須有所區分。封建社會的等級界限在這裏同樣鮮明地表現出來。

另外，文溯閣全書函套所用木料與其他各閣也不盡一致。文溯閣全書函套使用樟木，文淵閣全書函套使用楠木，文津閣全書書匣為楸木，夾板則用楠木。文淵閣全書函套無可考。

㈢ 鈐記

《四庫全書》之鈐記，是各閣全書的一個重要特徵，不僅用於區別，更為全書增色不少。文溯閣《四庫全書》，每冊卷首之第一頁，均鈐蓋「文溯閣寶」四字方形大璽,末頁則鈐蓋「乾隆御覽之寶」橢圓形玉璽。文淵閣、文源閣均援依此例。只有文津閣書末獨蓋有「太上皇帝之寶」、「避暑山莊」及在小篆朱文方印各一方，為其變例。至於南三閣，則首鈐「古稀天子之寶」、末印「乾隆御覽之寶」，與內廷四閣又不相同。

三、文溯閣《四庫全書》的傳承

㈠ 文溯閣《四庫全書》的庋藏

乾隆四十八年（1783），四庫館總校官陸費墀、將軍永瑋奉命專程赴盛京文溯閣陳設《四庫全書》等書籍，並於文溯閣東側立《御製文溯閣記》碑，此為文溯閣正式藏書之始。

據盛京內務府檔案記載，乾隆四十七年九月，第二份《四庫全書》尚未全竣，總裁已開始考慮運送事宜。因北京至盛京路途遙遠，且「此項書籍俱經裁切打磨出細，並裝有絹面」，為使書冊運送過程中不遭損壞又確保安全，「必得按例抬運，方為慎重。」並奏請按地域劃界，「交直隸總督飭令沿途地方官按站雇覓民夫，運至山海關，交與盛京將軍及奉天府尹沿途接運」。❸❾

---

❸❾　乾隆四十七年九月十一日多羅質郡王永瑢奏摺，《纂修四庫全書檔案》下冊，頁 1638－1639。

文溯閣藏《四庫全書》等書分五批運抵：乾隆四十七年十一月十三日運到第一批，系《古今圖書集成》576 函和《四庫全書》1000 函；一月之後，運抵第二批《四庫全書》1419 函；翌年正月二十五日，運抵第三批，計《四庫全書》260 函；二月二十七日運到第四批，數量與前一次相同；三月二十日運到第五批，計《四庫全書》260 函，另有空書匣 364 個。同年九月初，又由運到《四庫全書總目》20 函、《四庫全書簡明日錄》3 函、《四庫全書考證》12 函。❹其間，原辦內閣大學士陸費墀奉命由京送書，並會同盛京將軍永瑋將《四庫全書》庋藏文溯閣。至乾隆四十八年（1873 年）九月高宗東巡入盛京城前，當已全數送抵並於閣內按架陳放整齊。不久，乾隆皇帝即以 73 歲高齡，第四次，也是最後一次巡幸盛京，實現了書閣合一，在文溯閣讀書的願望。

文溯閣《四庫全書》和《古今圖書集成》分貯於閣內三層。閣之下層陳放《四庫全書》經部 20 架，共 960 函，《古今圖書集成》12 架，共 576 函，《四庫全書》之「總目、」「考證」和「簡明目錄」共 35 函亦置於此；閣之中層（仙樓）陳放《四庫全書》史部 33 架（每架四格），共 1584 函；閣之項層陳放《四庫全書》子部 22 架（每架六格）1584 函、集部 28 架（每架六格）共 2016 函，共 6144 函。所置書架，因均刻有「《四庫全書》×部第×架」或「《古今圖書集成》第×架」字樣，故欲查找某書，只需根據事先編好的分架圖，便可檢索到該書所在位置。

乾隆四十八年（1873 年），即書閣合一的當年，為加強對文溯閣的管理，經盛京內務府奏准，特增設文溯閣食俸催長一人，食餉催長一人，負責掌管《四庫全書》之收藏事宜。每年四月，都由盛京工部領取樟腦 66 斤、野雞毛撣 8 把、短把雞毛撣 8 把，以備應用。為防潮去濕，保護藏書，規定每年六月將文溯閣藏書晾曬一次，每隔一年，還由工部派專人攜帶紙張等用料，檢查門窗，裱糊格扇。❹

---

❹ 乾隆四十八年京行檔：《黑圖檔》，清盛京內府檔案。
❹ 參見《盛京典制備考·殿閣尊藏》，卷一，轉引自黃愛平《四庫全書纂修研究》，頁 270。

平時，上三旗驍騎校率部分兵丁巡查保護。這種管理制度直至盛京內務府撤銷，經歷了百年而不衰，文溯閣亦成為外文不得擅入的皇家禁地。

(二) 文溯閣《四庫全書》的流傳

文溯閣《四庫全書》自入藏以來並不安寧，它同存世的其他幾部《四庫全書》一樣，也經歷了一段坎坷的命運。

光緒二十六年（1900 年），沙俄在參與八國聯軍出兵京津的同時，又單獨以八倍於聯軍的兵力，分六路出兵東北，盛京於 10 月份被佔領。文溯閣院落為俄軍馬廐和炮兵營房，閣門洞開，動亂之中，所藏之《四庫全書》中有 39 卷被竊。「俄軍佔領盛京皇宮長達兩年，其間文物損失在一萬件以上，《四庫全書》也間有缺冊」。❷

1905 年，日俄戰爭以後，日軍取代俄軍佔據盛京。內藤虎次朗受命於日本外務省並以隨軍記者的名義，闖入盛京皇宮，在文溯閣內有目的的翻閱《古今圖書集成》和《四庫全書》。1912 年再次進入文溯閣，抄錄、偷拍《四庫全書》的部分珍本後滿意而歸，又一次以日本文化人的身份踐踏了文溯閣皇家見地的威嚴。

民國建立後，文溯閣與盛京皇宮一起統歸內務府辦事處管理，1914 年，北京政府下令調運盛京皇宮文物進京陳列。時任奉天任督軍的段芝貴，為了討好即將稱帝的袁世凱，將文溯閣《四庫全書》運抵北京，存於故宮保和殿，成為古物陳列的一部分，這是文溯閣出現的第一次書閣分離。當時，文淵、文津、文溯閣本齊集於北平，故有梁啟超曾於民國七年（1918 年）呈請將保和殿內所藏《全書》複本，撥歸松坡（蔡鍔，字松坡）圖書館，未果。袁世凱短命的皇帝夢破滅後，此書被冷落在故宮中。1922 年，清室曾以經濟困難為由，欲將文溯閣《四庫全書》盜售給日本人，價格議定為 120 萬元。此消息傳出，首先為北京大學教授沈兼士先生獲得，他於 4 月 22 日率先致函教育部，竭力反對此事。迫於輿論壓力，賣書東洋

---

❷　《滿蒙叢書》、《盛京典制備考》，卷一，內藤氏注。

之事遂作罷。文溯閣《四庫全書》最終沒有流落異邦。

　　1925 年，文溯閣《四庫全書》已離開瀋陽十年。這時，奉天教育界人士擬辦奉天圖書館，呈請當局。當地教育會長馮廣民及張學良等許多東北有識之士積極奔走，準備索回文溯閣《四庫全書》。楊宇霆致電當時的教育總長章士釗先生，提出文溯閣藏本為「奉省舊物，仍歸奉省保存」，並言辭懇切地說：「務請諸公秉公持論，允賜發還，將來東省文化日興，皆出諸公之所賜也，無任感盼之至！」章士釗先生接電後即提出閣議，經多方爭取，終使文溯閣《四庫全書》回瀋之事落實。同時選派人員，從 7 月 27 日開始，赴保和殿對《全書》進行清點，經查「計經、史、子、集共六千一百四十四函。內有八本一函，或六本一函間有殘缺者」❹，於當年 8 月 5 日點交點完畢，由當時的奉天省教育會會長馮子安查收押運返奉。

　　閣書被運回瀋陽後，由於文溯閣被佔用，只能暫時存放在省公署一樓後廳，再轉放文廟大成殿。直到 1927 年，文溯閣再行經修繕，《四庫全書》才得以復藏，實現了第二次書閣合一。1931 年 6 月，由遼寧省教育會鐫《文溯閣四庫全書復運記》磚刻一方嵌在文溯閣東面的宮牆上，以示後人。並成立保管委員會，延聘當地鴻儒巨紳為委員，以司保管之責，並於文溯閣院內，建購電井消防機，以防火患。每至六七月間，還逐本裝入樟腦，定時開啟門窗，以使空氣流通，防護保管，甚為周詳。還對全書進行了一次清點。歷經此次轉徙之後，文溯閣《四庫全書》闕書、闕卷的現象更為嚴重，據當時統計，除《日講詩經解義》原未補入，有函無書外，經部闕《禮書綱目》10 卷、《春秋列國世紀編》1 卷、《春秋集傳詳說》8 卷、《翻譯五經四書》7 卷、《瑟譜》6 卷、《韶舞九成樂補》1 卷、史部闕《勝朝殉節諸臣錄》12 卷、《盛京通志》4 卷、《諡法》4 卷，子部闕《證治準繩》1卷、《高齋漫錄》1 卷，集部闕《鯨背集》1 卷、《西河集》9 卷、《御製詩集》

---

❹　《文溯閣全書運奉記》，轉引自郭伯恭《四庫全書纂修考》，頁 185。

2 卷、《玉瀾集》1 卷、《雁門集》4 卷，總共 16 種 72 卷。1926 年，東北地方政府組織補鈔，特聘著名人士董眔、譚俊山總理其事，雇請二十人在北京故宮博物院，按照文淵閣《四庫全書》本抄寫。經過一年的努力，補鈔工作順利完成，文溯閣《四庫全書》基本恢復原貌。1928 年 5 月 5 日至 11 日，《四庫全書》曾對公眾開放了 6 天，前往參觀人數達 10 萬人之多。《四庫全書》亦在此時在奉天（今瀋陽）第一次面對參觀者。由於時局變化，奉天故宮古物展覽草草結束，但文瀾閣之清幽、《四庫全書》之浩繁都給人們留下了深刻的印象。

1927 年，在民國政府影印《四庫全書》計畫多次流產的情況下，奉天地方政府發起了影印文溯閣《四庫全書》的倡議。張學良、楊宇霆、翟文選等人聯名通電全國，宣告將以地方財力影印文溯閣《四庫全書》，並同時進行校讎以及續修工作。次年，當地成立文溯閣《四庫全書》校印館，推舉張學良為總裁，翟文選為副總裁，金梁為坐辦，籌備影印事宜，並與大西關東記印刷所訂立合同，計畫先印 2000 部，每部成本 12000 元，三年完成。但當時的民國政府卻電告張學良等人，稱中央現正籌印此書，請勿複印；再加上以區區地方之力印行如此大書，無論設備、器材，抑或人力、財力，都成問題，因此影印計畫遂告中止。

1931 年「九一八」事變爆發之後，東北國土淪陷，文溯閣《四庫全書》與瀋陽城一起落入日本人手中，後以（偽滿）國立奉天圖書館之名接管。經檢查，閣書尚有個別闕卷現象，該館遂於 1934 年派人赴京照文津閣《四庫全書》本補鈔，計補全《禮書綱目》、《翻譯五經四書》、《揮塵錄》3 種，共 12 冊。至此，文溯閣《四庫全書》始得完整。由於年久失修，文溯閣出現了漏水現象，故於 1935 年在文溯閣院內西南部重建了一幢二層樓的鋼筋水泥結構的書庫，稱為新閣。新閣門窗悉包鐵葉，庫內安裝鋼鐵書架，以期萬全。外部則飛閣雕牆，仍仿舊制。1937 年 6 月，文溯閣中存放的《四庫全書》及《古今圖書集成》全部移進新閣，原配書架仍留在文溯閣中，新閣藏書順序不變，書架統一改為四格，故子部原六格 22 架改為四格 33 架；集部原六格 28 架改為四格 42 架。東北淪陷期間，日偽

曾動議將《四庫全書》運往日本，後因顧及民眾情緒等被擱置。1945 年，美機轟炸瀋陽，日偽擬將《四庫全書》轉移至新賓永陵，但因蘇聯紅軍已進入東北，全書未能啟動。

抗戰結束後，1946 年 4 月，當時的東北教育接收輔導委員會委員金毓黻、周之風等人接收了（偽滿）國立奉天圖書館，改稱為瀋陽圖書館（後又改稱瀋陽故宮博物院圖書館），同時接管了文溯閣《四庫全書》。同年 8 月對全書進行了清點上架，費時三月始竣。1948 年 7 月，南京國民政府曾兩次電令運走《四庫全書》，直至瀋陽解放前夕，已被運往北平（今北京）。

新中國成立，東北圖書館（現遼寧圖書館）接收了瀋陽故宮博物院圖書館的全部藏書，其中文溯閣《四庫全書》仍存放在新閣。為了妥善保管這套書，東北人民政府文物處於 1949 年 6 月，組織專人對文溯閣《四庫全書》進行了認真的清點，並把檢查結果分別製成各種表格，清點冊數為 36315 冊。

1950 年朝鮮戰爭爆發。基於備戰保護國家珍貴文物考慮，經有關部門決定，東北圖書館於同年 10 月將文溯閣《四庫全書》，連同宋元珍善本圖書，再一次運出瀋陽。先是運到黑龍江省訥河縣，存放在訥河城外一所被改造成小學校的關帝廟裏。1952 年夏，訥河水患，又不得不將《四庫全書》遷運到北安。1954 年 1月，朝鮮戰爭結束，《四庫全書》第三次運回瀋陽，仍舊存放在故宮文溯閣院內的新閣中。之後，遼寧省、瀋陽市兩級圖書館和瀋陽故宮博物院都參與對全書的管理。文溯閣本《四庫全書》雖然沒有像文宗閣、文彙閣本那樣毀於戰火，但由於戰亂和動盪，難免遷徙之苦。

1965 年，根據當時的國際形勢，準備把《四庫全書》同善本一同疏散。在裝箱的過程中，發現部分圖書出現水漬、破損等情況。1965 年 6 月，遼寧省圖書館曾組織 20 餘人，用了一個多月的時間，分組逐冊、逐頁對《四庫全書》進行徹底清查。對書中出現斑點、污染、蟲蛀、水漬、長毛、破損、以及函匣破損等情況，都詳細做了記錄，彙成十五冊，訂為《文溯閣四庫全書檢查紀要》（現隨全書收藏

在甘肅省圖書館）。清點接受後，寫出總結報告一份上報。在清點期間，遼寧省委書記李荒同志曾親臨文溯閣查看，並批示：「《四庫全書》裏有的書受潮濕，黴爛的，要進行修補，人力缺時，可把博物館等單位裱糊工人都集中起來，突擊一下，趁這個機會修補好」。按照省領導指示，遼寧省圖書館立即組成了一個由四位技術工人組成的修復組用近半年時間，集中對一百餘冊全書進行了徹底修補，重新裝裱，對這部書的保護起了重要作用。

1966 年，由於備戰需要，根據中央文化部辦公廳 1966 年 3 月 7 日文廳圖字 24 號公函指示，將文溯閣《四庫全書》移交甘肅省圖書館保管。甘肅省圖書館為此派人來沈，於 1966 年 9 月 13 日至 10 月 14 日詳細辦理了交接手續。當時清點結果，「文溯閣《四庫全書》共有 6141 函，3474 種，36315 冊。另有《簡明目錄》、《總目》、《考證》、《分架圖》共 4 種 39 函 265 冊，以及《欽定古今圖書集成》一部，共 576 函，5020 冊」。交接完畢後，由遼寧館二人、甘肅館四人押車運到甘肅省，1969 年 6 月，為確保《四庫全書》的安全，由甘肅省撥款 40 萬，籌建榆中戰備書庫，1971 年 3 月建成，《四庫全書》隨即入藏保管。2005 年，由甘肅省政府投入鉅資的文溯閣《四庫全書》藏書館建成開館並向社會各界開放。

入甘 40 多年來，文溯閣《四庫全書》得到了很好的保護，原有的黃斑未發現進一步擴散。

四、歷史上對文溯閣《四庫全書》的流傳作出貢獻的人物考評

㈠ 沈兼士與文溯閣《四庫全書》的保全

1922 年，已經遜位的清室曾以經濟困難為由，企圖將由瀋陽運抵北京故宮的文溯閣《四庫全書》盜售給日本人，且價已議定，為 120 萬元。此事被當時在北京大學任教的沈兼士教授獲悉，於是他於當年四月二十二日致函民國教育部，「竭力反對」，這一事件曝光之後，更遭到社會各界的強烈反對。迫於壓力，滿清皇

室不得不取消了這項骯髒的交易，「其事遂寢」。❹文溯閣全書才得以逃脫流亡國外的厄運。沈兼士先生對民族文化真可謂做了一件功德無量的事。

沈兼士，出生於 1887 年農曆六月十一日，浙江吳興（今湖州）人。

他 19 歲時東渡日本求學，入東京物理學校。當時章太炎先生恰好也在日本，沈兼士拜其門下，並加入同盟會。歸國之後，一度在嘉興、杭州執教。1912 年秋到北京，受聘於北京大學。

1914 年，沈兼士同魯迅先生相識，並過從甚密，書信往還，經常聚首，《魯迅日記》中曾多次提到沈兼士。1922 年，沈兼士主持北京大學研究所國學門，他帶領學生及同仁將久積凌亂的故宮清代檔案整理出來，受到蔡元培先生的高度稱讚：「有功史學，夫豈淺鮮。」也就是這一時期，他成功地阻止了文溯閣《四庫全書》的外流。國寶免遭劫難，沈兼士立下大功。

1925 年，在女師大風潮中，沈兼士同魯迅、馬幼漁、錢玄同等人站在一起，發表了七人簽名的《對於北京女子師範大學風潮宣言》，聲援女師大同學的正義鬥爭。1926 年，他隨魯迅先生同赴廈門大學國文系任教，不久返回北京任故宮博物院文獻館館長。1929 年，他進輔仁大學，任文學院院長。

抗戰開始後，沈兼士滯留北京，仍在輔仁大學執教，與同人英千里（英若誠之父）、張懷等秘密組織「炎社」（後又改為「華北文教協會」）進行抗日鬥爭。這些人的抗日行為，最終為敵憲所聞，偵騎四出，並被列入黑名單中進行追捕。在不得已的情況下，沈兼士於 1942 年 12 月 16 日微服潛出北平，輾轉到了重慶，於中央大學師範學院任名譽教授，直到抗戰勝利。

抗戰勝利後，他被政府任命為教育部平津區特派員，負責接收敵偽文化教育機關。其後復任教輔仁、北大二校。

沈兼士於 1947 年 8 月 2 日因腦溢血病逝於北平，葬於京西福田公墓。在他的

---

❹　郭伯恭：《四庫全書纂修考》，頁 186。

追悼會上，金息侯先生親筆撰寫的輓聯是：

> 三月紀談心，君真兼士，我豈別士；
>
> 八年從抗戰，地下輔仁，天上成仁。

如實地概括了沈兼士坦白厚道、濟世愛國的一生。

(二) 張學良與文溯閣《四庫全書》的影印

1914 年，袁世凱炫耀文治武功，將文溯閣《四庫全書》運至北京。1922 年，對此書垂涎已久的日本秘密勾結滿清皇室，想以 120 萬元購買，東渡扶桑。這一事件經北京大學的教授沈謙士揭露曝光之後，遭到社會各界的強烈反對。迫於壓力，滿清皇室不得不取消了這項骯髒的交易。1924 年，一些有識之士提出，將文溯閣《四庫全書》完璧歸趙。1925 年，張學良將軍曾親自出面進行交涉，使文溯閣《四庫全書》得以回歸故里貯於原庫，並刻〈四庫全書運復記〉碑以記其事。這是張學良與文溯閣《四庫全書》的首次結緣。

張學良主政東北以後，促成了南北統一，東北的局勢漸趨平穩，政治、經濟、文化等各項事業亟待發展。張學良對《四庫全書》珍愛有加，深慮「奉天地處偏隅，書類孤本，雖熱公心」，亦「難快眾目」。為了發揮《四庫全書》的作用，張學良「爰發宏願，擬墊私財，就茲巨篇，影以新法，售取廉值，成限短期」。他召集奉省軍政文化各界知名人士近百人，舉行會議，商定由這些人作為發起人，倡議創設奉天文溯閣《四庫全書》校印館，張學良一次性捐助 20 萬元，作為開辦費。由奉天省長翟文選為副總裁，敦聘金梁為坐辦，後為代副總裁。金梁字息侯，滿洲人，清朝進士館畢業，後保升御史，歷任京師大學堂提調、內城警廳知事，蒙古副督統總管等職。他「深諳版本，校勘尤精」，館內日常工作由他主持。

為擴大影響，做好宣傳，1928 年 12 月，張學良向全國各界發出通電，表明影印出版《四庫全書》的心志，同時致電世界各國，宣告「世界學者所震警獨一無二最偉大最完備之《四庫全書》，人人欲一寓目，以為榮幸者，現已著手印行，

公之世界矣。」電報詳盡具體闡述了「偉大」「完備」的深刻含義:「論此書之偉大,則全書三萬六千二百七十五冊,計二百三十萬頁,每頁兩面有字,以較西式書之單頁者,實四百六十萬頁也。論此書之完備,則自中國始有文字以後,所有歷史、民族、社會、政治、制度、宗教、天象、地質、物產、文藝、哲理、美術、醫算、農工商礦及百家雜學等一無所遺,內容豐富無可比擬。」

由於該書巨大繁重,不易印行,歷年籌議,競難實現。於是張學良再發通電:「今學良等為發揚東方文化,使世界學者便於研究起見,深認此書印行之比不可緩。現已籌集鉅款,精心計畫,紙墨形式務求精美,出書期限務求迅速,各樣售價務求廉平,想各國人士聞此消息,無不踴躍歡迎也。」

在這兩份電報中,足見張學良對文化事業的重視。此影印計畫已經提出,社會上、學術界意見很多。有人主張改用袖珍本排印,有人主張用唐開成石經的字,刻成字模,再鑄成鉛字,排印全書。❹❺眾議紛紜,因此討論了一年,終未最後定下。後來南京政府文官處又想刊印此書,又有人主張東北、南京、廣東三處合印者。但不久「九·一八」事變爆發,瀋陽失陷,文溯閣書遷儲滿鐵圖書館,由日本人控制,影印《四庫全書》工作也被迫停止。

此次由張學良倡議的影印工作雖沒有成功,但在本世紀初,當中國的印刷術還停留在傳統水平時,倡導將《四庫全書》重新校注,用影印方式出版,這一舉措,在當時造成了很大的轟動,給中外史學研究工作者意外的驚喜。

㈢ 金毓黻對文溯閣《四庫全書》研究的貢獻

最先開始涉獵文溯閣《四庫全書》研究的,當數民國時期東北著名學者金毓黻先生。1933 年,金毓黻先生任偽滿國立奉天圖書館副館長時,即開始著手文溯閣《四庫全書》研究。金先生發現文溯閣《四庫全書》提要與紀昀所撰寫的《四庫全書總目提要》,無論從內容、次序還是從各書書名、著者、卷數上看,均有

---

❹❺　參見:《遼寧印行四庫全書之經過》,廣州日報,1929 年 8 月 5 日。

很多不同之處。實際上《四庫全書總目》的提要不能準確反映《四庫全書》。鑒於此，金毓黻先生將文溯閣《四庫全書》提要抄錄下來，親自審定，進行比較和研究，並依據文溯閣《四庫全書》的先後次序編輯成《文溯閣四庫全書提要》一書，1935 年由出版社鉛印出版發行。據金先生以表格形式羅列文溯閣本《四庫全書》提要與《總目》之異同，僅書名、著者、卷數等項，就有 661 種書存在差異。至於文溯閣本《四庫全書》提要與《總目》之內容異同，金先生指出：「原本提要與現行《總目》相對，無有一篇無異者。其通篇不同，各類皆有。」由於現存各閣《四庫全書》提要，未有如文溯閣本《四庫全書》已經單獨輯出者，因此《文溯閣四庫全書提要》對瞭解《四庫全書》及四庫館臣的工作都有重要的參考價值，此書對於「四庫學」研究也具有一定價值。

　　1999 年，全國圖書館文獻縮微中心再次影印《金毓黻手定本文溯閣《四庫全書》提要》（附有書名和著者索引），它是研究《四庫全書》、《武英殿聚珍版叢書》及其中每種書的重要資料，受到到研究者歡迎。

元刊朱墨雙色印本
《金剛般若波羅蜜經》
為同版分次印刷考

盧錦堂

國立臺北大學古典文獻研究所教授

【摘　要】　抗戰勝利後，國立中央圖書館（即今國家圖書館前身）於南京購得元至正元年（1341）中興路資福寺刊朱墨雙色印本《金剛般若波羅蜜經》，學者據此證實明萬曆年間出現大量套色印書，其淵源有自，為研究中國印刷史難得的重要文獻。

關於此本的刻印方式，至今約有兩種不同說法，一者以為屬分色分版套印；一者則以為同版而雙色先後分次刷印；關鍵在於對原件的審視。筆者前曾服務該館多年，有幸屢次鑽研此經原件，淺見傾向同版分次印刷的說法。拙篇專就此立論，主要舉出相連的朱色經文與墨色註釋發現斷版，以證此本係用同一塊版刻就；又說明印刷採朱墨分兩次的方式，刷印墨色時將經文部分掩蓋，刷印朱色時亦然，若掩蓋不夠澈底，則會呈現諸如界於經文與註釋間的圈點，鄰近經文的一半為朱色弧線，鄰近註釋的一半為墨色弧線等特色。

【關鍵詞】　中國印刷史　套印　雙印；古籍版本　金剛經

一、前 言

英國學者李約瑟（Joseph Needham，1900－1995）博士以為「在全部人類文明中，沒有比造紙史和印刷史更加重要的了」。❶前述兩者都起源於中國，影響知識傳播甚大。本文所討論的問題主要屬印刷史方面。

明胡應麟《少室山房筆叢》中《經籍會通》卷四記載：「凡印，有朱者，有墨者，有靛者；有雙印者，有單印者。雙印與朱必貴重用之。」這說明了中國印刷術發展到後來，不是只有單色印的書，還有雙色印的書。印刷一書採用非僅一種顏色，主因應係為圖醒目，譬如書上有註釋的，若將正文和註釋分別選取不同顏色印成，即便於閱讀。其實，寫本書時期已先有用分色來區別同一部書中不同文體。❷明萬曆間，吳興閔氏、凌氏所刻套印本盛行，除印雙色之外，更有印三色、四色、五色的，此與評點詩文的書獲得暢銷亦不無關係，但舊日研究印刷史者一般即誤以為中國雙色印書開始於閔氏套印本，直至國立中央圖書館蒐得元刊朱墨印本元釋思聰註解的《金剛般若波羅蜜經》，並著錄在 1948 年所出版該館善本書目初輯上，仍有若干版本學家「初未目驗其書，於其版刻時代，或持懷疑態度。」這一點，昌師彼得早曾說過。❸昌師並進一步闡明：「然姑無論就字體、紙張、墨色及初印覘之，其雕印時代決不晚至十六世紀以後，而且在烏程閔氏之前即已知用朱墨兩色印書，尚有記載可資證明。」接著，徵引前胡應麟的話，以為「《經籍會通》，據序撰成於萬曆十七年（1589），其時在閔齊伋開始朱墨套印

---

❶ 錢存訓著，劉祖慰譯：《李約瑟中國科學技術史》第五卷《化學及相關技術》第一分冊《紙和印刷》（上海：科學出版社、上海古籍出版社，1990 年 7 月），李約瑟序。

❷ 如「早在 1 世紀時，研究《春秋》的賈逵、董遇等人就已經用朱墨二色來寫《春秋》的傳注。6世紀時，有人把《神農本草經》和陶弘景《本草經集注》合為一書，用紅筆抄寫《神農本草經》原文，用墨筆抄寫所集注文；也有人說是陶弘景用朱墨兩色區別新舊藥名。」說見蕭東發：《中國圖書出版印刷史論》（北京：北京大學出版社，2001 年 4 月），頁 93。

❸ 見 1971 年臺北市漢華文化事業股份有限公司出版的影印本中昌師所撰題識。

諸書之前二十餘年，足證朱墨印書法非閔氏所始刱。」最後則表示：「惟古代朱色顏料係用銀朱，其價昂，而套印費工，故胡氏言必貴重用之，此或為前代朱印本與朱墨本傳世甚罕之主因。閔氏套印之書，朱色暗褐而無光澤，遠遜元印此本，或以廉價顏料取代丹砂，故能推廣其術而大量套色印書，後世未察，誤以雲礽而作高曾矣。今幸賴有此元刻朱墨印本存世，以為實證，而將我國朱墨印書術之起始推前二百餘年。」

這部元刊朱墨印本《金剛般若波羅蜜經》現藏臺北的國家圖書館（前身即國立中央圖書館），置於設備先進的善本書庫中，為妥當維護起見而有條件地開放研閱。此外，早在 1971 年，臺北市漢華文化事業股份有限公司曾出版影印本，書皮上的書籤題「元刻注釋朱墨雙印《金剛般若波羅蜜經》」。該影印本說是版式、裝訂等「悉倣原式」，其實還是無法完全呈現原書真貌，像原本斷版處多用筆填實；又像原本上下朱色粗邊是印後畫上去的，以求整齊美觀，這都從影印本上看不出來，無不影響及對原本印刷詳情的研判。雖然昌師彼得肯定此一元刊本出現，將中國雙印本的開端「推前二百餘年」，已如上述，但他復目驗原書，詳察其中印刷的情形，認為「實係一版而先墨後朱分兩次印成」❹；「印朱色時將注文蓋貼，印墨時則將經文蓋貼，這就是明代所謂的『雙印』，尚不是後代的『套版印刷』」。❺

目前，有關這部朱墨印本的刊刻年代大抵已無異議，至於印刷方式，除昌師舊說之外，卻還存在着不同見解。不過，若干學者對「同版分次印刷」所提出的異議，或因未覩原書，僅據失真的影印本立論，不易取得確證；或雖曾獲見原書，但沒有充裕時間詳為檢閱。筆者往昔服務於國家圖書館特藏組二十餘年，幸與善

---

❹ 同前註。

❺ 昌彼得：《中國圖書史略》（臺北：文史哲出版社，1974 年 5 月再版），頁 36。後文又說明閔氏套版印書法：「如印二色的，分別將印朱色及印墨色的文字部分各雕刻一塊版，文字嵌合起來就是一版，故名『套版』。」見同書頁 37。

本書共處，而趁工作之便，亦得以細察此元刊朱墨印本，終悟「同版分次印刷」一說先見之明。前曾撰文❻，略加論述，近再研考，而感拙文尚有未盡處，因撰就此專篇，仍請方家不吝賜教。下文首先介始此朱墨印本的裝訂、版式等情況，其次就所知若干學者對「同版而先墨後朱分兩次印成」說法的懷疑逐一辯釋，再又自原書找出更多佐證，最後仍主前輩舊說。

二、原 本

《金剛般若波羅蜜經》一卷，姚秦釋鳩摩羅什譯，題梁昭明太子添加分目，元釋思聰註解，元至正元年（1341）中興路資福寺刊朱墨印本。1 冊，經摺裝。版面上下各畫有一整齊朱色粗邊而成版匡，匡高 27.8 公分，每半摺寬 12.7 公分。經文大字，朱色印；註解小字雙行，墨色印。又每半摺 5 行，行大字 12，小字 24。卷端首行頂格朱印「金剛般若波羅蜜經」，其後三行低二格分別墨印「姚秦三藏法師鳩摩羅什奉詔譯」、「梁昭明太子加其分目」、「汝水香山無聞思聰註解」。經後附刻「般若無盡藏真言」、「金剛心陀羅尼」、「補闕真言」、「普回向真言」。下接「無聞老和尚註經處產靈芝」圖，亦朱墨雙色印。圖後有跋，末署「至元六年（1340）歲在庚辰解制日寅中興路／潛邑蚌湖市劉覺廣再拜謹跋／荊岑鄧覺富焚香拜書」。下又有小字，說：「師在奉甲站資福寺丈室註經庚辰四／月間忽生靈芝四莖黃色紫豔雲蓋次／年正月初一日夜劉覺廣夢感龍天聚／會於刊經所讚云／稽首金剛界　大聖法中王／願垂實際處　字字放毫光」。文中「次年」即至正元年。「南無般若波羅蜜多心經」並附刻於後。卷前朱繪「釋迦說法圖」，又繪雙龍祥雲碑，上書「皇帝萬歲萬萬歲」；卷末朱繪「韋陀護法圖」，又繪雙龍祥雲碑，上書「皇圖鞏固，帝道遐昌。佛日增輝，法輪常轉」，所用紙張都顯

---

❻ 盧錦堂：〈從國家圖書館所藏兩種宋元版佛經試探目鑑古籍版本的關鍵〉，《故宮學術季刊》第 20 卷第 2 期（2002 年冬季），頁 1－10。

與內文不同，應是後人繪製的。按此本版心記有版次，自三至三十九；除第三版印 6 半摺，第三十九版印 3 半摺外，餘版各印 5 半摺。由於缺一、二兩版，又附刻在後的「心經」印 4 半摺，但不記版次，因疑「似此本前後扉畫原本亦係雕印，殆失去而以手繪補之」。❼書中鈐有「甘露記」、「慈航記」二朱文長方印，或從寺院流出。復依國立中央圖書館善本書草目的記載，此本係民國 36 年購於南京。

　　昌師影印本題識稱釋思聰「所註金剛經，有明以降諸大藏俱未收，亦未見於著錄」。並「據卷末跋文，知此本為後至元六年中興路資福寺刊雕，完成則在至正初年。按元史地理志，中興路屬荊湖北道宣慰司，治所即今湖北江陵。又據江陵縣志，資福寺在城東南之化港，建於李唐」。友人沈津先生則撰文提出劉覺廣跋後小字「僅云釋無聞在資福寺註經，並未云在資福寺刻經。『註』、『刻』為不同之概念，不能混淆。劉覺廣當是篤信佛教之居士，刊經所即在江陵，故此經之版本似應作『元至正元年劉覺廣江陵刻經所刻朱墨套印本』為妥」。❽竊以為刊經所或在寺內亦未可知，姑仍舊說。至若沈文認「此本確為朱墨套印本，而非一版雙色印本」❾，另辯論於後。

三、辨　疑

　　筆者對此本仍持「同版分次印刷」舊說，下文就若干學者專家所疑，試作辨釋。

　　㈠或謂：「……在 1341 年出現了用朱墨兩色合印的《金剛般若波羅蜜經注解》。……它的印法雖說使用了朱墨兩色，但恐怕不是兩版套印，而只是用一版塗上兩種顏色印成的（原注：當然也不是用一塊版，塗兩次色，印兩次）。這是朱墨印法

---

❼　同註❸。

❽　沈津：〈關於中國現存最早的元刻朱墨套印本《金剛般若波羅蜜經》〉，《圖書館雜志》第 21 卷第 11 期（2002 年 11 月），頁 78。

❾　同前註，頁 77。

第一次創造性的試驗，是朱墨套印法的發明必須經過的階段。」❿

此認「用一版」，大抵無誤。不過，說非一塊版「塗兩次色，印兩次」，則似未細察原書。試觀若干雙行墨色小字上的朱色大字右下方句號圓圈，每多印成靠近大字的上半弧為朱色，靠近小字的下半弧為墨色，且明顯分開，不成緊合的圓形，這或是因為兩色分次印，而在印畢一色，要再於同紙印另一色時，紙張未曾對準印版所造成。當「雙印」始刱初期，出現這種情形是不易避免的。復舉一實例，如第十五版經文「勝前福德」下接雙行小字註解，要注意的是，「德」字右下方除了有一句號朱圈外，在其與註解之間，還多出「德」字最下部字形和圓圈左邊弧形的墨色印跡，應係先印註解墨色小字時，未將隨後要印成朱色的經文末字和句號完全蓋貼住；若屬兩色一次「合印」，自不會發生上述現象。

㈡或謂：「此前……看到過它的局部圖片，那實在是找不到感覺，也看不出名堂來的。……當我接過這部元代套印本《金剛經》原件時，……起初，我看到了使專家們認定此書為『套印』，而非『套板』的證據，即在朱印的大字旁邊，黑印的字有沾朱色，隱隱約約的印在紙上。但是，隨着我繼續往後看，我先是看到了一處，紅色套印文字上下同時與黑印文字重迭，繼而往後再又發現一處相同的情況，我心頭不禁一震。……因為這將意味着傳統的說法和觀點都有致命的硬傷，這就是說，在印書木板的同一位置，不可能重迭刻着黑字，也同時刻着紅字。換句話說，它一定是用兩塊木板印刷出來的。我認為，元刻套印的《金剛經》必是朱墨兩塊板『套板』印刷，而不是一塊板分朱墨兩色印刷。」⓫

開始時表示若非親觀原件，難以看出究竟，可說不假。但隨後聲稱發現傳統說法的所謂「致命硬傷」，其實未必然。同版兩色分次印刷，要是如上述，即印

---

❿　王重民：〈套版印刷法起源于徽州說〉，原載於《安徽歷史學報》1957 年 10 月創刊號，今見收於《中國出版史料·古代部分第二卷》（武漢：湖北教育出版社，2004 年 10 月），頁 91－92。

⓫　拓曉堂：〈震中觀書記〉，《嘉德通訊》2000 年第 3 期，頁 29。按拓先生此文記載 1999 年臺灣「九·二一」大地震後的 9 月 23 日到國家圖書館參觀善本古籍，時由筆者接待。

畢一色，隨於同紙再印他色時，紙張未曾對準印版，也會發生兩色局部重疊現象，而非只在兩色分版印刷時纔有。況且亦正如前面的例子，原件不乏位於經文末字與其下註解小字之間的經文句號圓圈，應為朱色，卻出現上半弧印成朱色，下半弧印成墨色，而又明顯分開，不成緊合圓形的奇怪情況。這是兩版分色印刷不會有的；經文句號自與經文刻在同一塊版上，塗印成相同顏色。

(三)或謂：「見過此物原件，從樹幹與雲彩處可見兩塊版是斷開的，有一、二毫米的距離，可見還是分色分版套印。」❷

此指原書中「無聞老和尚註經處產靈芝」圖。圖上方的題名和古松，以及靠近題名下的天空最上一片浮雲，都用墨印；其餘如人物、供案、書桌、座椅、靈芝和朵朵祥雲等則為朱印。至若古松樹幹與祥雲相接處的斷開，可能是由於這圖亦屬一版而分次塗上兩色，當印刷一色時，同樣將要印刷他色的部分蓋貼住，但圖畫局部蓋貼，似較文字的蓋貼複雜，於是為節省功夫，不求精細，在兩次塗色印時，乾脆都將樹幹與祥雲相接處附近蓋貼住約一、二毫米距離。簡單地說，這裡的「斷開」係蓋貼所造成，非因為分版套印。

(四)或謂：「此本確為朱墨套印本，而並非一版雙色印本。其為套印本之根據，可見『妙行無住分第四』，由右至左朱色大字『第』、『薩』、『施』、『布』、『布、『不』皆斷版，但在中間之小字『菩薩人本心』皆不斷裂。此可說明不是一塊版子。如係一版，那斷裂時，大字、小字應同時一起斷裂，而決不可能只斷大字而不斷小字。」❸

細察原件，其實此處從右到左，大字有斷，與大字連成橫線的「色」、「雖」、「本」、「貪」、「塵」、「得」諸小字亦有斷。由於小字的斷裂處，後已用墨筆填實，若稍不留意，極易忽略。此外，原件「斷版」非僅這一處，詳見下文「舉

---

❷　同註❷蕭東發書，頁 95。

❸　同註❽沈津文，頁 77。

正」。

　㈤或謂：「有數紙清晰地顯示無論是黑色小字或朱色大字，都是係（筆者按：原文如此，疑有衍字）用小木塊或長方形木塊在一張紙上捺印文字。在紙的上面、中間、下面，往往都有木塊兩頭捺印之痕跡。如第七頁（筆者按：『頁』似應作『紙』或『版』）小字雙行『於禪定無有欲心』、『慾想乾枯無想天中』二句，在『於』、『慾』字之上即有邊痕，而朱色大字也有如是之跡。這種情況，或許可以推測原已刻就一板，為了區分經文和注釋，請匠人鋸開，然後用朱、墨雙色套印。」❹

　之所以會出現這種情況，可能是因為朱墨分色同版印刷，若上下兩頭恰是大字，則邊線自亦印成朱色；若上下兩頭都屬小字，則邊線又會印成墨色。再加上「雙印」初創，技術尚欠熟練，在同紙先後印刷朱、墨兩色時，紙張未曾對準印版，造成上下兩頭的朱色與墨色邊線高低不一，況且邊線一段朱色、一段墨色的，亦嫌未能一致，最後只好於原上下邊線外各添畫一朱色粗邊，以求整齊美觀。不過，照顧未見周全，版面上仍可看到在粗邊內現出原來的朱色或墨色細邊線。若對此情況沒有弄清楚，即容易誤以為兩色分版。至於說本來是刻作一版，後為要將經文和註解明顯區分，而鋸開來各自塗上不同顏色；試觀前文所提及第十五版經文「勝前福德」與其後註解之間，多出「德」字下部字形和句號左半弧形的墨色痕跡，要是經文與註解鋸開，不會有這種現象，則「鋸開」說不能成立可知。

　㈥或謂：「細審全經，可知印刷時，朱色先而墨色後，如第十三紙『受生欲界名不還果也』內『還』、『也』二字，墨色壓在朱色之上。又善現起請分第二之『三』（大字），後為小字『梵語』，也顯見黑色小字壓于朱色大字之上。」❺

　試翻檢原書，可發現其中若干靠近朱色大字的墨色小字上又重疊該等小字的淡朱色字樣，即此處所舉二例。推想或許是在印版上塗刷朱色大字時，不慎讓其

---

❹　同前註。

❺　同前註。

旁墨色小字部分亦沾上朱色，稍加抹拭後，隨而將先前已印有墨色小字的印葉覆上，再印妥朱色大字，最後掃平整張印葉，並緊貼印版，使刷印均衡。此時，印版的小字部分雖蓋貼紙張，但先前所不慎沾上的朱色抹拭未淨，以致印成的書葉，在該等墨色小字上又依稀重疊淡朱色的相同字樣。若利用倍數合適的放大鏡察看，即能清楚發現，是朱色大字壓於墨小字上。此外，同版分次印刷，紙張或未對準，每造成朱印處與墨印處相接，亦是朱壓墨的。

四、舉　正

上文既試對若干學者的懷疑加以辯釋，此處則分從「兩色同版」和「分次印刷」兩方面再舉例證實前輩舊說。

㈠ 兩色同版

此元刊朱墨印本《金剛經》係兩色塗在同一塊版上印刷。所採方法，即印某色時將要印他色的部分蓋貼住，但間或疏忽，沒有蓋貼妥當，以致某色文字在鄰近他色文字的邊緣處呈現他色痕跡，因而顯示出「兩色同版」的明證。如卷端題名「金剛般若波羅蜜經」朱印大字中，「若」、「蜜」、「經」三字左邊靠近墨色署名的筆劃邊緣刷印有少許墨色；又如第四版朱印大字「敷」的上方和右方筆劃邊緣亦刷印有少許墨色；又如同前版朱印大字「食時」上方的「在」、「尊」二墨印小字，在下方靠近大字的筆劃邊緣刷印有少許朱色；又如第五版朱印大字「善現起請分第二」左旁的「解空特地」四墨印小字，在右邊筆劃邊緣亦刷印有少許朱色等即是。此外，如第七版朱印經文「若無想」的「想」字最下部是後來用朱筆描畫上去，推測在印經文時，要將下面已印妥的註解蓋貼住，卻不慎連「想」字最下部也蓋住了；又如第二十六版墨印註解「究竟滅盡無心可度」的「度」字最下部沒印出，可能是在印註解時，要將下面尚未刷印的經文部位蓋貼住，卻不慎連註解中「度」字最下部位也蓋住了。

其實，最能證明兩色同在一塊版上印刷，就是左右相鄰大、小字出現連成一

橫線的「斷版」。除了前面「辯疑」所舉一例外,尚有多例。如第十二版從右至左,大字「實」、小字「精」、「果」、「菩」、「有」、「更」、「銀」（各小字已用墨筆填實）與大字「於」出現斷版;又如第十五版從右至左,大字「受」、「福」與小字「香」、「洲」出現斷版;又如第十九版從右至左,小字「聞」、大字「如」、「波」、小字「蜜」、「諦」、大字「波」、「是」與小字「也」出現斷版;又如第二十六版從右至左,小字「無」（已用墨筆填實）與大字「若」、「藐」、「得」、「提」出現斷版;又如第二十九版從右至左,大字「第」與小字「虛」、「不」（此二小字已用墨筆填實）出現斷版等都是。其中要注意的,即因為分次於同一書葉上刷印朱、墨兩色時,若書葉不曾對準印版,朱、墨兩色所呈現斷版會看似不完全相連,而印版實斷裂成一橫線。

(二) **分次印刷**

　　原書每有鄰近墨色註解的朱色經文句號圓圈,圓弧不緊合,明顯分開兩半,且靠經文的部分為朱色,靠註解的部分為墨色。此正是兩色分次印刷所造成的現象,前「辯疑」已作解說,下文再舉例佐證。如第五版墨印頌詩左旁朱印經文「時長老須菩提」右下的圓圈;又如第八版經文「……香味觸法布施」與下方註解間的圓圈;又如第二十三版經文「所不能及」與下方註解間的圓圈。更特別的是,若干朱印大字與下方註解之間,會多出該大字最下部字形的墨色印跡。如第七版經文「若胎生」與下方註解間多出「生」字最末一橫的墨色印跡;又如同前版經文「若有想」、「非無想」與下方註解間,各自多出「想」字最下部字形的墨色印跡。墨印小字亦有此情況。如第九版經文「後五百歲有持戒修福者」下方雙行小字註解,各行行首「正」字上方多出該字首一橫的朱色印跡;又如第二十五版經文「須菩提於意云何」上方墨印小字「真」,在該小字中疊出末兩點的朱色墨跡,之所以疊出在字中,是由於紙張不曾對準印版。總之,若原書屬朱、墨兩色一次「合印」,則不會有上述情況。

　　此外,前「辯疑」亦曾提及,此本版面上下朱色粗邊線係印後添畫的,並非

刻印。筆者懷疑由於技術欠熟練，在同一書葉上分次刷印朱、墨兩色時，紙張沒有對準印版，以致上下兩頭的朱色與墨色邊線高低不一，兼且邊線一段朱色、一段墨色的，亦嫌未能一致，最後，利用添畫的朱色粗邊，將原有邊線略為遮掩，似較整齊美觀。試再舉例說明。如卷端墨印的譯者等署名下方，可見後來所添畫朱色粗邊遮掩住原有墨色細邊線；又如第四版「齊」、「為」、「盡」諸行註解上下兩頭朱色粗邊中，原有的墨色細邊線亦隱約可見；又如第八版從右至左，「福德」一行經文上方原有朱色細邊線，「六度無貪」等雙行註解上方原有墨色細邊線，以及「東方虛空」等五行經文上方原有朱色細邊線，而最上頭復添畫一整齊的朱色粗邊，相當顯著；又如第九版「正法一千年」諸行註解下方原有墨色細邊線，被後來所添畫的朱色粗邊遮掩住，而「當知是人」諸行經文下方原有朱色細邊線，因在書葉上刷色時，未與註解下方邊線對齊，故位置稍高，沒有被添畫的朱色粗邊所遮掩，亦相當顯著。

　　至若分色的先後，筆者再次強調肉眼難以觀察清楚，宜利用如放大鏡等儀器，即可輕易看出。

　　綜觀上述情況，這部元刊朱墨印本《金剛經》，應屬兩色同版先墨後朱分次印刷無疑。

五、結　論

　　經過仔細目驗原件，筆者仍主張前輩所說，此本尚不是後代的「套版印刷」。雖然如此，但並不影響其在中國圖書印刷史上應有的地位，亦即由於這個元刊朱墨印本的出現，非僅「將我國朱墨印書術之起始推前二百餘年」，還對明萬曆間吳興閔、凌兩家大量刊行套版印刷圖書，具有極大的啟發意義。其實，任何事物發展一般都屬循序漸進，套版印刷同樣不能例行。若此元刻《金剛經》係分色分版套印，何以今日尚未發現此後二百餘年間續有套版印刷的圖書，直至明萬曆時卻變得盛行？這似乎很難找到滿意的解釋。現既證實此元刊朱墨印本為兩色同版

分次印刷，其技術較後來閔、凌兩家的套版印刷圖書顯得粗糙，效果復不理想，罕再見採用者，但也激起同道中人長期研究改良，終於有了精湛的套版印刷。如此發展，在歷史進程中當不難理解。

最後，想要一提中國印刷術的發明、開展與佛教傳播有着密切關係。之前，若干學者早已說過，像蕭東發先生還認為「可以推出這樣的結論：雕版印刷術的發明者是中國的佛教徒」。❶當然，民間坊刻此線索亦不可忽略。❶試考察現存早期印刷品，大抵多屬佛經、經咒之類。如 1906 年在新疆吐魯番出士的《妙法蓮華經》殘卷，約為武周時期刊本；又如 1966 年在韓國發現的《無垢淨光大陀羅尼經》，不少學者也都訂為武周時刊本。此外，一批 20 世紀 60 至 70 年代在中國發現的唐代民間所雕印《陀羅尼經咒》，其中若干件年代有專家斷定為唐玄宗時，這是從事相關研究者都知道的。接着，我們不妨推想，當日寺院或刻經所之所以刊行此一朱墨印本《金剛經》，可能基於方便信眾明顯區分經文和註解的需求而作出嘗試，主要為了宣傳教義，原非着重商業用途，自未多念及技術精粗。至若後來書坊盛行的套版印刷圖書，則斤斤計較於謀利。二者的差異，正關係着中國印刷史發展。

附記：書影難以忠實呈現真貌，故未製附，敬請目驗原書。

---

❶　同註❷，頁 68。
❶　同前註，頁 46。

劉敞對《公羊傳》的批駁初探

馮曉庭
嘉義大學中國文學系副教授

一、緒　論

　　自從中唐啖助（724－770）、趙匡（？－？）、韓愈（768－842）諸儒開啟「直探本《經》」、「檢覈《三傳》」的研究風氣之後，《春秋》學便逐漸擺脫舊有的藩籬與限制，展現出新說紛呈以及勇於批判的特點。❶由於詮釋者所鋪陳的，必須是建立在正確歷史闡述基礎上的義理內蘊或者文化指標，而唯一的文本《春秋》經，字辭卻又極度精簡，不但義理命題隱微不顯，史實敘述也多待深化推演。所以，儘管抱持著檢視並破除舊解的先決意識，大多數著書立說的學者，仍舊無法單純地以《春秋》為唯一依據，架構完全自經文拓展延伸而出的理論體系與歷史詮釋。

　　上述諸般現象，於「啖趙學派」的各項論述當中，便可得窺一二。陸淳（？－806）據師說編輯成帙的《春秋集傳辨疑》，全書專就《三傳》瑕謬立說，批駁甚力；至於《春秋集傳纂例》一書，則在最初論述《春秋》宗旨大義之後，廁置〈三

---

❶　如韓愈在〈寄盧仝〉一詩中提到「《春秋》《三傳》（一作《五傳》）束高閣，獨抱遺《經》究終始」的觀點。（〔唐〕韓愈著，屈守元、常思春主編：《韓愈全集校注·詩·元和六年》〔成都：四川大學出版社，1996 年 7 月〕，頁 540－541）。

傳得失議〉一節，詳述《三傳》缺失。就表象而言，「啖趙學派」對於《三傳》是極不信任的，然而，在諸般有力批駁詰難之外，啖助卻也如是說道：

> 予所注經傳，若舊注理通，則依而書之；小有不安，則隨文改易；若理不盡者，則演而通之；理之不通者，則全削而別注。（《春秋集傳纂例·啖氏集注義例第四》，卷1，頁5）❷

很明顯地，「啖趙學派」研治《春秋》，雖然不盡信《三傳》，卻也無法盡捨《三傳》；對於《三傳》所述，雖然能夠「全削而別注」，卻也可能「依而書之」，或否或臧，已非《三傳》之舊，其中論難考辨，過程可想而知。至於判別的標準，全在於「理通」與否，而所謂「理」，則是合於文本《春秋》經的義理，義理的準繩如何，則有可能全屬詮釋者的自我認知。除了「啖趙學派」之外，活動於唐末的學者陳岳（？－？），也曾經撰寫《春秋折衷論》三十卷，打破《三傳》隔閡，普遍並詳實地比較檢覈其中解說，試圖從中擇取最為適切的詮釋。

對於懷抱著新思維的《春秋》學者而言，《春秋》經文的精簡以及《三傳》的不可闕如，雖然不至於造成詮釋理論發展的嚴重挫折，卻引發若干詮釋心理的弔詭現象──既批判《三傳》，又難捨《三傳》。意識與現實的衝突，致令中唐以後的《春秋》學呈現著如是面貌：

其一，《三傳》的界線消弭，從漢代以來便各執家法互不相通的現象，至此已經不復存在，取而代之的，是普遍運作於《左傳》、《公羊傳》、《穀梁傳》之間的衡量折衷。

其二，質疑或批判《三傳》成為正式詮釋《春秋》之前的必要步驟，《三傳》雖然有存在的必要性，卻沒有崇高的權威性。

其三，即使是援用《三傳》舊說，也已經與前人無條件接受師法或家法的心

---

❷ 〔唐〕陸淳：《春秋集傳纂例》（上海：商務印書館，《叢書集成初編》本，1936年12月）。

態與型式不同，凡是受到肯定而留用的舊解釋，都必須歷經嚴謹的論證考核分析過程。精確地說，通過認可的舊解釋，已經不屬於原有的詮釋系統，而是新見解與新觀點。

形成於唐代的新《春秋》學風氣，到了宋代持續發展，活躍於北宋前期的王晳（？－？）、孫復（992－1057）、石介（1005－1045）、劉敞（1019－1068）等人，對於《春秋》皆有鑽研，在詮釋《春秋》經之際，也紛紛提出不同於《春秋三傳》的見解。三人之中，以劉敞的相關著作最為豐碩，所表現的「變古」❸意志也最為清晰。

劉敞，字原父，號公是，學者稱「公是先生」；生於宋真宗（趙恆，968－1022）天禧三年（1019），卒於宋神宗（趙頊，1048－1085）熙寧元年（1068）四月八日，得年五十。劉敞於經學最有心得，於各經之中，又以《春秋》學最為深入，根據劉敞為皇祖所撰寫的〈先祖磨勘府君家傳〉❹，可以知道劉敞的《春秋》學應該淵源自劉氏家學。而依據歐陽脩（1007－1072）的〈集賢院學士劉公墓誌銘〉❺、其弟劉攽（1023－1089）的〈故朝散大夫給事中集賢院學士權判南京留司御史臺劉公行狀〉❻以及《宋史·藝文志》❼的記載，劉敞的《春秋》學著作共有下列五種：

1.《春秋傳》十五卷，存。

---

❸ 據〔清〕皮錫瑞（1850－1908）《經學歷史》所述為說。參見〔清〕皮錫瑞撰，周予同（1898－1981）注：《經學歷史》（臺北：漢京文化事業公司，1983 年 9 月），八，〈經學變古時代〉，頁 221。

❹ 〔宋〕劉敞：〈先祖磨勘府君家傳〉，《全宋文·劉敞文集二十》（四川大學古籍整理研究所編，成都：巴蜀書社，自 1988 年 6 月起印行），冊 30，卷 1295，頁 370－372。

❺ 〔宋〕歐陽脩：〈集賢院學士劉公墓誌銘〉，《全宋文·歐陽脩文集九四》，冊 18，卷 756，頁 371－374。

❻ 〔宋〕劉攽：〈故朝散大夫給事中集賢院學士權判南京留司御史臺劉公行狀〉，《全宋文·劉攽文集二二》，冊 35，卷 1505，頁 198－214。

❼ 〔元〕脫脫（1238－1298）等：《宋史》（臺北：洪氏出版社，1975 年 10 月），卷 202，〈藝文志一·經類·春秋類〉，頁 5058－5059。

2.《春秋權衡》十七卷，存。

3.《春秋說例》二卷，輯佚。

4.《春秋文權》二卷，佚。

5.《春秋意林》五卷，存。

針對《三傳》說解互相歧異的現象，一如其他學者，劉敞在研治《春秋》學的過程中，也有若干發現與體悟，於是說道：

> 《春秋》一也，而傳之者三家，其善惡相反，其褒貶相戾，則是何也？非以其無準失輕重耶？且昔董仲舒、江公、劉歆之徒，蓋常相與爭此三家矣，上道堯舜，下據周孔，是非之義不可勝陳，至於今未決，則是何也？非以其低昂不平耶？故利臆說者害公議，便私學者妨大道，此儒者之大禁。(〈《春秋權衡》序〉，《劉敞文集》十：《全宋文》，卷 1285，冊 30，頁 200)

分析這段文字，可以知道，劉敞認為：其一，做為「文本」的《春秋》經只有一部，但是詮釋「文本」的《三傳》卻因為「無準而失輕重」，無法掌握研治《春秋》的準則而導致「善惡相反」、「褒貶相戾」，說法各自歧異、莫衷一是。其二，自漢代以來，雖然陸續有董仲舒（【前 176－前 104】，主要是公羊說）、瑕丘江公（【前？－前？】，主要是穀梁說）、劉歆（【？－23】，主要是左氏說）等學者相互論難、發揚陳述，但是因為「其低昂不平」，研治《春秋》的標準各自參差，因而導致各種爭議「至今未決」。其三，承上所述，《春秋》大義之所以隱晦不明，《三傳》之所以相互扞格，完全是因為「利臆說者害公議，便私學者妨大道」——詮釋者墨守私學臆說，妨礙了公議大道，而這正是「儒者之大禁」，治經為學最為忌諱的現象。

依循著以上諸項認識，劉敞於是懷抱著「準之以其權，則童子不欺；平之以其衡，則市人不惑」的態度，編寫了《春秋權衡》一書，試圖糾正《三傳》的謬誤，呈現《春秋》義理的真正面貌。針對《公羊傳》，《春秋權衡》提出駁正二

百六十六則；針對何休的《解詁》，《春秋權衡》則提出糾謬一百二十四項。在《春秋權衡》「《公羊傳》部分」的端首，劉敞明確地指出《公羊傳》解《春秋》的三大基本弊病——「（《春秋》）據百二十國寶書而作」、「張三世」、「新周故宋王魯」（《春秋權衡·公羊一》，卷8，頁1上）。❽以下便就劉敞直接指陳的三個方向進行敘述，並列舉其他條文說明劉敞指正《公羊傳》與何休《解詁》的概略面貌。

二、論《公羊傳》缺失之一
——「（《春秋》）據百二十國寶書而作」

所謂「（《春秋》）據百二十國寶書而作」，是公羊家對《春秋》經的基本認知之一，公羊家以為，孔子作《春秋》，並不全然依據魯國舊史，還同時參酌了其他各國的史記。如是的觀點，在徐彥的《公羊傳·疏》中有相當清楚的表現：

> 閔因〈敘〉云：「昔孔子受端門之命，制《春秋》之義，使子夏等十四人求周史記，得百二十國寶書、《九月經立》、《感精符》、《考異郵》、《說題辭》，具有其文。以此言之，夫子脩《春秋》，祖述堯、舜，下包文、武，又為大漢用之訓世，不應專據魯史，堪為王者之法也。」故言据百二十國寶書也。（《公羊傳·隱公元年》，卷1，頁1下，P6）❾

---

❽ 原文作：「《公羊》之所以異二傳者，大指有三：一曰據百二十國寶書而作，二曰張三世，三曰新周故宋、以《春秋》當新王，吾以此三者皆非也。」
本文徵引的《春秋權衡》原文，全數依「清高宗乾隆十六年（1751）水西劉氏刊本」為準，以下僅標卷、頁，不再重複紀錄版本。

❾ 本文徵引的《公羊傳》原文，全數依清仁宗嘉慶二十年（1815）江西南昌府學刊《十三經注疏》本（舊題〔周〕公羊高【？－？】著、一說〔漢〕公羊壽【？－？】書於竹帛，〔漢〕何休【129－182】解詁，〔北朝〕徐彥【？－？】疏，臺北：藝文印書館，1985年12月影印）為準，以下僅標卷、頁，不再重複紀錄版本。

根據閔因（？－？）所陳述的「孔子……制《春秋》之義，使子夏等十四人求周史記，得百二十國寶書」、「夫子脩《春秋》，……不應專据魯史」等言論，可以知道至少有某些公羊家的確抱持著孔子「據百二十國寶書」作《春秋》的觀點。

對於公羊家孔子「據百二十國寶書」作《春秋》的認知，劉敞並不贊同，於是在《春秋權衡》中標舉《公羊傳》與何休《解詁》指稱魯昭公十二年經文「齊高偃帥師納北燕伯于陽」有所闕誤、原文應該作「齊高偃帥師納北燕公子陽生」❿一事為例，認為以「百二十國寶書」為數之多，所記載的內容不可能會「悉謬」或者「悉同」。因此，假若孔子作《春秋》確實是依據「百二十國寶書」，那麼應該會在編書《春秋》之際，依據其中正確可信的載錄對於錯誤的環節加以校正竄改。然而，舊史記的錯誤依然存在於《春秋》經文之中，未受修訂，可見孔子作《春秋》僅只是依據魯史，並沒有其他文獻可以參酌互證。除此之外，《春秋權衡》還進一步說道：

> ……（《春秋》）本據魯史而作，魯史所書，有詳有略，仲尼止考核是非，加褒貶而已，非必百二十國書也。（《春秋權衡·公羊一》，卷8，頁1上）

---

❿ 《春秋》：「齊高偃帥師納北燕伯于陽。」《公羊傳》：「伯于陽者何？公子陽生也。子曰：『我乃知之矣。』在側者曰：『子苟知之，何以不革？』曰：『如爾所不知何？』」何休《解詁》：「時孔子年二十三，俱知其事，後作《春秋》、案史記，知公誤為伯，子誤為于，陽在，生刊滅闕。」（《公羊傳》，卷22，頁18下－19上，P281－282）對於經文書「伯于陽」，《公羊傳》認為是「公子陽生」之誤，而且孔子早已知悉其中的錯誤，但是為了使後學世人明瞭舊史記的錯誤，所以沒有加以修正。至於何休《解詁》則進一步說「伯」是「公」之誤字、「于」是「子」之誤字、「陽」字尚存、「生」字已磨滅脫漏，而魯昭公十二年時孔子年已二十三，所以能夠通曉其事。然而從《春秋權衡》論述中，似乎可以發現劉敞並不接受《公羊傳》以及《解詁》的說辭。其原文如後：「『齊高偃帥師納北燕伯于陽』，《公羊》以為公子陽生也，文當曰『齊高偃帥師納北燕公子陽生于北燕』，有所誤，有所闕，故云爾。不知百二十國寶書悉爾書謬乎？若悉爾書謬，信《公羊》之說可也；若百二十國寶書有一二不同，仲尼何不去彼取此乎？且百二十國之書眾矣，不容悉謬，又不宜悉同，今奈何不革？其不革也，然後知所據魯史而已。」（《春秋權衡·公羊一》，卷8，頁1上）。

基於孔子作《春秋》僅只是依據魯史「考核是非」、「加褒貶」，並未參酌周代
各國史記「百二十國寶書」的認定，劉敞於是針對《公羊傳》與何休《解詁》之
中以「據百二十國寶書」觀點詮釋《春秋》經文的說法加以駁斥。

㈠ 隱公十年

《經》：辛未，取郜；辛巳，取防。（《公羊傳·隱公十年》，卷3，頁15上，P41）

《公羊傳》：取邑不日，此何以日？一月而再取也。何言乎一月而再取？
甚之也。內大惡諱，此其言甚之何？《春秋》錄內而略外；於外，大惡書、
小惡不書；於內，大惡諱、小惡書。（《公羊傳·隱公十年》，卷3，頁15上－15
下，P41）

《春秋權衡》：……公既詐勝宋師，用二十日間得其兩邑，若不著日，則
似同時取之，此理當然，非所甚也。又曰：「內大惡諱、小惡書。」按《春
秋》可諱則諱，可書則書，大惡有不諱者，躋僖公是也。又曰：「大惡書、
小惡不書。」按外小惡書者多矣，豈謂不書乎？詳《傳》此言，又指百二
十國寶書而說，不知據魯史也。（《春秋權衡·公羊傳二》，卷9，頁4上－4下）

魯隱公十年六月壬戌日，魯隱公帥師擊敗宋師於菅，隨後在辛未日以及辛巳日，
魯師又先後攻佔郜國、宋國防兩個城邑，《春秋》因此以「辛未，取郜；辛巳，
取防」為書。《公羊傳》認為：其一，依照《春秋》常例，軍隊攻佔他國城邑，
應該是不紀錄日期的，此處以日期為書，是為了強調魯師一個月內攻取了宋國、
郜國兩個城邑。之所以要如此強調，是為了「甚之」，對於魯隱公貪圖宋國領地
而過分頻繁地發動戰事的行為有所凸顯譏刺。其二，《春秋》著重於魯國史事的
記載，對於他國史事僅做簡略地紀錄；關於魯國的重大惡事，則加以隱諱，至於
魯國微小惡事則據事直書；關於他國的重大惡事，則加以書錄，至於他國的微小
惡事，則有所省略。而為了記載魯隱公因利數度發動戰事的小惡，《春秋》經文

於是書寫了取邑的日期。

對於《公羊傳》為經文取邑書日所鋪陳的論述，《春秋權衡》並不同意，認為：其一，魯隱公以詭詐的手段於二十日之內攻佔郜國、宋國兩個城邑，倘使不記載日期，那麼看起來就會像是魯師在同時間取得兩座城邑，所以書寫標識日期是理所當然的事，並非為了凸顯魯隱公貪人城邑而頻頻發動戰爭的惡行。其二，《公羊傳》以《春秋》的書法為「內大惡諱、小惡書」，是錯誤的認知，孔子作《春秋》，「可諱則諱」、「可書則書」，對於魯國的重大惡事也有不予隱諱的，如魯文公二年「躋僖公」（《公羊傳·文公二年》，卷13，頁15下，P165）就是一個例子。其三，《公羊傳》指稱，對於發生於他國的惡事，《春秋》的書法是「大惡書」、「小惡不書」，事實上《春秋》之中書寫他國微小惡事的文字很多，根本不能說「小惡不書」。另一方面，《公羊傳》之所以會如此陳述，是因為以《春秋》「據百二十國寶書而作」為基本觀點，認定孔子在作《春秋》之際，必然引了其他史策，因此才會將經文之中關於他國惡事的書法詮釋為「大惡書」、「小惡不書」的選擇性狀況，不知道孔子因魯史而作《春秋》，魯史書則書、不書則不書，經文之中絕對沒有參雜其他史料。

從以上的論述可以發現，《春秋權衡》之所以認為《公羊傳》「於外，大惡書、小惡不書」的說法不正確，是因為認定了孔子作《春秋》完全依據魯史的前提，而既然全依魯史，經文之中就無所謂書不書的選擇性問題，由此可見，劉敞對於孔子「據百二十國寶書作《春秋》」的說法，確實抱持著否定的態度。

(二) 莊公十一年

《經》：秋，宋大水。（《公羊傳·莊公十一年》，卷7，頁11下，P90）

《公羊傳》：何以書，記災也。外災不書，此何以書，及我也。（《公羊傳·莊公十一年》，卷7，頁11下－12上，P90）

《春秋權衡》：……按《春秋》內其國而外諸夏，若水災及魯，可記魯災而已，無為詳宋而略我也。公羊以百二十國寶書為據故云爾，非實可信也。

（《春秋權衡·公羊傳三》，卷10，頁12上）

魯莊公十一年秋季，宋國發生水災，《春秋》以「宋大水」為書。《公羊傳》認為，依照《春秋》的書法，發生在其他國家的災禍是不會加以紀錄的，而經文之所以記載「宋大水」，是因為這場水災波及魯國。

對於《公羊傳》的說法，《春秋權衡》表示反對，認為：其一，《春秋》以魯國為「內」、以華夏諸國為「外」，先後有別，倘若水患波及魯國，那麼以魯國發生水災為記即可，沒有理由「詳宋而略我」，詳細記載宋國水患，卻忽略了魯國本身實際上也發生水患。其二，《公羊傳》之所以會作成如此錯誤的解釋，肇因於事先認定了孔子「據百二十國寶書作《春秋》」。由於認定《春秋》是「據百二十國寶書而作」，並非全然依循魯史，所以《公羊傳》為《春秋》設定了「外災不書」一例，做為孔子選取各國史策材料的準則之一；然而，經文書「宋大水」，與「外災不書」這項條例卻頗有出入，為了掩蓋其中的矛盾扞格，《公羊傳》於是迂曲地說水災波及魯國。

在觀覽過以上的討論之後，學者應該能夠同意，《春秋權衡》以倘若魯國也發生水患，經書不會只書「宋大水」為由，先行否定了《公羊傳》的解釋，接著又據此指出公羊家所持孔子「據百二十國寶書作《春秋》」理論為《春秋》詮釋帶來的負面影響，雖然不能證實《春秋》必據魯史為書，卻充分地凸顯出劉敞反對《春秋》「據百二十國寶書而作」的態度。

三、論《公羊傳》缺失之二──「張三世」

所謂「張三世」，指的是公羊家將春秋時期區分為三個階段，並且依循這樣的觀念詮釋《春秋》經文。至於「三世」的實際內容，《公羊傳》說：

所見異辭，所聞異辭，所傳聞異辭。（《公羊傳·隱公元年》，卷1，頁23上，P17）

推敲這段文字，《公羊傳》所要表達的，應該是孔子作《春秋》，所依據的包括了自身所見、所聽聞以及所得傳聞；然而，何休《集解》卻作了如此的詮釋：

所見者，謂昭、定、哀，己與父時事也；所聞者，謂文、宣、成、襄，王父時事也；所傳聞者，謂隱、桓、莊、閔、僖，高祖、曾祖時事也。……所見之世，恩己與父之臣尤深，大夫卒，有罪、無罪皆日錄之，「丙申，季孫隱如卒」是也。於所聞之世，王父之臣，恩少殺，大夫卒，無罪者日錄，有罪者不日，略之，「叔孫得臣卒」是也。於所傳聞之世，高祖、曾祖之臣，恩淺，大夫卒，有罪、無罪皆不日，略之也。（《公羊傳·隱公元年》，卷1，頁23上－23下，P17）

在上述的文字之中，何休將「所見」、「所聞」、「所傳聞」時間化，認為：其一，「所見」是孔子與孔子父親活躍的時代，涵蓋昭、定、哀三公，因為孔子與這個時期的人物關係較近，所以「大夫卒」，無論生前是否有罪，《春秋》都紀錄卒日，定公五年經文「六月，丙申，季孫隱如卒」（《公羊傳·定公五年》，卷25，頁19上，P323），便是其例。其二，「所聞」是孔子祖父活躍的時代，涵蓋文、宣、成、襄四公，因為孔子與這個時期的人物關係較遠，所以「大夫卒」，倘若生前無罪，《春秋》則紀錄卒日，倘若有罪，《春秋》則略去卒日不予紀錄，宣公五年經文「叔孫得臣卒」（《公羊傳·宣公五年》，卷15，頁19上，P323），便是其例。其三，「所傳聞」是孔子高祖、曾祖活躍的時代，涵蓋隱、桓、莊、閔、僖五公，因為孔子與這個時期的人物關係更遠，所以「大夫卒」，《春秋》都不紀錄卒日。

事實上，在何休之前，漢代大儒董仲舒（前176－前104）在《春秋繁露》之中就說過：

《春秋》分十二世以為三等，有見，有聞，有傳聞。有見三世，有聞四世，

有傳聞五世。故昭、定、哀，君子之所見也；襄、成、文、宣，君子之所
聞也；僖、閔、莊、桓、隱，君子之所傳聞也。所見六十一年，所聞八十
五年，所傳聞九十六年。於所見微其辭，於所聞痛其禍，於傳聞殺其恩，
與情俱也。（《春秋繁露·楚莊王第一》，卷1，頁9-10）**⓫**

檢覈這段敘述，可以發現，董仲舒將春秋二百四十二年分為三個階段，即「有見
世」、「有聞世」、「有傳聞世」，「三世」的涵蓋範圍與意義內蘊與何休所述
絕對一致，何休的見解應該是承襲於董仲舒。**⓬**

在大致敘述了董仲舒以及何休的意見之後，可以發現，因著「所見異辭」、
「所聞異辭」、「所傳聞異辭」而將春秋二百四十二年區分為三個階段的公羊家，
認定在三個不同的「世代」中，《春秋》經的記載方式有所不同，也就是說，公
羊家將依照「所見世」、「所聞世」、「所傳聞世」書法各有不同的原則來詮釋
經書。

對於公羊家據「三世說」詮釋《春秋》經文，《春秋權衡》極不認同，以為：

所謂張三世者，本無益于《經》也，何以言之？《傳》曰：「所見異辭，
所聞異辭，所傳聞異辭。」則是言仲尼作《經》，託記傳聞而已。說者乃
分裂年歲，參差不同，欲以蒙澒其說，務便私學。假令推日月之例書之詳
而中其義，則曰當若此矣；適不中義，則猥曰此傳聞，若所聞、若所見，
故略、故詳也。以是通之，以是扶之，無往而不入，要之，無益于《經》，
而便于私學而已。（《春秋權衡·公羊傳一》，卷8，頁1下-2上）

⓫ 本文徵引的《春秋繁露》原文，全數依〔漢〕董仲舒著，〔清〕蘇輿（？-1914）義證，鍾哲
（？-）點校：《春秋繁露義證》（北京：中華書局，1992年12月）為準，以下僅標卷、頁，
不再重複紀錄版本。

⓬ 漢代公羊家顏安樂（？-？）對「三世說」也有所論述，但是認為「襄公二十一年」以後，孔
子生（襄公二十二年），即進入「所見世」（《公羊傳注疏序·疏》，頁2上，P3）。

分析以上的敘述，可以知道，對於公羊家奉行不渝的「三世說」，《春秋權衡》的看法是：其一，經文所謂「所見異辭，所聞異辭，所傳聞異辭」，所要表述的僅只是孔子作《春秋》依據的是自身所見、所聞以及所得傳聞，而公羊家卻將之與時代相比附，認為隨著時代遠近不同，《春秋》的書法也因之而異。事實上，這樣的觀點與規範並無益於《春秋》經的詮釋，僅只是公羊家為了便於施展一家之私言而所設置的模糊含混規則。其二，公羊家依據著「三世說」的觀點，對於《春秋》之中書寫事件日月詳細而能合乎其認定標準的，便說理當如此，而對於無法合乎其認定標準的，便推託為「所傳聞世」、「所聞世」、「所見世」記載詳略各有不同。雖然公羊家據此為詮釋《春秋》的準則，所有問題皆可通解，「無往而不入」，但是根本無助於《春秋》大義的正確敘述與發揮，只是方便於鋪陳其一家之言而已。

透過以上的論述，劉敞對於公羊「三世說」的反動，可以說表現地相當清晰。而除了直接批駁「三世說」，認為全不可信、「無益于解《經》」之外，《春秋權衡》還列舉了若干實例。

㈠ 桓公二年

《經》：三月，公會齊侯、陳侯、鄭伯于稷，以成宋亂。（《公羊傳·桓公二年》，卷4，頁5上，P48）

《公羊傳》：內大惡諱，此其目言之何？遠也，所見異辭，所聞異辭，所傳聞異辭。隱亦遠矣，曷為為隱諱？隱賢而桓賤也。（《公羊傳·桓公二年》，卷4，頁5上-6上，P48）

《春秋權衡》：……（《傳》）本說三世欲辨遠近，近者諱而遠者不諱也，今更不然，賢者諱之，不肖者不諱之，通《春秋》之內，無不如此，亦何用分三世手？（《春秋權衡·公羊傳一》，卷8，頁2上）

魯桓公二年三月，魯君與齊釐公、陳桓公、鄭莊公會於宋國境內的稷，因而導致宋國之亂，《春秋》於是以「三月，公會齊侯、陳侯、鄭伯于稷，以成宋亂」為記。《公羊傳》認為，《春秋》對於魯國的重大惡事均有所隱諱，而此處卻直書不諱，原因是桓公所處為「所傳聞世」，時代遙遠，因此無所隱諱。但是，魯隱公也身處「所傳聞世」，而《春秋》卻為之隱諱，推究其緣由，是因為「隱賢而桓賤」，魯隱公有賢德而魯桓公的行為品德鄙陋。

對於《公羊傳》的說法，《春秋權衡》表示反對，以為：《公羊傳》的說法，原本是要分別時代的遠近，強調時代接近者則予以避諱、時代遙遠者則直書不隱，但是卻又改變方向說《春秋》為「賢者」諱、「不肖者」則直書不隱，而綜觀《春秋》全書，莫不據此以為準則，由此可見《公羊傳》以「三世說」詮釋經文「三月，公會齊侯、陳侯、鄭伯于稷，以成宋亂」並不合理，又可見「三世說」並無存在的必要。

㈡ 莊公四年

> 《經》：紀侯大去其國。（《公羊傳·莊公四年》，卷6，頁10下，P76）

> 《公羊傳》：紀侯大去其國。大去者何？滅也。孰滅之？齊滅之。曷為不言齊滅之？為襄公諱也。《春秋》為賢者諱，何賢乎襄公？復讎也。何讎爾？遠祖也。哀公亨乎周，紀侯譖之，以齊襄公之為於此焉者，事祖禰之心盡矣。……國君一體也，先君之恥，猶今君之恥也，今君之恥，猶先君之恥也。（《公羊傳·莊公四年》，卷6，頁10下－11下，P76－77）

> 《春秋權衡》：……《公羊》以謂國君以國為體，故先君之恥，猶今君之恥，雖百世猶可復讎，而言《春秋》之義，遠則不諱，豈不橫出「三世」，反戾其言乎？（《春秋權衡·公羊傳一》，卷8，頁2上）

魯莊公四年，齊襄公滅紀國，《春秋》以「紀侯大去其國」為記。《公羊傳》認

為：其一，《春秋》之所以不書「齊滅之」，是基於為齊襄公隱諱的考量，而為齊襄公隱諱，是由於嘉許齊襄公能夠為遠祖齊哀公復讎。齊哀公所以遭到周懿王烹殺，是因為「紀侯譖之」，而齊襄公在九世之後仍然不忘先祖，為之復讎，所以《春秋》「賢襄公」，為之避諱。其二，齊襄公為齊哀公復讎，是合乎情理的，原因是國與國君是一體不可分的，而在國與國君一體不分的情況之下，已故先君的恥辱，就是現位國君的恥辱，而現位國君的恥辱，就是以故國君的恥辱，事實上都是國之恥辱。

根據《公羊傳》的說法，《春秋權衡》發揮見解批評道：既然《公羊傳》認為在國與國君一體的狀態之下，已故先君的恥辱，就是現位國君的恥辱，即使是「百世」以上，仍舊可以復讎雪恥，那麼就代表了恥辱或者是惡事應該是永遠受人避諱的，而公羊家卻以為《春秋》書法「遠則不諱」，顯然已經自相矛盾了。

四、論《公羊傳》缺失之三——「新周、故宋、王魯（以《春秋》當新王）」

所謂「新周、故宋、王魯」，指的是公羊家認為孔子作《春秋》，懷抱著「新周」、「故宋」、「王魯」的意識，並且依循這樣的觀念詮釋《春秋》經文。至於「新周、故宋、王魯」的實質內涵，董仲舒在《春秋繁露·三代改制質文第二十三》中這樣說道：

> 《春秋》應天作新王之事，時正黑統，王魯、尚黑，絀夏，親周，故宋。（《春秋繁露》，卷7，頁187－188）

> 《春秋》上絀夏、下存周，以《春秋》當新王。《春秋》當新王者奈何？曰：王者之法，必正號，絀王謂之帝，封其後以小國，使奉祀之。下存二王之後以大國，使服其服，行其禮樂，稱客而朝。……是故周人之王，上推神農為九皇，而改號軒轅謂之黃帝，因存帝顓頊、帝嚳、帝堯之帝，絀

虞而號舜曰帝虞,錄五帝以小國。下存禹之後于杞、存湯之後于宋,以方百里,爵號公,皆使服其服,行其禮樂,稱先王客而朝。《春秋》作新王之事,變周之制,當正黑統,而殷周為王者之後,紲夏改號禹謂之帝,錄其後以小國,故曰紲夏存周,以《春秋》當新王。(《春秋繁露》,卷7,頁198-200)

分析董仲舒的言論,可以知道,公羊家所謂的「新周、故宋、王魯」,事實上是對於改朝易代、歷史演進的理想詮釋,其中的三大重點分別是:其一,當新王朝建立之後,對於二代以上的舊王朝,必須「紲」而「謂之帝」,降低其權勢稱之為「帝」,並且分封其後裔為小國,以供奉其祭祀。如周王紲虞舜為「帝舜」,並封其後媯滿於陳奉祀帝舜。其二,新王對於時間較為接近的前二代王朝,必須分封其後為百里大國,並且使其遵循先祖舊王的服制典章禮樂,朝觀新王時以「客」自居。如周王封夏禹之後東樓公於杞、封商湯之後微子啟於宋。其三,孔子以《春秋》當新王,亦即王魯——以魯公為新王,首先必須「紲夏」,改稱禹為「帝禹」、降杞為「小國」;其次必須以殷商之後宋國為大國,因為宋國在周王朝已是百里公國,所以稱為「故宋」;再者必須分封后稷之後、也就是周王室為大國,因為周王室地位改易,因此稱為「新周」。

對於公羊家據「新周、故宋、王魯」的觀點詮釋《春秋》經文,《春秋權衡》並不贊同,於是提出批評道:

聖人作《春秋》,本欲見褒貶是非,達王義而已,王義苟達,雖不新周、雖不故宋、雖不當新王,猶是《春秋》也。聖人曰:「不怨天,不尤人,知我者其天乎!」今天不命以王天下之任,而聖人因慼而自立王天下之文,不可訓也。且周命未改,何新之說?(《春秋權衡·公羊傳一》,卷8,頁2上-2下)

顯然，《春秋權衡》認為：孔子作《春秋》，本意是要凸顯歷史人物與事件的善
惡，並且善加褒貶，同時發揚王者的義理教化正道；倘若王者的義理教化正道能
夠宏揚，那麼即使不「新周」、不「故宋」、不「當新王」，也無損於《春秋》
存在的意義與價值。同時，孔子自許「不怨天、不尤人」、「知我者其天乎」（《論
語·憲問篇》，卷14，頁13下－14上，P129）❸，由此可知，孔子絕對不可能在上天並
未授予「王天下之命」的狀況下，自我編造「王天下之文」以示天下之人。基於
反對《春秋》蘊藏「新周、故宋、王魯」意識的認知之下，劉敞於是對於公羊家
的說法提出批駁。

㈠ 隱公元年

> 《經》：元年春王正月。（《公羊傳·隱公元年》，卷1，頁5上，P8）

> 《公羊傳》：王者孰謂？謂文王也。（《公羊傳·隱公元年》，卷1，頁7上，P9）

> 《春秋權衡》：……《公羊》言王者正受命，是矣；其言文王則非矣。……
> 《公羊》以謂黜周王魯，即指文王，非黜周也。……（《春秋權衡·公羊傳一》，
> 卷8，頁3下）

《春秋》於每一年的初始，大多會以「●年春王正月」為書，至於經文之中「王」
字的義涵，《公羊傳》認為指的是「周文王」。

　　對於《公羊傳》的說法，《春秋權衡》並不贊同，認為「天子受命于天、諸
侯受命于君」，諸侯既然受命於天子（亦即今王），那麼「王」字指的不應該是周
文王，而是現時在位的周王。另一方面，倘若「王」字指的確實是周文王，那麼
就與公羊家所說的「黜周王魯」、也就是所謂「新周、故宋、王魯」相互矛盾，

---

❸ 〔魏〕何晏（190－249）集解，〔宋〕邢昺（932－1010）正義：《論語》（臺北：藝文印書館
影印清仁宗嘉慶二十年（1815）江西南昌府學刊《十三經注疏》本，1985年12月）。

因為周王朝並未見「黜」，由此可見公羊家的說法的確值得商榷。

(二) 宣公十六年

《經》：夏，成周宣謝災。（《公羊傳·宣公十六年》，卷16，頁17上，P209）

《公羊傳》：成周宣謝災，何以書？記災也。外災不書，此何以書？新周也。（《公羊傳·宣公十六年》，卷16，頁18上，P209）

《解詁》：新周，故分別有災，不與宋同也。孔子以《春秋》當新王，上黜杞，下新周而故宋。（《公羊傳·宣公十六年》，卷16，頁18上，P209）

《春秋權衡》：……《傳》……見記成周宣榭火，則謂外災不書，今忽書者？新周也，既無足以輔《經》，而厚誣聖人，不亦甚乎？（《春秋權衡·公羊傳一》，卷8，頁2下）

魯宣公十六年夏季，成周周宣王廟的「榭」發生火災，《春秋》以「夏，成周宣謝災」為書。《公羊傳》以及《解詁》都認為，依照《春秋》的書法慣例，本來魯國以外地區發生的災害是不予載錄的，因為孔子「王魯（以《春秋》當新王）」，視東遷的周王室為新國，所以特予紀錄。

基於不贊同孔子作《春秋》懷抱著「新周、故宋、王魯（以《春秋》當新王）」的意識，劉敞於是批評公羊家的解釋既無助於經書義理的發揮，又置孔子於不尊重周王室的非議之中，嚴重地污衊了孔子的人格。

五、劉敞駁《公羊傳》說解舉隅

除了方向相當確立的「（《春秋》）據百二十國寶書而作」、「三世說」、「新周、故宋、王魯（以《春秋》當新王）」等批判之外，《春秋權衡》「《公羊傳》部分」還包括其他針對《公羊傳》與《解詁》的條文，茲列舉數例說明。

㈠ 隱公五年

《經》：宋人伐鄭，圍長葛。（《公羊傳・隱公五年》，卷3，頁6上，P36）

《公羊傳》：邑不言圍，此其言圍何？彊也。（《公羊傳・隱公五年》，卷3，頁6上，P36）

《春秋權衡》：……圍之為義，施於暫守而已，無擇於國與邑也，苟有過告者則書之，何為不言乎？且《春秋》之所以不擇於國與邑而悉書之者有說，為害民傷財也，何謂邑不言圍？（《春秋權衡・公羊傳一》，卷8，頁13下）

魯隱公五年，宋師攻伐鄭國，包圍了鄭邑長葛，《春秋》以「圍長葛」為書。《公羊傳》認為，依照《春秋》的書例，軍隊包圍「邑」的情形不應該書「圍」，然而此處書「圍」，是因為長葛的防禦非常強固。

對於《公羊傳》的說法，《春秋權衡》並不同意，認為：其一，「圍」字之義，可以普遍施用在一切戰事的防禦工事上，無論被包圍的是國（城）或是邑，均能夠以其字為書記。所以，倘使有「圍邑」的赴告，魯史與《春秋》便據而書之，無所區別。其二，《春秋》的記載之所以不區別「圍邑」或「圍國（城）」而一致書寫，是有其原由的。因為無論軍隊所包圍的「邑」或「城」，都是「害民傷財」，危害黎民百姓、耗費損傷財產物資的行為，從這個角度來看，《春秋》書「圍」不分「國」、「邑」，應該才是常規。

㈡ 桓公六年

《經》：九月，丁卯，子同生。（《公羊傳・桓公六年》，卷4，頁17下，P54）

《公羊傳》：子同生者孰謂？謂莊公也。何言乎子同生也？喜有正也。未有言喜有正者，此其言喜有正何？久無正也。子公羊子曰：「其諸以病桓與？」（《公羊傳・桓公六年》，卷4，頁17下－18上，P54）

《解詁》：其諸，辭也。本所以書莊公生者，感隱、桓之禍生於無正，故喜有正。而不以世子正稱書者，明欲以正見無正，疾惡桓公。（《公羊傳·桓公六年》，卷4，頁18上，P54）

《春秋權衡》：……國之嫡嗣，莫重焉，史無得不書，以為感隱、桓之禍，故以喜書，不亦淺近乎。何休又曰：「不稱世子者，明欲以正見無正。」亦非也，諸侯之嫡，雖當世爵，然必誓於天子而後稱世子，今此未誓，故不稱世子耳。以正見不正，不亦鄙乎？（《春秋權衡·公羊傳二》，卷9，頁12下）

魯桓公六年九月丁卯日，世子同（即莊公）生，《春秋》以「九月，丁卯，子同生」為記。《公羊傳》認為：《春秋》之所以紀錄魯桓公世子同出生，是因為慶喜魯君有了正嗣嫡長子，之所以以魯君有正嗣嫡長子為慶喜，是因為魯國已經很久沒有正式嫡長子；同時，公羊子也認為，《春秋》如是記載，意在譏刺魯桓公。

至於何休《解詁》則進一步解釋道：《春秋》之所以以魯君有正嗣嫡長子為由而紀錄世子同出生一事，是因為有感於魯桓公行弒魯隱公的禍事，緣起於魯國沒有正嗣嫡長子。另一方面，《春秋》以「子」書而不以「世子」為書，是為了要「以正見無正」，藉由世子同的地位正當，凸顯桓公的地位不正當、貶責譏刺桓公。

對於《公羊傳》以及《解詁》的說解，《春秋權衡》並不認同，以為：其一，世子儲君出生，是一國之中最為緊要的大事，史官必定會書於史策，《公羊傳》將《春秋》的紀錄詮釋為孔子由於有感於「隱、桓之禍」，所以慶喜國有正嗣嫡長子而書，在認知層面上可以說太過於淺近。其二，何休《解詁》認為《春秋》「不以世子正稱書者，明欲以正見無正」，事實上是極大的錯誤。根據禮制規範，

諸侯的嫡長子雖然世襲爵位，但是必須要受命於天子之後才能稱為「世子」❹，當時魯桓公的嫡長子同尚未受命於天子，所以還不能稱為「世子」，何休據「以正見不正」的概念詮釋《春秋》書法，是相當鄙陋的見解。

㈢ 莊公十八年

> 《經》：夏，公追戎于濟西。（《公羊傳·莊公十八年》，卷8，頁1上，P97）

> 《公羊傳》：此未有言伐者，其言追何？大其為中國追也。此未有伐中國者，則其言為中國追何？大其未至而預禦之也。其言于濟西何？大之也。（《公羊傳·莊公十八年》，卷8，頁1上－1下，P97）

> 《春秋權衡》：……若未至而禦，何得謂之追乎？此不待攻而自破者，雖多言煩說，猶不可解也。又曰：「于濟西者，大之也。」此欲引追齊師至酅以立褒貶耳，彼自以弗及故得書至，又何足據乎？（《春秋權衡·公羊傳三》，卷10，頁12下－13上）

魯莊公十八年夏季，魯莊公帥師追逐戎人至濟水以西，《春秋》以「夏，公追戎于濟西」。《公羊傳》認為：《春秋》於此並未記載魯師有征伐的行為，而卻說魯莊公追擊戎人，是為了讚許魯莊公為中原華夏諸國追擊戎人。戎人並未征伐中原華夏諸國，而卻說魯莊公為中原華夏諸國追擊戎人，是為了讚許魯莊公在戎人未至之前就預先防備。至於《春秋》以「于濟西」為書，則也是為了讚許魯莊公。

　　對於《公羊傳》的意見，《春秋權衡》並未接受，認為：其一，倘若確實如《公羊傳》所說的，魯莊公在戎人未至之前就先行防備，那麼就不應該有追逐戎人的行動，而《春秋》也不會以「追戎」為書，就此而言，《公羊傳》的缺失可

---

❹　《周禮·春官·典命》：「凡諸侯之適子，誓於天子，攝其君，則下其君之禮一等。」（《周禮》，卷21，頁3下，P322）劉敞的說法可能以此為據。

以說是「不攻自破」，即使運用再多的文字重複說明，也無法破解如是的矛盾。其二，《公羊傳》「其言于濟西何？大之也」的說法，是為了聯繫僖公二十五年經文「齊人侵我西鄙，公追齊師至巂，弗及」，以「至」和「于」的用字對比，凸顯《春秋》褒貶的規則（顯然「至」為貶、「于」為褒）。至於所謂以「弗及故得書至」為《春秋》書例，孔子因而書「至巂」不書「于巂」，以此譏貶魯僖公追擊齊師不及一節，劉敞則認為全是《公羊傳》自以為是的說法，於《春秋》書記規則無可徵驗，純屬無稽。

五、結　論

在經過初步探討之後，筆者以為，姑且不論論述的內容是否精闢而能成一家之言，從著作的數量、品質以及主體意識來看，劉敞的「《春秋》學」的確表現出相當的整體性，其中詮釋系統脈絡分明，「《春秋》學」確實可以說是劉敞經學研究成果中的最重要環節。另一方面，在針對劉敞的《春秋權衡》一書進行了概略性的陳述與分析之後，關於劉敞對於「公羊說」的態度以及其中與經學發展相關的環節，可以做以下分解：

其一，劉敞所撰寫的《春秋權衡》，針對《公羊傳》以及何休的說解提出大量的駁斥與糾正，其批判是不是真能合乎《春秋》本義，在文獻不足的狀態之下，雖然大多數已經難以確認，但是對於《公羊傳》與相關解釋採取普遍性檢驗與糾謬的做法，卻凸顯出向來為學者研治「《春秋》學」的指導性典範文獻，至少對於劉敞而言已經不具備絕對的意義。

其二，事實上，從研究者個人的層面來看，批駁《公羊傳》（或《三傳》）的行為模式與思維方式，說明了劉敞的確能夠因著自身認識重新檢閱《春秋》經文以及相關舊說、並且勇於檢討改動的學術性格；而從經學發展史的角度來看，針對舊說加以檢討與匡正的做法，則展現出「舊典範」不但已經不再是劉敞認識或詮釋《春秋》經的唯一依據，在文化意識逐漸累積與更新的整體環境之下，甚至

還可能遭到經學家捨棄的學術現象。

其三,《春秋權衡》認為,《公羊傳》與何休《集解》說《春秋》的最大誤謬,是「(《春秋》)據百二十國寶書而作」、「張三世」、「新周故宋王魯」三項,原因是倘若依循著如此的詮釋角度解說《春秋》,那麼《春秋》的創制根源便含混不清,《春秋》書法便無由凸顯,而孔子貫注於《春秋》經文之中的筆削大義也將被掩蔽破壞。筆者以為,儘管以上述的觀點解說《春秋》,是不是確如《春秋權衡》所言,會造成《春秋》義理的掩蔽與破壞,仍然有待深入討論,但是《春秋權衡》的意見,卻說明了劉敞批駁舊說的最深層思維——維護《春秋》文字型式的完整性以及書法義理的全面性。如是的思維,則清楚地顯現出劉敞尊經與「回歸原典」的基本學術性格。事實上,這也正是隨後的宋代學者對於經書與相關詮釋的最明顯態度。

袁鈞輯佚成就述評

陳惠美

樹人醫護管理專科學校通識教育中心助理教授

一、前　言

　　明中葉以來對理學末流的反省修正，使廢棄已久的漢唐舊注，重新獲得重視。「讀書必自窮經始，窮經必自漢唐注疏始」❶，「誠欲正人心，必自反經始；誠欲反經，必自正經始」❷，成為清初學界普遍的價值觀念。乾隆、嘉慶、道光時期，學者盛張許、鄭徽幟，如姚鼐（1731－1815）撰〈儀鄭堂記〉❸、翁方綱（1733－1818）撰〈桂未谷屬友為鄭康成禮堂圖索題〉❹、凌廷堪（1755－1809）撰〈後漢三儒贊并序〉❺，嘉美康成以博聞強記之才，兼高節卓行之美，括囊大典，遍注

---

❶　〔清〕陸嘉淑：〈十三經注疏類鈔序〉，見〔清〕朱彝尊纂，許維萍等點校：《點校補正經義考》（南港：中央研究院中國文哲研究所，1999年4月），第7冊，卷251，「陸元輔十三經注疏類鈔」條引，頁529－530。

❷　見朱彝尊《經義考》引錢謙益言。《點校補正經義考》（南港：中央研究院中國文哲研究所，1999年8月），第8冊，卷297，〈通說三〉，頁857－858。

❸　〔清〕姚鼐：〈儀鄭堂記〉，《惜抱軒文集》（上海：上海古籍出版社，1997年《續修四庫全書》影印清嘉慶三年刻增修本），卷14，頁1。

❹　〔清〕翁方綱：〈桂未谷屬友為寫鄭康成禮堂圖索題〉，《復初齋詩集》（上海：上海古籍出版社，1997年《續修四庫全書》影印清刻本），卷31，頁5。

❺　〔清〕凌廷堪撰，王文錦點校：〈後漢三儒贊并序〉，《校禮堂文集》（北京：中華書局，1998年2月），卷11，頁87－88。

群經，自來經師，未有如此之盛；任兆麟撰〈論復鄭康成從祀〉❻、洪亮吉（1746
－1809）撰〈請禮記改用鄭康成注摺子〉❼、孫星衍（1753－1818）撰〈增立鄭博士
議〉❽、〈咨請會奏置立伏鄭博士稿〉❾，則建請宜復康成從祀孔廟，並立鄭氏
博士。經由如此提倡，鄭學因而大興。而康成著作，除《儀禮注》十七卷、《周
禮注》十二卷、《禮記注》二十卷、《毛詩箋》二十卷，得唐初孔穎達、賈公彥
諸人為之疏通證明，尚完整無缺外，其餘則散佚者甚多，故自宋王應麟（1223－1296）
以下，陸續有學者從事鄭氏遺書之采輯，然以此段時期，風氣最為盛行。其中王
復輯《鄭氏遺書》五種，孔廣林輯《通德遺書所見錄》十七種，成就甚為卓著；
而袁鈞輯《鄭氏佚書》二十三種，凡單詞隻義散見古書者，莫不甄采殆盡，又經
其族曾孫堯年校補勘訂，體例更形完備，迴出於前此學者之上。即使咸豐年間黃
奭（1810－1853）輯《高密遺書》十四種❿，亦有所未及。⓫德清俞樾（1821－1907）

---

❻ 〔清〕任兆麟：〈論復鄭康成從祀〉，《有竹居集》（清嘉慶二十四年兩廣節署刊本），卷6，
頁39。

❼ 〔清〕洪亮吉：〈請禮記改用鄭康成注摺子〉，《卷施閣文甲集》（清光緒中洪用懃授經堂刊
《洪北江全集》本），卷9，頁1。

❽ 〔清〕孫星衍：〈增立鄭博士議〉，《平津館文稿》（臺北：新文豐出版公司，1989年《叢書
集成續編》影印清光緒丙戌年吳縣朱氏家塾刊《槐廬叢書》本《芳茂山人文集》），卷上，頁3
－5。

❾ 孫星衍撰，駢宇騫點校：〈咨請會奏置立伏鄭博士稿〉，《岱南閣集》（北京：中華書局，1997
年6月），卷1，頁161－162。

❿ 黃奭，字右原，江蘇甘泉人。未弱冠時，即對經史百家頗有涉獵，並與當代著名學者顧廣圻（1770
－1839）、凌曙（1775－1829）相往來。後依從曾燠（1759－1831）之建議，師從江藩（1761
－1831）。藩精研漢學，尤服膺鄭玄，奭受其影響尤多。所輯書，先成鄭氏經解十餘種為《高
密遺書》，阮元〈高密遺書序〉稱：「稿本已刻者：《六藝論》、《周易註》、《尚書註》、
《尚書大傳註》、《毛詩譜》、《箴膏肓》、《釋廢疾》、《發墨守》、《喪服變除》、《駁
五經異義》、《答臨孝存周禮難》、《三禮目錄》、《魯禮禘祫義》、《論語註》、《鄭志》、
《鄭記》等，為《高密遺書》十數帙，其《尚書義》、《問》等書及緯書未刻者，尚十數帙。
其稿皆巾箱小本，細書狹行，朱墨紛雜。偶得一條，即加注貼籤，且寫且校。其有他人已先輯
者，與自所輯者，亦各自有分別。」載《黃氏逸書考》（京都：中文出版社，1987年影印民國
十四年王鑒修補本），卷末，頁1。

為是書撰序，稱「鄭君當日集兩漢經師之大成，而先生此編，又可謂集鄭學之大成」**⑫**，長沙葉德輝（1864－1927）亦云：「至有專嗜漢鄭氏學者，元和惠棟開山于前，曲阜孔廣林《通德遺書》接軫于後，而黃奭復有《高密遺書》之輯，皆不如袁鈞《鄭氏佚書》晚出之詳。」**⑬**惜近日學者討論清代輯佚，多偏重於嚴可均、馬國翰、黃奭三家，論及袁鈞學術者甚少。故本文擬就袁鈞生平、輯佚著作、輯佚特色等方面略作考述，期能彰顯袁鈞輯佚之成就。

二、袁鈞之生平及其著作

袁鈞，字秉國，一字秉穀**⑭**，號陶軒，一號西廬。**⑮**生於清乾隆十七年（1752），卒於嘉慶十一年（1806），年五十五。**⑯**

---

⑪ 又清末學者陳澧（1810－1882）輯有《鄭氏全書》，未見刊本流傳，此據《東塾集》（上海：上海古籍出版社，1997 年《續修四庫全書》影印清光緒十八菊坡精舍刻本）著錄。陳氏〈鄭氏全書序〉略云：「本朝學者講漢學，尊鄭氏，……《毛詩》之箋，《三禮》之注，炳如日星，其餘佚書，近人輯本亦已粗備。然各家刊行，無所總會，又采輯不盡精審，誣古人而誤後人者，亦有之矣。澧與同學諸子竊嘗論此，諸子乃取諸書輯本重為校定，削其虛謬，存其真確，各殫心力，至詳至慎。又取《詩箋》、《禮注》善本，繕寫整齊。服氏《左傳解誼》，鄭君既有所授，則為附錄。史傳軼事，以至後代碑文祀典，彙集於後。編寫既成，題曰《鄭氏全書》。」《東塾集》，卷 3，頁 9。

⑫ 俞樾：〈鄭氏佚書序〉，《鄭氏佚書》（光緒十四年浙江書局刊本），卷首，頁 1－2。

⑬ 葉德輝：〈輯刻古書不始于王應麟〉，《書林清話》（長沙：岳麓書社，1999 年 4 月），卷 8，頁 182。

⑭ 〔清〕陳鱣〈吳山雅集圖記〉載「嘉慶三年夏六月，鱣與嘉定錢晦之大昭、桐城胡雛君虔、鄞袁秉穀鈞、仁和邵懷粹志純、慈谿鄭書常勳，同在杭州」，陳鱣與袁鈞交最善，且二人當時同在杭州布政使謝啟昆幕府，稱袁鈞字秉穀，當可信。陳文見《簡莊文鈔》（上海：上海古籍出版社，1997 年《續修四庫全書》影印清光緒十四年羊復禮刻本），卷 5，頁 13。

⑮ 以上據〈徵舉孝廉方正陶軒先生傳〉，載袁鈞：《瞻袞堂文集》（臺北：國防研究院、中華大典編印會，1966 年 10 月影印《四明叢書》本）卷首志傳引《鄞縣西袁氏家乘》，頁 3。

⑯ 袁鈞生卒年月，史傳紀載多不詳。《鄞縣志·袁鈞列傳》（載《瞻袞堂文集》卷首志傳，頁 2）、《鄞縣西袁氏家乘·徵舉孝廉方正陶軒先生傳》僅云卒年五十五歲。據〈書鄭誠齋先生贈績溪方道坤手蹟後〉（《瞻袞堂文集》，卷 5，頁 3）云：「右先師鄭子己亥年書，贈新安方君體道坤者，去今十年。先師厭世，亦已五年矣。……憶鈞十八歲時，先師教授紫揚書院，執經從行，

幼穎悟絕人，七歲能詩。九歲時，父永北府知府德達（1713－1761）服闋需次吏部，鈞即以詩寄父，詩曰：「遠思不能寐，默坐觀書笥。書中有所得，如父親指示。指示若眼前，關河隔數千。安能雙飛翼，飛飛到日邊。」父友秀水鄭虎文（1714－1784）見之，大為稱賞。明年（乾隆 26 年），德達卒於京邸❶，宦橐蕭然，無以為斂，多賴同年生相與經紀其喪。❶乾隆三十四年（1769），鈞年十八，虎文主講新安紫陽書院，以書招之，遂執經於其門。❶年十九，補縣學生員。三十五歲，試擢高等，食廩餼，旋受知於學使大興朱石君珪❷（1731－1806）。嘉慶元年

前後凡五年，粗識為學之路。貧不能養母，已乃東西走，為負米計。少孤失學，甫學矣，旋復放廢。今三十有八，無一端自信。」鈞撰是文，時年三十八歲，鄭虎文書贈方道坤（翁方綱有〈跋鄭誠齋手牘（新安方道坤藏本）〉，載沈津輯：《翁方綱題跋手札集錄》〔桂林：廣西師範大學出版社，2002 年 4 月〕，頁 382），在乾隆四十四年己亥（1779），為袁鈞撰作此跋之前十年，則當時鈞二十八歲。由此推之，鈞當生於乾隆十七年壬申（1752），卒於嘉慶十一年丙寅（1806）。

❶ 袁鈞〈重建瞻袞堂記〉云：「其明年，先大夫卒於京師，鈞時才十歲，侍兩母家居。」《瞻袞堂文集》，卷 6，頁 7。鈞十歲，當乾隆二十六年辛巳（1761），知德達卒於是年。

❶ 參見袁鈞：〈家乘列傳〉，《瞻袞堂文集》，卷 7，頁 21。

❶ 《鄞縣志‧袁鈞列傳》曰：「達德卒，……適虎文歸里，主講新安，以書招鈞，其母命之往，曰：『汝但成名，吾不憐汝幼也。』遂執經於虎文。虎文教之，并歲恤其家，鈞亦勤於學，雖嚴冬隆暑，手未嘗釋卷。越五載，學成歸。」《瞻袞堂文集》卷首志傳引，頁 1。按：袁鈞從虎文受學，在乾隆三十四年（1769）。

❷ 《鄞縣志‧袁鈞列傳》、《鄞縣西袁氏家乘‧徵舉孝廉方正陶軒先生傳》皆云「（鈞）受知於學使儀徵阮文達公元，拔第一」，此說不確，「儀徵阮文達公元」當是「大興朱石君公珪」之誤。鈞三十五歲，當乾隆五十一年丙午（1786）。據〔清〕張鑑等編《雷塘庵主弟子記》（北京：中華書局，1995 年 11 月）卷 1，頁 6－8 載：乾隆五十年乙巳（1785），元二十二歲，科試一等第一名，補廩膳生員。五十一年丙午（1786），中鄉式第八名，典試者為大興禮部侍郎朱文正公珪，副考官為大庾編修戴公心亨，房考官為蕪湖同知烏程孫公梅。十一月，抵京師。五十二年丁未（1786），會試下第。五十四年己酉（1789），會試中式第二十八名。四月，圓明園覆試，欽取一等第十名。殿試二甲第三名，賜進士出身。朝考欽取第九名，引見，改翰林院庶吉士。阮元出任浙江學政，在乾隆六十年（1795）八月二十四日，時袁鈞已四十四歲，與《鄞縣志‧袁鈞列傳》、《鄞縣西袁氏家乘‧徵舉孝廉方正陶軒先生傳》所載不合。考《瞻袞堂文集》卷四〈送舉主浙江學使少宗伯阮公還朝敘〉，有云：「儀徵阮公以內閣學士視學浙江之三年，上念公內廷舊臣，久勞于外，特擢兵部侍郎，尋轉禮部，令受代還朝。……蓋浙自尚

（1796），詔徵直省孝廉方正，鈞與仁和邵志純、海鹽張燕昌（1738－1814）、海寧陳鱣（1753－1817）、慈谿鄭勳同時被徵，學政阮元（1764－1849）、布政使謝啟昆（1737－1802）、按察使秦瀛（1743－1821）皆以鈞應賜六品頂帶。❷❶嘉慶三年（1798），鈞與錢晦之大昭（1744－1813），胡雒君虔（1753－1804）、陳仲魚鱣、邵懷粹志純、鄭書常勳同入浙江布政使謝啟昆幕府，襄助修纂《史籍考》。❷❷旋因謝啟昆調任廣西巡撫（在嘉慶四年，1799），其事遂寢。嘉慶五年（1800），阮元遷浙江巡撫，延聘袁鈞為賓幕，自此才譽騰著。後主講鎮海鯤池書院❷❸、紹興稽山書院而卒。❷❹

鈞工詩古文詞，尤留心鄉邦文獻之蒐討。「每日攜小囊出，有所得，即投囊中，夜則就燈下錄之，數十年如一日」。❷❺著書甚富，有《四明文徵》若干卷、《詩徵》若干卷、《書畫記》十六卷、《近體樂府》十四卷。其《詩萃》一百卷，積十餘年成書，采錄四明一郡二千年之人之詩，凡作者二千幾百幾十人，別錄無

書大興朱公視學後，得公而士氣又為之一振。公尚書高第弟子，淵源有自，而鈞舊亦曾受尚書意外之知。」又考〔清〕趙爾巽撰《清史稿》（北京：中華書局，1998年）卷340〈朱珪傳〉，載「乾隆五十一年，擢禮部侍郎，典江南鄉試，督浙江學政」，則所謂「鈞舊亦曾受尚書意外之知」事，殆指蒙朱珪激賞，試擢高等，食廩餼。

❷❶ 張鑑《雷塘庵主弟子記》卷1，頁15載：「嘉慶元年丙辰，詔舉孝廉方正，浙江舉者十二人：仁和邵志純右庵、翁名濂蓮叔，錢塘陳振鷺禮門，海寧陳鱣仲魚、楊秉初純一，嘉興莊鳳苞韶九、李轂中玉，海鹽張燕昌芑堂，鄞縣袁鈞陶軒，慈谿鄭勳簡香，定海李巽占申三，義烏樓錫裘莘千。辭不就者四人：錢塘何淇春渚、吳岡鐵生、朱彭青湖，鄞蔣學鏞。」又〔清〕陳康祺撰《郎潛二筆》（北京：中華書局，1984年），卷16，〈嘉慶紀元之孝廉方正二則〉條，頁621，亦載此事，云：「是年，吾郡舉孝廉方正六人。鄞袁鈞陶軒，工詩古文，專治鄭學，於鄉邦故實，尤多掌錄，立品方嚴，為時儀表。慈溪鄭勳簡香，博核多藏書，門法儒雅。定海李巽占，有孝行，授徒某姓，不食館餐，蓋其家貧，歸侍母同食番薯，不忍獨飽稻肉也。又嘗受富家課子聘，知友人方謀奪，力辭之，終受館穀之賤者，他行類是。是年舉主，阮文達也。可見上有賢大吏，下有賢守令，堂堂紀元特科，何至不能得士。」

❷❷ 袁鈞：〈吳山雅集第二圖記〉，《瞻袞堂文集》，卷6，頁3。

❷❸ 參袁鈞：〈四明近體樂府敘〉，《瞻袞堂文集》，卷1，頁28。

❷❹ 參《瞻袞堂文集》卷首志傳引《鄞縣志·袁鈞列傳》、《鄞縣西袁氏家乘·徵舉孝廉方正陶軒先生傳》。

❷❺ 《鄞縣志·袁鈞列傳》，《瞻袞堂文集》卷首志傳引，頁1。

名氏、閨門、官師、寓公、過客、釋子、道流之類又三百幾十人，總二千幾百幾十家，詩萬首。❷乾隆年間，武進蔣維喬（1739－1806）任鄞縣知縣，有纂修縣志之役，鈞以所見諸家詩文增入〈藝文志〉，其他論辨訂正者甚眾。❷又阮元遷調浙江學政之初，校試之暇，輒積極從事江淮一郡名儒才士、畸人列女詩歌遺篇的搜求，為《淮海英靈集》二十二卷❷；繼而更有輯錄江蘇一省十一郡總集的構想。❷因袁鈞《詩萃》百卷已有成書，故以四明詩屬鈞纂輯。❸

鈞生當乾、嘉之際，當時學界「許、鄭之學大明，治宋學者已尟。說經皆主

---

❷ 袁鈞：〈四明詩萃敘〉，《瞻衮堂文集》，卷1，頁23。

❷ 見《瞻衮堂文集》卷首志傳引《鄞縣志·袁鈞列傳》，頁1。又袁鈞：〈鄞縣藝文志敘〉，《瞻衮堂文集》，卷1，頁30。

❷ 參見阮元撰，鄧經元點校：〈淮海英靈集序〉，《揅經室二集》，收入《揅經室集》（北京：中華書局，1993年5月），卷8，頁569。

❷ 當時分任採訪之人，有仁和邵志純，海寧俞寶華，蕭山顧一麒、孫度，平湖錢仁榮，東陽樓上層及袁鈞等。其餘參校補採諸人，則有浦江戴劍溪殿海，仁和朱朗齋文藻、湯點山禮祥，嘉興吳澹川文溥、李香子富孫，吳江郭頻伽麐，錢塘陳曼生鴻壽、陳雲伯文述、朱閒泉壬，仁和蔣蔣村迥，海寧陳晴巖傳經，烏程張秋水鑑，石門方鐵珊廷瑚，會稽顧鄭鄉廷綸，平湖朱椒堂為弼。以上見阮元編：〈兩浙輶軒錄凡例〉，《兩浙輶軒錄》（上海：上海古籍出版社，1997年《續修四庫全書》影印清嘉慶仁和朱氏碧溪艸堂錢塘陳氏種榆千僊館刻本），頁2－3。全書歷數閱月而稿成，得詩三一三三家，共九二四一首，凡四十卷，名曰《兩浙輶軒錄》。

❸ 袁鈞〈書國朝四明詩鈔後呈阮閣學芸臺先生〉云：「舊有《四書詩萃》之錄，起漢大里黃公，訖於有明之季，得作者一千五百有奇。仕兩朝者，從其終事之世，如虞祕監之錄於唐、戴教授之錄於元是也。其或仗首山之節，不肯屈身異代，則雖布衣亦進之，如皇甫東生、楊隱均之錄於宋是也。自明代以前，並用此例。至於我朝定宇，貞元之際，豈無畸人佚士？然恭逢堯舜，普天率土，同歸覆載，雖或抱微尚，卻聘辭榮，終不能自外於聖世之民也。故所錄稍變前例，自非前代故官及曾登科第者，既入本朝，悉為采入。順治至乾隆百五十年之間，凡得作者四百九十人。藏之篋衍，將待有力者付剞劂而傳。會閣學儀微阮公視學，至有國朝兩浙詩之選，以四明詩屬鈞纂輯。謹就向所錄本，重加裁訂，以獻本意。網羅散佚，存人存詩，為鄉邦文獻之助。今使者有此舉，則鈞《詩萃》之錄，可盡明而止也。」（《瞻衮堂文集》，卷5，頁1）由此可知，袁鈞《四明詩萃》一百卷，原本收錄自漢至乾隆二千年間，四明一郡名儒才士詩作二千餘家。以滿清入關為斷限，著錄某家應屬某代之體例，微有異同。及阮元有意於兩浙詩文之徵輯，囑袁鈞任四明詩採訪，鈞於是就《詩萃》舊錄本，析出清初至乾隆百五十年間詩作，重加裁訂。而原百卷本《詩萃》，亦盡明而止。

實證，不空談義理，是為專門漢學」。❸據〈徵舉孝廉方正陶軒先生傳〉稱：「（鈞）治經力尊古訓，篤實謹嚴，以謂兩漢以後，隋唐以前，專門授受，遞稟師承，非游談無根者比，於是援據舊籍，採漢唐諸儒之說，條分而縷析之，為《孝經古解》九卷、《論語古解》二十卷。」隱然一考據名家。實際上，袁鈞對當時諸儒為反對宋元理學，以至於「厭薄朱子，務考求於一名一物以爭勝」的風氣頗不以為然。他認為「朱子鎔鑄羣言，獨標精義，未可以空疏薄之」❸，所該反對者，為動輒妄改經文、師心自用的陋儒。而矯正宋儒「顛倒經文、妄謂簡編是錯」的方法，在於援據舊籍，回歸漢代經師之業❸，因此汲汲投注於漢唐古經解的采錄工作。又以「鄭君康成為一代大儒，綜貫繩合，出兩漢經師之上。自王肅偽作古書，駁難鄭義，高密遺文，幾幾歇絕」❸，方今「聖治隆古，大雅開作，海內知崇漢學矣。欲為漢學，捨鄭氏書，曷從哉」？❸於是掇拾殘剩，鉤稽同異，凡單詞隻義，散見於古書者，甄采殆盡，為《鄭氏佚書》二十三種，總七十九卷。

袁鈞初輯此書，得諸李賡芸之力為多。賡芸字郵齋，江蘇嘉定人。少受學於

---

❸ 〔清〕皮錫瑞：《經學歷史》（北京：中華書局，1959 年），頁 341。

❸ 袁鈞嘗參考眾說，務取持平，為《詩經朱傳翼》二十卷、《朱傳補義》一卷、《讀詩偶記》十二卷，甚有功於朱學。然其書未見刊本流傳，此據〔清〕張壽鏞〈瞻袞堂集序〉，《瞻袞堂集》卷首序，頁3，及《鄞縣西袁氏家乘·徵舉孝廉方正陶軒先生傳》，《瞻袞堂文集》卷首志傳引，頁4著錄。

❸ 袁鈞嘗論宋人妄稱錯簡改經之謬云：「《六經》之簡，皆有尺寸，其容字多少，皆有定數。……漢儒親見簡編，校勘譌脫，至為精審，未嘗敢輕動經文。而宋人處千餘年之後，乃欲妄改經典，引以就己，吾不知其誠何心也？學者有志讀古聖人書，其必從事於漢經師之業焉可矣。」語見〈論宋人妄稱錯簡改經之謬〉，《瞻袞堂文集》，卷10，頁4-5。又〈論語古解敍〉云：「袁爛漸廢酬應，往所讀書，多不復省記，惟日課夫子《論語》。……其解誼為宋後儒者所蔀，或求之太深，成穿鑿支離之弊；又或論說過為高遠，一似聖人是世間必不可有之人，與人情絕非相類，所為庸德庸言，『學而不厭』、『誨人不倦』者，顯相背謬；又或顛倒經文，妄謂簡編是錯，執持己意，用造詁訓，師心之學，宋人叛之，前此諸儒，蓋無有矣。」見《瞻袞堂文集》，卷1，頁18-19。

❸ 《鄞縣西袁氏家乘·徵舉孝廉方正陶軒先生傳》，《瞻袞堂文集》卷首志傳引，頁3。

❸ 〈鄭氏佚書目錄敍〉，《瞻袞堂文集》，卷1，頁1。

同縣錢大昕，通六書、《蒼》、《雅》、《三禮》。乾隆五十五年進士，授浙江孝豐知縣。調德清，再調平湖。㉟據袁鈞〈鄭氏佚書目錄敘〉，署「乾隆六十年歲在旃蒙單閼日南至」，可知《鄭氏佚書》草稿粗就，時鈞年四十四歲。嘉慶元年，鈞舉孝廉方正，之後歷任謝啓昆、阮元幕府，助纂《史籍考》、《兩浙輶軒錄》。嘉慶六年，阮元撫浙，於西湖行宮之東，關帝廟、照膽臺之西，立詁經精舍，選兩浙諸生學古者讀書其中，而鈞與焉。㉝後又主講鯤池書院、稽山書院以終。自《鄭氏佚書》粗定，至嘉慶十一年沒世，十年間碌碌終朝，其手自寫定者僅四種。餘十九種，為其族曾孫堯年竭數年之力，一一為之校補寫定。光緒十四年（1888），善化翟鴻機（1850－1918，字子玖）視學浙江，以經義教多士，聞有是書，命浙江書局為之刊刻，此書方始面世。德清俞樾為是書撰序，述其刊行始末最詳，讀者可以參看。

三、袁鈞輯佚之特點

《鄭氏佚書》二十三種，曰《易注》、曰《尚書注》、曰《尚書中候注》、曰《詩譜》，蓋袁鈞手自寫定；曰《尚書大傳注》、曰《尚書五行傳注》、曰《尚書略說注》、曰《三禮目錄》、曰《喪服變除》、曰《魯禮禘祫義》、曰《答臨碩難禮》、曰《箴膏肓》、曰《釋廢疾》、曰《發墨守》、曰《春秋傳服氏注》、曰《孝經注》、曰《論語注》、曰《孔子弟子目錄》、曰《駁五經異義》、曰《六藝論》、曰《鄭志》、曰《鄭記》、曰《鄭君紀年》，則族曾孫堯年所補。鄭玄

㉟ 廣芸事迹，見《清史稿》（北京：中華書局，1977 年），卷 478，〈循吏列傳·李廣芸傳〉，總頁 130。袁鈞〈鄭氏佚書目錄敘〉云：「鈞自行束脩，喜讀其（鄭玄）書，每思網羅寫定，卒卒罕暇。今遊德清，寓故人嘉定李君廣芸縣齋，宴坐無事，藉用自娛。李君好古賢者，與我同志，爰出藏籍，用助搜采。於是取諸經義疏及他所徵引，參之往舊所有輯本，辨析譌謬，補正缺失，並齊其不齊者，以次收合，成是編焉。」（《瞻袞堂文集》，卷 1，頁 1）按：李廣芸調任德清知縣，約在乾隆五十六年以後，至六十年之間。袁鈞《鄭氏佚書》的編纂，亦當在此時。

㉝ 參見〔清〕孫星衍：〈詁經精舍題名碑記〉，《平津館文稿》，卷下，頁 52。

亡佚之著作，大抵已具備於此。❸

　　袁鈞纂輯此書，約在乾隆五十六年至六十年間，在此之前，除《周易鄭氏注》
王伯厚輯本及《尚書大傳》吳中本等少數鄭氏佚書輯本經已流傳外，其餘各家輯
本，如王復《鄭氏遺書五種》❸、孔廣林《通德遺書所見錄》❹、陳鱣《孝經鄭
氏注》、《六藝論》❹，雖成書皆在袁鈞以前，然而是否刊板行世，尚未可知。
由此可見，《鄭氏佚書》之搜輯，大抵出於袁鈞一人之力為多。及堯年於光緒年
間所校補，補充訂正鈞書之不足者，約有以下數項：

1.廣注佚文的出處

　　袁鈞輯書體例，每則佚文僅只注明采錄的原始出處，堯年則凡同一佚文見引

---

❸　鄭玄相關著述，請參閱王利器：《鄭康成年譜》（濟南：齊魯書社，1983 年 3 月），頁 227–
　　268。

❸　王復，字敦初，一字秋塍，浙江秀水人。生於乾隆十二年（1747），卒於嘉慶二年（1797），
　　年五十。復所輯《鄭氏遺書》五種：《駁五經異義》一卷、《補遺》一卷，《箴膏肓》一卷，
　　《起廢疾》一卷，《發墨守》一卷，《鄭志》三卷、《補遺》一卷，孫星衍撰〈五經異義駁義
　　及鄭學四種序〉云：「《五經異義并駁議》一卷、《補遺》一卷，《箴膏肓》、《起廢疾》、
　　《發墨守》各一卷，《鄭志》三卷、《補遺》一卷，曩在史館校中秘書鈔存，不知何時人輯錄，
　　吾友王大令復及武故令憶互加考校，注明所采原書，又加增補。」載《五經異義駁義》（臺北：
　　新文豐出版公司，1985 年影印《問經堂叢書》本），卷首，頁 1。據孫星衍〈序〉，知王復《鄭
　　氏遺書》係增補前人輯本而成，並非出自新輯。

❹　孔廣林，字叢伯，號幼髯，山東曲阜人。生於乾隆十年（1745），卒年未詳，然據《通德遺書
　　所見錄·後記》，知嘉慶十九年（1814）仍在世。《通德遺書所見錄》七十二卷，輯錄鄭玄著
　　述十七種：《六藝論》一卷、《周易注》十二卷、《尚書注》十卷、《尚書中候注》六卷、《尚
　　書大傳注》四卷、《毛詩譜》一卷、《三禮目錄》一卷、《答周禮難》一卷、《魯禮禘祫義》
　　一卷、《喪服變除》一卷、《箴左氏膏肓》一卷、《發公羊墨守》一卷、《論語注》十卷、《論
　　語弟子篇目》一卷、《駁五經異義》十卷、《鄭志》八卷、《孝經注》一卷，末附廣林自撰《敘
　　錄》一卷。

❹　陳鱣，字仲魚，號簡莊，又號河莊，浙江海寧人。生於乾隆十八年（1753），卒於嘉慶二十二
　　年（1817），年六十五。所輯書，有《論語古訓》十卷、《孝經鄭注》一卷、《六藝論》一卷、
　　《鄭君紀年》一卷、《埤蒼拾存》一卷、《聲類拾存》一卷。其中《鄭君紀年》一卷，為袁鈞
　　所親見，並加以訂正，錄附《鄭氏佚書》之末。《孝經鄭注》一卷，《六藝論》一卷，有鱣乾
　　隆四十七年及四十九年自敘，則二書蓋成於此時。

於他書者，一概予以注出，而以「堯年案曰」以別於袁鈞考證。如《尚書大傳注》三〈殷傳·帝告〉「夏人飲酒，醉者持不醉者，不醉者持醉者，相和而歌曰：盍歸于亳？盍歸于亳？亳亦大矣」條（《尚書大傳注》，卷3，頁1），袁鈞記此條出於《御覽》十三〈皇王部〉「成湯」，堯年案曰：「《藝文類聚》十二〈皇王部〉『成湯』引同。」

2. 補注佚文的出處

袁鈞書稿中，部分佚文出處未能注明，悉賴堯年為之補足。如《尚書大傳注》二〈虞夏傳·咎繇謨〉「饕謂聲貌也」條（《尚書大傳注》，卷2，頁9），原闕出處，堯年補案曰：「慧琳《一切經音義》九十八引鄭注《大傳》。」

3. 詳注各書所引佚文之異同

凡他書同引此則佚文，而文字稍有異同，袁鈞每於此則佚文之下，酌出考證說明之。堯年校補，於各書所引佚文之異同，往往更為加詳。如《尚書大傳注》二〈虞夏傳·咎繇謨〉「天子將出則撞黃鍾，右五鍾皆應」條（《尚書大傳注》，卷2，頁3），堯年案曰：「《周禮·樂師·注》、《禮記·玉藻·疏》並引『天子將出撞黃鍾之鍾，右五鍾皆應；入則撞蕤賓之鍾，左五鍾皆應』二十六字。又《後漢書·班固傳注》引『天子將出』十三字。又《御覽》三百八十八〈人事部·色節〉引『天子將出則撞黃鍾，入則撞蕤賓，在外者皆金聲，在內者皆玉色』二十五字。」

4. 補正原輯引文之脫漏

如《尚書大傳注》二〈虞夏傳·咎繇謨〉「八伯咸進稽首曰：『明明上天，爛然星陳，日月光華，弘予一人。』帝乃再歌，曰：『日月有常，星辰有行，四時從經，萬姓允誠。……』」條（《尚書大傳注》，卷2，頁9），袁鈞原依《太平御覽》五百七十一〈樂部〉采錄此文，堯年則據《通鑑前編》所載，於「帝乃再歌」下，增「歌持衡」三字。

又如《尚書大傳注》一〈唐傳·堯典〉「古者，巡守以遷廟之主行，出以皮

幣告于祖，遂奉以載於齊車，每舍奠焉，然後就舍，反必告奠，卒斂幣玉，藏之兩階之間，蓋貴命也」條（《尚書大傳注》，卷 1，頁 7），袁輯原依《路史》采錄此文，堯年則於「出以皮幣告于祖」下補一「禰」字，並加案語曰：「『告于祖』下本無『禰』字，段玉裁《古文尚書撰異》引有『禰』字，是也，今據補。」

5.刊去原輯之衍文

如《易注》三〈剝·上九〉「小人剝廬」，袁輯據《周禮·地官·遺人·疏》輯得鄭氏《周易注》「小人傲狠，當剝徹廬舍而去」一條，而堯年案曰：「原本『而去』下有『三也』二字，以誤入疏語刪之。」（《易》注，卷 3，頁 3）依此案語，可知袁輯本原作「小人傲狠，當剝徹廬舍而去三也」。按：《周禮·遺人》「凡賓客、會同、師役，掌其道路之委積。凡國野之道，十里有廬，廬有飲食。三十里有宿，宿有路室，路室有委。五十里有市，市有候館，候館有積」，《注》云：「廬，若今野候，徙有庌也。宿，可止宿，若今亭有室矣。候館，樓可以觀望者也。一市之間，有三廬一宿。」《疏》云：「案：漢法，十里有亭，亭有三老，人皆有宮室，故引以為況也。云『一市之間，有三廬一宿』者，十里、二十里有廬，三十里有宿，四十里又有一廬，五十里有市，是其一市之間，三廬一宿。凡廬有四義：十里有廬，一也；中田有廬，二也；《易》剝之上九云『君子得輿，小人剝廬』，《注》云『小人傲狠，當剝徹廬舍而去』，三也；〈公劉〉詩云『於時廬旅』，鄭云『廬舍安民，館舍施教令』，四也。」據上下文義，「三也」二字確為疏文，袁輯誤將此二字闌入注文，堯年刪去之，實屬合理。

袁堯年校補，大大提高袁鈞輯本的價值，其原因在於堯年生最後，所見諸家鄭氏佚書輯本最多，因此得以根據諸家輯本，校補袁鈞輯本的不足，誠為《鄭氏佚書》之功臣。然而堯年求備太過，有時甚至將眾家輯本誤收，而袁輯原本所無的文字，雜廁入於《鄭氏佚書》中。如《尚書大傳注》一〈唐傳·堯典〉「堯年十六，以唐侯升為天子，遂以為號」條（《尚書大傳注》，卷 1，頁 1），堯年案曰：「首二句，又見《尚書·堯典·偽孔傳》。《正義》曰：『徧檢《書傳》無堯即

位之年，孔氏必當有所案據，未知出何書？」則此似非《大傳》文。今姑以《論語疏》所引，補輯於此。」據文意，則袁輯本無此條，為堯年後來補入。按：袁輯無，是；堯年補入，反誤。陳壽祺（1771-1834）《尚書大傳》輯本亦錄有此條，注云：「疑出《書緯》。」❷可見陳氏當初采錄此則佚文，亦在疑似之間。皮錫瑞（1850-1908）著《尚書大傳疏證》，於書末「尚書大傳刊誤」部分，考證此則佚文曰：「錫瑞案：《論衡‧氣壽篇》曰：『〈堯典〉曰「朕在位七十載」，求禪，得舜。舜徵，三十歲在位，堯退而老，八歲而終，至殂落，九十八歲。未在位之時，必已成人。今計數，百有餘矣。』《論衡》「三十歲在位」，當作「二十」，乃與「九十八歲」合，淺人用《古文尚書》改之。王仲任習《今文尚書》，如《大傳》有堯即位之年，仲任無緣不知，乃云『必已成人』，為約略之詞，則《書傳》必無堯即位之年矣。《帝王世紀》曰『年二十而登帝位』，皇甫謐之說既不可信，亦與『年十六』之數不合。陳云『疑出《書緯》』，仲任亦非不見緯書者。《偽孔傳》云『堯年十六即位』，《正義》曰『孔氏必當有所案據，未知出何書』，然則《偽孔傳》外，無載堯即位之年者。《論語疏》所引《書傳》，正與《偽孔傳》同，則其所謂《書傳》即《偽孔傳》，非伏生《大傳》明矣。吳中本無此條，陳氏疑之而仍增入，由未知此《書傳》即《孔傳》耳。今刪去。」❸皮氏疏證，適可為從事輯佚者所借鑑。而讀《鄭氏佚書》者，對於袁鈞原輯、堯年所補，既需相互參照，也當分別觀之。有關堯年疏補袁鈞輯本的各項問題，筆者擬另撰專文論述。以下僅就《鄭氏佚書》中較各家輯本超卓的幾項特點，予以分析舉例。

---

❷ 見〔清〕陳壽祺：《尚書大傳》（上海：商務印書館，1929 年《四部叢刊初編》影印《左海全集》本），卷 1 下，頁 1。

❸ 見〔清〕皮錫瑞：《尚書大傳疏證》（臺北：新文豐出版公司，1984 年《尚書類聚初集》影印清光緒丙申師伏堂刊本），卷 7，頁 30。

㈠ 佚文編排，合理完善

編次佚文之真確與否，取決於前人標示所援引古書之篇章是否明確。前人標示所援引古書篇章之方式有：

1.有書名篇名並引者，如《禮記·王制》「司徒論選士之秀者，而升之學，曰俊士」，孔穎達《疏》引：「《尚書·周傳》云：王子公卿大夫元士之適子，十五入小學，二十入大學。」

2.有引書名不引篇名者，如《文選》潘安仁〈藉田賦〉「襲春服之萋萋兮，接游車之轔轔。」，李善注引「《薛君韓詩章句》曰：萋萋，盛也。」

3.有引篇名不引書名者，如《魏書·劉芳傳》「〈孟夏令〉云『其數七』，又云『迎夏於南郊』。盧植云：『南郊，七里郊也。』」

4.有節引書名者，《北堂書鈔》卷一百五十引「《五行傳》曰：北辰謂之曜魄。」

5.有本文注文並引者，如《禮記·王制》「諸侯之於天子也，比年一小聘，三年一大聘，五年一朝」，孔穎達《疏》引：「《尚書·堯典》云『五載一巡守』，鄭注云：『巡守之年，諸侯朝於方岳之下，其間四年，四方諸侯分來朝於京師歲徧。』」

6.有引注文不引本文者，如《禮記·月令》「命婦官染采」，孔穎達《疏》引：「鄭注〈皐陶謨〉曰：采施曰色。未用謂之采，已用謂之色。」

因古籍徵引圖書篇章之方式有詳略之不同，故前賢於判定佚文編次時，乃有下列之處理方式：

1.可考知亡書篇章情況者，依原書體例編次。如姚之駰、汪文臺、黃奭輯華嶠《後漢書》，悉依《晉書》本傳所載篇卷加以編排。

2.未能考知亡書篇章情況者，據同類書編次。如馬國翰輯張揖《埤倉》，敘云：「〈隋〉、〈唐志〉並三卷，今佚，從諸書所引蒐採成帙。不能考原書體例，

隱依許氏《說文》部居編次，與所注《三蒼》比次，見一家之學焉。」❹

　　3.未能考知亡書篇章情況者，按佚文殘存狀況編排。如〈隋〉、〈唐志〉「儒家類」並載有譙周《譙子法訓》八卷，原書已散佚，馬國翰據《初學記》、《藝文類聚》、《太平御覽》所引輯為譙周《譙子法訓》，以〈齊交〉一文所存較全備，且有篇目，置於全書之前，而以「佚文無篇目可考者錄於後」。

　　4.未能考知亡書篇章情況者，依事件人物發生年代先後編排。如茆泮林輯劉向《孝子傳》，自序云：「茲特略因時代次序之，其中有未及詳考者，仍即分附於各篇之後。」❺

　　5.未能考知亡書篇章情況者，以徵引先後為次。如梁賀琛《謚法》，《兩唐志》載此書云三卷，而《文獻通考》著錄作四卷，無從知其篇卷分合狀況。王謨輯此書，乃依徵引羣書之先後次第加以編排。王謨〈賀琛謚法序錄〉云：「今本書既亡，無分卷帙，姑仍諸書次第采錄。凡鈔出《史記集解》六條、《左傳釋文》七條、《左傳正義》八條、《後漢書注》六條、《通鑑注》六十七條，又諸史謚議引《謚法》六條。」❻

　　袁鈞輯《鄭氏佚書》，對於佚文之編排，考證十分精細。如《周易鄭氏注》，先就《魏志·高貴鄉公紀》考得《古周易》篇次，然後依其次第，予以羅列編次鄭《注》佚文。鈞〈鄭氏佚書目錄敘〉云：「（《易注》九卷），隋初鄭學寢微，然《崇文總目》尚存〈文言〉、〈說卦〉、〈序卦〉、〈雜卦〉四篇，至《中興書目》始不著錄，今所傳王氏輯本，是後人增言成之者。《玉海》有《周易鄭注》，明胡震亨刊《集解》本，取王氏所輯，除已見《集解》者為附錄，原輯尚可考見，

---

❹　〔清〕馬國翰：〈埤倉輯本敘錄〉，《玉函山房輯佚書》（京都：中文出版社，1979 年影印清同治十年）濟南皇華館書局補刻本），〈經編·小學類〉，頁 2387。

❺　〔清〕茆泮林：《劉向孝子傳輯本》，《十種古逸書》（清道光十四年梅瑞軒刊本），頁 1。

❻　〔清〕王謨：〈賀琛謚法輯本序錄〉，《漢魏遺書鈔》（北京：北京圖書館出版社，2001 年影印清嘉慶三年刊本），頁 1。

乃其比次既非鄭第，又不詳所據之書，時或參用兩書，不明所出，有乖傳信。案：孔沖遠云：《十翼》〈上彖〉一、〈下彖〉二、〈上象〉三、〈下象〉四、〈上繫〉五、〈下繫〉六、〈文言〉七、〈說卦〉八、〈序卦〉九、〈雜卦〉十，鄭學之徒並同此說。而《魏志・高貴鄉公紀》：『帝問博士淳于俊曰：「孔子作〈彖〉、〈象〉，鄭玄作《注》，雖聖賢不同，其所釋經義一也，今〈彖〉、〈象〉不與經文相連，而注連之，何也？」俊答曰：「鄭玄合〈彖〉、〈象〉於經者，欲使學者尋省易了也。」帝曰：「若鄭玄合之，於學誠便，則孔子曷為不合以了學者乎？」俊對曰：「孔子恐其與文王相亂，是以不合，此聖人以不合為謙。」帝曰：「若聖人以不合為謙，則鄭玄何獨不謙耶？」俊對曰：「古義宏深，聖問奧遠，非臣所能詳盡。」』據此，則鄭《易》自〈坤卦〉以下，皆如〈乾卦〉之例，特退〈文言傳〉於〈繫辭傳〉後耳。沖遠之言尚非其實。今用鄭第編輯，各注所據本書，其曾經王氏輯者，並著原輯，依〈隋志〉為九卷。」**❹**

又如《鄭志》八卷，諸家輯本多據舊輯三卷加以釐訂補正，卻於舊輯錯雜失序之誤，未能釐正。袁鈞所輯，則依五經各歸其類，最便索覽。因此皮瑞錫撰《鄭志疏證》，捨殿本、錢（東垣）本、孔（廣林）本不用，而一以袁本為據依。

㈡ 採錄佚文條目，完備可據

輯佚的意義，是將已散佚的文獻資料，就群書所徵引者輯錄成冊，然而輯佚的侷限，亦在於此。倘前人撰述，不見後人徵引，或者既見徵引，而後人著作相繼亡失，則惟一考察佚文的方式，只能憑藉他書所引作者同類著述，或他書徵引與作者相關之著述，予以衍繹湊合。袁鈞輯鄭氏佚書，頗用此法，茲分述如下：

1. 據群書所引鄭氏其他經注以考此經之注

如《論語・學而第一》「溫故而知新」，遍尋諸書，無有徵引鄭氏注者。袁鈞據鄭《禮記・中庸・注》及服注《春秋傳》，考證曰：「鄭《禮記・中庸篇注》

---

❹ 袁鈞：〈周易注序〉，《周易注輯本》，《鄭氏佚書》，卷首，頁1。

云：『溫讀如燖溫之溫，謂故學之熟矣，後時習之，謂之溫。』《疏》云：『〈有司徹〉云「乃熱尸俎」，是燖為溫也。』按：服注《春秋傳》『吳子使太宰嚭請尋盟』，云：『尋之言重也、溫也，亦作燖溫之燖解。』鄭此注當必同《禮記注》。」（《論語注》，卷1，頁6）

2. 據群書所引他人相關經注以考鄭此經之注

如《尚書·堯典》「流共工于幽州」，《詩經·小雅·蓼蕭》「澤及四海也」下，《正義》引「〈堯典〉曰『流共工于幽州』，《注》云：『幽州，北裔。』」袁鈞輯鄭玄《尚書注》，據鄭〈呂刑注〉及《鄭志》，補「崇山南裔三危西裔羽山東裔」十二字。袁氏考證曰：「鄭既注北裔，三裔亦必有注，在亡逸中。案鄭〈呂刑〉注云『顓頊誅九黎，分流其子孫，居於西裔者為三苗』，是以三危為西裔也。《鄭志》答趙商云『鯀故居東裔』，是以羽山為東裔也。北西東皆與馬同，知南必同馬，故借錄馬注。」（《尚書注》，卷1，頁12）

又如《尚書·堯典》「放讙兜于崇山，竄三苗于三危，殛鯀于羽山」，《疏》引「鄭玄具引《左傳》之文，乃云：命讙兜舉共工，則讙兜為渾敦也，共工為窮奇也，鯀為檮杌也，而三苗為饕餮亦可知」。袁鈞據《疏》云「鄭玄具引《左傳》之文」，補「《左傳》：帝鴻氏不才子謂之渾敦，少皡氏不才子謂之窮奇，顓頊氏不才子謂之檮杌，縉雲氏不才子謂之饕餮」四十二字於「命讙兜舉共工」之前。袁氏考證曰：「《疏》謂『鄭具引《左傳》之文，乃云命讙兜舉共工』云云，今據文十年傳文補四十二字於前。」（《尚書注》，卷1，頁12）

3. 據古人引書習慣以考鄭此經之注

古人引書，凡同一篇章中數引某書文句，其所援引之正文或注文，定屬同一版本家數，絕無同段引文，而前舉此家注說，後改彼家注說者。倘能確知篇章中某注出自某家，則其上下文句相關引語，即便未曾明注出處，亦可判歸於某家。如《易·復卦》「復亨」，袁鈞據《左傳》襄二十八年《疏》，采得鄭氏《周易注》「復，反也、還也。陰氣侵陽，陽失其位，至此是還，反起於初，故謂之復。

陽，君象。君失國而還反，道德更興也」一節，《左疏》此段未明言為鄭氏《易注》，袁鈞則以下文連引〈頤卦〉注文，而彼文李鼎祚《周易集解》引作鄭《注》，據此可證此亦為鄭《注》。袁氏考證曰：「《左疏》引《易注》不稱鄭，然下即連引〈頤卦注〉，彼文《集解》作鄭《注》，則此亦鄭《注》也。」（《易注》，卷3，頁4）

4.凡未能審定是否為鄭注，則特為標注

如《易·井》「亦未繘井嬴其瓶」，袁鈞據陸德明《經典釋文》采得鄭氏《易注》「繘，綆也」一節，然《釋文》「繘，綆也」下，尚引有「《方言》云：關西謂綆為繘」句，袁鈞因未能審明是否為鄭氏原引，不便冒然采入，因而附記於注文之下。袁鈞云：「陸氏引此下有『《方言》云：關西謂綆為繘』句，不能審其是鄭原引與否，附記於此。」（《易注》，卷5，頁8）

㈢ 校理佚文，嚴謹確當

古書經長期輾轉傳抄，文字語句難免岐或舛誤，況且輯佚書鈔撮於群籍之中，其間文字或詳或簡，往往視古人徵引圖書時態度之嚴謹疏略，而有所不同。袁鈞輯鄭氏佚書，於各書采得之同一佚文，大都經過以下方式處理：

1.考訂佚文譌字

如據《毛詩·大雅·大明·正義》采得何休《左氏膏肓》「《左氏》以其不用子魚之計，至於軍敗身傷，所以責襄公也。而《公羊》善之，云雖文王之戰，亦不是過」及鄭玄《箴膏肓》「刺襄公不度德、不量力。引《考異郵》至襄公大辱，師敗於泓，徒信不知權譎之謀，不足以交鄰國、定遠彊也。此是譏師敗也，《公羊》不譏，違《考異郵》矣」一節，其中「引《考異郵》至」五字不成詞，故袁鈞以為乃「《考異郵》云」之誤，曰：「『《考異郵》云』本作『引《考異郵》至』，『引』字疏語，『至』字則『云』字形似而譌也，今刪改。」（《箴膏肓》，卷1，頁5）

2.刪潤群書引文之異同

如《易‧蒙卦》「蒙，亨。匪我求童蒙，童蒙求我。初筮告，再、三瀆，瀆則不告」，《公羊傳》定十五年《疏》引鄭氏《易注》云：「蒙者，蒙蒙物初生形，是其未開著之名也。人幼稚曰童。亨者，陽也。互體震而得中，嘉會禮通，陽自動其中，德於地道之上，萬物應之而萌牙生，教授之師取象焉，脩道藝於其室，而童蒙者求為之弟子，非己乎求之也。弟子初問則告之以事義，不思其三隅相況以反解而筮者，此勤師而功寡，學者之災也。瀆筮則不復告，欲令思而得之，亦所以利義而幹事。」又《釋文》引「未冠之稱」四字、「筮問蒙瀆也」五字，袁鈞據之，將「未冠之稱」四字補入「人幼稚曰童」下，將「筮問蒙瀆也」五字補入「非己乎求之也」下。（《易注》，卷1，頁8）如此則《公羊傳》定十五年《疏》、《釋文》三處所引，可連綴為一節。

㈣ 考察鄭《注》所據底本

如《論語‧學而第一》「未若貧而樂」下，袁鈞據何晏《論語集解》采得鄭氏注「樂謂志於道，不以貧賤為憂苦也」一條。然而依據《義疏》本引，「樂」下原有「道」字，《史記‧仲尼弟子列傳》、《文選‧幽憤詩‧注》並有「道」字。《集解》又引孔《注》云「能貧而樂道」、「往告以貧而樂道」，故袁鈞以為似古本「樂」下有「道」字，而鄭本無之，故注如此。唐石經「樂」旁增「道」字，不入正文者，存兩本。《禮記‧坊記》曰「貧而好樂，富而好禮」，以「禮」、「樂」相對，是以鄭此注不從古本爾（以上並見袁鈞考證，《論語注》，卷1，頁4）。

㈤ 疏通鄭氏經說

如《易注》三〈剝卦〉「七日來復」，袁輯據〈周易正義序〉輯得鄭氏《周易注》「建戌之月，以陽氣既盡，建亥之月，純陰用事，至建子之月，陽氣始生，隔此純陰一卦，卦主六日七分，舉其成數言之，而云七日來復」一條，然而孔穎達〈序〉只稱此為「鄭康成引《易緯》之說」，未能明白指明究竟出於何書。故袁鈞略為考證曰：「〈正義序〉謂鄭引《易緯》之說，本疏（筆者按：指《周易‧復卦‧疏》）云：『《易緯稽覽圖》云：卦氣起中孚，故離、坎、震、兌各主其一方，

其餘六十卦，卦有六爻，爻別主一日，凡主三百六十日。餘有五日四分日之一者，每日分為八十分，五日分為四百分四分日之一又為二十分，是四百二十分。六十卦分之，六七四十二卦，別各得七分，是每卦得六日七分也。剝卦陽氣之盡在於九月之末，十月當純坤用事。坤卦有六日七分。坤卦之盡則復卦陽來，是從剝盡至陽氣來復，隔坤之一卦六日七分，舉成數言之。」此注又見章如愚《山堂考索續集》。」袁鈞此則考證，目的有二：一是舉出鄭玄所引《易緯》，當是《易緯稽覽圖》。二是說明鄭玄此注，互見於章如愚《山堂考索續集》。

又如《易·咸卦·象辭》「朕，口說也」，袁鈞據《周易正義》采得鄭氏《易注》「朕，送也。咸道極薄，徒送口舌言語相感而已，不復有志於其間」一節。而袁鈞更就「朕，送也」之訓，加以衍申其義曰：「『朕，送也』之訓，亦見《釋文》。鄭樵《通志略》謂《儀禮·大射儀》『朕觚』、『朕爵』云者，朕蓋送也，與此釋朕為送之義可相證。虞翻亦訓送，而文仍作『媵』，傳寫誤爾。」（《易注》，卷4，頁2）

㈥ 闡釋鄭氏經注間彼此之異同

鄭玄一生，心思才智盡萃於注述，即使宋代大儒朱熹也十分歎服，嘗說：「鄭康成是箇好人，考禮名數大有功，事事都理會得，如漢律令，亦皆有注，儘有許多精力。」[48]但是正因為所作注釋過於廣博，難免顧此失彼，不能全無牴牾和罅漏。袁鈞於輯佚過程中，每遇後人謂鄭氏群經注中有前後解說不一者，往往予以疏通闡釋。

如《論語·八佾第三》「君子無所爭，必也射乎，揖讓而升，下而飲」，陸德明《經典釋文》云：「『爭』絕句。鄭讀以『必也』絕句，『揖讓而升下』絕

---

[48] 〔宋〕黎靖德編：《朱子語類》（臺北：臺灣商務印書館，1983年影印《文淵閣四庫全書》本），卷87，頁3。

句。注《詩·賓之初筵》，引此則云『下而飲』。」❹據陸氏此文，似鄭玄箋《詩》、注《論語》，兩者句讀不一。而袁鈞考證則曰：「案：陸氏引《詩注》之異此者，存兩讀。然《詩疏》云：『此謂飲射爵時，揖讓而升下，意取而飲與爭，故引彼文不盡。』是《箋》引《論語》，以『下』一讀，仍以『而飲』為句，故《禮·射義·音義》亦曰：『「揖讓而升下」絕句，「而飲」一句也。』彼注云：『下，降也。飲射爵者，亦揖讓而升降，勝者袒決遂，執張弓，不勝者襲，說決拾，卻左手，右加弛弓於其上，而升飲，君子恥之，是以射則爭中。』」（《論語注》，卷2，頁1）此是根據《禮記·射義·音義》及《射義疏》，以證明鄭君前後說解一致，皆以「揖讓而升下，而飲」絕句之例。

又如《論語·里仁第四》「三年無改父之道，可謂孝矣」，袁鈞據《論語集解》采得「孝子在喪，哀戚思慕，無所改於父之道，非心之所忍為也」一節。而陸德明《經典釋文》云：「此章與〈學而篇〉同，當是重出。〈學而〉是孔《注》，今此是鄭《注》，本或二處皆有，《集解》或有無者。」❺按：〈學而篇〉「三年無改於父之道，可謂孝矣」，《集解》引孔《注》云：「孝子在喪，哀慕猶若父存，無所改於父之道。」與此注文字稍異，故陸氏以為兩者當是重出。然袁鈞考證云：「案：〈學而篇〉上有『父在』二句，故孔《注》云『孝子在喪，哀慕猶若父存，無所改於父之道也』。此是專言『三年無改』，與《禮記·坊記》所引者合，非重出，注亦不同。」（《論語注》，卷2，頁6）以為〈學而篇〉上接「父在觀其志，父沒觀其行」句，故《注》以「哀慕猶若父存」解釋之；而此條則專釋「三年無改父之道」，故《注》以「哀戚思慕，無所改於父之道，非心之所忍為也」解之，兩者著重不同，且一為孔《注》，一為鄭《注》，絕非重出。

---

❹　〔唐〕陸德明撰，〔清〕盧文弨校：〈論語音義〉，《經典釋文》（臺北：漢京文化事業公司，1980年2月影印抱經堂本），卷24，頁3。

❺　同前註，頁4。

㈦ 糾正前人輯本譌謬

如《易・離卦・九三》「不擊缶而歌則大耋之嗟」，王伯厚據《詩・宛丘・疏》采得鄭氏《易注》「艮爻也，位近丑，丑上值弁星，弁星似缶，《詩》云『坎其擊缶』，則樂器亦有缶」一節。「則樂器亦有缶」六字，不類鄭語，故袁鈞輯本即將此六字刪去。（《易注》，卷3，頁10）

又如《易・明夷・六二》「明睇于左股」，王伯厚《周易鄭康成注》輯本作「明夷睇于左股」。袁鈞以為：「《釋文》云：『夷，子夏作睇，鄭同。』原輯『明』下有『夷』字。據《釋文》，鄭『夷』作『睇』，非『明夷』下別出『睇』字也，今去之。」（《易注》，卷4，頁5）

又如《易・蹇・六四》「往蹇來連」，王伯厚據《周易正義》輯得鄭氏《易注》「連，如字，遲久之意」一節。袁鈞以為：「原輯『連』下有『如字』二字，誤入陸氏語，今去之。」（《易注》，卷4，頁7）

四、結　語

袁鈞輯《鄭氏佚書》，不僅輯佚範圍廣泛，徵引資料詳備，輯本體例完善，並且考證嚴謹確當，又經族孫堯年校補勘正，更加提高此書之價值。是以葉德輝氏許為輯鄭氏學者中最為詳贍，而近人張舜徽撰《鄭雅》，《三禮》、《毛詩》經文及《注》、《箋》，以乾隆中所刊殿本《注疏》為依據，而以阮刻《注疏》參校之，佚注則以袁鈞所輯《鄭氏佚書》為依據，而以孔氏《通德遺書》、黃氏《高密遺書》參校之。❺

然而袁氏此書成書甚早，後來輯佚大家如陳壽祺、孫堂、馬國翰、黃奭、皮錫瑞等相關著作，鈞皆未得寓目，因此無法參照眾本，改正書中譌誤。如袁鈞《鄭志》輯本，據《太平御覽・百卉部》引采得「韋曜問曰：〈甫田〉維莠今何草？

---

❺　張舜徽：〈鄭雅纂輯略例〉，《鄭學叢著》（濟南：齊魯書社，1984年6月），頁201。

答曰：今之狗尾也」一節，皮錫瑞《鄭志疏證》以為此條有誤。皮氏云：「《鄭志》謂韋亦鄭君弟子，不知此乃《毛詩》答雜問語。韋以孫皓鳳皇二年被誅，華覈疏救之，曰：『曜年七十。』鄭君卒於建安五年，距鳳皇二年凡七十四年，是韋不及見鄭，不得在弟子之列也。」❷

　　同樣的疏誤，亦見於《箴膏肓》輯本。袁鈞輯鄭玄《箴膏肓》一卷，據《春秋·桓公九年傳》「冬，曹大子來朝。賓之以上卿，禮也」正義，採得「《膏肓》：左氏以人子安處父位，尤非衰世救失之宜，于義，左氏為短。鄭箴云：必如所言，父有老耄罷病，孰當理其政、預王事也？蘇云：誓于天子，下君一等；未誓，繼子男，並是降下其君，甯是安居父位」一條。袁氏自為考證曰：「鄭引蘇云者，蘇寬之說。」按：孔穎達〈春秋正義序〉云：「其為義疏者，則有沈文何、蘇寬、劉炫。」又云：「蘇氏則全不體本文，唯旁攻賈、服。」可知蘇寬當為晉以後人，鄭玄如何能引其說？袁氏未審蘇寬年代，致使「誓于天子，下君一等；未誓，繼子男，並是降下其君，甯是安居父位」二十五字屬入本文。又莊公六年傳「雛甥、聃甥、養甥請殺楚子」，《正義》曰：「鄭箴云：楚之彊盛，從滅鄧以後。于時楚未為彊，何得云彊弱相縣？蘇氏云：三甥既有此語，左氏因史記之文錄其實事。非君子之論，何以非之。」袁氏採「蘇氏云」以下二十九字，亦誤。

　　雖是如此，但輯佚本非易事，偶一疏失，在所難免。吾人但當求得致誤之因，予以疏正，不可以一眚而掩其大德。至於《鄭氏佚書》中疏誤部分，因限於篇幅，無法多作舉例，或者留待來日再予細論。

---

❷　皮錫瑞：〈鄭志疏證自敘〉，《鄭志疏證》（臺北：世界書局，1982 年 4 月），卷首，頁 2。

朱子「經」「權」思想析論
——以《朱子語類》為例

張曉生

臺北市立教育大學中國語文學系副教授兼儒學研究中心主任

一、前　言

　　「權」這一個概念，是儒學研究中常常被拿來和「經」相提並論，一直被認為是儒學裡相當重要的議題。其受到重視的原因，固然在於理論層次所表現出來的對比意涵，而其中所涉及倫理實踐的情境抉擇，可能更引起儒者的關注而再三致意。檢視「經」「權」概念的研究歷程，發現這一組和「倫理情境」關係密切的概念，本身便因為面對不同的歷史情境而被賦予不同的內涵，因而饒富興味。本文企圖以「朱子的經權思想」為主題，一方面分析朱子在此一問題上的思想與理論，另一方面也整理孔孟與漢儒對此一問題的看法，希望在論析排比的過程中能呈現這個在儒家頗受討論的議題的發展，並試圖對其中的現象提出若干觀察，以呈現其意義。

二、孔子、孟子對於「權」的態度

　　根據目前可見的文獻，儒家最早提到「權」字的是孔子。在《論語》中「權」

字出現三次，分別是〈堯曰篇〉的「謹權衡，審法度」、〈子罕篇〉的「可與立，未可與權」、以及〈微子篇〉的「虞仲、夷逸，隱居放言。身中清，廢中權」。其中只有〈子罕篇〉和〈微子篇〉言及的「權」是屬於我們討論的範疇。我們先來看〈子罕篇〉的這則資料：

> 子曰：「可與共學，未可與適道；可與適道，未可與立；可與立，未可與權。」（《論語·子罕篇》）

孔子在這則談話裡並未對「權」有任何的說明，我們根據他的語言脈絡，僅可初步掌握他的意思似乎是認為「權」是為學適道乃至立身處世的最高境界。如此，則「權」字所指的是一種「行為」或「修養」，如果對應先秦時期古籍中使用「權」字的慣例，那麼這段話或許可以解釋成如何晏所說的：

> 適，之也。雖學，或得異端，未必能之道也；雖能之道，未必能有所成立也；雖能有所立，未必能權量其輕重之極也。❶

何晏用「權衡輕重」來解釋此處的「權」，以文獻角度來看，可謂得其分寸，但是如果就義理的層面來看，則他並未說明所謂的「權」是權量哪種範疇的輕重？或是面對什麼情況所做的權量？以及為何「權」在孔子所說的「學」「適道」「立」等行為或修養之間為最高境界？如此遺憾，主要的原因當然是在於我們無法掌握孔子在說這段話時的「語境」，以及他說話的對象。此外，《論語》中另一個出現「權」的地方是〈微子篇〉的這一段文字：

> 逸民：伯夷、叔齊、虞仲、夷逸、朱張、柳下惠、少連。子曰：「不降其志，不辱其身，伯夷、叔齊與！」謂：「柳下惠、少連，降志辱身矣。言

---

❶ 〔魏〕何晏注，〔宋〕邢昺疏：《論語注疏》（臺北：藝文印書館影印清嘉慶二十年南昌府學刊本，1985），卷9，葉10上。

中倫，行中慮，其斯而已矣。」謂：「虞仲、夷逸，隱居放言。身中清，
廢中權。我則異於是，無可無不可。」（《論語·微子篇》）

這段話很明顯的是在分別「逸民」的類型，其中似乎包含成四種分類：一是「不
降其志，不辱其身」的伯夷叔齊；一是「降志辱身」，能做到「言中倫，行中慮」
的柳下惠、少連；一是「隱居放言」而「身中清，廢中權」的虞仲、夷逸；而孔
子自己則是「無可無不可」。這裡的「權」字當是對虞仲、夷逸的「隱居放言」
而說，所以劉殿爵先生認為這段話應該解釋成：虞仲、夷逸的「隱居放言」就「身」
而言為合於「清」的行為，就「言」而論則是合於「權」的行為❷，如此，則此
處之「權」所指的應該也是一種「選擇」或是「權衡輕重」的意義。

　　在《論語》中所出現的這兩個「權」字，在意義上都是指「衡量輕重」，其
中有兩個現象值得我們注意：

　　1.這兩個「權」並未與「經」同時出現，也就是說，「經」與「權」在此時
還不是相對的概念。

　　2.這兩個「權」在施用的場合上或許不同，但是孔子並未嚴格限制「權」的
適用時機或是施用的對象。

　　我們如果根據這兩點觀察而加以推想，似乎可以這麼說：在孔子這裡，「權」
的選擇或衡酌，是主體意志的表現，它是一種選擇，但這並不是一個在某種「規
則」或「標準」制約下的選擇，而是相應於時、地、事的適當安排。我們可以在
《論語》中找到實際的例證來印證。例如孔子說：

子曰：「先進於禮樂，野人也；後進於禮樂，君子也。如用之，則吾從先
進。」（《論語·先進篇》）

---

❷　劉殿爵：〈「隱居放言。身中清，廢中權」釋〉，《香港中文大學中國文化研究所學報》第19
　　卷，1988年，頁71－74。

又如：

> 林放問禮之本。子曰：「大哉問！禮，與其奢也，寧儉；喪，與其易也，寧戚。」（《論語·八佾篇》）

> 子曰：「麻冕，禮也；今也純，儉。吾從眾。拜下，禮也；今拜乎上，泰也。雖違眾，吾從下。」（《論語·子罕篇》）

> 葉公語孔子曰：「吾黨有直躬者，其父攘羊，而子證之。」孔子曰：「吾黨之直者異於是。父為子隱，子為父隱，直在其中矣。」（《論語·子路篇》）

孔子在這些「選擇」中，表現出的是「道德主體」根據時宜而為的彈性作為，或「從眾」或「違眾」，或「隨俗」或「抗俗」，其「跡」或有不同，但是對孔子重視仁禮的本意並未嘗有異，孔子自云：「無可無不可」，或即如此。這種對「權」的態度，在孟子那裡有更明確的表述。

《孟子》書中「權」字也出現三次，分別是〈梁惠王上篇〉的「權，然後知輕重；度，然後知長短。物皆然，心為甚。」；〈離婁上篇〉的「男女授受不親，禮也。嫂溺援之以手者，權也。」；以及〈盡心上篇〉的「執中無權，猶執一也。」這三處的「權」在義理的層次上稍有不同，但主要的意義仍是歸於「衡量」之義。我們先來看〈梁惠王上篇〉的資料：

> 曰：「挾太山以超北海，語人曰：『我不能』，是誠不能也。為長者折枝，語人曰：『我不能』，是不為也，非不能也。故王之不王，非挾太山以超北海之類也；王之不王，是折枝之類也。老吾老以及人之老，幼吾幼以及人之幼，天下可運於掌。《詩》云：『刑于寡妻，至于兄弟，以御于家邦』，言舉斯心加諸彼而已。故推恩足以保四海，不推恩無以保妻子。古之人所以大過人者無他焉，善推其所為而已矣。今恩足以及禽獸，而功不至於百

姓者,獨何與?權,然後知輕重;度,然後知長短。物皆然,心為甚。王
請度之。」

孟子在此處所說的「權,然後知輕重」,是針對齊宣王「能不忍於羊之觳觫,卻
不能將仁澤普施於民」的問題而發,所以這裡的「權」是指衡量「仁及於物」或
「仁及於人」的輕重。

《孟子》裡出現的第二「權」字是在〈離婁上篇〉:

淳于髡曰:「男女授受不親,禮與?」孟子曰:「禮也。」曰:「嫂溺則
援之以手乎?」曰:「嫂溺不援,是豺狼也。男女授受不親,禮也。嫂溺
援之以手者,權也。」曰:「今天下溺矣,夫子之不援,何也?」曰:「天
下溺,援之以道;嫂溺,援之以手。子欲手援天下乎?」

淳于髡所提的問題是個不懷善意的「是非題」,其目的應該是向孟子挑戰儒家執
禮之學所面臨的「時變」問題。孟子在回答這個問題時,先跳脫了淳于髡的陷阱,
不從「規定」面談,而從「根源」面來回答。儒家一向認為禮之施設乃根於人心,
「以手援嫂」也許在一時之間不合禮的「規定」,但是卻是依從了人心之善的時
宜選擇,因此這個「權」字的意義即為「權宜選擇的行為」之義。這段文字雖然
簡短,但其中的義理間隙甚多,容易引起許多聯想,對後世「經」「權」說的發
展有一定程度的影響。首先,在孟子的語言中出現了「男女授受不親,禮也。嫂
溺援之以手者,權也。」的說法,這樣的語言排比會讓人認為「權」是與「禮」
或「綱常」相對的概念;其次,孟子以「嫂溺不援,是豺狼也」為前提,反駁淳
于髡將是否以手援嫂做為合禮或不合禮的判準,其中也暗示了根本的人性(或心性)
才是適當行為的依據;至於孟子所被問及的情況是一個「非常」且「緊急」的狀
態,孟子的「權」說固然是針對問題而答,但也會給人「權」只適用於非常狀況
的印象。以上三項推論在漢宋學術中都有持續的發展,下文將會提到。

《孟子》書中出現的第三次「權」字是在〈盡心上篇〉：

> 孟子曰：「楊子取『為我』，拔一毛而利天下，不為也。墨子『兼愛』，
> 摩頂放踵利天下，為之。子莫『執中』，執中為近之。執中無權，猶執一
> 也。所惡執一者，為其賊道也，舉一而廢百也。」

孟子在對於楊朱、墨子以及子莫的批評中，提出了所謂的「權」就是不要「執一」「執中」，因為一旦「執一」或「執中」，即沒有了彈性，也將失去主體適應時宜以判斷選擇的自主性，更會使「道」成為一個僵化的「規則」，不再是能相應於人世變化的生機本源。我們如果結合孟子這一段文字和上一段駁淳于髡的論說來看，可知孟子並沒有認為「權」是違反「經」的一種變態，反而能行權才是對道的保全，那麼，權其實是道在時宜之下的表現，是屬於道的一部分，所以孟子才會說「執中無權」是「賊道」。我們若順此而推，則孟子對淳于髡的回答：「嫂溺不援，是豺狼也。男女授受不親，禮也。嫂溺援之以手者，權也。」前提是「不做豺狼」，這個「不做豺狼」的理性判斷就是不忍見孺子入於井的「惻隱之心」，「男女授受不親」是基於此，危急之時「援嫂以手」也是由此而來，則此「權」雖是「權宜」，但卻是人心當下呈露而做的抉擇，就是道的展現，所以我個人以為在孟子這裡的「權」仍然是孔子思考的理路，著重在「權」所展現的道德主體性，並不把「經」（「道」）和「權」對立思考。

三、荀子對「權」的主張

荀子在先秦儒學的傳承上有重要的地位。他不只是許多漢代經學家派的先師，同時其強調智性思維的思想特質，是儒學非常有意義的發展。在《荀子》書中與我們所要討論的「權」意義相關之處不多，但是卻足以表現出荀子的思考方向，以及他與孔孟不同之處。他在〈正名篇〉中說：

人無動而不可以不與權俱。衡不正,則重縣於仰,而人以為輕;輕縣於俛,
而人以為重,此人所以惑於輕重也。權不正,則禍託於欲,而人以為福;
福託於惡,而人以為禍,此亦人所以惑於禍福也。道者,古今之正權也;
離道而內自擇,則不知禍福之所託。❸

荀子的這段話有幾個值得注意的地方:第一,他根據「權」的「衡量」義,指出
「權」(衡)必須是「正」的,才能判定輕重與禍福;第二,他認為人的「內自擇」
並不可靠,會惑於欲望或福禍之表象而判斷錯誤;第三,「權」要「正」必須以
「道」為依歸,所以「道為正權」。把這三點連貫起來,我們可以很明顯的看出
荀子對於「道德自主」的不信任,並欲用「道」來限制「權」的範圍,他有意讓
「權」不再是隨時而宜的自主判斷,而是必須根據「道」來進行節制的保守行
為。❹在如此的思考之下,便會形成一種「道即是權」的立場,這與他對「禮」
的主張相互呼應:

禮之於正國家也,如權衡之於輕重也,如繩墨之於曲直也。❺

禮之理誠深矣,「堅白」「同異」之察入焉而溺;其理誠大矣,擅作典制
辟陋之說入焉而喪;其理誠高矣,暴慢恣睢輕俗以為高之屬入焉而隊。故
繩墨誠陳矣,則不可欺以曲直;衡誠縣矣,則不可欺以輕重;規矩誠設矣,
則不可欺以方圓;君子審於禮,則不可欺以詐偽。故繩者直之至,衡者平
之至,規矩者方圓之至,禮者人道之極也。然而不法禮,不足禮,謂之無
方之民;法禮,足禮,謂之有方之士。禮之中焉能思索,謂之能慮;禮之

---

❸　北京大學《荀子》注譯組:《荀子新注》(北京:中華書局,1979),頁384。
❹　《禮記‧檀弓篇》裡那個不食嗟來食的人,被曾子批評道:「微與!其嗟也可去,其謝也可食」
　　最可說明這種「時宜」的意義。
❺　《荀子新注》,頁449。

中焉能勿易，謂之能固。能慮、能固，加好者焉，斯聖人矣。❻

在孔子的心目中，「禮」固然有外在的、社會規範的意義，但是他的「禮云」之嘆，則是更深刻地揭示了「禮」必須以「仁」為內涵的禮樂精神；而孟子同樣也清楚的以「辭讓之心」為「禮」之發端，但是到了荀子這裡，「禮」成為「規矩」「繩墨」，是衡量甚至定義一切的標準，看他「繩者直之至，衡者平之至，規矩者方圓之至，禮者人道之極也。」的說法，再結合前引「道者，古今之正權也」之論，則他的「道即是權」其實就是「禮即是權」，如此的「權」在依歸於禮的前提下，它會變得不再是「選擇」或「衡酌」，而是「裁斷」或「矯正」的意義，這與孔孟的思考已有相當的差距。

四、漢儒對「權」的思考與發展
——以《公羊傳》和《春秋繁露》爲例

漢儒承先秦孔孟荀之學，加以時代的需求，對「權」的內涵有更深入的探究，也使「經」與「權」成為儒學的重要議題，引起不斷的關注與討論。

漢代有關「經」「權」的討論常常與《公羊傳》的這一段論述有關：

（桓公十一年經）秋，七月，葬鄭莊公。九月，宋人執鄭祭仲。

（傳）祭仲者何？鄭相也。何以不名？賢也。何賢乎祭仲？以為知權也。其為知權奈何？古者鄭國處于留。先鄭伯有善于鄶公者，通乎夫人，以取其國而遷鄭焉，而野留。莊公死已葬，祭仲將往省于留，塗出于宋，宋人執之，謂之曰：「為我出忽而立突。」祭仲不從其言，則君必死、國必亡；從其言，則君可以生易死，國可以存易亡。少遼緩之，則突可故出，而忽可故反，是不可得則病，然後有鄭國。古人之有權者，祭仲之權是也。權

---

❻ 《荀子新注》，頁314－315。

者何？權者反於經，然後有善者也。權之所設，舍死亡無所設。行權有
道，自貶損以行權，不害人以行權。殺人以自生，亡人以自存，君子不為
也。❼

這段歷史事件的本事在魯桓公十一年，此時鄭莊公已死，昭公忽也已繼立為君，
但宋國卻藉機扣押了路經宋國的鄭國輔政大臣祭仲，同時也誘劫公子突以求賂，
宋人威脅祭仲許諾驅逐昭公忽以立公子突為君，否則將殺死公子突及祭仲，祭仲
為顧及公子突之安危，也避免宋國侵鄭，乃決定迎回公子突即位為厲公，而昭公
忽出奔。《公羊傳》認為祭仲所為雖違反了「君臣之禮」，但是保全了二君，也
保全了鄭國，是在危機之中的最好結果，所以認為祭仲「知權」，並據此提出了
「權」的定義：「反於經，然後有善也」，同時也界定了「權」的行使時機：「權
之所設，舍死亡無所設」、「權」的行使原則：「行權有道，自貶損以行權，不
害人以行權。殺人以自生，亡人以自存，君子不為也。」對於《公羊傳》的這些
說法，我們有必要做較深入的討論：

　　㈠所謂「反於經，然後有善也」中的「反於經」應如何解釋？是解作「復歸
於常理」還是「違背常理」？何休的《解詁》沒有作注，而徐彥的《疏》只對「權
者何」三字疏解：「欲言正，逐君立庶；欲言不正，今又言權，故執不知問」也
沒有解釋。若以宋儒的理解，程頤說：「漢儒以反經合道為權，故有權變，權術
之論，皆非也。權只是經也。自漢以來無人識權字。」❽程頤認為漢儒所謂的「權」
有「權變，權術」之義，又以「權只是經」反駁之，則他所理解的《公羊》權說
是「違背常理以合於道」，朱子也說「漢儒『反經合道』之說，卻說得『經、權』

---

❼ 〔漢〕何休解詁，〔唐〕楊士勛疏《春秋公羊注疏》（臺北：藝文印書館影印清嘉慶二十年南
　昌府學刊本，1985），卷5，葉7－9上。

❽ 〔清〕黃宗羲原著，〔清〕全祖望補編，陳金生、梁運華點校：《宋元學案》（北京：中華書
　局，1989），頁626。

兩字分曉。但他說權，遂謂反了經，一向流於變詐，則非矣。」❾也認為漢儒主
張的「權」是「違反常理」而易流於變詐。我們若再輔以同為漢代經說的《韓詩
外傳》之說：「夫道二，常之謂經，變之謂權」，同樣視「經」「權」對立，則
將「反於經」之「反」解為「背反」「違反」似可成立。如此，則「經」與「權」
在此已被認為是相對的概念和行為。

　　㈡《公羊傳》所定義的「權」既是「反經」，則其發生及施行的情況即是處
于「異常」，所以提出「權之所設，舍死亡無所設」的限制，這與孔孟所言所為
已有極大不同，即使與荀子權論相較，也是大大限縮了「權」的施用範圍。

　　㈢《公羊傳》的「反於經，然後有善」的權論，是一種「目的論」的觀點。
以祭仲的例子來看，《公羊傳》所肯定的是二君皆不死、鄭國得以存的結果，但
是過程中屈從宋國脅迫、使昭公出奔的作為，都是辱國辱君的之事，對於此，《公
羊傳》只視之為「反經」，而只論現實目的。這在表面上看起來似乎和孟子「援
嫂以手」的做法類似，但是孟子的選擇有一個前提，即是人性，「援嫂以手」是
人性的顯發，是發端與結果皆善；然而祭仲之舉的起點並非單純的人性，而是現
實利益的考量，所以其過程充滿不義和詐偽，即使結果看來平穩，但整件事情很
難讓人心平服。因此，宋儒如程頤便極度反對《公羊傳》的「反經合道」之說，
認為它是開啟權謀詐變之道，實有其理。

　　《公羊傳》的權論本身有很重的道德危機，故董仲舒在《春秋繁露》中即提
出若干修正意見以為補救。

　　董仲舒在對「權」的論說中，在《公羊傳》「經」「權」對立的立場下，提
出「經禮」和「變禮」之說，試圖以「禮」調合二者的衝突性：

　　　　《春秋》有經禮、有變禮。為如安性平心者、經禮也；至有於性雖不安，

---

❾　〔宋〕黎靖德編：《朱子語類》（臺北：文津出版社影印點校本，1986），頁988。

於心雖不平，於道無以易之，此變禮也。是故昏禮不稱主人，經禮也；辭
窮無稱，稱主人，變禮也。天子三年然後稱王，經禮也；有故，則未三年
而稱王，變禮也。婦人無出境之事，經禮也；母為子娶婦，奔喪父母，變
禮也。明乎經變之事，然後知輕重之分，可與適權矣。❿

《公羊傳》原本的「權」為「反經」之說，在董仲舒的「經禮」「變禮」概念下
都被認為是「禮」，只是有正變的不同，而且從他的「至有於性雖不安，於心雖
不平，於道無以易之，此變禮也」的這句話來看，董仲舒認為「變禮」可以不管
性是否安、心是否平，只要合於「道」，便可成立，但令人懷疑的是，於性不安、
於心不平，卻可以合「道」的「道」會是什麼樣的性質？根據張端穗先生的研究，
董仲舒在此所謂的「道」是指「天道」，而這個「天道」不是義理性格的「天理」，
而是「天地之氣，合而為一，分為陰陽，判為四時，列為五行」的天地律則❶，
如此一來，不只是「變禮」是要「於道無可易」，即使是「經禮」也不能離其範
圍，所以董仲舒說：「是故天之道，有倫、有經、有權」。❷董仲舒這樣的「權」
論或許可以消解掉《公羊傳》裡「經」「權」對立的緊張，但是卻給了「權」一
個更大的限制，即是它必須是受到「天道」的節制，同時也讓在行使「權」時的
抉擇依據從人的道德心靈變成外在的律則，與孔孟的立場有極大的不同，而與荀
子的思路卻有深刻的關聯。

董仲舒在「權」依順天道的主張下，也修改了《公羊傳》的用「權」原則，
他說：

---

❿　〔清〕蘇輿撰，鍾哲點校：《春秋繁露義證》（北京：中華書局，1992），卷 3〈玉英〉，頁
　　79。

❶　張端穗：〈董仲舒春秋繁露中經權觀念之內涵及其意義〉，《東海學報》38 卷（1997 年 7 月），
　　頁 1－26。

❷　《春秋繁露義證》，卷 12〈陰陽終始〉，頁 340。

> 器從名，地從主人之謂制，權之端焉，不可不察也。夫權雖反經，亦必在
> 可以然之域，不在可以然之域，故雖死亡，終弗為也。**⓭**

他把《公羊傳》目的論的行「權」原則再加上「必在可以然之域」的限制，也就
是加上「禮」或是「天道」的規範，使行權不再能只問目的而不擇手段，算是解
除了《公羊傳》權說的道德危機。

　　究其實，董仲舒的「權」論，就是在他的天人關係思想體系之下的架構，有
對前人的繼承，也有他的特殊性（時代需求），以下這段「尊經而卑權」的說法便
是在他的陰陽學說下的特殊發展：

> 惡之屬盡為陰，善之屬盡為陽，陽為德，陰為刑，刑反德而順於德，亦權
> 之類也，雖曰權，皆在權成。是故陽行于順，陰行於逆；逆行而順，順行
> 而逆者，陰也。是故天以陰為權，以陽為經；陽出而南，陰出而北；經用
> 於盛，權用於末；以此見天之顯經隱權，前德而後刑也。故曰：陽，天之
> 德，陰，天之刑也，陽氣暖而陰氣寒，陽氣予而陰氣奪，陽氣仁而陰氣戾，
> 陽氣寬而陰氣急，陽氣愛而陰氣惡，陽氣生而陰氣殺。是故陽常居實位而
> 行于盛，陰常居空位而行於末，天之好仁而近，惡戾之變而遠，大德而小
> 刑之意也，先經而後權，貴陽而賤陰也。**⓮**

說「經用於盛，權用于末」、天「顯經隱權」「先經而後權」，這些主張固然未
脫離以經為常、以權為變的思考原則，但如果說「天以陰為權，以陽為經」，而
「惡之屬盡為陰，善之屬盡為陽」，則直視「權」為「惡之屬」了。我們細觀其
語言理路，他的論說目的是要將人事納入陰陽關係之中，順此而下，走出「權」
為「惡之屬」的聯想，應是一個意外，否則他要如何解釋《公羊傳》所稱揚的祭

⓭　《春秋繁露義證》，卷3〈玉英〉，頁78—79。
⓮　《春秋繁露義證》，卷11〈陽尊陰卑〉，頁326—327。

仲之權？不過董子的這個思考，卻也透露了他在漢代大一統、君權至上的時代氛圍中，對屬於異常「變禮」的「權」抱持相當戒心的態度。

五、北宋儒者的「權」論

漢宋學者在許多學術領域的觀點上不同，這當然與他們所面臨的歷史情境及問題不同有關。在「經」「權」問題上，北宋初期的學者也表現出不同於漢儒的看法。例如徐積（胡瑗門人）便說：

> 欲求聖人之道，必於其變。所謂變者何也？蓋盡中道者，聖人也；而中道不足以盡，聖人故必觀于變。蓋變則縱橫反覆，不主故常而皆合道，非賢人之所能。故孔子曰「未可與權」，孟子「惡其執一」也。❶

漢儒對於「權」的態度是收縮行權的空間，使符合「經」或「道」的規範，但是宋儒卻以「權」才是聖人精微處。邵雍也說：

> 漢儒以反經合道為權，得一端者也。權所以平物之輕重。聖人行權，酌其輕重而行之，合其宜而已。故執中無權者。猶為偏也。❶

堯夫認為漢儒以「反經合道」為權，正是犯了孟子所說「執一」的毛病，失去了斟酌輕重的彈性，其實「權」只是「合其宜而已」，既非違反常道，也非執中而偏。我們可以看到宋初儒者面對「權」的問題時，其態度較漢儒開放，雖然他們也認為「權」是一種「變」，但是這種「變」是在尋求「時宜」，不是違背常道，而同是在道中，其中反而有聖人更精微的思慮。因此，程頤便提出了「權只是經」的說法：

---

❶ 《宋元學案》，卷1〈安定學案〉，頁38。
❶ 《宋元學案》，卷9〈百源學案上〉，頁397。

漢儒以反經合道為權，故有權變，權術之論，皆非也。權只是經也。自漢以來無人識權字。**⓱**

又說：

論事須用著權。古今多錯用權字，纔說權，便是變詐或權術。不知權只是經所不及者，權量輕重，使之合義，纔合義，便是經也。今人說權不是經，便是經也。**⓲**

世之學者，未嘗知權之義，於理所不可，則曰「姑從權」，是以權為變詐之術而已也。夫臨事之際，稱輕重而處之以合於義，是之謂權，豈拂經之道哉！**⓳**

程頤的這個說法是在徐積、邵雍二人之上再進一步，認為「權」只要合義，便是「經」，所以他說「權只是經」。伊川此說，是提高了「權」的位階，使「權」和「經」同等重要，他在另一處就說：

理善莫過於中。中則無不正者，而正未必得中。**⓴**

中無定體，惟達權然後能執之。**㉑**

「理」最好的狀態便是和諧，但是和諧不是指處在一個固定的定點不動，而是要能「隨時和諧」，這要靠「權」的斟酌輕重、適時衡量才能達成，所以程頤主張

⓱　《宋元學案》，卷 15〈伊川學案上〉，頁 626。
⓲　〔宋〕程頤、程顥著、王孝魚點校：《二程集》（臺北：里仁書局影印本，1982），卷 18，頁 234。
⓳　《二程集》，頁 1176。
⓴　《二程集》，頁 1175。
㉑　《二程集》，頁 1182。

的「權只是經」。在這樣的理路之下，即成為實踐或修養中的一種方法，甚至會是一種關鍵方法，則「權」在程頤這裡得到了更多的重視，也修正了漢儒經權論說偏離孔孟精神的缺失。

六、朱子的「權」論

伊川在學術史上的形象或許是嚴肅的、保守的，但他的「權」論卻是在反對漢儒的思考中走出一條活潑的路子，在學脈上承繼伊川的朱子，原本應該承繼伊川之說再加推闡，以盡其底蘊，但事實上，朱子並不認同程子的「權」論，進而又為「權」加上了許多限制。

伊川認為「權只是經」，但朱子卻主張「經權有別」。朱子在《論語集注》注解《論語·子罕篇》「可與立未可與權」一章時，曾引程頤「權只是經」的說法，但在此章之末他特別再下案語曰：

> 愚案：先儒誤以此章連下文「偏其反而」為一章，故有反經合道之說，程子非之是矣。然以孟子嫂溺援之以手之義推之，則權與經亦當有辨。❷❷

朱子在此很委婉的為程子「權只是經」說找理由，認為程子之說是針對先儒將此章與下章「唐棣之華，偏其反而」連為一章之誤而發，似乎有意將程頤此說的對象限定在這一章的注解上，接著他便提出了「經權有辨」的不同意見。此外，他在回答弟子呂燾「問經權之別」時說：

> 問經、權之別。曰：「經與權，須還他中央有箇界分。如程先生說，則無界分矣。程先生『權即經』之說，其意蓋恐人離了經，然一滾來滾去，則

---

❷❷ 〔宋〕朱熹集注，〔宋〕趙順孫纂疏：《論語纂疏》（臺北：文史哲出版社影印本，1986），卷 5，葉 23 上。

經與權都鶻突沒理會了。」❷❸

朱子以伊川論「權只是經」的本意是為怕人離經論權，而將權與經一滾提出，但是這樣又會讓人以為經權無所分別，混淆了經權的界限。因為他主張「經自經，權自權」，經是常，權是變，二者明明不同：

> 經自經，權自權。但經有不可行處，而至於用權，此權所以合經也，如湯、武事，伊、周事，嫂溺則援事。常如風和日暖，固好；變如迅雷烈風。若無迅雷烈風，則都旱了，不可以為常。❷❹

朱子以風和日暖喻常，以迅雷烈風喻變，而常多變少，變是為了調和常之不及不足，所以二者或許在目的上相同，但不論在內容或形跡上都不相同。他在一封〈答劉季章〉的信中更提到了對「經權無別」觀點的憂慮：

> （劉季章問）「未可與權」，《集註》之末有云：「然以孟子嫂溺援之以手之義推之，則權與經亦當有辨。」某竊謂天下之事只有一箇理，所重在此，則其理不外乎此。當嫂溺之時只合援之以手，雖出於急遽不得已之為，乃天理人事之不容已者也。今云「有辨」，開此一線路，恐學者因以藉口而小小走作，不暇自顧矣，如何？
>
> （朱熹答）既云「急遽不得已之為」，即是權不可常而經可常，自有不容無辨處。若只說權便是經，都無分別，卻恐其弊不止開一線路而已。❷❺

觀劉黼（字季章）之意，似認為「嫂溺援之以手」也是理（經）中之事，如果照朱子

---

❷❸　《朱子語類》，頁 988。

❷❹　《朱子語類》，頁 987。

❷❺　〔宋〕朱熹撰：《晦菴集》（臺北：臺灣商務印書館影印文淵閣庫全書本，1983），卷 52，葉 15。

之說「經權有辨」,則「權」之行為會被認為不合正道,若因此而啟世俗之批評,則學者人人顧忌,將導致遇事不敢權宜的問題。但是朱子卻以為權非常事,若只說「權便是經」,其弊將更甚於學者之自限,表現出他對於開放權宜衡量的擔憂。所以他堅決主張常變不可等觀,經權必須有別,進而同意漢儒以「權」為「反經」之說:

> 用之問:「『權也者,反經而合於道』,此語亦好。」曰:「若淺說,亦不妨。伊川以為權便是經。某以為反經而合於道,乃所以為經。如征伐視揖遜,放廢視臣事,豈得是常事?但終是正也。」❷❻

> 或問經與權之義。曰:「公羊以『反經合道』為權,伊川以為非。若平看,反經亦未為不是。且如君臣兄弟,是天地之常經,不可易者。湯武之誅桀紂,卻是以臣弒君;周公之誅管蔡,卻是以弟殺兄,豈不是反經!但時節到這裏,道理當恁地做,雖然反經,卻自合道理。但反經而不合道理,則不可。若合道理,亦何害於經乎!❷❼

朱子用湯武誅桀紂、周公討管蔡為例,說明此二事都是「反經」之事,但是在當時此事「合當如此」,只能用「弒君」、「殺兄」來「合道理」。所以在事為的表現上,尊君、敬兄為「常」為「經」,弒君、殺兄為「變」為「權」,二者的確不同。如此一來,他必須要面對在經權問題上和伊川不同立場的質疑,雖然他一再表明「如某說,非是異伊川說,即是須為他分別,經是經,權是權。如漢儒反經之說,卻經、權曉然在眼前。伊川說,曉得底卻知得權也是常理,曉不得底卻鶻突了。」❷❽企圖用「為伊川辨明」的說法來調和彼此的差異,但是二人之說

---

❷❻ 《朱子語類》,頁 988—989。

❷❼ 《朱子語類》,頁 990。

❷❽ 《朱子語類》,頁 993。

的確有所不同，伊川認為權為經在現實中的表現，它藉由調適損益，表現出「道之中」，即是道最合宜的狀態，所以他說「中無定體，惟達權然後能執之」是一種「權在經裡」的主張；至於朱子卻堅持「權」為變，它就是與「經」不同，不可混淆的「經權有別」立場。對於這個差異，朱子或許有所察覺，所以在他的權論中有一個特殊的說法──「權處是道理上更有一重道理」❷，他試圖在「經」「權」之上再架構一個「理」，作為裁斷何時守經、何時用權的準據，那麼這樣便與伊川「權在經裡」的主張無異。這個在「權」之上（也在「經」之上）的「道理」便是「義」：

> 正甫謂：「『權、義舉而皇極立』，權、義只相似。」曰：「義可以總括得經、權，不可將來對權。義當守經，則守經；義當用權，則用權，所以謂義可以總括得經、權。若可權、義並言，如以兩字對一字，當云『經、權舉』乃可。伊川曰：『惟義無對。』伊川所謂『權便是經』，亦少分別。須是分別經、權自是兩物；到得合於權，便自與經無異，如此說乃可。」❸

> 問：「權便是義否？」曰：「權是用那義底。」問：「中便是時措之宜否？」曰：「以義權之，而後得中。義似稱，權是將這稱去稱量，中是物得其平處。」❹

在此他提出「義可括經權」的說法，用「義」來決定守經或用權，這就是他所謂的「權處是道理上還有一重道理」，他同時也以此來詮釋伊川「權只是經」之說，雖仍不放棄「經、權自是兩物」的立場，但是在以「義」為「稱」來衡量以求其平的情況下，便是得其「中」，也是合於「經」，如此，則其權論也在迂曲的安

---

❷　《朱子語類》，頁987。

❸　《朱子語類》，頁990。

❹　《朱子語類》，頁987。

排中與伊川「權在經裡」的論說型態無大差異。

朱子既然提出了「義可括經權」的權論，自然有所發揮，例如他很喜歡說：所以要用權，是因為事情「合當如此」：

> 問：「夫子欲見南子，而子路不說，何發於言辭之間如此之驟？」曰：「這般所在難說。如聖人須要見南子是如何，想當時亦無必皆見之理。如『衛靈公問陳』，也且可以款款與他說，又卻明日便行。齊景公欲『以季孟之間待之』，也且從容不妨，明日又便行。季桓子受女樂，也且可以教他不得受，明日又便行。看聖人這般所在，其去甚果。不知於南子須欲見之，到子路不說，又費許多說話，又如指誓。只怕當時如這般去就，自是時宜。聖人既以為可見，恐是道理必有合如此。『可與立，未可與權』。吾人見未到聖人心下，這般所在都難說。」❷

> 問經、權。曰：「權者，乃是到這地頭，道理合當恁地做，故雖異於經，而實亦經也。且如冬月便合著綿向火，此是經。忽然一日煖，則亦須使扇，當風坐，此便是權。伊川謂『權只是經』，意亦如此。……」❸

在朱子「義可括經權」說法為主導的權論思考，應該會形成一個這樣的推論順序：因為「義」是衡量經權的準據，所以不論守經或用權，其目的即在「合於義」，「合於義」便是「合於宜」，即是在應該這樣做的地方這樣做，就是「合當如此」而「恁地如此」。他用這個思考來解釋孔子見南子之事。孔子此舉遭子路質疑，因其急於辯解，而言辭急切，似頗有慚疚之意，引此許多懷疑。但朱子認為孔子懂得用權，必在當為之處而為，雖然我們不能得見其心思，但是他見或不見、行或不行，「恐是道理必有合如此」。至於上引第二條資料，則是很清楚的表明了

---

❷　《朱子語類》，頁 838。
❸　《朱子語類》，頁 988。

朱子的思路，以及他用「義括經權」來融攝伊川和自己權論的具體作為。

　　事物是否為「權」在於是否合義，亦即「權」是「義」的展現，那麼，這個「義」它所要面對的是「常」與「變」都會出現的狀態，要作為有裁斷能力的「義」，它不應是具體的條文或規則，而應是人性之德，既是德，則其根據在於人心，因此朱子認為用權必須依據「本心」：

> 問：「瞽瞍殺人，在皋陶則只知有法，而不知有天子之父；在舜則只知有父，而不知有天下。此只是聖賢之心坦然直截，當事主一，不要生枝節否？」曰：「孟子只是言聖賢之心耳。聖賢之心合下是如此，權制有未暇論。然到極不得已處，亦須變而通之。蓋法者，天下公共，在皋陶亦只得執之而已。若人心不許舜棄天下而去，則便是天也。皋陶亦安能違天！法與理便即是人心底。亦須是合下有如此底心，方能為是權制。今人於事合下無如此底心，其初便從權制去，則不可。」❸❹

朱子在此與學生討論《孟子·盡心上篇》桃應問孟子「舜為天子，皋陶為士，瞽瞍殺人，則如之何？」，孟子認為皋陶為國之士，論法而不必顧及犯罪者身分，直需執之而已；而舜則應以父為大，竊負瞽瞍，棄天下而遯處海濱。這是個倫理問題，舜既為天子，但父親犯罪，是應該大義滅親？還是循私寬宥？孟子給的答案是個權衡的結果，但仍有違法的爭議，所以朱子的學生在接受朱子在《孟子集注》的說法後，仍不安的問：是否只應從人子愛父的角度看問題，而不必顧及其他？朱子進一步的申述自己的看法，認為這樣的倫理衝突是個非常的「變」，是「不得已」，孟子所言，是推求聖賢依其愛父之本心而為之「權制」，而且「法與理便即是人心底」，即使是違反了「法」「理」，但據本心所為之「權」，即是合於義。不過他同時強調，這種權制一定要「有如此地心」，如果沒有直截真

---

❸❹　《朱子語類》，頁 1450。

誠的本心為根據，即不可使用權制。因此他對於「權」的實際行使，表現出相當
保守的態度，不但多次明言「權」不可常用，而且必須是「聖賢」才可行權：

> 經是萬世常行之道，權是不得已而用之，大概不可用時多。❸

> 經是萬世常行之道，權是不得已而用之，須是合義也。如湯放桀，武王伐
> 紂，伊尹放太甲，此是權也。若日日時時用之，則成甚世界了！❸

> 經，是常行道理。權，則是那常理行不得處，不得已而有所通變底道理。
> 權得其中，固是與經不異，畢竟權則可暫而不可常。如堯舜揖遜，湯武征
> 誅，此是權也，豈可常行乎！觀聖人此意，畢竟是未許人用「權」字。❸

> 蓋權是不常用底物事。❸

> 若不是大聖賢用權，少間出入，便易得走作。❸

朱子以「權」不可常用、又必須是「大聖賢」才可行使，這與伊川的態度相較，
顯得保守許多。如果從理論的層面來看，朱子以「權」與「經」不同，為避免偏
差，便使它必須「合於義」，而義為心之德，要求得真正的合宜，必須仰賴真誠
的本心，但是他又以為「欲生惡死，人心也；惟義所在，道心也。權輕重卻又是
義。」❹則人心又不全然可靠，那麼終究要由「仁精義熟」的聖賢才足以當此重
任。他的整個經權論說體系表現出許多限制以及對於「行權」的不信任。在理論
的深度上，他的確比漢儒或是伊川等前輩要完備而深入，但是就實踐的層面來說，

---

❸ 《朱子語類》，頁 989。
❸ 《朱子語類》，頁 990。
❸ 《朱子語類》，頁 990。
❸ 《朱子語類》，頁 991。
❸ 《朱子語類》，頁 994。
❹ 《朱子語類》，頁 1404。

他似乎又回到了董仲舒一般的猶豫。

綜觀朱子之權論，我們大致可以做如下的整理：

㈠他贊成漢儒以權為「反經」之說，主張「經權有別」，與其前輩程頤「權只是經」的「融權入經」立場不同。

㈡他與伊川立場的差異，利用「義括經權」的架構加以融通，使其論說中的「經」「權」都成為「義」的顯現，以「融經權入義」來表現出與伊川「融權入經」相似的論說型態。

㈢朱子以「義」為節制判斷守經用權的準據，則其最後之依歸必然求諸本心之顯發，但是在「人心」「道心」有別的思考下，不得不將行權之事委諸聖賢，才不會有所偏差。故其權論在實踐層面表現出明顯的保守性格。

七、結　論

經過以上的論述，我們可以歸納儒家「經權」論述在先秦及漢宋儒者間的發展及朱子的觀點，約有以下數端值得觀察與思考：

其一、我們從孔子的「權」說開始討論，可以發現孔孟在面對「權」的態度上，均是以「權」是「道德主體」根據時宜而為的彈性作為，並未明白限制「權」的內涵及其施用對象和時機，表現出相當開放的態度。而在在荀子的論說中，他改變了孔孟以道德主體因時制宜以行權的彈性，而視「禮」與「道」為「經」、為「正權」，這便使得「經」「權」關係不再是「選擇」或「衡酌」，而是「裁斷」或「矯正」的意義。這可以說是儒家經權論述在精神與內涵上發生變化的開始。

其二、本文以《公羊傳》和《春秋繁露》為例，觀察漢儒在經權論述上的發展。發現《公羊傳》提出的「反經合道」之說將經與權視為相反相對的概念，而且這樣的說法，等於是認為在「經」「權」之外還有一個「道」的更高準則，因此董仲舒以「禮」來統攝「經」「權」，即是此一思路的表現。如此論述可視為

荀子經權觀的發展，其共同特色在於降低了道德主體衡酌行事的主動性，而加強了如「禮」與「天道」的外在制約。

其三、北宋儒者的經權觀念則有返回孔孟精神的趨勢，伊川「權只是經」的說法讓道德主體的主動性再度得到彰顯。

其四、朱子的學脈雖承自伊川，但對伊川「權只是經」的觀點不表認同，他一方面提出了「經權有辨」的論述，強調「權不可常而經可常」，經與權不可混為一論，否則將有弊害；另一方面他也提出「義可括經權」的理論設計，使「權」合於「義」，企圖消除他與伊川說法間的不同。此外，朱子在面對「何人可以行權」的問題時，將行權之責交付與聖賢，表現出了對於人心的顧慮，以及相對於北宋儒者的保守性。

其五、孔子在「可與立，未可與權」的說法中，隱含著「以權為難事」的意思，而孟子在論及「權」時的說法又會引起如「權是與禮或綱常相對的概念」、「根本的人性（或心性）才是適當行為的依據」、「權只適用於非常狀況」等聯想，因此我們發現儒家「權」論在其後的發展中，不斷擴大上述在孔孟論說中隱含的對「權」的反面思考，形成一種理論愈來愈細密明確，但是卻對「權」的限制愈來愈多的現象。也就是說，儒家經權論述所表現的現實性增加了（如對用權時機、能用權的人的限制及加強外在制約），但是理想性卻逐漸消失。何以致此？這是否不只是理論問題，而可能涉及了複雜的人性觀點及歷史文化的情境，值得吾人繼續深入探究。

經學文獻整理與治學的關係

陳恆嵩

東吳大學中國文學系副教授

一、前　言

自漢武帝「獨尊儒術，罷黜百家」後，儒家的經典成為我國傳統文化最重要的典籍，是古代所有的讀書人都要研讀深究的。儒家的經典以《十三經》及《四書》兩套經典為中心，二千多年來，經過無數的讀書人窮盡一生精神去注解或詮釋經籍，歷代所累積典籍之多，可說浩博繁重，汗牛充棟，蒐檢閱讀惟艱。後代學者若欲進入經學門徑以窺學術的堂奧，從事經學文獻的整理工作，是最根本而基礎的首要工作。

經學文獻的整理工作，海峽兩岸都有學者持續在從事，唯缺乏對《十三經》、《四書》各經書文獻作全面系統的評述介紹。近年來，大陸學術界開始重視文獻的研究與整理，相繼有郝桂敏的《宋代詩經文獻研究》❶、鄧聲國的《清代儀禮文獻研究》❷出版，總結宋、清兩代學者從事《詩經》、《儀禮》兩部經書的研究成果，對學術界研究古代的經學有相當大的幫助。

筆者往年曾參與《經學研究論著目錄（1912－1987）》、《經學研究論著目（1993

---

❶　郝桂敏撰：《宋代詩經文獻研究》（北京：中國社會科學出版社，2006 年 2 月）。

❷　鄧聲國撰：《清代儀禮文獻研究》（上海：上海古籍出版社，2006 年 4 月）。

－1997）》的編纂，及《點校補正經義考》、國家圖書館的《善本序跋輯錄·經部》的輯錄點校等工作，現正從事《十三經著述現存板本目錄》的編輯工作，十多年來親自參與經學文獻的纂輯整理，雖非全面性經學文獻整理，累積一些心得，願藉此機會談談個人的想法，以就教諸位學界先進前輩。

二、經學文獻整理的方式

　　經學文獻，泛指一切載錄與經學研究相關的所有著作。從事學術研究工作需要以文獻資料作為基礎，文獻資料若未經系統整理，則學術工作將變得繁雜瑣碎而難以使用，研究效果將會事倍功半。經學研究的基礎在文獻資料，經學文獻資料也必須經過系統有效的整理，才能使研究工作順利進行。然而文獻整理的涵義為何？從事文獻整理的方式有那些？臺灣學術界或許普遍認為它是約定俗成，人所共知，不須多加解釋，故至今未見有人對此作詳細的解說。反觀大陸學術界，近年來普遍重視古籍整理，廣泛培養古籍整理人才，在文獻整理學上發展迅速，有相當多的成果出版，累積下來許多經驗心得，進而有學者針對該學科的理論、內涵及其方法加以總結，出版專門討論古籍整理的專著。大陸學者習慣將『文獻整理』稱為『古籍整理』，而「古籍整理」的定義究竟為何？黃永年解釋「古籍整理」一詞的涵義時說：

> 古籍整理者，是對原有的古籍作種種加工，而這些加工的目的是使古籍更便於今人以及後人閱讀利用。❸

黃氏以為古籍整理是「對古籍作種種加工」、「使古籍更便於今人以及後人閱讀利用」，除此之外，像「撰寫講述某種古籍的論文，以及撰寫對於某種古籍的研究專著」，則只是古籍研究而非古籍整理。對於古籍整理的方法、工序，他限定

---

❸　黃永年撰：《古籍整理概論》（上海：上海書店出版社，2001 年 1 月），頁 5。

在：「選擇底本、影印、校勘、輯佚、標點、注釋、今譯、序跋、索引、附錄」等十項。稍後出版的時永樂在《古籍整理教程》解釋說：

> 所謂古籍整理，就是對古籍本身進行校勘、標點、注釋及今譯等各種加工，使之出現新的本子，以便於今人和後人閱讀利用。❹

根據時氏書中所列章節，有版本、校勘、標點、注釋、辨偽與輯佚，以及撰寫序跋、編輯附錄和索引等項目，可知時氏對古籍整理的看法，完全都是承襲黃永年的說法而來。劉琳、吳洪澤的《古籍整理學》，解釋其詞義時說：

> 這裡說的「古籍」，包括古書和古書以外的、未形成「書」的其他古代文獻，如甲骨刻辭、金石刻辭、簡牘帛書、敦煌卷子等等。所謂「古籍整理」，有廣義的古籍整理，有狹義的古籍整理。現在一般人把有關古籍各方面的學術工作都統統稱之為古籍整理，這可以叫做廣義的古籍整理。而我們所說的古籍整理，是指狹義的、嚴格意義上的古籍整理。嚴格意義上的古籍整理，就是對古籍的原文進行某種形式的整理加工，以便於人我們閱讀與研究。比如校勘以是正文字，標點以分清句讀，注釋以闡明文義，翻譯以通達古今，輯佚以撫拾遺文，抄纂以採其菁華等等。❺

將古籍整理區分為廣義與狹義兩類，明確古籍整理的方式僅限定在「校勘、標點、注釋、今譯、輯佚、抄錄」六種。劉琳的說法，與與前兩家可說是大同小異。相異者僅在劉琳排除「影印」，且將「目錄、版本、辨偽、檢索」幾項，黃、時兩家皆認同是古籍整理的方式，而劉氏僅視為是整理古籍必須掌握的基礎知識。

古籍整理在早期大都將它限定在校勘、標點、注釋等幾個方面而已，近年隨

---

❹　時永樂撰：《古籍整理教程》（保定：河北大學出版社，2003年2月），頁3。
❺　劉琳、吳洪澤撰：《古籍整理學》（成都：四川大學出版社，2003年7月），頁2。

著古籍整理的方式與範圍的不斷擴大，古籍整理的涵義應採較廣泛的角度認定，
舉凡對古籍作種種加工以便利後人閱讀利用者，包括影印、匯編叢書、編輯專科
目錄、工具書等都可視為古籍整理。所謂「經學文獻的整理」，即是將古籍整理
的範圍限定在經學典籍方面的文獻。個人認為無論是何種整理古籍的方法，只要
是對經學古籍作各種的整理編纂工作，以方便世人的閱讀與研究利用，都可以屬
於經學文獻的整理。

三、經學文獻的範圍及其分布

㈠ 經學文獻的範圍

儒家經典的形成，有其歷史發展的歷程，在先秦時期有《易》、《書》、《詩》、
《禮》、《樂》、《春秋》六經。秦火之後，《樂》經失傳，漢代時僅存《易》、
《書》、《詩》、《禮》、《春秋》五經。唐代則有《易》、《書》、《詩》、
《周禮》、《儀禮》、《禮記》、《左傳》、《公羊傳》、《穀梁傳》九經。唐
文宗開成二年時刻開成石經，在原來九經之上，又增加《論語》、《孝經》、《爾
雅》三部成為十二經。北宋時，《孟子》逐漸受理學家推崇，地位升高，被視為
儒家的正統，到南宋時將其併入十二經，使之成為《十三經》，儒家經典正式確
立為《十三經》。南宋時，朱熹將〈大學〉、〈中庸〉自《禮記》中抽出，為其
作章句，與所注解《論語集注》、《孟子集注》合併為《四書章句集注》，元明
以後，科舉列為考試範本，在學術史上的地位幾乎凌駕《十三經》之上，經學典
籍形成《十三經》和《四書》兩套系統。經學文獻雖以《十三經》、《四書》為
主，二千多年來的著作可概分為：經書本身的文獻和經學史的文獻兩大類。

1.經書本身的文獻

專門指針對《十三經》及《四書》經書本身文獻，進行經文的注釋翻譯、工
具書的編纂、內容的分析探究等。可分為：書目（如：寇淑慧編《二十世紀詩經研究文
獻目錄》）。索引（如：顧頡剛編《尚書通檢》）。辭典（如：周民編《尚書辭典》、錢玄編《三

禮辭典》）。叢書（如：杜松柏編《尚書類聚初集》、夏傳才編《詩經要籍集成》）。注釋（如：屈萬里《尚書集釋》、楊伯峻《春秋左傳注》）。翻譯（如：屈萬里《尚書今註今譯》）。入門通論書籍（如：張高評《左傳導讀》）。經書分類研究，含括有思想制度研究（如：李新霖《春秋公羊傳要義》）、文學研究（如：胡念貽〈《尚書》的散文藝術及其在文學史上的地位與影響〉）、語言文字研究（如：夏傳才《詩經語言藝術》）等。此類經學文獻著作的時間跨度相當長，從先秦到現代，皆在收集範圍。

2.經學史的文獻

　　經學史的文獻，指的是歷代經學家的經書研究，時間跨度也從先秦到現代，每個時期經學家的著作皆在收集範圍。

(二) 經學文獻的分布

　　學者從事經學研究，首要必備的專業技能即是經學資料的檢索，而要檢索經學資料，就要知道經學資料究竟在那裡？如何去蒐集？從事經學文獻的整理工作也是如此，首要就是確實瞭解經學文獻的分布，掌握文獻的分布所在，方能順利進行，茲將經學文獻稍作敘述，以作為蒐集資料的依據。

1.古代典籍中的經學文獻

(1)經學專著

　　經學專著是指作者有系統、有組織的撰寫完成，而以專書形態出版或未出版的稿本的一種經學著作文獻。從經學專著的流傳方式，經學專著大致可區別以下幾種：

①單行本

　　單行本經學專著，是指以個別的形式單獨印行的某一種經學著作文獻。如：朱熹《詩集傳》、蔡沈《書集傳》、陳澔《禮記集說》等。

②存於某人的全集中

　　某人的經學專著，在編輯個人的著作全集時，作者或編輯者往往會一併收入全集中，例如：朱熹的《朱熹全書》收錄其《周易本義》、《詩集傳》《四書章

句集注》等書。戴震的《戴震全集》將他的所有經學著作全部收入整理標校。

③存於綜合性叢書

叢書匯聚各種圖書於一編之中,便於文獻的保存。大型的叢書匯聚經、史、子、集四部典籍於其中,經學著作為傳統學術的根源,當然會被收入大型的叢書之中,如:文淵閣《四庫全書》、《四部叢刊》、《續修四庫全書》、《四庫全書存目叢書》、《四庫未收書輯刊》等。

④存於經學專門叢書

專門匯集經學著作而成的經學叢書,如:《十三經注疏》、徐乾學編《通志堂經解》、阮元編《皇清經解》、錢儀吉編《經苑》、嚴靈峰編《無求備齋易經集成》、趙聚鈺編《大易類聚》、杜松柏編《尚書類聚初編》、夏傳才編《詩經要籍集成》、《韓國經學資料集成》等。

(2)史學著作中的經學文獻

史學著作中並不直接記載經書典籍的文字,主要是與經學研究相關的資料。正史中的〈經籍志〉、〈藝文志〉記錄一代的圖書,經部的文獻,正反映每一個時代學者研究著述的成果。而正史中的〈道學傳〉、〈儒林傳〉有經學家的人物傳記,這是歷代經學家傳記的大部分資料來源。另外,地方志中的〈經籍志〉、〈藝文志〉及人物傳記,也可反映某一地經學研究的概況。再者,史學著作中的傳記、年譜,可供學者從事研究經學家的生平事蹟時參考之用。

(3)子學著作中的經學文獻

哲學家的專著中,往往有批評經學、經學人物或引申論述經學著作的文字。如王充《論衡》、徐幹《中論》皆有對當時經學的批評。其次,哲學家的語錄,往往是對經書闡述或批評的文字。如二程子的語錄、《朱子語錄》、王陽明《傳習錄》等。學案體裁的著作,如《宋元學案》、《明儒學案》、《清儒學案》、《清儒學案新編》等往往摘錄哲學家或經學家的部分資料(包括生平事跡、著作摘要),也有可供參考之處。

(4)文學著作中的經學文獻

文學類著作中所含蘊的經學文獻，主要可從幾個方面來加以搜尋：

①文集中的經學文獻

古代的學者或作家，基於「立言」的傳統，大部分都會編有個人的文集傳世，文集中經常收錄他對經學典籍的讀書的心得和研究成果。每個作家所撰寫的文章篇數雖然多寡不一，但因人數眾多，篇數可說相當龐大，具有極高的學術參考價值。歷代學者文集中所收錄的文章，可透過《全唐文篇名分類索引》、《元人文集篇目分類索引》、《清人文集篇目分類索引》、《四庫全書文集篇目分類索引》等工具書查閱檢得。

②詩話、文話中的經學文獻

詩話是專門評論詩人、詩歌或記錄詩人言論行事的書。書中經常談論詩歌理論批評，其中頗多涉及《詩經》內容評論的文字，從清代葉燮《原詩》、方東樹《昭昧詹言》、《全明詩話》、何文煥編《歷代詩話》及丁福保編《歷代詩話續編》等書，皆可蒐集到論述《詩經》的評論文字，內容闡釋詩學的原理義蘊，值得《詩經》研究者參考。

文話又稱文評，專門評論文章風格技巧的著作，從魏晉南北朝時期就有此類著作，書中長有討論《周易》、《尚書》、《春秋》三傳、三禮、《四書》等內容的文字。如劉勰《文心雕龍》一書，書中內容雖然主要是討論文學風格、文體的寫作技巧及其特色，其中有〈徵聖〉、〈宗經〉等篇，從中可看出經學與文學的互動關係。劉熙載《藝概》書中即有相當多評論經書文章的意見。詩話、文話的著作，歷代傳世者相當多，可從《中國叢書綜錄》的「文評類」查檢而得。

③筆記雜著中的經學文獻

古代的學者大都劬學篤好，遍極群書，經史雜說，無不蒐覽，清代陳其榮曰：「自來博物洽聞之士，其耳目所涉歷，胸肊所蘊積，必思有以筆之於書，而於經

傳之沿訛、史家之疏漏，為之考覈是非，抉剔疑義。」❻學問博洽貫通，涉獵又廣，讀書講學之際，難免考校疏解疑義，偶有所見，隨即記錄，日久成帙，隨筆雜著遂成古代圖書文獻的大宗。筆記雜著的內容都極為豐富，書中經常有許多篇幅討論儒家典籍的解釋、考證、校勘的內容，或評論經學流派、經學人物的資料，如宋代洪邁《容齋隨筆》、明代何良俊《四友齋叢說》、焦竑《焦氏筆乘》、清顧炎武《日知錄》、徐文靖《管城碩記》、俞樾《九九銷夏錄》等，書中都有為數相當多的討論經學問題的讀書筆記，往往有發前人所未發的意見，可提供經學研究者許多借鑑之處。

(5)類書中的經學文獻

類書是將從經史子集各種中蒐集來的資料，依性質、字韻作系統分類編排，編纂而成的一種圖書，供徵引和檢索之用。類書資料來自經史子集各種典籍，是資料的彙編，大多有引用經書的文字資料。歷代編纂的類書數量相當多，其中尤以《古今圖書集成》的《經籍典》收集各經相關文獻相當豐富，值得經學研究者參考。

2.現、當代文獻中的經學文獻

①經學專著

所謂經學專著，係指現、當代學者所撰寫出版有關經學研究的著作。

②期刊中的經學文獻

現、當代學者專家發表在定期出版期刊上的經學論文，可經由余秉權編輯《中國史學論文引得》、《中國史學論文引得續編》、林慶彰編輯《經學研究論著目錄》等工具目錄查詢而得。

③論文集中的經學文獻

---

❻　陳氏之言見《遜志堂雜鈔》書前之序言。參見〔清〕吳翌鳳撰：《遜志堂雜鈔》（北京：中華書局，1994 年 9 月），頁 1。

指各種學術會議的會議論文集、學者專家的個人論文集、紀念論文集等。

④學位論文中的經學文獻

大專院校的博、碩士學位經學論文，大多是在該領域學有專精的學者專家指導下所完成，具有一定的學術水準，對研究經學者有相當高的參考價值。經學學位論文可透過《全國博碩士論文分類目錄》、『博士論文全文影像系統』、『CDMD——中國優秀博碩士學位論文全文數據庫』等檢索。❼

四、經學文獻整理與治學的關係

談論經學文獻整理與治學的關係，可從兩個層面進行說明，首先是從事經學文獻整理有何應注意的事項，其次是文獻經整理後對經學研究有何作用，以下依序加以說明。

㈠ 經學文獻整理應注意的問題

在文獻整理過程，有兩點觀念對典籍整理工作成功與否，具有相當重要的影響，主其事者應特別注意。

1.文獻收集越完備，研究成果就越令人滿意

從事經學研究若能充分吸收前人的研究成果，對學術研究水平的提昇將有極大的助益。經籍數量龐大浩繁，文獻資料的存藏遍及各種典籍文獻，可說內涵包羅廣泛，研究者若能充分了解目錄學的知識，對蒐集經書資料瞭解越詳細，所蒐集到的資料也就越完整。經書文獻的收集，主要有古籍版本的蒐集、近現代論文及專著的收集兩大類：

⑴版本的蒐集

古籍經書著作在撰寫完成後，基於學術及讀者需要，會有陸續有不同的刊刻情況，往往因人時地等因素的關係，各家雖係刊刻同一種著作，卻形成各種不同

---

❼ 此節資料參考林慶彰先生《經學文獻學》上課講義。

的版本。各版本間除版式有所不同外，有時內容、卷數等難免也會有差異情形存在。研究者在撰寫論文之前，文獻資料收集越完備，掌握的研究成果越豐富，觀察分析較能觀照各層面，獲致的結論較為深入確實，也比較令人滿意。

　　從事經學研究前，若能將各種經書的版本匯聚一起，蒐羅盡量完備，除可藉此瞭解經書版本的流傳概況外，並可查閱各經書版本間內容文字、卷數有何差異。各經書的卷數不同，內容往往也有所出入。以梅鷟《尚書考異》為例，從事《尚書》學的研究，東晉梅賾所傳《古文尚書》五十八篇的真偽問題，錯綜複雜，使人困擾卻又難以解決的問題，自宋人吳棫對其真偽開始提出懷疑，持續有學者發表疑《古文尚書》偽作的言論，開始吵得沸沸揚揚，數百年來無法論斷，清代閻若璩撰《尚書古文疏證》，舉出一百二十八條證據，始將此問題拍板定讞。歷代學者大都以為係閻若璩憑個人之力蒐羅《古文尚書》作偽的證據。實際上，比閻若璩時代早而用全力去考辨《古文尚書》作偽的，是明代的梅鷟，梅鷟撰有《尚書考異》、《尚書譜》兩書，內容全係考辨《古文尚書》真偽問題，閻若璩的說法極頗多參考梅鷟《尚書考異》的資料與意見。而梅鷟的《尚書考異》一般的通行板本都是採用文淵閣《四庫全書》的五卷本。據《四庫全書總目》著錄，文淵閣《四庫全書》採錄浙江范懋柱天一閣藏本，且說：「原稿未分卷，而實不止於一卷，今約略篇頁，釐為五卷。」❽可知《尚書考異》著錄為五卷，係四庫館臣基於將全書分為一卷，卷數稍嫌過大，故依篇頁自行釐分為五卷。從事《尚書》學研究者若不廣泛蒐集該書的版本版本，就會將《四庫》本誤認為是全書。事實上，《尚書考異》傳世者就有四種版本：

　　《尚書考異》五卷　　文淵閣四庫全書、文津閣四庫全書

　　《尚書考異》六卷　　清嘉慶十九年（1814）《平津館叢書》本

---

❽　參見〔清〕紀昀等撰：《四庫全書總目》（臺北：臺灣商務印書館，影印武英殿本，1983 年 10 月），12 卷，〈尚書考異五卷提要〉，頁 15 下。

　　　　　　清道光五年（1825）立本齋刊本【香港】香港中大圖

　　　　　　清光緒十八年浙江書局刊本【臺灣】史語所　臺大圖

　　　　　　清抄本　【中國】華東師大圖

　　《尚書考異》二卷　　清光緒十年（1884）朱記榮槐廬家塾刻本　【香港】香

　　　　　港中央圖

　　《尚書考異》不分卷　明白鶴山房抄本　　【大陸】北京國圖

　　　　　　清抄本　　【中國】北京國圖

　　　　　　清抄本　　【中國】北京國圖

　　《尚書考異》的四種版本，卷數彼此都不相同。除典藏在香港中央圖書館的二卷本，因未影印行世，學人較少見到之外，其他不分卷、五卷、六卷三種版本，因被收入各種叢書中，現在都很容易見到，可取以比較其內容之差異。三種版本中，以六卷本的內容最多。《平津館叢書》本的《尚書考異》係經孫星衍整理後釐定為六卷，以《四庫全書》本《尚書考異》與平津館本《尚書考異》相對校，表面上僅差一卷，實際上平津館本《尚書考異》比起《四庫全書》本的《尚書考異》，約多出有三分之一的內容。兩者間卷數不同，內容也不同，學者研究梅鷟的《尚書》學時，假若採用《四庫全書》本的《尚書考異》作為其研究對象，由於內容的差異，與篇幅完整與否，將會直接影其結論的正確性，所獲得的研究成果，其學術價值將會大大減低。

　　⑵近現代論文、專著的收集

　　《十三經注疏》「係匯編儒家的十三部經典和漢至宋代經學家對經的注疏而成」、「中華民族傳統文化的主體與核心」❾，研究儒家經書不可缺少的典籍。全書卷帙龐大，長久以來由於缺乏經校勘整理的標點本，相當程度的阻礙讀者的閱讀，近年李學勤主編《十三經注疏》標點本，於 1999 年 12 月由北京大學出版

---

❾　參見李學勤主編《十三經注疏》（北京：北京大學出版社，1999 年 12 月）點校本的整理說明。

社出版，對經學的發展有相當大的貢獻。《十三經注疏》流傳久遠，歷代刊印的板本眾多，存世的版本也很多，然由於各經的整理者在從事文獻蒐集時，未能廣泛蒐集各種傳世的《十三經注疏》版本，導致底本選擇不佳，而後代的校勘研究成果又失收，造成版本、校勘、標點三個方面存在頗多嚴重的缺點，最近有大陸學者呂友仁撰寫〈《十三經注疏‧禮記注疏》整理本平議〉❿一文，專門針對點校本《禮記注疏》發表其閱讀後詳細的評論文章，文中舉證書中的錯誤。而日本的野間文史為專門研究《十三經注疏》的學者，最近出版《十三經注疏研究》一書，書中也有專門章節「李學勤主編標點本《十三經注疏》讀記」針對標點本的底本、阮元《校勘記》等問題，提出詳細例證以評論全書的缺失。標點本的《十三經注疏》就是因為點校者在從事文獻整理時，《十三經注疏》的版本、校勘、後人研究的成果資料收集不夠完備，遂導致所整理的文獻產生許多缺失，成果也就令人感到不甚滿意。

2.瞭解文獻結構越多，研究成果的錯誤也越少

經書注疏的結構有其特定規範與體例，從事經學研究對經書文獻的結構應有深入的瞭解與認識。文獻結構的瞭解越詳細，即可盡量減少研究成果因研究者的疏失造成所整理經學文獻不必要的錯誤。如《十三經注疏》中的《毛詩注疏》，卷首〈毛詩序〉下面所附的解釋文字，如〈毛詩序〉：「上以風化下，下以風次上，主文而譎諫，言之者無罪，聞之者足以戒，故曰風。」一段序文下面的解釋文字：

　　風化、風次，皆謂譬喻，不斥言也。主文，主與樂之宮商相應也。譎諫，

---

❿　參見彭林主編：《中國經學》第一輯（桂林：廣西師範大學出版社，2005 年 11 月），頁 100－131。

　　詠歌依違不直諫。**⓫**

就因為沒有鄭玄的「箋曰」、「箋云」的字樣加以區別，經常被後人誤以為是毛亨《毛詩詁訓傳》的文字。

　　又如《十三經注疏》中的『釋音』，係指唐代陸德明所撰寫的《經典釋文》的釋音。原來並未附在《十三經注疏》中，宋明以後的學者，為方便閱讀，將《經典釋文》的「釋音」摘錄出來附入《十三經注疏》中，有些學者誤以為是孔穎達修纂《五經正義》時已附有《經典釋文》的「釋音」。

㈡ 文獻整理後對經學研究的作用

　　經學文獻經過整理後，究竟對學者從事經學研究有何影響係，個人認為主要可有以下幾種作用：

　　第一、可作為研究經學方向、趨勢的基本資料

　　學術的研究是代代傳承延續的，然每一個時代的學術研究，都會受到時代政治社會風尚與學術思潮的影響，研究的面向都或多或少會有所不同，各時代的經學研究，基本上是該時代思潮的一種反映。學者從事經學史的研究，注意經學文獻的整理，既能了解經學研究的方向與趨勢，也能了解經學史存在的問題所在。

　　明朝中葉以後，朝政紊亂，國事日非，學者深感「學者窮經將以經世，則仰觀俯察，莫非份內事，何可皓首一經，聽其汶汶已也。」提倡「經術所以經世」的觀念，學術界普遍認為必須熟讀地理書籍才能治國，欲通地理須讀《禹貢》、《水經》等書，遂紛紛從事《禹貢》、《水經》的研究與注釋工作。以〈禹貢〉為例，明末清初學者研究《禹貢》的專書，就有：鄭曉《禹貢圖說》、《禹貢要注》、王鑑《禹貢山川郡邑考》、茅瑞徵《禹貢匯疏》、艾南英《禹貢圖注》、夏允彝《禹貢古今合註》、許胥臣《夏書禹貢廣覽》、朱鶴齡《禹貢長箋》、孫

⓫　參見〔漢〕毛亨傳、鄭玄箋、〔唐〕孔穎達疏，龔抗雲等整理：《毛詩正義》（北京：北京大學出版社，1999 年 12 月），卷 1，〈毛詩序〉，頁 13。

承澤《禹貢九州山水考》、曹爾成《禹貢正義》、胡渭《禹貢錐指》等,多達二、三十種之多,透過《十三經著述現存版本目錄》即可輕易獲得當時學者紛紛投入研究《禹貢》的總體文獻資料,進而透過搜尋《四庫未收書輯刊》、《四庫全書存目叢書》等叢書便可順利掌握此階段學者研究《尚書·禹貢》篇相關的基本文獻資料。

近年來,學術界逐漸轉移研究重心於清代學術史的研究,清代經學文獻整理點校也成為學術研究的趨勢,臺灣以中央研究院中國文哲所為重心,相繼完成《點校補正經義考》、《姚際恆著作集》、《禮經釋例》等書。亦有學人獨力編纂《無求備齋易經集成》、《無求備齋論語集成》、《大易類聚初集》、《尚書類聚初集》等大型經學叢書。大陸有計畫的培養古籍整理人才,以從事古籍整理工作。經學文獻整理的單位相當多,遍及各大學及研究機構,整理對象雖主要集中在文學、歷史和中醫為主,大陸學科分類將經學納入歷史學中,從事歷史典籍整理,自然就會涉及經書文獻。從事整理的方法,或致力於歷代大儒全集的重新點校,如《張栻全集》、《黃宗羲全集》、《船山全書》、《錢澄之全書》、《戴震全集》、《戴震全書》、《康有為全集》、《章太炎全集》等。或選擇各經的重要典籍加以點校,如《周易集解纂疏》、《儀禮正義》、《禮記集解》、《論語正義》、《孟子正義》等。或編輯大型的經學叢書,如《易學全書》、《詩經要籍集成》等。或從事古籍今譯,如《周易譯注》、《尚書譯注》、《禮記譯注》等,無論所從事的經學文獻整理方式是纂輯、點校或今譯,都可為學術界提供研究經學的基本圖書文獻。

第二、可藉以了解某人研究經學的成果

學者研究經學,往往不喜從事繁瑣之文獻編纂工作,更視編纂專科文獻目錄工具書為雕蟲小技而不屑為,致使基礎性之經學專科書目缺乏,如此不僅增加研究時的困難,也會導致學者於研究過程中,缺乏所需之資料,致無形中損失許多寶貴之時間與研究成果。

經學的目錄，蒐集經學研究的資料，匯聚歷來經學研究成果於一編之中，依經立項，分類編排，利於從事經學研究者按圖索驥，迅速找到自己所需要的書，節省學者寶貴的時間，以掌握經學研究的成果與發展。如林慶彰先生主編的《經學研究論著目錄（1912－1987）》、《經學研究論著目錄（1988－1992）》、《經學研究論著目錄（1993－1997）》、《經學研究論著目錄（1998－2002）》四套經學目錄，文獻資料的內容收羅完備，時間跨度更從 1912 年延續到 2002 年，時間長達九十年，涵蓋臺灣、中國大陸、香港、新加坡等以中文發表的經學研究成果。《乾嘉學術研究論著目錄》收錄 1900 年至 1993 年臺灣、中國大陸、香港、新加坡、日本、歐美等地研究的乾嘉經學的成果。《日本研究經學論著目錄》、《日本儒學研究書目》二書可供查詢日本人研究中國經學的實際概況。另外，周何先生主編的《十三經論著目錄》、《十三經著述考》兩套大型經學工具書，收錄先秦至一九九四年間所有經學著作的卷數、作者、存佚情形及傳本資料，提供今人研究經學的資訊來源。透過上述各種經學目錄書，不僅可提供有心從事經學研究的學者歷來的總成績，更可藉以了解某人研究經學的成果，對於瞭解歷代經學之發展、演變也有莫大之助益。

第三、可以得知某一論題研究的概況

經學文獻整理的項目繁多，數量頗眾，在電子資訊快速發達的時代，如何儘快獲得資訊與發展脈絡，掌握研究所需要的成果資料，得知某一論題研究的最新概況，以加深研究者對論題的了解與認識，就需透過文獻整理的工作不可。

以當前的顯學「出土簡帛文獻」為例，中國大陸自二十世紀以來，考古學盛行，陸續有重要而大量的簡帛古籍被發現，較重要的包括馬王堆漢墓帛書、雙古堆漢墓竹書、郭店楚墓竹書、上海博物館藏楚竹書等，均提供大量有學術價值的古籍佚書，引起全球學術界的關注與重視，紛紛投入出土簡帛古籍的研究工作。裘錫圭說：「考古資料在傳世古籍的整理工作中的作用，大體上可以分為兩個方

面：一、有助於研究古籍的時代和源流；二、有助於校正、解讀古籍。」⓬以近年上海博物館收藏的戰國竹簡為例，《上海博物館藏楚竹書㈠》經馬承源等專家學整理編輯後出版，其中有《孔子詩論》一篇尤其受到重視。由於《孔子詩論》是「今存最早關於《詩經》的評論文獻，對了解春秋戰國經典——尤其是《詩經》的形成與流傳有相當大的幫助。」⓭儒家孔子與詩經的密切關係，引起學術界的高度重視，紛紛集中焦點在《孔子詩論》的探究，研究者可說遍布全世界。或召開簡帛學術研討會發表論文，或設置專門的簡帛網站以供論文的發表，或出版專門解讀《孔子詩論》的專書，如劉信芳《孔子詩論述學》、黃懷信《上海博物館藏楚竹書《詩論》解義》等，近兩三年的研究成果相當多，根據廖名春、朱淵清合編的〈上海博物館藏戰國楚竹書研究論文目錄〉、李銳編、郭驥補〈上博館藏戰國楚竹書研究論著目錄㈡〉兩目錄所收論文已高達數百篇，未被收入者恐不在少數。據保守估計恐怕有近千篇的論文發表，為數如此眾多的《孔子詩論》研究論文，如果沒有專門的《孔子詩論》的研究論著目錄索引以供檢索，任何人都無法詳細的知道目前研究的概況，參考的資料也將會有所不全。略如所述，透過經學文獻整理工作，就可反映此一論題相關訊息與研究概況，幫助研究者掌握最新的動態與研究方向，以增進學術研究成果的深入。

五、結　語

儒家經籍是我國傳統文化最重要的典籍，寶貴的文化資產。每一個朝代的經學研究，就是當時學術思潮的一種反映。探究經學發展的軌跡，即是瞭解傳統文化最直接的途徑。然因經學典籍卷帙龐大，浩博宏富，未經系統整理，檢核閱讀

⓬　參見裘錫圭撰：〈閱讀古籍要重視考古資料〉，收入《中國出土古文獻十講》（上海：復旦大學出版社，2004 年 12 月），頁 158－159。

⓭　參見葉國良、李隆獻合撰：《群經概說》（臺北：大安出版社，2005 年 8 月），〈詩經概說〉，頁 109。

困難，如此一來不僅無法打開學術的殿堂，更遑論進窺學術的堂奧。

從事經學研究的基礎在文獻資料，經學文獻資料必須經過系統有效的整理，才能使研究工作進行順利。文獻整理是枯燥艱澀而繁重的工作，一般人視為吃力不討好的工作，卻是學術賴以發展而不可或缺的。經學文獻整理的所使用方法很多種，學術界比較常採用的，或重新點校經籍，或重新注釋經書，或編輯大型籍叢書，或編輯經學工具書。透過整理後的文獻，可以作為研究經學方向、趨勢的基本資料，可藉以了解某人研究經學的成果，也可以得知學術最新論題研究的概況，對經學研究的提昇有相當的貢獻。

李提摩太的文言譯本小說
《喻道要旨》的版本與譯法研究

吳淳邦

韓國崇實大學校中文系教授

一、文言譯本小說《喻道要旨》與其著者

　　基督教中文小說從前很少有人研究，最近哈佛大學韓南教授和旅法學者陳慶浩教授開始研究，已經有了新的成果。我自 2005 年參加臺灣嘉義大學所舉行的國際學術研討會上，看到陳慶浩教授的論文，才開始注意這方面的研究。陳教授給我提供了自己在巴黎圖書館所發現的兩本基督教小說作品及有關訊息，我回國後隨即展開研究，又發現了幾本韓國所藏的中文基督教小說和其韓譯本。其中有一本叫做《喻道要旨》，是晚清著名的英國傳教士李提摩太於 1894 年由上海廣學會主管、上海美華書館刊行的文言筆記體基督教寓言小說。根據《喻道要旨》的〈譯者序文〉，英國傳教士李提摩太以德國名士戈睦克（Krummacher）所著的《喻道瑣言》（*Parabeln*）英譯本為底本，譯成文言筆記體小說。❶這部文言小說集一共收錄 71 條短篇作品，本文前有譯者李提摩太的〈序文〉和〈中文目次〉、〈英文目次〉

---

❶　李提摩太著，〈序〉，《喻道要旨》（崇實大學校韓國基督教博物館，1894 年），第 1 面。

各 1 篇。❷

　　這部作品的 1894 年刊本收藏於崇實大學韓國基督教博物館，1904 年第 2 版
收藏於延世大學圖書館，兩種中譯本現均存於韓國，可算是當時流傳很廣的鐵證。
但是大家只把這部作品歸於基督教教理書，沒人把它當做文學作品研析。我按照
譯者的序文和作品的內容，判斷出這部作品是用文言筆記體所寫的，以基督教故
事和人物為主要題材的虛構作品。德文原本前有 3 條寓言，題為
《*Zueignungsparabeln* 獻呈寓言》：1.婆羅門的禮物、2.寶石、3.墳墓。本文題為
《*Parabeln*》，共有 3 卷故事集；第 1 卷有 67 條故事，第 2 卷有 53 條故事，第 3
卷有 78 條故事。全書為 201 條寓言故事所組成的短篇故事集，書名題為
《*Parabeln*》，德國著名神學者科錄馬赫博士❸所作。❹

　　著者科錄馬赫（Friedrich Adolf Krummacher，1767－1845）是德國神學家，1767 年 7
月，出生於不來梅州（Westfalen）的特爾棱堡（Tecklenburg）。1784 年，在林梗（Lingen）
攻讀神學。1786 年，在哈雷（Halle）攻讀神學與哲學。1789 年，在哈姆（Hamm）
就任高中學校的副校長。1792 年，赴摩爾（Moers），任高中學校的校長。1800 年，
在杜伊斯堡（Duisburg）成為神學教授，並獲得神學博士學位。1807 年，在日日州
（Ruhr）克特畢客（Kettwig）成為牧師。1812－1824 年，在伯恩堡（Anhalt-Bernburn）
當監督及高級講道師。1822 年，拒絕波恩（Bonn）大學任教的邀請。1824 年，赴
任卜壘門（Bremen）的聖安斯加（Ansgariuskirche）教堂的牧師，至 1843 年退休。1845

---

❷　中文目次題為〈喻道要旨目錄〉，版心上中段題為「目錄」，共有 2 頁 1 面。英文目次題為
〈CONTENTS〉，版心上中段題為「外國字目錄」。

❸　李提摩太將著者"Friedrich Adolf Krummacher"譯成「戈睦克」，但此名與德音不符，按其德音，
現譯成「科錄馬赫」。

❹　Dr. Friedrich Adolf Krummacher, Parabeln, Beutlingen, 1826. 目次見於書後：第 1 卷目次見於第 1
卷 146－148 頁，第 2 卷目次見於 2 卷 139－140 頁，第 3 卷目次見於第 3 卷 136－138 頁。3 卷
各自獻呈給三位王女，3 卷書前都有獻呈辭。

年 4 月，卒於卜壘門。❺他寫作了 23 部著作，由他的《*Parabeln*》流傳來看，可謂享譽國內外。該書從 1805 年在杜伊斯堡（Duisburg）第一版刊行後，到 1876 年刊行了第九版，在荷萊蘭頓（Leiden），1805 年出刊了荷蘭譯本。1812 年，由 W. Möllen 譯成丹麥譯本，1822 年，M.L. Beautain 在巴黎刊行了法譯本。英譯本則於 1824 年，由 W.H. Shobert 在倫敦出版後，又刊出了不少次。❻這是一部 19 世紀在歐、美一直很暢銷的寓話故事集。

《*Parabeln*》於 19 世紀 50 年代，在英、美刊行了幾種英譯版本，譯者李提摩太從 1858 年亨理博文（Henry G. Bohn）所譯的英文本《*The parables of Frederic Adolphus Krummacher*》中，選出了 71 篇，傚效中國文人喜讀的筆記小說體，譯成文言。❼

二、中譯者英國傳教士李提摩太與其翻譯小說

譯者李提摩太（Timothy Richard，1845－1919）出生於英國南威而士卡馬登郡的一個村子裡。他排行第九，父親是個鐵匠兼農民，在兩處浸禮會教堂擔任執事。他 15 歲時，離家到外地學校念書，半工半讀，後考入斯溫西師範學院。18 歲時，通過考試，被錄用為一家小學的校長。25 歲時，考入浸禮教哈弗福特偉脫（Haverfordwest）神學院就讀。1870 年，受英國浸禮教差會的派遣來華，在山東、烟台等地傳教。1876 年，山東正值饑荒，他為了賑災事業，開始接觸中國高官。其後在山東、山西、武昌等地，與丁寶楨、曾國荃、左宗棠、李鴻章等權貴來往交流，直接干預中國的政治和社會改革。他於 1891 年就任同文書會督辦，又任廣

---

❺ Georg Rosenthal，《*Friedrich Adolf Krummacher und seine Zeit* 科錄馬赫與其生平》，Bernburg: Kulturstiftung Bbg., 1996, p.8-13.

❻ Georg Rosenthal，同前書，〈Veröffentlichungen 出版著書〉，130 頁。

❼ 根據譯者李提摩太的〈序文〉所說「謹擇其章法與中國筆記等書相似者」，可見此書的敘述章法是採取文言筆記小說體的。英譯本的底本來源見於〈英文目次〉上面所寫的"Selections from Krummacher's Parables (Bohn's Series)。

學會總幹事，長達 25 年之久。他極力推動基督教文書宣教事業與社會改革，對晚清維新派改革人士發揮至大的影響。❽他積極參與社會活動，相信除了以基督教信仰與基督教文書配合的方式能傳教以外，還能以社會改革與大眾啟蒙的方式廣傳基督教。因此，非常重視中國社會的改革、與知識階層的交流，親身從事中文報刊的編輯和投稿，試圖直接發揮影響力。

最早譯為中文的政治小說，是美國小說家愛德華·貝拉米（Edward Bellamy）所著的長篇小說《*Looking Backward 2000–1887*》。這篇小說 1888 年梓行面世後，旋即在歐、美風靡一時，幾年之間，銷售量突破 100 萬冊，引起了不同尋常的轟動。書在美國出版 3 年之後，英國來華傳教士李提摩太將其譯成中文，取名為《回頭看記略》，自 1891 年 12 月起，在《萬國公報》連載，每一期刊登數章，直至1892 年 4 月號，才刊載完畢。該譯作初刊時，未署譯者姓名，先後分別注明為「來稿」和「析津來稿」。《回頭看記略》共由 28 章構成，與原作內容的整體結構一致。原作中每一章均無標題，譯者在《萬國公報》上連載時，也並無標題，後來在每一章都附加了由 4 個字構成的標題，這些標題扼要地概括了該章的故事內容，例如前 3 章的標題分別為「工爭價值」、「延醫人蟄」和「一睡百年」，最後兩章分別為「百年前物」和「諸苦必救」。因此，全書 28 章的標題實際上構成了作品情節的梗概，讀者則隨此可以通覽作品中故事的發展脈絡和敘事結構。該書為節譯本，李氏只譯其概略，又把第一人稱改為第三人稱。由於譯者是位精通中、英文的文人，譯文正確、暢達，也用淺顯的文言翻譯。此書譯成中文後，在中國知識分子中很有影響，特別是對當時維新派思想家，尤其顯著。而且中、日戰爭後，極為廣傳，甚至於也出現過許多盜版。其未來幻想的獨特敘述方式，直接影響到中國第一部政治理想小說——梁啟超的《新中國未來記》。

---

❽ 顧長聲著，《從馬禮遜到司徒雷登——來華新教傳教士》（上海人民出版社，1985 年），315－356 頁。

　　李提摩太翻譯的《百年一覺》一問世，受到了世人的注目，又直接影響到中國文學，但是同年在上海廣學會刊行的李提摩太另一譯書《喻道要旨》，其存在卻很少人注意。這部作品在李提摩太的研究著作裡，也幾乎都不提及，只歸類於基督教信仰教理書。❾但是這部作品是譯者李提摩太為了在華基督教的傳播，使用中國古典小說中，文體最古、文人喜用的文言筆記體，敘述基督教宣教用的文言短篇小說集。

　　李提摩太於 1869 年來華後，最初在天津、山東、山西等地，進行傳教活動，將中下層的一般老百姓，作為啟蒙對象。幾年之後，他逐漸意識到了自己對中國歷史文化和社會現實所知甚少，儘管竭盡全力，但傳教效果並不理想。來華之前，他相信基督教能夠改造中國人的心靈，進而在其精神上占統治地位。然在接觸晚清社會之後，他才意識到自己的理想與中國社會現實之間的差距，認識到傳播基督教的主要障礙並不在於中、西文化的差異，而是在於一般民眾低下的文化水平及赤貧如洗的生活狀況。尤其是 19 世紀 70 年代末，災荒連年肆虐華北，數以百萬計的貧窮百姓死於饑饉。李提摩太 1878 年 1 月 30 日的日記裡，記載了他在太原郊外所目睹的慘狀：

　　1 月 30 日，城南 290 里。

　　見到路旁 14 個死人，一人身上僅穿有一隻襪子。他的屍體正在被一隻狗拖走，實在太輕了。死者中有兩個女人。他們舉行過葬禮，但那只不過是將她們的臉翻轉為面對土地。路過的人們對其中一人手下留情，留下了她身上的衣服。第三具死屍則是十幾隻吱吱尖叫的烏鴉和喜鵲的美餐。這裏

---

❾　此書著錄於《韓國基督教博物館所藏古文獻目錄》「1. 基督教 5) 信仰教理書」條目下。此書的著錄中，「光緒 20 年（1895）」應該改為「光緒 20 年（1894）」。其著錄如下：「鉛活字本，表記文字，漢文，36 張，大小 25.7×15.0，四周單邊，半郭，19.6×13.0，半葉，14 行 34 字，註雙行，插圖，上下向黑魚尾，線裝。上海美華書館擺板，上海廣學會印。」

還有肥胖的野雞、兔子、狐狸和狼出沒，但是男男女女的人們卻無法生存。❿

嚴酷的社會現實，使李提摩太深深體會到生存所需求的基本物質的重要性，於是調整策略，首先在英國和北京、天津、太原等地，募集錢財，而後在這一基礎上，以提供讀書識字的機會與施捨財物為手段，吸引民眾來接受教化。可是 1880 年 9 月，他與李鴻章會見之後，對於自己的使命及實施策略，又有了新的認識。李鴻章在談話中，提起兩個觀點，使他茅塞頓開。其一、中國的知識階層中沒有基督徒，其二、「你的皈依者聚集在你周圍，是因為他們和他們的朋友為你效勞，可以因此維持生計。不再支付這些本地人的薪俸，就再也不會有基督徒了。」⓫李鴻章所言，實際上意味著直率地提示他，主宰或者能夠真正影響晚清社會發展的力量，是官僚階層和知識階層，而並不是他招募的那些因謀求生存而信仰基督教的貧困皈依者。至此，他仿佛大徹大悟；若要適應現實，就「必須使自己更為全面地適應影響中國上層官吏的需要」。⓬從此以後，他轉而致力於影響高官和知識分子。19 世紀 80 年代後期起，李提摩太採取了新的傳教策略，進行了一系列新的嘗試，以便擴大包括基督教在內的西方文化在晚清的影響。首先，他撰寫了一系列有關宗教和人文教育的文章，以單行冊的形式出版後，分贈給各級政府的要員，諸如《現代教育》（*Morern Education*）與《基督教裨益之歷史佐證》（*Historical Evidences of the Benefits of Christianity*）等著作，贈送李鴻章等重臣。⓭ 1891 年，他前往上海，出任上海廣學會總幹事，開始從事於兩部外文小說的中譯工作：一部為《回

---

❿　Timothy Richard, *Forty-Five Years in China: Reminiscences* (London: T. Fisher Unwin Ltd., 1916), p130.

⓫　Timothy Richard, p151.

⓬　Timothy Richard, p199.

⓭　此段引自劉樹森著，〈李提摩太與《回頭看記略》，《美國研究》，1999 年第 1 期，124－126 頁。

頭看記略》，先從 1891 年 12 月起，由他所主管的月刊《萬國公報》連載，每期刊登數章，至 1892 年 4 月號刊載完畢，後改名為《百年一覺》，於 1894 年由廣學會出版；另一部為《喻道要旨》，1893 年在廣學會主管、上海美華書館出版。《喻道要旨》正是在這一背景下，所刊行的基督教文言翻譯小說。

三、基督教文言筆記小說《喻道要旨》

1917 年，雷振華所纂的《基督教出版書目彙纂》有如下的著錄：

> 喻道要旨　文言　李提摩太譯　86 面　1893 年　出版　二次　1894 年　再版
> 廣學會　每本　一角五分❶

李提摩太所譯的《喻道要旨》，共 86 面，由上海廣學會於 1893 年，出版了第一版，1894 年刊印第二版。筆者所用的版本是 1894 年刊本，收藏於韓國崇實大學基督教博物館。1894 年刊本前有〈譯者序文〉半面與中譯本目錄一面、英譯本目錄半面，其後有本文 36 面，本文中間插入左右對稱的 8 幅插畫 8 面及最後附有〈廣學會教民圖書價目〉1 面，全文是共有 47 面的線裝書。按照《基督教出版書目彙纂》的著錄，恐怕初刊本與第 2 版本在篇幅上有些出入，初刊本的 86 面對折來算，比第 2 版少 4 面，又扣除了附錄 1 面，也還少 3 面，實際內容的差異待考。但是 1894 年刊本的〈譯者序文〉署為「光緒二十年季夏之月」，是「英國教士李提摩太」1894 年夏天所寫的，不會在出刊之後，才寫出序文，而且光緒 20 年（1904）刊本的封面左下，明明標誌「二次擺印二千本」的文字，英文封面上，也附記為 "SECOND EDITION"。❶因此，《基督教出版書目彙纂》的著錄不可靠，崇實大學韓國基督教博物館所藏 1894 年刊本為初刊本，1904 年刊本為第二版，第二版

---

❶　雷振華纂，《基督教出版書目彙纂》（1917 年），27 面。
❶　《喻道要旨》（上海廣學會校刊，光緒 30 年【1904】上海美華書館擺印），封面葉和英文封面葉。

現存於延世大學圖書館與東海大學圖書館。

李提摩太在〈序文〉裡闡釋其譯書動機說：

> 竊維發明真道之言，以切於日用，為盡人所能知能行者最易啟發性靈。德
> 國名士戈睦克先生著有《喻道瑣言》約二百篇，至今垂九十餘年矣，三十
> 年前曾有英國文人譯成英語，余愛其命意，針對真道要旨而亦易於會悟。
> 謹擇章法與中國筆記等書相似者，譯成一帙，名曰：《喻道要旨》，以冀
> 為引人歸真之一助云。**⓰**

譯者由於「其命意針對真道要旨而亦易於會悟」的緣故，「發明真道之言，以切
於日用」，將其真道之內容，以文學樣式著述出版，則使人最易引入基督教傳道。
因此，從平時愛讀的德國名士科錄馬赫先生所著《喻道瑣言》英譯本約二百篇中，
選擇章法與中國筆記等書相似者 71 篇，譯成一帙，名曰：《喻道要旨》。譯者的
翻譯動機，主要是為了裨助華人「引人歸道」的傳教目的。

《喻道要旨》的譯者〈序文〉後，著錄兩篇作品目錄，前有中文目錄兩葉：

> 1.嘉美山人、2.農田問答、3.鱷魚、4.牧羊人、5.內定加鳥、6.大衛與掃
> 羅、7.花紅桃、8.真理之國、9.民牧、10.約百、11.選花、12.地約直內、13.
> 摘花、14.悔改、15.蜘蛛、16.亞伯拉罕去世、17.朴古山人、18.都什滿塔、19.
> 遊學、20.艾各倫死、21.二木筒、22.生命之泉、23.男女、24.羔羊、25.拿單與

⓰ 此〈序文〉是李提摩太於光緒二十年季夏之月所寫的，光緒 20 年為 1894 年，譯者〈序文〉寫
於 1894 年，但雷振華所纂的《基督教出版書目彙纂》著錄的第一版刊行於 1893 年。筆者案：
《基督教出版書目彙纂》的《喻道要旨》著錄有誤，第一版於 1894 年刊行才對。譯者李提摩太
提起德文原作問世已有九十餘年，但作者科錄馬赫的初刊本 1805 年出版，其刊行僅有 89 年，
尚不到 90 年。當時通行的英譯本幾乎都出於 19 世紀 50 年代，Bohn 的英譯本出於 1856 年，由
Lindsay & Blakiston 的插畫英譯本出版於 1857 年。因此，中譯者所說的 30 年前刊行英譯本的時
間，與實際情況有所差別。中譯本的出刊與譯者所用的英譯本之間，有 37－38 年的差別。〈序
文〉所說的「30 年前」該說「30 多年前」才對。

所羅門、26.奇事、27.亞以亞、28.以利亞佈、29.善惡兩途、30.朝陽、31.拉撒路、32.該隱之夢、33.小樹、34.禱告、35.暗中為王、36.亞當與天神、37.痴兒、38.造蠶、39.黑奴與希臘人、40.父怒其子、41.夙夜觀景、42.百合花、43.三教、44.人與太陽、45.尼希米與以利瑪、46.文尼腓、47.犯罪、48.哈撒艾、49.拖比亞、50.草烏頭、51.亞撒與希漫、52.亞塔路與漫努、53.帕拉西都、54.遂利加、55.省察、56.牛牧、57.高年、58.秘訣、59.亞拉非、60.引路者、61.祭壇、62.治田、63.爛種子、64.淚、65.安息日、66.心花、67.新造園、68.希來語買夢、69.聖畫、70.濟貧盒、71.麥稭。

其後有英文目錄一葉：

38. The Creation of a Caterpillar 39. The Moorish Slave and the Greek 40. The Angry Father 41. Night and Morning 42. The Lily 43. The Persian, the Jew and the Christian 44. Ma"Selections from Krummacher's Parables (Bohn's Series). 1. The Man on Mount Carmel 2. The Corn Field 3. The Crocodile 4. The Herdsmen of Tekoa 5. The Nightingale 6. David and Saul 7. The Peaches 8. Polycarp 9. The Shepherd of the People 10. Job 11. The Favourite Flowers 12. Dlogenes 13. The Flower Gathering 14. Repentance 15. The Spider 16. The Death of Abraham 17. Primitive People 18. Dushmanta 19. The Journey 20. The Death of Eglon 21. The Two Tubs 22. The Fountain of Health 23. Man and Woman 24. The Lamb 25. Nathan and Solomon 26. The Wonder 27. The Prophet and the King 28. Eliah 29. The Two Ways 30. The Dawn of Day 31. Poor Lazarus 32. The Dream of Cain 33. The Young Tree 34. The Prayer 35. The Invisible Prince 36. Adam and the Seraph 37. The Imbecile Child n and the Sun 45. Nehemiah and Elimah 46. Winfrid 48. Hazael 49. Tobias 50. The Deadly Nightahade 51. Asaph and Heman 52. Attalus and Meno 53. Placidus

54. Selka 55. Self-examination 56. The Cowherd 57. Old Age 58. The Oracle 59. Alfred 60. The Guide 61. The Representatives 62. The Husbandry of God 63. The Grain of Seed 64. The Tears 65. The Day of Rest 66. The Blossom 67. The New Creation 68. Hillel and Maimon 69. The Sacred Pictures 70. The Poor Box 71. The Blade of Wheat"

《喻道要旨》是以《聖經》故事和基督教教理為主要內容的筆記小說集，半葉 14 行，1 行 34 字，共 36 葉，有 8 幅的插圖。每條作品的篇幅，短的有 120－200 字左右❶，一般的大約 300 至 500 字內外，800 者以上者有 5 篇，第 27 條〈亞以亞〉最長，有 1551 字❶，作品大部分屬於短篇，以簡潔淺易的文言書寫。以下選擇幾篇以非《聖經》故事與非基督教教理為其內容的代表作，以見一斑：

三、〈鱷魚〉

上古之世，有數姓人同往埃及國，卜居於尼來河之左右。其地膴膴平原，允稱樂土。因各起茅屋，簇簇而居。不知河中生一大魚，厥名曰：鱷。鱗身鋸齒，舉口即欲吞食幼孩以及牲畜。居民大恐，無所為計。因禱於上蒼之神，祈其庇佑。神傳命曰：「人為萬物之靈，能自強，必能自立。但不肯用心竭力，空言祈我無益也。」眾聞此命，翕然聚謀，各製利兵，以驅除之。❶

然後為了防禦，在河邊築造高厚的垣牆。久之，果然鱷魚斂跡，日漸安寧。這時

---

❶ 篇幅不達 200 字者共有 5 篇：第 64 條〈淚〉的篇幅最短，119 字。其次為第 16 條〈亞伯拉罕去世〉128 字，其次為第 56 條〈牛牧〉156 字，第 6 條〈大衛與掃羅〉170 字，第 37 條〈痴兒〉190 字，字數裡不包括題目。

❶ 第 17 條〈朴古山人〉1106 字，第 22 條〈生命之泉〉1032 字，第 38 條〈造蠱〉837 字，第 32 條〈該隱之夢〉810 字。

❶ 李提摩太集譯，《喻道要旨》，第 3 條，第 2 面。

眾人才知道上帝生人具有能力，出其智巧，無不可為。因此，創造出恒久絕妙的各種機器，並且修築了至大至堅、數千年不損壞的大墳墓比拉密。但是其初制御鱷魚時，弓矢並不是至強至利，垣墻也不是至高至堅，雖然暫時能制伏，未幾漸漸弛廢，鱷魚之暴亂再熾烈，又其族類日漸增多，為害益劇。眾人愈懼之，頓忘過去如何防止的方法，遂尊奉鱷魚為神，歲時祭獻。可是人的罹害無法避免，因為除害而不思去其根本，害根不得除去了。埃及人民鬧此巨患，操強弓毒矢，與鱷魚惡戰苦鬥，殺傷很多，河流皆變紅血，但是終無勝之。一時能制之，未能時時制伏也。因此，勞苦倦極，慘痛疾苦，呼天呼父母，悲痛備至。

> 事出極難，必反其本，眾人此時只得共禱上帝救難。上帝因發慈悲，命使者對人傳旨曰：「河中有小魚，名以牛門，以之制鱷魚易易耳，何多求焉？」眾人聽到此言，都相詫異說：「上主欺我，天下詎有以至小而制至大者乎？況鱷魚矯變神靈，眾人且無能為力，何況小魚？」這時有位信主者曰：「且莫妄言，惟宜真心恃主，天下原有以至小而成大事者，待事不成，言之未為晚也。」後來鱷魚漸少，遲之又久，其害永絕，眾人正驚訝，不知其由，細察內情，才知道其牛門魚專吃鱷魚之子。信主者曰：「除惡務本，誠哉是言。故去其本，一人為之而有餘，徒循其末，數千萬人恐不足也。」❷⓪

這篇作品以埃及國卜居於尼來河邊的部族和河邊鱷魚之間的鬥爭為題材，敘述人類在生存被威脅的危難情況下，與上帝之間的交流，借此闡明上帝之全能力量和「除害務本」及信仰為智慧根本的主題。敘述人以全知的敘述觀點，通過故事的展開，表現出人類共通的宗教、社會觀念，雖然這篇作品沒有直接表露《聖經》內涵或基督教教義，但不知不覺間傳達恭信上帝懇求救難、上帝救恤世人災難的作品主題。作品特別強調以敬信上帝為除害務本的主旨，通過以一般想法難以瞭

---

❷⓪　同註❶⑨。

解的以至小的小魚制伏凶暴的鱷魚，表現出上帝的全能力量和信仰根本主義主題。

作品後半部有幾次對話體的出現，但其餘都是以簡潔的文言敘述的。作品中間的專有名詞左邊劃線表示品詞：地名劃兩線，人名劃一線。像「比拉密」的外來名詞，以小字兩行譯註如下說明：「即其國至大之墳墓歷數千年不損壞者。」❷這種書寫方式與中國傳統標記方式不一樣，開創了現代的譯註和品詞標記方式。

這部作品集的不少作品以與《聖經》未有直接聯關的一般故事，來婉轉表述基督教核心教理和信仰。〈花紅桃〉是一篇通過日常家庭生活，鼓勵善行佈施的作品。鄉人進城買來五枚最佳的紅桃，回家分給妻子和四個兒子各一枚。晚上尋問他們怎麼吃紅桃。四子告訴父親怎樣處理紅桃，四子的吃法都不一樣。叫「以孟」的第三子告訴說：

> 「比鄰兒伴有病瘟者，思食桃，猝不能得，因以遺之，彼卻而不受，吾置其床頭而歸焉。」其父曰：「四子食桃不同，用意孰優？」三子同聲曰：「不私於己，且以救人，至善當歸以孟。」父聞而喜，母亦撫摩而獎譽焉。❷

此作品雖然篇幅不長，約 380 字左右，題材也屬於日常瑣事，勸勉子女的善行而獲得教育效果的故事內容，正與中國傳統儒家教育觀差不多，但又很能表現出救恤貧病的基督教博愛精神，表面上沒有極力強調基督教教義，但隱然間使讀者引入基督教世界。全篇通過出場人物的對話來敘述故事，語言生動而簡潔。篇尾有「不私於己，且以救人，至善當歸以孟」的終結判語，也通過登場人物的口表達，讀者很自然地接受作者的寫作宗旨。

這些作品大部分常用比喻法，例如第 8 篇〈真理之國〉把真理之國比喻成海

---

❷　同註❶。
❷　《喻道要旨》，第 4—5 面。

中的小舟與農夫栽培的樹木，通過樹木成長的道理，表現出上帝的真理之國。雖
有小事風波搖殘，但不必擔心，長到「黛影婆娑，千霄蔽日，直為天地煥一奇觀」
的大樹，心　安康，又可以施善周圍。虔信上帝的信仰生活比喻成「黛影婆娑，
霄蔽日」的樹木一樣，達到無懼無悲、平安快樂的境界。〈花紅桃〉則將基督徒
愛人如己的形象比喻成鄉人第三子偷送病人饞涎欲滴的最佳紅桃之慈善行為。這
些作品篇幅較短，但文章精練淺易，是使讀者易讀易解的筆記體小說。

按照其內容分類，這部作品集的 71 篇可以分成三類：第一、《聖經》偉人故
事，如〈民牧〉、〈大衛與掃羅〉、〈約百〉、〈拿單與所羅門〉、〈以利亞佈〉、
〈拉撒路〉等篇；第二、想要證明上帝的實存與基督教教理故事，如〈真理之國〉、
〈生命之泉〉、〈羔羊〉、〈奇事〉、〈禱告〉等篇；第三、以一般故事來表現
上帝與基督、聖靈的恩愛，如〈花紅桃〉、〈爛種子〉、〈新造園〉、〈聖畫〉、
〈濟貧盒〉等篇。尤其是第三類故事數量不少，通過一般人生瑣事，有意說明三
位一體說和基督教核心教義，篇中雖然沒有公然強調基督教教義，但是隱然中表
述了宣教主旨，受效加深。

四、《喻道要旨》的翻譯特點與李提摩太的翻譯策略

譯者李提摩太根據 Bohn's 英譯本，譯成中文本。我們為了了解《喻道要旨》
的翻譯特點，先試圖對照第 69 條〈聖畫〉的中、英譯本文字。為了方便了解故事
內容的翻譯程度，中文放在前面，同樣內容的英文放在後面。

第 69 條〈聖畫〉（〈The Sacred Pictures〉）

武弁希得本於同官卜魯挪處，大受欺凌，心憤不平，急欲報復，夜不成眠。
次早衷甲懷兵，欲往見之，以雪其讐。

(A valiant knight, named Hildebrand, had been deeply injured and offended by
Bruno, another knight. Anger burned in his heart; and he could hardly await the

day to take bloody revenge on his enemy. He passed a sleepless night; and at dawn of day he girded on his sword, and sallied forth to meet his antagonist.)

正行之際，過禮拜堂，**見門已啟**。因晨光微亮，內尚無人，驀然竟入。堂上有畫三軸，微茫不可辨識。

(But as it was very early, he entered a chapel by the way–side, and sat down and looked at the pictures which were suspended on the walls, lit up by the rays of the morning sun. There were three pictures.)

少頃朝陽漸啟，復詳觀之，一為救主耶穌服絳色之衣，立於希律王與彼拉多總督座前受審，上書數字曰：「受欺無怨。」

(The first represented our Saviour in the purple robe of scorn, before Pilate and Herod, **and bore the inscription**: "When He was reviled, He reviled not again.")

二為主耶穌服刑受杖。上書數字曰：「受難無愠色。」

(The second picture showed the scourging of Jesus, **and under it was written**: "He threatened not when He suffered.")

三即主被釘於十字架時，上書數字曰：「求父饒恕他們。」

（And the third was the crucifixion, **with these words**: "Father, forgive them.")

觀訖，**心為爽然**，遂伏而祈禱。

(When the knight had seen these words, he knelt down and prayed.)

及起而出，**甫至門**，適卜魯挪遣僕人至曰：「恭請大人，我家主云：『得重疾，有言相告。』」即從而往，至其家。

(Now, when he left the chapel, he met servants coming from Bruno, who said: "We seek you. Our lord demands to speak with you;he is dangerously ill." And he went with them.)

卜魯挪曰：「我實顏靦，求爾恕我前愆。」

(When Hildebrand entered the hall where the knight lay, Bruno said: "Forgive me my injustice. Alas. I have injured thee deeply!")

希得本曰：「爾我同官，乃兄弟也。從未得罪，恕何自言？」

(Then the other said kindly: "My brother, I have nothing to forgive thee.")

由是二人互相勸慰，洽浹**愈於從前**。

(And they grasped each other's hand, embraced and comforted each other, and parted in sincere amity.)

當夕希得本歸家之時，見溶溶月色，靚面相迎，較晨光倍為可樂，**究之日月之光非有異，只其心有不同耳**。

(Then the light of evening was more lovely to the returning knight than the light of the morning had been.)❷❸

第 69 條〈聖畫〉每頁 8 行每行 31 個字，共有 303 字，英譯本共有 32 行文字，等於 1 頁 2 行，篇幅不短不長。上面的粗深色文章表示僅有其譯本所敘述的文字，別譯本不見。由兩種譯本的對照可見，中譯本的文章增加到 60 字之多，但因此，敘述文章更加流利順暢，文章的前後文脈更合邏輯。例如「堂上有畫三軸」，後面加上了「微茫不可辨識」的英譯本未有的文章，其後中譯者為了內容的文脈發展，再添上了「少頃朝陽漸啟，復詳觀之」的說明文字，可是有了這些文字，敘述的焦點鏡頭漸漸接近到三軸聖畫，觀察角度跟著集中於主要題材三幅畫圖上。其餘的「心為爽然」與「甫至門」以及「愈於從前」等的文字，也對故事內容的文脈發展，有所幫助，有了這些敘述文字，文章前後呼應，故事更為順暢流利，並不妨礙英譯本故事內容的表述。

---

❷❸ 《喻道要旨》，第 34─35 面。《*The parables of Frederic Adolphus Krummacher*》, p364-365.

　　但是，翻譯三幅聖畫的題辭時，採取不同的方式，英譯本的三個題辭，例如第一幅的題辭為"and bore the inscription"，第二幅是"and under it was written"，第三幅則是"with these words"，其敘述文字都不一樣，即用不同的辭彙來表述，但中文則一律以「上書數字曰」來敘述。三幅題辭的字數也頗整齊，書為「受欺無怨」、「受難無慍」、「求父饒恕他們」。以此三句來綜括英文不同篇幅的文章內容，此譯文正是中國散文常用的對偶方式，符合中國散文敘述傳統。其中第三幅又夾雜白話辭彙，不純用文言，不合前文。這是李提摩太為符合中國筆記小說敘事方式，將英譯本的文章有意改譯，但文脈發展上沒有妨礙，反而文章邏輯上能前後呼應的一種好例子。其最後的「究之日月之光非有異，只其心有不同耳」之文，就是原文不見、譯者有意插入的主觀判語，正象徵著譯者李提摩太的翻譯意圖。作者科錄馬赫原來讓讀者自由欣賞的作品，中譯者有意的介入，使讀者更易於了解作品的主題，也可以說這種結語方式，繼承了先秦寓言及史傳、筆記小說中的終結判語敘述傳統。因此，西方的中譯故事，讀起來很符合中國文人的閱讀習慣，容易被接受。

　　可是，李提摩太有意改譯而展示其譯作目標的翻譯策略，從另一作品中，顯而易見地看到了。我們看看第3條〈鱷魚〉中的譯述狀況：

> （鱷魚）舉口即欲吞食幼孩以及牲畜。居民大恐，無所為計。因禱於上蒼之神，祈其庇佑。神傳命曰：（Then the people cried with a loud voice to their god Osiris, to free them from the monster. And Osiris answered by the mouth of the wise priests, saying:）……上帝生人，具有能力，出其智巧，無不可為。（Is it not enough that the deity gave you strength and reason?）……（Osiris had compassion on the miserable people, and encouraged them to new exertions by the mouth of the wise priest）……事出極難，必反其本，眾於此時，惟共祈上帝而已，上帝因發慈悲，命使者傳示於人曰：（then the priest and the distressed people called to Osiris for help, and the deity listened in mercy to their cry.）

"Behold," exclaimed the priest, "Osiris Sends help!"

信主者曰：（"See!" said the wise priest）

「除惡務本，誠哉是言，故去其本，一人為之而有餘，徒循其末，數千萬人恐不足也。」（"if you wish to extinguish an evil, attack its germs and roots. Then a trifle may do what afterwards the united efforts of many will be unable to accomplish."）**㉔**

英文本與中譯本的文字不盡相同，但故事內容的展開大抵相同。而從「神」的稱呼上，我們可以看到中譯者的獨特翻譯策略。埃及主神"Osiris"在英譯本共有 5 次出現，此與德文原本相同**㉕**，但在中譯本中，"Osiris"譯成不同的稱號：第一次譯為「上蒼之神」，第二次則譯成「神」，第三次與第五次都不譯，第四次與"the deity"都譯成「上帝」或「主」，譯者李提摩太巧妙借用神名的變換方式，將埃及主神與埃及人民之間的故事，改寫成基督教上帝與埃及人民之間的故事，完全變譯成基督教傳教寓言作品。英文"Osiris had compassion on the miserable people, and encouraged them to new exertions by the mouth of the wise priest"此句不見於中譯本，又另一句英文不見的「夫疾痛慘怛，未嘗不呼父母也。勞苦捲極，未嘗不呼天也。事出極難，必反其本，眾於此時，惟共祈上帝而已」長篇文字，插在其後，很順暢地接到後面文字。前面神名的改稱，影響到整體故事的內容，接著翻譯文字也大幅度地改寫，譯者的主觀變換與有意穿插，會呈現出完全不同的內容。

　　譯者李提摩太的小說翻譯動機，在於基督教的傳教。因此，在他的譯文中，很容易發現其翻譯策略。例如他的另一本翻譯小說《回頭看記略》中，也有同樣的翻譯樣態：「蓋上帝生人，原屬一體，雖工匠與富戶，亦兄弟也。而今以貧富懸殊之故，致視貧賤如奴僕，無怪常有爭端也。」**㉖**李提摩太幾乎完全改寫了原

㉔　《喻道要旨》，第 2 面。《The parables of Frederic Adolphus Krummacher》，p30-31.

㉕　〈Das Krokodil〉，《Parabeln》，Beutlingen, 1826, p36-38.

㉖　李提摩太譯，《回頭看記略》，《萬國公報》1892 年 3—4 月，第 3 卷第 35 期，第 5 頁。

作的結尾，試圖顛覆原作的主題。他設計了偉斯德與儀狄之間的一幕對話情景，在他的筆下，偉斯德經歷了兩個迥然不同的世界之後，幡然悔悟，認識到自己前世未曾「救世」的罪過，並立志「利濟眾人」。而儀狄則好像是上帝的代言人，安慰內心不安的偉斯德說，他已經得到了仁慈的上帝寬恕。

> （偉斯德）遂告之曰：「我前既未曾為救世操心，今世原不稱在此世界住，但我已對天矢願，自此以後，要全改變此心，亦欲利濟眾人也。」儀狄曰：「上帝是最慈悲者，既已悔過前罪，諒必赦也。」於是偉斯德心始安。❷⓻

如上文所示，《回頭看記略》的結尾為濃厚的基督教思想所浸潤，對於上帝及上帝救世的信仰，成為人與社會變革的原動力和終極目的。這正是譯者所意圖的另一種翻譯動機，也是傳教士翻譯小說所追求的最終翻譯目標。因此，〈鱷魚〉中譯者有意插入了原文沒有的，如「時有信主者曰：且莫妄言，惟宜真心恃主」等有關基督教信仰的文章，借此表達了基督教的核心教義與思想意味。而且如「除惡務本，誠哉是言。故去其本，一人為之而有餘，徒循其末，數千萬人恐不足也」的一般箴言性結語，都是從英譯本完全直譯過來的精美文字，但通過「信主者」的口表達出來，把英語的「priest（司祭）」譯成「信主者」，從中中譯者的翻譯動機顯而易見。譯文的字裡行間，隱然間溢露出了基督教的思想色彩。

　　第 24 條〈羔羊〉用 212 字的短文，敘述人類與動物的區別，在於對父母與天地創造主的認識上。從中文本與英譯本的對照結果看，內容的表述大抵上差不多，有些段落的文字稍有不同，例如中文本中老羊「臥於田畔」、「且仰而觀天」、「至成人後，非但識父母已也，宜識天地萬物之大主宰，是謂得生命之原」等文，是在中譯本中增加的。前面的「臥於田畔」是為了敘述上的需要而加上的，因此使文章更加順口通暢，又配合文字的整齊對偶。但其後的增加文字，幾乎是為強

---

❷⓻　同註❷⓺，第 3 卷第 37 期，第 17 頁。

調上帝的存在而插入的,所以很容易看出這篇作品是人生該虔信上帝的主題。作者用羔羊的譬喻來說明人生應該認識天地萬物的大主宰、創造主上帝的存在。譯者李提摩太則為了更加強這種虔信上帝的作品主題,有意插入了原文未有的基督教上帝的觀念。敘述文字上,英譯本用相當的篇幅,描寫嬰兒與羔羊的區別,例如:

> "Behold," said the father, "when you were born, you lay in your mother's lap, and were fed at her breast, and you slumbered without consciousness for some months. Then your countenance brightened, you looked up from her bosom to smile in her face. This the little lamb cannot do. A few months more, and you knew your mother from all others; you Uttered half-ormed sounds, and stretched out your hands towards her. This also the lamb cann ot do."[28]

英文用 7 行的長篇文字詳述了嬰兒剛出生到認母的過程,但中文用 45 字來綜括說明,可見中譯者在文章敘述上運用繁簡不同的筆法,行文譯寫,用第二人稱的主語改稱第三人稱,故事正敘述了人類一般的狀態,又將英文原來白話口語的文章譯成了淺易的文言。這也是符合中國傳統文言文法,使文人讀者讀起來很順口。而且,與故事的主題不很緊密的內容被刪除不敘,正如上文中的粗深色文字,全未被翻譯。但如此行文,使這條故事的中譯文章前後呼應,敘述結構也更具有張力感。

五、結　語

　　以基督教宣教為寫作宗旨的這部作品集,考慮到華人對外來宗教基督教會懷

---

[28]　《*The parables of Frederic Adolphus Krummacher*》, p146. 中譯文章:「父曰:子女方生,在母懷抱,不識不知,待至數月,漸識其母,引之則喜,逆之則啼,且有阿附依戀之態。此羔羊所不能者。」《喻道要旨》,第 13 面。

有排斥感，因此使用傳統筆記小說敘事樣式，試圖泯除排外感。故事內容都屬於歐、美或西亞等外國，但在本文中間的八幅插圖都是華風，人物的相貌、服裝、打扮與圖畫的背景都是中國傳統式。此作品集採用傳統筆記小說敘事方式，可以窺見譯者李提摩太的選篇標準。譯者李提摩太將一般寓言故事集，通過譯者的有意穿插改寫，改換成基督教筆記小說集，雖然中譯文字大體上屬於直譯，可是運用巧妙的翻譯策略，譯作的宗教意味大大改變，而呈現出典型的基督教寓言小說的面貌。因此，從文學敘述角度來看，是部很優秀的文言筆記小說集，但是加上中國式插圖，外來宗教宣教用的此作，感覺到中國化了。而且以簡明易讀的文言、與內容相關的適當比喻法，敘述描寫了《聖經》和基督教核心教理，所以題名為《喻道要旨》。書名中的「道」是指上帝的真理，換句話說是「基督教的福音」，「喻」表示「譬喻」。可是《喻道要旨》這一書名中，實在沒有考慮到其文體與敘事樣式，所以一下子便被歸於基督教教理書。

此作品集是譯者李提摩太牧師相當苦心，選篇翻譯的基督教宣教用短篇小說集，但是為了知識分子易於接受基督教，以文人常用的傳統筆記體翻譯的一種罕見的翻譯小說集。雖然是譯作，但從作品的選篇，使用文體所造成的譯文篇幅的多寡，人物的相貌、服裝、背景等全以中國式畫的插圖等，可算是一部譯者的主觀變換意識相當強、主觀變換要素相當多的小說集。例如選篇上，德文原本前面的 3 條獻呈故事都不選，又英譯本第 1 條〈The Robin〉也未被選譯。因為德文本的 3 條故事都是有關印度婆羅門的寓言，意在闡明印度思想，與基督教沒有關係，反而有礙基督教教義的宣揚。英譯本第 1 條則通過嚴冬時小鳥來農夫家過冬的故事，敘述善待遊客的道理，算是勸善布施的故事，屬於一般性的勸善教化類。我們由這些故事未被收錄的情況，降低了中國小說專家的注意力，僅以基督教教理書分類，所以只能達到譯者的第一翻譯目的。1894 年刊行的此作，在文章右邊使用「逗號」來分文，人名、地名都劃線來區別，是在 20 世紀以後使用標點符號的中國文法史上，具有先驅意義的作品。

由文獻資料探討
《往五天竺國傳》慧超人物

朴現圭
韓國順天鄉大學中國語文學系教授

一、緒　論

　　慧超，我們一聽這個名字馬上會想起他就是不朽名著《往五天竺國傳》的作者。《往五天竺國傳》是八世紀初期慧超雲遊離東方遙遠的五天竺時，記錄當地宗教、風俗、文化、政治等諸般事項的古代遊記。廿世紀初《往五天竺國傳》發現於敦煌千佛洞以來，研究印度、中亞、絲綢之路、佛教的眾多國內外學者們表現出了莫大的關心，並有諸多研究成果見世。該書不但在市中書店很易找到，也常見諸於電視、廣播、報紙、雜誌等各種輿論媒體。

　　1915 年，日本的高楠順次郎首次提出了「《往五天竺國傳》的作者慧超是新羅僧人」的主張。❶此後，雖有許多學者對慧超的行跡進行了研究分析，但其研究范圍不離高楠順次郎所提供資料之左右。但是最近中國的溫玉成主張慧超是中

---

❶　高楠順次郎，《慧超往五天竺國傳に就て》，《宗教界》，11 卷 7 號，1915，頁 18－19。

國少林寺的弟子。❷該主張在中國少林寺的網站上發表後逐漸擴散，韓國學界對於這一主張也只是簡單的言及而已。❸至於這一主張的可行性，海內外學界還沒有展開徹底的分析研究。

此外，還有唐朝的慧超或惠超，即關於庫車庫木吐喇石窟惠超，吉祥院惠超，本願寺慧超，香水寺惠超等數名的記錄見諸於中國古文獻及遺跡。諸如此類許多還未解開的關於慧超生平的疑點很多。「《往五天竺國傳》作者慧超是新羅僧人」的這一主張的可信度到底有多少？慧超是少林寺弟子的主張到底可不可行？其他古文獻和遺跡所記載的諸多慧超到底是何許人也？或者他們就是《往五天竺國傳》的慧超？本論文將針對這些對慧超人物進行檢討。

二、《往五天竺國傳》所載慧超人物的資料

1900 年在甘肅敦煌藏經洞裡發現了 2 萬多件古文書和圖畫。1907 年匈牙利的斯坦因（A. Steine）調查中國西部地區時，在敦煌獲得並帶走了眾多古文書。1908 年法國的伯希和（Paul Pelliot）獲知該消息後，立刻奔赴敦煌並帶走了 29 箱之多的古文書和佛像。Paul Pelliot 在整理分析時，注意到了前後損落且書名，作者殘缺的手抄本。這些手抄本，就是他要尋找的《往五天竺國傳》。此前，Paul Pelliot 已由慧琳的《一切經音義》得知《往五天竺國傳》的存在。❹他認為該手抄本的內容是慧超雲遊天竺的遊記，且當是夾於義淨的《南海寄歸內法傳》與悟空的《悟

---

❷ 溫玉成，《西行的新羅高僧……原來是少林弟子》，《中國文物報》，1992.10.18；《新羅僧慧超與《往五天竺國傳》》，《少林訪古》，百花文藝出版社，天津，1999.11，頁 116－120。

❸ 卞麟錫，《唐長安的新羅史蹟》（韓文），亞細亞文化社，首爾，2000.6，頁 394。卞麟錫、陳景富、李昊榮，《中國名山寺刹與海東僧侶》（韓文），周留城，首爾，2001.2，頁 96。鄭守一譯註，《慧超的往五天竺國傳》（韓文），學古齋，首爾，2004.4，頁 36，註 11。

❹ Paul Pelliot，《Deux Itin rires de Chine en Inde-in fin du Ⅷe si cle》，《Bulletin de l'Ecole Fran aise d'Extr me-Orient》，Tome 4，Hanoi，1904，p.171。（引自高炳翊，《《往五天竺國傳》解說》，《東亞細亞文化史論考》（韓文），首爾大學校出版部，首爾，1997.5，頁 5。

空入竺記》之間的新資料。❺該手抄本現藏於法國國立圖書館（BNF）的 Pelliot chinois Touen-houang，編號 3532。由該書的紙質分析可得知該書不是慧超的親筆或與慧超同時代八世紀的手抄本，而是九世紀他人略縮抄錄而成的。

現存《往五天竺國傳》的內容以記錄旅行考察為主，而關於作者自身感受和生平的記錄幾無存留。年份記錄僅存一處。《往五天竺國傳》中到達安西都護府時：

> 又從疏勒東行一月，至龜茲國，即是安西大都護府。此龜茲國，……又安西南去于闐國二千里，……從此已東，並是大唐境界，諸人共知，不言可悉。開元十五年十一月上旬至安西，于時節度大師趙君。

慧超到達安西大都護府的時期是 727 年（開元 15 年）11 月上旬。龜茲、于闐、疏勒、焉耆，乃安西四鎮，是唐朝為進出西域而設立的行政機構，安西大都護府於龜茲王城裡設有管理機構。龜茲王城位於現新疆維吾爾自治區庫車西部 2 公里的皮郎村。慧超到達安西大都護府時節度大使為趙君。趙君，即指趙頤貞。

慧超雲遊南天竺時忽起懷鄉之情，作有五言詩一首。《往五天竺國傳》裡記載如下：

> 月夜瞻鄉路，浮雲颯颯風。緘書忝去便，風急不聽迴。
> 我國天岸北，他邦地角西。日南無有鴈，誰為向林飛。

由此詩可見慧超思鄉情甚切。異地他鄉，遊子望月生情。天高風緊，故鄉萬里，鄉音欲寄，日南無有鴈，誰為向林飛。關於詩文最後一句中的「林」字有不同的

---

❺　Paul Pelliot，《*Une Biblioth que M di vale retrouv e au Kan-sou*》，《*Bulletin de l'Ecole Fran aise d'Extr me-Orient*》，Tome 8，Hanoi，1908，p.511－512。（引自高炳翊，同前論文，頁 6－8）

解釋。高炳翊認為「林」即是「雞林」的簡稱，慧超自稱是雞林人，即新羅人。❻
此後韓國關於慧超的文獻裡也有贊同高炳翊主張的。❼但在此有個問題，至今各
種文獻裡還沒有發現過「林」即是「雞林」簡稱的例子。由此「林」字當是指慧
超故鄉的林子，慧超說自己的故鄉在天之北，也只是說自己的故鄉在遙遠的北方。
僅由一個「林」字不能證明慧超的故鄉就是新羅。「林」即是「雞林」的說法，
大概也是因為「《往五天竺國傳》的作者慧超是新羅僧人」的主張在我們惱海裡
根深蒂固的原因吧。

慧琳的《一切經音義》引用了《往五天竺國傳》對佛經進行詮釋。在該書的
目錄裡載有「慧超傳三卷」。此處的三卷當指原件，而現存敦煌本當為原件的略
縮本。該書中引用《往五天竺國傳》的有 85 處，作者「慧超」與「惠超」通用。
詮釋「閣蔑」一詞時，引用「惠超《往五天竺國傳》上卷」。古文獻裡「慧」字
與「惠」字通用的情況甚多，且在本論文中可以找出「慧」字與「惠」字通用的
例子。如記錄新羅慧超，吉祥院惠超，本願寺慧超的古文獻裡，亦是「慧超」與
「惠超」互相通用。

慧琳是不空三藏的弟子。《一切經音義》著於 807 年（元和 2 年）。慧琳和慧
超的年齡和活動年代雖有差距，但同為不空三藏的弟子，慧琳應熟知慧超的著書。

三、先行學者們所言新羅慧超的資料

1909 年伯希和將此《往五天竺國傳》等敦煌古文書的照片介紹給中國學界，
馬上在東方學界引起了巨大的反響。1909 年中國的羅振玉和王仁俊分別刊行了
《往五天竺國傳》的校正本和照片集。1910 年日本藤田豐八重新校正了羅振玉的

---

❻ 高炳翊，《慧超往五天竺國傳研究史略》（韓文），《白性郁博士頌壽記念佛教學論文集》，
首爾，1959.7；《慧超的往五天竺國傳》，《東亞交涉史的研究》（韓文），首爾大學校出版部，
首爾，1970.6，頁 64−65。

❼ 鄭守一，同前書，頁 30−31。

《往五天竺國傳》，並提出了慧超是不空三藏入室弟子的主張。如前文所示，1915年日本的高楠順次郎提出了《往五天竺國傳》作者慧超是新羅人的主張。他以《三藏和尚遺書》中「新羅慧超」的記錄為據，認為新羅慧超就是密教金剛智三藏和不空三藏的弟子，和《往五天竺國傳》的作者是同一人。緊接著他還發表了《慧超傳考》一書。自從高楠順次郎後，國內外學界涌現出了許多相關論文。縱觀這些論文全部贊同高楠順次郎所提慧超是新羅僧人的主張。

本論文為把高楠順次郎等先行學者所主張新羅出身的慧超和《往五天竺國傳》慧超進行區分，簡稱之為新羅慧超。先行學者們考察並列舉了有關新羅慧超的文獻資料，除原本《往五天竺國傳》和證明原本慧超的《一切經音義》之外，還有《三藏和尚遺書》、《請於興善當院兩道場各置特師誦僧制》、《賀玉女潭祈雨表》（以上《代宗朝贈司空大辨正廣智三藏和尚表制集》）、《大乘瑜伽金剛性海曼殊室利千臂千鉢大教王經序》等。❽

下文將對這些資料一一進行分析。在《代宗朝贈司空大辨正廣智三藏和尚表制集》裡，關於新羅慧超的記載有三處。該書卷三《三藏和尚遺書》：

> 吾當代灌頂三十餘年，入檀授法弟子頗多，五部琢磨成立八箇，淪亡相次，唯有六人、其誰得之？即有金閣含光、新羅慧超、青龍慧果、崇福慧朗、保壽元皎、覺超。後學有疑，汝等開示，法燈不絕，以報吾恩。

不空三藏圓寂於 774 年（大曆 9 年）6 月 15 日，此遺書寫於圓寂前的 5 月 7 日。不空三藏出身於北印度，自小出家，師從金剛智三藏，專修密教。741 年（開元 29 年）金剛智三藏圓寂後，為求密教經傳和戒行前往獅子國，746 年（天寶 5 年）返回長

---

❽ 至今有許多慧超人物的論文，除了本文前面所提的之外，代表的論文如下：金煐泰，《關於新羅僧的慧超》（韓文），《伽山學報》，3 號，伽山佛教文化研究院，1994.6，頁 11－31。李廷秀，《密教僧慧超的一考》（韓文），《韓國佛教學》，27 輯，韓國佛教學會，2000.12，頁 377－397。

安。此後竭力傳播密教，收有眾多弟子。然能得密教真傳的唯有 6 人，其中就有新羅慧超。此處所表明慧超的出身正是新羅。

該書卷四《請於興善當院兩道場各置持師誦僧制》：

> 弟子僧慧朗、慧超、慧璨、慧海、慧見、慧覺、慧暉，右件僧等，請於當院灌頂道場，當為國念誦。

不空三藏請願置密教僧於大興善寺灌頂道場和大聖文殊閣誦經。其中於大興善寺誦經的弟子中就有慧超。《三藏和尚遺書》所載不空三藏的弟子，除慧超外，還有慧朗和慧果。大興善寺是密教戒行修行的重要寺廟，正是後文將要提及的不空三藏點悟慧超密教真諦之處。

《賀玉女潭祈雨表》裡載有慧超精通密教戒行的事實。《賀玉女潭祈雨表》收錄於該書卷五，該表文載有「沙門惠超」祈雨見效之事。此處「慧」字與「惠」字通用。前文裡的「慧超」，後文裡記為「惠超」。該表寫於 774 年（大曆 9 年）2 月 4 日。唐代宗在長安一帶久旱，是年 1 月 26 日遣中使李獻誠請慧超祈雨，慧超於盩屋縣玉女潭祈雨有效。新羅慧超在玉女潭祈雨的場所，正是仙遊寺前黑河的烏龜岩，卞麟錫對此有明確地理考證。❾烏龜岩與仙遊寺，現因金盆水庫的修建，遷至水庫前面的仙遊寺博物館前院，博物館後坡立有慧超紀念碑亭。

《大乘瑜伽金剛性海曼殊室利千臂千鉢大教王經序》，載有慧超屢受密教金剛智三藏和不空三藏教義，並譯成漢文的過程。733 年（開元 21 年）正月 1 日，慧超於薦福寺道場受金剛智三藏《大乘瑜伽金剛性海曼殊室利千臂千鉢大教王經》真傳，此後 8 年，跟隨金剛智三藏修行。747 年（開元 28 年）5 月 5 日，金剛智三藏受勅把《大乘瑜伽金剛性海曼殊室利千臂千鉢大教王經》譯成漢文，慧超手錄了金剛智三藏的口譯。是年 12 月 15 日譯經完成。774 年（大曆 9 年）10 月，慧超

❾　卞麟錫，《唐長安的新羅史蹟》，同前書，頁 91－92，378－416。

再次就此經受不空三藏點教。但在此有一個問題,就是 774 年（大曆 9 年）6 月不空三藏的圓寂。因此先行學者們認為慧超就此經再次受金剛智三藏點教的時期,是此之前的 773 年（大曆 8 年）。790 年（建中元年）4 月 15 日,慧超於五臺山乾元菩提寺得閱譯本。唐言漢音經,同年 5 月 5 日,記有草錄並序文,明確記錄為「沙門慧超起首再錄」。

對於先行學者們認為新羅慧超即是《往五天竺國傳》作者的主張考證如下。《代宗朝贈司空大辨正廣智三藏和尚表制集》的三篇資料和《大乘瑜伽金剛性海曼殊室利千臂千鉢大教王經序》裡記載的慧超,皆指新羅慧超。關於新羅慧超記載最早的,是 733 年（開元 21 年）1 月;《往五天竺國傳》裡慧超到達安西督護府的時期,是 727 年（開元 15 年）11 月,兩者非常相近。記錄「慧超《往五天竺國傳》」的《一切經音義》作者慧琳正是不空三藏的弟子。慧琳和慧超,是受業於不空三藏的同門弟子。

當時新羅佛教界對在唐朝流行的金剛頂系密教格外重視。玄超、惠日、悟真、不可思議、義林等新羅僧人,紛紛渡海至唐朝學習密教宗法。其中惠日和悟真,是直接受不空三藏真傳的弟子。《兩部大法相承師資付法記》和《大毘盧遮那大教王相承師資血脈圖》裡,載有關於二僧的新羅血脈圖。❿新羅景德王向唐朝贈送過細致雕刻佛教世界的萬佛山。唐代宗把萬佛山供於內道場,並請不空三藏頌密經千遍。⓫諸如此類新羅密教和不空三藏的因緣頗近。新羅慧超再次受不空三藏的點教,正反映了這一事實。

唐朝的金剛頂系密教僧侶們繼承了五天竺的學門系統,並有人員和密教經傳的往來。正式傳播金剛頂系密教到唐朝的金剛智三藏與不空三藏,分別來自中天竺和南天竺。741 年（開元 29 年）金剛智三藏派遣梵僧目叉難陀婆伽前往獅子國贈

❿ 宗釋（全東赫）,《唐朝的純密盛行與入唐新羅密教僧的思想》（韓文）,《（中央僧伽大學校）論文集》,5 輯,1996。11,頁 56－81。
⓫ 參考《三國遺事》第 4《塔像·萬佛山》。

《大乘瑜伽金剛性海曼殊室利千臂千鉢大教王經》等經書給本師寶覺阿闍梨。是年不空三藏正受業師金剛智三藏遺命，攜弟子 37 名往獅子國覓求梵文密教經傳，慧超即是密教弟子。慧超雲遊五天竺，也可能正是因為這樣的情況。新羅慧超停頓之處，為長安及五臺山的寺廟。正如下文提出的，由僧人們求得天竺梵文經傳後，在長安、洛陽及其周邊地區進行翻譯。

綜上所述，雖然沒有關鍵性的證據可以證明新羅慧超和《往五天竺國傳》作者慧超就是同一人，但由多方面看該可能性很大。

四、《皇唐嵩山少林寺碑》所載少林慧超的資料

中國的溫玉成主張裴漼《皇唐嵩岳少林寺碑》裡記載的慧超與《往五天竺國傳》的慧超是同一人。少林寺的網站發表了該主張。為論述方便起見，把《皇唐嵩岳少林寺碑》所載的慧超稱為少林慧超。

首先綜合整理溫玉成的主張如下。《皇唐嵩岳少林寺碑》所載少林慧超，是法如禪師大弟子。景龍年間（707-710），在少林寺置大德 10 名。法如禪師自 683 年（弘道元年）至 689 年（永昌元年）間停留於少林寺。少林慧超是新羅僧人。韓國現存的資料裡沒有關與慧超的記錄，義淨的《大唐西域求法高僧傳》裡也沒有關與慧超的記錄。溫玉成推測景龍年間少林寺置大德之前少林慧超當雲遊於天竺。由此可推測慧超前往天竺的時期，是義淨歸國的次年（696 年）與景龍元年（707 年）之間。慧超回到安西督護府的時期，是 727 年（開元 15 年）。少林慧超在天竺停留的時期達 21-31 年之久。假設法如禪師圓寂（689 年）時慧超是 20-25 歲，那麼慧超回到中國時已是 58-63 歲的老僧了。不空三藏的弟子新羅慧超，於 780 年（建中元年）著有《大乘瑜伽金剛性海曼殊室利千臂千鉢大教王經序》。少林慧超活到 780 年（建中元年）的話，他的年紀應有 110-115 歲了。可見新羅慧超與少林慧超並非同一人。

韓國學者對於溫玉成的主張只進行了簡單的介紹。卞麟錫認為《往五天竺國

傳》慧超是少林弟子的溫玉成這一主張大有可能。理由是裴漼《皇唐嵩岳少林寺碑》所載慧超和《往五天竺國傳》慧超到達廣州的時期基本一致。❷但是卞麟錫的論證有疑點。新羅慧超雖拜師金剛智三藏，然任何文獻上都沒有關與慧超前往廣州見金剛智三藏的記錄（無處可尋）。就算新羅慧超是從廣州前往天竺的，雖然學者之間說法稍有出入，其時期大致是 722－723 年。❸溫玉成認為少林慧超前往天竺的時期是 696－707 年，這一說法和先行學者的說法差距甚大。鄭守一簡單介紹了溫玉成的主張，而對慧超的出身表示了疑問。❹

下文將對溫玉成提示的資料進行大致的說明。嵩山位於河南登封市北 15 公里處，少林寺位處少室山北麓五乳峰下。少林寺，乃 495 年（北魏太和 19 年）為天竺僧而建。527 年（孝昌 3 年），普提達摩在此宣法修道善徒甚眾。至今少林寺鐘樓前立有《太宗文皇帝御書碑》。碑高 3.6 米，寬 1.23 米。728 年（開元 16 年）玄宗御賜碑名。石碑正面刻唐太宗李世明為秦王時，少林寺僧助自己占領王仁則所據的轘州城有功的內容。右側刻有唐太宗親筆御書「世民」字樣；碑上刻有唐玄宗御書「太宗文皇帝御書」字樣；碑後面刻有唐太宗的《賜少林寺柏谷莊御書碑記》。石碑刻有唐太宗賜田有功少林寺僧等內容。《太宗文皇帝御書碑》正面下端有裴漼所記《皇唐嵩岳少林寺碑》。該碑文收錄於《金石萃編》（卷 77）、《嵩陽石刻集記》（卷下）、《金薤琳琅》（卷 12）、《六藝之一錄》（卷 119）等文獻中，很易找尋。碑文撰於 728 年（開元 16 年）7 月 15 日，記有少林寺自創寺至唐玄宗的寺史。其中有關慧超的記錄如下：

> 皇唐貞觀之後，有明遵、慈雲、玄素、智勤律師，虛求一義，洞真諦之源。

---

❷ 卞麟錫，《唐長安的新羅史蹟》，同前書，頁 394；卞麟錫、陳景富、李昊榮，《中國名山寺剎與海東僧侶》，同前書，頁 96。

❸ 大谷勝真，《慧超往五天竺國傳中の一二に就いて》，《小田先生頌壽記念朝鮮論集》，1934，頁 148。（引自金煐泰論文，同前論文，頁 17）鄭守一，同前書，頁 36。

❹ 鄭守一，同前書，頁 36，注❶。

復有大師諱法如，為定門之首，傳燈妙理。弟子惠超，妙思奇拔，遠契玄蹤，文翰煥然，宗途易曉。景龍中，敕中岳少林寺置大德十人，數內有缺，寺中抽補，人不外假。

該碑文略述了少林寺眾高僧。唐貞觀（627-649）之後，少林寺有明遵、慈雲、玄素、智勤律師等高僧宣法；後有法如禪師傳燈，其弟子惠超深諳法旨。景龍年間（707-710），命少林寺置大德 10 名。

在敘述慧超的活動和宗派之前，讓我們先來了解一下其師法如禪師的生平吧。法如禪師的生平，在《唐中岳沙門釋法如禪師行狀》（《金石續編》卷六）中有載。此碑現位於少林寺旅遊區入口處。法如禪師俗姓王，上黨人，出生於 638 年（貞觀 12 年），自幼隨母舅至澧陽師從惠明，19 歲誓志求大法；後師從達摩宗第五代祖師弘忍禪師宣法修道 16 年。674 年（咸亨 5 年）弘忍禪師圓寂後，周遊四處，於 683 年（弘道元年）入少林寺。起初三年身處普通僧眾中，686 年（垂拱 2 年）為少林禪宗上座，689 年（永昌元年）7 月 27 日圓寂。❶⑤

少林慧超，乃法如禪師之大弟子，二者的因緣推測始於法如禪師入少林寺的 683 年，至法如禪師圓寂 689 年。少林慧超師從法如禪師的時期，應是法如禪師成為少林主持（686 年），自法如禪師圓寂（689 年）之後。他繼續滯留少林寺，其期間可能很長。

北宋末年趙明誠著有《金石錄》，該書中也有有關慧超的記載。該書卷六《第一千三十九》中有載如下：

---

❶⑤ 《唐中岳沙門釋法如禪師行狀》：「大師諱法如，姓王氏，上黨人也。幼隨舅任澧陽，事青布明為師，年十九出家，志求大法。……即南天竺三藏法師菩提達摩，……信傳忍，忍傳如，當傳之不可言者，非其人，孰能傳哉。至咸亨五年，祖師蔑度，侍從奉侍，經十六載。即淮南化掩，北遊中岳，後居少林寺，處眾三年，人不知其量。……垂拱二年，四海標領，僧眾集少林精舍，請開禪法。……即永昌元年，歲次己丑七月二十七日午時，寂然卒世，春秋五十有二，塵于少室山之原也。」

《唐東夏師資正傳》：僧慧超述，李嚴正書，開元十八年四月。

該記錄也見於南宋陳思編的《寶刻叢編》卷 20 中。《唐東夏師資正傳》已失傳，其內容無從得知，但由書名可推測其內容有關禪宗法統。此處的慧超，即指少林惠超；開元 18 年，即公元 730 年。由此可見慧超為少林上座的時間相當長。

對於少林惠超與新羅慧超關係分析如下。由結論而言，少林惠超與新羅慧超並非同一人。其證據有二。其一，二人活動年代不同。如溫玉成所說，少林惠超活動於 638－689 年，而新羅慧活動於 780 年以後。少林惠超就是新羅慧超的話，他的壽命比常人長出太多。其二，二人佛教宗派不同。少林惠超是達摩、弘忍、法如傳下來的禪宗，新羅慧超則是金剛智三藏和不空三藏傳下來的密宗。二人的宗派顯然不同。

那麼，溫玉成說少林惠超是《往五天竺國傳》慧超的主張是否成立呢？溫玉成的主張在基本理論上存在著疑問。溫玉成說少林惠超就是新羅僧人，但其證據非常薄弱。《往五天竺國傳》慧超是新羅僧人的證據，是來自有關新羅慧潮的記錄，且與少林惠超無關。就如溫玉成所說，少林惠超與新羅慧超並非同一人，少林惠超是新羅僧人的記錄無處可尋。既然如此，他為何說少林惠超就是新羅僧人呢？其原因大概是他受國內外學者們《往五天竺國傳》慧超是新羅僧人主張的影響之故。

溫玉成認為少林惠超前往五天竺的時期，是義淨歸國的次年（696 年）與景龍元年（707 年）之間。然在此說又有疑問，《皇唐嵩岳少林寺碑》所記的是景龍年間御賜少林寺補大德 10 名，而不是少林惠超於景龍之前離開少林寺。僅憑這一點不能成為少林惠超景龍之前離開少林的證據。

溫玉成因為慧超姓名不見於韓國古文獻和義淨的《大唐西域求法高僧傳》，就說少林惠超離開五天竺的時期最早也是義淨歸國的次年。但是這種理論方式相當不妥。因為某文獻裡沒有出現某人，我們不能說該人一定沒有活動於該文獻編撰時期或編撰之處。義淨《大唐西域求法高僧傳》裡不可能記載當時所有前往五

天竺求法的唐朝僧人和新羅僧人，甚至與義淨同時期前往天竺求法的其他僧人也有可能因為雲遊地區不同而沒有記錄在冊。因此僅憑以上所述，不足以證明少林惠超離開五天竺的正確時期；縱使少林慧超離開了五天竺時，也沒有必要把時期局限於 696－707 年。

少林惠超在法如禪師圓寂後繼續留在少林寺，引領禪宗。少林寺是禪宗的代表寺剎，少林惠超是引領禪宗法統的大弟子。禪宗重視通過參禪領悟法旨。禪宗也說佛經有助於領悟，但認為讀經不如參禪。禪宗經典有《楞伽經》等。初祖達摩傳授與二祖慧可的經典正是《楞伽經》。少林惠超重視傳統的參禪法，由此可推測他不太可能為求經而遠赴天竺。與此相反，唐朝初中期唯識宗和密教紛紛遣僧人前往天竺取經求法，如前文所示，新羅慧超所屬的金剛頂系密教宗派遣僧人往天竺取經求法的記錄見諸諸文獻。由此可推測少林惠超與《往五天竺國傳》慧超並非同一人的可能性很大。

五、庫木吐喇石窟所載庫車惠超的資料

古文獻或古跡中也有關於唐朝惠超的記載，即如下文將要言及的庫車庫木吐喇石窟惠超，吉祥院的惠超，本願寺的慧超，香水寺的惠超等。本論文為論述方便起見，分別簡稱為庫車惠超，吉祥惠超，本願慧超，香水惠超。下文將對這些惠超與《往五天竺國傳》慧超或新羅慧超是否就是同一人，或是第三者進行檢討。

《往五天竺國傳》慧超，於 727 年（開元 15 年）到達安西督護府後，拜見了節度大使趙君（趙頤貞），並參拜了當地的漢人寺剎大雲寺和龍興寺。安西督護府位於故龜茲王國（今新疆庫車）。庫木吐喇石窟位於庫車市西 21 公里處木禮提河（漢名渭干河）南絕壁之上，保有龜茲和高昌回鶻時期的重要古跡，現存洞窟 112 個。洞窟始修建於公元 4 世紀，其初期西域洞窟印度氣息濃重；11 世紀以後洞窟不再修建。

1928 年黃文弼作為中國和瑞典的聯合考古隊成員之一，對庫車一帶進行了考

察。是年 9 月 3 日，他對庫車西郊庫木吐拉石窟的幾個洞窟裡進行了考察漢文題記。在此發現有「惠超」名字的漢文題記二處。一處是 C 洞（又名羅漢洞；現大溝口的第 76 窟）所載的「惠超禮拜羅漢，回施功德，茲（慈）母離苦得解脫」。一處是 D 洞（現第 1 溝的第 7 窟）所載「惠超、法聖、伯辯（原「刃」字下面有「言」字）到此洞」的內容。黃文弼曾言及《往五天竺國傳》慧超曾到庫車，並推測與庫木吐喇石窟所載惠超可能為同一人。❻溫玉成轉載了黃文弼的見解，並認為惠超名字的題記製於唐朝。❼

庫木吐喇石窟裡所載惠超是否就是《往五天竺國傳》並不清楚。根據 C 洞（第 76 窟）漢文題記所載，其時期在九世紀以後的可能很大，因為該題記的紀年為「大唐大順五年（894）」。記有干支的題記也有幾處。根據黃文弼的推測「乙巳年」是 885 年（光啟元年），「丁未年」是 887 年（光啟 3 年），「壬辰年」是 872 年（咸通 13 年），「丁卯年」是 847 年（大中元年），「乙酉年」是 865 年（咸通 6 年）。❽這些與《往五天竺國傳》慧超活躍的時期差距甚遠。就如下文將要提及的，與《往五天竺國傳》慧超同一時期有幾位同名為慧超的僧人。我們不能說他們與《往五天竺國傳》慧超都是同一人，但這並不是說他們和《往五天竺國傳》慧超都沒有任何關係。《往五天竺國傳》慧超曾在庫車停留過，並參拜了佛教寺剎。他停留於庫車時，庫木吐喇石窟已經修建，就如前文所述，庫木吐喇石窟是佛教弟子們經常巡遊之處。筆者認為以後對於這一點有必要進行深層分析。

六、《（寶慶）四明志》所載吉祥惠超的資料

《（寶慶）四明志》乃北宋寶慶年間胡榘和羅濬編撰的四明（今寧波）地方志。

---

❻ 黃文弼，《庫車考古調查記》，《黃文弼歷史考古論集》，文物出版社，北京，1989.6，頁 237－267。

❼ 溫玉成，同前書，頁 120。

❽ 黃文弼，同前論文，頁 240－241。

該書中有關於唐開元年間惠超的記錄。該書卷廿《寺院·禪院十》中有載如下：

> 九峯山吉祥院，縣北六十里，唐開元中，高僧惠超居是山香栢巖，草衣木食，遂開此山。其巖高峻不可到，時聞鍾磬聲而已。

九峯山乃天台山脈太白山支脈之山，位於今浙江寧波北侖區大契鎮和柴橋鎮。此山很早即開發為旅遊區，遊人甚眾。唐開元年間（713-741），惠超於九峯山香栢巖草衣木食，修建山刹。元袁桷《清容居士集》卷廿《吉相寺重建記》載有慧超於香栢巖建寺之事。❶❾此兩種文獻之間，皆「惠」字與「慧」字通用。吉祥惠超所修寺廟，949 年（後漢乾祐 2 年）名為崇福院，1064 年（北宋治平元年）御賜匾額「吉祥院」。

　　吉祥惠超又是何許人也？其所修九峯山吉祥院時期為唐開元年間，與《往五天竺國傳》慧超和新羅慧超為同一時期。那麼，吉祥惠超與《往五天竺國傳》慧超和新羅慧超是否就是同一人呢？如果考證他們是同一人的話，那麼關於慧超生平的研究將會有很大的進展。

　　由結論來講吉祥惠超和新羅慧超不是同一人的可能性很高。因為吉祥院是禪宗寺廟，那麼吉祥惠超也當時禪宗僧人；而新羅慧超卻是密宗僧人。由宗派來言，吉祥惠超與少林惠超倒有許多相似之處，吉祥惠超與《往五天竺國傳》慧超不是同一人的可能性也很大。對於唐朝初期前往天竺取經的僧人們帶回的梵語經書，皇帝下令譯為漢語。當時取經僧人們所停留的寺刹大多位於長安和洛陽及其周邊地區。就如玄藏和不空三藏等人。筆者推測《往五天竺國傳》慧超於 727 年（開元 15 年）後不久到達長安，停留於長安，洛陽及其周邊地區的寺刹裡參與譯經工作。而吉祥院則位於離長安甚遠的浙江北部。

---

❶❾　《清容居士集》卷 20《吉祥寺重建記》：「主吉祥寺崇柏師，以其興造本末，為狀一通，俾予為記。其狀曰：初寺在翁州南香柏巖，唐有僧慧超，相攸築居，俊絜屬行，居民傾信，寺遂以成。」

七、《常山貞石志》所載本願慧超的資料

清道光年間沈濤編撰有《常山貞石志》。該書收錄有關於慧超的本願寺金石文二篇：一篇為《本願寺造舍利塔並石象碑》，另一篇為《本願寺銅鐘銘》。該書卷九《本願寺造舍利塔並石象碑》有載如下：

> 寺主僧希名，都維那僧惠仙，上坐僧惠超。

本願寺位於今河北鹿泉市，已毀，毀寺年代推測為中國共產黨政府建立之後。舍利塔碑與石像完工於 720 年（開元 8 年），碑文也作於同年。綜觀唐朝寺剎組織，各寺皆選三綱以掌寺務。三綱，即指各寺最高僧職：上座，寺主，都維那。惠超位列三綱之中，為上座。又該書卷九《本願寺銅鐘銘》有載如下：

> 都維那慧仙，寺主道瑗，上坐慧超等。

本願寺銅鐘鑄於 730 年（開元 18 年），鐘閣建於同年 7 月，銘文著於 731 年（開元 9 年）。此處也是「慧」字與「惠」字通用，前文「惠仙」與「惠超」，後文則記為「慧仙」與「慧超」。由本願寺金石文，可知慧超職位的變化。《本願寺三門碑》（《常山貞石志》卷 8）著於 725 年（開元 13 年）之後。《本願寺三門碑》錄有當時本願寺都維那為惠仙，寺主為希名，上坐為都瑗。由此可知，本願惠超於《本願寺造舍利塔並石象碑》的 720 年（開元 8 年）時，為本願寺上座；於《本願寺三門碑》的 725 年（開元 13 年）之後，暫時退位；於《本願寺銅鐘銘》的 731 年（開元 19 年），再為上座。本願惠超退位上座的時期並不清楚，最長為 720 年（開元 8 年）至 730 年（開元 18 年）春 10 年左右。此間他有可能雲遊五天竺後返回唐朝。

但這一推測，與前文所說的天竺巡禮僧參與譯經寺剎之處互有相衝。推測《往五天竺國傳》慧超於 727 年（開元 15 年）到達安西督護府後不久，就返回到長安；慧超返回後，很可能停留於長安，洛陽及其周邊地區致力於譯經工作，而本願寺

距長安甚遠。

八、《頭陀大師靈塔實行碑》所載香水惠超的資料

此外，金石文中也可見關於行及弟子惠超的記錄。《頭陀大師靈塔實行碑》，建於 1161 年（金正隆 6 年），著者為中都寶塔寺知心。該碑文的節錄本收錄於清乾隆年間蔣溥等人奉旨編撰的《欽定盤山志》卷六《香水寺》中。此文中有關於惠超的記錄。該書卷六《寺宇·香水寺》中載道：

> 香水寺，唐建，有《頭陀大師靈塔實行碑》，金正隆六年中都寶塔寺沙門知心撰。文曰：師諱行及，海東新羅常興人。覽茲香水，偶然掛錫，劫石頭庵。……於廣明元年仲夏無疾而終。門人惠超等塑以真像，搭而藏之。

盤山香水寺，為新羅僧行及所修。行及，海東常興人。880 年（唐廣明元年），行及圓寂，弟子惠超供行及真像於塔內。盤山香水寺，位於今天津薊縣白澗鎮庄果峪村廢墟，現用為盤山山林管理所。廢寺裡有石碑殘片散碎。寺後有唐井二口，一井味甜，一井味澀。香水惠超的活躍時期與《往五天竺國傳》惠超相距甚遠，二者不可能為同一人。

九、結　論

本論文是從對有關慧超人物諸般事項的記錄進行整理的立場出發。對於慧超，我們所知甚少，其主要原因在於存世資料的不足。現存《往五天竺國傳》，為前後脫落的殘缺本，作者慧超詳細記錄了雲遊經過，但對自己的資料卻著筆不多。現存有關慧超的資料寥寥無幾，且相當片面，跟猜謎語似的。

《往五天竺國傳》的作者是慧超。慧超到達安西督護府的時期是 727 年（開元15）11 月上旬，各種古文獻和遺跡中，關與唐朝慧超或惠超的記錄有多處。我們所知的慧超，除新羅慧超外，還有少林寺惠超、庫車庫木吐喇石窟惠超、吉祥院

惠超、本願寺慧超、香水寺惠超等。縱觀這些記錄，新羅慧超與《往五天竺國傳》慧超是同一人的可能性很大，新羅慧超與「慧超《往五天竺國傳》」的《一切經音義》作者慧琳，同為不空三藏的弟子；新羅慧超於長安寺剎停留的時間與《往五天竺國傳》所記載的時期相近。

庫木吐喇石窟惠超與《往五天竺國傳》慧超活動的時期有點差距，但是慧超曾停留於庫車，並參拜過諸寺廟，且當時庫木吐喇石窟已建成，因此對於這一點以後有必要進行更深層次的分析。據現存資料，少林惠超為少林禪宗上座，禪宗重視以參禪領悟真諦，與《往五天竺國傳》慧超的求法方式不同。《金石錄》所載慧超可能推測為少林惠超。吉祥惠超與本願寺慧超，都是活動於唐開元年間的人物。此二人與《往五天竺國傳》慧超的活動時期非常相近，然其停留寺剎與長安，洛陽甚是遙遠，可推測此二人與《往五天竺國傳》慧超不是同一人的可能性很大。新羅僧人行及的弟子香水寺惠超，與《往五天竺國傳》慧超活動的時期相差甚遠，可推測他們並非同一人。

總之，由於文獻不足，我們對部分人選仍然無法斷定他們與《往五天竺國傳》慧超就一定不是同一人。就算以後證實他們與《往五天竺國傳》慧超無關，他們也有自身的價值所在。至今我們公認《往五天竺國傳》的作者慧超是新羅僧人，這些資料是我們對這一主張進行再認識的契機。

宋代的圖書出版行銷術

吳哲夫
淡江大學中國文學系教授

一、前　言

　　自唐代採用雕版印刷法生產圖書之後，出版品除極少數供作宣索、贈賜、布施等公益行為外，絕大部分用在營利，經營者靠利潤來確保出版事業發展的資金。人情嗜利，出版行業在有利可圖的情況下，不斷的發展，也出現了競爭。為了競銷獲利，迫使業者不得不改良書本品質，印行更受讀者歡迎的圖書，於是雕印技術隨之精進，出版內容日益擴大，既帶動了書籍的普及化，也使學術跟著快速發展。所以古代圖書出版業者的競銷行為，對整體書史的演進與知識的深耕，具有一定的助力，值得加以關注。

　　唐及五代是印刷出版業的創始期，雖然出版品已成為商品，但僅止於簡單的印賣方式，談不上有太多的銷售謀略。宋代以後，由於雕版印刷技術已有厚實的基礎，政府又積極推行文治，大力扶助文教事業的發展，將圖書出版視為實踐文化治國政策的要務。加上政府鼓勵墾荒，改善農業，開闢坊田水利，發展冶金礦業及各種手工製造業，商業繁榮，經濟發達，使出版業得到空前未有的良好環境。而圖書用紙又有千年以上的製造經驗，新的造紙方法不斷的出現，紙的種類繁多，量大質精，價格又低廉；印書的墨材，於舊有的松煙墨外，又新產製油煙墨，更

方便於印刷使用。種種物質條件的齊備，配合良好的政、經環境，使得宋代出版業空前興盛。出版單位除中央及各地官衙外，私宅、坊肆到處林立，所刻印的圖書，幾乎遍及當時的所有知識門類，包括儒家經籍、史地書刊、農工醫著、天文算法、詩文別集、小說類書、釋道經典以及各類民俗用品。有這麼大量的出刷品，推想當年圖書的流通管道必定相當暢順，到底宋代出版業界用什麼方法促銷圖書？並無完整紀錄可資查檢，本文試從一些現存宋代印刷實物及零散史料加以勾勒，或能得出部分真相，供作參考。

二、重視出版品質

「物美」就有魅力，優良的商品常是商場競爭取勝的關鍵。書籍作為商品，如何構成「物美」的條件呢？明末胡應麟在其《少室山房筆叢》中，曾有這樣的一段論述：

> 凡書之直之等差，視其本，視其刻，視其紙，視其裝，視其刷，視其緩急，視其有無。本視其鈔刻，抄視其譌正，刻視其精粗，紙視其美惡，裝視其工拙，印視其初終，緩急視其時，又視其用，遠近視其代，又視其方。合此七者，參伍而錯綜之，天下之書之直等定矣。❶

胡氏對書籍價值高下的論斷，雖稍涉廣泛，但已明確指出書本字文正確、內容實用、雕印精美、紙墨俱佳都是書籍達成「物美」的必要條件。自明以下，許多版本行家看待宋版書常有「點畫嚴謹」、「校勘精審」、「字體挺秀」、「雕鑴工雅」、「紙潔墨香」等等美譽，可以推想宋代出版經營者對產品品質的用心，而其目的無非是在求增加書本的魅力，提高書籍銷售的效能。以下略將宋代出版業者對提升產品品質的種種施為加以介紹。

---

❶　明胡應麟《少室山房筆叢》卷四，甲部〈經籍會通〉四，臺北：世界書局刊本，頁57。

㈠ 雇用行家

　　宋代的出版業相當講究專業、專才，對書版版樣的寫、繪人才特別重視，往往遴選高度專長的人員，參與出版事務。據《宋史·趙安仁傳》：「（趙安仁）登進士第，會國子監刻《五經正義》版，以安仁善楷書，遂奏留之。」❷又宋太宗雍熙三年（986）國子監校刊《說文解字》一書，當時散騎常侍徐鉉因「深明舊史，多識前言。」具學識長才，因而被任命為校勘工作的負責人，又因徐氏精於篆、籀書法，故再委任其「書寫雕造，無令差錯，致誤後人。」❸如果出版之書，遇有需要插繪圖樣時，更是注重專才的選拔，宋王明清《揮麈後錄》卷一〈章獻太后命儒臣編書鏤版禁中條〉，有這麼一段記載：

> 仁宗即位方十歲，章獻明肅太后臨朝。章獻素多智謀，分命儒臣馮章靖元、孫宣公奭、宋宣獻綬等采摭歷代君臣事跡為《觀文覽古》一書；祖宗故事為《三朝寶訓》十卷，每卷十事，又纂郊祀儀仗為《鹵簿圖》三十卷，詔翰林待詔高克明等繪畫之，極為精妙，述事于左，命傳姆輩日夕侍上展玩之，解釋誘進，鏤版于禁中。

按高克明絳州人，大中祥符中（1008－1016）入畫院工作，善繪釋道人物，及花竹草蟲鳥獸，尤長於小景，因而有機會受命為《三朝寶訓》、《鹵簿圖》等書構圖，據記載他所繪的插圖「人物才及寸餘，宮殿、山川、鑾輿、儀衛咸備。」❹是一部高品質的版畫書。又如宋仁宗寶元二年（1039）臨安進士孟琪所印行的姚鉉《唐文粹》，被後人評為「校之是，寫之工，鏤之善，勤亦至矣。」❺足以考見參與

---

❷　按趙安仁（958－1018）字樂道，太宗雍熙二年（985）進士。參見《宋史》卷287，頁13。清光緒二十九年五洲同文書局石印本。

❸　參見王國維《五代兩宋監本考》，收錄在《中國出版史料》，2004年，湖北教育出版社，頁249。

❹　參見元夏文彥《圖繪寶鑑》卷三第七頁，收在《羅學堂全集》初編第二十冊。

❺　參見章宏偉《兩宋編輯出版事業研究》，1997年第4期《山東大學學報》，頁36。

此書的出版工作者，於校寫專才外，負責的刻工必定也具有極高的專業技術。

㈡ 反覆校勘

　　圖書視其他商品略有不同，它除了需要具備美觀實用條件外，另又兼負傳承與推廣知識的重責大任，如果文字內容存在錯誤，不但會造成知識走樣，有時還會遺誤後人。所以宋代的圖書出版業者，無不力求文字的精確，聘請專家對書稿反覆校勘。明嘉靖十四年（1545）通津草堂刻本《論衡》書前即附有一篇宋楊文昌序文，詳載他當年對《論衡》出版前的校勘經過：

> 余幼好聚書，于《論衡》尤多購獲……余嘗廢寢食，討尋眾本……率以少錯者為主，然後互質疑謬，沿造本源，偽者譯之，散者聚之，亡者追之，俾斷者仍續，闕者後補，惟古今字有通用，稍存之，又為改正塗注，凡一萬一千二百五十九字……既募工刊印，庶傳不泯……時聖宋慶曆五年（1045）二月二十六日前進士楊文昌題序。❻

校勘工作甚為不易，有如掃落葉，一面掃，一面生，因而宋代對圖書出版前的校勘，往往不只一次。例如宋太宗端拱元年（987）刻印《禮記正義》時，由「胡迪等五人校勘，紀自成等七人再校，李至等詳校。」❼此外，書稿交付刻工雕鏤成印版後，為了慎重起見，也需對版樣再加以校正。宋仁宗天聖間（1023－1032）國子監將定稿《文選》送三館雕印，「版成，又命直講黃鑑、公孫覺校對焉。」❽同時為了有效追究校勘責任，又常要求在書中載錄校勘者官銜及姓名。由於宋代出版經營者重視書本文字的精確度，所以常見書中附有「無一字差訛」的廣告。宋版《抱朴子》卷末即有牌記五行明言：

---

❻ 參見臺北國家圖書館所藏明嘉靖乙未（1535）吳郡蘇獻可通津草堂刊本《論衡》卷前序文。

❼ 參見宋王應麟《玉海》卷四十三。

❽ 參見《宋會要輯稿》冊五十五〈崇儒〉四〈勘書〉條。

舊日東京大相國寺東榮六郎家，見寄居臨安府中瓦南街東開印輸經史籍
鋪。今將京師舊本《抱朴子內篇》校正刊行，的無一字差訛，請四方收書
好事君子幸賜藻鑒。紹興壬申歲（1152）六月旦日。❾

㈢ 整理加工

宋代出版業者於重視校勘，確保文字無訛外，也重視出版圖書的「實用」功
能。本處所稱的實用，不是泛指書籍的一般傳遞知識的功能，而是指對圖書施予
增輯、注釋、或增繪插圖等方面的整理加工，使所出版的書較諸其他版本更方便
於利用，更具實用的功能。例如宋版《尚書》孔安國序文後，有五行長方牌記申
明其書在出版前曾經專人加工整理：

> 五經，書肆屢經刊行矣，然魚魯混淆，鮮有能校之者，今得狀元陳公諱應
> 行精加點校，參入音釋雕開，於後學深有便矣！士大夫詳鑑。建安錢塘王
> 朋甫咨。❿

宋代出版書中，許多書名上常冠有「附釋音」、「附釋文」、「纂圖互註」等等
字眼，都是出版商強調加工整理的廣告詞。茲再舉幾種書為例：宋太祖開寶六年
（973）印行《詳定本草時》為增加是書的實用功能，曾令尚藥奉御劉翰等九人，
取陳藏品《拾遺》等書相參，刊正了不少別名，又增加了許多品目，再令道士馬
志為之註解。⓫宋仁宗嘉祐二年（1057）詔修《補註神農本草》時，更令將各藥物
「下諸路州縣，應系產藥去處並令識別，人子細辨認根莖、花實、形色、大小，
並蟲、魚、鳥、獸、玉石等堪入藥者，逐件繪圖，並一一開說著花、結實、收采

---

❾　林申清編，《宋元書刻牌記圖錄》，1999 年，北京圖書館出版社，頁 53，圖版 27。

❿　參見臺北國家圖書館所藏，宋乾道、淳熙間（1165－1189）建安王朋甫刊本《尚書》卷前孔安
國尚書序文末。

⓫　詳參《政和本草序》載在王國維《五代兩宋監本考》同註 3，頁 278。

時月、所有功效……書成《本草圖》，並別撰圖經……使後人知所依據。」**⓬**還
有些書則在出版前加繪附圖以增加文字的說明力道。例如宋太宗淳化三年（992）
雕印《太平聖恩方》一百卷時，特別在第九十九卷〈針經〉及一百卷〈明堂〉中，
插繪人體穴位圖，方便使用者參考。

㈣ 講究字體

　　書籍完全靠字體展現內容，所以印書字體對書籍品質的美惡影響至大。宋人
刊印圖書是否有字體規範，不得而知，清蔡澄《雞窗叢話》曾記載：「嘗見骨董
肆古銅方二三寸，刻選詩或杜詩、韓文二三句，字形反，不知何用？識者曰：此
名書範，宋太宗初年頒行天下刻書之式。」這項紀錄是否為真，有待考證。設使
為真，書範字體也未交待。據近人劉國鈞《中國書的故事》說：「北宋人用的字
體較整齊渾樸，很像顏真卿、柳公權一派的字。」而日本版本學家長澤規矩也於
檢視日本現存九部北宋刊本圖書後，提出「其中八部皆帶有歐陽詢之書風，另一
部則近似褚遂良體。」**⓭**大約可知北宋刻書多喜用唐人名家楷書體。所以用唐人
字體，是因為北宋時代的書法名家在當時影響力還未形成，而唐代書法家的成就
已將楷書藝術推向高峰。北宋刻書正需要唐代這種端莊凝重的楷字，因而印書寫
樣都選用唐代書法的字體，以後漸漸形成風氣，整個宋代刻印圖書大都模仿唐代
的楷書字，只是有地方性的偏好，所以版本學家常有「四川宗顏，福建學柳，兩
浙崇歐，江西兼而有之。」的說法。宋人刻書於選好書家字體後，就雇請善楷書
者寫出版樣，再交付有經驗的刻工鏤雕。由於宋人特別重視書體的品質，因此宋
版書在字體方面得到最多的美譽，諸如「字體精健，渾厚有力」、「圓潤秀勁、
豁目悅心」、「筆意渾厚、寫刻工雅」、「秀挺潔麗、槧鍥精工」、「字蹟勁挺、
嚴峻方整」、「筆畫晴朗、刻手精整」等等不一而足，從之也可考見宋代出版業

⓬　詳見《本草圖記》卷前所附嘉祐二年（1057）八月三日敕文，同前註，頁 281。

⓭　參見日本長澤規矩也《關於刊本漢籍之字樣》，收錄於《長澤規矩也著作集》第一卷，1983 年
　　日本汲古書院出版。

者在品質控管的用心。

㈤ 注重紙墨

　　紙、墨是生產圖書的基本用料，其質材的好壞，直接影響到書籍的品質。中國造紙術創始於漢代，發展到宋代已有千年的歷史，因經驗老道，造紙技術已非常成熟，加上宋代出版業昌盛，更帶動造紙業的繁榮。據宋蘇易簡《文房四譜》卷四稱：蜀中多以麻為紙，有玉屑、屑骨之號；江浙間多以嫩竹為紙，北土以麻皮為紙，剡溪以藤為紙，海人以苔為紙，浙人以麥莖、稻杆為者脆薄，以麥藁、油藤為之者尤佳。可見宋代時期紙張種類甚多，印書業者可有各種的選擇。一般情形是浙江多用桑皮紙，閩地常用竹紙，而蜀本則用皮紙、麻紙。❶❹明代屠隆《考槃餘事》說：「王弇州藏宋版《漢書》，澄心堂紙，李廷珪墨。」澄心堂紙、李廷珪墨，相傳是南唐李後主最為喜歡的紙墨精品，屠氏所說雖未必屬實，但至少說明宋代印書已非常考究材質的選用。宋代印書於講究用紙外，有時也將紙張再加工，例如《開寶藏》選用桑皮紙，並且雙面加臘以增其光澤。❶❺還值得一提的是印書之前，常將紙張用黃檗汁染黃以防蟲害。《續資治通鑑長編》卷一八九即有：「嘉祐四年（1059）二月置館閣編定書籍官，別用黃紙印寫正本，以防蟲敗。」的記載。

　　墨是印書的用料，墨色的清濁，攸關印刷物的優劣。宋代以前製墨以松煙、膠及其他添加物為材質，是所謂松煙墨。宋代以後，松煙被以動植物或礦物油的油煙取代，一般稱之為油煙墨，其墨色更為光澤，因此油煙墨漸漸成為印書的主要用料。有關宋代的製墨業，已難詳考，但歷史上的製墨名家如李廷珪、張遇、潘谷等人❶❻，都是北宋人物，可見在北宋時期製墨已有很高的水準。有關宋代印

❶❹　參見潘吉星《中國造紙技術史稿》，1979 年，北京文物出版社，頁 101。
❶❺　同前註，頁 91。
❶❻　詳見錢存訓《中國墨的製作與鑒賞》，收錄於 2002 年北京圖書館出版之《中國古代書籍紙墨及印刷術》，頁 133。

書出版業用墨的文獻雖然極其罕見，可是從傳世的許多宋版書實物觀察，墨色持久，光澤黝墨，可推見當時的用墨相當精良，所以歷代藏書家常用「墨色如漆」、「墨色煥發」、「墨氣香濃」等辭來稱譽宋版書。

三、降低圖書售價

近人翁同文在其《印刷術對於書籍成本的影響》文中，引述古代許多文獻，提到晚唐時期印本書價只有抄本的十分之一。[17]因印本書籍價格低廉，所以雕版印刷業能夠快速發展，成為生產圖書的主流，足見書價的高低對書籍市場有絕對的關係。宋真宗深悉書價影響圖書傳佈的道理，在天禧五年（1021）國子監官議請提高監本書價時，批示說：「此固非為利也，正欲文字流布耳。」[18]認為國家如果要推廣文化，就不能提升書的售價。宋代經營圖書出版，獲利情形如何？據清葉德輝《書林清話》卷六〈宋監本書許人自印定價出售〉文中約略提到：

> 紹興十七年（1147）黃州雕造王禹偁《小畜集》，每部八冊，成本一貫一百三十六文，售價五貫文足；淳熙三年（1176）舒州公使庫刻印《大易粹言》，每部二十冊，成本二貫七百文，售價八貫文足；淳熙十年（1183）象山縣學刊印《漢雋》，每部二冊，成本二百六十文，售價六百文足。」[19]

足見宋代出版業獲利相當豐厚，有降價的空間。有關宋代出版商降低書價的方式，約有：

㈠ 降低生產成本

北宋葉夢得《石林燕語》卷八曾說：「福建本幾遍天下」，南宋朱熹也曾在

---

[17] 詳見翁同文《印刷術對於書籍成本的影響》，收錄於《宋史研究集》第 8 輯，頁 492。

[18] 詳見《續資治通鑑長篇》卷 92。

[19] 清葉德輝撰，《書林清話》，1976 年，文史哲出版社，頁 291。

其《建寧府建陽縣學藏書記》中說：「建陽版本書籍行四方者，無遠不至。」❷
宋代福建本所以暢銷的原因，是其書價較諸其他地區出版者相對便宜許多。福建
地區的刻印書業者，一方面善用本地產的柔木雕版和利用本地生產色黃而薄的竹
紙印造；一方面又創造了一種適於密行的粗細線條分明的瘦長字體，儘量擠緊版
式，壓縮冊數，這樣一來，既減少雕刻工時，又節省紙墨、裝訂等材料，生產成
本自然比其他地區降低，故書籍的定價隨之低廉，購書者財力負擔減輕，同時書
販又便於攜帶，更有意願負販於外地，因而閩本能行銷於天下。

㈡ **出版流程一體化**

　　宋代許多書坊，如臨安府棚北睦親坊南的陳宅經籍鋪、杭州太廟前的尹氏書
籍鋪、眾安橋南街東的賈官人經籍鋪、杭州貓兒橋河東岸開箋紙馬鋪、錢塘門里
車橋南大街郭宅紙鋪、金華雙桂堂、婺州市門巷唐宅、眉山程舍人宅以及福建的
萬卷堂、勤有堂余氏、黃三八郎書鋪、種德堂阮氏、一經堂蔡氏、富學堂華氏、
月詹堂詹氏、務本堂虞氏、群玉堂江氏、三桂堂劉氏等等，都是世代經營出版業，
他們有自己的出版團隊，又有自己的印書工廠，培養許多寫工、刻工及印工，加
上長年出版經驗，常能將編書、鏤版、印刷、校對、發行一體化，使圖書從生產
線到銷售流程迅速便捷，節省了許多不必要的開支，書價自然相對減低，容易建
立固定的市場，提升市場銷售競爭力。此外，部分坊肆採取專一門類書籍出版，
例如臨安府陳起父子經營的經籍鋪，以出版宋人詩文集及小說為號召，樹立專業
品牌，對促銷也有一定的影響。

㈢ **發行小字本**

　　大字本圖書，方便閱讀，但耗材費料，售價必高，往往阻礙了讀者的購書意
願，影響銷售效率。宋李燾《續資治通鑑長編》卷二二○即曾記載宋熙寧間（1068
－1077）：「民侯氏于司天監請曆本印賣，民間或更印小曆，每本直一、二錢，至

---

❷　宋朱熹撰，《朱文公文集》卷78，1979年臺灣商務印書館出版《四部叢刊正編》，頁1492。

是禁印小曆,官自印大曆,每本直錢數百,以收其利。」這雖然是一則宋朝政府與民爭利做起獨門生意的文獻,但也反映了書籍大、小本之間的鉅大價差。書價昂貴,對升斗小民自然是一種沉重負擔,難以購買。宋代政府出版物,代表政府顏面,不得不講求書本品質,除精加校勘外,字大行疏,象徵尊貴莊嚴,但為了推廣文化,顧及民生,因此對民間急用書,如儒家群經及各種醫書,常又另外刊行小字本,以低廉的售價,滿足民間的需求。宋哲宗元祐三年(1088)八月八日禮部即曾行文國子監說:「中書省勘令,下項醫書,冊數重大,紙墨價高,民間難以買置。八月一日奉聖旨令國子監別作小字本雕印。」❷❶不久後,於紹聖元年(1094)國子監又請求刊印幾種小字本醫書說:「今有《千金翼方》、《金匱要略》、《王氏脈經》、《補注本草》、《圖經本草》等五件醫書,日用而不可缺,本監雖見印賣,皆是大字,醫人往往無錢請買,兼外州軍尤不可得,欲乞開作小字,重行校對出賣及降外州軍施行。」此項請求於是年六月二十三日奉准實行。❷❷值得一提的是,有些小字本因字體太小,閱讀不便,反而影響銷路,於是又有所謂中字本的印行。《續資治通鑑長編》卷二六六即曾引宋呂陶《紀聞》說:「景祐、治平間(1034－1067)鬻書者為監本字大難售,巾箱又字小有不便,遂別刻一本不大不小,謂之中書《五經》,讀者竟買。」從此例中也可得知商品的實用與售價的合宜,往往是暢銷的主因。

四、顧及市場需求

任何商品的推出,如果不能考量市場的需求面,終必會從商場戰陣上敗陣下來,所以宋代的出版業者極重視市場需求,常能推出受讀者歡迎的出版品。例如宋真宗大中祥府四年(1011)國子監官即曾上請:「《節文五臣注文選》傳印已久,

---

❷❶ 同註❸,頁 273。

❷❷ 參見臺北國家圖書館藏影鈔本宋嘉定刊小字本《脈經》卷末附。

竊見《文選》援引賅贍，典故分明，若許流布，必大段流布。」❷❸充分說明當時負有國家出版任務的國子監官，已能發掘暢銷書的市場所在。再如《永樂大典》卷一八二二引《宋名臣言行錄》文中也曾記載一段出版史事說：「司馬溫公歿，京師民畫其像，刻印而鬻之，家置一本，飲食必祝焉。四方皆遣人購之京師，其畫工有致富者。」❷❹司馬溫公為一代名臣，政績顯赫，文采美盛，深受愛戴，哲宗時以相位辭世，出版商立即抓住人民強烈思慕的時機，應時印賣其畫像，所以極為暢銷，賺進不少財富。在今日傳世眾多的宋代出版文物中，以經史書籍、醫藥文獻、佛道經典、詩文別集、諸子百家及日用類書為量最多，其實這些印品都在當時社會擁有最大的市場。以下謹就當時出版市場的需求情形，略加分析：

㈠ 傳統文化市場

宋有天下之後，大力推行文治，任命文官，推行科舉考試，建立各級學校，文風盛極一時。據宋史藝文志說：「其時君汲汲於道藝，輔治之臣，莫不以經術為先務，學士縉紳先生，談道德性命之學，不絕於口。」在這樣的大環境之下，傳統儒家學術成為文化主流，正經、正史被視為弘揚儒學的具體呈現，故自北宋開始，帶有領導國家出版業龍頭的國子監，便以校印經、史圖書為首務。民間在其影響下，也因為有銷售市場，於是相關的各種儒家經注義疏書籍不斷被出版，其他如村塾用的四書、五經白文讀本，啟蒙用的字書、韻書、三字經、弟子規等等，更是常見。而為了羽翼經訓，輔助學術發展，諸子百家、大型類書也成為當時熱門書刊，蘇軾即曾在其〈李君山房記〉文中提到：「近歲市人，轉相摹刻，諸子百家之書，日傳萬紙。」❷❺足見宋代出版商在傳統文化市場吸引下，刻書之多，雕鏤之廣。

---

❷❸　顧宏義《宋代國子監刻書考編》文中引，載在《古籍整理研究學刊》第 4 期，2003 年，頁 45。

❷❹　宿白，《唐宋時期的雕版印刷》文中引，1999 年，北京：文物出版社，頁 77。

❷❺　見商務印書館《四部叢刊正編》所收〔宋〕蘇軾《經進東坡文集事略》卷 53，頁 306。

㈡ 民生日用市場

宋代為振興農業、安定社會秩序及維護人民健康，政府及民間出版了不少勸農書刊、法令文書及醫藥典籍，又因為工商業發達，經濟繁榮，書商針對當時廣大市場需求，編印了許多類書，諸如《事文類聚》、《記纂淵海》、《家居必用》、《事林廣記》等類書，供應市場參考及民間日用。除書籍之外，也出版不少民間常用物。例如印曆日，供農民瞭解農時；出版朝報，宣導政令；刊發鈔引，供社會流通；鏤雕戒諜，讓僧尼持用；印試題解說、程文短晷，予考生參用；繪印佛像，永充供養等。而宋代因城市生活富裕，人民有生活藝術化的奢望，因而許多出版商也迎合此一社會需求，繪印許多畫軸、畫像、扇面、屏風等藝術品，充實民間的生活品味，同時又印賣鍾馗像、門神、桃枝、桃符、財門鈍驢、回頭鹿馬等貼壁紙畫，供民俗年節施用。

㈢ 宗教信仰市場

釋、道兩教，長期發展，早有廣大信眾，故佛經、道書在民間普受歡迎，唐及五代寫印宗教圖書之風氣已相當盛行。宋代政府認為宗教有益於政治，故宋太祖即位不久，便派人前往益州（今成都）監雕《開寶藏》，以籠絡人心。之後，儒、釋、道三教漸漸合流，民間宗教讀本需求量大增，太宗乃設立印經院不斷校刊新譯和新編的佛書，並將之匯入全藏。所以宋代不但民間宗教圖書盛行，大部頭的藏經，更是一再出版，如《崇寧萬壽大藏》、《毗盧大藏》、《圓覺藏》、《資福藏》、《磧砂藏》等都是其例。此外，宋真宗時也曾令校定《道藏》，徽宗時再令道士劉元道加以校理，然後送往福州閩縣鏤版，這便是後世所稱的《萬壽道藏》。

㈣ 名家著作市場

古代社會對祖先、師長、名宦、鄉賢極為尊敬，因而許多名人著作，擁有良好的市場，各地方都有鏤雕先儒前賢著作的例子。諸如紹聖間（1094－1099）程頤門人刊印《明道先生傳》，宣和四年（1122）吉州公使庫雕印其鄉賢歐陽修《六一

居士集》，紹興十年（1140）臨川郡齋刊刻王安石《臨川先生文集》都是顯例。特別是宋代長期推行文治，人民傾心學術，文壇活耀，讀書人增加，許多名人的著作，受到歡迎，於是出版經營者針對市場需求，紛紛加以印賣。宋張栻在其〈答朱熹書〉文中提到：「栻近聞建寧書坊何人，將《癸巳孟子解》刻版，極皇恐，非惟見今刪改不停，恐誤學者，兼亦不便。」❷❻建寧書坊連張栻的《癸巳孟子解》未定稿都加以盜印，可以想見當時名賢作品必定有銷售的魅力。其實不僅張栻著作被盜印，朱熹的《論孟精義》也有類似的情形。❷❼

五、善用行銷廣告

書籍一旦成為商品，為加速資本回收或增加銷售額，自然會有商業廣告的出現。早在印刷品初期的唐代，印賣《陀羅尼經》的店家，即在卷首刊印「成都縣龍池坊近卞家印賣咒本」一行❷❽，而五代中和二年（882）刻印的曆書，首行也刻有「劍南西川成都府樊賞家曆」字樣❷❾，目的在提供刻書（或賣書）的地點及主人的信息，文字內容雖然簡單，但已具有廣告的功能。宋代出版業空前繁榮，商業競爭激烈，書業廣告在形式與內容上更見發展。當時的廣告文字多半印在扉頁、序後或卷末的空白處，字體粗大醒目，意在吸引讀者。廣告文字的周圍，往往飾以各種花邊欄框，因而被稱為木記或牌記，其內容可大分為「標示商號」及「告白文字」兩類。「標示商號」方面的廣告，文字簡短，如宋版《漢官儀》書中卷末有「紹興九年三月臨安府雕印」牌記❸❿，宋版《唐書》目錄後有雙行牌記「建安魏仲立宅刊行，收書賢士伏幸詳鑑」❸❶，宋版《常建詩集》卷上末有牌記「臨

---

❷❻　參見宋張栻《南軒集》卷24，明廣漢知州繆輔之刊本。
❷❼　參見宋朱熹《朱文公文集》卷33，〈答李伯恭書〉，1977年，中文出版社，頁523。
❷❽　同註❷❹，頁4。
❷❾　同前註，頁3。
❸❿　林中清編，《宋元書刻牌記圖錄》，1999年，北京圖書館出版社，頁1。
❸❶　同前註。

安府棚北大街睦親坊南陳宅刊行」一行❸，文字內容僅向讀者傳達出版時、地的信息，故這一類的廣告，大都出於長期經營的老字號，有宣示版權及品牌的濃厚意味。至於「告白文字」的廣告內涵則較為複雜，茲分別舉例如下：

㈠ 傳達字體及版式

宋版《附釋文尚書註疏》卷一末有牌記：「魏縣宅校正無誤，大字善本。」❸

宋版《新編近時十便良方》總目後有牌記二行：「萬卷堂作十三行大字刊行，庶便檢用，請詳鑒。」❸

㈡ 宣傳校刊精善

宋版《抱朴子》卷末有木記五行：「舊日東京大相國寺東榮六郎家，見寄居臨安府中瓦南街東開印輸經史書籍舖，今將京師舊本《抱朴子》內篇校正刊行，的無一字差訛，請四方收書好事君子幸賜藻鑒。紹興壬申歲（1152）六月旦日。」❸

宋版《漢書》卷末有木記五行：「本司舊有《兩漢史》，歲久益漫，因命工刊整，計一百七十版，仍委常德法曹廬陵郭洵直是正訛舛二千五百五十八字，庶幾復為全書云。慶元戊午（1198）中元括蒼梁季珌題。」❸

㈢ 告知書籍經加工實用

宋版《尚書》卷首序文末有五行長方牌記：「五經，書肆屢經刊行矣，然魚魯混淆，鮮有能校者。今得狀元陳公諱應行精加點校，參入音釋雕開，於後學深有便矣！士大夫詳察。建安錢塘王朋甫咨。」❸

---

❸　《國立故宮博物院宋本圖錄》，1977 年，國立故宮博物院出版，頁 143。

❸　同前註，頁 1。

❸　同註❸，頁 13。

❸　同前註，頁 11。

❸　《靜嘉堂文庫宋元版圖錄》，1992 年，日本汲古書院，圖版篇，頁 43。

❸　《國家圖書館善本書志初稿》，1996 年，國家圖書館出版，經部，頁 40。

宋版《夷堅志‧乙志》洪邁景盧敘末有告白三行：「八年夏五月以會稽本別刻于贛，去五事，易二事，其它亦頗有改定處。淳熙七年（1180）七月又刻于建安。」❸

四 表明用好紙裝印

宋版《揚子法言》書前序後有一牌記：「謹將監本寫作大字刊行，校證無誤。專用上等好紙印造，與他本不同。收書賢士幸詳鑒焉。」❸

宋版《新雕中字雙金》卷前有牌記：「此書曾因檢閱舛錯稍多，蓋是自來遞相模搭，刊亥為豕，刻馬成鳥，誤後學之搜尋，失先賢之本意，爰將經史逐一詳證，近五百餘事件訛誤。今重新書寫，招工雕刻，仍將一色純皮好紙裝印，貴得悠口口口書，君子詳識此本，乃是張家真本矣。時聖宋己酉熙寧二年（1069）孟冬十月望日白。」❹

五 宣示書籍的完整性

宋版《揮麈錄》在〈餘話總目〉後有四行牌記：「此書浙間所刊，止前錄四卷，學士大夫恨不得見全書。今得王知府宅真本全帙四錄，條章無遺，誠冠世之異書也。敬三復校正，鋟木以衍其傳，覽者幸鑒，龍山書院謹咨。」❹

宋版《類編增廣黃先生大全文集》目錄後有碑記：「麻沙鎮水南劉仲吉宅，近求到類編增廣黃先生大全文集五十卷，比之先印行者增三分之一，不欲私藏，庸鋟木以廣其傳，幸學士詳鑒焉。乾道端午識。」❹

六 宣導據好底本雕印

宋版《重修事物紀原集》目錄上末有四行牌記：「此書係求到京本，將出處

---

❸ 同註❸，頁 172。
❸ 袁逸撰《中國古代的書業廣告》文中引，收入《中國出版史料》第 2 卷，2000 年，頁 492。
❹ 同註❷，頁 70。
❹ 同註❸，頁 16。
❹ 清葉德輝撰，《書林清話》，1968，世界書局，頁 152。

逐一比校，使無差謬，重新寫作大板雕開，並無一字誤差，時慶元丁巳之歲（1197），建安余氏刊。」**㊸**

宋版《春秋經傳集解》序後有牌記：「謹依監本寫作大字，附以釋文，三復校正刊行，如履通衢，了亡窒礙處，誠可嘉矣。」**㊹**

㈦ 宣揚書籍的內容特色

宋版《活人事證藥方》目錄前有牌記：「藥有金石、草木、魚蟲、禽獸等物，具出溫涼寒熱，酸鹹甘苦，有毒無毒，相反相惡之類，切慮本草浩繁，率難檢閱。今將常用藥性四百餘件附于卷首，庶得易于辨藥性也。」**㊺**

六、保護書籍版權

書業經營者對出版品版權的保護，是一種維護商業利益的手段，目的在使出版物能獨佔市場，更方便銷售，以取得更多的商業利潤。談到版權的觀念，在鈔本時代，作者唯恐作品不能流傳，當然歡迎傳抄。讀者對所需要的圖書，如果不是自己抄錄，便是雇人代勞，只要付些紙料費和抄工錢而已。但雕版印刷術發明使用之後，情況就不同了，書籍只要雕一次版便可大量複製，書籍遂成為一種商品，於是專業出版商日漸增加，為了商業利益，經營者視自己的出版品為禁臠，深怕別人盜印，因而有類似今日保護版權的行為出現。

提到版權觀念，不得不從北宋時代談起。北宋政府為了推行文治，視圖書出版為實踐文治政策的要務，乃大量編印圖書，並以國子監為主要執行機構。為了出版業的永續發展，政府出版物除少數用作宣索贈賜之外，絕大部分都定價販售，並從中獲利，支援一些政府的財政開支。國子監印書，對外代表政府的顏面，所以校勘審慎，寫印精良，字大行疏，因而售價不便宜。民間出版業者針對這項缺

㊸ 同註**㊱**，頁 165。

㊹ 同註**㊳**。

㊺ 同前註，頁 494。

失，紛紛加以翻印，或採用小字本，或用較次級品的材料，廉價發行，搶佔不少市場。起先政府為了推廣文化，並不在意，後因邊務加重，財政日漸短絀，於是對部分最暢銷的國家出版品限制民間翻印。例如宋仁宗於景祐三年（1036）秋七月丁亥，下令禁止民間私印編敕及刑書❹；英宗也曾於治平四年（1067）二月癸酉下詔：「曆日民間無得私印。」❹神宗時，王安石為相，為了理財富國，更令全面禁止印賣政府的出版物，而於熙寧四年（1071）詔令：「自今官司止賣印版。」❹北宋政府這些禁止民間翻印政府出版品的措施，目的雖在與民爭利，但已不自覺的起了保護出版品權益的作用，或可視為古代版權觀念的濫觴。

南宋時期，由於雕印出版業更加昌盛，出版競爭隨之激烈，出版經營者為了獲取更多的利益，有時甚至未徵得作者的同意，即擅自刻印別人的作品。這種現象，不僅剝奪了許多出版者的權益，也造成作者的不安。例如宋張栻《南軒集》卷二十四〈答朱子書〉文中即曾載：「栻近聞建寧書坊何人，將《癸巳孟子解》刻版，極惶恐，非惟見今刪改不停，兼亦甚不便。」建寧書坊盜印的《癸巳孟子解》一書，是作者猶在修訂的未定稿，張栻深怕造成遺誤後學，所以甚為不安。其實朱熹也因名氣大，作品也常被盜印，《四庫全書總目》卷三十五《四書或問》條即載錄：「《或問》之書，未嘗以示人，書肆有竊刊行者，亟請於縣官，追索其版。」❹朱熹對作品被書肆盜印，採取向地方政府控訴，追討其版。其實南宋時代，書商為了防止他人盜印的不當行為，常有向官府申請保護出版權益的舉措。例如今日猶傳世的南宋紹熙間（1190－1194）蜀刊本《東都事略》即直接將申請的「版權聲明」刊載於卷首目錄之後曰：「眉山程舍人宅刊行，已申上司，不許覆

---

❹　參見《續資治通鑑長編》卷 119。

❹　參見《聖朝通鑑長編紀事本末》卷 53。

❹　參見《續資治通鑑長編》卷 220。

❹　清紀昀等奉敕撰《四庫全書總目》，臺灣藝文印書館，頁 728。

版。」❺這項聲明與現代書刊版權頁上所印的「版權所有，不得翻印」真是有異曲同工之妙。此外，宋代出版業者為了宣示版權，有時連帶向官府申請禁止他家翻印的榜文也附刻在書上。例如宋嘉熙三年（1239）建安刊本《新編方輿勝覽》卷首編者祝穆序文後，即將禁止翻刻的官府榜文全文錄刊：

> 據祝太傅宅幹人吳吉狀：『本宅見刊《方輿勝覽》及《四六寶苑》、《事文類聚》，並係本宅貢士私自編輯，積歲辛勤。今來雕版，所費浩瀚，竊恐書市嗜利之徒，輒將上件書版翻開，或改換名目，或以《節略輿地紀勝》等書為名，翻開攙奪，致本宅徒勞心力，枉費錢本，委實切害。昭得雕書，合經使台申明，乞行約束，庶絕翻版之患。乞給榜，下衢、婺雕書籍處，張掛曉示。如有此色，容本宅陳告，迄追人毀版，斷治施行。』奉台判備榜，須至指揮，右令出榜，衢、婺州雕書籍之處，張掛曉示，各令知悉。如有似此之人，仰經所屬陳告，追究毀版施行，故榜。嘉熙二年（1238）十二月□□日。衢、婺州雕書籍去處張掛。轉運副使曾□□□□□台押。❺

從這榜文中亦約略看出宋代盜印風氣很盛，不僅翻印，有時甚至於改換名目再出版，迫使出版商不得不先向官府申請備案，以斷絕翻刻之患，使辛勤編印的書籍能順利行銷，避免浩瀚的資金，歸本無期。

七、結　論

宋代處於雕版印刷術發明使用並進入成熟階段的關口，又巧遇良好文化發展的大環境，造成出版業的空前繁盛。宋代大量出版品的湧現，使得圖書市場競爭

---

❺　同註❸，頁 92。

❺　參見昌彼得《從書坊盜印風氣談宋刻朱子晦菴文集》文中引，收錄於 1997 年商務印書館出版《增訂蟬菴群書題識》，頁 304。

額外激烈，經營者為了資金能快速回流，追求更多的利潤，以永續發展事業，無不卯足力氣提昇銷售效率。不過，商品行銷，各有方法，很少有人願意將其神機妙算，完全筆錄傳授，所以有關宋代圖書出版業的行銷術，很難找到明確答案。例如當時經銷系統如何？是門市銷售？抑或是攤點寄賣？或是巡迴推銷呢？已盲然不可知。又如當日如何給予委託商折扣價？如何與讀者聯繫？如何選擇優良賣點？諸多相關銷售方面問題，也都已無史料可資查驗。故本文只得從商業行銷的一般通則中，去尋找資料，然後加以歸納，作成上述論述。本文提及的宋代出版業者為行銷出版品所做的種種努力，諸如要求產品物美價廉、整理出版更實用的圖書、提供讀者出版訊息、滿足社會人士的求知需求、保護出版品的版權等等施為，對後世的出版業都起了師範作用，影響極其深遠。

秦簡《法律答問》所見盜罪考論

林文慶

中國文化大學中國文學系副教授

一、前　言

《晉書》卷三十〈刑法志〉裡有一段關於成文法的記載，對於理解戰國時代的律法可說是相當重要，其云：

> 悝撰次諸國法，著《法經》。以為王者之政，莫急於盜、賊，故其律始於〈盜〉、〈賊〉。盜、賊須劾捕，故著〈網〉、〈捕〉二篇。其輕狡、越城、博戲、借假不廉、淫侈、踰制以為〈雜律〉一篇，又以〈具律〉具其加減。是故所著六篇而已，然皆罪名之制也。

戰國魏文侯師李悝制定《法經》六篇，書裡明確指出，「王者之政，莫急於盜、賊，故其律始於〈盜〉、〈賊〉。」然因該書久佚不見，而難以知曉其具體內容。❶即使是以秦、漢時代的法制史料而言，亦多是透過前輩學者費心輯存，才稍得見其大概。❷是以在二十世紀中葉以前，研究者只能透過唐《律》所載〈賊盜律〉

---

❶　《法經》一書亡佚甚早，清人黃奭雖有輯佚，且收錄於《黃氏逸書考·子史鉤沉》，然該書並不盡可信。說見蒲堅〈《法經》辨偽〉，《法學研究》，1984 年第 4 期，頁 49－51。

❷　輯錄漢法制史料者，〔清〕薛允升首開其風，編有《漢律輯存》一書；〔清〕杜貴墀《漢律輯

加以考察，進而勾勒政權統治者對於〈盜〉、〈賊〉的理解，並指出其相關律文規範。

　　然吾輩今日何其幸運，西元一九七五年十二月，湖北省博物館等單位在雲夢縣睡虎地第十一號秦墓葬棺內，發掘出一批屬於戰國時代秦國的竹簡，總數計有一千一百五十五支，內容則有：《編年紀》、《語書》、《秦律十八種》、《效律》、《秦律雜抄》、《法律答問》、《封診式》、《為吏之道》以及《日書》甲、乙種。其中，法律文書簡即佔去六百十三支，較總簡數的一半還多。❸《秦律十八種》分別摘錄了〈田律〉、〈廄苑律〉、〈倉律〉、〈金布律〉、〈關市〉、〈工律〉、〈工人程〉、〈均工〉、〈徭律〉、〈司空〉、〈軍爵律〉、〈置吏律〉、〈效〉、〈傳食律〉、〈行書〉、〈內史雜〉、〈尉雜〉、〈屬邦〉等十八種秦國律文，而《秦律雜抄》所見律名：〈除吏律〉、〈游士律〉、〈除弟子律〉、〈中勞律〉、〈藏律〉、〈公車司馬獵律〉、〈牛羊課〉、〈傅律〉、〈敦表律〉、〈捕盜律〉、〈戍律〉，則未見與《秦律十八種》重複，可見秦國律名種類繁多。只是從上述已見律名來看，李悝《法經》六篇之名，除〈捕盜律〉外，其餘五篇律名之內容均不見載錄於《秦律十八種》及《秦律雜抄》，然簡文《法

<hr/>

證》、張鵬一《漢律類纂》二書則在史料輯佚之外，更針對其內容進行說解。後來，沈家本又在杜、張二書基礎上進行補苴罅漏，寫成《漢律撫遺》，材料則更見完善。上述四書俱載錄於日人島田正郎所主編之《中國法制史料第二輯》第一冊（臺灣鼎文書局，1982 年 1 月初版。）又沈書亦已經鄧經元、駢宇騫點校，並由北京中華書局於 1985 年 12 月出版。

❸　睡虎地秦墓竹簡整理小組對此批竹簡進行釋文後，又為簡文做出簡注，並附上竹簡圖影，陸續出版三個本子。1977 年，文物出版社印行線裝本，定名為《睡虎地秦墓竹簡》，然此版本未收錄〈日書〉甲、乙種。1978 年時，文物出版社另印行平裝本《睡虎地秦墓竹簡》，與前者不同的是：本版不見竹簡圖影，然附有部分簡文之語譯。1981 年，文物出版社印行精裝本《雲夢睡虎地秦墓》，此書由雲夢睡虎地秦墓編寫組編撰，內容詳載睡虎地第十一號秦墓的墓葬形制、隨葬器物等，同時發表此次所有出土簡影，包括前所未見的《日書》甲、乙種。1990 年，文物出版社印行精裝本《睡虎地秦墓竹簡》，收錄全部簡影，《日書》甲、乙種尚且還有簡文注釋，可說是睡虎地秦簡發表之後，內容堪稱最為完備的版本。本文所引睡虎地秦簡，皆據 1990 年出版之精裝本。

律答問》透露出其餘律名所載內容並不曾佚失，如：

> 有賊殺傷人衝朮（術），偕旁人不援，百步中比壄（野），當貲二甲。（頁117）

此則針對「賊殺傷人」律文之解說，當歸屬於《法經》之〈賊〉。又：

> 越里中之與它里界者，垣為「完（院）」不為？巷相直為「院」；宇相直者不為「院」。（頁137）

上引《晉書·刑法志》明言，「其輕狡、越城、博戲、借假不廉、淫侈、踰制以為〈雜律〉一篇」，則秦國當亦有〈雜律〉。是以《法經》六篇的內涵明顯為秦國所承襲，特別是〈盜〉、〈賊〉二律的制定最受重視，一百九十條的《法律答問》裡❹，與「盜」事相關者，即佔去四十七例，約為四分之一，由此即不難推知政權統治者對「盜」之重視。故今欲窮究中華法系，明瞭其歷史衍變者，實在有賴於睡虎地秦簡此批材料。是以筆者不揣譾陋，嘗試根據《法律答問》所載內容，探求關於盜罪之成立及其面貌，又盜贓計算及犯者所須承擔之罪責規範等，同樣亦在考論之列。所論容有不當之處，敬祈方家有以教之。

二、《法律答問》所見盜罪探論

㈠ 盜罪成立及其面貌

何謂「盜」？《說文·卷八下》言，「盜，私利物也。从㳄。㳄，欲皿者。」

---

❹ 根據睡虎地秦墓竹簡整理小組說明，《法律答問》「計簡二百一十支，內容共一百八十七條，多採用問答形式。」然經筆者統計，排除二條律文共書於一簡者，如：「甲告乙盜牛，今乙盜羊，不盜牛，問可（何）論？為告不審。貲盾不直，可（何）論？貲盾。」《法律答問》至少有一百九十條。

從字的本義來看，「盜」是以「姦衺」❺手段將有用途或有價值的物品佔為己有。另傳統文獻對「盜」亦多有闡釋，《左傳》僖公二十四年言，「竊人之財，猶謂之盜。」又《周禮·秋官·朝士》亦言，「盜謂盜取人物。」則更是將「盜」理解為透過竊取，從而佔有他人財物的一種罪行，亦即是對他人財產權的侵犯。然而隨著行為主體、行為對象的不同，盜罪自然有著不同的面貌，今述論於下：

1.行為主體

行為主體即行為實施者。就《法律答問》所載錄盜罪行為，有來自一人實施者，如：「甲盜牛，盜牛時高六尺。」（頁95）至於二人以上集體參與者，《睡虎地秦墓竹簡·封診式》則載有一份「群盜」爰書，其言：

> 群盜　　爰書：某亭校長甲、求盜才（在）某里曰乙、丙縛詣男子丁，斬首一，具弩二、矢廿，告曰：「丁與此首人強攻群盜人，自晝甲將乙等徼循到某山，見丁與此首人而捕之。此弩矢丁及首人弩矢毆（也）。首人以此弩矢□□□□□乙，而以劍伐收其首，山儉（險）不能出身山中。」【訊】丁，辭曰：「士五（伍），居某里。此首某里士五（伍）戊毆（也），與丁以某時與某里士五（伍）己、庚、辛，強攻群盜某里公士某室，盜錢萬，去亡。己等已前得。丁與戊去亡，流行毋（無）所主舍。自晝居某山，甲等而捕丁、戊，戊射乙，而伐殺收首。皆毋（無）它坐罪。」●診首毋診身可毆（也）。（頁152）

案：爰書載丁、戊、己、庚、辛五人「強攻群盜某里公士某室，盜錢萬。」己等三人前已緝捕歸案，而丁、戊兩名逃犯後亦被捕。且從丁、戊被圍捕時所連帶查獲的兩具弩器以及二十支箭來看，丁等五人所共同組成的「強攻群盜」，明顯已是一支具備武裝攻擊力量的犯罪組織，其對社會、國家的影響，絕非一般的穿窬

---

❺　厶、私為古今字。《說文·卷九上》釋厶為「姦衺也。」

之盜可比。❻是以秦國曾在司法法審判活動中，實施五人共同行盜須加重其罪的懲罰，《法律答問》云：

> 「害盜別徼而盜，駕（加）罪之。」●可（何）謂「駕（加）罪」？●五人盜，臧（贓）一錢以上，斬左止，有（又）黥以為城旦；不盈五人，盜過六百六十錢，黥剚（劓）以為城旦。（頁93）

針對五人共同行盜時，只要贓物所值在一錢以上，盜者就會被斷去左足，並黥為刑徒城旦；至於人數不滿五，而所盜贓物值超過六百六十錢，盜者亦將被求處重刑，黥剚（劓）為城旦。❼比對二者犯罪所得贓值以及其所須承擔的罪責，「五人盜」論罪顯然要比「不盈五人」來得重❽，原因則不外乎「五人盜」的犯罪集團已形成一股危害社會安寧的力量。

行為主體除實施人數不一之外，實施者身分亦不盡相同，《法律答問》所載有來自一般平民❾，來自奴隸身分之人奴、妾者，如：「人臣甲謀遣人妾乙盜主牛，買（賣），把錢偕邦亡。」（頁 94）甚或來自執行公務活動的人員，《法律答

---

❻ 見林文慶〈張家山漢簡《二年律令》所見逮捕對象探論〉，《中國文化大學中文學報》，第 9 期，頁 93－109。

❼ 案：《法律答問》所言「不盈五人」，當指二至四人。依《法律答問》：「士五（伍）甲盜，以得時直（值）臧（贓），臧（贓）直（值）過六百六十，吏弗直（值），其獄鞠乃直（值）臧（贓），臧（贓）直（值）百一十，以論耐，問甲及吏可（何）論？甲當黥為城旦；吏為失刑罪，或端為，為不直。」（頁 101）
則一人所盜贓物值超過六百六十錢，盜者將被處以黥為城旦之刑。

❽ 劉海年〈秦律刑罰考析〉考論云：「秦法律規定的幾種肉刑，剚刑重於黥刑而輕於削刑。」，收入《雲夢秦簡研究》（中華書局編輯部編，北京中華書局，1981 年 7 月一版一刷），頁 176－178。

❾ 《法律答問》：「士五（伍）甲盜，以得時直（值）臧（贓），臧（贓）直（值）過六百六十。」（頁 101）士五（伍）是指沒有官職，沒有爵位，在戶籍上有名的成年男子。用現代話來說，就是達到服役年齡的男性公民。說見朱紹侯〈士五身分考辨〉，收入《軍功爵制研究》（上海人民出版社，1990 年 1 月一版一刷），頁 285。

問》云：

> 吏有故當止食，弗止，盡稟出之，論可（何）殹（也）？當坐所贏出為盜。
> （頁129）

官吏領取了應當停止的口糧，則應當以其多發的作為竊盜論罪。又《法律答問》
云：

> 求盜盜，當刑為城旦，問罪當駕（加）如害盜不當？當。（頁94）

求盜，職「掌逐捕盜賊也」。❿上引《封診式・群盜》即明載「求盜」與亭校長
徼循到某山，而與群盜格鬥之事。從事逐捕盜賊的求盜既是社會治安的守護者，
自當受到更高的道德要求，故一旦犯下竊盜罪行，則必然是要加重其罪責。

2.行為客體

　　行為客體即行為之對象。盜罪係對他人財產權的一種侵犯，然而除去「盜
錢」❶外，哪些財物的侵犯亦被視為「盜罪」，因涉及罪責承擔，自然有必要加
以釐清。《法律答問》所載盜竊行為之對象為物者，有：「甲盜牛」（頁95）、「或
盜采人桑葉」（頁95）、「士五（伍）甲盜一羊」（頁100）等。《封診式・盜馬》云：

> 爰書：市南街亭求盜才（在）某里曰甲縛詣男子丙及馬一匹，騅牝右剽；緹
> 覆（複）衣，帛裡莽緣領褎（袖），及屨，告曰：「丙盜此馬、衣，今日見
> 亭旁，而捕來詣。」（頁151）

---

❿ 引文見《史記》卷一〇四〈田叔列傳〉褚先生補曰：「安留，代人為求盜、亭父，後為亭長。」
　句下，張守節《正義》引應劭語。

❶ 《法律答問》裡多所載錄，如：「甲盜錢以買絲」（頁96）、「夫盜千錢」（頁97）、「夫盜
　三百錢」（頁97）等。又《封診式》裡亦載：「某里公士甲自告曰：『以五月晦與同里士五（伍）
　丙盜某里士五（伍）丁千錢，毋（無）它坐，來自告，告丙。』」（頁150）

爰書載：求盜甲捕獲盜馬賊丙，並起出所盜衣物，則馬、衣亦在偷盜之列。至於侵犯對象來自於官有財產者，《法律答問》載：

> 把其叚（假）以亡，得及自出，當為盜不當？自出，以亡論。其得，坐臧（贓）為盜。（頁124）

凡攜帶借用的官有物品逃亡，如非自首而係遭到捕獲者，則犯者將依其所帶走之物品所值，依竊盜罪論處。至於因職務上的不當管理而造成國家資產損失者，行為主體亦將被追究行政責任，如《法律答問》云：「府中公金錢私貸用之，與盜同法。」（頁101）律文規定，私自借用府中的公家金錢者，視同竊盜，並依律法規定懲處。又云：

> 吏有故當止食，弗止，盡稟出之，論可（何）殹（也）？當坐所贏出為盜。（頁129）

官吏領取了應當停止的口糧，則應當以其多發的作為竊盜論罪。

綜觀在《法律答問》裡所可見到針對行為客體的規範，當以下列此則事例最為特殊，其云：

> 「公祠未闋，盜其具，當貲以下耐為隸臣。」今或益〈盜〉一腎，益〈盜〉一腎臧（贓）不盈一錢，可（何）論？祠固用心腎及它支（肢）物，皆各為一具，一【具】之臧（贓）不盈一錢，盜之當耐。或直（值）廿錢，而被盜之，不盡一具，及盜不直（置）者，以律論。（頁99）

案：「公祠未闋，盜其具，當貲以下耐為隸臣。」當為秦律條文，秦簡整理小組的譯文為，「公室祭祀尚未完畢，將供品盜去，即使是應貲罰以下的罪，均應耐為隸臣。」貲，《說文·卷六下》言「小罰，以財自贖也。」據學者考論，貲刑有：貲物、貲金、貲勞役三種。貲物主要是貲盾和貲甲，而貲金是貲布和貲錢，

至於貲勞役則是貲戍和貲徭；然不管是貲盾、貲甲、貲布，抑或是貲勞役的貲戍和貲徭，都可透過一定的錢數比作為替代。❷至於「耐隸臣」則是被剃去鬢或鬚的罪犯「隸臣」，一旦犯罪者被官方判為刑徒「隸臣」，則將服終身勞役。❸律文「公祠未闋……」引錄後，又補上一段解釋性的文字，說：「祭祀時必然要用牲畜的心、腎和肢體，各作為一份供品，這一份供品作為贓物價值雖不滿一錢，竊盜了它也應耐為隸臣。」關於贓不滿一錢的事例，《法律答問》裡尚有：

> 或盜采人桑葉，臧（贓）不盈一錢，可（何）論？貲繇（徭）三旬。（頁95）

同樣是贓值不滿一錢，盜公祠供品須服終身勞役，盜采人桑葉則罰服繇役三十天，相較之下，耐隸臣罪責顯然比貲刑要來得重，原因恐在於秦國公室所代表的權力本就不容挑戰，更何況是侵犯其專用於祭祀時的供品。

(二) 盜罪懲處及贓值計算

秦國政權對犯下竊盜罪者的懲處，係以盜贓多少來確定其所須承擔的罪責，《法律答問》云：

> 「害盜別徼而盜，駕（加）罪之。」●可（何）謂「駕（加）罪」？●五人盜，臧（贓）一錢以上，斬左止，有（又）黥以為城旦；不盈五人，盜過六百六十錢，黥劓（劓）以為城旦；不盈六百六十到二百廿錢，黥為城旦；不盈二百廿以下到一錢，遷（遷）之。求盜比此。（頁93）

相對於五人共同行盜的嚴重犯行而需加重其罪，不滿五人者的懲處，則是：超過六百六十錢者，黥劓為城旦；不滿六百六十錢，而在二百廿錢以上者，黥為城旦；最後是不滿二百廿錢，然在一錢以上者，則加以流放。明確將一錢以上的盜贓懲

---

❷ 見栗勁《秦律通論》（山東人民出版社，西元一九八五年五月一版一刷），頁288－291。

❸ 見林文慶《秦律徒刑制度研究》（中國文化大學中文研究所碩士論文，1989年6月），頁86及頁136－150。

處區分成三個等級。然而贓值一錢以下，是否須受懲罰？則更是值得加以探索。《法律答問》裡有多則關於盜不盈一錢的論罪記載，如：

> 或盜采人桑葉，臧（贓）不盈一錢，可（何）論？貲繇（徭）三旬。（頁95）

又：

> 甲盜不盈一錢，行乙室，乙弗覺，問乙論可（何）殹（也）？毋論。其見智（知）之而弗捕，當貲一盾。（頁96）

其中明確指出其受罰內容有：「貲繇三旬」、「當貲一盾」。另：

> 「公祠未閡，盜其具，當貲以下耐為隸臣。」今或益〈盜〉一腎，益〈盜〉一腎臧（贓）不盈一錢，可（何）論？祠固用心腎及它支（肢）物，皆各為一具，一【具】之臧（贓）不盈一錢，盜之當耐。（頁99）

秦國律法規定：「公室祭祀尚未完畢，將供品盜去，即使是應貲罰以下的罪，均應耐為隸臣。」對此律文，《法律答問》具體回應指出，盜竊秦國公室的祭祀供品，贓物價值雖不滿一錢，但竊盜了它，當耐為隸臣。案：處以耐隸臣，自是加重其刑；然合二者所言則似可推知，盜贓不盈一錢，本應處以貲刑，然因所盜為秦國公室之祭祀供品，故不以一般竊盜罪論處。至於：

> 甲盜，臧（贓）直（值）千錢，乙智（知）其盜，受分臧（贓）不盈一錢，問乙可（何）論？同論。（頁96）

則是：乙清楚知道甲行盜竊且所獲贓值一千錢，雖然乙分贓不滿一錢，但仍與甲同樣論罪，判處黥為城旦。據上論述可知，在司法審判過程裡，盜贓不盈一錢絕非不罰。

　　針對盜者所偷竊之物，官方須在捕獲竊犯同時，即須對其所得贓物進行估價，

以作為論罪輕重的依據，《法律答問》有兩則因未計算犯罪當時贓值以致所承擔罰責不同，後又重新審判的事例，其云：

> 士五（伍）甲盜，以得時直（值）臧（贓），臧（贓）直（值）過六百六十，吏弗直（值），其獄鞫乃直（值）臧（贓），臧（贓）直（值）百一十，以論耐，問甲及吏可（何）論？甲當黥為城旦；吏為失刑罪，或端為，為不直。（頁101）

士五甲盜竊，若以在捕獲當時估其贓物價值，所值應超過六百六十錢，但吏當時沒有估價，而直到審訊當時才估，贓值一百一十錢，結果士五甲被判處耐（當是耐隸臣）刑，後來則改判為黥城旦。至於另一則事例云：

> 士五（伍）甲盜，以得時直（值）臧（贓），臧（贓）直（值）百一十，吏弗直（值），獄鞫乃直（值）臧（贓），臧（贓）直（值）過六百六十，黥甲為城旦，問甲及吏可（何）論？甲當耐為隸臣，吏為失刑罪。甲有罪，吏智（知）而端重若輕之，論可（何）殹（也）？為不直。（頁102）

此則事例正與上例相反，士五甲所盜物，因當時未加估價，而導致所值竟從一百一十錢膨脹到超過六百六十錢，結果被判處黥城旦刑，後來才改判為耐隸臣。此兩則材料充分說明，盜竊行為之客體為物者，即必須估其贓物所值以作為論罪標準。

最後則是在盜贓值的計算上，秦國律法充分表現出犯意確認是刑罰適用裡的重要思維，《法律答問》載有一則事例，其言：

> 甲乙雅不相智（知），甲往盜丙，麑（纏）到，乙亦往盜丙，與甲言，即各盜，其臧（贓）直（值）各四百，已去而偕得。其前謀，當并臧（贓）以論；不謀，各坐臧（贓）。（頁96）

甲乙本不相識,甲去丙處偷盜,才剛到,乙也去丙處盜竊。在與甲交談過後,二人於是分別偷盜財物,其贓物所值各為四百錢。後來二人也都被捕獲。最後,是以二人在實施犯行前有無預謀作為論罪依據,有預謀,則應當將兩人贓數合併計算,如此則贓值為八百錢;沒有預謀,則各依所盜贓數四百錢論罪。二者贓值不同,直接影響的便是罪責的適用刑罰便有所不同。

(三) 贓物處置

秦律對於以盜竊方式侵犯法律保護的物權時,除透過刑罰手段懲處行為主體外,往往亦可看出法律對所有權的保護,《法律答問》載:

> 人臣甲謀遣人妾乙盜主牛,買(賣),把錢偕邦亡,出徼,得,論各可(何)殹(也)?當城旦黥之,各畀主。(頁94)

秦簡整理小組注釋云:「人臣、人妾,私家的奴、婢。」事例載:男奴甲唆使女婢乙偷竊主人家的牛,並且在賣掉後,兩人一起帶著賣牛所得的贓款逃亡,結果在出邊境時被查獲。審判結果是:應按城旦的樣子施以黥刑,且男奴甲及女婢乙分別交還給他們的主人。十足反映出主人對人臣、妾的所有權,即使是官方亦須在執行刑罰後,交還所隸屬主人。下列《法律答問》所表達的意涵更是明確,其云:

> 「盜盜人,買(賣)所盜,以買它物,皆畀其主。」今盜盜甲衣,買(賣),以買布衣而得,當以衣及布畀不當?當以布及其它所買畀甲,衣不當。(頁99)

依照秦國律法的規定,竊盜犯行竊後,賣出所盜得物品以另買它物,都應還給原主。簡文記載:盜竊犯偷取甲的衣服,並且把衣服賣掉,換買了布,然後被捕獲。

官方審理後的結果是，應把布和其他所買的東西還給甲，衣服則不應給還。❹此一規範旨在保證盜竊受害者，得以實現其全部或部分損害賠償的權利。

㈣ 「與盜同法」的相關問題

「與盜同法」本是一個專有的法律術語，《法律答問》即載，「律曰『與盜同法』，有（又）曰『與同罪』，此二物其同居、典、伍當坐之。」（頁 98）此術語曾明載於秦國律法裡，《法律答問》云：

> 府中公金錢私貸用之，與盜同法。（頁 101）

案：私自借用府中的公家金錢為侵犯國家財產權，故律文以「與盜同法」來確認私貸公家金錢是竊盜行為，而一旦確認是竊盜案，則行為人自當依贓值多寡接受法律懲處。秦律所見僅此一則，然「與盜同法」是否還另有其他規範？張家山漢簡❺〈盜律〉無疑提供了一則重要的材料，其云：

> 謀遣人盜，若教人可（何）盜所，人即以其言□□□□□及智（知）人盜與
> 分，皆與盜同法。（頁 142）

---

❹ 關於《法律答問》所解釋衣服不應給還一事，謝全發認為：「可能衣服是其他人在不知情的情況下購買，為了保護善意第三人的利益，從而維護社會經濟秩序，衣服這一贓物不再追繳，也就不返還給受害人甲。」見〈漢初盜罪述論——以張家山漢簡為中心〉，《重慶師範大學學報》，2006 年第 3 期，頁 85。姑置此一參。

❺ 1983 年 12 月至次年元月，湖北省荊州博物館在江陵縣張家山清理出三座漢墓（編號分別為 M247、M249 及 M258），根據發掘小組對此三座漢墓形制、隨葬品風格特點以及墓中所出竹簡材料推斷，「其年代上限為西漢初年，下限不會晚於景帝。」（見荊州地區博物館，〈江陵張家山三座漢墓出土大批簡牘〉，《文物》1985 年第 1 期，頁 8。）第二四七號漢墓出土了一千二百三十六枚竹簡，其中載有豐富的法律史料，就法制史研究的推展來說，意義自是非凡。今據《張家山漢墓竹簡【二四七號墓】》（張家山二四七號漢墓竹簡整理小組編，文物出版社，2001 年 11 月第一版第一刷）所載可知，《二年律令》總計有五百二十六枚，竹簡所見律、令名有：賊律、盜律、具律、告律、捕律、亡律、收律、雜律、錢律、置吏律、均輸律、傳食律、田律、□市律、行書律、復律、賜律、戶律、效律、傳律、置後律、爵律、興律、徭律、金布律、秩律、史律、津關令等二十八種。

律文是說：主謀派遣他人偷竊，或指示他人到何處偷竊，被唆使者於是依照所言……，以及知道他人偷竊，且共同分贓者，都是「與盜同法」。將此律文的約束內容放到秦簡裡觀察，不難得知秦國早已有之，《法律答問》云：

> 甲謀遣乙盜，一日，乙且往盜，未到，得，皆贖黥。（頁94）

秦簡整理小組注釋云：「贖黥，判處黥刑而允許以錢贖罪。」事例載：甲主謀派遣乙去偷竊，某天，乙去行盜，還沒走到就被捕，乙因竊盜未遂而被論處贖黥，教唆犯甲同樣被定罪贖黥。對竊盜犯而言，只要產生犯意，則不論是否盜得財物，即便是未遂犯，亦或是教唆犯都得受到國家法律制裁。相似的事例尚有：

> 「抉籥（鑰），贖黥。」可（何）謂「抉籥（鑰）」？抉籥（鑰）者已抉啟之乃為抉，且未啟亦為抉？抉之弗能啟即去，一日而得，論皆可（何）殹（也）？抉之且欲有盜，弗能啟即去，若未啟而得，當贖黥。抉之非欲盜殹（也），已啟乃為抉，未啟當貲二甲。（頁100）

律文說：撬開門鍵，應贖黥。律文解釋者以為，只要撬開門鍵的目的是在偷盜，那麼不管是開不了而離去，或者是還未撬開而被拿獲，都應贖黥。反過來說，則只有已撬開門鍵才能處以贖黥，否則就只能罰二甲。

「智（知）人盜與分」則是另一種確認是否以盜竊罪論處的依據，關於此點，《法律答問》裡亦有多則事例可考：

> 甲盜，臧（贓）直（值）千錢，乙智（知）其盜，受分臧（贓）不盈一錢，問乙可（何）論？同論。（頁96）

乙知道甲行盜竊，而且所獲贓值一千錢，雖然乙所分贓不滿一錢，但仍與甲同樣論罪，判處黥為城旦。又：

> 削（宵）盜，臧（贓）直（值）百一十，其妻、子智（知），與食肉，當同罪。
> （頁97）

竊犯盜得贓值百一十錢，妻、子不僅知情，而且還一起用以買肉吃，則被視為共同犯罪，彼此論罪相同。另：

> 削（宵）盜，臧（贓）直（值）百五十，告甲，甲與其妻、子智（知），共食肉，甲妻、子與甲同罪。（頁98）

則更是將刑罰對象擴及到知情，且一起用贓錢共同分享食肉的甲與其妻、子身上，全部都將被以相同的刑罰論處。

最後是關於上述《法律答問》所言「與盜同法」，「其同居、典、伍當坐之」的問題。同居，《法律答問》釋云，「戶為同居」，至於其成員當至少有夫妻及其子女。❶典指里典，即漢代文獻所言里正。伍為同伍之人。史載，商鞅在秦國實施變法時，即已在戶籍管理基礎上，衍生出一種以「五家為伍」的「什伍連坐」制度。❶什伍連及坐罪，除在確保告姦之制能確實執行，維護社會安寧更成為積極追求的目標，《法律答問》云：

> 賊入甲室，賊傷甲，甲號寇。其四鄰、典、老皆出，不存，不聞號寇，問當論不當？審不存，不當論；典、老雖不存，當論。（頁116）

---

❶ 《封診式·封守》爰書載：「封有鞫者某里士五（伍）甲家室、妻、子、臣妾、衣器、畜產。……●子大女子某，未有夫。●子小男子某，高六尺五寸。……」（頁149）其中，臣妾為私有奴隸，不當為戶。

❶ 《史記》卷六十八〈商君列傳〉載：「卒定變法之令，令民為什伍而相牧司連坐，不告姦者腰斬；告姦者與斬敵首同賞；匿姦者與降敵同罰。」

凡同伍某家室之人被賊殺傷，而里典、伍老及四鄰❶確實外出不在家，則「四鄰」
可不論；至於里典、伍老雖不在家，亦須坐罪受罰。《法律答問》云：

> 甲盜錢以買絲，寄乙，乙受，弗智（知）盜，乙論可（何）殹（也）？毋論。
> （頁96）

乙在不知情下，收受存放了甲用所盜錢買來的絲，可不必論罪。相似之例尚有：

> 夫盜二百錢，妻所匿百一十，可（何）以論妻？妻智（知）夫盜，以百一十
> 為盜；弗智（知），為守臧（贓）。（頁97）

又：

> 夫盜千錢，妻所匿三百，可（何）以論妻？妻智（知）夫盜而匿之，當以三
> 百論為盜；不智（知），為收。（頁97）

此二則事例都是夫盜錢而妻匿藏了部份贓款，若妻已知夫盜錢而匿藏，則自然是
依盜竊罪論處，然比較有意思的是：妻雖是在不知情的狀況下收受部份贓款，依
然會被視為守贓，而被收為官奴婢。❶此二例之妻受到「同居」規範，即使是不
知情，亦須坐夫之盜贓罪；上例之乙所以不必坐罪，或許是因其非甲之同伍。

三、結　語

中國法制萌芽固是歷史久遠，然今日所可見到時代最早且較為完備的材料，

---

❶　「四鄰」是一個有關民數編制的法律詞語，秦簡《法律答問》曾有解說，其云：「可（何）謂
　　『四鄰』？『四鄰』即伍人謂殹（也）。」（頁116）。

❶　秦簡整理小組將頁九七《法律答問》的「收」解說成「收藏」，似與文義不符。此處的「收」，
　　或當如頁121《法律答問》所載：「隸臣將城旦，亡之，亡為城旦，收其外妻、子。」整理小組
　　即言，「收，指收孥。」

則莫過於雲夢睡虎地秦簡。透過此批竹簡材料所見與盜罪相關的記載,明顯可以看出盜罪是侵犯公、私財物權的犯罪,而對於此犯罪行為的懲處,往往會因行為主體實施人數及實施者身分不同而輕重有所不同;至於行為客體為物者,則須明確估計其贓值,作為日後論罪的依據。在以物為侵犯對象上,私有財產權當有受到一定保障;至於公有財產權,特別是做為一種君權象徵的特殊物品,譬如:公室祭祀時所用供品,自是不容侵犯,而此一精神即體現在盜罪論處的刑罰適用上。

　　最後,透過秦簡《法律答問》又可看出一種特殊的理解思維,其言:「『父盜子,不為盜。』。今叚（假）父盜叚（假）子,可（何）論?當為盜。」（頁 98）父親盜竊兒子的物品,不作為是盜竊,然此僅限於有血緣關係者;無血緣關係的義父、子之間若產生上述行為,則仍是要以盜竊罪論處。古代父權至上,真可說是充分表露在律法的規範上。

顧脩《彙刻書目初編》
及其所體現之古籍叢書概念

劉寧慧

國立臺北大學古典文獻學研究所助理教授

一、前　言

　　古籍叢書的發展，在南宋末年出現了雜纂性彙編的典型體裁，歷經元、明，到清代乾嘉以後達到古典時期的高峰。僅據上海圖書館所編《中國叢書綜錄》一目的收錄，成編於宋、元的叢書計有 29 種，明代的有 343 種，而清代前期，即順治到道光年間有 686 種，後期咸豐以降至宣統則擴增到 1,033 種之多。❶這些作品反映到目錄記載中，尤其是雜纂性叢書的部份，首見元代編修《宋史·藝文志》，不過它只收載了宋末題為俞鼎、俞經編的《儒學警悟》一部，且歸在子部「類事

---

❶　上海圖書館 1959－1962 年編、1982 年修訂新版的《中國叢書綜錄》係調查五〇年代中國大陸 47 個公藏單位的古籍叢書所編製的一部聯合目錄，總收錄量是 2,797 種叢書。雖然這不是傳世古籍叢書的全部，但代表了最核心的部份，是以本文取之作為各時期編刊量的比較。這幾個統計數字事實上仍存在些許誤差，因為《中國叢書綜錄》著錄的時候，當無法考據出編者與編輯時代，即繫屬在主要子目作者時代或版本刊刻年代，這些都將影響各個時期實際編輯數量的計算。筆者的統計除了依據目錄記載，也進行子目收錄內容及編刊時代性等的交叉考察，儘量求得編輯的可靠年代，令各時期的統計數值較具參考價值。又，以上古典時期編刊量之外，贏餘 706 部為民國以後成果。

「類」中。當時叢書編刊數量還相當有限，叢書概念尚未建立，所以不管是對文獻的注意還是認知都屬模糊階段。

明末則至少出現有數百種叢書了，萬曆時期的祁承㸁（1563－1628）在他的《澹生堂藏書目》中，首度給予了叢書二級類目的獨立地位，並收錄有 55 種雜纂性及類編性作品。但可惜也沒有形成風氣，僅僅在其孫清祁理孫《奕慶藏書樓書目》中有「四部彙」類名的概念繼承以及稍後姚際恆（1647－約 1715）《好古堂書目》的「經史子集總」設類，不過，二人的叢書收錄量都遠不及祁承㸁的眼光。此後公私目錄中的叢書收載，不論是立類還是收錄量，都雙雙沉寂下來。《四庫全書總目》只在存目的部分列有叢書，其他目錄則少許收錄並多歸置於子部「雜家」或「小說家」。直到清末張之洞《書目答問》的呼籲後，公私藏書目錄中才逐漸多起叢書的收錄與獨立類目的設計。

民國以前公私藏書目錄少有叢書反映，一方面受限於個人藏書，不是每位私人藏書家都會對這種大部頭作品廣蒐博採。二方面也是藏書以舊槧為貴，叢書到乾嘉以後固然有不少好作品，但卻都屬當代的出版，何況明代以來不少編刊收錄叢脞蕪雜，予人品質未佳的印象，這些都可能影響廣泛收藏或予以著錄。三方面是即使收有叢書，在著錄上也可能以子目個別單行來記錄，未反映叢書性質。收錄有限再加上集中於幾部宋、明的編纂，也就沒有太過尖銳的歸類問題，目錄書中的叢書立類與分類於是遲遲不見發展。

那麼到了清代嘉慶時期，叢書的編刊少說也已累積近千種，如此的文獻量應該已經形成不容忽視的現象，藏書家目錄不反映，當時又是如何針對這個發展提出因應？嘉慶四年（1799）浙江石門縣人顧脩開創性地編成了一部叢書的專門及知見目錄《彙刻書目初編》。他以個人之力，蒐採了 285 種叢書書目並有意持續進行編刊，在著錄形式上也多所考量，奠定了「叢書」的基本著錄型態。此後，在他的開啟下不斷地有所承續編輯，歷經清代同治、光緒到民國的今天，兩百年來出現了將近 90 部的叢書專門目錄（參見附表二）。嘉慶以後到清末的公私藏書目錄

則雖沒有因顧脩的編輯而在叢書收錄上大幅成長，但很明顯的，叢書的著錄格式漸漸也都能類同《彙刻書目初編》提出的形式，較規範、完整地呈現出叢書的特有文獻型態。顧脩的編輯與眼光實具有奠基的意義與價值。今天研究叢書目錄的發展，不管是內容或形式，都必須從顧脩的編輯開始。

然而，《彙刻書目初編》刊行以後，一則是工具性質的作品，流傳、收藏、著錄有限；二則隨著數十年後展開的後人續修、補輯、新刊工作，顧脩原編漸漸被後起的增編作品所取代。叢書專目的收錄量愈來愈大，顧脩的原輯情況卻也逐步模糊，甚至後人增刊時重新編排了叢書書目的次序，顧脩目錄的面貌遂至茫不可辨。這些續輯作品多半沿用了「彙刻書目」的名稱，不論內容或編排次序如顧脩之舊與否，有的保留了顧脩原序，大部份則相關編輯說明都未盡精詳。加上嘉慶四年的原刻本已不多見，要從數十部類題為「彙刻書目」的作品中分清楚其間的關係與內容的差別實在不容易，當然更不用說藉以了解顧脩原編的狀況。

工具書貴在後出轉精，顧脩《彙刻書目初編》不過初步嚐試之作，內容收錄數量與認識精確程度都未如後來的作品，以今天檢尋叢書書目來說，作用確實已相當有限。但是它除了是一部古典時期的目錄外，更因為所記錄的文獻對象與出現時間，而有著超越它實用價值外的深一層涵義。叢書發展到清代前期，編刊風氣已為興盛，流通的圖書量不在少數，但對於這種體裁文獻的認識還沒有達到學術的層次。也就是說它們必須被提到圖書目錄結構上來思考，產生一個獨立、穩定的位置，正式成為文獻結構中的一環，以及接下來的學術性觀察、討論與界定。上已言及，公私藏書綜合目錄中於此是闕然的，嘉慶時期的顧脩目錄則初步扮演了這樣的角色。出現專門目錄，首先說明了當時這種文獻產生的數量及現象之廣大，其次收錄的內容與著錄格式表達了對此類文獻的結構性思考，整體說來則除了記錄文獻訊息，還有一份概念上的認知與展現。是以今天欲藉由顧脩原編狀況的分析，來闡明清代中葉之於叢書的代表性認識，理解叢書概念明確化發展的路徑。

　　本文寫作之時查找了百年來海峽兩岸三地等相關顧脩目錄的研究成果，但尚未能尋得專門的討論之作。以下內容將根據臺灣地區所能目見的「彙刻書目」作品及版本，進行逐步的分析，包括顧脩其人及其生平編述、《彙刻書目初編》的纂輯以及它所透顯的概念意義。

二、顧脩其人及其生平編述

㈠ 顧脩生平梗概

　　顧脩，字菉厓，一字仲歐，號松泉。史書中沒有他的傳記，確實生卒年未詳，僅能從他刊刻圖書的序以及友人序言中，知道他是嘉慶時人。王昶（1725－1806）為顧脩重刻《南宋群賢小集》作序，說：

> 顧君汲古多聞，著有《菉厓詩鈔》，為江浙士大夫所稱。年將六十矣，覃研載籍，收采不倦焉。❷

王昶作序的時間是「嘉慶辛酉十月」，即嘉慶六年（1801），當時顧脩已年近六十，那麼大約是五十七或五十八歲，往前推算他應是乾隆八年（1743）左右所生。另顧脩所撰《讀畫齋百疊蘇韻別集》為嘉慶十四年（1809）刻，《菉厓詩抄》嘉慶十六年（1811）刻，這是目前所知有關他的最晚記錄。嘉慶十六年，顧脩當已年近七十，至於確定謝世時間，則將待進一步資料發現後再予說明。此外清光緒五年（1879）刊行的（浙江）《石門縣志》還有對他簡短的描述：

> 顧脩，字菉厓。邑增生，居桐鄉。耽風雅，工吟詠，旁及丹青。有《讀畫齋學語草》、《百疊蘇韻詩》。復蒐輯群書，有《讀畫齋叢書》、《南宋

---

❷ 〔宋〕陳起輯，〔清〕顧脩重輯：《南宋群賢小集》（〔清〕嘉慶六年（1801）石門顧氏讀畫齋刊本，國家圖書館藏），王昶〈重刻江湖群賢小集序〉。

群賢小集》、《彙刻書目》、《圖畫偶輯》、《題畫詩》行世。❸

這段記載說明了顧脩原籍浙江石門，「增生」即「增廣生」，是生員的一種，顧脩的身份為一秀才。他後來主要的時間都寓居在離家鄉不遠的浙江桐鄉縣並於杭州活動，沒有再於科舉上下功夫。顧脩雅好文學，能詩歌、擅繪畫且喜愛聚書，生平著作、編輯頗見成果。他對圖書文獻事業的熱衷，與他寓居桐鄉時所往來的朋友有關，那便是乾嘉時期知名的藏書家、圖書文獻學家鮑廷博（1728－1814）。

鮑廷博祖籍安徽歙縣，父親經商遷居杭州，廷博後來定居桐鄉烏青鎮楊樹灣，也就是今天的浙江烏鎮鎮郊。鮑廷博勤學好古，藏書極為豐富，他不但藏書，而且親力校讎，又刊刻行世，「知不足齋」的書室名號在當時非常響亮。乾隆三十七年（1772）高宗詔開四庫全書館，鼓勵天下獻書，鮑廷博就曾囑咐長子鮑士恭進獻了 626 種精本圖籍，是四庫開館私人獻書之冠。乾隆對此多所褒獎，又賜書又御筆親題，鮑廷博深受感動，便立志將所藏圖書珍品刊刻行世。在這之前他即刊印過不少典籍，此後更是銳意進行，而有《知不足齋叢書》的產生。鮑廷博從乾隆三十餘年四十幾歲開始，直到嘉慶十八年（1813）八十六歲高齡，四十餘年間不斷進行讎校，刊行了《知不足齋叢書》27 集，百餘部作品。次年鮑廷博過逝，最後 3 集才由子孫續完，總共《知不足齋叢書》刻印了 30 集、207 部作品，是清代前期評價相當高的一部叢書編刻。❹

---

❸ 〔清〕余麗元纂修：《石門縣志》（臺北：成文出版社，1975 年《中國方志叢書》影印〔清〕光緒五年刊本），卷八下〈人物志·文苑列傳〉，頁 1275－1276。

❹ 鮑廷博事蹟具見〔清〕阮元：《揅經室二集》（臺北：藝文印書館，1967 年《百部叢書集成》影印《文選樓叢書》本，據〔清〕嘉慶阮元輯刊道光阮亨彙印本），卷五〈知不足齋鮑君傳〉，葉十二至十四。另可參看張健：〈鮑廷博與「知不足齋」藏書〉，《大學圖書情報學刊》第 23 卷第 3 期（2005 年 6 月），頁 92－94。

　　嘉慶四年，鮑廷博已是七十二歲的老先生，積累有畢生文獻整理功力，顧脩在這之前應該就與鮑氏有深厚交誼了。嘉慶六年鮑廷博為顧脩重刻《南宋群賢小集》寫識語，說起獲得這部詩歌總集的曲折歷程，經四十多年還沒有重新刊印，而「一日石門顧君松泉在予案頭見之，力任開雕，期年藏事。其鏤刻之工，較宋刻為尤勝。」❺顧脩可以出入鮑氏的書房，並同力圖書文獻的事業。又顧脩嘉慶四年《彙刻書目初編·自敘》：

> 脩讀書之暇，竊有是志。近與鮑丈以文互相商榷，復得同志之多助，而《書目彙刻》以成，其曰「初編」者，蓋不欲以是自域云。❻

「以文」是鮑廷博的字，當時他七十二歲，所以顧脩稱他為「丈」。再見嘉慶三年（1798）孫志祖（1737－1801）為顧脩《讀畫齋叢書》作序，更詳盡地敘說了鮑、顧二人的學術情誼：

> 鮑君以文感賜書之榮，悉出其所藏善本，不限時代，凡可以信今而傳後者，亟付之梓，世所行《知不足齋叢書》，已刻二十集，計書一百數十餘種，而未有已也。士之篤志嗜古者，擩染沐浴，聞風興起。予所知桐川顧文學萊厓，性好蓄書，而慮其采之弗廣，擇之弗精也，每得一書，必與以文商榷論定之。又得蕭山徐君北溟互相校勘，書中一字之誤，必參驗眾本，求其至是而後安。因仿鮑書之例，刻《讀畫齋叢書》。皆取其攷據經史，有裨實用者，而短書小說不與焉，故所刻益可寶貴。萊厓志甚銳而好甚專，循是以求，將古今作者之精神胥有所寄，而不致有散失之慮，豈明代毛子

---

❺　同註❷，鮑廷博〈識語〉。

❻　〔清〕顧脩：《彙刻書目初編》（日本文政元年（1818）江戶刻本，覆〔清〕桐川顧氏刊本，中央圖書館臺灣分館藏）。

晉諸人所可幾及歟！❼

孫志祖這段話說明了顧脩刻《讀畫齋叢書》，不論是精神上的啟發還是文獻整理的方法，乃至叢書刊刻的形式、性質，都直接受到鮑廷博的影響，模仿《知不足齋叢書》的刊印。事實上從顧脩其它幾部編纂作品與鮑氏的關連，也完全可以明白他與鮑氏密切的過從，而且相信不是短時間的遇合。從鮑廷博對圖書文獻事業的投入與執著，我們或許也能夠拼湊出顧脩這位後輩追隨者的大致活動面貌。

鮑廷博聚書豐富而且讀書認真，過目不忘，能記憶某卷某頁的訛字。他精於版本，若人問起某作品，可以脫口說出這部典籍的內容、價值、版本、收錄情況及真偽等問題。❽鮑氏校書，從早到晚，日日從事，年復一年，從不間輟，而且每部作品必廣羅善本，參互考證，一字一行的疑問都必定窮盡資料來加以證驗，有所得就欣喜若狂，不得則廢寢忘食，不眠不休地追究。❾而且他對圖書流通的態度十分開放，生平蒐集的眾多珍貴善本，從不秘而不宣，反而是精心整理，以公諸大眾為目的。鮑廷博並不富有，但他對蒐書、刻書從不吝費，就是知交之中有能夠成就他圖書文獻志業的，他也必想辦法湊集資金來幫忙達成。❿

---

❼ 〔清〕顧脩輯：《讀畫齋叢書》（臺北：藝文印書館，1971 年《百部叢書集成》影印〔清〕嘉慶四年桐川顧氏刊本）。此書書前有孫志祖與顧脩兩人序言，都作〈讀畫齋叢書序〉，《百部叢書集成》本兩人序文首葉出現反植，此引已訂正其文字次序。

❽ 同註❹，阮元〈知不足齋鮑君傳〉：「元在浙，常常見君，從君訪問古籍。凡某書美惡所在，意恉所在，見于某代某家目錄，經幾家收藏，幾次鈔梓，真偽若何，校誤若何，無不矢口而出，問難不竭。古人云：讀書破萬卷。君所讀破者，奚翅數萬卷哉。」

❾ 〔清〕鮑廷博輯：《知不足齋叢書》（臺北：藝文印書館，1966 年《百部叢書集成》影印〔清〕乾隆道光間鮑廷博刊本），書前朱文藻乾隆四十一年（1776）〈序〉：「至先哲後人家藏手澤，亦多假錄。一編在手，廢寢忘食，丹鉛無已時。一字之疑，一行之缺，必博徵以證之，廣詢以求之。有得則狂喜如獲珍貝，不得雖積思累歲月不休。溪山薄遊，常攜簡策自隨。年幾五旬，精明不憊。慇慇懇懇，若將終身。」

❿ 同註❾，朱文藻〈知不足齋叢書序〉：「而君裒集既多，樂於公世。知交中有能成就君志者，釀金為助。」

顧脩也愛好蒐求圖書，苦心研讀，留意文獻的情況。他的收藏與經驗當然趕不上鮑廷博，因此每得一書或有關圖書文獻的問題，他一定熱切地與老先生討論，希望獲得最精到的認識。他的校書一仍鮑氏精神，廣求眾本以參驗，同樣未得不放棄。至於流通圖書，顧脩則是以具體行動來呼應鮑廷博的理念。他在鮑氏與幾位同好的輔助下，密集刊刻了大型作品《讀畫齋叢書》與《南宋群賢小集》，並著意收集叢書書目，刻成實用性的工具書《彙刻書目初編》，為當時人所稱賞。如王昶對聚散多寡始終難以全聚的南宋江湖詩集，便曾說過：「惜無好事者鐫之梨棗也。今顧君仲歐來訪，則此書已彙刻七十餘家。考訂精密，足以慰好古者未見之志。」⓫今天所見顧脩刊刻作品，最晚的記錄是嘉慶十六年，嘉慶十九年鮑廷博逝世，這之後我們還未發現顧脩有其他刊書或活動的記載。

㈡ 顧脩著作與編刊

從上文所引清代記述顧脩事蹟的文字中，可整理出顧脩行世著作知有《菉匡詩鈔》、《讀畫齋學語草》、《百疊蘇韻詩》、《題畫詩》等四部，另編輯刊印的作品則有《讀畫齋叢書》、《彙刻書目初編》、《南宋群賢小集》與《圖畫偶輯》。《彙刻書目初編》為本文重心，將於下節專文討論，此略述顧氏其他著編作品。

顧脩著作傳世不多，僅見記錄都為單行本，尚未發現有收入於叢書者。或許因他不是頂重要的人物，作品流傳有限，加上刊行也都是乾隆以後的事，所以今天各典藏單位以反映善本為主的書目中便少能檢尋到相關資料。目前未發現臺灣有這幾部作品的典藏，所敘情況主要來自幾個古籍書目資料庫的檢索結果。⓬

⓫ 同註❷。

⓬ 過去臺灣出版的善本書目以記錄到清三朝為主，嘉慶時期刊本已多列普通本線裝書。然各公藏單位的印刷型普通本線裝書目多僅為 1971 年中央研究院中美人文社會科學合作委員會「臺灣公藏人文及社會科學聯合目錄」計畫項下的聯合性出版，對於之後三十餘年迄今的具體典藏缺乏時新的著錄，今天則只能依賴各典藏單位建置的古籍書目資料庫來檢索相關資料。

1.《菉厓詩鈔》

此書見於王昶《南宋群賢小集》序稱，傳世僅知有上海圖書館、南開大學圖書館各一部《菉厓詩抄》三卷《外集》三卷，嘉慶十六年刻本。❸另東京大學附屬圖書館藏有一部《菉厓詩鈔》五卷二冊，同為嘉慶十六年序刊本。❹

2.《讀畫齋學語草》

見於光緒《石門縣志》著錄，目前未見典藏記錄。

3.《百疊蘇韻詩》

有上海圖書館、南京圖書館題《讀書齋百迭蘇韻別集四卷附刻一卷》的收藏，嘉慶十四年刻本。❺又日本東京大學東洋文化研究所藏《讀書齋百疊蘇韻別集四卷·附刻一卷》刊本，嘉慶十四年序。❻顧脩雅好丹青，書室名稱為「讀畫齋」，「讀書齋」的題稱應該是形近致誤。

4.《題畫詩》、《讀畫齋偶輯》

大陸中國國家圖書館典藏《讀畫齋題畫詩》三部刻本，但其中兩部著錄為輯而非著。❼日本有六筆資料：京都大學人文科學研究所藏《讀畫齋偶輯》不分卷及《題畫詩》十九卷刊本十二冊，嘉慶十四年跋。又公文書館內閣文庫《讀畫齋題畫詩》全十九卷、《讀畫齋偶輯》全十一卷，六冊。另關西大學內藤文庫有一部《讀畫齋題畫詩》十九卷七冊，嘉慶元年（1796）序刊本，讀畫齋藏板。東北大

---

❸ 參見李靈年、楊忠主編：《清人別集總目》（合肥：安徽教育出版社，2000 年 7 月），頁 1774。

❹ 參見〔日本〕京都大學人文科學研究所附屬漢字情報研究中心建置「日本所藏中文古籍數據庫」http://www.kanji.zinbun.kyoto-u.ac.jp/kanseki/ 本資料庫已收錄日本 35 個漢籍典藏單位的中國古籍書目資料 62 萬筆，預計 2007 年增至 41 個單位近 70 萬筆，詳見網站中「全國漢籍 database 協議會」資料說明。

❺ 同註❸。

❻ 參見國家圖書館網站「中文古籍書目資料庫」http://rarebook.ncl.edu.tw/rbook.cgi/frameset4.htm 本資料庫截至 2006 年終已有 29 個中外中國古籍典藏單位的 563,334 筆資料收錄，不過各圖書館提供的資料詳全程度不一，未為全面的記錄。

❼ 同前註。

學圖書館也有《讀畫齋題畫詩》十九卷六冊，嘉慶元年（1796）序刊本。前田育德會尊經閣文庫有《讀畫齋題畫詩》十九卷、《讀畫齋偶輯》十二冊。立命館大學圖書館有《讀畫齋題畫詩》存後半，四冊，註記有「帶圖本」，俱為清刊本。❶⓮
此外，大陸中國國家圖書館也有一部《讀畫齋偶輯》的刻本並其子目，皆題為顧脩所輯，如《陳其年填詞圖》、《李秋錦灌園圖》、《朱竹垞竹垞圖》、《朱竹垞豆棚銷夏錄》、《朱竹垞煙雨歸耕圖》、《朱竹垞小長盧圖》、《王阮亭載書圖》及《尤西堂竹林宴坐圖》。⓳

顧脩較知名的作品是輯刻叢書，也就是《讀畫齋叢書》與重輯的《南宋群賢小集》。這兩部叢書流傳很廣，有漢籍大量典藏的地方幾乎都可以找到，加上有部份新式的影印出版，原刻內容即十分容易見到。

5.《讀畫齋叢書》

顧脩刻《讀畫齋叢書》在嘉慶四年，當時鮑廷博的《知不足齋叢書》已經刻到第二十集，有了百餘種子目的具體梓行。在長期觀摩鮑氏的校書、刻書活動下，顧脩也就從刻書意志到選書性質、編輯體例與刊板形式等，完全追摹《知不足齋叢書》來從事。

《讀畫齋叢書》共收子目 46 種，分為甲、乙、丙、丁、戊、己、庚、辛八集，每集子目數量不一，也沒有特定時代或性質的次第，這應該是跟鮑氏刻書一樣，校理後的圖書即予陸續刊行，所以分集不分類。顧脩多選擇宋人與清人作品，「皆取其攷據經史，有裨實用者，而短書小說不與焉。」⓴跟鮑氏叢書一樣，以特殊與罕見的珍本為主。內容性質有筆記、雜著、詩集、詩話、書目與畫錄等，除了顧脩個人愛好以外，也有《知不足齋叢書》的縮影。顧脩十分精緻地處理這些作品，每集之首有全集各書總目，每部子目保留原書完整序跋、識語，內容經過他

---

❶⓭　同註⓮。
❶⓳　同註⓰。
❷⓴　同註❼。

本人與友人徐鯤等的校訂點勘，版本情況具相當價值。又每書版心鐫上子目書名、葉次，下方則是叢書名與集次，便於檢閱。所收子目有多至三十餘卷的內容，也有單卷及數卷的小書，其中卓有價值者，像元劉壎《隱居通議》三十一卷，是當世罕傳的作品；清周亮工《讀畫錄》四卷、南齊龔慶宣《劉涓子鬼遺方》五卷，二書都不見《四庫全書》收錄；宋方勺《泊宅編》甚至並列了兩部三卷與十卷的本子，保留傳世與罕見的兩種版本，力求文獻的完整與全備，形式與內容俱見匠心。

6.《南宋群賢小集》

顧脩重輯新刊《南宋群賢小集》，這部書的前身，起自南宋書坊刻書家陳起開始輯刻的《江湖集》、《江湖後集》等幾部江湖詩人總集，後來由於政治忌諱以及當時本為隨得隨刊，所以宋末零散情況即已相當嚴重。其後陳起與另一杭州書商陳思又編行了《兩宋名賢小集》，收錄部份江湖詩作，此編至元有陳世隆補輯，收錄 157 家宋詩人之作。**㉑**

流傳到清初時《兩宋名賢小集》已無法得見全貌，有一部收有「六十家，裝二十八冊」的宋刻本行世，先後由曹寅（1658－1712）、郎廷極（1663－1715）、吳允嘉、厲鶚（1692－1752）、馬曰琯（1711－1779）等人經手收藏。乾隆三十七年（1772）仲冬，鮑廷博在錢景開的書店中見到此宋刻，出價百金都還買不到，只能商借出來從事校讎。在這之前乾隆二十六年（1761）春天，鮑廷博已鈔有這部總集的部份內容，此時得以宋本來校對，但是友人匆匆索回，終只完成三分之一。後來宋刻六十家本不知所終，鮑氏的舊稿也就此沉積了四十多年。**㉒**

嘉慶五年（1800）顧脩在鮑廷博案頭見到這部舊稿，當是感到它的珍貴，於是

㉑ 參見顧志興：《浙江出版史研究──中唐五代兩宋時期》（杭州：浙江人民出版社，1991 年 5 月），頁 107－152。

㉒ 〔宋〕陳起輯，〔清〕顧脩重輯：《南宋群賢小集》（〔清〕嘉慶六年（1801）石門顧氏讀畫齋刊本，國家圖書館藏），書前鮑廷博嘉慶六年（1801）識語。

要求刊刻這部作品，而且才花了一年功夫就完成。除了鮑氏的舊稿外，當時還流傳著一些零星的「江湖小集」本子，一直都未有彙整乃至重新刊行。顧脩去拜訪王昶為此重刊寫序時，已彙集有七十幾家作品。他在書中凡例說明了《群賢小集》復原收錄的情形以及去取原則，並解釋了附錄於後的幾種作品。由於完全復原已不可能，顧脩朝向相關內容及資料的叢集類聚著手，如附入同收宋詩家的《中興江湖吟稿》殘本、《永嘉四靈詩》存作以及陳起作品、陳起輯作《江湖後集》，並鮑廷博所作《群賢小集補遺》等，又表示「諸家詩有見於他書者，廣為搜輯，雖單詞片語不忍棄去，刊為一卷。嗣有所得，當續補云。」❷❸認真從事精神可見。當時人法式善（1752－1813）談到此書，曾評論：「嘉慶六年，石門顧脩刻版於杭州，雖不盡符陳起、陳思、陳世隆之舊，而采綴精當，剞劂亦復工整。」❷❹

三、《彙刻書目初編》的編刊與版本

顧脩為世所知的編刊，以此叢書目錄《彙刻書目初編》為最。題名「彙刻」，意義與「叢書」相同。乾嘉學者王鳴盛（1722－1797）即曾說：「取前人零碎著述，難以單行者，彙刻為叢書。」❷❺當時有稱「叢書」，也有「彙刻」、「彙刊」者，各為從活動本身或成果來指稱。今天各古籍典藏單位的目錄中都廣泛可見題為「彙刻書目」的作品，不過並非全為顧脩原編。這是由於顧脩之後出現諸多的續補以及正續合刊，都沿承「彙刻書目」的名稱，而某些目錄著錄時直接簡化，全作《彙刻書目》，因此常容易誤為顧脩的原作。而也因為後來增補新編的作品多了，原刊本便不常見，也不為人們特別重視。

---

❷❸ 同前註，顧脩〈讀畫齋重刊群賢小集例〉。

❷❹ 〔清〕法式善：《陶廬雜錄》（臺北：文海出版社，1969 年 4 月《近代中國史料叢編》本），卷三，頁 159。

❷❺ 〔清〕王鳴盛：《蛾術編》（〔日本〕京都：中文出版社，1979 年 12 月），〈合刻叢書〉條，頁 223－225。

筆者在臺灣見到的幾個版本，都不屬顧脩原刻本，然經過比對後，認為典藏於中央圖書館臺灣分館的日本文政元年（1818）刊《彙刻書目初編》十冊，應是最近顧脩嘉慶四年原刻的覆刊本。一則它的刊印時間最接近，二則當時不管是中土還是日本都還沒有任何續編之作出現，三則嘉慶四年冬天顧目即已流傳到日本，到後來編刻《彙刻書目外集》的日本書商、漢學家松澤老泉在文政三年（1820）說見到顧目且有 284 部叢書的著錄❷，與今天所見顧目的原初編刊數量吻合。因此以下分析即以文政元年刊本所見情況為主要依據。

㈠ 《彙刻書目初編》的纂輯

1.「叢書」著錄的自覺性認識

從顧脩《讀畫齋叢書》等兩部叢書的刊行情況看來，他對「叢書」這種文獻體裁的形式、功能都有相當程度的自覺與認識。首先他認識到主題性的彙集是對人們有助益的文獻形式。《讀畫齋叢書》的搜奇集異，如果個別單行，可能無法突出它們的特殊，彙聚以後，刊刻者的學術整理成果與價值便能彰顯出來，獲得人們重視。《南宋群賢小集》的可貴一在當時流傳已無多的情況下，保留了難得的成果，然更重要的還在顧脩添加進去的「群賢小集」相關資料彙編，這讓已無法得知全貌的作品有了創新的整理與思考，既方便研求者使用相關文獻，也等於是一部新作品的產生。這些都不是單行作品所能表現，「叢書」提供了絕佳的形式。再者，《讀畫齋叢書》分集刊行，每集有標名、有總目，並於版心作出類似檢索的設計。「叢書」收錄的子目往往不是一兩種，而是數十百種，光從總名是無法識別具體內容的。顧脩於每集之前先列所收書名總目，再一一次列各本內容，

---

❷ 〔日本〕松澤老泉：《彙刻書目外集》六冊（〔日本〕文政三年（1820）江戶刊本，中央圖書館臺灣分館藏），松澤老泉〈自敘〉：「余承先人遺囑，薄書計算之暇，裒古今叢書目錄，排比整列，既得四百餘部，藏之篋底久矣。己未之冬，獲桐川顧氏《彙刻書目》而閱之，其所收止二百八十四部矣。今以余所錄比對校勘之，以補其遺漏，並是正其訛謬焉。其所補錄既陪於顧氏之原彙，竟裒成六卷，名曰《彙刻書目外集》」。

「叢書」的結構性非常清楚。相信是他長期浸淫圖書文獻事業，對「叢書」這種尚屬發展中的圖書體裁有整理上的實務心得，所以也特別留意了它的發展。他說：

> 宋元以來又好聚諸家之書，都為一帙，其亦中經四庫之具體而微者。然簿錄家往往僅舉全書，而不暇臚列子目。中既各自成卷，即有闕佚，何從而知之？此猶觀水者但知江河之大，而眾流之入江與河以成其大者，固不知凡幾也。源委枝別，何可無人焉以指數之！❷❼

這段話表明了三個重點：一、「叢書」從宋元以來即行發展，至清乾嘉時期已累積不少成果，具相當重要性。二、向來圖書目錄對這種作品的著錄是只記叢書總名，不及子目，這些子目都是個別獨立著作，不經彰顯，哪能明白有什麼具體收錄。何況沒有目錄書可覆按，萬一叢書中逸失了幾部子目，人們何由了解。三、必須有人編製叢書子目的目錄。顧脩長期與幾位圖書文獻專家往來，本身收藏、經眼圖書豐富，他應該是持續記錄了一段時間，嘉慶四年仲秋上旬編刻出《彙刻書目初編》十冊。

2.「叢書」著錄創新形式的提出

《彙刻書目初編》在形式上出現了好幾處創新。第一是全書的型態，分冊不分卷，共為十冊。每一冊在版心下方還分別有甲、乙、丙、丁、戊、己、庚、辛、壬、癸的分集標目。書前首列顧脩嘉慶四年〈彙刻書目初編自敘〉，接著是第一冊總目，羅列本冊收錄叢書簡目，然後是各叢書的詳目，每一冊都作如此處理，與同期編刊的《讀畫齋叢書》形式十分接近。（圖一）

---

❷❼ 〔清〕顧脩：《彙刻書目初編》（〔日本〕文政元年（1818）江戶刻本，覆〔清〕桐川顧氏刊本，中央圖書館臺灣分館藏），顧脩〈自敘〉。

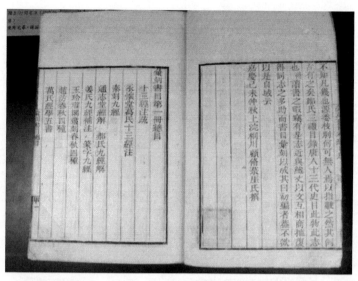

（圖一：顧脩《彙刻書目初編》，日本文政元年刊本，中央圖書館臺灣分館藏）

第二個特殊的地方是刊版，每部叢書書目都採取獨立刊版來雕印，除少數幾部以及同書不同版本的作品連續著錄外，其他多半一部叢書書目就佔有單葉或數葉，並不直接與下一部叢書資料相續，所以全書中經常出現左欄的空白。而一筆叢書資料，叢書名列於首行頂格，其下小字編者姓名與版本，子目書名則另起一行著錄並低叢書總名兩格處理，每一部子目書還各佔一行，從編排上形成一種書目資料間從屬的結構性關係。（圖二）

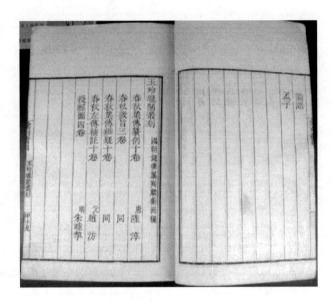

（圖二：顧脩《彙刻書目初編》，日本文政元年刊本，中央圖書館臺灣分館藏）

　　顧脩之前著錄過叢書的目錄，以明祁承㸁《澹生堂藏書目》為代表。祁目的格式是叢書總名大字在上，其下小字雙行繫錄子目，各子目間幾乎上下連續相屬，第二筆叢書及子目資料又緊接著著錄，這使得每筆資料間既缺乏明顯分野，叢書總名與子目雜廁，也不易見出結構上的關係。顧脩的形式設計，令叢書著錄出現一種疏朗與醒目的結構性格式。

　　第三個特別處是著錄項目的趨於完善。顧脩在〈自敘〉中提到前此著錄不列子目的問題，可見他不僅留意，而且還思考了此種情況的缺失。我們可從本文末附〈中國古典公私藏書目叢書著錄情況表〉（附表一）看出，祁承㸁以前，所有著錄幾乎都僅列出叢書名、冊卷數，而不及其他。這樣的形式是將叢書也等同單行作品來處理，當然，這是受限於彼時對叢書的認識。到了祁承㸁，叢書著錄首度出現子目，不過，還是過於簡略。至清初祁理孫及姚際恆，才陸續增加有編者、子目作者等項目。顧脩表現的則有叢書總名、編者時代、編者姓名、版本、子目書名、子目卷數與作者。（圖三）

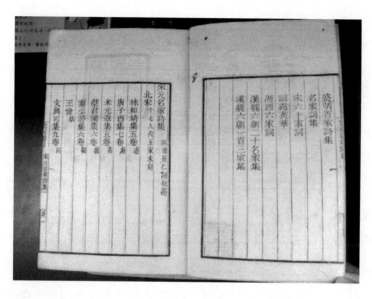

（圖三：顧脩《彙刻書目初編》，日本文政元年刊本，中央圖書館臺灣分館藏）

但由於《彙刻書目初編》是一部知見目錄，有些書目來自轉錄或資料未詳，顯然顧脩不是每一部都經過目驗與考證，所以資料不完整時，他可能僅著錄所知情況或有所註記，如第三冊《名賢說海》，書名下記「載《澹生堂藏書目》，不著編者姓氏」。又第八冊《蘇文定公全集》，下記「蜀板，嘉靖辛丑交河王珩序」。但不論如何，顧脩在每部叢書後都著錄了子目，明確展現這類文獻的體裁特色，可說是叢書著錄發展中里程碑式的成就。

3.全目收錄數量的問題

《彙刻書目初編》十冊的叢書收錄量，歷來統計不一。李春光《古籍叢書述論》記錄為 261 種，這個數量來自各冊總目的計算，而且是不計重複版本與補編 9 種的結果。前述日本松澤老泉的計算也是以各冊總目為據，但他加計不同版本，十冊共 275 種，另加補編的 9 種，為 284 種。事實上，顧脩在各冊總目的部分與內容詳目之間還小有一些出入，比如說叢書總名著錄的小異及不同版本子目的列出有無。第四冊《說鈴》在總目中僅列出一部，詳目則出現兩部版本的子目，因

此全書列有子目的叢書實為 285 種。

　　從全目的收錄量還可辨明一項版本上的問題，即書後補編 9 種為何人手筆？在第十冊《道藏全部》總目與詳目之後，接有 9 種叢書書目，沒有總目，其他詳目情況則同前面各書，版心下方記錄有「補一」、「補二」等字樣。一般計算為總收 261 種的，是認為此 9 種為後人所補。因為不在十冊總目之中，而且後人補續合刊的情況又那麼普遍。這樣的認知不始於今，清同治九年（1870）崇雅堂木活字排印出版的《彙刻書目正續合編》就把這 9 種同真正為後人續補的書目放在一起，綜合為〈彙刻書目續編〉。光緒元年（1875）陳光照重刊《彙刻書目初編》甚至還把佚名續編的兩卷內容以及另 16 種補輯放在這 9 種之前。或許他們的重新整理不是為了復顧脩之舊，但也可理解為其時顧目原刻的流傳果真已稀少，大家對重新刊刻以及增補內容的掌握開始模糊。這部分下節版本內容中還將分別說明。而所幸松澤老泉在嘉慶四年冬天見到顧脩原刻後，計算有收錄數量，明載了「二百八十四部」的數字，讓我們今天可作為一項證據來判明顧脩原編的情況。

4.「叢書」分類形式的模糊

　　從表面上看，《彙刻書目初編》是沒有分類的。它只分冊，每冊收錄叢書數量不一，像第六冊最多，有 62 種，第十冊最少，僅《道藏全部》1 種。它主要是以實際葉數份量來析分冊別的，每冊約七十至八十葉之間。然而不分類，285 種的內容如何令人從結構上去認識或查檢？因為傳統目錄早已底定有經、史、子、集四部結構，顧脩新編的目錄也不能全然以雜亂無章的形式來安排，那將大大折損編目的意義。可是要為這些叢書分類實在是一大難題。

　　我們依然從前此唯一的嘗試－明末祁承㸁《澹生堂藏書目》來探看：祁氏收錄 55 種叢書，分出「國朝史」、「經子襍史」、「經彙」、「子彙」、「說彙」、「雜集」、「彙集」等七項。有從內容，也有從型態及體裁來作的歸類區分，然而從類名卻無法清晰了解這種文獻的總體結構以及各類間的區隔關係。因為「叢書」是體裁名稱，反映它的形式性質，並未能突顯它的內容性質。若以內容分類

的概念來析理形式體裁，對於綜合性內容就會茫然無措。顧脩發現到分類不易，所以連分卷都避開，因為傳統上分卷之間是表現有關連性、體系性的。他另外設計了便於索隱的輔助項目，在各葉版心中間鑴有「彙刻書目」字樣，其下為當葉叢書名，如此就可以迅速翻檢到一冊內容而不致有隱晦之感。

若經細究，顧脩是隱然有一個分類次第的，即仍不脫經、史、子、集的四部思維。「叢書」內容確有類編性與彙編性兩大種類，類編性很容易可次分出四部，彙編性則較為難。顧脩的編次有兩個層次：第一層是四部，第二層是編輯時代，先宋元後明清。如第一冊收經、史、子等類編性叢書，像《十三經註疏》、《通志堂經解》、《武英殿刊二十一史》、《六子全書》等。第二冊到第六冊大半，收「子部」叢書，事實上大部份是兼有多部內容的彙編雜纂性叢書。如第二冊收明代編刊《寶顏堂祕笈》、《格致叢書》、《鹽邑志林》等。第三冊以《百川學海》系列並《古今說海》、《顧氏文房小說》等宋、明小說類叢書為主。第四冊有《今獻彙言》、《紀錄彙編》等幾部明編，然後續接清人編刊，像《檀几叢書》、《學海類編》等。第五冊前面幾部收明編《稗海》、《秘冊彙函》等小說性雜纂，然後有《津逮秘書》、《抱經堂彙刻書》、《函海》等明清搜奇集異、精校精刊的珍籍彙編，鮑廷博編的《知不足齋叢書》以及顧脩本人編的《讀畫齋叢書》也在此冊。第六冊主要為《武經七書》、《算經十書》、《天學初函》、《山居小玩》、《河間醫書》等子部兵家、天文、藝術及醫農等類編作品，一樣先明編後清刊。第七冊全為詩、詞、文總集類作品，像《石倉歷代詩選》、《宋六十家詞》、《漢魏六朝一百三家集》等。第八冊續為集部總集類與別集類作品，有明、清編刊《汲古閣刊唐人集》、《晁氏三先生集》、《歐陽文忠公集》、《亭林遺書》等。第九冊先是接續集部作品，有清刊《叢睦汪氏遺書》、《錢氏四種》等個人獨撰叢書，然後有《道書全集》、《汲古閣道藏八種》等道教作品，最後再接有雜劇、傳奇叢書，如《元人雜劇選》、《盛明雜劇》及《紅雪樓九種傳奇》。第十冊僅一《道藏全部》。

　　雖然所謂第一層的四部次第與第二層的時代先後，在各冊內容中事實上仍是不盡規整的，但顧脩是考慮了這個大方向。而且由此可以推測，他應該是先輯錄了大部份的叢書書目，然後略依性質分冊歸屬刊行，所以一個大致的先經史後子集的四部次序可隱約查見，又子、集等類別的叢書多，便跨了幾冊著錄，最後依份量裁冊而不是類別。❷❽但也因此，在全目刊刻完畢後再陸續收到的 9 種叢書書目，便不及編入各冊中，而僅能以補編的方式附後，補編因數量少，便不再分出四部次第。顧脩自敘中也明言，書目取名「初編」，就是還有繼續蒐羅編輯的意思，未來可能有續編、三編等，並非打算以這初步的成果自我設限。不過我們並沒有見到顧脩本人後來的編輯。

　　顧脩既然作出了分類與編次的考慮，很明顯地是在概念上架構叢書文獻，但又何以採暗分而不是明析，模糊化這個思考結果？相信他還是碰到雜纂性叢書兼收多部類子目的問題。全書中佔了半數以上的「子部」叢書，起碼有 70 種不是只收子部各類作品。代表者如第四冊清曹溶輯《學海類編》，由於內容本身有分類，顧脩特別又為它列出了〈學海類編總目〉，分「經翼」、「史參」、「子類」與「集餘」，顯然這是四部兼收的叢書。第五冊明毛晉輯刻《津逮秘書》，此部叢書分 15 集，收 141 種子目，有經學、釋藏、算術、詩話、筆記、小說、制度、歷史等內容。鮑廷博《知不足齋叢書》百餘種子目，更不能以子部專叢來範限。此外像清李調元輯《函海》，40 函、百餘種作品，數量之大與層面之廣，絕不能以子部一個性質來統括。顧脩不是未認識到這點，從他對「子部」146 種叢書的隱然二級次分，看得出有所類從，像二、三冊的明人雜纂，的確在內容上多子部各

---

❷❽ 後世從《彙刻書目初編》表面的形式，往往作出它隨得隨刊、毫無次序的結論，如李春光：《古籍叢書述論》（瀋陽：遼瀋書社，1991 年 10 月）即曾認為「編者隨手摘錄而成，排列無次序」，頁 422。不過若事實如此，內容應該完全模糊四部次第，而且有相當大的參差才是。四部次第的浮現說明了不完全是隨得隨刊，否則以它各部叢書分版著錄的形式，隨得隨刊後要裝訂出更齊整的排列與分冊，彈性是很大的，將不致如現在所見，以篇幅截冊，子、集等類別叢書有跨冊情形。

類作品，且編刊情況較見蕪雜紛繁。四冊的明高鳴鳳《今獻彙言》、明沈節甫《紀錄彙編》同具子史記錄性質的作品內容。而明胡震亨《秘冊彙函》與毛晉《津逮秘書》，這兩部有著密切相承關係的叢書緊連著錄，之後的近20種都同屬內容精心選擇，罕見罕本，以及輯刻者細加讎校整理的叢書。顧脩當時僅能夠從傳統四部的文獻概念出發，來理解這種逐漸興盛中的體裁內容。他明白這樣的分析尤其對「子部」那部份不盡合理，但也未能衝破四部思考，所以相對來說就讓它們置於「子部」而不是性質範圍更嚴明的經、史或集，畢竟子部傳統以來就有雜家的項目。而既然分類還不成熟，他且不作硬性的部類區分，只保留一個窈型來表達個人的初步認識。

5.收錄內容的體裁認知

《彙刻書目初編》含補編共285種作品中，以今天的內容性質認識來分析，經類叢書收11種，史類8種，子類152種，集類114種。經、史、集三類作品都明顯是類編性叢書，子類部份則81種屬類編，另71種實為彙編性叢書。雖然285種的數量不多，但以今天廣泛被採行的《中國叢書綜錄》分類架構來看，顧脩儘管並沒有所謂「類編」與「彙編」的概念，不過他確實掌握了「叢書」體裁的大範圍內容，不僅經、史、子、集四部類編俱全，「彙編」中的主體「雜纂」、「郡邑」、「氏族」、「獨撰」叢書也都在其中。

前此未有專門目錄時，明祁承爜為首在自己藏書目「子部‧叢書家」中試著收集這種以體裁為主的作品，包含「經子褢史」的雜纂性叢書與「子彙」、「說彙」等類編性叢書。雖然首度嘗試的分類設計成就有限，收錄量也未多，然而他的眼光無寧是前衛的。在傳統以內容為主的四部結構目錄中，能安排以特殊體裁為主的作品，脫離了純內容分類的思考，將體裁擺在首位，集中類編與雜纂彙編，對文獻的細膩、完整認識令人敬佩。其後的祁理孫與姚際恆，則雖然為叢書設立了一級類目，但都只收彙編雜纂性這些不易歸入四部的作品，至於類編性叢書還是回歸四部，叢書的完整結構並沒有繼承前人建立起來。此後直到清末乃至今天

的公私藏書、古籍目錄，有叢書獨立設類的仍主要是收彙編性作品，類編則各入四部，所以要做全面的叢書收錄查檢十分困難。㉙

　　因此專門目錄的收錄編輯，排除在綜合目錄中的為難，是一項解決的辦法。顧脩在叢書盛行發展的起步即做了這樣的工作。不過當然不可能一下就完美，他的收錄在今天看來還不盡規範，主要是「叢書」體裁認定的問題。比如第一冊中收錄了清錢大昕《廿二史攷異》及未著編著者的《路史》。《廿二史攷異》是歷史考據之作；《路史》則為南宋羅泌所撰，為雜史類作品。顧脩所列二書的子目事實上都應視作篇目而不是書目，因為它們不是個別獨立再加彙聚的作品，是著作結構中的一部份。其次像第六冊收錄的明馮時化《酒史》也同樣，子目著錄為《酒系一卷》、《酒品一卷》、《酒獻一卷》、《酒述一卷》、《酒餘一卷》、《酒考一卷》，也應屬內容篇目而非子目。最大的問題是第六冊收了《山堂攷索》、《合璧事類》、《事文類聚翰墨全書》、《祝穆事文類聚》、《三才圖會》五部類書。它們的「子目」幾乎都作「前集」、「後集」、「續集」或「甲集」、「乙集」、「丙集」等，不管是內容還是形式都不屬於叢書。又第八冊明胡震亨的《唐音統籤》，這是一部唐五代詩歌總集，內容以甲、乙、丙等十干來分屬，收唐五代各期詩作、特殊類別體裁詩與詩學，顧脩所著錄的「子目」實為內容篇目，具不可分析的結構性，非為「叢書」。又明刻《蘇文忠公全集》、蜀板《蘇文定公

㉙ 在以四部架構為主的古籍目錄中，實際衝擊到分類原則的只有彙編性叢書，類編叢書仍然可以融入原先結構中，所以大部份的傳統目錄還是以內容分類為主，獨立「叢書」部類收彙編性作品，而不建立兩套分類原則。問題是歸入四部的類編叢書多半欠缺詳細子目的條列，所處位置又必須一一檢尋，辨識與蒐集實屬不易。近現代公藏善本目錄以臺灣為例，各公藏單位 1960 到 80 年代所編纂的古籍善本目錄，像《國立中央圖書館善本書目》、《中央研究院歷史語言研究所善本書目》及《國立故宮博物院善本舊籍總目》等，都獨立有「叢書部」，但僅故宮目錄加進了「經之屬」與「子之屬」的局部類編內容，其它都僅收錄彙編性叢書。而入於四部中的類編叢書不一定有子目著錄，所以查檢上存在不小困擾。此部份可參看筆者〈臺灣公藏古籍叢書現存情況與聯合總目之編製〉一文分析，雲林科技大學漢學資料整理研究所「2006 年漢學研究國際學術研討會」宣讀論文，2006 年 10 月。

全集》、明孫希令重梓《黃文節山谷先生文集》、武英殿版《山谷集注》、楊萬里撰《楊誠齋全集》、陸游《陸放翁全集》六部宋人別集。這幾部宋人別集由於作者生平都是著作豐富，當他們在世時即曾進行多次的詩文結集，因而後人編纂個人全集時，往往就直取一部部擁有個別題名的作品來匯合。從表面上看它們確實有「叢書」的形式，但這些別集於南宋末陳振孫《直齋書錄解題》中已作如此著錄，彼時「別集」的概念還是傳統的，並未發展成獨撰叢書的型態，因此仍未宜作為「叢書」來認知。另如宋洪邁《容齋五筆》、明胡應麟《少室山房筆叢》，這兩部作品是筆記雜述性質之作，同樣有篇目與書目混淆而產生的認定差距。

顧脩所收 285 種作品，大部份都可見於今天幾部主要叢書聯合目錄，像上海圖書館編《中國叢書綜錄》、陽海清編《中國叢書廣錄》及施廷鏞編《中國叢書綜錄續編》，但仍有小部份尚未檢得以上三目有同樣的著錄。❸除了幾種類書、筆記、雜著、總集與別集不屬於「叢書」範圍，後世自然不收以外，還有以下的著錄有待查驗：第一冊著錄有元趙汸撰《趙氏春秋四種》，為趙汸《春秋》相關作品集。《趙氏春秋四種》的子目都分見於清納蘭成德《通志堂經解》，但未有此叢集總名。第二冊有明祁承㸂輯《國朝徵信叢錄》，收錄 132 種明代歷史相關資料。此書子目僅有少部份著錄有卷數，子目作者則完全未見。從子目題名看來，有些是著作，但也有些是單篇文章或碑記，今天未見流傳。❸第五冊不著編者《藝

---

❸ 古籍叢書的著錄題名各家往往有異，原因很多，有的叢書經歷多次發展，前身與後輯題名就可能不一樣；又收藏者可能收得的是殘本，不明原始題稱，著錄時常遷題某某數種；再像目錄編者經常是僅為知見，未見原書，轉錄自他目資料，在未能比對子目下，便又另著錄成一部新書。顧脩在乾嘉時期所見的版本與著錄情況與今天叢書目錄已有所不同，如第五冊《六家小說》實為今《清平山堂話本》；第八冊《李君實雜著》即今題《李竹嬾先生說部全書》；第九冊《雙節堂雜錄》即今《汪龍莊遺書》；《拜經樓刊書》今題《重校拜經樓叢書十種》等。筆者從題稱、編著者與所收子目進行多重比對，大部份資料吻合者即視為同一作品。

❸ 這部叢書也見錄於〔明〕祁承㸂《澹生堂藏書目》（上海：上海古籍出版社，1995 年《續修四庫全書·史部·目錄類》本），頁 688－689。祁氏於書名下註記：「計二百十二卷，五十三冊，皆係抄本，凡家藏刻本不載。臣㸂手輯」。

圃搜奇》，記有 17 冊，106 種筆記、雜著、詩學等作品，其後又有《藝圃搜奇原闕補》上下冊及《藝圃搜奇續集》10 冊，共再錄 68 種子目。乾嘉學者王鳴盛曾提到這部叢書，說為元人徐一夔所編。❸元代的叢書今天所知非常有限，儘管可能已完全不見流傳，顧脩的著錄卻能提供一些線索。此書子目與後來《說郛》、《學海類編》、《函海》等叢書所收多所重覆，則叢書之間的關係與子目版本問題還可深入探討。第九冊清陶元藻撰《鳧亭雜著》，收陶氏 4 種詩話、詞作與雜著之作，目前還未見此叢編之典藏記錄。另題明鐘昌輯《仙家四書》，收錄《參同契》、《金丹詩訣》等 4 種道教典籍。明朱得之著《參元三語》收道教著作 3 書，也都還未見有叢編或單行之作的著錄。以上的資料可以補今天叢書知見目錄的未足，也能進一步作佚籍叢書的考察。

(二) 《彙刻書目初編》的版本

　　《彙刻書目初編》嘉慶四年刻成以後，流傳情況應該是頗為普遍的，如當年冬天即有海運流傳到日本去，而中國境內不久後也陸續出現續補風氣，可見流通之廣且獲有相當重視。但今天所見嘉慶中期以後的私家藏書目錄著錄這部原刻本的卻非常有限，原因推測有三點：第一，這是當代的工具性作品，藏書家目錄以反映珍善古籍為主，或許這種以當時來講非古籍的目錄書是藏而不錄的。❸第二，目錄書以後出者為貴，同治九年（1870）崇雅堂將《彙刻書目初編》連同續編合併刊行，光緒十二年（1886）還有朱學勤增補、王懿榮重編，這些作品流通量都很大，從此注意原刻或重為梓行的人又更少了。羅振玉民國三年（1914）《續彙刻書目》序中說：

---

❸ 同註❸。〈合刻叢書〉條：「其在元，則天台徐一夔大章有《藝圃搜奇》」。

❸ 此點以推測為多，並無直接證據，不過，以今天幾個聯合性中國古籍書目資料庫的檢索結果，中外清刻本《彙刻書目》的實存數量是不少的，或許可以作為過去典藏與著錄之間未見同步的證明。

會最叢刻諸書之目,勒為專書,肇於顧菜厓氏。自顧目行而海內承學之士,翕然稱便。顧其書刊於嘉慶己未,後此所刻不能及焉。至光緒初葉,唐棲朱氏始為之增修,視原書幾及倍,於是朱書行而顧書廢。❸❹

第三,顧目刊行後二十一年有吳氏重刊,六十年後則連重刊的本子都已難求,遑論原刻。陳光照在光緒元年(1875)重刊《彙刻書目初編》的前記中說:

> 嘉慶己未桐川顧氏有《彙刻書目初編》,自經史子集而外,旁及諸家雜著,搜羅宏富,誠積學之士所宜家置一冊,以資考證者也。……越二十一年庚辰,璜川吳氏重刊之,迄今閱六十載。兼值兵燹之餘,原板燬失,購求不易。❸❺

而今天所見的有限著錄,卻也存在一些問題,如版本情況不明及原續編題稱混淆。嘉慶四年之後出現過幾個重新梓行的《彙刻書目初編》版本,但都沒有任何重刊說明。或許因為這只是一種工具書,重刊目的為的是流通,所以就省略了出版說明。這使得後世著錄時往往只從內容原敘來判斷,以為是顧脩的原刻,今天除非有其它像冊數等的記錄可資判斷,否則我們也難從簡要的著錄中了解是否即原刻。再者,同治以後刊行的續補目錄,書名多類同《彙刻書目》,作品漸增以後,大家的認識愈來愈模糊,著錄時便經常都混同為《彙刻書目》,這些作品的種類、數量都多過顧脩原刻,所以目錄書中的著錄多為此類作品,實則已與原刻大不相同。本節所討論的《彙刻書目初編》版本,以顧脩原刻、覆刻與保留原刻版式、內容次第者為主,續補作品及重排新刊的部份將於下文說明。

---

❸❹ 羅振玉:《續彙刻書目》(臺北:廣文書局,1971 年 7 月《書目五編》本,據民國三年(1914)連平范氏雙魚室刊本影印)。

❸❺ 〔清〕陳光照:《彙刻書目初編·續編》(臺北:文海出版社,1984 年 6 月,據光緒元年二月長洲無夢園陳氏重刊本影印)。

從著錄資料與筆者目驗所析理出來的《彙刻書目初編》版本，知有下列數種：

1.清嘉慶四年（1799）桐川顧氏原刊本

見於民國初期以前傳統藏書目錄著錄的有：

⑴清・孫星衍《孫氏祠堂書目外編》卷三「類書・書目」：彙刻書目十冊，顧脩撰。

⑵清・丁丙《八千卷樓書目》卷九「史部・目錄」：彙刻書目十卷，國朝顧脩撰，刊本。

⑶清・甘鵬雲《崇雅堂書錄》卷七「史部・目錄」：彙刻書目十卷，清顧脩編，嘉慶己未刻本。

⑷民國・吳引孫《揚州吳氏測海樓藏書目錄》卷三「史部・目錄」：彙刻書目十卷，清桐川顧脩嘉慶年原刊，竹紙，十本一函。

⑸民國江蘇省立《國學圖書館圖書總目附補編》卷十七「史部・目錄類・叢錄之屬」：彙刻書目十卷，清桐川顧脩，原刊本。

目前存藏於臺灣各公藏單位的都非此嘉慶原刻本。中央圖書館臺灣分館典藏有一部《彙刻書目初編》，著錄為「清嘉慶四年刊本」，但事實上，第十冊末葉有「文政元年刊」字樣，是日本文政元年的刻本。此本內容已如上文所述，版式為 12.6×9.7（公分）的巾箱本形式，半葉 9 行 21 字，小字雙行，黑口左右雙邊。顧脩嘉慶四年所刻《讀畫齋叢書》與此版式相同，六年所刻《南宋群賢小集》也為巾箱本，不過半葉是 9 行 18 字。❸

這個和刻本刊行於顧目編成後二十年，是顧目流傳到日本以後的覆刻本。它與現在常見的光緒元年陳光照重刊顧脩《彙刻書目初編》本內容有些出入，主要是沒有陳本的《續編》上、下卷以及 16 種新續書目，此外也跟臺灣其他幾部著錄

---

❸ 顧脩《讀畫齋叢書》臺灣沒有原刻本典藏，據國家圖書館網站「中文古籍書目資料庫」所檢得資料，美國普林斯頓大學東亞圖書館藏有此一部，著錄為「清嘉慶四年桐川顧氏刊巾箱本」。又版心、行數、字數則察見藝文印書館據嘉慶四年原刻影印本。

為清刊本的內容小有差異。

筆者判斷此本版式、內容全同顧脩原刊本，理由是：一，顧脩之後整理《彙刻書目》的作品，所知最早是清嘉慶二十五年（1820）璜川吳氏的重刊本以及道光時期吳式芬（1796－1856）補續《彙刻書目》六卷。❸這些都在日本文政元年之後，續補的內容當不及反映進目錄中。二，嘉慶四年冬原刻本即傳到日本，雖然日本早在元祿十二年（1699）編刊有漢籍叢書目錄《二酉洞》，收錄 40 種叢書，遠比顧脩為早，但它的影響不大，是近代才注意到的作品。❸像日本早就從事叢書書目收錄的松澤老泉，也是在得見顧脩目錄以後獲得鼓舞，才將多年成果比對顧目，於文政三年（1820）刻成《彙刻書目外集》六冊刊行。❸因此，在不是很長的時間內有所出版，文政元年刊本以覆刻顧目的機率為高。何況若此本內容有日本方面增刪的成份，又怎能與部分流傳中土的清刻本幾乎相同。以此本來略窺顧目原編，則原書十冊，書後附補編《南唐書合刻》等 9 種，巾箱版式。

從幾個聯合性中國古籍書目資料庫都可以檢得中國大陸及日本有不少題為嘉慶四年的版本，但實為原刻者有限，因顧脩之後的幾個清刻本重刊時都沒有相關註記，後世著錄往往依序作時間說明，因此需藉由末附補續編情況來判斷，若非目驗版本，僅據著錄易生差誤。臺灣大學圖書館典藏有一部顧脩《彙刻書目》十

---

❸ 璜川吳氏重刊的記載，同註 35。吳式芬記載見〔清〕楊士驤等纂修：《山東通志》（臺北：華文書局，1969 年 1 月《中國省志彙編》本，據清宣統三年修、民國四年山東日報館排印本影印），卷一三四〈藝文志·史部·目錄〉，「補續彙刻書目六卷」條：「吳式芬撰。……政暇喜瀏覽異書，疾叢書完缺難楷，而世行《彙刻書目》殊多未備，補而續之，成六卷。」頁 3749。

❸ 《二酉洞》為日人一色時棟所編，元祿十二年博古堂文會堂同刻本。全目收 40 種「叢書」，分「經類」、「史類」、「子類」、「集類」、「雜類」五類，前四類為類編叢書，後一類為雜纂性叢書，「雜類」之末收入了《百家類纂》及《三才圖會》兩部類書。編者在〈凡例〉中稱這 40 種收錄為「類書」，而真正的類書《三才圖會》反而說「雖非叢書之列」。這部目錄收入於嚴靈峯編《書目類編》（臺北：成文出版社，1978 年 7 月，據元祿十二年林久兵衛刊本影印），但題為《唐本類書目錄》。

❸ 同註❷。

卷，補編一卷，著錄為「原刊本」。❹此本版框 14.7×10.2（公分），版式同文政元年覆顧氏本。內容首各冊總目、詳目，後接〈彙刻書目補編總目〉，即顧脩原補《南唐書合刻》等 9 種書目。那麼此本就算不是原刻本，與原刻的關係必定是密切的。

2.日本文政元年（1818）江戶覆顧氏刻本

此本未見著錄於民國以前中土的公私藏書目中，主要呈現在日本漢籍目錄以及近代圖書館典藏目錄。❹這個版本的刊刻比中土流傳的某些刻本精善，例如顧脩〈自敘〉文字中，光緒陳光照重刊本有錯誤，像「而眾流之入江與河」作「八江與河」，另第一冊總目收《三代遺書》作「二代遺書」，然而文政元年刊本都沒有出現這些錯誤。只是未知何故，第六冊總目中的《天學初函》遭到整齊的挖空，詳目中也不著錄，這個現象在中土傳本中則不見。

此本刊行之後，日本「昌平黌」曾取以為官板的刊刻底本，到後來「昌平黌」廢，官板版片多散佚。明治四十二年（1909），富田鐵之助收僅剩的 64 種官板，輯編成《昌平叢書》，其中的子目之一清顧脩《彙刻書目》即此文政元年覆刻本。《昌平叢書》本的流傳更廣，日本許多漢籍典藏單位都可見此本的著錄，以京都大學人文科學研究所為例，藏「《彙刻書目初編》十冊，清顧脩撰，覆桐川顧氏刊本，《昌平叢書》」。❹

3.清嘉慶二十五年（1820）璜川吳氏重刊本

這個版本的記錄，首見光緒元年陳光照重刊《彙刻書目初編》序言「越二十一年庚辰，璜川吳氏重刊之。」❹「璜川吳氏」未明何許人，陳光照重刊本中〈續

---

❹　參見該校圖書館館藏目錄檢索網頁。
❹　〔日本〕京都大學人文科學研究所附屬漢字情報研究中心建置「日本所藏中文古籍數據庫」http://www.kanji.zinbun.kyoto-u.ac.jp/kanseki/即可多見此版本的典藏記錄。
❹　同前註。
❹　同註❸。

編〉上卷收有《瓛川吳氏經學叢書》，未著編者姓氏，而《中國叢書綜錄》的著錄則題為清吳志忠等輯，吳志忠生平未詳，是否即吳氏本人，還有待查證。今天傳世的清刻本中，幾乎見不到標明為吳氏重刊本者，很有可能是吳氏僅重刊了顧脩原編並加進一些續輯，但因沒有相關序言或版刻註記，所以原書儘管實際有流傳，我們卻可能不明白。

民國時期江蘇省立《國學圖書館圖書總目·史部·目錄類·叢錄》著錄有一部吳氏重刊本《彙刻書目》「十卷，補編一卷，新補編一卷」。❹日本東京大學總圖書館，也記錄藏有兩部「嘉慶二十五年瓛川吳氏重刊本」，題為「《彙刻書目初編》十冊，《補編》一冊，《續編》一冊，《新編》一冊。」❺吳氏重刊本的面貌，我們約略可根據陳光照本來推測。陳光照於吳氏本「原板燬失，購求不易」後接著說：

> 余行篋中藏有是書，友人璞山盛子適有續編鈔本二卷，惜未載作者姓名，繕寫亦多舛漏，因別無善本校對，姑存以闕疑。就前編所無者列入數種，加「增輯」二字以別之，一併付梓，以公同好。❻

陳光照取吳氏重刊本加上兩卷續編鈔本，以及他本人所增輯的幾種書目，彙印新刊。今天我們見到書中有〈彙刻書目續編〉上、下卷，自成篇幅的，應該就是兩卷佚名鈔本內容。另書目上方註明「增輯」者，是陳氏新增。此外減除《南唐書合刻》等9種顧脩原補編，剩餘的16種書目應該就是吳氏重刊本所補輯。這16種書目沒有自成系統的總目，但很明顯與顧脩原補9種及其他補續有所區隔，收《通藝錄》、《兩蘇經解》、《張丹村雜著》、《七經孟子考文補遺》等各部性

---

❹ 江蘇省立國學圖書館：《國學圖書館圖書總目附補編》（臺北：廣文書局，1970年6月《書目四編》本，據1933至1936年國學圖書館編印本影印），卷十七，葉二六。

❺ 同註❹。

❻ 同註❸。

質叢書，沒有分類，只在每部書目版心下方註記「續編」、「新編」及一到十六的編序。對照江蘇國學圖書館的著錄，顧脩原編、原補在前，續編、新編在後，次序上是相符的，但與日本東大的著錄一樣，後三種作品都各為一卷或一冊，似乎與陳光照本見到的份量又未盡相同。

4. 清同治九年（1870）仲夏崇雅堂木活字排印本

同治年間出現一個合編本，臺灣中央研究院傅斯年圖書館藏有一部，題《彙刻書目正續合編》，十二冊。此本版框 17.8×12.5（公分），左右雙邊，書前首列顧脩〈自敘〉，緊接各冊總目、詳目，後為〈彙刻書目續編上冊總目〉，先收錄《南唐書合刻》等 9 種顧脩原補，再接吳氏重刊所補續《兩蘇經解》等 17 種。後為〈彙刻書目續編下冊總目〉，收錄未知名所編《御纂七經》等 21 種書目。這 21 種與陳光照本所收佚名輯兩卷續編內容又不一樣，或許是崇雅堂所整理新附，可惜沒有相關編輯說明。

5. 清光緒元年（1875）二月長洲無夢園陳光照重刊本

陳光照，其人生平未詳，從書前牌記及序言中「長洲」、「元和」可知，他是江蘇蘇州人氏。此本常見的為臺北文海出版社影印光緒元年二月長洲無夢園陳氏重刊《彙刻書目初編》本。它的編刊過程已如上述，內容首為陳光照前記序文、顧脩〈自敘〉、各冊總目及詳目，然後接佚名輯《彙刻書目續編》上、下卷。《續編》兩卷共收 43 種叢書，仿顧脩編輯體例，有總目及詳目，版心下方則分別有「仁、義、禮、智」四集字樣，也各有書目編序，內容則以雜纂性為多。43 種內容與吳氏重刊補續 16 種並不相同，不屬於同一系統的作品。續編兩卷之後，接陳光照「增輯」6 種，是為「信」集。然後是吳氏重刊新續的 16 種，最後才是〈彙刻書目補編總目〉，收錄《南唐書合刻》等 9 種顧脩原補。文海影印本的版本狀況不佳，前已言及，顧脩序及內容多有誤字，此外葉次裝訂也誤差連連，查檢頗受影響。

中央研究院傅斯年圖書館也藏有一部陳光照序言的《彙刻書目》。此部書前沒有「光緒元年二月長洲無夢園陳氏重刊」的牌記文字，只從序言落款「光緒元

年歲次乙亥莫春上浣鴻城陳光照訥人氏記」知可能為陳氏刊本。全書十冊，版框12.5×9.7（公分），左右雙邊。如果依據序言時間，這個本子是光緒元年三月所刊，與文海影印本所據的陳光照本僅相差一個月，然而它們內容的差異還不小，首先是陳光照的序言，內容與書體都跟文海影印本小異❹，再者是顧脩的〈自敘〉文字，「閒」作「間」；「爐」作「鑪」。最大的差別是內容，序言中同樣提到有顧脩原輯及瑺川吳氏的重刊，然後說購得有「續編」以公同好，可是十冊實際內容中卻不見所謂的「續編」。全書為首是顧脩原編十冊內容，第十冊《道藏》之後馬上承接《南唐書合刻》等 9 種顧脩原補，再接有〈補編總目〉及幾張補編內容重複頁，然後是瑺川吳氏重刊新續的《通藝錄》等 16 種書目，並不見有何「續編」，也沒有陳光照「增輯」的內容。再從它內容文字與文海影印本的局部差異看❹，顯然不屬同一版片。文海影印本陳光照序言落款題「光緒元年歲次乙亥仲春上澣元和陳光照訥人氏記」，符合書前牌記的「二月」發行說明，傅斯年圖書館此本如果真同為陳光照所刊，前後相距不過一個月，內容卻有那麼多差別，不盡合常理。何況傅圖本的陳光照序言內容有矛盾，文氣也不順暢，筆者頗懷疑這不是無夢園的刊本，而是翻刻的本子，所以處處可見粗糙的痕跡。可是既附會無夢園本而刻，又為何不刻《續編》內容，編排次序也不同？反而與瑺川吳氏本的編序較一致，這些還有待目驗更多版本才能解釋，尤其是同年出現的琉璃廠袖珍本。

6. 清光緒元年（1875）北京琉璃廠袖珍本

　　江蘇省立《國學圖書館圖書總目·史部·目錄類·叢錄》還著錄有一部光緒

---

❹　此本陳光照序言部分文字與前引小異，作「余家舊藏一冊，恐久而散佚。因仿吳氏重刊之例，付諸梓人，庶無負顧氏初編之苦心。並廣為購求，復得續編，以公同好，爰誌數語於簡端。」

❹　例如第一冊《通志堂經解》，目下小字雙行「何焯」，此本作「何輝」；《紫巖易傳十卷》次行「明書帕本恐不足憑」，此本作「四書帕本恐不足憑」。

重刊本《彙刻書目》十卷。❹另北京圖書館（今中國國家圖書館）著錄有《彙刻書目初編》十卷，補編一卷，「清光緒元年刻本，11 冊。封面題《增補彙刻書目》；京都琉璃廠藏版；楊守敬藏書」五部。❺又吉林大學與長春大學圖書館也都各有此「光緒元年北京琉璃廠書坊刻本」的收藏。❺原本臺灣中央研究院傅斯年圖書館普通本線裝書目也著錄有兩部「清光緒元年重印巾箱本」十卷十冊❺，但今天網頁「傅斯年圖書館珍藏善本圖籍書目資料庫」中已不見。

此本已在吳氏重刊之後，又與崇雅堂本時間相去不遠，從著錄中看來沒有新加續補的成份，而又屬書坊刻書，所以很可能即取前此傳本重新刻印，且似乎都欠缺相關的出版註記。筆者所見臺灣大學藏《彙刻書目合編》五冊合訂本即類似此刻。臺大五冊合訂本版框 12.5×9.8（公分），左右雙邊，首列顧脩〈自敘〉，各冊總目、詳目，後接〈彙刻書目補編總目〉，即《南唐書合刻》等 9 種顧氏原補，再接瓛川吳氏重刊〈續編〉15 種《兩蘇經解》等。此本顧脩〈自敘〉文字「臚」誤作「噓」；「入江」誤作「八江」。又臺灣師範大學藏《彙刻書目合編》十冊存五冊，版框 12.5×9.7（公分），左右雙邊，雖然內容不全，但也可推測出原貌。除顧脩原輯外，末冊「癸集」所存為吳氏重刊續補之《張丹村雜著》、《兩蘇經解》等 18 種叢書。❺此本顧脩〈自敘〉文字「閒」、「臚」、「入」等都沒有錯

---

❹ 同註❹。

❺ 參見北京圖書館普通古籍組編：《北京圖書館普通古籍總目・目錄門》（北京：書目文獻出版社，1990 年 8 月），頁 37。

❺ 參見遼寧、吉林、黑龍江圖書館主編：《東北地區古籍線裝書聯合目錄・史部・目錄類》（瀋陽：遼海出版社，2003 年 12 月），頁 1487。

❺ 中央研究院歷史語言研究所編：《中央研究院歷史語言研究所普通本線裝書目・總部》（臺北：中央研究院歷史語言研究所，1970 年 11 月），頁 14。

❺ 臺灣師範大學圖書館編：《國立臺灣師範大學普通本線裝書目・史部》（臺北：臺灣師範大學圖書館，1971 年 6 月），頁 70。著錄「彙刻書目合編三十種九冊，清顧脩撰，清嘉慶年間鉛印本」。著錄實誤，應作「《彙刻書目合編》存五冊（甲、丁、己、辛、癸集〔不全〕），缺乙、丙、戊、庚、壬集，清顧脩編，清刻本」。

誤。臺大與師大這兩部《彙刻書目合編》都沒有出版註記，未明為清代何年份所刻，從內容編輯次序看來有相當一致性，但顧脩〈自敘〉文字與吳氏補續內容的次序又不盡相同。盼望未來還能目驗他館此琉璃廠版本，以獲此版本淵源之線索。

㈢ 《彙刻書目初編》的續補

上文版本分析所討論的，是保有顧脩原編內容與次第者，其中當然也有增補新編的成份。不過，那些都主要是附入於原刻，未曾單刻發行。此節所言則以顧脩之後為《彙刻書目初編》所進行的個別新續、新編工作為主。筆者整理出 14 種所知續補編作品，以下列表格呈現並略作分析說明。

顧脩《彙刻書目初編》續補表

編號	書目名稱	冊卷數	編　者	版　　本	叢書數量	說　明
1	彙刻書目外集	六冊	(日)松澤老泉編	日本文政三年(1820)江戶松本刊本	489 種	約以四部分類，著錄叢書名、編者、朝代、子目書名、卷數
2	彙刻書目續編	二卷	佚名	鈔本	43 種	據陳光照重刊本序言
3	補續彙刻書目	六卷	吳式芬	清道光年間		據宣統《山東通志》載
4	續彙刻書目	六卷	蔣光煦編	延古堂李氏舊藏鈔本，南開大學木齋圖書館藏。		據梁子涵《中國歷代書目總錄》載
5	彙刻書目附補遺	十二冊、補遺一卷	傅雲龍續編、胡俊章補遺	清光緒二年(1876)德清傅氏味腴藝圃刊本，《補遺》光緒四年(1878)北平胡氏刊本。	500 種	遵《四庫總目》分類法
6	續彙刻書目	十二卷	傅雲龍編	清光緒二年(1876)善成堂刻本		
7	彙刻書目二十冊	二十冊	顧脩原編、朱學勤增補、王	光緒十二年(1886)至十五年(1889)上海福瀛書	567 種	無分類，著錄叢書名、編者、版

			懿榮重編	局刊本		本、子目書名、卷數、子目作者
8	續彙刻書目不分卷		傅雲龍編	清光緒二十年(1894)抄本		
9	續彙刻書目	十冊	羅振玉續編	民國三年(1914)連平范氏雙魚室刻本	303 種	以天干分編,著錄叢書名、編者、版本、子目書名、卷數、子目作者
10	續彙刻書目閏編		羅振玉續編	民國三年(1914)上虞羅氏自刊本		
11	彙刻書目初編、二編	初編二十卷、二編十卷	顧脩、朱學勤原編、周毓邠續編	民國八年(1919)上海千頃堂書局石印本	530 種	分冊不分類,著錄叢書名、編者、版本、子目書名、卷數、子目作者
12	續補彙刻書目	三十卷五冊	劉聲木編	民國十八年(1929)廬江劉聲木刻直介堂叢刻初編本	1580 餘種	
13	再續補彙刻書目	十六卷	劉聲木編	民國十九年(1930)廬江劉聲木刻直介堂叢刻本	780 餘種	
14	三續補彙刻書目	十五卷	劉聲木編	民國二十四年(1935)劉氏鉛印直介堂叢刻本	約700種	

　　顧脩原編刊行之後,很快喚起學界以及圖書文獻界對「叢書」目錄的重視。大家認同這種特殊體裁的文獻需要專門的著錄方式,否則「完缺難稽」❺,而顧脩僅285種的收錄也令目見更多編纂的有識之士感到不足,所以續補的工作很快展開。前已述及,日本松澤老泉早在顧脩目錄刊行之前就已有叢書書目的收集,但是直到見了顧目才決定整理出版,這很可能是第一部續《彙刻書目初編》的作

---

❺　同註❸。

品。至於中土第一部續編，出現時間未確定。因為陳光照重刊本序言中所提到的鈔本二卷是光緒元年以前編成的，與可能是道光年間刊行的吳式芬六卷時間接近。吳式芬作品未見流傳，不詳其收錄情況。此後的續補工作多方展開，最後一部於民國二十四年刊行。這不意謂著清代後期至民國初年只有這些叢書目錄編輯，事實上還有為數眾多的其他叢書專目，本文僅討論與顧脩目錄關係密切，以增補它為主的作品，對於所有編目情況，可參見文末附表二。

清代至民國的續補作品中，又可分成兩種性質：

1.純作續編，不收已見顧目者

松澤老泉原先的叢書書目裒集已達 400 餘部，得見顧目以後，一則進行兩錄的比對，二則對顧目作出一些匡正❸，最後整理出 489 部，雖然與顧目不無重疊，但基本上不以合編為目的。光緒年間編入陳光照重刊本的二卷鈔本《續編》43 種叢書，也不見顧脩原目。吳式芬補續本六卷同樣是純作增補。另著錄為蔣光煦編的六卷續補，很可能也是增作。清光緒二十年傅雲龍的續編抄本，也以增補成份為大。再如影響較大的民國時期羅振玉、劉聲木二家。羅氏兩部作品都是續編，他在《續彙刻書目》序言中說：

> 今距朱氏之增修，又且三十年矣。士夫刻書之風尤盛於咸同以前，嘗憾當世尚無為之賡續者。……就予大雲書庫所蓄，補錄光宣兩朝諸家叢刻及刊於光宣以前而朱目失載者，凡得三百餘種。❺

顧脩目錄只收到嘉慶四年，後來的光緒、宣統兩朝大量作品當然不及收錄，羅振玉以後來編者為主，加上增輯顧脩目錄相當重要的朱學勤本所未備，續補的成績十分有價值。而劉聲木的《續補彙刻書目》更是排除了包括顧脩原編、松澤

---

❸ 參見註❷。
❺ 同註❸。

老泉《外集》、傅雲龍《續彙刻書目》、羅振玉《續彙刻書目》、清朱記榮編《行素草堂目睹書錄》以及楊守敬《叢書舉要》，乃至沈乾一《叢書書目彙編》等七部叢書專門目錄，僅一續就蒐集了 1,580 餘種❺，成就非凡。再加上再續、三續的數量，僅增補就已累積到 3,000 餘種。

2.增補顧目，重新編排刊印

前文所談及的陳光照本，不改易顧目原編形式，僅附加續補編作品於後，然這樣的形式隨著補輯內容大量增加，正、續編之間的形式與編排都出現問題，加上顧目原編漸漸難於見到，於是一種在顧目基礎上新增，並匯合重新編刊的大全式目錄型態產生了。光緒二年至四年傅雲龍、胡俊章補輯重刊《彙刻書目》，採《四庫全書總目》分類來整編 500 種叢書書目。光緒十二年至十五年朱學勤、王懿榮增補重編《彙刻書目》，總收 567 種叢書，採顧脩原編分冊方式，析為二十冊。這是古典時期所編傳世最廣的《彙刻書目》作品，不僅中外多見典藏，幾個當代出版社也以它為根據影印行世，後世對顧脩編輯的認識往往也以它為主。又民國八年周毓邠在朱學勤增編顧目基礎下，續成《初編》、《二編》共 30 卷，530種叢書，也匯整重新編輯。

民國二十幾年以後，公立圖書館逐漸取代私家藏書，叢書的編目工作也漸漸移轉到圖書館典藏單位，以實藏狀況的反映為主。顧脩《彙刻書目》系列也已發展到極致，於是停下了以它為主的續補工作。

四、顧脩「叢書」認識的意義與影響

作為第一部叢書專門目錄，《彙刻書目初編》當然表現有它獨到的眼光以及成就的價值，像它首度自覺性地收錄叢書作品並設計出符應文獻特色的著錄形

---

❺ 參見劉聲木：《續補彙刻書目》（民國十八年廬江劉聲木刻直介堂叢刻本，中央研究院傅斯年圖書館藏），〈凡例〉。

式。然而它也有不少實驗階段難免的誤差與懵懂，如它收錄了不應屬於叢書的他類彙編體裁以及書目篇目概念的淆混。可是，今天我們觀察它的出現與表現，重點不在片面肯定它的成就或批判它的錯誤，因為它的成就已被我們今天所繼承，而錯誤也為我們所判清，重點應該是它在一個初始階段所呈現的思考與思考背後的意義。尤其是今天看來有問題的部份，雖然顧脩並沒有解決這些問題，甚至還不是很清楚地意識到問題本身，但不論他達到的實質成就如何，都已具體而微地指出叢書體裁內涵上的問題。本節將歸納四點來說明顧脩的叢書認識、認識意義與對後世叢書討論及編目的影響。

㈠ 「叢書」學術觀察與討論的開啓

清代繼承明末幾位學者，發展出考據實學的風氣，而到乾嘉時期出現了興盛的局面。考據學問整理大量的古籍文獻，也需求文獻資料，因此這些學問家們本身也多兼圖書目錄之學的研究。加上考據成果需要刊刻事業的展現，清代的學術研究者們往往因而對文獻體裁的觀察與反省較過去為敏銳。像「叢書」這種相對新興的體裁，清初便獲得初步的討論。康熙時王晫（1636－？），在他編刊《檀几叢書》時，仍以「叢也者聚也」、「叢也者雜也」❸的傳統觀念來說明「叢書」。而前已言及的乾嘉時期王鳴盛，除了嘗試描述「叢書」形式，也就個人所知，舉列宋、元到明代的主要編刊。另一知名學者錢大昕（1728－1804）則說：「薈粹古人書并為一部，而以己意名之，始于左禹錫《百川學海》」。❺他們都已認識到這是一種彙編的圖書形式，而且發展已有相當時間，呈現有知名作品，不過主要都還是個人心得式的描述，未為一種嚴謹探究。

顧脩嘉慶四年編成《彙刻書目初編》，廣泛蒐羅叢書體裁的作品，並有意識地彰顯此類文獻的形式內涵，這個工作本身已為一種學術層次的認識。它以知見

---

❸ 〔清〕王晫、張潮編：《檀几叢書》（上海：上海古籍出版社，1992年6月），王晫〈序〉。

❺ 〔清〕錢大昕：《潛研堂文集》（南京：江蘇古籍出版社，1997年12月《嘉定錢大昕全集》本），卷三十〈跋百川學海〉，頁512。

為目標，不再只是個人印象式的記述；出以結構性的書目著錄，而非流於傳統形式，表明若不能了解子目，等於不明白叢書，就好像知道江河壯闊卻不明瞭成就原因一樣。他對叢書文獻的特質已形成明確概念並有能力作出體裁範圍與體裁類型的劃分。與顧脩同時的李調元（－1778－）編有叢書《函海》，他在〈函海後序〉一文中也曾對彙編作品進行過發展史高度的分析：

> 古無以數人之書合為一編，而別題一總名者。惟《隋志》載「地理書一百
> 四十九卷、目錄一卷」，註曰「陸澄合山海經以來一百六十家以為此書，
> 澄本之外，其舊書並多零失，見存別部自行者惟四十二家」。又載「地記
> 二百五十二卷」，註曰「梁任昉增陸澄之書以為此記，其所增舊書亦多零
> 失，見存別部行者惟十二家」。是為叢書之祖。然猶一家言也。左主《百
> 川學海》出，始兼裒諸家雜記。至明而卷帙益繁。而《漢魏叢書》、《津
> 逮秘書》、近日《知不足齋叢書》，皆於各家著作全錄其書，薈為一集。
> 其或於叢書略加節取者，則如《說郛》、《稗海》、《藝圃搜奇》、《紀
> 錄彙編》之類。其或附己書於說部叢書末者，則如《秘笈》、《彝門廣牘》
> 之類皆是也。余所刻《函海》，書共三十集，其前十六集，皆古人叢書也，
> 而己書亦附焉，蓋用後體例也。**⑥**

李調元開始追溯叢書的發展淵源，目光甚至及於記載而不是眼前可見的作品，這當然已是一種嚴謹的學術討論。他也作出叢書類型的分析，明白有類編性與雜纂性彙集兩種。又叢書的編纂體例，有子目書完整收錄的，也有加以刪節的，還有附入編者個人作品的，觀察之細膩深入與掌握之準確，即使在今天仍能成立。李調元編刊《函海》與顧脩刻《彙刻書目初編》同時，顧脩這個纂輯的活動具體象

---

⑥ 〔清〕李調元：《童山文集》（臺北：藝文印書館，1968 年《百部叢書集成》影印《函海》本，據〔清〕乾隆李調元刊道光李朝夔重修補刊本），卷三〈函海後序〉，葉四。

徵了彼時叢書文獻認識的進步。稍後的平步青（1832－1896）在他的雜著性作品《霞外攟屑》中則直言：

> 按《彙刻書目》有《百川學海再續》、《百川學海三續》，不署撰人名。《明史藝文志》則但收司馬泰《廣說郛》八十卷、《古今彙說》六十卷，而無《再續》、《三續》，《江南通志》不知何本，恐誤。陶珽有《續說郛》四十六卷，國朝則新安張潮山來有《昭代叢書》甲集五十卷、乙集五十卷、丙集五十卷。……後之志藝文者，當別立「叢書」一門，以冠子部類書之前。❻❶

顧脩目錄編纂引起學界對叢書文獻現象的重視，十冊的文獻量，令人們認識到必須將它列進圖書目錄結構之中，不但如此，獨立設類的呼聲亦起，而且還在刪裁摘要資料的「類書」前面。顧脩的叢書認識與編刊實啟發了清代叢書的學術討論與定位。雖然此後更為專門、完整的論述文字沒有密集出現，但叢書的實際編刻數量開始呈倍數增加，《彙刻書目》也就需要不斷地增補新編來因應這股風潮，整個發展高揚的關鍵點可說是顧脩目錄的輯刻。光緒二年（1876）張之洞在《書目答問》中，獨立了第五部「叢書」，並提出「叢書最便學者，為其一部之中，可該群籍，蒐殘存佚，為功尤鉅。欲多讀古書，非買叢書不可。其中經、史、子、集皆有，勢難隸于四部，故別為類。」❻❷叢書概念始深植人心並終於確立了它的目錄位置。

㈡ 傳統目錄結構分類原則的挑戰

顧脩所收 285 種叢書書目，沒有明確分類，已見前文分析。顧脩選擇不分類，

---

❻❶ 〔清〕平步青：《霞外攟屑》（上海：上海古籍出版社，1982 年 4 月），卷六〈斠書·叢書〉，頁 321－323。

❻❷ 〔清〕張之洞著，〔清〕范希曾補正，〔民國〕蒙文通校點：《書目答問補正》（校點本）（臺北：漢京文化事業有限公司，1984 年 1 月），卷五，頁 325。

只是約略地以類相從並析出時代次第，而實際編刊時仍以篇幅份量為度，離析成十冊，不設任何類名或標題。他在內容中採用的類從概念，基本上來自傳統四部分類，但是對雜纂性叢書來說，子目性質廣涵經、史、子、集，事實上無法入四部中任何一部，因為歸類是圖書內容性質的展現，勉強將雜纂性叢書編排在四部架構中，將完全掩沒它的內容特質，這不是一個目錄編輯者所應為，於是在還無法明晰合理的分類結構下，顧脩寧可暫不分類，也不願模糊「叢書」的特殊內容性。

古典圖書目錄早在唐宋時即已確立四部的分類模式，當時也已擁有像「類書」、「別集」、「總集」的彙編作品，不過「別集」、「總集」仍然毫無疑問地可以歸入集部，而「類書」雖然內容採擷自各類圖書，但因資料編排方式已成全新的作品，所以只要在子部項下設置專有類目，便無歸隸的困擾。明末以前叢書的編輯不多，也沒有形成問題。《彙刻書目初編》稍前，代表古典分類成熟之作的《四庫全書總目》編成，四部的結構更形穩固乃至權威，顧脩之時分類觀念當然一時沒有辦法完全突破四部，所以即使是以專門目錄型態出現，也還是囿限在內容分類的概念中。但是，在傳統架構下，顧脩還是表達出了對「叢書」作品的新穎認識。

顧脩的隱性分類，前文分析結果包括第一層的四部，第二層的時代先後，事實上還有更為隱微的第三層，以作品內容型態為主的編次。經、史兩類收錄不多，主要都是正經、正史在前，後接經解、經學叢書等。子部最為複雜，為首的兩種《古香齋袖珍十種》以及《武英殿聚珍板書》是御製、官方性質，所以列前。之後近 30 種都以明代雜纂性編輯為主，像《漢魏叢書》、《三代遺書》、《范氏二十種奇書》、《兩京遺編》、《秘書廿一種》等，都共同有收錄斷代作品以及較為特殊罕見的性質，可是卻也都不算十分精緻的編刊。第三、四冊幾乎清一色小說雜著為主的宋明清雜纂及類編叢書，以《百川學海》居首。這些作品所收多單卷零篇、叢脞蕪雜的說部子目。第五冊能析出類別概念的是《津逮秘書》、《雅

雨堂叢書》、《抱經堂彙刻書》、《經訓堂叢書》、《知不足齋叢書》、《問經堂叢書》及《佚存叢書》等清代重要的編刊。這些作品共同特色是篇幅都不小，而且多校勘學家、圖書文獻學家的從事，他們以精到的文獻眼光，蒐集珍貴罕傳的作品，最重要的是──予以精校精刊，所以作品價值很大。子部其餘作品則為較明顯專題類別的編輯。集部作品，先列文總集，再列詩選、詞集以及詩總集，之後主要為兩類作品，一是個人別集，一是個人雜著。別集以詩文性作品為主，雜著則非詩文性的各種著作。最後是像《歸愚全集》、《戴氏遺書》、《雙節堂雜錄（汪龍莊遺書）》等個人生平著作大全式的獨撰叢書。全書最後則是《道藏》的獨立安排。

可以說《彙刻書目初編》表層是內容分類，深層是體裁與型態分類。清代的叢書專目都還沒有作出明確的分類，民國初年楊守敬編《叢書舉要》，首度開創一套叢書分類法，有「經」、「史」、「子」、「集」、「叢書」、「自著叢書」、「明代叢書」、「郡邑叢書」、「彙刊書目」、「釋家」、「道家」11 類。一樣是內容性質為出發的思考，但已將雜纂性作品離析出來，只是仍有時間為主或型態為主的衝突。到現在，叢書分類以《中國叢書綜錄》1962 年提出的架構為今天多數目錄所採用，它的首層是型態分類，「彙編」與「類編」兩種，「彙編」之下再作細部型態畫分，有「雜纂」、「輯佚」、「郡邑」、「氏族」與「獨撰」；「類編」下則全作內容次分，「經」、「史」、「子」、「集」。

顧脩的認識不是沒有意義的，謝國楨在〈叢書刊刻源流考〉一文中，提出清代叢書刊刻有四大派別，分別是「目錄派」、「板本派」、「校讐派」與「綜合派」。❸其中像「校讐派」，指以精校精刊為主的叢書，謝國楨舉《抱經堂叢書》、《經訓堂叢書》、《平津館叢書》等為例，姑且不論如此的分類能否涵蓋全體叢

---

❸ 謝國楨：〈叢書刊刻源流考〉，《中和月刊》3 卷 12 期（1942 年 12 月）。又收入王秋桂、王國良合編：《中國圖書文獻學論集》（臺北：明文書局，1983 年 9 月），頁 425－461。

書，但從一個學術角度出發的觀察，仍然能概括出一些對叢書內涵的深度認識，而這也正是顧脩目錄編排所隱含的理念。

㈢ 「叢書」體裁界定標準的為難

顧脩的收錄中包括了幾種非叢書以及具爭議性的作品，歸納起來有三類：第一是「類書」。類書的內容屬摘錄文字的類編，形式沒有個別獨立的子目，不能視作「叢書」。可是顧脩不僅收錄，還列有 5 部。顧脩應該是見到一些彙刻作品也叢雜地收錄了不少零篇甚至不成篇的作品，因此像類書這種也實為資料彙編的編輯便也雜廁於列。第二是雜著，如《廿二史攷異》、《酒史》、《胡應麟筆叢》等。顧脩所列出的子目其實是它們的篇目標題。由於一般著作內容以分卷為主，少有標題，當有標題而卷次之間反而不以數目連屬時，到底應視作篇目還是書目，的確容易產生爭議。此又無法僅據篇幅來判斷，因為不少叢書收錄的也都是單卷零篇的作品。第三是「別集」、「總集」，此部份下文說明。

綜合來說，問題是「叢書」體裁的界定，包含「彙刻」的意義與子目「書」的概念。「彙刻」其實只籠統地說明了一種刊刻圖書的活動，不是單個作品而是彙集式的，但沒有進一步界定是彙聚何種性質、類型的作品。如果像《說郛》那樣摘錄式文字彙編也算叢書，類書實在也只有形式上小有差異。再者，子目「書」的概念一般當然是指先有的單行作品，可是像《百川學海》等雜纂性彙編，內容多單卷之作，這些作品先於叢書之前不一定曾有單刻情況，而在叢書中也視為一種著作，那麼何以六卷而卷數間不連綴的《酒史》，各卷不能獨立成為子目？事實上，從前引幾位乾嘉學者的描述與舉例中，也可見到同樣問題，各家認定的標準不同。

清代還沒有針對此問題進行嚴密討論，二十世紀三〇年代施廷鏞編輯叢書目錄，對於收錄標準即開始提出一套說法，即「彙集幾種單行而為一書者」是叢書；一部叢書中所收之每一種書，應首尾完整，序跋不遺，但「裁篇別出、斷簡殘編或刪節選錄者，均可作為獨自成書，則彙集此種書而為一部書，不論全部或是一

部分亦應作為叢書。」❻施廷鏞以古籍叢書實際情況來考察，作了最大範圍的涵蓋，但僅從定義文字上，可能難以分出「叢書」與其他彙編性作品的界限。又1989年劉尚恆《古籍叢書概說》一書中提出：

> 從廣義上講，就是匯集兩種以上專書(不論所集專書是否完整和內容的繁雜與否)，別題一書名而成為另一新的著作物。從狹義上講，其所匯集的兩種以上的專書，不但首尾完整，而且內容上必須超過兩個部類以上(以古籍的「四分法」為準)，……這樣的狹義概念，才是叢書的本義。❻

劉尚恆的定義較清楚明確，可是如此一來，像《說郛》以及為數甚眾的雜纂性叢書，所收子目非「首尾完整」，又是否將在排除之列？1991年李春光出版《古籍叢書述論》，基本概念是「叢書就是以一種書為基本單位，依據一定的原則和體例，把兩種以上的多種著作匯編為一新的書籍集合體，并題以總名」，他再分析，叢書所收子目首尾完具、序跋兼備，沒有割裂刪節情況的是規範的叢書，相反則是不規範的叢書，但兩種情況有時又會交織在一起。❻

　　古籍叢書的複雜情況基本上是整體古籍情況的反映，過去與現在對「書」的概念認知不同，所以要以今天定義的觀念來規範古籍叢書，可能就會寬則寬泛，狹則無意義。顧脩編輯叢書目錄，必須有一個收錄標準，但也明顯受到體裁規範的干擾，於是在同類相從或類似共通的情況下，收錄了一些具爭議的作品。叢書體裁判準的問題，在第一部叢書專目中已具體展現。

（四）「別集」、「總集」編纂叢書化的認識

　　顧脩所收第三種問題之作是像《漢魏六朝一百三家集》、《唐音統籤》這樣

---

❻　施廷鏞：〈叢書概述〉，《中國叢書綜錄續編》（北京：北京圖書館出版社，2003年3月），頁3—4。

❻　劉尚恒：《古籍叢書概說》（上海：上海古籍出版社，1989年12月），頁3—4。

❻　李春光：《古籍叢書述論》（瀋陽：遼瀋書社，1991年10月），頁2—4。

的「總集」以及《蘇文忠公全集》、《蘇文定公全集》、《楊誠齋集》這樣的「別集」。「總集」與「別集」的類名在《隋書・經籍志》已明確出現，並有它們特定的含義。「總集」包括萃選作品的「選集」以及「總鈔」式的全集；「別集」則是別錄文士們純文學性的創作，也都屬於一種彙集性的編輯作品。一直到宋代以前，由於「總集」、「別集」的內容形式多以作品體裁編排，所以不致與任何彙編體裁相淆。但宋代以來，隨著文人們生前即有多種詩文作品的結集刊行，後來的「別集」形式便傾向多種詩文作品的直接匯聚，而「總集」情況也類似，那麼這是接近「叢書」的型態了。到了明代，多部「總集」採用「叢書」形式來編輯，「別集」更是突破傳統詩文內容的作品，編進了文士學者生平的全部創作，包含經、史、子雜著乃至學術作品，「別集」名稱未改變，但內涵已不同。可說「總集」與「別集」有一部份是朝向叢書化了。

顧脩收錄了明清所見的這類叢編式集部作品，但對於回溯或類收這些作品卻出現困擾，不能準確劃定兩種編輯傳統與新內涵間的分野。像明張溥所編《漢魏六朝一百三家集》，收錄兩漢、六朝的「別集」，這些作品都不是當代所編，事實上屬於後人「輯佚」的成果，只因形式上不採作品體裁分類而是繫屬於個別作家，所以呈現「叢書」模樣，實際則「總集」成份大些。明胡震亨《唐音統籤》，以十干分編，收「帝王詩」、「初唐詩」、「五唐雜詩」等 10 種分期或類型詩作，又「樂章」、「雜曲」等 17 種體裁作品，再加《詩史》三十三卷，其實是總集的性質，但出現有類叢書的編排。《蘇文忠公全集》收〈卷首〉、〈東坡集〉、〈後集〉、〈奏議集〉等 8 種「子目」；《蘇文定公全集》收〈卷首〉、〈欒城集〉、〈欒城後集〉、〈欒城三集〉等 5 種內容。很明顯地，除了型態上類似叢書，它們的編輯內容與形式都應還是「別集」的觀念。

然而傳統與新型態「總集」、「別集」如何分辨？判準何在？即使是今天也難有明確說明。《中國叢書綜錄》於「彙編」性叢書中別立「獨撰類」一項，收錄擴大內涵後的個人全集式作品，但也出現不少集中於集部作品的彙編。顧脩當

時已然隱約意識到了這種變遷，所以收錄上出現灰色區域，從他以後直至今日，叢書收錄者或討論者都還沒有尋到一個清明的判定依據。

五、結　語

雖然顧脩《彙刻書目初編》絕不是成熟的叢書目錄作品，它所存在的侷限也不再為今天所肯定，以實用性來說更是幫助甚微，但是它確實引領了一個叢書的學術工作與研究風氣，提出了一個初階的嚐試並帶引出一系列的叢書編目問題，就這方面而言，《彙刻書目初編》是卓有價值的。本文希望藉著對《彙刻書目初編》從輯刻、版本到內容的分析，彰顯顧脩這位乾嘉時期絕意仕進，一心投入圖書文獻事業的人物所擁有的高遠眼光與令人敬佩的學術態度。事實上，《彙刻書目初編》是嚴謹的，只是以今天的觀點容易忽略它，而且它的表面形式易致誤解罷了。只可惜顧脩存世的著作都典藏在臺灣以外的地區，筆者一時未能目驗，否則也許還可以藉由詩文作品了解更多顧脩其人的活動情況以及他經眼圖書的具體經歷。又《彙刻書目初編》版本上的問題，也因部份版本未見，無法做出論斷式的說明。這些都將期諸未來，若非親臨目驗，也盼望中外漢籍典藏單位能早日製作古籍影像資料庫，公諸於網路，嘉惠研究者，解決資料未見，難於詳盡說解的問題。

附表一：中國古典公私藏書目叢書著錄情況表

編號	時代	書目名稱	類　目	收錄叢書舉例	著錄項目	說　明
1	元	宋史藝文志	子部·類事類	《儒學警悟》	叢書名	僅此 1 部
2	明	文淵閣書目	子部·雜家類	《儒學警悟》	叢書名	僅此 1 部
3	明	菉竹堂書目	類書類	《百川學海》	叢書名、冊數	僅此 1 部
4	明	濮陽蒲汀李先生家藏目錄	中間朝東·頭櫃一層	《百川學海》	叢書名、本數	
5	明	萬卷堂書目	小說家	《百川學海》、《古今說海》	叢書名、卷數、編者	收此 2 種

6	明	國史經籍志	子類・類家	《百川學海》、《學山》	叢書名、卷數	小說家另錄《古今說海》；總收錄約此3種
7	明	古今書刻	南直隸・蘇州府、常州府	《百川學海》等	叢書名	總收約4種
8	明	世善堂書目	諸家詩文名選	《漢魏叢書》	叢書名、本數	僅收此1部
9	明	脈望館書目	子類・小說	《百川學海》、《說郛》	叢書名、本數	約5種叢書
10	明	趙定宇書目		《稗海大觀》、《秘冊彙函》《說郛》、《古今說海》、《明世學山》《武經七書》《稗統》、《後編》、《續編》	叢書名、本數 《稗統》三編之下有子目書名	分類並不規範，約收叢書10餘種
11	明	寶文堂書目	類書類 子雜	《百川學海》《儒學警悟》、《百川學海全集》	叢書名	約收5種叢書
12	明	澹生堂藏書目	子部・叢書家	《百川學海》等	叢書名、子目書名	叢書立類之始，又分國朝史、經史裸史、經彙、子彙、說彙、雜集、彙集等七小類，收書55種
13	明	近古堂書目	子部・小說類	《百川學海》等	叢書名	約收叢書7種
14	清	絳雲樓書目	子部・小說類	《百川學海》、《歷代小史》、《說郛》、《古今說海》	叢書名、簡註	「雜記」收有《明世學山》；總約收叢書6種
15	清	奕慶藏書樓書目	四部彙	《百川學海》等	叢書名、冊種數、子目書名、編者	一級類目之始；四部彙中收彙編型叢書14種；類編型叢

						書另有經總、諸子及稗乘·說叢等類目收錄
16	清	好古堂書目	經史子集總	《漢魏叢書》、《漢魏叢書抄》、《廣漢魏叢書》、《津逮秘書》	叢書名、卷本數、子目書名、子目作者	一級類目；收叢書4種；另子部·彙集再收雜纂性叢書約5種
17	清	也是園藏書目	子部·類家	《百川學海》、《鹽邑志林》	叢書名、卷數	僅收此2種
18	清	千頃堂書目	子部·類書類附	《說郛》等	編者、叢書名、卷數、子目書名、子目作者	集中收錄叢書40餘種
19	清	四庫全書總目	雜家類存目·雜纂之屬 子部·雜家類存目·雜編之屬	《廣百川學海》 《昭代叢書》	叢書名、提要	收約20餘種
20	清	傳是樓書目	子部·類家、雜家、小說家	《百川學海》等	叢書名、卷數、編者、本數	
21	清	文選樓藏記	卷六	《百川學海》	叢書名、編者、簡記	總約2種
22	清	孝慈堂書目	小說	《百川學海》、《稗海》等	叢書名、子目書名、子目作者、子目卷數	收書10餘種
23	清	明史藝文志	雜家類 小說家類 子部·類書類	《記錄彙編》 《續百川學海》等 《津逮秘書》等	編者、叢書名	總約收10餘種
24	清	欽定天祿琳瑯書目	明版子部	《百川學海》、《漢魏叢書》等	叢書名、冊數、題解、子目書名、子目序注者	約收叢書10種
25	清	經籍訪古志	子部·雜家·雜編類	《百川學海》、《五子全書》、《六子全書》	叢書名、卷數、版本、原藏、版式、題解	收此3種
26	清	寒瘦山房鬻存	明刻本	《百川學海》等	叢書名、冊數、子	總約6種

					目書名、子目作者、	
27	清	唫香僊館書目	子部·叢書類	《百川學海》等	叢書名、編者、本數	二級類目,收書8種
28	清	知聖道齋書目	叢部	《易序叢書》、《稗乘》	叢書名、編者、子目書名	一級類目,僅2種叢書
29	清	文瑞樓藏書目錄	子部·小說家	《百川學海》等	叢書名、卷數、編者	總10餘種
30	清	孫氏祠堂書目內編	外編·說部	《奇晉齋叢書》、《歷代小史》	叢書名、卷數、編者	約5種
31	清	周氏傳忠堂藏書目	子部·叢書類	《古今逸史》、《粵東遺書》	叢書名、冊卷數、編者、版本	僅登錄叢書名2種
32	清	皕宋樓藏書志	子部·雜家類四·雜纂之屬	《百川學海》	叢書名、版本、編者、序文	僅此1種叢書
33	清	天一閣見存書目	子部末附	《今獻彙言》等	叢書名、編者、子目書名	不標類名,收叢書4種
34	清	宋元舊本書經眼錄	卷一	《百川學海》	叢書名、版本、原藏、編者、子目種數、版式	僅此1種
35	清	八千卷樓書目	子部·雜家類·叢書之屬		叢書名、卷數、編者	收書215種,主要為明、清雜纂性叢書
36	清	善本書室藏書志	子部·雜家類·雜編之屬	《百川學海》等	叢書名、版本、題解、版本型態	約收3種
37	清	書目答問	叢書	《漢魏叢書》、《亭林遺書》等	叢書名、編者、子目種數、版本	一級類目,分古今人著述合刻叢書、國朝一人自著叢書二類,收錄130種,主要為明清作品
38	清	適園藏書志	子部·雜家類·雜纂	《百川學海》等	叢書名、卷數、版本、題解	約收10種
39	清	藝芸書舍宋元本書目	子部·雜編	《六子全書》、《王應麟雜著》	叢書名、子目書名、子目卷數	僅2種叢書

40	清	藝風藏書續記	類書	《儒學警悟》、《百川學海》	叢書名、卷數、題解、版本、子目書名	約收 5 種
41	清	五十萬卷樓藏書目錄初編	子部四	《儒學警悟》、《百川學海》等	叢書名、卷數、版本、題解	約收叢書 10 餘種
42	民國	莚圃善本書目	子部·宋刊本、明刊本	《百川學海》、《丘陵學山》等	叢書名、編者、收藏來源、版本、冊數	收書 8 種
43	民國	寶禮堂宋本書錄	子部	《百川學海》	叢書名、冊數、提要、版式、避諱、藏印	僅此 1 部殘本，存子目 4 種
44	民國	東海藏書樓書目	叢書		叢書名、子目種數、編者、版本、子目書名、子目作者	一級類目，分古今人著述合刊叢書、一人自著合刊叢書二類，收書 84 種
45	民國	北京文奎堂書莊目錄	叢書部		叢書名、編者、版本、紙質、本數	約 100 種
46	民國	揚州吳氏測海樓藏書目	叢部		叢書名、子目種數、編者、朝代、版本、紙質、卷數、書價、子目書名、子目作者	一級類目，收書 100 餘種
47	民國	博野蔣氏寄存書目	子部·雜家類·叢書之屬		叢書名、卷數、編者、版本	收叢書 99 種
48	民國	粹芬閣珍藏善本書目	叢書	《津逮叢書》、《昭代叢書》等	叢書名、種數、編者、版本、紙質、卷冊數、子目書名、子目作者	一級類目，收錄叢書 17 種
49	民國	(江蘇省立)國學圖書館圖書總目	叢部		叢書名、卷數、編者、版本	一級類目，次分類刻類、彙編類，共收叢書 194 種

附表二：叢書專門目錄編纂情況表

編號	目錄名稱	冊卷數	編　者	版　　本	叢書數量	分　類 著錄項、索引	說　明
1	二酉洞	不分	(日)一色時棟編	日本元祿十二年(1699)博古堂文會堂同刻本	40種	分經、史、子、集、雜 叢書名、子目書名、子目作者、卷數	凡例中稱叢書為「類書」
2	彙刻書目初編	十冊	顧脩編	清嘉慶四年(1799)桐川顧氏刊本	285種	不分類，各冊以甲、乙、丙、丁等十干標名 叢書名、編者、版本、子目書名、卷數、子目作者	首創叢書目錄分冊不分卷形式
3	彙刻書目初編	十冊	顧脩編	日本文政元年(1818)江戶刻本	285種		覆刊嘉慶顧氏本，後日本《昌平叢書》本取此本覆刊
4	彙刻書目外集	六冊	(日)松澤老泉編	日本文政三年(1820)江戶松本刊本	489種	約以四部分類 叢書名、編者、朝代、子目書名、卷數	六冊以「禮、樂、射、御、書、數」標名
5	彙刻書目			清嘉慶二十五年(1820)瑣川吳氏重刻本			據光緒陳光照重刊本序言
6	彙刻書目續編	二卷	佚名	鈔本	43種		據光緒陳光照重刊本序言
7	補續彙刻書目	六卷	吳式芬補編				據宣統三年《山東通志·藝文志》載
8	彙刻書目正續合編	十二冊	顧脩原編、佚名續編	清同治九年(1870)崇雅堂木活字排印本	正編262種續編47種	同顧脩《彙刻書目》體例	正編十冊以甲、乙、丙、丁、戊、己、庚、辛、壬、癸分編
9	彙刻書目、	補編二	顧脩原編	清同治間吳氏刊			據梁子涵《中

	增補、新補	卷	、佚名增補	本			國歷代書目總錄》載
10	彙刻書目初編、續編、增輯、補編	初編十冊、續編兩卷	顧脩原編、佚名續編、陳光照增補	清光緒元年(1875)長洲無夢園陳氏重刊	初編285種續編43種增補30種	叢書名、編者、版本、子目書名、卷數、子目作者	
11	增補彙刻書目	十冊	顧脩原編、佚名增補	清光緒元年(1875)北京琉璃廠袖珍本	287種		
12	續彙刻書目	六卷	蔣光煦編	延古堂李氏舊藏鈔本，南開大學木齋圖書館藏			據梁子涵《中國歷代書目總錄》載
13	彙刻書目附補遺	十二冊、補遺一卷	傅雲龍續編、胡俊章補遺	清光緒二年(1876)德清傅氏味腴藝圃刊本，《補遺》光緒四年(1878)北平胡氏刊本	500種	遵《四庫總目》分類法	據姚名達《中國目錄學史》載
14	續彙刻書目	十二卷	傅雲龍編	清光緒二年(1876)善成堂刻本			
15	行素草堂目睹書錄	十冊	朱記榮編	清光緒十年(1884)仲冬古吳白堤孫谿槐廬家塾刻本	353種	以天干分編叢書名、編著者、版本、子目書名、卷數、子目作者	書後附刻清、毛晨撰《汲古閣珍藏秘本書目》一卷
16	彙刻書目	二十冊	顧脩原編、朱學勤增補、王懿榮重編	光緒十二年(1886)至十五年上海福瀛書局刊本	567種	無分類叢書名、編者、版本、子目書名、卷數、子目作者	
17	續彙刻書目不分卷		傅雲龍編	清光緒二十年(1894)抄本			
18	續彙刻書目	十冊	羅振玉續編	民國三年(1914)連平范氏雙魚室刻本	303種	以天干分編叢書名、編者、版本、子目書名、卷數、子目作者	

19	續彙刻書目閏編		羅振玉續編	民國三年(1914)上虞羅氏自刊本		
20	叢書舉要	二十卷	楊守敬編	楊氏手稿本			
21	叢書舉要	六十卷	楊守敬原編、李之鼎補編	民國三年(1914)南昌宜秋館鉛印	901種	分經、史、子、集、叢書、自著叢書、明代叢書、郡邑叢書、彙刊書目、釋家、道家等十一部	書後附《校誤記》一卷、《徵刻南北宋人集小啟》一卷
22	增訂叢書舉要	八十卷	楊守敬原編、李之鼎增訂	民國七年(1918)南昌宜秋館校印	1605種	承前分類，改「叢書部」、「明代叢書」為「前代叢書」、「近代叢書」	
23	彙刻書目索引不分卷		顧脩原編	日本抄本			
24	續彙刻書目索引不分卷		羅振玉原編	日本抄本			
25	叢書舉要索引不分卷		楊守敬原編	日本抄本			
26	彙刻書目初編、二編	初編二十卷、二編十卷	顧脩、朱學勤原編、周毓邠續編	民國八年(1919)上海千頃堂書局石印本	530種	分冊不分類叢書名、編者、版本、子目書名、卷數、子目作者	
27	續叢書舉要		王謇續編	民國十三年(1924)編，十八、九年載於《蘇州圖書館館刊》十二號			
28	叢書目錄	五冊	英遵編				據邵瑞彭《書目長編·徵存類·叢書》「近代名家著述目錄」載
29	京師圖書館彙刻書目	十冊	譚新嘉編	鈔本，梁氏慕真軒藏			據梁子涵《中國歷代書目總錄》載

30	叢書書目彙編		沈乾一編	民國十七年(1928)上海醫學書局印行	2086種	叢書名字頭筆畫編排 叢書名、編者、版本、子目書名、子目作者	首開叢書目錄辭典式編排法
31	續補彙刻書目	三十卷五冊	劉聲木編	民國十八年(1929)廬江劉聲木刻直介堂叢刻初編本	1580餘種	分經、子、家集、叢刊、順康朝全集、嘉慶朝全集、咸豐朝全集、光緒朝全集、總集、譯著叢刊、史、叢書、前代叢刊、前代全集、雍乾朝全集、道光朝全集、同治朝全集、宣統朝全集、詞曲並詩文評	
32	再續補彙刻書目	十六卷	劉聲木編	民國十九年(1930)廬江劉聲木刻直介堂叢刻本	780餘種		
33	日本叢書年表	一冊	(日)垂水延秀編	日本昭和五年(1930)大阪間宮商店印行			
34	北平各圖書館所藏叢書聯合目錄		北平圖書館協會編	載民國十九年(1930)《北平圖書館協會會刊》4期	900餘種	分彙刻、自著、郡邑、分類四大類 叢書名、編者、版本、典藏機構	據盧正言《中國古代書目詞典》載
35	叢書子目索引		金步瀛編	民國十九年(1930)浙江圖書館印行；二十四年(1935)增訂，上海開明書店印行	400種	子目書名字頭筆畫編排 子目書名、作者、朝代、原隸叢書名	首開叢書目錄子目書名索引法
36	叢書書目續編初集		杜聯喆編	民國二十年(1931)燕京大學圖書館鉛印	約200餘種	按叢書名字頭筆畫編排 叢書名、編者、版	為沈乾一《叢書目彙編》之補編

					本、子目書名、卷數、子目作者	
37	孔德圖書館彙刻書目		孔德圖書館編	民國二十年(1931)北平孔德圖書館油印本		據梁子涵《中國歷代書目總錄》載
38	叢書書目拾遺	十二卷	孫殿起編	民國二十三年(1934)冀縣孫氏借閒居鉛印本	523種	分經、史、子、集、叢刊五大類,下再細分小類 叢書名、編者、版本、子目書名、子目作者 叢書名筆畫索引	
39	故宮叢書目錄			民國二十三年(1934)出版		據潘美月、沈津《中國大陸古籍存藏概況》載
40	叢書中關於詞學書目索引		陳德芸編	民國二十三年(1934)六月、九月刊載於《廣州大學圖書館季刊》第一卷三、四期		叢書中關於詞學書目索引
41	三續補彙刻書目	十五卷	劉聲木編	民國二十四年(1935)劉氏鉛印直介堂叢刻本	約700種	
42	叢書集成初編目錄		商務印書館編	民國二十四年(1935)商務印書館印行	100種	
43	金陵大學圖書館叢書子目備檢‧著者之部		曹祖彬編	民國二十四年(1935)金陵大學圖書館印行	361種	首開叢書目錄子目著者索引法
44	國立北平圖書館藏叢書總目錄		陳任中編	原稿本,國立北平圖書館藏		據梁子涵《中國歷代書目總錄》載
45	北平各圖書		北平圖書	載《北平圖書館		據梁子涵《中

	館所藏叢書聯合目錄		館協會聯合目錄委員會編	協會會刊》第四期			國歷代書目總錄》載
46	天津圖書館叢書總目	一卷		民國鉛印本	265種	分古今人著述合刻叢書、以地分編之叢書、一人一族著述合刻叢書三類 叢書名、卷數、編作者、版本簡述、冊數	據盧正言《中國古代書目詞典》載
47	學海書院圖書館叢書目錄		學海書院圖書館編	載1936年《學海書院圖書館書目》第一集	49種	叢書名、編者、版本、冊數、子目名、注著者	據盧正言《中國古代書目詞典》載
48	叢書子目書名索引		施廷鏞編	民國二十五年(1936)北平清華大學圖書館出版	1275種	子目書名字頭筆畫編排 子目書名、卷數、作者、原隸叢書簡稱	
49	叢書大辭典草創本		楊家駱編	民國二十五年(1936)南京詞典館中國圖書大辭典編輯館、中國學術百科全書編輯館合組排印本	約6000種	四角號碼編排 詞條式叢書名、編者、子目書名、子目作者混合編排及簡記	
50	安徽大學圖書館叢書目錄			稿本			據潘美月、沈津《中國大陸古籍存藏概況》載
51	四川叢書目			民國抄本			
52	叢書書目	一冊	國立中山大學圖書館編	油印本			原藏中央研究院傅斯年圖書館，今佚
53	東洋文庫漢籍叢書分類目錄			日本昭和二十年(1945)	1007種	分經、史、子、集、叢書、朝鮮本書六部，叢書部下再	昭和四十年(1965)年增補107部

					分氏族、自著、地方、雜叢四項，雜叢一項再分宋、元、明、清、民國、滿州、雜著五類叢書名、編者、版本、卷冊數、子目	
54	福建師範學院圖書館叢書目錄	福建師範學院圖書館編	1956 年油印本	約 1000種	叢書名、種數、編者、版本、冊數	據盧正言《中國古代書目詞典》載，該目著錄 1956 年入存館藏叢書
55	上海辭書出版社圖書館館藏叢書目錄		未詳			據潘美月、沈津《中國大陸古籍存藏概況》載
56	中國現存算學叢書總目	周雲青編	載 1957 年上海商務印書館《四部總錄算法編》補遺	93 種	叢書名、卷數、編撰者、版本、子目、按語	據盧正言《中國古代書目詞典》載
57	中國叢書綜錄	三冊	上海圖書館編	1959－1962 年北京中華書局	2797 種	彙編：雜纂類、輯佚類、郡邑類、氏族類、獨撰類；類編：經類、史類、子類、集類　總目、子目類編、字頭檢字、書名索引、子目書名索引、作者索引	1982 年上海古籍出版社再版；含「全國主要圖書館收藏情況表」
58	暨南大學圖書館古籍目錄·叢書部		暨南大學圖書館編	1962 年油印本	265 部	採《綜錄》分類叢書名、索書號、編者、朝代、版本、冊數、子目書名、子目作者、卷數	據盧正言《中國古代書目詞典》載，著錄古籍叢書，含複本、殘本
59	大阪府立圖書館藏漢籍		(日)大阪府立圖書	日本昭和三十九年(1964)編者印	約 190部		

	目錄·叢書之部	館編	行			
60	叢書集成簡編目錄	臺灣商務印書館編	民國五十四年(1965)臺灣商務印書館			
61	漢籍叢書所在目錄	(日)東洋學文獻中心連絡協議會編	1965年日本東洋文庫	1966種	採《綜錄》分類，表格、符號式編排叢書名、編者、朝代、版本、典藏機關、完缺狀況叢書名字頭筆劃索引	為日本東洋文庫等七所機關所收藏漢籍叢書總目錄
62	叢書子目類編		民國五十六年(1967)臺北市中國學典館復館籌備處		四部分類，下析多種小類子目書名、卷數、作者、原隸叢書名四角號碼、字頭筆畫、子目書名作者索引	即上海圖書館編《中國叢書綜錄》第二、三冊「子目分類目錄」、「子目書名索引」與「子目作者索引」
63	叢書總目續編	莊芳榮編著	民國六十三年(1974)臺北市德浩書局	683種	採《綜錄》分類叢書名、編者、出版社、子目書名、子目作者、子目版本、見《叢書總目類編》頁數	
64	臺灣各圖書館現存叢書子目索引	王寶先編	1976年中文研究資料中心叢書	1289種	子目書名、卷數、作者、歸隸叢書名	
65	叢書索引宋文子目	Brian E.Mcknight編	1977年中文研究資料中心叢書		子目作者拼音、分類、子目書名拼音、卷數、隸屬叢書名	
66	國防部圖書館叢書目錄		民國六十九年(1980)國防部史政編譯局	94部		含類書

67	中國叢書目錄及子目索引匯編	施廷鏞主編、嚴仲儀、倪友春分編	1980年南京大學編印，南京工具書店	977 種	分綜合匯刻與分類匯刻兩大部，其下分若干小類，類名為現代學科名稱 叢書名、編者、朝代、版本、子目書名、子目作者、書名索引	所收皆為《綜錄》所無之叢書
68	大部叢書總目錄		臺灣商務印書館	9 種	叢書名、子目書名、書裝冊號	為商務印書館所編印《國學基本叢書》、《四部叢刊》等九種古籍叢書之子目書名影本
69	有關哲學史的叢書舉要	劉笑敢編	1982年北京三聯書店《中國哲學史史料學》附錄之一	28 種	叢書名、編者、朝代、版本、子目書名、子目卷數	據盧正言《中國古代書目詞典》載
70	中國叢書綜錄補編(徵求意見稿)	上海圖書館編	1983年上海圖書館油印本			據陽海清《中國叢書廣錄》末附「參採書目、資料舉要」載
71	叢書集成初編目錄	中華書局編輯部	1983年北京中華書局	100 種		
72	類書叢書目錄	廣西師範圖書館編	1983年6月油印本	600 餘種		
73	叢書集成新編提要・總目・書名索引・作者索引	新文豐出版公司	民國七十五年(1986)臺北新文豐出版公司	100 種	中外圖書統一分類法 叢書提要、子目書名、編者、原隸叢書、新編冊頁號、子目書名索引、作者索引	子目類編

74	中國古籍善本書目·叢部		中國古籍善本書目編輯委員會	1989年上海古籍出版社	620 部	分彙編叢書、地方叢書、家集叢書、自著叢書 叢書名、編者、版本、子目書名、子目作者	附「藏書單位檢索表」
75	叢書集成續編提要·總目·書名索引·作者索引		新文豐出版公司	民國八十年(1991)臺北新文豐出版公司	151 種	中外圖書統一分類法 叢書提要、子目書名、編者、原隸叢書、新編冊頁號、子目書名索引、作者索引	子目類編
76	(法蘭西學院漢學研究所)館藏叢書目錄		Francoise Wang 編	1991年法蘭西學院漢學研究所漢學通檢提要文獻叢刊之八	972 種	同《綜錄》分類 表格形式：叢書名、編撰者、刊年、備攷(典藏)	連同不同版本及重複，共1278 種
77	四川大學圖書館古籍叢書目錄		倪晶瑩編	1994年四川大學出版社	857 種	採《綜錄》序次編號排列 叢書名、編者、朝代、版本、子目種數	加上不同版本共計 934 部 《綜錄》未見者 91 部另列附錄
78	《中國叢書綜錄》未收日藏書目稿		李銳清編	1995年京都大學人文科學研究所附屬東洋學文獻中心	800 餘種	採《綜錄》分類 叢書名、編者、版本、典藏機構	為日本十六所著名圖書館、文庫典藏中未見載於《綜錄》的中國叢書
79	日本見藏中國叢書目初編		李銳清編著	1999年杭州大學出版社	2400 餘部	採《綜錄》分類 叢書名、編者、朝代、版本、典藏機構	為日本十六所著名圖書館、文庫之典藏情況
80	中國叢書廣錄	上、下冊	陽海清編撰、陳彰璜參編	1999年湖北人民出版社	3279 種	採《綜錄》分類 總目、叢書索引、子目書名索引、作者索引	所收皆《綜錄》所無或不同版本之古籍叢書
81	叢書集成三		新文豐出	民國八十八年	95 種	中外圖書統一分	子目類編

	編提要、總目、書名索引、作者索引	版公司	(1999)臺北新文豐出版公司		類法 叢書提要、子目書名、編者、原隸叢書、新編冊頁號、子目書名索引、作者索引	
82	國家圖書館善本書志初稿·叢書部	國家圖書館特藏組編	2000年國家圖書館出版	186種		叢書提要
83	中國叢書綜錄續編		施廷鏞編撰	2003年北京圖書館出版社	1100餘種	約同《綜錄》分類 總目、字頭索引、書名索引、作者索引、子目分類索引	所收皆《綜錄》、《廣錄》所無或不同版本之古籍叢書；附「叢書備考」收200餘種編者知見但資料未詳之叢書
84	中國叢書題識	上、下冊	施廷鏞編著	2003年北京圖書館出版社	1000餘種		
85	叢書總目三編 (1974-2000)		呂慧茹、蔡文彥、潘麗琳編	2005年臺灣學生書局《近現代新編叢書述論》附錄一	465種		
86	中國叢書知見錄	全六冊	施廷鏞編著；施銳、施展等整理	2005年北京圖書館出版社	近2000種		

《胡樸安日記》的文獻價值

沈心慧
東吳大學中國文學系副教授

一、前　言

　　胡樸安為民國初年至四十年代活躍於上海之知名學者，自 1994 年起，筆者因研究胡樸安的文字學之需，進而探索胡氏的生平及交遊。而以特殊因緣，輾轉與胡氏後人取得聯繫，更進而以胡氏生平及易學、小學為為題，撰寫博士論文。

　　1997 年，筆者前往澳門、上海等地探訪胡樸安後人、故舊，又赴復旦大學、上海圖書館、華東師範大學圖書館、上海檔案館等地訪查胡氏著述、藏書之遺蹤。因而發現胡樸安的著述等身，以目前所知，計有一百六十種之多。❶更發現胡氏不僅為一代學者，在小學、經學、史學、子學各方面均有相當成就；而且是民國初年愛國的革命文學團體的重要成員，曾參加同盟會，後入中國國民黨，與政界人士交往密切；也曾任職《民立報》、《中華民報》、《太平洋報》、《民國日報》等，亦是新聞界的老兵；綜觀其一生，可以說是由清末至民國初年、亦即是十九世紀末至二十世紀初的歷史縮影。

　　欲研究胡樸安的一生，除藉助於他浩瀚的著作之外，更不能不有賴於他的《日

---

❶　見沈心慧撰《胡樸安生平及其易學小學研究·第四章胡樸安的著述·第二節胡樸安著述總目》所統計，臺北：東吳大學中國文學研究所博士論文，2003 年 7 月。

記》。而現存《胡樸安日記》雖為文革劫餘之殘稿，然所記包羅萬象，其文獻價值自然可觀。本文擬就所見《胡樸安日記》，勾稽其文獻上之價值，俾使先賢之心血不致埋沒無聞。

二、胡樸安生平簡述❷

胡樸安（1878－1947），清光緒四年（民前 34 年，1878）生，安徽涇縣人。譜名有忭，學名韞玉，字仲明，又字頌民，後改字樸安，又作樸庵，五十歲以後以字行，室名安居、樸學齋。

自幼攻習經史，19 歲即在家中開館授徒，於史子詩文至於算學以及奇門遁甲之書無所不讀。民前 5 年（1907，30 歲）至上海發展，加入國學保存會。民前 3 年任《國粹學報》編輯，民前 1 年（1910，33 歲）參加同盟會及南社。曾任《民立報》、《春申報》、《新聞報》編輯，以文字鼓吹革命。

民國肇建，陸續任職於《民國報》、《太平洋報》、《中華民報》，與當時國民黨各報均有關係。同時任教於中國公學、復旦公學、競雄女學。發起「國學商兌會」，發行《國學叢選》一種。

民國 3 年（1914，37 歲），為皖南同鄉許世英（時任福建省長）羅致為福建省巡閱使秘書兼教育科長，後任福建省立圖書館長，在閩十六月。民國 5 年任交通部長

---

❷ 有關胡樸安之生平簡述，主要係根據胡樸安手書〈光緒二十二年至民國十九年簡表〉、胡著《五九之我》、《病廢閉門記》（胡道彥影刊《樸學齋叢書》第二集第十八冊、第十九冊，1983 年）、《日記》（上海復旦大學藏手稿本）〈胡樸安先生事略〉（胡樸安先生治喪委員會，1947 年），及周邦道撰《近代教育先進傳略》（《中外雜誌》二十卷三期，1976 年 9 月）、秦賢次撰〈民國人物小傳〉（見前註）、胡耐安〈真讀書人胡樸安〉（《六十年來人物識小錄》，臺灣商務印書館，1977 年）、鄭逸梅〈樸學大師胡樸安〉（《人物和集藏》，黑龍江人民出版社，1989 年 1 月）、陳詒先〈胡樸安週年祭〉（上海《申報·自由談》1948 年 7 月 9 日）等資料整理而成。詳見沈心慧《胡樸安生平及其易學、小學研究·胡樸安的家世與生平·第二節生平簡譜》頁 917，東吳大學博士論文，1993 年 7 月。

許世英之秘書❸，6 年 5 月辭職。

民國 7 年（1918，41 歲），入京滬、滬杭甬鐵路管理局任編查課長❹，開始研究聲韻學，同時教學不輟，兼任江蘇第二師範學校、南方大學、上海大學❺、神州女學、東南專科師範、安徽旅滬公學教職。民國 11 年，成立國學研究社。❻民國 12 年為《民國日報》編《國學週刊》，大量著述。與家人合編《中華全國風俗志》四冊。十月，與張溥泉（名繼）、于右任、汪精衛（名兆銘）、柳亞子（名棄疾）等人成立「新南社」。❼

13 年，任持志大學國學系主任，並任教於大夏大學、國民大學，以淵博精深，飲譽於時。出版《南社叢選》。16 年，任教於東吳法科大學。❽17 年，與姚石子、陳乃乾等成立「中國學會」，出版《中國學術周刊》，附《時事新報》發行。❾

19 年，應考試院長戴傳賢之邀，任考試院專門委員。2 月，南社知交葉楚傖膺任江蘇省政府主席，邀胡樸安出任江蘇省政府委員兼民政廳長，以不慣政治生涯，二年後辭職。21 年 5 月，葉楚傖另創《民報》，由胡樸安擔任社長。22 年任正風文學院教務長，兼任持志大學、暨南大學教授。

26 年，七七軍興，上海淪陷，胡樸安蟄居上海，先後任正風文學院教務長、新中國文化學院文學院長、群治大學、國民大學、上海女子大學、健行大學、國

---

❸ 胡氏先至閩入仕，後隨許世英赴交通部任，而所見胡樸安傳記資料如：周邦道撰《近代教育先進傳略》、秦賢次撰《民國人物小傳》等皆作「民國五年，任交通部秘書，嗣為福建省巡閱使署秘書兼教育科長、省立圖書館館長」，前後顛倒，茲據胡樸安所撰《五九之我》（胡道彥影刊《樸學齋叢書》第一集第 18 冊，1986 年，臺北。）頁 108－129 改正。

❹ 據胡道彤 2003 年 2 月 3 日致撰者函所提供資料，云所有文書工作、編查工作都屬編查課。

❺ 見胡樸安〈光緒二十二年至民國十九年年譜簡表〉手稿。

❻ 見胡樸安〈光緒二十二年至民國十九年年譜簡表〉手稿。唯此部分之相關資料闕如。

❼ 楊天石、王學莊編著《南社史長編》頁 577，北京：中國人民出版社，1995 年 5 月。

❽ 見胡樸安〈光緒二十二年至民國十九年簡表〉手稿及上海檔案館藏「東吳大學法院一覽　前任教職員名錄」（民國四年至民國二十五年）。

❾ 見胡懷琛〈上海的學藝團體〉，收在《上海通志館期刊》合訂本，頁 894。

學專修館等校教授。成立國學會上海分會，出版《中國文字學史》，撰《中國訓詁學史》，編《國學周刊》。當時敵氛囂張，國民黨中央宣傳部在上海秘密設立主持輿論之機構，名「正論社」，專以誅伐敵偽社論，供給抗戰報紙，以勵民氣，胡氏受任為社長。❿

28 年 4 月突患腦溢血，左半身從此偏廢，10 月 1 日恢復讀書，息影撰述，讀《易》作詩，始填詞曲，自號半邊翁。其時寇勢浸盛，民風漸漓，胡樸安蒿目時艱，治學益勤，每日閱讀，恆在十小時以上。四年中，撰成《周易古史觀》、《南社詩話》、《病廢閉門記》、《莊子章義》、《太極圖說新解》、《通書新解》、《儒道墨學說》等書，推陳出新，成一家之言。

34 年，抗戰勝利，《民國日報》復刊，胡樸安擔任社長。又任上海通志館館長，後通志館改組為文獻委員會，復任主任委員，備極辛勞。35 年，遞補為上海市臨時參議會參議員。暇時仍著作教學不稍倦，兩年間所發表之論文，悉以培養舊道德、灌輸新知識、勵行節約、努力做人為主，切中時弊，言之諄諄，終於心力交瘁，36 年 7 月 9 日，以肝癌症逝世，年七十。

綜觀胡樸安一生，可說是一位鼓吹革命、建國救國的新聞人，亦是偶落塵網、憂國憂民的政治人，更是一位衷情學術、誨人不倦的教育家，以及樂在讀書、著作等身的學問家。⓫

---

❿ 秦賢次撰〈胡樸安〉，見劉紹唐主編《民國人物小傳》，《傳記文學》第二十八卷第五期，頁120，1976 年 5 月。

⓫ 胡樸安著述等身，計著有專書一百種，編譯十九種，單篇論文 141 篇，另散文、報刊社論、詩作等，隨時撰作，不易統計。參見沈心慧《胡樸安生平及其易學、小學研究》第四章「胡樸安的著述」及第九章「結論」，東吳大學中國文學研究所博士論文，2003 年 7 月。

三、《胡樸安日記》的撰寫時間及存佚收藏概況

㈠ 撰寫時間

根據以下《胡樸安日記》所載：

1. 民國十年十月十三日載：

今日即陰曆九月十三日，為予四十四歲初度，予年二十時曾作日記，二十六歲出外後，作輟無常，擬自今日起繼續行之。

2. 民國十六年一月一日載：

自十年十月十三日復作日記起，賡續約三年，至十三年七月九日又復中輟，至今又二年半，忽忽已五十矣，逝者如斯，思之可念，自今日起再繼續為之。

3. 民國二十六年一月一日載：

余不記日記將近二十年，中間間斷。今自二十六年始，當日日記之。

可勾稽出胡樸安撰寫日記的時間，分為四階段：

第一階段：民前 15 年（1897）20 歲起開始撰寫，至民前 9 年（1903）26 歲出外以後中斷，而民前 15－14 年日記未見，民前 9 年日記迄 3 月而止，估計約 6－7 年。

第二階段：民國 10（1921）年 10 月 13 日，44 歲生日時繼續撰寫，至 13 年（1924）7 月 9 日中輟。但經與 13 年《日記》校核，發現「七月九日」，應為「七月十九日」之誤。《日記》中亦出現 14 年 1 月 1 日至 2 日片段，未曾賡續。故知為：10 年 10 月 13 日至 13 年 7 月 19 日，將近 3 年。距第一階段約中輟 18 年。

第三階段：民國 16 年（1927）50 歲 1 月 1 日起又續作，但至 3 月 28 日而止，

不足 3 個月。距第二階段約中輟 3 年。

第四階段：民國 26 年（1937）60 歲 1 月 1 日起，再度撰寫，並云：「今自二十六年始，當日日記之」，檢核胡氏 26 年以後《日記》，目前存稿 12 冊，至 36 年 3 月 31 日為止，而胡氏病歿於 7 月 9 日，以此推估，26－36 年間所撰日記完整，其中應有至少 4 冊散亡，不知下落。至於距離第四階段時間，26 年 1 月 1 日《日記》謂「余不記日記將近二十年」，因民國 16 年僅記三個月，若自 14 年起算，應是十三年，或有筆誤。

綜而言之，胡樸安自二十歲起撰寫日記，其間雖三度中斷，於 26－44 歲、47－50 歲、50 歲 4 月－60 歲之間未曾寫日記，總計記日記時間近二十一年。

㈡ **存佚及收藏**

胡樸安歿於 1947 年，其後家屬曾將部分著述及藏書捐贈上海合眾圖書館（當時胡氏弟子顧廷龍任館長），胡家未捐出之書，以紅皮箱二十餘口收藏於其住所「安居」，而《胡樸安日記》則為其么子胡道彤所珍藏。

然 1949 年之後，由於胡氏為國民黨元老，文化大革命期間，身為報館人士的胡樸安二公子胡道彰被打成「歷史反革命」，任職上海外賓招待委員會的三公子胡道彤被打為「右派」，下放勞動教養。胡氏舊宅遭遇抄家之劫，據胡樸安孫女胡麥瑛（當時約十三歲）表示，所有紅皮箱中的書、字畫、古董，一箱箱倒入車中，全數倒走，有二卡車之多，《胡樸安日記》亦在劫中。顧廷龍被關牛棚時，在上海虎丘路倉庫「抄家物資堆放處」，看見《胡樸安日記》，曾刻意將之收集安置，以免散佚。❷

「文革」後，《胡樸安日記》為上海復旦大學圖書館所收藏。據文革後負責編目的復旦大學已退休資深館員潘繼安所述，「文革」中破四舊，包括舊思想、

---

❷ 據顧廷龍〈張元濟與合眾圖書館〉（《出版史料》五輯，1986 年 6 月）所述，及 1997 年筆者赴澳門探訪胡樸安哲嗣胡道彤時，胡道彤之女胡參瑛口述資料。

舊文化、舊習慣，均在破除之列，因此許多舊書都被抄走，放在虎丘路倉庫，多得堆到天花板。後由復旦大學圖書館等單位派人去挑，寫具清單領回，《胡樸安日記》即在其中，成為復旦大學藏書。文革後，胡道彤曾與復旦大學交涉，盼能歸還原作者家屬，而復旦大學僅複製微捲一份，歸與胡道彤，原稿仍留藏復旦大學圖書館。胡道彤先生曾將微捲借予撰者閱讀，並將所藏民國 33 年《日記》第二冊（5-7月）、第三冊（8-9月）、34 年第二冊（6-7月）借予筆者複印。筆者亦於 1997 年 12 月下旬前往復旦大學圖書館，得閱稿本，略錄重點，並複印部分原稿。

　　茲就以上所述及筆者所見，整理《胡樸安日記》存佚及收藏情形，表列如下：

民國	西元	年齡	日　期	存佚	收藏者	備　　註
前 15 年	1897	20 歲		佚		
前 14 年	1898	21 歲		佚		
前 13 年	1899	22 歲	1/1－12/30	存	復旦大學圖書館	一函 1－2 冊
前 12 年	1900	23 歲	1/1－12/30	存	復旦大學圖書館	一函 3－6 冊
前 11 年	1901	24 歲	1/1－12/30	存	復旦大學圖書館	一函 7－10 冊
前 10 年	1902	25 歲	1/1－12/30	存	復旦大學圖書館	一函 11－14 冊
前 9 年	1903	26 歲	1/1－3/29	存	復旦大學圖書館	二函 15 冊
10 年	1921	44 歲	10/13－12/31	存	復旦大學圖書館	三函 16 冊
11 年	1922	45 歲	1/1－12/31	存	復旦大學圖書館	三函 16－17 冊
12 年	1923	46 歲	1/1－12/31	存	復旦大學圖書館	三函 18 冊
13 年	1924	47 歲	1/1－7/19	存	復旦大學圖書館	三函 19 冊
14 年	1925	48 歲	1/1－1/2	存	復旦大學圖書館	三函 19 冊
16 年	1927	50 歲	1/1－3/28	存	復旦大學圖書館	三函 20 冊
26 年	1937	60 歲	1/1－12/31	存	復旦大學圖書館	四函 21－22 冊
27 年	1938	61 歲	1/1－12/31	存	復旦大學圖書館	四函 23－25 冊
28 年	1939	62 歲	1/1－12/31	存	復旦大學圖書館	四函 26 冊
29 年	1940	63 歲	1/1－12/31	存	復旦大學圖書館	四函 27－28 冊
30 年	1941	64 歲	1/1－12/31	佚		
31 年	1942	65 歲	1/1－6/30	佚		
			7/1－12/31	存	復旦大學圖書館	四函 29 冊

32 年	1943	66 歲	1/1－6/30	存	復旦大學圖書館	五函 30 冊
			7/1--1031	存	復旦大學圖書館	五函 31 冊
			11/1－12/31	存	復旦大學圖書館	五函 32 冊
33 年	1944	67 歲	1/1－4/30	存	復旦大學圖書館	五函 33 冊
			5/1－7/31	存	胡道彤	
			8/1－9/30	存	胡道彤	
			10/1－12/31	佚		
34 年	1945	68 歲	1/1－5/31	存	復旦大學圖書館	五函 34 冊
			6/1－7/31	存	胡道彤	
			8/1－10/31	存	復旦大學圖書館	五函 35 冊
			11/1－12/31	存	復旦大學圖書館	五函 36 冊
35 年	1946	69 歲	1/1－5/31	佚		
			6/1－12/31	存	復旦大學圖書館	五函 37 冊
36 年	1947	70 歲	1/1-3/31	存	復旦大學圖書館	五函 38 冊

　　總計存四十一冊，其中三十八冊見藏於上海·復旦大學圖書館，三冊為澳門·胡道彤收藏。亡佚部分至少六冊，因自民國 26 年後，每年至少二冊，至多四冊。

㈢ **稿本版式**

　　復旦大學圖書館善本室所藏《胡樸安日記》手稿本，計線裝三十八冊，分裝五函。抄寫版式有二：

版式一：民前 13 年至民前 9 年部分，計十五冊，為線裝九行本，每行約二十二字，無邊欄格線，均工筆楷書。

版式二：民國 10 年以後部分，計二十三冊，為線裝十一行本，每行約二十三字，有邊欄格線，白口，單魚尾，版心下印有「皖涇樸庵胡氏鈔書」字樣。

至於胡道彤所藏民國 33 年第二冊、第三冊及 34 年第二冊，則同版式二，疑為文革抄家時倖存之物。

四、《胡樸安日記》的文獻價值

《胡樸安日記》的內容包羅萬象，除胡樸安個人生平、經歷、友朋交遊、詩文酬唱、書信往來、工作、讀書、教學、著述的紀錄外，亦往往錄其讀書、論學、教學的心得札記與反躬自省的心路歷程，又或討論時事、民俗、學風等等。其文獻價值約可簡述如下：

㈠ 提供撰寫胡樸安生平的第一手材料

如民國 12 年 2 月 28 日記云：

> 請假未到（鐵路）局。長女淵與靜老第三公子誠定婚過禮。

載其長女胡淵與許世英（靜仁）之第三子許誠訂婚之事。許世英為皖南同鄉，於民國 3 年任福建省長，胡樸安應邀任其秘書兼教育科長，後任圖書館長；民國五年，許任交通部長，胡氏再任其秘書，二人交誼甚篤，12 年又結成兒女親家。

民國 16 年 1 月 2 日，載其自十餘歲即學拳健身，並曾向太極拳名家陳微明學拳：

> 余十餘歲，曾學外家拳數路。二十六歲出外以後即未練，惟時習八段錦或易筋經，聊活動筋骨耳。十四年八月間，請劉德生先生授小兒輩拳術，予亦略學數路，作輟無常，未見進步。十五年六月，從陳微明、陳志進二先生學內家太極拳，半年以來間斷之日極少，余之學拳聊以作健身計耳。

民國 27 年 2 月 28 日《胡樸安日記》，詳列每日功課：

> 將下月功課重為支配為表于下：
> 星期一：五時起，運動一小時。七至九，讀書。
> 　　　　九至十一，講書。一至三，正風上課。三至七，持志上課。
> 　　　　九至十一，讀書。

星期二：五時起，運動一小時。七至八，讀書。八至十，女大上課。

十一至十二，講書。二至五，持志上課。

七至十一，讀書。

……

星期四：五時起，運動一小時。七至九，讀書。

九至十一，講書。一至三，讀書。

三至五，國專上課。六至八，健行上課。九至十一，讀書。

……

一星期內練拳七小時，上課二十六小時，講書十二小時，讀書三十二小時。

右功課表如上，讀書三十二小時或有出入，但至少每日須有三小時讀書，

一星期在二十一小時以上。

除可見其生活嚴謹規律之外，亦提供當時胡氏擔任正風文學院、持志大學、上海女子大學、國學專修館、健行大學教席，每星期上課二十六小時之材料。至於「講書十二小時」部分，則可由 27 年 6 月 11 日寄其長子道彥信中得知，胡氏每日為其家人、子姪講書：

（上略）……我從去年暑假時起，每日上午聚爾母、道彰、耀芳、沄、道彤，講書一小時至二小時。

胡樸安於民國 28 年 4 月 28 日腦溢血，雖至中風偏癱，但三個月後即提筆寫日記，7 月 1 日記云：

自四月六日發寒熱，嗣得腦充血之症，至今未愈，已三個月不記日記矣！茲補記于此。四月六日寒熱，七日未退，八日熱退，而人極倦，九日早八時，應無錫國學專修館演講，本定講兩小時，講至一小時半，即覺支持不住，匆匆了結，回家歐吐甚劇，而胃部極痛，并發寒熱，即延陸淵雷服藥

一，劇吐止熱退，而面色極黃，精神不振，當是膽病，因此十餘日人極疲
倦。二十六日，頭稍眩暈，然不甚劇，而飲食如常。二十七，忽大眩暈，
視人物皆倒，而歐吐不止，當即延陸淵雷診視，處方斷為貧血病，余自知
向來血壓頗高，隨即請朱繼萃診視，而血壓高至二百十度，當即打針預防，
并請彭熙參治，抽血一百西西。至二十八日竟眼不能視、口不能言，惟神
識似乎尚未昏迷，尤、朱二博士商量續抽血二百西西，而病勢未已。……
至六月初，左足稍可伸屈，現在扶人勉強可步，而左手尚不能伸屈，自知
將來或能復原，然不可必矣！

敘述發病及醫療過程甚詳。28 年 10 月 26 日《胡樸安日記》云：

清出甲龜金等書三十四種，心安書信六種，預送展覽，並艸一說明書：
中國文字，原始於畫卦結繩，今皆無徵，其徵而可信者，為甲骨文字，最
先影印行世者，有劉鐵雲之《鐵雲藏龜》，嗣有羅振玉之《殷墟書契前編》、
《後編》、《續編》，其他有數十家，其著書亦有數十種，便於檢查者，
其書亦多，孫海波有《甲骨文編》。甲骨文字，刻于龜甲獸骨上，為殷代
貞卜文字，殷代文字，鑄於器物者，則有羅振玉之《殷文存》，王辰之《續
殷文存》。……石刻文字之集大成者，則楊守敬之《寰宇貞石圖考》，頗
可觀也。以上中國文字之大概，其書汗牛充棟，每類只能陳列一二種。挂
一漏萬，自不能免，覽者知其大概而已。其現代注音字、羅馬拼音字、臘
丁拼音字，由形之演化而為聲之演化，為今日語文上大眾所注意之問題，
在此處不述焉。
送陳列之書：
鐵雲藏龜　六冊
殷墟書契前編　四冊
殷墟書契後編　二冊

殷墟書契續編　六冊

殷墟書契精華　一冊

甲骨文編　五冊

……

共四十種

可知胡氏於中風後復原階段曾參與語文展覽會，展出所藏文字學書，並作說明。

民國 34 年 1 月 22 日《胡樸安日記》記載：

看〈禹貢〉一遍。〈禹貢〉一書，是禹平水土制貢賦之功績，寥寥千字，以今日之眼光觀之，可為地理學之始祖，包含極其豐寓。一、自然地理，如各州之山川是。二、政治地理，如各州之疆界是。三、經濟地理，如各州之田土及其特別之出品是。四、財政地理，如各州之賦分九等及所貢之物品是。五、交通地理，如各州之貢賦達于帝之道路是。而人文地理亦約略附見，……江蘇一省稱為財賦之區，亦人文會萃之域，而各縣田賦皆無可考之冊，且一縣之中，田畝寬狹之數各各不同，此余長江蘇民政時而得知者也。雖說立土地局整理土地，而困于經費未能實事工作，不久裁撤，余當時即知土地測量斷非短期間可以成功，派員分赴各縣實地調查現狀：一、境界，二、面積，三、形勢，四、氣候，五、土地，六、交通，七、水利，八、戶口，九、職業，十、重要市鎮，十一、古蹟名勝，十二、發展略史，此屬于史地一項也。一、行政組織，二、財政，三、□衛狀況，四、司法，五、教育，六、建設，七、市政，八、地方自治，此屬于政治一項也。一、農礦，二、商業，三、工業，四、金融，五、合作，六、度量衡，此屬于經濟一項也。一、人民衣食住，二、糧食問題，三、貧民與盜匪，四、救濟事業，五、人民智識程度，六、特種風俗習慣，七、公共衛生，八、民眾娛樂，九、社會教育，此屬于社會一項。四綱三十五目，

派二屆考取縣長分赴六十一縣，實地調查，成《江蘇各縣概況一覽》，明
知不完不備、不實不盡之處極多，使年年據此調查，修改五年十年，必比
較精密。乃余卸任後，此事已無人過問，而余所編之各縣概況亦在若存沒
之間，今日讀〈禹貢〉一篇，有感于心而附記之。

胡樸安於民國 19 年任江蘇省民政廳長時，所存生平資料非常有限，而由此可知胡
氏曾調查江蘇省六十一縣，編成《江蘇省各縣概況一覽》，自是提供胡氏生平的
最佳史料。

　　民國 34 年 8 月抗戰勝利以後，由《胡樸安日記》所記，則可知胡氏面對國家
復興之機運，雖抱病殘之身，仍積極盡力，圖求報國的心路歷程。如 8 月 11 日記
云：

　　昨日本無條件投降，大戰結束，全世界和平矣！

8 月 15 日記云：

　　葉季平、馮肇標、際安、久安來，商量恢復《民國日報》事。

日本甫投降，即與《民國日報》舊同仁討論復刊事宜。8 月 24 日記云：「病廢閉
門六周年又四閱月矣。戰爭已停，和平實見，雖身體尚未盡復原，而精神已完全
復原矣。」認為「精神所聚，身體必聽命」，決定「今後不復閉門而作，還原開
門之事」，不顧身體尚未復原，「凡吾力所能任者，必為民族盡力。具宗教之精
神，百折不撓，不問收穫，只問耕田；做一分是一分，行一寸是一寸。先盡諸己，
後感諸人；不問利害，言必顧行，不分怨親，問必盡教。」實令人感動。九月四
日記云：「修改〈允中學報宣言〉二千字。……一時，艸〈允中學報〉十條。」
擬成立「允中學報社」，以文字導引國人之思想風氣，達到復國建國的目的，並
積極規劃。九月五日記云：「擬〈允中學社學規〉」，9 月 8 日又作〈允中學報

簡章〉，劍及屨及，積極投入。9 月 11 日再記云：

> 為《民國報》恢復事，思畫二小時。六時晚餐，食粥一碗半，馮有真、袁
> 文彰來，袁業裕、葛潤齋、葉季平、管際安來，商量《民國日報》復刊事。

9 月 13 日記云：

> 四時，嚴服周、葛潤齋、袁業裕、葉季平、管際安來，為《民國日報》事
> 開第一次會議，函請市政府及市黨部，請速撥機器等及房屋，以備復刊事。

9 月 14 日又云：

> 六時半……葛潤齋、袁業裕來，報告《民報》可以接收《中華民報》機器，
> 即去。際安來，商量《民報》事，並設《立報》。

9 月 15 日云：

> 昨夜徹夜不眠。……修《民國日報言論總則》六百字。……為《國民日報》
> 開第二次會。

9 月 16 日云：

> 五時半，作〈民國日報復刊辭〉一千字。……一時，葛潤齋來，准明下午
> 三時接收《中華日報》。

9 月 20 日云：

> 葛潤齋、袁業裕、王善祥來、際安來，同到市黨部看吳紹澍，不在市黨部，
> 又同到市政府看錢市長，談《民國日報》接收偽報館，大約一二日內即可
> 解決。

9 月 21 日云：

> 一時，作《民國日報·覺悟》發刊詞，及〈覺悟〉稿一千五百字。

《民國日報》的〈覺悟〉副刊在民國 12 年停刊❸，胡樸安於籌備復刊時期即已撰寫發刊詞。10 月 11 日記云：

> ㈠起艸《民國日報》組織大綱。㈡整理附刊。㈢訂薪金。㈣十二日開報務會議。㈤籌備費之結算。……作文一篇：〈建國必成的認識〉一千字。

10 月 28 日記云：

> 業裕來，云：錢市（長）約我擔（任）市通志館館長、蔚南擔任副社長。余以偏廢之身，不能擔任何職務。若蔚南任副館長，我勉強可以擔任。蔚南來，我即以此語之。

11 月 6 日記云：

> 良丞送來由報館轉交市政府聘書一件，聘我任市通志館館長。

由以上所記，可見民國 34 年《民國日報》復刊，胡樸安擔任社長，又任允中學報社社長及上海市通志館館長，雖以偏廢之身，對於創復諸事，仍縝密擘畫，且一一記錄。民國 35 年 8 月 9 日胡樸安自動辭去民國日報社長一職，亦見於《胡樸安日記》所載，36 年 1 月 31 日記云：

> 《民國日報》自三十四年十月七日復版，至今日停板，計一年又三個月，又二十五日，我作文計一百五十九篇。

---

❸ 倪波、穆緯銘主編《江蘇報刊編輯史》頁 312，南京：江蘇人民出版社，1993 年 12 月。

記錄《民國日報》復刊及停刊時間，並統計他所作的文章。由以上數例，足證《胡樸安日記》乃提供胡樸安生平經歷之第一手材料。

㈡ **提供胡氏交遊紀錄**

《胡樸安日記》既記錄每日活動，自然保留許多與友朋交遊的材料，如民國12年2月6日記云：

> 夜到競雄女校看佩忍，佩忍軺承東南大學教授，擬刊行《國學季刊》一種，徵稿于余，余擬以〈荀子學說〉或〈墨子學說〉與之。

佩忍即陳去病，為《國粹學報》編輯、南社發起人❶，胡樸安因之加入國學保存會及南社，競雄女校乃為紀念秋瑾而設，胡樸安亦曾在該校任教。❶又，16年2月2日載：

> 今日係陰曆元旦。午十二時，與陳乃乾兄合約諸友在儉德儲蓄會餐廳宴集，到者李石巖、鄭振鐸、葉聲濤、趙仲華、王長公、童心安、陳佩忍、陳柱尊、嚴濬宣、聞野鶴等共十餘人，四時回家。

其中陳乃乾為版本目錄學家，歷任上海中華書局、大東書局、開明書局編輯，上海市通志館、上海市文獻委員會編纂❶；聞野鶴即聞囿❶，為南社社友，與胡樸安為《民國日報》同事，互有唱和；陳柱尊即陳柱❶，亦為南社社友，歷任無錫國專、大夏大學、暨南大學教授，安徽大學校長、交通大學中文系主任；童心安、王長公等都是報社同仁。

---

❶ 柳無忌、殷安如編《國際南社學會・南社叢書・南社人物傳》頁318，北京：社會科學文獻出版社，2006年6月。

❶ 胡樸安《五九之我》頁102，《樸學齋叢書》第二集，第18冊，臺北：胡道彥影刊本，1986年。

❶ 陳玉堂編著《中國近現代人物名號大辭典》頁489，杭州：浙江古籍出版社，1996年。

❶ 陳玉堂編著《中國近現代人物名號大辭典》頁682，杭州：浙江古籍出版社，1996年。

❶ 陳玉堂編著《中國近現代人物名號大辭典》頁517，杭州：浙江古籍出版社，1996年。

民國 26 年 1 月 4 日《胡樸安日記》記云：

> 午後三時，到治中女子中學，開國學會上海分會成立會，至者十五人。金
> 松岑由蘇州來，並簽名于上中央黨部呈文中。六時會畢。同到四明邨十三
> 號金子才家聚餐，至者二十人。

金松岑即金天翮❶，民國 21 年與章太炎在蘇州設國學會。此則《日記》乃記錄成
立上海國學會分會之事。

又 26 年 4 月 25 日，當時胡樸安任《民報》社長，參與上海新聞從業人員的
常熟之旅，並作詩四首錄存日記中，參加者有：「《申報》馮柳堂、《大晚報》
曾虛白、《時事新報》薛農山、《中華日報》三人，《民報》袁業裕與我。」26
年 5 月 16 日記云：

> 十二時，到銀行俱樂部，《立報》開股東大會。到：成舍我、吳中一、錢
> 滄碩、田丹優、薩空了、朱虛白。

可知當時胡樸安與新聞界交遊密切。民國 36 年 1 月《胡樸安日記》云：

> 《儒家修養法》擬贈之人記于下：張菊生、唐蔚芝、葉玉蘭、高吹萬、孫
> 倣仁、蔣竹莊、丁仲祜、吳稚暉、李石曾、夏劍丞、陳叔通、周予同、徐
> 調孚、馬夷初、柳亞子、姚虞琴、章行嚴、王欣夫、薛學潛、潘公展、詹
> 子許、葉揆初、李拔可、呂思勉、陳望道、陳无我、陸淵雷、錢慈嚴、任
> 味知、舒新城、朱經農。

---

❶ 陳玉堂編著《中國近現代人物名號大辭典》頁 589，杭州：浙江古籍出版社，1996 年。蔣永敬
撰〈章炳麟〉，劉紹唐主編《民國人物小傳》第二冊，頁 172，臺北：傳記文學出版社，1981
年。

胡樸安於 36 年完成《儒家修養法》一書，預擬贈送名單，其中唐蔚芝即唐文治**⑳**，
為無錫國學專修館主講，民國 26 年因病回上海，設立分校；蔣竹莊即蔣維喬**㉑**，
曾任江蘇省教育廳長、上海東南大學校長；葉揆初即葉景葵，與李拔可、陳叔通
同為上海合眾圖書館創辦人**㉒**，胡樸安歿後，家中藏書即捐贈該館；周予同，當
時任復旦大學教授**㉓**；馬夷初即馬敘倫，後任教育部長；呂思勉為歷史學者；王
欣夫為文獻學者；舒新城為中華書局《辭海》主編**㉔**；朱經農為商務印書館總經
理、光華大學校長**㉕**；高吹萬、吳稚暉皆南社社友；丁仲祜為《說文解字詁林》、
《佛學辭典》編者。由以上名單，足知胡樸安所往來交遊的人士，主要是學術界、
教育界、出版界以及南社舊友。

又 28 年 1 月 21 日《胡樸安日記》云：

> 夜看《程伊川年譜》一冊，姚名達著，商務出版。名達，余在南方大學時
> 之學生，後在清華研究院畢業。

則可知目錄學家姚名達曾受業於胡樸安。

㈢ 保存胡樸安友朋往來書信及詩文

《胡樸安日記》中，凡每日有往來書信，必於日期之下或書眉之上加以紀錄，
如民國 29 年 7 月：

> 一日　晴　寄丁仲祜信　寄曹仲安一信　寄高吹萬信，勸渠編《詩經》目
> 錄。

---

⑳　陳玉堂編著《中國近現代人物名號大辭典》頁 780，杭州：浙江古籍出版社，1996 年。

㉑　陳玉堂編著《中國近現代人物名號大辭典》頁 870，杭州：浙江古籍出版社，1996 年。

㉒　陳玉堂編著《中國近現代人物名號大辭典》頁 108、512，杭州：浙江古籍出版社，1996 年。

㉓　陳玉堂編著《中國近現代人物名號大辭典》頁 597，杭州：浙江古籍出版社，1996 年。

㉔　陳玉堂編著《中國近現代人物名號大辭典》頁 891，杭州：浙江古籍出版社，1996 年。

㉕　陳玉堂編著《中國近現代人物名號大辭典》頁 155，杭州：浙江古籍出版社，1996 年。

二日　晴　接柳亞子一日信

九日　晴　接石子八日信

二十五日　晴　接道彥七月九日十號信　接丁仲祜廿四日信，附《衛生延年術》校樣，并託作序。

皆可見其與友朋往來書信的紀錄。其中丁仲祜即丁福保❷，由《胡樸安日記》記錄，可知丁氏曾託胡樸安為其《衛生延年術》作序。高吹萬即南社社友高燮❷，柳亞子即南社發起人柳棄疾❷，道彥為胡樸安長子，石子即南社社友姚光。❷胡氏與友朋書信往來頗為頻繁，由《胡樸安日記》所記，可見一斑。

部分書信且存錄於《胡樸安日記》中，其文獻價值不言可喻。如民國 26 年 8 月 26 日記云：

致張詠霓、何柏丞各一信，其稿如下：

昨日晉謁適值公出，未獲聆教，殊為悵然。抗戰期內，各大學當即謀開學，不僅鎮定人心，且可增長知識之生產，而為長期之抗戰。惟此期內，滬大學宜施一種特殊辦法。前日晤到潘公展局長，建議將安宵區內中學一律提早鐘點，改為上午授課，下午讓與大學授課。潘局長極然鄙說，並云：將難民輸送後即可實行。惟是滬上各大學雖實行開學，留滬之學生不多，事實殊感困難，且亦不經濟。弟意可由大學聯合會在此時期為施行一種特殊辦法，以大學聯合會為總位，分科分系，由各學校各視教室不感困難，教授亦可集中。昨日敬謁，擬貢此意見，如以為可行，乞召集大學聯合會討

❷　陳玉堂編著《中國近現代人物名號大辭典》頁 7，杭州：浙江古籍出版社，1996 年。

❷　柳無忌、殷安如編《國際南社學會·南社叢書·南社人物傳》頁 576，北京：社會科學文獻出版社，2006 年 6 月。

❷　邵迎武《南社人物吟評》頁 220，北京：社會科學文獻出版社，1994 年 4 月。

❷　同前註，頁 226。姚光為高吹萬之外甥。

論，並詳細規定實施辦法。先生領導群倫，登高一呼，其事易舉，敬為芻蕘之獻，是否有當，伏乞大裁。

張詠霓即張壽鏞，民國26年任上海光華大學校長，7月蘆溝橋事變，8月，日寇犯上海，又任抗敵後援會委員❸；何柏丞即何炳松，時任暨南大學（國民政府為僑居海外之僑民子弟歸國求學而設）校長，8月13日上海戰事起，遷校於租界，後遷校于閩北建陽。❸據此則日記可知，胡樸安原於上海各大學任教，上海陷入戰火，隨即面見當時上海市社會局（社會、教育兩局合併）長潘公展，並於8月26日致函任抗敵後援會委員的張壽鏞和暨南大學校長何炳松，希望召集大學聯合會，以因應學生逃難、學校撤退的現象。由此封《胡樸安日記》錄存的書信，正可知胡樸安在淪陷後的上海仍積極為教育盡心盡力。另民國34年7月12日又有〈和張詠霓七十自壽原韻〉，可知胡樸安與張壽鏞交誼匪淺。

再如民國35年7月5日《胡樸安日記》載有「與力子信」，云：

> 力子先生大鑒：
>
> 敬啟者，楚傖先生開弔時，面領一切，至以為幸。《民國日報》前途殊為黯淡，早在洞鑒之中，而「覺悟」一欄，則極有生氣，青年投稿的日見其多，因而領導納入正軌，實于黨國大有利益。惟附刊地盤太小，每月登載的，僅及來稿十分之三四，若《覺悟半月刊》能得早日籌備出板，暫且可為《民國日報·覺悟附刊》之尾閭，漸漸成為覺悟青年之聚團，當此青年

---

❸ 參見鍾碧容、孫彩霞編《民國人物碑傳集》頁480，成都：四川人民出版社，1997年3月；及蘇精撰〈張壽鏞〉，劉紹唐主編《民國人物小傳》第四冊，頁266－267，臺北：傳記文學出版社，1981年；徐小燕撰《張壽鏞及其四明叢書研究》頁44，北京：花木蘭文化工作坊，2005年5月。

❸ 見鍾碧容、孫彩霞編《民國人物碑傳集》頁331，成都：四川人民出版社，1997年3月；及秦賢次撰〈何炳松〉，劉紹唐主編《民國人物小傳》第二冊，頁32－34，臺北：傳記文學出版社，1981年。

易入歧途之時，覺悟工作極為重要，而且急要。前承面示，制一計畫書，
已由蔚南兄制就呈上，其中容有不妥之處，務乞指示修改，俾早日成立，
以策進行。經濟來向或向個人募股，或向銀行借貨，均非如先生大有力者
說項不可。滬上近聞中央有撥付巨款，以作文化事業之用，若能分得一小
部分，即可作《覺悟半月刊》之基金，惟事實不知究竟如何耳？弟在《民
國日報》連寫〈對于青年的貢獻〉數篇，居然得到若干青年之感應，足微
上海青年急需有正當之領導，此種工作雖無一時赫赫之蹟，實在是建國之
基礎（下略）。

《民國日報》為民國 5 年在中華革命黨總務部長陳英士的協助下，由葉楚傖在上
海創辦，在輿論上有力的配合孫中山先生的革命運動。❸❷民國 8 年，宋教仁等改
組中華革命黨為中國國民黨，《民國日報》隨之成為中國國民黨的機關報。當時
由於五四運動發生，全國各地不少宣傳新思潮的報刊紛紛出版，葉楚傖於民國 8
年 6 月 16 日增設「覺悟」副刊，為當時著名大報的「四大副刊」之一，由邵力子
主編。❸❸民國 21 年，《民國日報》在日本人脅迫下停刊，34 年抗戰勝利，11 月
再度復刊，由胡樸安任社長。由〈與力子信〉所說，可知胡樸安於葉楚傖喪禮時
依邵力子指示，規劃將《覺悟附刊》擴增，每半月出版《覺悟半月刊》，由徐蔚
南製作計畫書呈邵力子，此函對於民國 35 年《民國日報·覺悟半月刊》之發展極
為重要，於報業史甚有價值。

35 年 7 月 11 日《胡樸安日記》錄存〈贈太虛法師〉一詩云：

我讀寒山子，又復讀拾得，詩理是佛理，不離亦不即。太虛大法師，贈我
詩一秩，詩本文字相，實相亦未失，非相非非相，此意無人識，若作文字

---

❸❷ 徐詠平《革命報人別記·中央黨報發展史略》頁 323，臺北：正中書局，1973 年 3 月。
❸❸ 劉光組、汪曉園撰《江蘇報刊編輯史》頁 314，南京：江蘇人民出版社，1933 年 12 月。

讀，處處是法執，不作文字讀，萬法歸于一，問一在何處？只此眼前物。

可知胡樸安於民國 30 年學佛後，與太虛法師往來唱和甚愜。再如民國 36 年 3 月
11 日《胡樸安日記》則載錄《黃葉樓遺稿·序》全文，節錄如下：

> ……民國九年夏秋之間，與劉三飲于邑廟內園，自日中至于月上，劇談清
> 酌低斟，縱論文藝，自漢以至民國；縱談時事，自歐美以至上海，稱心而
> 言，毫無顧忌，此情此景，歷歷在目前也。民國十四年，與劉三同執教鞭
> 于持志學院，時時晤談，或商量學術，或校量文藝，或杯酒豪詩，或閒步
> 細談，此情此景，歷歷在目前也。民國十七年，劉三任江蘇革命博物館編
> 纂主任，余嘗以事以京，必至博物館煮酒夜談，中宵不倦。或古史、或時
> 事，或尚論古人、或評論時人，心之所至，語即至焉；語之所至，意竟忘
> 焉，此情此景，又歷歷在目前也。凡此皆是精神界之相與，雖多歷年所而
> 永不磨，蓋不夢而夢，夢而非夢。二十年，劉三任監察院委員，余亦任江
> 蘇省民政廳長，各以職務纏身，會面遂稀，無復往日精神界之樂。余罷歸
> 滬，仍教書為事，劉三任監察院委員如故，會面更稀，亦無復往日精神界
> 之樂。民國二十六年春間，上海市政舉行特別考試，劉三以監察委員身分
> 來監考。余任考試委員會，在公共場中一晤面，覺劉三非勿當年精神內斂，
> 英華外發之氣象。不久，中日戰起，劉三抑鬱寡歡；不久，劉三脫離物質
> 之軀殼，與世長辭，余亦得腦溢證，半身偏廢。……

乃為南社社友劉三（季平）的遺稿作序，內容詳述民國 9 年、14 年、17 年、26 年
間與劉三或商量學術、或校量文藝、或杯酒豪詩，種種情事，不僅流露二人交誼
之深，更足以為二人生平經歷保留可貴資料。

（四）**保存胡樸安的著述記錄**

《胡樸安日記》記錄每日著述甚詳，如民國 12 年正月 7 日云：

九時起。作《中華全國風俗志·序》一篇，稿另存。

正月 8 日云：

夜編《南社叢選》。

5 月 18 日記云：

夜，作〈論研究國學當戒除之二弊〉一篇，計一千三百餘字，稿刊《國學週刊》。

5 月 24 日記云：

夜，作〈文字學研究法〉九百餘字，本節完，刊入《國學週刊》。

可謂日有撰述，數量之巨，甚為驚人。29 年 12 月 19 日記云：

作〈在文字學上考見古代之聲音與言語〉一文，狀況音一節一千二百字（本節完，餘篇未完）。

知其撰寫〈在文字學上考見古代之聲音與言語〉一文的時間在民國 29 年 12 月。又如民國 33 年 5 月 6 日云：「作《大學新解》一千字。」6 月 4 日云：「二時，作《南社詩話》二千字。」6 月 17 日云：「作《病廢閉門記》九百字（第四周年完）。」6 月 19 日云：「二時，作《六十年以前的我》自序一千七百字。」7 月 21 日云：「二時，作《中庸新解·序》一千二百字。」可知胡氏在五至七月三個月間著手撰寫或完成的著述有：《大學新解》、《南社詩話》、《病廢閉門記》、《六十年以前的我》、《中庸新解》等。又如民國 34 年 9 月 26 日云：「作《演邵康節詩·序》八百字。」10 月 5 日云：「九時，作《民國日報》社論〈如何建設人格〉一千字。」依以上紀錄，足證胡樸安所撰包括學術論著、詩、散文、社論等，質

量俱富。

㈤ 保存胡樸安的讀書雜記

如庚子（民前 12 年，1900，23 歲）潤 8 月 15 日記云：

> 黎明起，看《宋紀》二十葉。南宋之時，有可為之時也，而卒不能成功者，事無所統故也。憲宗討亂任裴度，而讒言不入，所以能成淮西之功。今岳飛精忠貫日月，韜略邁孫吳，使始終任之，安見二帝必不可還，中原必不可復哉？乃一上疏請恢復，不報；再上疏請恢復，不許，迨後朱仙鎮之役功成垂手，而為秦檜所嫉，遽而班師，三字之獄，至今稱冤。嗚呼！高宗之無意興復，無足責矣！徒使忠臣義士流涕痛哭也！○和議之不足恃，後之讀宋史者莫不知之，而每每甘蹈覆轍，怨夫！○岳飛敗劉豫于唐州，使及其鋒而用之，劉豫雖眾，平之如反掌耳。乃上疏請之，而高宗不許，是誠何心哉？……

即為讀《宋紀》雜記。民國 11 年 7 月 1 日《胡樸安日記》云：

> 點《段注說文》火部、炎部四頁。
>
> 今人以魚肉等物內湯水中而熟之曰川肉、曰川魚，菜餚普通皆作川，取其筆畫簡少，用之便利耳。然詢之士子，正字當從何作？亦多半莫能言者，按《說文·炎部》：「燅，於湯中爚肉也。從炎從熱省。徐鹽切。」段氏注：「爚當作鬻，鬻者內肉及菜湯中，薄出之。」據此，即今燅肉燅魚之類，燅肉燅魚，半生半熟。《玉篇》：「服瀹也，生熟半也。」燅川音近，今人音訛為川。即以川字當之，不知《說文》固有燅字也。

29 年 10 月 5 日記云：

> 得《涇縣方言》一條記之於下：

吾鄉方言，蒸飯至半熟時傾出水再蒸謂鑍分，有飯蒸至半熟時分開以水和
之之意。按《說文·米部》：「炊米者謂之鑍」，《爾雅》李巡注：「米
半腥半熟曰鑍飯」，郭璞：「飯中有腥」，朱駿聲：「半生半熟」，蘇俗
所云：「隔生飯也」，徐灝云：「腥讀為生，半生半熟，米質未變」，王
筠云：「作腥為是，即小息肉引申之義」。按：外面已熟，內面未熟，半
腥者內面之米質未變謂之腥者，如息肉然也，云半生未熟義，固無悖鑍分
者蒸飯成鑍時分開，更和以水也。

以上皆為胡樸安讀《說文》或關於文字學的雜記，可藉以整理其《讀說文雜記》
以及胡氏尚未刊印的文字學著述。

㈥ 載錄胡樸安的學術思想及人生觀

如 27 年 3 月 1 日《胡樸安日記》云：

> 西方學術分析極細，回視中國之學，誠不免有籠統不分之弊，然以西方學
> 術之帽子，戴在中國學術頭上，而又不免有削足納屨之嫌。真能研究中國
> 學術者，當完全立腳于中國學術之點，而以客觀之整理方法研究之，朋輩
> 中可與談此者甚少，己則年事已邁，記憶力以減，決不能成此整理之事業，
> 而繼起無人，真可歎也！

可知其有整理國學的宏願。29 年 9 月 9 日又提出欲整理各時代的字書，編一部《中
國文化史》的計畫，可惜因犯腦溢血而作罷，云：

> 余嘗欲編《中國文化史》，取材于甲骨文、金文，以及《爾雅》、《說文
> 解字》以下之字書、辭書至近代之《中華大字典》、《辭海》等，將每個
> 時代之字書、辭書分類，記出其字發見於某時代之字書中，某辭發見于某
> 代時之辭書中，即定為某時代之事物或言語，如最近字典中化學新字，當
> 然是最近之文化，又如電字、車字、燈字并非新字，而電車、電燈相聯為

一名詞，則為最近之發生當然為最近之文化，其餘各個時代皆如此分類，記出先於字書、辭書中立一歷代文化骨幹，然後編求各書之紀載，相輔而編成一部比較可信之中國文化史，惟事業太巨，一人斷難為力，余雖在《說文解字》中略略記出一部分，直萬分之一耳，自去夏初犯腦溢血證，半身不遂，此願永不可償矣！記此以俟來者。

33 年 1 月 5 日又云：

⋯⋯我素以整理中國學術自期，在學術未有整理成功之前，不得已暫以經子之名目而為整理功作之徑路。我整理中國學術之目的㈠在於研究中國之民族性㈡在於處空閒時間之下應付環境之用。《儒墨道學說》即是研究民族性之所作，《中庸新解》即是處空間時間之中應付環境之作。最初當從文字學入手，懂得文字學始能讀古書。《中國文字學史》、《中國訓詁學史》皆是研究文字學之□□。《古書校讀法》即是根據文字學校讀古書之作，能校讀古書，始能整理古籍。

《詩經學》是初步整理古書之作，一為《詩經》本身之學，二為歷代研究詩者之歷史，三為新的引導。《易》、《書》、《三禮》、《春秋》皆如是。雖只做成《詩》、《易》兩種，我本這種方法做成的有《周易古史觀》、《詩經文字學》、《詩經言字釋》、〈從詩經上考見周南、召南之家庭〉、〈群經之政治思想〉等。子部之研究與經部不同，治子方法重在學說之統緒，當本《漢書‧藝文志》明各家之源流與其派別。《周秦諸子學略》即是初步治子之門徑。本這種方法，做成《荀子學說》、《墨子學說》、《商君學說》能將各該家之學說，提要鉤玄，明其統緒。《莊子章義》不僅提要鉤玄，明其統緒，且將《莊子》全書分章說其大義，使莊子學說皆由章義而明也。自來研究文字者，皆以文字學為六書之工具，我則以文字學為考古社會之工具，本擬做一部從文（缺「字」字）學考見人類與古社會，擬

一目錄，蒐集材料，著手而病廢矣。只做了散文四篇：㈠〈從文字學上考見古代之婦女〉，㈡〈從文字學上考見古代之辨色本能與染色技術〉，㈢〈從文字學上考見古代之聲韻與言語〉，㈣〈從文字學上考見古代之客觀動作語言思想〉，雖未成書，在文字學上闢一條新路也。又感小學生不能接受中國思想，乃本自然教科書中普通知識，做了一部《太極圖說新解》、《通書新解》，使中小學生皆可讀宋儒之理學書。在擬議中者，有《大學新解》、《儒行新解》、《禮運新解》、《毛詩古史觀》、《管子學說》、《張子正蒙新解》、〈從文字學考見古代之家庭生活〉等，準於五年內完成也。

詳述其每一著述之宗旨、目的皆在整理中國的學術，並積極規劃，不再受腦溢血症的影響。胡樸安的學術思想，主要出於儒家。而 27 年 2 月 28 日所記：

> 我贊成佛學科學化，所以尤表智、王小徐之文章，頗喜讀。我贊成佛教社會化，所以太虛法師之行為，更要普遍。
> 今日政治之弊，人心之壞，無法可救，惟有以佛教救之。我不入地獄，誰入地獄，欲救眾生，必自化眾生救之，此佛教所以宜乎社會化也。
> 今日研究科學者，皆以佛學為迷信，今明白告之曰：科學不出于佛學之外，而深于科學者，皆能一一證明之，使人人知道佛學是人生不可少之學問，此佛學宜乎科學化也。

則可見胡樸安亦主張「佛教科學化」、「佛學社會化」，以佛教救當代政治之弊、人心之壞，凡此皆載錄胡樸安的思想。

此外，《胡樸安日記》處處可見其自省自勉的話語，從中亦可見其人生觀，如 34 年 10 月 19 日云：

> 一、常覺前途有無限之光明，為有計畫之樂觀。

二、確信精神不死，今生做不到之事，必有來生，雖八十、九十，不稍自
　　逸。

三、確信彭殤曰壽之理。

四、無論環境如何，困難必要戰勝環境。

五、精進不懈，凡事皆可做到，不畏難，不苟安。

六、確信禍即是福，凶即是吉，所以處任何苦境，心中常樂。

七、世亂，眾人之亂；心亂，吾一人之亂；年荒，眾人之荒；學荒，吾一
　　人之荒，此語時時記在心頭。

……

十四、每日天未明即起，寒暑一律，除生病外，日間決不睡覺。

十五、不講一句假話。

十六、每日必自省一遍。

此類自述其人生觀及積極進取的行動力的記載，於《胡樸安日記》中比比皆是。

㈦ 保存胡樸安未刊的詩詞曲作品

　　《胡樸安日記》中詩作隨時可見，間或作詞作曲。其中或為遊記，如民國 12
年 4 月 1 日：「全靜老、慰儂、季衍、涵申、裴山到蘇州遊輞師園，晚遊虎邱。」
4 月 6 日則記云：

> 是日清明，此次遊蘇州、無錫、鎮江，共得詩八首，記于下：〈遊南翔攝
> 影于古漪園〉……〈遊蘇州輞師園〉……〈虎邱〉……〈登天平頂〉……
> 〈登黿頭嘴望太湖〉……〈太湖項王廟〉……〈登北固山〉……〈松寥閣
> 生雨〉……

或為友朋贈答，如 29 年 8 月 8 日記云：「杜尊序《樸學齋叢書》，多述舊事，答
之以詩」：

許多舊事自疑遲，雨散煙消不可追，樽酒百壺嘗一醉，雄談鎮日竟忘疲。

我今偏廢習禪靜，君正多情發妙思，讀罷奇文頻感觸，不堪回首少年時。

或為時事感懷，如 27 年 12 月 14 日，時值抗戰期間，「填詞一套」云：

> （蛟龍泣）快快快快，四萬五千萬人民，愛國熱忱如潮。快快快快，我方軍隊，在臺兒莊的大包圍，把整個的師團，沒一人得性命能逃掉。快快快快，那機械化的精銳部，在蘭封都陷了。快快快快，在大別山山脈中，殲滅的敵軍不少。快快快快，游擊的戰術，殺得那敵人難睡覺。快快快快，他費盡十二分的氣力，攻陷武漢三鎮得空氣。

又如民國 34 年 8 月 10 日，日本無條件投降，9 月 10 日《胡樸安日記》載〈勝利歌〉一首，10 月 9 日又作詞一首：「〈還我河山〉寄調《滿江紅》用岳武穆韻」云：

> 地覆天翻，原子彈，餘威未歇。中與美，同盟敵愾，雄風英烈。三島蕭條愁暮雨，中天清懸明月。兵猶火，不戰自將焚，言彌切。　甲午恥，從茲雪；興亡恨，當時滅！經八年，抗戰金甌無缺，洗盡豺狼污穢跡，曾流多少英雄血，喜今朝，還我舊河山，光華闕！

或為讀書、修身心得，如 29 年 9 月 1 日記云：「讀佛書悟得儒道二家之學，為處世養心之妙法。成五言古五十韻」：

> 儒家貴實在，道家任自然，儒以誠為本，道以退為先。二家若相悖，致力有兩端，參以佛家理，大道本融圓。殊途而同歸，百流而一源，色空原不礙，吾欲用其全。

或為生平重要記事，如 35 年 6 月 28 日《胡樸安日記》記云：

回市通志館，買入嘉靖、萬曆《上海縣（按：疑缺「志」字）》二部，計價六十萬元。四時回家。

〈明上海縣三志出歌〉：

> 明代上海三志出，海內僅存孤本孤，後先收入通志館，珠聯璧合前此無。
> 憶昔民年二十六，弘治志書出舊簏，三百年來世不知，此日婆娑看不足。
> 嘉靖、萬曆志僅存，秘書收藏視極珍，萬曆有二嘉靖一，茫茫塵海何處尋？
> 萬曆志藏徐家滙，尚有一部久隱晦，嘉靖見有本留真，欣知此志今猶在。
> 忽然中日戰事開，二志幸保留□□，妖霧掃淨天清穆，書賈手中走出來。
> 猝然見之心驚喜，此心怦怦不自已，索價雖然等連城，不能講其不合理。
> 我本偏枯身不全，對此二志空喜歡，口雖能言身不主，一切皆仗徐蔚南（蔚南任副館長，一切皆是蔚南的籌劃），更有乃乾供奔走（乃乾任編輯，二志得來，由乃乾奔走之力），二志居然都入手，嘉、萬繼續弘治來，使我長憶吳江柳（《弘治上海志》前館長亞子搜入）。縱此□□讓我□驕，寶此三志過瓊瑤，更謀留真永傳世，不僅抱殘守缺以自豪。

所記即胡氏任上海通志館館長時，館中購得嘉靖、萬曆《上海縣志》二部，甚為驚喜，作歌記錄此事，內容述及尋訪過程及當時副館長徐蔚南的籌畫和編輯陳乃乾的奔走，並述及前館長柳亞子購入《弘治上海志》一事，殊為可貴。

自民國 28 年 4 月腦溢血中風之後，醫生勸胡樸安戒讀書，胡氏仍於 10 月開始讀書，大量閱讀詩集及作詩，且獨樹一格，用古人詩中一語作為發端，名為「演」詩，如 29 年 12 月 16 日記云「米元章詩有『三峽江聲流筆底』句，因用其語，顛倒二字以為發端」：

> 三峽江聲筆底流，文章獨自有千秋，干戈滿目今無用，手足不仁歎罷休。
> 身外功名雙短鬢，靜中天地一浮鷗，學仙學佛皆多事，閉戶高眠萬里遊。

四年之中，演宋詩、杜甫詩、林和靖詩、溫飛卿詩、邵康節詩共三百七十五首，和范石湖、寒山子、阮嗣宗詩共四百六十二首。另填詞六十餘闋，名《韞玉詞》；偶爾也作曲，多為散套，如民國 27 年 11 月 22 日填《望江南》曲一套：

> （北新水令）金陵王氣黯然收，只眼前、不堪回首。鍾山朝露慘，淮水暮煙愁。雨冷風颼，白日裏狐兔狼走。……
>
> （離亭宴帶歇指煞）有一日，陰雲遍野、雷霆吼，大風折木、虎奔走，一個個棄甲曳矛，眼看他狡如狼，眼看他猛如虎，眼看他懦如狗，喜乾坤妖已寧，這風景清。……

諸如此類詩、詞、曲作品繁多，以 29 年為例，共寫詩 119 首；以 32 年為例，共寫詩 189 首，數量驚人，且多數為未刊之作，可據之整理胡樸安的詩詞曲集，文獻價值不可謂不高。

㈧ 作為民國史的補證

如民國 26 年 10 月 11 日《胡樸安日記》記云：

> 到商務印書館買《中國聲韻學》一部、《高等國文法》一部，計五元。滬戰開始兩月未買書矣。到報館與季平言承購救國公債事，共承一千元，館購五百元，我與子琴、際安各五十元，餘三百五十元，各同事分認。

可見當時物價，亦足證民國二十六年抗戰軍興，政府發行救國公債。如 12 年 9 月 12 日記云：

> 同陶伯孫到天文臺路靜老家坐，談及黎到滬事。靜老昨日去看黃陂，黃陂有組織政府之意，擬有閣員名單，並勸靜老入閣，靜老決意謝絕之。余云：「黃陂識字否？」靜老云：「何謂？」余云：「南方不認承黃陂為總統，報紙所載，黃陂定不見之，如謂被人包圍，惟不識字人，方有此糊塗。」

> 再次弟論及合肥，余謂：「合肥當民國五六七年之間大權在握，統一之國
> 家自合肥而分裂，則合肥之手腕可知矣。方今分裂之國家，謂合肥能統一，
> 必不可能之事也，如謂合肥之私德，亦不過僅合乎馮國祥、徐世昌、曹錕
> 輩耳。」

其中靜老即許靜仁，黎即黎元洪，黃陂亦指黎元洪，民國 11 年 6 月，北政府總統
徐世昌被迫通電辭職，舊國會議員及直系軍人電請黎元洪復任大總統，12 年 6 月
被迫出京，由京轉滬，擬設政府於上海不果，去而之日本。❸合肥指段祺瑞，此
則日記討論民國 12 年政局，可作為此段歷史的補證。12 年 10 月 14 日記云：

> 九時到都益處，新南社成立。到者張溥泉、于右任、汪精衛、呂天民、柳
> 亞紫、柳率初、王大覺、朱劍芒、馮心俠、邵次公、邵仲輝、陳望道、葉
> 楚傖、汪蘭皋、潘公展、狄狄山、丁竹孫、余十眉、吳豹君、朱少屏、趙
> 赤羽、朱尊一、胡伯翔、吳子垣、陳布雷、黃懺華、周人菊、朱梁任、陳
> 亨肇及惠生、女淵等，共四十餘人。三時酒畢。

正記載「新南社」成立的歷史。

　　26 年 7 月 11 日《胡樸安日記》云：「中日在盧溝橋衝突。」其後即記錄盧
溝橋事變以後情勢的發展，如 7 月 29 日記云：

> 昨日所傳收豐臺事皆不確，宋哲元退出北平，張自忠代理冀察委員會主席
> 兼北平市，局面大變，天津市激戰極烈。

8 月 14 日記云：

---

❸　黎元洪，湖北黃陂人，見劉紹唐主編《民國人物小傳》第三冊，頁 334，臺北：傳記文學出版社，
1980 年。

今日空軍甚活，聞頗戰勝利，但未能徵實，惟黃浦灘下一炸彈……死傷中外人約三百餘。大世界馬路落一炸彈，係飛（機）受傷而落下，死傷中國人四百餘，極為遺恨之事。本日各商業皆閉市，下午電車、公共汽車停止開駛，難民麕集於馬路兩旁者極多，砲聲終日不停，入夜稍疏。聞日本有飛機自臺灣來到杭州，擬炸筧橋機場。

11月23日記云：

《民報》《立報》、《時事新報》、《中華日報》、《神州日報》得租借當局通知，勸告停刊，本擬五報同時停刊……

27年2月6日《胡樸安日記》記云：

四面包圍之上海租界，除國立大學千地外，其他私立原有大學皆開學，南京浙江教會大學亦遷上海租界開學，而新發生之大學有三四之多，租界內之大學在二十以上，現在租界人口不滿二百萬，……學校如此之多，實是一種混亂的現象。

4月7日記云：

滬江大學校長劉湛恩今日上午八時被人刺，槍擊於靜安寺路、膠州路口，旋即歿于寶隆醫院，被擊之原因未詳。上海租界已成恐慌之世界，古詩云：「不為亂離人，願做太平犬。」身非經過，不知此言之悲且切也。成詩兩句：「心傷世亂頭顱賤，眼見人飢犬馬肥。」

5月5日記云：

今日是十七年前總理就非常大總理之日，又為六年前淞滬協定簽字之日，今日有無窮之意義。……國共分裂之痕，因張國燾發生共產黨與國民黨合

併之運動，張氏並主張解散中國共產黨，所有黨員加入國民黨。四月十八日，共產黨決定開除張國燾黨籍，按：張為共產黨中對於學生二人最有力之一人，與王明、周恩來、毛澤東、朱德同為委員，此次開除黨籍，自然引起一般人之推測。

又如 27 年 12 月 26 日記云：

上海學校墮落之極，在抗戰期內，教育部頒佈許多規則，導師制亦許多規則中之一，各學校或則表面奉行，甚且表面亦不奉行，能實行者百無一也。又聞知教育部補助上海六中學、三十三小學經費，由蔣某辦理，蔣某則從中取利，人言藉仍親聞受補助之，某中學校校長云，教育部月補三百三十元，蔣某只付二百八十元，而索三百三十元之收據，抗戰時期公務員漁利如是，真罪不容于死矣。

正說明對日抗戰時期淪陷地區人心墮落的景況。諸如此類，均可作為民國史的補證。

五、結　語

綜上所述，《胡樸安日記》為胡樸安自 20 歲（民前 13 年）起至 70 歲（民國 36 年）間所撰，其間曾中斷三次，26－44 歲、47－50 歲、50 歲 4 月－60 歲之間未曾寫日記，總計記日記時間近二十一年。目前共存四十一冊，其中三十八冊見藏於上海‧復旦大學圖書館，三冊為澳門‧胡道彤收藏。至少亡佚六冊。

胡樸安於《日記》中曾透露其撰寫日記的方式，乃學自清代理學家倭仁（艮峰），己亥年（民前 13 年）八月初一日《日記》云：

余寫日記，本學倭艮峰之法，前數月大覺散漫，今雖不能筆筆楷書，亦須筆畫明白。曾文正公定為「剛日讀經，柔日讀史」，余改為「單日讀經，

雙日讀史」。

可見其不僅學倭艮峰，亦深受曾文正公影響。而所謂「倭艮峰之法」，正見於曾文正公家書所云：

> 倭艮峰先生則誠意工夫極嚴，每日有日課冊，一日之中，一念之差，一事之失，一言一默，皆筆之於書。書楷字，三月則訂一本，自乙未年起，今三十本矣。蓋其慎獨之嚴，雖妄念偶動，必即時克治，而著之於書，故所讀之書，句句皆切身之要藥。茲將艮峰先生日課抄三頁付歸，與諸弟看。余自十月初一日起，亦照艮峰樣，每日一念一事，皆寫之于冊，以便觸目克治，亦寫楷書。❸❺

倭艮峰用功最篤實、誠意功夫極嚴，「每自朝至寢，一言一動，坐作飲食，皆有扎記。或心有私欲不克，外有不及檢者，皆記出。」「每日有日課冊，一日之中，一念之差，一事之失，一言一默，皆筆之於書。書楷字，三月則訂一本。」檢閱《胡樸安日記》，確實與之相去不遠。由前文所述，可知《胡樸安日記》或二月、或三月、或四月、或五月、或六月訂成一本，端看所寫篇幅之多寡而定，民前 13 年至民前九年《日記》多工筆楷書。民國 10 年以後，事務繁冗，不復工筆楷書；民國 28 年中風之後，字體更多潦草，難以辨識。

　　至於內容，約而言之：一、民前 13 年－民前 9 年五年間，胡氏 22-26 歲，當時在家鄉開館授徒，其日記多為讀書雜記，間以自省，或與友朋輩吟詠，甚或記錄習算公式。二、民國 10 年以後，胡樸安已至上海發展，當時雖擔任京滬、滬杭甬鐵路編查課長，但參與南社、新聞界、教育界活動，交遊廣闊，因此日記中除讀書雜記外，增加甚多社交、撰述、編輯、教學記錄。三、自民國 26 年起，胡樸

---

❸❺　《曾文正公家書》卷四〈致諸弟〉頁 70，道光二十二年十月廿六日，臺北：黎明文化公司，1983 年。

安於每月之末統計所做之事，每年之末更統計全年所做之事。四、民國二十八年偏癱之後，休養生息，生活歸於平淡，所記更加瑣細，連灌腸、大便、洗面、洗足均記錄翔實，可謂鉅細靡遺。此即「照艮峰樣，每日一念一事，皆寫之于冊」❸❻的作法。

而正因其記錄翔實、鉅細靡遺，《胡樸安日記》的文獻價值於是存焉。簡而言之，其文獻價值在於：一、提供撰寫胡樸安生平的第一手材料，二、提供胡氏交遊紀錄，三、保存胡樸安友朋往來書信及詩文，四、保存胡樸安的讀書及著述記錄，五、保存胡樸安的讀書雜記，六、載錄胡樸安的學術思想及人生觀，七、保存胡樸安未刊的詩詞曲作品，八、作為民國史的補證。又因胡氏所交遊者皆為民國初年愛國社團——南社中人、新聞界、學術界和教育界人士，由《胡樸安日記》所載錄的胡氏交遊記錄、往來書信、唱和詩文，更可提供研究當時人物的重要史料。

---

❸❻ 《曾文正公家書》卷四〈致諸弟〉頁 70，道光二十二年十月廿六日，臺北：黎明文化公司，1983年。

談方言詞典編纂的幾個問題

古國順

臺北市立教育大學中國語文學系教授

一、前　言

　　臺灣在日本統治時期，就出版過幾部漢語的詞典，屬於閩南語的有《臺灣語典》（1922）、《專賣局臺灣語典》（1922）、《臺日大辭典》（1932）、《臺日小辭典》（1932）；屬於客家話的有《廣東語集成》（1919）、《標準廣東語典》❶（1933）等。近二十年來，基於社會發展和學術研究的需要，民間學者為各族群語言編纂的詞典相繼問世❷；而政府為挽救弱勢族群文化，先後在中央及地方設置原住民委員會及客家事務委員會，臺北市客委會成立後，先後編有《現代客語詞彙彙編》（2002）、《現代客語詞彙續編》（2004）及《客語詞庫》（2006）等書，以應廣播及文史工作者的迫切需求。❸另外，教育部也分別編纂閩南語及客語詞典，相信

❶　日本人沿襲滿清政府之誤，認為臺灣客家人來自廣東，所以稱為廣東語；事實上還有來自福建汀州和漳州的客人；而來自廣東潮汕地區，也有使用閩南語的。

❷　近年出版的閩南語詞典如：楊青矗《國臺雙語辭典》（1992）、許極燉《常用漢字臺語詞典》（1998）、董忠司《臺灣閩南語詞典》（2001）；客語字詞典如：臺灣客家中原週刊社《客話辭典》（1992）、李勝發《客家話讀音同音詞彙》（1997）、楊政男等《客語字音詞典》（1998）、徐兆泉《臺灣客家話辭典》（2001）等。

❸　這三本詞書都並列四縣腔和海陸腔，內容包括客語詞、標音和國語對應三部分，除了出版書本之外，也同步推出互動式光碟及網頁，以方便在電腦上使用。

不久之後可以問世。

　　編纂一部臺灣的方言詞典，由於可參考的書面資料比較缺乏，語言調查資料也不夠完整，先天上非常不足；加以編纂者多是憑著一股熱誠，以個人或一小組人之力支撐，在人力、物力拮据的狀況下勉力完成。以客語來說，臺灣至少有六種腔調❹，即使是同一個腔調，各地區之間的用詞、發音也略有差異，在收詞、標音及釋義上難免疏漏，而且這些已出版的字詞典，在用字、標音上，都不一致，造成使用上的困擾。因此目前需要有準確性較高、含蓋面較廣、更方便使用的客語詞典；閩南語詞典由於使用的人比較多，語言內部的差異較少，出版的質量也許略勝一籌，但是一定也還有改進的空間。一部記載方言語詞的語文詞典，不但承載特有的方言文化，而且透過方語和普通話的詞彙對比，不僅可以幫助使用者更準確的掌握方言和普通話詞彙；而且透過方言詞條、用例所涉及的語法現象的分析，也可以幫助使用者掌握方言和普通話之間的語法差異，這對學習方言和普通話都很有益處；同時，作為一本方言詞典，它還可以豐富民族共同語的詞彙，並且為研究漢語史提供寶貴的資料。

　　目前教育部已完成閩南語特殊的用字做過專案研究，對閩客語使用的音標系統，也有初步的共識；同時，行政院客委會也對使用人口較多的五種客語腔調，進行詞彙、用例等語料蒐集，將陸續彙編成冊以供始用。因此，編纂一部準確度較高、包容性較廣、便利行更強的閩南語或客語詞典，時機已逐漸成熟。詞典編纂牽涉的範圍包括：詞典的類型、收詞、注音、釋義、引例、編排、插圖等各個面向，本文針對目前方言詞典的編纂，擬就其中收詞條目、漢字選用、注音和釋義問題分別作探討。

---

❹　包括四縣、海陸、大埔、饒平、詔安、永定、五華等腔調。

二、條目問題

詞典所含條目的多寡，是決定詞典類型的一個要素，它與釋義的詳略、引例的多少，和收詞的性質等，都足以影響詞典的類型。本文不稱為詞條而稱為條目，是因為詞典雖然以詞為名，所收的條目卻不僅僅只有詞，《現代漢語詞典》第 5 版（2006）的〈前言〉中說：「詞典中所收的條目，包括字、詞、詞組、熟語、成語等」，可見還有其他比詞更小或更大的語言單位。《現代漢語詞典》收的如「打冷槍」、「打邊鼓」等慣用語，「老弱殘兵」、「老謀深算」等成語，以及「老鼠過街，人人喊打」等俗語，一律稱為多字條目，與單字條目對舉。

選收條目涉及問題主要有：是不是只收方言特殊詞？要不要收專業詞和古語詞？如何對待同形詞與借詞？對這些問題，筆者謹提出以下看法：

㈠對於是否只收方言特殊詞，還是兼收與普通話的一般詞？這要根據所編詞典的性質和任務，也就是說，要考慮讀者現階段的需要。譬如在電視新聞播報的初期，常有主持人問到這類問題：

有的問：國語的某某詞，客語怎麼說？怎樣寫？例如：

寂寞：（$gu^1 si^1$－孤棲；$sit^4 mok^8$－寂寞）。

螳螂：（$co^2 ma^1 e^2$－草馬仔；$lo^2 fu^2 go^1$－老虎哥；$ai^1 lung^5 pi^1 po^1$ 挨聾丕波）。

有的問：國語的某某詞，客語有沒有別的說法？怎樣寫？例如：

漂流木：（$tai^7 sui^2/shi^2 ceu^5/ciau^5$－大水樵）。

甲狀腺腫大：（$tai^7 goi^1$－大頦）。

有的問：客語的某某詞，是什麼意思？怎樣寫？例如：

大格 $tai^7 goi^4$：（跟同類的比起來）體型大。

吊尾錘 $tiau^3 mi^1/mui^1 cui^5/chui^5$：老么。

這些幾乎都是屬於方言特殊詞的範圍，所以有些詞典就以特殊詞為收詞對象，這

在當時是很有必要的，《客話辭典》就是這樣處理的。其凡例中即明白指出❺：

> 本辭典所收詞彙，以客家話與國語措詞不同者為主。措詞相同，詞義不同
> 者，亦收錄。措詞、詞義均同者，原則上不予採錄。

筆者曾經就這項問請教過編者，他的回答是：「跟國語相同的詞，查國語詞典就
有了，何必浪費篇幅？」又如《廣州話詞典・凡例》〈收詞範圍〉第一項說得更
為詳細❻：

> 本詞典正文主要收集廣州話中跟普通話不同的詞語。其中有些詞語可能在
> 別的方言裡也通行，但在普通話裡一般是沒有的。另外，有些詞語的形音
> 義與普通話有些相似，但只是部分相同，或者它們的字形相同，但是在意
> 義範圍的大小和用法等方面不完全一樣，這兩類詞語，也是本詞典選收的
> 對象。如「耳仔」（耳朵）、「腳」（腳：腿）、「走」（跑：走）等。

根據這項說明，在其他方言裡可能有，只要是普通話裡沒有的詞，就要收，所以
像「冇相干」、「冇定準」、「兩公婆」，還有表示「五公里」長的量詞「甫」
等，客家話也有的，照樣收錄。又如耳仔、耳朵詞形不同，腳、走，意義範圍不
完全一樣，都算不同，不同的詞才予收錄。

有些方言詞典收詞的範圍較大，它是兼收與普通話同形同義的一般詞，像《梅
縣方言詞典》、《蘇州方言詞典》等同屬《現代漢語方言大詞典》系列的分卷的，
都這樣處理。作為一本語文詞典來說，這樣處理有兩個好處：首先從詞典本身來
看，較能顧及方言詞彙系統的完整性，讓一般生活中可能用得著的詞，包括天文、
地理、時令、農業、疾病、醫療，以及動作、形容和各類虛詞等，保持較為完整。

---

❺ 臺灣客家中原週刊社：《客話辭典》，苗栗：臺灣客家中原週刊社，1992 年，頁 25。
❻ 饒秉才、歐陽覺亞、周无忌：《廣州話詞典》，廣州：廣州人民出版社，1997 年，〈凡例〉頁
1。

其次從詞典使用者來看，可以更便於讀者參考。

以臺灣目前的需要衡量，無論閩南語或客家語詞典，讀者想查尋的除了詞形詞義外，想知道怎樣準確發音的肯定也不少，像環保、霍亂、微笑、接觸、甚至、利率、撫卹、潛水、轟炸機、資訊等一般詞，經常有人問起，也經常聽人誤讀，尤其對母語教師和播音業者來說，恐怕查證詞音的機率很高，從這個角度來看，恐怕是特殊詞與一般詞兼收比較好。

㈡對於要不要收專業詞和古語詞的問題，也要考慮詞典的任務和讀者的需求。專業詞包括專門術語和行業語，前者指自然科學、社會科學等各個不同科學部門所用的術語，屬於專門知識範圍，科學性強。專業人士應用術語討論、研究問題非常方便，比如版本學術語：宋刊本、覆刻本、景宋本、旋風裝、包背裝、魚鱗裝、黑口、花口；音韻學的術語：等韻、反切、韻目、等呼、對轉、旁轉等，只有專業人士討論問題或教學時才用到。

不過專門術語和一般用語之間，界線並不是很清楚。隨著社會生產的發展、教育程度的提高、科學技術知識的普及、傳播媒介的宣傳，相當多的專門術語逐漸為社會上一般人所知，進入一般通用詞。比如疾病醫療方面的胃潰瘍、老人癡呆症、血壓、心肌梗塞、胃鏡、腸病毒、超音波檢查、斷層掃瞄等，已經逐漸進入生活領域成，為一般通用詞。

行業語是社會上某一行業用的詞彙，俗稱行話。由於社會分工不同，各行各業所用、與工作有密切關係的詞彙也就不同。比如印刷業印出一本書就有許多行話，表面部分有書殼、書套，書肉部分有襯紙、書名頁、版權頁、內文、插圖、插頁、套頁，製版印刷有平版、凸版、凹版，裝釘又有線裝、膠裝、釘裝等，都是行業中人經常使用的行業語。行業語也可能進入一般通用詞，像精裝、平裝、道林紙、銅版紙、西卡紙，又如金融業的股票、股息、股東、期貨、漲停板、跌停板等，也是市民大眾常用詞彙。

古語詞又稱為文言詞。文言是定型化的書面語言，雖然離口語愈離愈遠，但

是仍有一些流傳到現代。程祥徽等把進入現代漢語詞彙的古語詞分為四類❼：

1. 表達效果好的文言詞，白話詞中沒有適當的可以代替，在書面及某些場合常常用到的。例如：就範、蟬聯、銘感、囊括、掌故、聘請、斟酌等。

2. 文言虛詞的一部分。例如：之、與、及、所、乎、然、尚且、不如、之所以……是因為、有利於……等。

3. 歷史詞語。例如：秀才、狀元、宰相、科場、鄉試、殿試、八股文等。

4. 成語的一部分。例如：月白風清、柳暗花明、固若金湯、朝三暮四等。

客家方言存有許多古語詞，例如：時尚、鄰舍、腹內、樑鑊、得失、討食、品相、反躁、煩勞、反生、還陽、孔竅、反種、飯甑、納意、堪當、歸就、參詳、就集、糾筋、天甫光、乞食仔、單丁子、稱說人、包山塞海、破財折災、步步鈎針、風吹日炙、單人獨馬、星光半夜、單人獨馬等，且都是常用口語用詞。

專業詞和古語語，既然有一部分已經進入一般通用詞，成為社會大眾通行詞彙，方言詞典自然應該選擇收入。

㈢對於同形詞與借詞的處理問題，各詞典都有不同的方式。所謂同形詞，是指形同而音義不同「異音同形詞」，和形音皆同而意義不同的「同音同形詞」。同形詞和多義詞不同，多義詞是一詞派生多義；例如客語「地泥掃淨來」（把地掃乾淨）、「食淨淨」（吃光光）、「淨食飯，無食菜」（只吃飯，沒吃菜）三個「淨」字，意義不同，但是都有關聯。又如「裁定」，《現代漢語詞典》（2006）解釋為❽：

> 動　1.裁決。2.法院在審理案件或判決執行過程中，就某個問題做出處理決定。

而同形詞則不論同音或異音，兩詞之間的意義卻沒有關聯。《現代漢語詞典》的

---

❼　程祥徽、田小琳：《現代漢語》，臺北：書林出版有限公司，1992 年，頁 210－212。

❽　中國社會科學院語言研究所詞典編輯室：《現代漢語詞典》，北京：商務印書館，2006 年，頁 124。

處理是分條立目。其〈凡例〉中說❾：

> 單字條目和多字條目都有同形而分條的，情況如下：
>
> (a)關于單字條目。形同而音義不同的，分立條目，如「好」hao 和「好」hao，「長」chang 和「長」zhang。形、義相同而音不相同，各有適用範圍的，也分立條目，如剝和剝，薄和薄。形同音同而在意義上需要分別處理的，也分立條目，在字的右肩上標注阿拉伯數字，如「按¹」、「按²」、「白¹」、「白²」、「白³」。
>
> (b)關于多字條目。形同而音、義不同的，分立條目，如【公差】gongcha 和【公差】gongchai，【地道】di‧dao 和【地道】didao。形同音同而在意義上需要分別處理的，也分立條目，在字的右肩上標注阿拉伯數字，如【大白】¹、【大白】²、【燃點】¹、【燃點】²、【生人】¹、【生人】²。

例中的大白¹是名詞，指白堊；大白²是動詞，指事情的原委完全清楚。燃點¹是動詞，點燃、點著；燃點²是名詞，指物質開始燃燒的最低溫度。生人¹是動詞，指人出生；生人²是名詞，熟人的反面。

在客語中也有許多同形詞，如果分立條目，更為清楚，能使人一望而知為意義不相干的條目。例如「奠」、「續」、「打」等：

奠¹ tien：1.奠定；建立：~都｜~基。 2.名姓。

奠² tien：用祭品向死者致祭：祭~｜~儀。

續¹ sa³：1.接連不斷：連~。 2.動接在原有的後頭：~火。名姓。

續² sa³：副卻：想著个話~毋記得講。

續³ sa³：副豈：我無在場，我~知！

打¹ ta²：動 1.用手或器具撞擊物體：~鼓。 2.器具或蛋因撞擊而破碎：碗~

---

❾　同註❽，〈凡例〉。

式。 3.毆打；攻打：相~無讓手。 4.發生與人交涉的行為：~官司。 5.製造：~粄。 6.舀取：~水。……

打² ta²：量十二支：一~鉛筆。

打³ ta²：動結（果實）：開花~子。

借詞又稱為外來詞，是從其他民族語言吸收的詞。任何一種語言都不可能自足，所以要吸收借詞，使用借詞並不會影響自身語言的生存空間。拼音文字處理借詞比較簡單，只須要轉寫；非拼音文字處理借詞，過程比較複雜，大約有下面五種途徑❿：

(一)轉寫：轉寫就是音譯，例如：咖啡、沙發、坦克、嗎啡、鴉片、蘇打、雷達等都是轉寫的詞。從日本人用漢字翻譯成的外來語直接搬過來用，按照漢語發音，也是一種轉寫，例如：文化、文物、經濟、革命；在客語詞彙中，上列各詞除了沙發改稱膨凳、坦克改稱戰車，蘇打照日本音之外，其他的也都照漢字發音。由於日本在臺灣五十年，留下的這類借詞還不少，例如：月給、組合、會社、土曜、出張、退勤等，至今仍然有人使用。

(二)在轉寫的借詞後加上類名：例如：咖啡＋茶（咖啡茶）、坦克＋車（坦克車）、卡＋車（卡車），其他還有啤酒、吉普車、香檳酒、檸檬茶、乒乓球等。啤酒在臺灣閩、客語都改稱麥酒，香檳酒是照字接受，其他的只有類名用方言。

(三)半音半意譯：就是一半音譯、一半意譯，音譯的同時也兼顧意譯，這是最理想的方式。他舉的例子「冰淇淋」，臺灣早期也照 ice-cream 發音，目前則大多從國語發音。

(四)意譯組合：即將原詞的組成部分都按語義翻成漢字，然後依漢語語法組成新詞。例如 foot（足）ball（球）、cock（雞）tail（尾）party（酒會）。這類的詞，大多照漢字接受使用。

---

❿ 見陳原：《社會語言學》，北京：商務印書館，2000年，頁297−301。

㈤道地的意譯：例如大陸把 laser 譯為激光，意指利用輻射而激發的光。臺灣譯為雷射，也許可以算半音半意譯。這類詞，一般都會照漢字接受。

以上五類借詞，在臺灣閩、客語中接受的情形各有不同，或接受譯音，如「吉普」、「檸檬」，或半音半類名，如「乒乓球」、「檸檬茶」，或照漢字接受而維持方音，如「足球」、「香檳酒」，或從國語發音，如「冰淇淋」，此外，也有改稱的，如「戰車」、「麥酒」等，在注音時應該慎重處理，例如：番茄（fanˊ kioˇ /toˇ ma doˋ）並注出原文：tomato。

還有同義詞的問題，有幾種情形：⑴各地說法不同，如「吵架」：北部客語稱「冤家」，南部說「吵事」；「回來」：北部說「轉來」，南部說「歸來」；⑵同一事物而說法不同，隨家族或個人習慣而異，如「發燒」與「作燒」，「奇術」與「把戲」（魔術）；⑶因發音有別而認定的詞形不同，如「回娘家」，有人說「轉外家」，有人說「轉妹家」，有人說「掌妹家」；又如「三更半夜」sangˊ gongˊ ban ia，有人主張寫「三更半夜」，有人主張寫「星光半夜」。這些，是否要先予收錄以免消失？是個值得考慮的問題。此外還有：要不要標注詞類？常見姓氏字和地名特殊用字是否收錄等。筆者認為條目加注詞類，對解釋意義和用法很有幫助，雖然困難高，但是《重編國語辭典》、《漢語規範詞典》和《現代漢語詞典》等已經有成功的經驗，方言詞典也值得嘗試。至於常見姓氏字和臺灣地名特殊用字，似乎也可以考慮收錄，以便查考。

三、用字問題

無論編纂字典詞典，要優先考慮收錄的字和使用的字體。因為字怎麼寫，是字詞典使用者查閱的重點項目。由於漢字經過長期的發展，累積下許多異形同字的情形。又對於方言詞典來說，還存在有音無字的問題。

㈠ 異形同字的問題

一般人習慣把通行或規範的字稱做正體字，形體與正體字不同的稱做異體

字。所以臺灣把簡體字納入異體字範圍，大陸則將推行簡體字之前通行的、筆劃較多的寫法叫做繁體字。編輯詞典自然要考慮主要發行地區的使用習慣，依據政府的相關規範，不過特殊功能的詞典，也有其特別的考量。

正體字的認定，在《重編國語辭典》編輯報告中「定體」之下有說明⓫：

> 單字以正體字為本，異體字（包括簡體或體俗體等）附於正體之後，以收字體統一之效。一字定為正體的原則，一是取其合於六書造字的原理，如「氷」是「冰」的俗體，以「冰」為正；二是取其筆畫比較減省的，如「痴」與「癡」都通行，但「痴」的筆畫減省，故以「痴」為正；三是取其約定俗成、比較通用的，如以「咳」為正，而以「欬」為異體。有時俗字反比正體字通行，則取俗體為正，以適應現代人用字習慣。如「匆」是「怱」的俗體，取「匆」為正。

這裡對所謂正體字提出三個認定標準，相當明確，不僅可以將它列入「工作手冊」之中以便利編輯工作的進行，同時對使用者也有個使用前的交代。至其所謂「附於正體字之後」，具體的做法有二種：一、僅在正體字之後加括號列出異體字，二、在正體字之後加括號列出異體字，另出其異體字做條目，注明為某字簡寫或異體，例如：

　　1.冰（氷、冫）

　　　奔（犇、逩）

　　2.濱（滨、瀕）

　　　浜：濱的簡寫。

　　　瀕：通濱。

上引例子中以第一類的情形較為普遍，所以括號中所附的簡體字或俗體字如

⓫　教育部重編國語辭典編輯委員會：《重編國語辭典》，臺北：臺灣商務印書館，1981 年，頁 XXI。

氷、冫、犇、迻等大多不列為條目,讀者僅能在辭典最後所附的「部首索引」中查到。浜字列為條目是因為它還有 bang 的讀音,瀕字本來就不附在濱字後,所以儘管濱、瀕二字音義皆同,但是僅注明「通濱」,視為通用字,不看作異體字,這跟下引增訂本《辭海》的處理情形不同。

臺灣中華書局 1981 年出版的最新增訂本《辭海》,對異形同字的處理,是「以通行者為主目,餘為附目,僅注同某字或某字異體,其兩俱通行無可區別者,則兩存之,不分軒輊;但仍明著其彼此異同之迹。」❷例如:

冰:本作仌。 冫:本作仌。 氷:冰俗字。

奔:本作奔,古作犇。 犇:古奔字。

濱:本作瀕 瀕:亦作頻、濱。 浜:俗濱字。

體:俗作体。 体:體俗字。

迹:或作跡、蹟。 跡:同迹。 蹟:同迹。

由上例可見增訂本《辭海》所的「附目」,包括古字、俗字、亦體字、或體字,對異體字的處理較《重編國語辭典》更為詳細。

《正中形音義綜合大字典》對每一單字字形的臚列,都分為甲骨文、金文、小篆、隸書、草書、行書、楷書七種;對於楷書中的同字異體,除了在解釋中有所說明外,還把「同字異體」列入「辨證部份」。❸例如:

【冰】:俗省冫為、作氷,今冰氷二字並行而冰較普及。

【冫】:今字作冰。

〔辨證〕(同字異體)仌(冰本字) 氷(冰俗字)

【奔】:〔辨證〕(同字異體)犇(奔同字)奔(奔俗字)

【濱】:〔辨證〕(同字異體)瀕(濱同字)浜(濱俗字)

❷ 臺灣中華書局辭海編輯委員會:《辭海》,臺北:臺灣中華書局,1981 年,頁 5。

❸ 高樹藩:《正中形音義綜合大字典》,臺北:正中書局,1999 年,臺初版第三次印行,〈凡例〉頁 1－4。

【體】：〔辨證〕（同字異體）軆（體俗字）躰（體俗字）骵（體俗字）
体（體簡字）

【侄】：姪之俗字，音義與姪同。
〔辨證〕（同字異體）姪（侄本字）

【衕】：小街曰衕；同巷。
〔辨證〕（同字異體）閧（衕同字）　巷（衕同字）

異體字在方言字典中，還存在同詞而用字不同的問題，例如客語稱分娩為giung，讀如「宮」陰去聲，早期用「供」字，但是餵豬寫作「供豬」，顯然分娩義另有他字，經學者考為「降」字。客語存有東、江韻合流現象，降字讀 giung音義都合，但是許多人不能接受；又如說「住臺北」的住為 dai，早期多借用「邸」字，筆者認為即「戴」字，戴帽子、不共戴天，都稱戴，自然屋子頂在頭上也可以稱戴。類似的情形還不少，閩南語也有同樣的問題，如果一時難以解決，也不妨考慮在詞典中並存。

㈡ **有音無字的問題**

方言詞典用字上最大的困擾就是「有音無字」的問題，客語也不例外。有音無字的原因大概來自兩方面：一是原本有字，因為長久以來方言缺乏書寫系統，所以不清楚應該用哪個字。二是從來沒有為這個方言詞造過字。對於前者的解決方法是尋找本字，找本字應留意方言與古音的對應，和方言音變的問題。對於後者的解決方法是找堪用字、用俗字、借字，或另造新字。

1. **找本字**

本字是指形音義三者俱合的字。形合，包含異體字、後起字（分別字）或俗字。音合，但須注意古今音變及一字多音等現象。義合，以本義為準，也須考慮意義轉移現象。例如：

客語「狗舓盆頭」的舓，廣韻：「舓，以舌取物，神㫖切」，今作舐，為俗字。舓、舐二字都从舌，客語音 se^1/she^1，形與音義俱合。

茶杯之杯，另外有盃、桮二種字形，从木是指其材料，从皿是指其形狀，又不、否古音相同，三個字的意義都相同。

「踞醃雞」之踞，本字作跼。廣韻：「跼，踡跼，又曲也，俛也，促也；渠玉切（kiuk^8）。」形音義俱合。

古今音變的情形很多，例如：飯字有 pon、fan 二音，中字有東、鐘二音，卓蘭又稱「打蘭」，埕字从呈得聲，今讀 tang^5，齊字有 qi^5/ci^5、ce^5 二音，星字有 sen^1、siang^1、sang^1，「打星夜行」，極可能就是星字。

「酒桙仔桙落去」的桙，廣韻：「桙杚，以柄納孔。昨沒切」，音 cut^8，但是今音讀 zut^8。

姓氏之倪字，廣韻「五稽切」，國語讀如尼，客語也有隨著官話讀如尼的現象，不過在姓氏中多讀如牙（nga^5），百家姓「雷賀倪湯」即是。嬰兒之兒與倪字同音，漢有御史大夫兒寬，兒字讀「牙」，閩南語也讀如「牙」。

又如：旭光之旭，說文曰：「日旦出皃，一曰明也。」音許玉切，屬於曉母字，應讀 hiuk^4，但是今讀 kiuk^4。

一字多音現象如：

搵字廣韻載有三音：一為上聲，「沒也，於粉切（vun^2）」。此與「牛搵水」之義相合，但客語今轉為陽去聲。二為陰去聲：「烏困切（vun^3）」。此與「粢粑搵糖水」之音相合。三為入聲：「手撩物也，烏沒切（vut^4）」。今「搵彎」即用此音。

「毌知孔竅」，說文：「竅，空也」，竅是本字。又，說文：「孔，通也」，段玉裁注：「孔訓空，故俗作空穴，字多作孔，其實空者竅也，作孔為叚借」。故今客語洞穴字應作空，陰平聲，而在孔竅一詞中，為上聲，自宜跟從傳統習慣，作孔竅。

「蛇從空肚窣出來」的窣，廣韻：「勃窣，穴中出也，蘇骨切」，音 sut^4。形音義都相合。

但是字義往往有引申轉移現象，例如廟會時挨家挨戶按丁收錢，稱為「題錢」，而題字本義是額頭，引申為凡居前之稱，故居文章之前者為題目，書名字於壁前為題名，廟會時收錢，將名字題在收錢簿中，所以作「題錢」也算是用本字，不過，用的是引申義。

閬閌，《廣韻》：「閬，高門；魯當切，又盧宕切。」又：「閌，閬閌，門高；苦浪切」，客語音 $long^3$ $kong^3$，今多用其引申義，指物體嚙接寬鬆。

找本字是應走的路線，不過有些情況下，即使找到本字，也不一定採用。例如：

臘（皮部）「大耳皮」（皮瘦寬兒），可能就是客語 lap^8 gap^8 的本字，不過字太偏僻，可以不用，但是必須找到適當的字代替。

又如：客語稱菜餚豐盛叫做「豐沛」（敷空切、匹蓋切，音 pong1 pai3），妻子叫做「夫娘（bu1 ngiong5）」，但是豐沛容易跟共同語詞混淆，夫字從重唇音 b 變成輕唇音 f 以後，一般人就不會讀成 bu 了。如果顧慮讀音混淆，則須要另選適合的字來使用。

2.找同源字（堪用字）

同源字就是同一來源（如蹋與偈），或同時產生（如背與負），或先後產生（如麑與麂）的字。同源字往往有相同的中心概念，而以語音的細微差別或同音，以表示相近或相關的幾個概念。同源字的現象可分為下列三種：

⑴音同義近：如：「啄」目睡、頭「犁犁」。

⑵音近義同：

　四聲之異：如：一堵牆：堵嘴。

　聲同韻異：如：「拂 fin^3」頭、牛「拂 fit^4」仔、肉「凸凸 $tiet^8$」。

　聲異韻同：如：繞（遶）山、「蹶」壁。

⑶音義皆近：

　①四聲之異：如：必罅（la^3）（陰去聲）一罅底、罅擺（陽去聲）。

②聲同韻異：如：「蹬」腳、「蹴」地泥。

③聲異韻同：如：臭狐「癖 fit⁴」。

3.選用通俗字

民間普遍使用的字也可考慮沿用。例如：頭顱（na⁵）、恁（an²）靚、鴨㕷仔（㕷，音 ngan¹）等。有些民間通俗字也是創造出來的字，不過是已經用過多年了，所以與新造字有別。

4.考求借代字

⑴借音字：借同音或音近之字代替，這種辦法屬於六書中的假借。它的好處是可以完整保留語言的聲音，但是也會形成一字形音相同但意義不同的現象，不可不慎。例如：來「料」、打「極樂」、面「兜兜」、「盎鈴」等。

⑵借義字：借同義或義近之字代替，並賦予另外的音。它的好處是即使不會讀，也不妨礙了解，但是會形成同字不同音的現象。例如：、一「塊」豆腐。

5.研造新字

當尋不著本字、同源字、通俗字、甚至借代字時，即可考慮研造新字。例如：湖鰍「扌老」滑仔。但除非萬不得已，絕對不可輕言造字。

尋找用字時，應該通盤考慮客語用字系統。客語的個別用字，往往涉及一連串的用字系統問題，因此在處理時，應從整體考量，才能避免東支西絀，發生互相排擠現象，提高考量的周延性。例如：《廣州話詞典》用「不大」合成瘦小之義的「㕷 ngien¹」字，這也是客家俗字。不過也有人用作醜義的「ze²/ze²」字，則表示「長不大」的「㕷 ngan¹」字就很難有著落了。如果試做以下的考慮：憨痴（ce¹/che¹）、靚嫷（ze²/zhe²）、㕷孱（ngan¹ zan¹），就好辦多了。

此外，有些用字，例如家禽家畜，客語統稱「頭牲」，或寫作「投生」，黎明，客語說「天普光」，有人寫作「天甫光」，普、甫同音。這些用字還有待研究統一的，是否也要並列，都值得考慮。

四、注音問題

注音是詞典的重要成份，一般詞典都會在「凡例」中加以說明：使用什麼音標符號、根據什麼標準來注、注在那裡和怎樣注等問題。例如《重編國語辭典·凡例》「注音之說明」❹下第一條：

> 本辭典每一單字及複詞，除標注國音字母第一、二兩式（即注音符號與譯音符號）外，並加注耶魯拼音，以便利國際人士學習我國與文之用。

這裡說明本辭典並用三種音標符號，每一單字及複詞都注音。又第二條：

> 字音依民國二十一年政府公布之標準國音（即北平音系）為準，然經史子集等古書中之文字，則參考隋唐以來韻書，循古今音變之條例，斟酌定音。

說明注音是依據政府公布的標準國音，文讀音則參考韻書。又第三條：

> 複詞及成語，除學術名詞、術語及古書範圍者外，凡屬活語言，均依口語標注其音。

這條說明注音以口語音為主。又第四、第六條：

> 本辭典注音之聲調，按標準國音分陰平、陽平、上、去四聲。
>
> 四聲之外，別列輕聲。

這說明對聲調的處理。其他的說明大概都屬於怎樣注的問題，這牽涉到詞典編排體例等問題。

方言詞典使用的音標符號，一向都各行其是，大陸出版的一致性比較高，像

---

❹　教育部重編國語辭典編輯委員會：《重編國語辭典》，臺北：臺灣商務印書館，1981 年，頁 XXXVI。

江蘇教育出版社的《現代漢語方言大詞典》系列，全用國際音標（I.P.A），嘉應大學《客家話字典》使用「客家話拼音方案」，饒秉才等的《廣州話詞典》使用「廣州話拼音方案」，歐陽覺亞等《廣州話、客家話、潮汕話與普通話對照詞典》又多出「潮汕話注音方案」，不過這些方案都與「漢語注音方案」同一系統，只是增加該方言特有的方音而已。臺灣出版的花樣比較多，例如楊青矗《國台雙語詞典》兼用「臺灣方音符號」和羅馬字符號，許極燉《常用漢字台語詞典》用「台語音標方案」，董忠司《臺灣閩南語詞典》用「臺灣語言音標」（T.L.P.A），中原週刊社《客話辭典》兼用國際音標（I.P.A）和「國語注音符號」（入聲韻尾加 p.t.k），徐兆泉《臺灣客家話辭典》用「通用拼音」，何石松《現代客語詞彙彙編》用「客語音標」，系統各不相同，所以各書前都要列出各類音標對照表，以利比較。由此可見音標統一是很重要的事，編纂方言詞典，最好是使用同一系統的音標。

從方言比較的觀點看，聲調的標法也須要有一致的做法。聲調的標法有三種類型：標調值、標調型、標調類。標調值的方式如下：

gam^{24} co^{31} zo^{55} ded^2 fo^{11} van^{55} iog^5 （臺灣四縣客語）

　甘　草　做　得　和　萬　藥

gam^{42} co^{13} zo^{11} ded^5 fo^{55} van^{33} iog^2 （臺灣海陸客語）

調值是代表實際發音的高低抑揚，其辦法是以 1 到 5 表示由低到高，一般稱為「五度制」，有點像音樂簡譜，如 55 是高平調，33 是中平調，11 是低平調，24 是上升調 42 是下降調，非常科學，所以語言調查經常採用。

標調型的如：

sam ∕ so ⟍ sai　gug ⟍ mo ∨ cin　lid （臺灣四縣客語）

　三　嫂　曬　穀　無　盡　力

sam ⟍ so ∕ sai ∨ gug　mo　cin＋lid ⟍ （臺灣海陸客語）

這種調型是根據「五度制」調值法的高低走向畫成的符號，國語注音符號使用的就是這它。不記調號的表示高平或高促，如四縣話的曬 sai、盡 cin 是高平，

力 lid 是高促；另外如海陸調的盡 cin＋，「＋」代表中平調。另外還有把調號記在主要元音上面或下面的，比如漢語音標和臺灣的通用音標，也是標調型。

標調類的有三種基本型：

一是先分四聲後分陰陽：

調類	1	2	3	4	5	6	7	8
調名	陰平	陰上	陰去	陰入	陽平	陽上	陽去	陽入
例字	天	水	記	得	才	（水）	電	力
標音：閩	tien1	sui2	gi3	dig4	zai5	（6）	dien7	lig8
標音：客	tien1	sui2	gi3	ded4	coi5	（6）	tien7	lid8

* 閩、客語上聲不分陰陽，表中的 2 與 6 調值相同。

它是以 1、2、3、4、5、6、7、8 分別代表陰平、陰上、陰去、陰入、陽平、陽上、陽去、陽入，閩南語歷來的韻書所講的「八音」，即按照這順序；1897 年出版的《客語陸豐方言》也是按照這種順序，使用閩南語韻書的人，一看第幾音就能讀出聲調來，非常方便。

二是先分陰陽後分四聲：

調類	1	2	3	4	5	6	7	8
調名	陰平	陽平	陰上	陽上	陰去	陽去	陰入	陽入
例字	天	才	水	（水）	記	電	得	力
標音：閩	tien1	zai2	sui3	（ ）	gi5	dien6	dig7	lig8
標音：客	tien1	coi 2	sui3	（ ）	gi5	tien6	ded7	lid8

* 閩、客語上聲不分陰陽，表中的 3 與 4 調值相同。

這種記調法也有其條理性，把平、上、去、入陰陽類先靠在一起，做語言調查也很方便。

三是按照實際上有的調類編號：像國語第 1 聲、第 2 聲、第 3 聲、第 4 聲代表陰平、陽平、上聲、去聲。大致五個聲調以內的方言適合採用。

大陸出版的方言詞典很多使用調類，如果所有方言詞典都以調類 1.2.3.標調的

話，對各方言間的比較研究，確實能帶來很大的方便。不過筆者希望最好最好用第一種型，因為該種類型有閩語韻書的背景，早已根深蒂固。

方言注音以語音為主，讀音、又音、或有地區性差異的，比如臺灣四縣腔的天、年等字，北部音 tien，南部音 tian，如果兼顧，也要一並考慮。

五、釋義問題

字詞典的注釋，現代詞典學者接受外國的新觀點，跟我國傳統的做法有些不同，方言詞典的釋義宜參取其優點，並須注意到本身的問題。

㈠ 訓詁與詞典釋義

我國自漢代以來，對字義詞義的解釋，已經累積很豐富的經驗；現代大學裡所設訓詁學一門課程，專門探討字詞釋義的學問。林尹提到訓詁的方式有三：一、互訓，如：「考，老也」、「考，老也」；二、推因，如：「天，顛也」；三、義界，如：「吏，治人者也」。訓詁的重點也有三：一、形訓，如：「凶，惡也」；二、聲訓，根據聲義同源之理；三、義訓，下分：直言其義、陳說其事、以狹義釋廣義、以共名釋別名、以虛義釋實義、以雅言釋方言、以今語釋古語、遞相為訓、反訓九種例型。❶❺胡楚生則分出翻譯一種❶❻，下列：以今語釋古語、以方言雅言互釋、以義近之詞為釋、以別名共名互釋、以單文重文互訓、以今字釋古字、以本字釋借字等七條，這些都是注釋古書的方法。

現代詞典學者對詞典釋義則有不同的觀點，例如胡明揚等的《詞典學概論》，把詞典釋義分為對釋式、定義式兩類。❶❼

1.對釋式又分為下列三個方式：

⑴同義詞對釋，如：「冠：帽子。」「渾家：妻子。」

---

❶❺ 見林尹《文字學概說》，臺北：正中書局，1971 年，頁 255－260。

❶❻ 見胡楚生《訓詁學大綱》，臺北：華正書局，1988 年，頁 92－126。

❶❼ 見胡明揚等《詞典學概論》，臺北：三民書局，1997 年，頁 83－112。

(2)詞語交叉對釋，即使用兩個或兩個以上的詞來注釋，利用詞義交叉來補充或限制粢義範圍。如：「跟前，身邊；附近。」「棒：強；高；好。」

(3)反義詞對釋，即利用反義加否定詞注釋，如：「正：不偏不倚。」「大方：不吝嗇；不拘束；不俗氣。」

2.定義式又分為下列兩個方式：

(1)邏輯定義釋義，用邏輯蓋念下定義，指出其屬差。如：「鼎：古代煮東西用的器物，三足兩耳。」

(2)說明定義釋義，是具體說明或描述詞所指的內容，或詞的意義特點的釋方法。如：「說：用說話來表達意思。」「放任：聽其自然，不加干涉。」「和：介詞，表示相關、比較等；連詞，表示聯合。」

又如趙振鐸在他的《辭書學綱要》把釋義方式歸納為四類❶：

(1)詞語式：如：「壁：牆。」「哀：悲痛。」「獨：老年沒有兒子的人。」

(2)描寫與說明：如：「鱸：鱸魚。體側扁，嘴大，鱗細，銀灰色，背和背鰭上有小黑斑，肉味鮮美。」

(3)定義式：如：「祖：父母親的上一輩。」「病情：疾病變化的情況。」

(4)譬況：如：「白：雪或乳汁一樣的顏色。」

這些都是現代字詞典釋義常用的方式。趙振鐸並認為：使用最多的是描寫和說明。此外，李爾鋼在他的《詞義與詞典釋義》一書中，又介紹一種探索性的增量釋義方法，稱為「附加型釋義」，也稱「附設語境釋義」。例如：

【農場】一個農場是一片由一些用來種植穀物或餵養牲畜的建築物和田地組成的區域。例：我的父親在農場工作。

【結婚】如果你和某人結婚，你就在一個儀式中向一位異性做出特別承諾並與之結為一種法定關係，成為其丈夫或妻子。例：我要結婚。

---

❶ 趙振鐸：《辭書學綱要》，上海：上海辭書出版社，2001 年，頁 109－113。

前例中「一個農場是」和後例「如果你和某人結婚，你就」就是附設語境，其他部分跟定義式釋義沒有分別。目的在使讀者由語言中先了解「農場」是一個可屬名詞，「結婚」是一個動詞。不過，附設語境的最大作用還在於：使釋義由一般的語段形式，變成一個完整的句子。《現代漢語詞典》也有許多例子：

【反襯】從反面來襯托（叫做反襯）。

【賣關子】說書人說長篇故事，說到重要關節處停止，借以吸引聽眾接著往下聽（叫賣關子）。

㈡ 釋義的語言

釋義的語言包括兩部分，一是用來解釋語言的語言，稱為元語言；二是例句。在詞典中，被元語言所解釋的詞目，叫做對象語言。詞典的讀者必須憑藉元語言來了解詞目，因此這個元語言應該比被解釋的原詞更為簡單易懂。張志毅曾列舉阿普列祥所列舉的數據：《朗文》用 2000 個常用詞解釋 5.6 萬個詞，威斯特和迪科特的數學詞典，用 1490 個詞解釋 2.4 萬個詞項。以易釋難，是詞典釋義的最高原則，釋文簡明是詞典的最基本要求。

方言詞典通常都以普通話來解釋，如果也能縮減成 1000 字左右，應該是更符合閱讀大眾的要求。

詞典的例句最基本的作用，是可以使被解釋的詞語活在語境之中。王力說：「無論怎樣好的注釋，總不如舉例來得明白」❿，例證的作用在於可以印證詞目，幫助釋義，驗證義項，展示用法，一部受歡迎的語文詞典，例證大概要居一半以上的功勞。例證可以引用，也可以自撰。方言詞典沒有多少文獻可供引用，只好自撰，但是自撰確實不易，因為作為一部詞典，對例證的要求：第一要有典範性，第二要意思完整，第三要要能與釋義和義項完全切合，第四要生動，第五還要淺顯。如果有蒐集豐富的語料庫可資利用，當然方便得多，否則，就須勤於調查。

---

❿ 王力：〈理想的字典〉，載於《王力漢語散論》，北京：商務印書館，2003 年，頁 223。

㈢ 方言詞典的釋義

詞典的釋義要求簡括、淺顯，方言詞典的要求也一樣，不過一詞多音多義的情形，方言與國語不盡相同，必須特別留意。比如「調」和「跳」。「調」在國語有二音，客語有三音，《客語字音詞典》的處理是[20]：

【調】㈠ t'iau˩【ㄊㄧㄠˇ】（筆者按：此音陽平，國語音ㄊㄧㄠˊ。）

　　　　1.和解，如~解。

　　　　2.和，如~和，~勻。

　　　　3.嘲笑

　　　　4.查問，如~查。

　　　　　　　~和：和順。

　　　　　　　~羹仔：湯匙。

　　㈡又見 t'iau˥、tiau˥

【調】㈠ t'iau˥【ㄊㄧㄠ】（筆者按：此音陽去聲，國語音ㄉㄧㄠˋ。）

　　　　1.移動。

　　　　2.韻味，如款~。

　　　　3.樂律。

　　　　4.才幹，如才~。

　　㈡又見 t'iau˩、tiau˥

【調】㈠ tiau˥【ㄉㄧㄠ】（筆者按：此音陰去聲，國語音ㄉㄧㄠˋ。）

　　　　1.徵發。

　　　　2.移動。

　　　~兵：⑴移動軍隊。

　　　　　　⑵徵調入伍。

---

[20]　楊政男等：《客語字音詞典》，臺北：臺灣書局，1998 年，頁 255－257。

㈡又見 tʻiauˋ、tʻiauˋ

由上可見，客語「調」字的去聲有送氣不送氣二音，國語無此分別，又「查問」這個義項，國語讀去聲，客語屬陽平聲。又如「跳」國語僅一音，客語有陽平及去聲，陽平的義項有：躍、彈動二項；去聲的義項有：躍、空缺、劫難三項，空缺、劫難屬於引申義。

有些本意與引申意兼用的，須說明清楚；例句須配合義項，如果僅用在引申義，也要說明清楚。如《客話辭典》對於「雕琢」、「吊佃」的處理❹：

【雕琢】蓄意為難。原意是雕刻、琢磨成圖形，此引申為「為造就人才，蓄意為難。」因為「玉不琢，不成器」也。

【吊佃】佃農被吊銷耕作權。如「分吾丈人老吊佃」。

在「吊佃」一詞，原有本義及引申義之分，所舉的例句實際上比較常用在引申意。像這種情形，似乎須有說明。

六、結　語

從民國九十年國民中小學全面實施母語教學以來，無論教才編輯者或是教學者，都期望有幾部準度較高、內容比較豐富的詞典以便參考。但至今音標還沒有談攏、方言用字也仍各持己見，任誰也沒有辦法單獨解決這問題。不過這些年來，無論政府或民間，都在積極面對問題，加速解決，相信很快會有結果。筆者平常在工作上經常接觸各種方言詞典，因此就以上問題提出討論。

筆者以為，此時此地著手編纂方言詞典，除了因應急需之外，尚有蒐集、保存作用。所以認為收詞不妨多，兼顧方言詞和一般詞、專業詞和古語詞、同形詞須分條、同義詞要並收；用字未能統一的不妨並存；注音須兼錄其異，釋義須簡括淺顯，對借詞處理須注意詞形寫法及其實際發音，忠實記載、記錄方言的特色。

---

❹　臺灣客家中原週刊社：《客話辭典》，苗栗：臺灣客家中原週刊社，1992 年，頁 254－255。

如此，一則可供目前使用，二則可以保存異詞以待繼續研究。思慮未周，疏漏一定不少，敬請指教。

參考資料

1. 臺灣客家中原週刊社：《客話辭典》，苗栗：臺灣客家中原週刊社，1992 年。

2. 饒秉才等：《廣州話詞典》，廣州：廣州人民出版社，1997 年。

3. 程祥徽、田小琳：《現代漢語》，臺北：書林出版有限公司，1992 年。

4. 中國社會科學院語言研究所詞典編輯室：《現代漢語詞典》，北京：商務印書館，2006 年。

5. 陳原：《社會語言學》，北京：商務印書館，2000 年。

6. 教育部重編國語辭典編輯委員會：《重編國語辭典》，臺北：臺灣商務印書館，1981 年。

7. 臺灣中華書局辭海編輯委員會：《辭海》，臺北：臺灣中華書局，1981 年。

8. 高樹藩：《正中形音義綜合大字典》，臺北：正中書局，1999 年，臺初版第三次印行。

9. 林尹《文字學概說》，臺北：正中書局，1971 年。

10. 胡楚生《訓詁學大綱》，臺北：華正書局，1988 年。

11. 胡明揚等《詞典學概論》，臺北：三民書局，1997 年。

12. 趙振鐸：《辭書學綱要》，上海：上海辭書出版社，2001 年。

13. 王力：〈理想的字典〉，載於《王力漢語散論》，北京：商務印書館。

14. 楊政男等：《客語字音詞典》，臺北：臺灣書局，1998 年。

從孫學研究發展談編輯
「孫學研究論著目錄」暨
建置篇目影像索引系統之重要性

張瑞濱

彰化縣副縣長；中國文化大學教授

一、前　言

　　國父孫中山先生是近代以來功業卓著的人物，其事蹟、思想、學術及其主義，影響近代思想潮流甚鉅，是以研究者日眾，蔚然成為一門學術，即今所稱之「中山學術」，又稱「孫學」。「孫學」之名，古代所無，係因中山先生之學術思想淵博湛深，足成一家之言，是以名之。近人張弘益云：「中山先生的學說，並不是一種普通的思想，而有其深刻一貫的系統，成一家之言，可名之曰『孫學』。」❶因此，近人亦多以「孫學」、「中山學術」、「中山思想」等名，來指稱中山先生之學術，二者雖名異而實同。本文從孫學研究之發展談匯集過去百年間中山先生思想學術之相關研究的重要性，故而「孫學」為研究論著目錄之名。

---

❶　張益弘《孫學綱要·緒論》（臺北：恬然書社，1996 年 10 月），頁 1。

　　回首二十世紀百年間的「孫學」研究成果，不論在質、量上均是燦然可觀，如一九一九年至一九四九年的三十年間，國民黨努力蒐集中山先生不同時期的寫作、演講、文稿、論說，印行了許多不同版本及內容未盡全同的「全書」、「全集」、「選集」、「語錄」等相關史料論集，使學者得以憑藉這些「全集」、「選集」為基礎，發表數量可觀的專書與論文，促進了臺灣及其他地區中山先生學術研究風氣。

　　其實，無論臺灣、香港及大陸，近年來都有不少相關成果出版，如臺北孫逸先博士圖書館於一九七八年編印《中華民國圖書館公藏國父　孫中山先生遺教、總統　蔣公中正言行圖書聯合目錄》，共列出二千四百六十九種以中山先生著作及研究三民主義為主的中文著作及六十種英文著作。香港林啟彥在〈近三十年來香港的孫中山研究〉一文中，附有〈近三十年香港孫中山研究論著目錄〉❷，收錄了相當數量的相關論文；大陸則有蘇愛榮、劉永為所編的《孫中山研究總目》❸一書，依其體例，兼收臺灣、香港有關中山先生學術研究之論文，其優缺點已於孫劍秋與何淑蘋師弟合寫的〈試論編輯《二十世紀孫中山先生研究論著目錄》的價值與方法〉❹一文中有所討論，此處茲不贅述。稍後，張磊主編之《孫中山辭典》一書，附錄有〈孫中山研究論著、史料匯編簡介〉與〈中國大陸發表的孫中山研究論文資料目錄索引（1949－1992）〉二文，亦頗資參考。

　　此外，國外從事中山先生思想研究的學者亦有一些成果可供參考，如蘇聯於一九六六年即出版了《孫中山書目索引》一書，一九七七年於美國紐約亦出版了

---

❷　孫中山研究學會編《回顧與展望——國內外孫中山研究述評》（北京：中華書局，1986 年 7 月），頁 539－543。

❸　蘇愛榮、劉永為《孫中山研究總目》（北京：北京團結出版社，1990 年 3 月），計 468 面。

❹　孫劍秋、何淑蘋〈試論編輯《二十世紀孫中山先生研究論著目錄》的價值與方法〉，《中山人文思想與中小學教育學術研討會論文集》（臺北：國父紀念館，2006 年 11 月），頁 131－145。

《蘇聯對孫中山有關的學術資料》一書❺；日本孫文研究會於一九八三年出版了《在日本的有關孫文的著作、論文目錄》❻等等。若能將這些出版論著及研究論文蒐集起來，加以編排整理，彙整成一部專門的目錄，則退可保存文獻，進可供給研究者參考取材之資，誠然是一項極有意義的學術事業。簡言之，雖已有許多國內外相關目錄可供參考，但仍有進步空間，可作為改進的基石，以待後出者精益求精；且論著資料會隨著時間不斷增加，過去的論著目錄，其收錄的時間已有一段差距，無法切實反映二十世紀八〇、九〇年代的研究概況，晚出者也有續補前作的功用，使早期有關中山先生學術論著的收集無遺珠之憾、更臻完備。因此籌編一部新的孫中山先生研究目錄，仍具有其學術價值。

孫劍秋、何淑蘋二君曾共同發表〈試論編輯《二十世紀孫中山先生研究論著目錄》的價值與方法〉一文，文中著重於「孫學研究論著目錄」的價值與編輯方法、步驟，並對蘇愛榮、劉永為所編的《孫中山研究總目》一書的優點與不足之處，提出了看法，以做為將來編輯的借鑒。本文則擬從臺灣、香港、大陸與日本四地的孫學研究發展與趨勢，再深入談談「孫學研究論著目錄」編輯的重要性，除了對過去百年有關「孫學研究」論著的彙集與歸納之外，更有承先啟後，放眼未來的期許；並且，值此網際網路發達的時代，若能以「孫學研究論著目錄」為基礎，持續建置篇目影像索引系統以提供學者研究，對於促進二十一世紀的「孫學研究」與節省學者奔波的時間與精力，其重要性不言可喻。惟限於識見，所論恐有疏漏，敬祈專家不吝指教。

---

❺　二書俱參見德國學者庫思夫〈蘇聯對於孫中山研究的情況、趨勢和問題〉，孫中山研究學會編《回顧與展望——國內外孫中山研究述評》（北京：中華書局，1986 年 7 月），頁 633－634。

❻　參見山口一郎〈日本人的孫文觀、孫文研究的特色與課題〉，孫中山研究學會編《回顧與展望——國內外孫中山研究述評》（北京：中華書局，1986 年 7 月），頁 554。

二、「孫學研究」之概況

㈠ 臺灣地區

　　自政府遷臺以後，即以中山先生的《三民主義》、《五權憲法》為思想指導來建設臺灣，啟沃民眾民主與法治的觀念，以期成為推行《三民主義》的模範省。是以臺灣地區對於中山先生思想的研究與推廣，甚為積極。在教育方面，臺灣地區各公私立大專院校設有中山學術研究所、三民主義研究所或中山人文社會科學研究所等學術研究機構，培養出大量研究中山先生思想的專門人材；此外，各學校或機構每年度經常舉辦中山學術思想的相關研討會，對於鼓勵研究風氣、發揚中山精神，具有相當的推廣作用，使中山學術持續成為注意的焦點。

　　在中山先生的著述方面，臺灣地區自一九四九年起，即屢次出版《國父全集》等書籍，藉以推廣中山先生之思想與主張。

　　在中山先生思想的研究論著目錄方面，大陸學者蘇愛榮、劉永為所編之《孫中山研究總目》而言，因限於政治、環境等因素，其所載錄臺灣地區之論著目錄數量，與實際出版、發表的論著有著相當大的差距，實未可以之為據。又如後來中國國民黨中央委員會黨史委員會所編印的《中國國民黨中央委員會黨史委員會藏孫中山先生史料目錄匯編》❼一書中，即附有該會圖書資料中心所藏有關中山先生之中、英文圖書目錄，其中中文書目，粗略估算即有五千種以上，然而，此僅是該會所藏之書目，尚不包含其他圖書館之藏書，及歷來所發表之期刊論文。而國內尚無一收錄較完備之「孫學研究論著目錄」以了解中山先生思想之研究概況，殊為可惜。

　　在研究中山先生學術的論題中，呈現相當多元而豐富的現象。除了對國父生平、家族、世系源流、年譜與事蹟的研究考述之外，更多的是對中山先生的學術

---

❼ 中國國民黨中央委員會黨史委員會所編印《中國國民黨中央委員會黨史委員會藏孫中山先生史料目錄匯編》（臺北：近代中國出版社，1995 年 11 月），計 295 面。

思想、交友行誼、各方之關係、革命思想、教育思想及中山先生所著《三民主義》、《五權憲法》、《實業計畫》、《建國方略》等多方面闡述中先生之思想、生平或研究。若以中國國民黨中央委員會黨史委員會所編印的《中國國民黨中央委員會黨史委員會藏孫中山先生史料目錄匯編》一書而論，其《乙編》「本館特藏圖書」部分所含有關中山先生之著作者，即有「三民主義」、「三民主義原理」、「三民主義與國家」、「三民主義講義」、「三民主義研究」、「三民主義與其他主義」、「三民主義論著」及「三民主義體系」等類目；其「代管中山文化教育館圖書」部分之類目，除「三民主義」之外，則尚有「建國方略」、「建國大綱」等類目；其接管「國房研究院圖書」部分，復有「五大建設」、「國父思想研究」、「革命文庫」等類目。❽由此可知中山學術研究課題之豐富多樣。

㈡ **香港地區**

　　中山先生畢業於香港的西醫書院，成為執業的醫師。其後，中山先生革命事業的推動亦多以香港為主要基地，可知中山先生早年與香港一地關係相當密切。然而，對於中山先生學術思想的研究，至一九六〇年後，始逐漸的開展。林啟彥對早期香港的中山學術研究概況云：

> 若與中國內地及臺灣比較，在過去三十年中，香港的孫中山研究的成果，只能說是差強人意而已。真正有學術水平的孫中山研究，在六十年代中才開始出現。六十年代中期以前，不要說孫中山的研究，就是中國近代史的研究，也還只是一片未闢之地。❾

可知一九六〇年以前，香港關於中山先生學術思想的研究，在數量上是極稀少的。林氏〈近三十年來香港的孫中山研究〉一文，發表於一九八五年，是以其云「過

---

❽　同注❼，乙編，〈凡例〉，頁 327。

❾　林啟彥〈近三十年來香港的孫中山研究〉，孫中山研究學會編《回顧與展望——國內外孫中山研究述評》（北京：中華書局，1986 年 7 月），頁 534。

去三十年中」，係以一九八五年為基準。在一九六○年以前，僅有少數中山先生的相關研究，而著重於中山先生的生平考據，如羅香林的《國父之大學時代》及《國父家世源流考》二書，是此時期僅有的論著。尤其《國父家世源流考》一書，雖係考據之作，然羅氏對於中山先生家族入粵之後的考證精嚴、引據翔實，實中山先生家世源流相關研究的佳作。

自一九六○年代以後，中山先生學術研究相關的著作，有逐漸增加的趨勢，從論題來看，除了部分延續中山先生生平考證的論著之外，亦就中山先生與香港的關係加以探究，如吳壽頤的《國父在香港》、馬湘的〈中山先生在香港〉、郁欽的〈國父與香港〉等等論著；而王德昭的《國父革命思想研究》則屬於較早就國父思想層面進行研究的論著，開啟了港人從思想層面研究中山先生的新面向。其中，由王德昭指導的兩篇碩士論文，陸文彬的《孫中山與第一次國共合作——三民主義思想的發展與三大政策的採用》及李學全的《孫中山的外交主張：原則和策略》，對中山先生的研究，已及於國共合作及外交主張的領域。至一九九○年代左右，研究的論題則足漸呈現多元的趨勢，如伍鎮雄的〈七十年來民生主義經濟思想的發展〉一文，討論自民生主義發表七十年以來經濟思想的發展；如黃昆章的〈孫中山先生與印度尼西亞民族獨立運動〉一文，討論中山先生與印尼獨立運動的關係與影響，又如李鍔、林啟彥的〈孫中山的軍事思想〉一文，著眼於中山先生軍事思想。可知香港九○年代以後的中山先生思想研究，不但論題的面向較多元，並且更為深入。

香港中山先生思想研究的學者，影響較大的是羅香林與王德昭二位教授。羅、王二氏均執教上庠，不但帶動了香港地區中山學術研究的學風，更培養了許多後來香港研究中山先生學術的主要學者。王氏任職於中文大學，除了指導研究生從事中山先生學術的研究之外，更與相關單位分別在辛亥革命六十、七十週年時，舉辦了辛亥革命學術研討會。羅氏對於中山先生的生平、家世源流造詣甚深之外，其關心的面向更擴及香港與中山先生關係之探討。其所任職之珠海書院，於一九

八一年主辦「孫逸仙博士與香港國際學術研討會」，發表論文三十餘篇，香港學者所發表的相關論文有近半數之多。羅、王二氏在香港六〇年代以後，推廣中山學術研究，成績燦然可觀，誠如林啟彥所云：「他們二人幾可視為香港的孫中山研究的兩個主要學派的宗匠。」❿

自九〇年代後期，香港的中山學術研究，藉由中山先生與香港的歷史因緣，利用早期英國殖民時期的第一手資料，深入考察中山先生及其革命同志在香港的種種革命活動，以香港近代史的角度探討中相關歷史問題，已是近年以來的趨勢之一。

㈢ 大陸地區

中國大陸地區的孫學研究，據李侃、陳錚〈建國三十五年來孫中山研究著作和資料出版概述〉一文，以為應當以文化大革命十年為界線，分兩個階段。⓫第一個階段係一九四九年中共建政以後，至一九六六年文化大革命發生之前。第二階段係文化大革命結束之後的一九七九年開始。陳志先〈大陸地區對中山先生研究概況〉一文，也將大陸地區對於中山先生之研究，分為兩期，而以一九七八年十二月中共召開十一屆三中全會為界，十一屆三中全會以前是第一期，十一屆三中全會以後至一九九五年為第二期。⓬其中，第一個時期又以一九六六年文化大革命為界，一九六六年以前是第一階段，一九六六年以後至「文革」結束後兩年的一九七八年召開十一屆三中全會為第二階段。二文的差異，主要是在十年「文革」的看法不同，李侃、陳錚以為文化大革命的十年之間，所有學術活動都呈現靜止狀態，在孫學研究的範疇裏，是一段空窗期，故而將此十年摒除於孫學研究

---

❿　同注❾，頁 536。

⓫　李侃、陳錚〈建國三十五年來孫中山研究著作和資料出版概述〉，孫中山研究學會編《回顧與展望——國內外孫中山研究述評》（北京：中華書局，1986 年 7 月），頁 27。

⓬　陳志先〈大陸地區對中山先生研究概況〉，劉真主編、曾濟群總編輯《中山先生研究書目·附錄一》（臺北，中山學術文化基金會，1995 年 10 月），頁 223。

的分期之外；而李氏則將之歸併於第一期之中。為符合與反映孫學研究之實際狀
況，本文之敘述以李侃、陳錚之分期為主。

　　第一個階段之中，關於中山先生的研究，多集中於生平事蹟、著作手稿、革
命事業、地位影響兼及思想主義的探討，較多的還是政治性紀念中山先生的著作。
諸如一九五六年出版的《孫中山選集》即選錄中山先生著作近七十種，次年出版
的《辛亥革命》叢刊中，亦羅列出中山先生的重要著作、周哲的《孫中山》、洛
菲編的《孫中山先生的故事》等；王學華的《孫中山的哲學思想》一書，是較早
從哲學思想探討中山先生哲學的著作；陳錫棋的《同盟會成立前的孫中山》一書，
則著重於中山先生早年革命思想與革命活動中所遭遇到的困難與逆境等等。而中
山大學歷史系所編著的《孫中山年譜新編》，甫完成五十萬字的初稿即因文化大
革命開始而中斷，是歷史的不幸也是學術的不幸。

　　自一九七九年開始，對於中山先生的研究，才逐漸的開始活耀起來。整理出
中山先生的著作、文物、手稿等文獻編輯工作，仍被學者重視，由廣東省社會科
學院歷史研究所、中國社會科學院近代史研究所中華民國史研究室等單位合力編
輯的《孫中山全集》，已經陸續出版，此書係以文化大革命前中山大學歷史系所
計劃編輯的《孫中山年譜新編》一書為底稿，加以增修編輯而成，搜輯了中山先
生許多的第一手資料，對於中山先生學術的研究，提供了良好的基礎。此外，一
九七九年以後，亦頗有賡續前人研究的著作出現，如李時岳、趙矢元《孫中山與
中國民主革命》一書，探討中山先生在清末民初革命活動中的地位與作用。張磊
的《孫中山思想研究》則從中山先生的《三民主義》，分析其民族、民權及民生
思想及其哲學基礎，探究《三民主義》思想的形成、實踐與發展。其他相關探討
中山先生哲學思想的書，如蕭萬源的《孫中山的哲學思想》、韋杰廷的《孫中山
哲學思想研究》等書，皆從唯物與唯心等觀點探討中山先生的哲學思想。

　　近十餘年來，大陸地區中山先生學術思想的研究，已逐漸擺脫文化大革命的
影響，學術研究日益興盛，在論文的質與量上，已有迎頭趕上的趨勢，研究中山

先生學術思想，已漸漸形成一股風潮，除了在各地成立的「中山研究會」、「紀念堂」等等，北京大學更在一九九八年成立「孫中山思想國際研究中心」，可以想見大陸地區將中山先生學術推向國際化、多元化的積極態度。

㈣ 日本

中山先生因鼓吹革命、發動革命起義而流亡日本多次，其所組織之革命團體，亦多在日本組織而成，可知日本與中山先生關係亦相當密切。然而，即使中山先生在日本鼓吹、組織留學生參與革命團體，然而，總的來說，中山先生在日本的活動並未獲得日本政府的支持或援助，甚至當清朝政府藉外交管道向日本施壓時，便秘密送中山先生出境。因此，即使中山先生堅定的革命意志與理想感動了部分的日人，並進而支持或援助中山先生，然而，在民國肇立之前，中山先生在日本的活動，在與日人交流方面，只能算是民間的私人情誼。

關於日本的中山學術研究的概況，山口一郎將自一八九五年後的九十年間，分為三個時期，即一八九五年至一九二五年為一個時期；一九二六年至一九四五年為一個時期；一九四六年以後為一個時期。⓭

在第一個時期之中，日人對於中山先生的關注，多半偏重於中山先生與中國革命史實與關係的介紹，屬於一般性的論述，尚未觸及對於中山先生的學說與思想，是以山口一郎稱此期為日人的「孫文論」或「孫文觀」。⓮此期中較為重要的論著是宮崎滔天的《三十三年之夢》一書。宮崎滔天早年即受中山先生革命思想的影響，傾力襄助中山先生的革命事業，是書即是載其與中山先生之交往過程，對於研究中山先生在日本初期的革命運動，極具史料的參考價值。

第二個時期，受日本國內政治情勢影響，此時期對於中山先生的論述，即反映出當時日本左、右翼自身的觀點與批評。因此，即使在此時期中，日人論著裏

⓭　同注❻，頁554。
⓮　同注❻，頁555。

雖然涉及了中山先生的《三民主義》與「大亞洲主義」等思想的研究，但在軍國主義思想之下，大多數仍是採取否定的態度，以為《三民主義》是反日、抗日思想原理而加以批評。在中日戰爭之中，中山先生的「大亞洲主義」，甚至被日人宣傳成「大東亞共榮圈」理想的思想基礎。總之，此時期的日人研究，多從自身的立場出發，攫取對自身有利的觀點或思想，無論是批評或修正《三民主義》或提倡中山先生的「大亞洲主義」等論述，都是以輔助、遂行侵略的目的為主。

至一九四六年以後，關於中山先生的研究，在質與量上都有很大的進展。從論題而言，已經由第二期浮泛地探究《三民主義》，進入民族主義、民生主義、平均地權與節制資本等的細部分題的研究；其中，有部分糾正第二時期誤用中山先生「大亞洲論」以作為軍國主義「大東亞共榮圈」理論基礎的研究。在中山先生的革命活動中，則更加深了興中會、同盟會與保皇黨及梁啟超、康有為與章炳麟與中山先生之間互動關係的研究。在中山先生與日人交遊方面的論著，亦有顯著的增加。日本在戰後經濟逐漸復甦的過程中，學術研究有較大的空間，已逐漸脫離戰前意識形態的束縛，復以日人收藏中山先生在日史料亦不少，是以其研究有較明顯的進步。

三、編輯「孫學研究論著目錄」之重要性

㈠ 文獻之利用與指引

清人章學誠稱目錄學有「辨章學術、考鏡源流」的功能，姚名達以為目錄學的目的在於：

> 把繁雜的書籍邊成簡明的目錄，使得讀者據目錄以尋求書籍，從書籍以研究學問。❶⑤

---

❶⑤　姚名達《目錄學・第一卷・原理篇》（臺北：臺灣商務印書館，1988 年 5 月），頁 11。

劉師兆祐以為目錄學之功用,有:

> 一、明治學之途徑。……二、考典籍之存佚。……三、辨古籍之真偽。……
> 四、考典籍之篇卷。……五、審一書之性質。……六、知佚籍之梗概。……
> 七、知典籍之版刻。……八、考學術之源流。❶

綜合章氏、姚氏與劉師兆祐的說法,可知目錄的編輯除了可以考見對一門學術的定義、分判、範圍及其源流與發展之外,對於該門學術典籍篇卷之存佚與真偽等方面,具有一定總結與指引作用。然而,隨著時代演進,學術門類分化之細致更甚於往昔,目錄之種類與編輯亦日積月累、後出轉精,因應各專門學科之發展與需求,早已不再局限於四部分類方式。至於現今目錄學的功用,張錦郎參考各家說法,認為:

> 現代目錄學的功能,著重於昌彼得所說「治學涉徑之指導」,梁子涵所說「藉目錄學作為利用圖書的線索」、「藉目錄學推究歷史上學術發展的情形」,及姚名達所謂對讀者及著者功用等方面。❷

可知現代目錄編輯的目的,不但可以指導、觀察學術的門徑、發展及其源流,以及作為個人治學的依據、指引的傳統目的之外,在實際操作上,更能提供讀者查找相關圖書、檔案的線索的方便,其重要性不言而喻。

「孫學研究論著目錄」除收集孫學相關論著、篇題之外,對關於中山先生之第一手資料,亦收錄於專題項下,以供學者進行研究時所需。如孫穗芳女士於中山市所發現的《寧都富春孫氏伯房十二修族譜》❸,對於中山先生先世的源流及

---

❶ 劉師兆祐《中國目錄學》(臺北:五南圖書出版公司,2002年3月),頁5—20。

❷ 張錦郎編著《中文參考用書指引》(臺北:文史哲出版社,1983年12月),頁33。

❸ 孫穗芳《我的祖父孫中山·家世源流》(臺北:禾馬文化事業有限公司,1995年4月),上集,頁45。

世次，提供了翔實的記載，然而早年所編著的有關於中山先生文獻的目錄，則未及收錄。又如中山先生倫敦蒙難一事，國人經中山先生自述或前人考究、轉錄皆多能知曉，然猶不知英國外交部檔案中有中山先生倫敦蒙難的紀錄，此屬英國當時援救中山先生之檔案紀錄，實為具珍貴文獻價值之第一手資料，部分論著目錄未及刊載，亦為學者研究之一大損失。又如中山先生早期革命文獻，美國國會圖書館將之製作成顯微影片以供長久保存，惟一八九七年以後檔卷，於該顯微影片之目錄中，著明「遺失」，實研究中山先生早年革命活動史實的一大損失，而近人吳相湘於日本東京外務省發現此一遺失檔卷，則中山先生早年革命之活動史實，得以藉此而考知⓳，而部分論著目錄亦未及刊錄此資料以供學者研究參考，殊為遺憾。

㈡ 對過去各地「孫學研究」文獻的整理與歸納

誠如本文於前言時所說，在二十世紀八○年代左右，在各地已有類似收錄孫學研究的論著目錄的書籍出版，如臺北孫逸先博士圖書館於一九七八年編印《中華民國圖書館公藏國父 孫中山先生遺教、總統 蔣公中正言行圖書聯合目錄》一書，雖然收錄有相關孫學研究的中、英文論著達二千五百多種，然畢竟並非是孫學研究的專科目錄；大陸雖有蘇愛榮、劉永為所編的《孫中山研究總目》一書，然而在收錄臺、港、日本相關論著方面，頗有不足之處；其他如香港的林啟彥、日本的孫文研究會所編輯的相關論著目錄，皆因編輯的年代稍早，而無法羅列後來的相關論著，對於反映九○年代的孫學研究，自然付之闕如。

此外，無論臺、港、日本等地所編輯的論著目錄，僅能反映一時一地之孫文研究概況，對於亞洲以外的孫學研究相關論著，皆無收輯。即使收錄頗為宏富的《孫中山研究總目》一書，雖有收錄西文、俄文等相關論著目錄，對早期的相關

⓳ 參見吳相湘編撰《孫逸仙先生傳·自敘》（臺北：遠東圖書公司，1982 年 11 月），上冊，頁 12。

文獻，亦頗有闕漏之處，殊為可惜。

　　尤其八、九〇年代後期，在臺灣地區及亞洲地區所舉辦關於孫學研究的國際性研討會日益增多。即以八〇年代而言，臺灣地區就舉辦了十一次大規模的中山學術研究會議，有關中山先生研究的書籍有七十多種，四十七種文集；九〇年代後期及本世紀初，國父紀念館曾多次主辦海峽兩岸孫中山思想之研究與實踐學術研討會等相關研討會；而臺北的中山學術文化基金會亦年年皆有《中山學術文化集刊》的出版。此外，在亞洲各地也都有關於孫學研究的國際論文研討會的舉辦，在在顯示了孫學研究日益興盛的趨勢。姚名達曾云：

　　　　某一種學術盛行時，這一種學術的目錄一定跟著完善。[20]

概觀孫文研究日趨蓬勃的今天，反而無一本較為完備且符合網路時代趨勢的目錄可供學者利用、搜檢，不僅僅是學者的遺憾，更是孫學的損失。

　　因此，筆者以為「孫學研究論著目錄」之編輯，若能以過去前輩學者的論著目錄為基礎，除去互見重出，增以新出論文，整理過去百年間孫文研究的相關論著與文獻，將國內外有關中山先生的研究成果作一總結與歸納，對於學者之研究，退可以藉由此「孫學研究論著目錄」整理歸納之條目，了解過去研究之焦點、重心所在，回顧及反省不足之處；進而以此「孫學研究論著目錄」所提供之文獻與指引為基礎，繼往開來，後出轉精，實有一舉數得之助益。

巨 提供研究的便利

　　面對浩如煙海的典籍及現代出版的相關書籍，從事研究的學者倘若無一部相關的專科目錄，對於研究方向必然會不知所措，而所從事的研究主題可能是前人已經論定的結論，導致徒勞無功。一部完整的專科學術目錄，除了可以得知過去研究的成果與趨勢以外，更可以藉以參考比較，綜合前人研究成果，深入探討某

---

[20]　同注[15]，第二卷，〈歷史篇〉，頁111。

些論題，或駁、或議、或成定論、或留置以待將來；除此之外，更可以就前人未曾探討的領域、面向，做一初步的研究，而別有所獲。凡此，皆是一部完整的專科學術目錄對於學術研究所提供的便利。近人吳相湘曾提出國人研究中山學術的困難有三點，其一云：

> 研究近代史事人物自林則徐、曾國藩、李鴻章以來，就必須參考外國史料；尤其孫先生六十年歲月中一半在海外渡過，外國官方與私人保存資料甚多，而我國官私各方面多年來始終沒有作系統的搜集。如日本、英國外交部檔案，在美國都有全部影印片，可以複製，節省前往華府或芝加哥的時間與金錢，這種便利在中國就無法享受。[21]

由於中山先生一生來往於各國華橋之間，鼓吹革命思想，是以其相關文獻資料頗散佚於各國，對於研究中山先生思想或生平的學者，搜羅不易，奔波於各國之間更是耗時耗力，相當不便，此誠是困難之一。

其二，吳氏云：

> 尤其忌諱太多，不說不能用「直筆」，甚至反派人名也不能提，如各報刊對毛澤東，都是刊印成毛××。崔書琴教授著「三民主義新論」於汪精衛，都印作汪××。對人名都如此，於史實要求翔實，就更困難。[22]

對人名、史事有所忌諱而無法秉筆直書，實乃當時之封閉政治之空氣使然，吳氏的說法，反映了當時研究者的處境。

最後，吳氏云：

> 臺北各史政機關對所收藏史料，不知是民族公器，而據作各機關人員名利

---

[21] 同注[19]，頁6。
[22] 同注[19]，頁6。

雙收自用的憑藉，以致擾攘多年編輯「臺北各機關現藏中國近代史料總目及提要」計劃以便公開史料，迄未實現。❷

歷史文獻圖書史料實為民眾有權瀏覽之公共財，早期各史政機關對於文獻圖書的態度封閉，亦成為學術研究的阻礙之一。尤其所編之「臺北各機關現藏中國近代史料總目及提要」計畫，未及付諸實現，誠屬研究近代史與中山學術的學者的遺憾。

然而，隨著時代變遷，研究者已不用因「忌諱」的壓力而影響研究的品質，各國之間圖書交換、影印與購買已較之前進步與擴大；並且，由於近年來科技的快速進步，文獻數位化已逐漸成為一股不可忽視的趨勢，而「孫學研究論著目錄」之編輯，應具有力求完備的理想與決心，在完成編輯之後，將更上層樓地逐步建置篇目影像索引系統，以方便學界下載資料與進行研究，以使目錄的使用效益發揮至極至。

四、建置篇目影像索引系統之重要性

㈠ 與時俱進、順應數位化文獻的時代趨勢

人類的文明進步有賴於文字的發明，將口語傳播的知識、歷史經驗與儀式等，經由文字的承載，得以突破時空限制以迅速累積知識，加以承載文字的載體由甲骨、銅器、簡帛與紙張等不斷更新，使人類的技術與文化不斷改良、進步。今日文獻數位化的過程，實際上是文字載體的一種革新。文獻數位化的優點除了保存極接近原典的檔案之外，隨著數位載體（如磁片、光碟、磁碟等等）的日益發展，載體體積愈來愈小、愈來愈輕便易攜帶，而其所提供儲存的容量也更日龐大，這是極佔空間的紙本文獻所無法比擬的。復次，文獻數位化以後，更便利了資訊的複製、流傳及文化創意的加工與展現。

---

❷ 同注❶，頁7。

　　行政院在二○○二年五月核定通過「加強數位內容產業發展推動方案」，並成立「行政院數位內容產業發展指導小組」從人才培養、環境法規、投資等等面向持續追蹤討論，以期結合各相關部會之資源，藉資訊科技及網際網路優勢，加速數位內容相關產業的推展。在政府所推動的數位內容產業的相關計畫之中，從過去「數位博物館計畫」、「國家典藏數位計畫」與「國際數位圖書館計畫」等三項國家型計畫的基礎與經驗之上，依國家整體發展需要而重新規畫出「數位典藏國家型計畫」（http://www.ndap.org.tw/）。該計畫之目的在於：「有效提升知識的累積、傳承與應用，是知識經濟的重要基礎環節。」❷❹而國內參與該項計畫的機構有中央研究院、國立自然科學博物館、國立故宮博物院、國立臺灣大學、國立歷史博物館、國家圖書館、國史館、國史館臺灣分館等主要文物典藏機構，其典藏之類型有人類學、檔案、器物、書畫、善本書籍與金石拓片等十二個主題。透過資訊科技將文獻轉化、重組及儲存的數位化文獻，不僅使文物得以保存，在文獻應用與知識加值產業的層面上，更加的豐富與多元化（如圖一）。

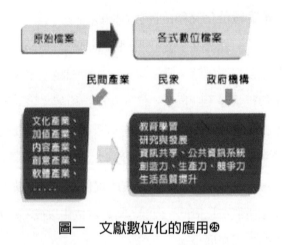

圖一　文獻數位化的應用❷❺

---

❷❹　黃國俊編輯《2005臺灣數位內容產業白皮書·第八章》（臺北：經濟部工業局，1995年12月），頁22。

❷❺　同注❷❹，頁30－31。

　　因此，將歷來的文獻數位化已是近年來數位科技應用的趨勢之一，其優勢與效用，誠如謝清俊所言：

> 一是利於長久保存；其次是數位化後，幾乎取之不盡、用之不竭，可供全民共享；再次是可以大量匯集知識，經相互鉤稽參照，能發前人所未見，產生相輔相成（synergy）的效果；又，如有四通八達的電腦網路，則數位古籍幾乎不須花錢就可以瞬息萬里。❷❻

謝氏所云雖是就古籍文獻數位化的優點而言，然而就專科目錄文獻的數位化更是如此。

　　科技進步對於目錄文獻學的影響，一是查找方便與快速；一是節省紙本的印刷與儲放空間。關於第一點，劉師兆祐云：

> 今日以電腦終端機檢索資料，除書目外，任何資料庫儲存之資料均可從線上索得；同時，透過關鍵字詞及標題目錄之資料輸入檢索資料，較傳統之依賴目錄或目錄卡片更為方便。❷❼

可知透過網路連結各圖書館的資料庫，實是較傳統的需要到館查閱目錄或目錄卡片的方式方便、快速許多。其次，在節省紙本的印刷與儲放空間方面，劉師兆祐續云：

> 傳統之目錄，都輯印成書，然隨圖書文獻之快速增加，目錄之篇幅四益增大，二十年前，全年總書目僅一冊即足以容納，今則需要十餘冊始能完備，

---

❷❻　謝清俊〈從全文資料庫到數位典藏——中央研究院的發展經驗談〉，頁2。本文尚未以文本型式發表。參見中研院文獻處理研究室網站（http://www.sinica.edu.tw/~cdp/），其下載頁面為 http://www.sinica.edu.tw/~cdp/download/dcatalog.htm。

❷❼　同注❶❻，頁478。

> 如此鉅大篇幅之目錄,攜帶、檢索均甚不便,如能錄製於光碟上,則既輕
> 便,又省空間。❷

隨著出版書籍的日益增加,各專科目錄的篇幅也與日俱增,透過數位科技的技術,將目錄錄製於光碟片上,節省了紙本的印刷與儲放空間,而這也正是文獻數位化的優點之一。在網際網路發達的今天,數位化後的文獻資料,可以建置成論著目錄影像全文檢索系統,利用網際網路四通八達的特性,提供民眾與學者網路檢索的服務。中央研究院在八〇年代開始建置「瀚典全文檢索系統」以後,各種中西文全文檢索系統紛紛出現於網路上,提供人們查找與下載。反觀「孫學研究」早先出版的種種論著目錄,仍僅具紙本的形式,相形之下,查找「孫學研究」的相關資料,對於現今學者的研究已經成為不便。尤其在推動「數位圖書館」的今天,若能將「孫學研究論著目錄」建置於國父紀念館之網站上,提供民眾及學者觀覽,實已是刻不容緩的職責;並且在「孫學研究論著目錄」的基礎上,取得相關作者授權以後,持續建置篇目影像索引系統於國父紀念館的網站上,對於「孫學研究」的推廣與普及,必然有相當的助益。

(二) 補「孫中山學術研究資訊網」之不足

就現今的網路資料檢索而言,若欲查找中山先生的相關論文資料,目前國內實尚無完整的目錄檢索系統可供搜尋,國內以收集中山先生學術研究資訊為主的「孫中山學術研究資訊網」(http://sun.yatsen.gov.tw/),內容亦頗待加強。該網站建置於國父紀念館中,以連結方式進入,於該網站「孫學研究」項下,有「學術論文檢索」功能,下分論文、期刊與專書三類,其中,論文係收錄相關博、碩士論文,有三十二篇,附摘要;期刊則有二百一十七篇;專書有一百五十六冊。此三類所收錄之篇章、論文與書籍,皆係以國內學者之論著為主。然而,相較於過去

---

❷　同注❶,頁 478-479。

百年中所累積的中山先生研究論著之數量,該網站則有相當大的進步空間。此外,若利用國家圖書館網站中較為完備的期刊文獻資訊網查找,仍有缺漏不全的遺憾。因此,「孫學研究論著目錄」之編著,為提供一般及專業學術研究人士搜查之便利性,可將編輯「孫學研究論著目錄」之成果,除了紙本印行以備查閱之外,另外編製成檢索系統,提供於「孫中山學術研究資訊網」之中,以便一般民眾及學術研究人士搜尋相關主題,獲得相關資訊。

「孫學研究論著目錄」的編輯,除了方便研究者對相關主題進行匯整與深入研究以外,更是建置「孫學研究論文篇目影像索引系統」的基本資料庫,使編輯者得以據較為周全的「孫學研究論著目錄」持續搜集、建置「孫學研究論文全文影像資料庫」,使得「孫學研究」更為完整與便利。

然而,受限於篇目數量、作者授權、地區遠近(尤其是外文編)與著作權法相關法規等種種因素,論文影像之建置勢必不若「孫學研究論著目錄」編輯般迅速與全面。因此,對於「孫學研究論文篇目影像索引系統」的建置,應該分階段、分地區採漸進式的收錄、匯整與編輯,以期達到全面收錄並提供網路傳輸等目標。

在實際作法上,「孫學研究論文篇目影像索引系統」所提供之全文影像,係以單篇論文或收錄於論文集中之論文為主。並且,依著作權法相關規定,逐步取得作者授權以建置論文影像資料庫,置於國父紀念館網站上,利用網路遠距功能提供讀者瀏覽、下載,以便節省資料搜集的時間、提高學術研究之效率。

「孫學研究論文篇目影像索引系統」的建置,與「孫學研究論著目錄」係一體兩面、持續漸進的完整計畫,除了使「孫學」文獻藉電子資料庫的形式可以長久保存之外,更希望利用現今網際網路無遠弗屆的特性與技術,提高「孫學研究論著目錄」輔翼學術研究、推廣中山先生人文思想的實際效果,節省讀者(研究者)按圖索驥的時間與精力。

是以若可以將編輯完成的「孫學研究論著目錄」電子檔,建置成檢索系統,置於「孫中山學術研究資訊網」之中,實可補其不足而有利於學者研究之便,復

次，再陸續將已被作者授權的論文，全文建置於檢索系統之中，以有償下載的方式提供，以利各界參考研究，可省去研究者蒐錄資料之時間與精力。

(三) 天涯咫尺、彈指而得

近年來科技日新月異，人們獲得資訊的管道，已超越傳統的紙本形式，而趨於數位化、網際網路化，各式各樣的資訊流通較過去更加快速、多元，而現代目錄學的實際製作與利用，更應該善用現代科技所帶來的便利，提供學者不受時空的限制而方便查找相關資料，以利學術的研究。就近年來圖書館資料庫檢索的發展來看，可知近年來發展的數位化科技，對於知識傳遞與學術研究之影響頗為深遠，例如，我們想要查找朱熹「詩集傳」歷來相關研究的論文，可以在國家圖書館的期刊文獻資訊網（http://www.ncl.edu.tw/journal/journal_docu01.htm）中，利用「中文期刊篇目影像索引系統」，以關鍵字「詩集傳」來查找相關研究論文，並且獲知這些論文的刊名、卷期、頁數等資料以利查找原文；又例如，我們想要查找某位歷史人物的生平記載或傳記，可以在中央研究院的「瀚典全文檢索系統—漢籍電子文獻」（http://www.sinica.edu.tw/ftms-bin/ftmsw3）中，利用全名或關鍵字搜尋《廿五史》文獻，便可獲得多筆資料，方便深入研究該人物之生平事蹟。凡此，皆是將古籍與學術文獻數位化之後，為研究工作所帶來的便利性。只要透過網際網路，遨遊其中，宛俗進入一座圖書館內，資料原件不論藏於何處，都能達到天涯咫尺，彈指而得的極大便利。

姚名達曾云：「理想的目錄一定能多多幫助作者，使他可以隨意獲得參考資料。」❷現代進步的科技技術，使得目錄的功用不僅僅只是查找相關條目而已，藉由文獻數位化的應用，所需文獻的全文影像亦可彈指即得，與姚氏所云「可以隨意獲得參考資料」的理想目錄實已相差不遠。

---

❷　同注❶，頁 13。

五、結　語

　　中山先生身兼革命家、思想家、政治家等多重身份，是以近代以來國內外研究中山先生的學者，分別從中山先生的生平家世、革命歷程、治學方法、思想主義、政治主張、經濟措施等等方面加以探討研究，從臺灣、香港、大陸與日本等地所呈現出「孫文研究」的發展與趨勢看來，已逐漸從中山先生的生平、家世、思想與著作原典的探討，進而從政治、經濟、文化、教育、建設、心理等層面分析中山先生思想與著作的時代性，更有結合地緣關係，深入探討中山先生的革命活動與團體的關聯性研究。此外，其他地區與國家如蘇聯、德國、英國、美國等地的孫學研究，長期以來皆累積了不少的成績，本文雖因材料所限而未及論述，然亦不可抹滅各國學者的關注與成就。如此多元化與國際化發展趨勢，實是令人欣慰。

　　其次，雖然時代進步，地區政治相對穩定，書籍之出版已大致無前代動盪、流離之憂患，各類書籍出版之琳琅滿目，浩如煙海，而對近代重要人物如孫中山先生研究的相關著作，迄今尚無一完整書目以供民眾、學界瀏覽研討，誠屬闕憾！時值廿一世紀之初，筆者以為編輯一「孫學研究論著目錄」以收錄二十世紀各地區、國家有關「孫學研究」之論著，藉此百年間前輩學者研究成果的匯聚與總結，足以啟發二十一世紀「孫學研究」新的紀元。其次，值此網際網路發達的時代，文獻數位化已成為傳播的利器，因此，「孫學研究論著目錄」之編輯，除了欲將歷來的相關研究儘可能地完整收錄，以善盡保存、收錄、指引文獻的功能之外，更可藉由網際網路瞬息萬里的優點，突破時、空的限制，提供民眾或學者查找參考，以收無遠弗屆的效果。此外，隨著「孫學研究論著目錄篇目影像索引系統」的逐步建置完成，使能即時閱覽篇目原文，讓學者免於奔波於各館舍以查找原文之苦，提高研究、閱覽的時效與品質。相信目錄與資料庫的推出，是學界正引頸期待的。

中山學術文獻研究之危機與轉機

黃　城

臺灣師範大學政治學研究所教授

廖　箴

臺灣師範大學政治學研究所博士班研究生

一、前　言

　　文獻研究為思想史研究之基礎，孫中山思想之研究，自不例外。自 1925 年孫中山逝世之後，由於中國國民黨以開國政黨之角色長期執政，既把孫中山思想奉之為「國父遺教」，也就不遺餘力地糾合政、學界力量，從各種途徑加以研究。

　　但近 20 年來，孫中山思想的研究，卻出現日漸嚴重的斷層與稀化之現象，不僅國內學者從事孫學研究，從文獻著手者不多，「國父全集」已近 20 年未曾重編出版，相關文獻研究，也日見荒蕪，隨著中國國民黨在野，黨史館大幅縮編，孫中山思想的有關文獻以及當前孫學研究皆面臨危機。如何把危機化為轉機？且面對出版科技的發展趨勢，以及當代學術、政治的變遷，孫學文獻能有什麼新作為？這些問題，不止這一代的學人有責任關心與承擔，它也想必牽動著全球十多億炎黃子孫的心。所以，本文將檢視中山文獻典藏的現況及目前研究所面臨的危機，並試圖提出轉機的願景與對策。本文使用之研究方法為實地觀察法、深度訪談法、文件分析法與比較法。

二、中山文獻典藏的現況

臺灣地區孫中山史料主要集中典藏在國史館、中國國民黨中央文化傳播委員會黨史館（以下簡稱「黨史館」）兩史政機構，以及國立故宮博物院、國立歷史博物館兩博物館與國立國父紀念館。此外有少數私人收藏的墨蹟。其中以黨史館之庫藏最為豐富，以下分別就中山文獻典藏的現況做介紹。

㈠ 黨史館

「黨史館」的前身為中國國民黨中央委員會黨史委員會❶，1930 年 5 月，成立於南京，抗戰時期遷設重慶，勝利後復員南京，1949 年初，蔣中正指示將史料分批運抵臺灣，先置臺中、南投草屯，後定居陽明山陽明書屋。1998 年 9 月，遷於臺北市中山南路的中央黨部大樓，中央黨部大樓已於 2006 年轉手張榮發文教基金會，黨史館仍以簽約 10 年的方式留在原地。

黨史館成立的目的在保存、整理該黨的革命奮鬥史蹟，做為國史、黨史編修的基礎，所蒐集史料至今總數達三百萬件以上，依型式可概分為文獻、實物及圖片三類，其中約有五千件為孫中山先生相關史料，其檔案收藏於「總理史料」專檔，其中包括孫中山相關原始文獻、物品、文稿及遺物，依性質共分 34 個類號。❷早在一百多年前同盟會時期的手稿，孫中山寫給分佈在美洲、東南亞各地

---

❶ 黨史會原名中國國民黨中央執行委員會黨史史料編纂委員會，1952 年 10 月，中國國民黨改造完成，成立中央委員會，繼續沿用黨史史料編纂委員會名稱，掌理黨史史料之搜集、整理、編纂及革命文獻之保管事宜。1972 年 3 月，中央委員會組織全面調整，更名為黨史委員會，掌理原屬黨史史料編纂委員會之業務。2000 年 3 月，中華民國第十任總統選舉失利，中國國民黨喪失執政權，進行黨的改造，精簡組織，黨史會與文工會合併組成文化傳播委員會，從此更名為「黨史館」，掌理原黨史會之業務。

❷ 34 個類號包括總類、照片、總類、單照、合照、家庭、遺跡、陵園、奉安、紀念品、電影片、留聲片、總類、著述、三民主義、五權憲法、建國大綱、建國方略、演講、談話、宣言、函札、電報、令狀、批牘、文告、雜類、墨蹟、總闈、總類、主義方面、紀念文物、紀念論述、有關文件。

同志的信件，以及 1924 年孫中山在廣東高等師範學院作演講，經整理並由他親手修訂成文的《三民主義》，這些最珍貴文獻的原稿，都保存在黨史館。其為海峽兩岸各史政機構中，典藏孫中山史料最為豐富的一個機構。這些史料皆為 1949 年，因時局逆轉而從大陸運抵臺灣。黨史館所典藏孫中山史料，就其數量或重要性而言，都是其他地區所不及的。黨史館邵銘煌主任自許，該館蒐羅中國國民黨創黨至今一百多年間，有關中國國民黨的政黨歷史、黨務發展文獻，其中不乏珍貴的歷史檔案原件及名人用過的文物，是研究中國國民黨歷史、中華民國歷史及中國近代史相當權威的檔案機構。

黨史館所典藏孫中山史料的來源，主要有徵集、接收、價購等三種方式，尤以前兩者為主。就徵集來說，黨史館於成立之初，即設有徵集單位，負責向各方面徵集革命史料，嗣後組織雖屢有調整，但徵集工作，一直持續進行。而黨史館現藏《總理史料》中，有部份係自所接收黨務部門檔案移轉而來，尤以《上海環龍路檔案》為主要。孫中山有少數遺墨收藏在個人手中，為了保存這些資料，黨史館亦會視其價值，予以購買，充實庫藏，不過這一方面限於經費，數量十分有限。（劉維開，1998：169）

黨史館亦編印《國父全集》，將孫中山的著述，重要而自成系統者，如《民權初步》、《孫文學說》、《實業計劃》及《三民主義》等，在其生前均有單行本的印行。至於其他著述，如專論、演講、談話、函、電報等，有散見於報章雜誌或一般書籍，亦有公私團體或個人收藏而未曾發表者。全書依文件性質，並參酌一般習慣，分為 16 類，約 300－400 目編訂，分裝 9 冊。此書堪稱日前孫中山全集中最完備的版本，然孫中山之遺作至今仍陸續出現，有學者倡議重行整編《國父全集》。另外，黨史館也編輯與孫中山有關史料專書，並出版年譜及圖像專輯。❸

---

❸ 黨史館編印有《革命文獻》、《國父年譜》、《國父畫傳》及《國父墨蹟》等。

㈡ 國史館及其他機構

國史館於 1947 年在南京正式成立，政府播遷臺灣時，檔案未及撤出，1957年在臺復館，接收各機關自大陸運來及在臺檔案，徵集國內外相關資料，規模漸趨完備，成為研究民國史重要史政機構之一。國史館典藏檔案中有關孫中山史料，主要為孫中山墨蹟，這批檔案為孫科所捐贈，內容包括孫中山手令、致外國友人信函、家書，及手繪民生主義圖解等。（劉維開，1998：173）但其檔案的數量及重要性遠不如黨史館所藏。

除了黨史館及國史館外，故宮博物院收藏的孫中山史料有其親書「天下為公」、「博愛」兩件橫幅及《國民政府建國大綱》全文，尤以親書《國民政府建國大綱》全文最為珍貴。但院藏孫中山史料的重要性，不在於這三件墨蹟，而在其所典藏清代檔案中，包括《宮中檔》、《軍機檔》、《收發電檔》、《電寄檔》等，關於孫中山以及其所領導革命運動的各種紀載，實可以為孫中山奔走革命，建立民國的事蹟提供另一個角度的資料。而國立歷史博物館現有館藏各類文物達五萬件，在館藏文獻史料中，有兩批為孫中山的史料，一是《孫總理大元帥令墨蹟》；一是《孫中山先生致吳忠信函》。（劉維開，1998：174）

國父紀念館則是於 1974 年與黨史館建立合作關係，將黨史館所藏書籍遷至國父紀念館二樓，並正式使用「孫逸仙博士圖書館」名稱，提供多功能的服務。該館具有政黨專業圖書館的特性，在藏書的內容與性質方面，特別著重中國國民黨的理論，以及中國近現代史方面圖書，現有中外文書籍約計 30 餘萬冊。孫中山為中國國民黨總理，因此關於孫中山各種圖書資料的徵集，為該館主要工作之一。該館典藏孫中山思想及三民主義相關圖書，約一萬餘冊。

㈢ 大陸地區的孫中山研究

大陸地區的「孫中山研究」可以追溯到 1956 年，毛澤東在「孫中山先生誕辰九十周年紀念會」上發表了「紀念孫中山先生」一文，讚揚他是「偉大的革命先行者」，是「中國革命民主派的旗幟」，此後「孫中山研究」在大陸形成了一股

熱潮，這股熱潮在文化大革命時期稍稍中斷了一段時間，直到鄧小平在 1989 年中共的十一屆三中全會中重掌政權，會中確立了「開放改革」的路線，對臺政策以「和平統一」為號召，「孫中山研究」也在政策的支持下形成另一次的熱潮。這段期間，「孫中山研究」的機構與團體紛紛成立，發表的論文呈倍數增加，並多次召開「孫中山研究學術討論會」。（何金銘，1994：160）研究成果無論在數量和質量、廣度和深度等方面都超過以往。近年來，大陸孫中山研究者除了不斷地與港、澳、日本、西方國家學者進行互訪、交流。大陸出版的《孫中山全集》比臺灣出版的《國父全集》多收錄了一千多篇文件，約多一百萬字，編輯上也表現出較為嚴謹的態度，另外，大陸在有關中國國民黨及孫中山的史跡保護方面做得非常好。

反觀臺灣「孫學」研究的情形，臺灣一向被視為孫中山研究的重鎮，過去的研究也累積了相當豐碩的成果，三民主義甚至被奉為建國、救國的最高指導原則，中山文獻的典藏比起其他地區，佔有質與量的優勢。在 2000 年政黨輪替後，本土意識興起，研究大環境的改變、政治的分歧，孫中山研究逐漸式微，在去中國化的風潮下，部分高中歷史教科書中不再稱孫中山為國父，三民主義在大學聯考中被取消，各校三民主義研究所紛紛改制，在在說明中山研究的衰退以及學術文獻保存的危機，兩相對照之下，海峽兩岸的「孫中山研究」在短短幾年之間大有主客易位的趨勢。

三、中山學術文獻研究之危機

孫中山研究的衰退危機帶來的是中山學術文獻研究及典藏的問題，其中受到最大衝擊的應屬黨史館，在 2000 年首次政黨輪替後，中國國民黨搬遷出中山南路大樓，黨史館面臨的是人力、經費、空間及設備等各種問題，而大環境所面對的則是民國史研究弱化的危機。

㈠ 人力

中國國民黨人力精簡方案在 2005 年 8 月通過，預計兩年內，黨工將精簡至六

百至七百人。2007 年初，黨工人數從全盛時期的 4000 人左右，減到不到 1000 人。黨史館在鼎盛時，有 40 多位工作人員，現在只有 3 位專職人員。黨史館的檔案，以 30 年為期限，凡屆滿 30 年者即自動開放，提供研究者參閱。依規定，研究者經主管人員同意後，即可查閱檔案目錄或卡片，依類號填寫調閱單，調閱檔案。由於調閱需要耗費該館人力，以目前 3 位專職人員來說，僅能勉強應付每日 10 人左右的研究學者，更別說是有多餘的時間從事相關的研究工作。另外，由於 3 位專職人員皆為退休後回聘，黨史會面臨未來傳承的問題，需要有年輕一代專研民國史的學者繼續從事研究。

㈡ 經費

中國國民黨的財務日漸困窘是不爭的事實，因經費不足，相當程度地造成黨史館營運預算被排擠，在有限的經費下，史料的徵集及研究幾乎停擺，而就黨史館成立的宗旨來說，中國國民黨也應該繼續蒐集整理，而這些具有價值的文獻與圖書應被善待。無論這些史料與圖書所記載的內容，是不是為現在當政者所接受與承認，它都代表著歷史的痕跡，應該被保存，未來黨史館能否突破困境，並與其他單位合作，以解決經費上的危機，是一大考驗。

㈢ 空間

黨史館邵銘煌主任表示，該單位目前最缺乏的是典藏與展示館藏的空間，以及管理營運的費用。自 2006 年中央黨部大樓轉手張榮發文教基金會，黨史館仍可以使用 6 樓以及地下 2 樓的空間直到 2016 年，在未來需仰賴企業界的支持，另尋典藏檔案的地點。至於未來是否有將所有檔案數位化、電腦化的計畫，邵主任表示基於人力與經費的考量，目前並無數位化檔案影像的打算，但已經整理了部份檔案，並將每份史料製成了卡片，有標題、時間、內容摘要和檔案號，對使用者而言尚稱便利。

㈣ 設備

黨史館有資料櫃和設備先進的庫房，庫內有空調，但無恆溫恆濕的功能，「總

理史料」放置於「二庫」。實物收藏櫃是封閉式。邵主任自豪的表示：「我們收藏有孫中山的墨寶和使用過的印章、桌椅；鄒容手刻的印章；蔣介石先生穿戴的衣帽；張勳復辟僅七天，我館收藏他懸掛過的一面龍旗，是世上僅存的。中國國民黨建黨一百周年時，秘魯一位老華僑捐出珍藏幾十年的孫中山出殯紀錄影片五大卷，前所未見。」

(五) 民國史研究弱化

黨史館所典藏的 30 萬冊圖書與 300 萬件史料文獻，其年代除少部分集中在明清，絕大部分則集中在清末到中國國民黨遷臺這數十年間。清末民初是現代中國的開端，民初的五四運動、白話文運動，乃至各種西方思潮的傳入，都影響了中國文學與思想的塑造。而當時的書寫紀錄，則成為考察當時文學與思想流變的重要史料。黨史館中所保存的黨國大老藏書著作，以及蒐集當時的史料，都將成為後世的寶庫。而黨史館中最特別也最等待日後研究人員發掘與整理的，則是 1943 到 1949 年間所蒐集的圖書和文獻史料，也就是抗戰末期的中國到臺灣光復，乃至中國國民黨遷臺這段中國現代史上最混亂，過去也最缺乏史料與文獻研究的時期，這些史料極有助於中國現代史的研究與探討。但隨著政黨輪替，民國史研究逐漸弱化，對中山學術的文獻研究也有明顯的影響。

四、中山學術文獻研究之轉機

具有歷史價值的檔案是重要的文化資產，且部分年代久遠或保存狀況不佳的檔案經不起太頻繁的使用。因此，未來的趨勢是希望藉由製作高規格的數位影像檔案，以便保護資料並提供一般使用者的閱覽和未來各種可能的出版、印刷等其他使用需求。檔案的數位化可使檔案能有效的被利用，但限於黨史館本身組織規模、經費來源，以及現有的黨史館空間，將很難再進行有系統的史料蒐集並且將檔案數位化。然而，這對一個文獻收藏館來說，其實是莫大的挫折。筆者認為檔案數位化以及國家化，不失為中山學術文獻研究之轉機。

㈠ 數位化

坐擁如此多史料與珍貴圖書的黨史館，無論在圖書典藏或者是學術研究上，特別是中國近代史，都應該扮演舉足輕重的關鍵性角色才對。雖然這些資料是對外開放的，卻非開架式，原因在於這些史料多為百年古物，須有專門的典藏空間。任意的開架陳列與借閱，將會加速耗損。目前網路技術已趨成熟，網際網路（Internet）和全球資訊網路（WWW：World Wide Web）的使用也已成趨勢，黨史館無法自外於此一情勢，所以數位化完成後有必要利用網路快速、遠距的優勢，讓檔案運用的服務能夠發揮最大的便利。

目前中國國民黨與胡佛研究所合作進行檔案數位化，已完成 25 萬張微卷的製作，這項合作計畫將持續 5 至 6 年，1948 年以前的黨史資料都將全部數位化存放在胡佛研究所。邵主任表示，目前雙方已經完成 1949 到 1952 年「國民黨改造時期」檔案的數位化，1937 年到 1947 年「抗戰時期國防最高委員會」檔案也幾近完成。邵主任表示，檔案數位化的機器、設備、人事費用由胡佛研究所負擔，中國國民黨提供檔案分文未取，且原件全部留在臺灣的中國國民黨黨史館裡，但未來檔案數位化後，雙方都會保存一份，因此邵主任表示實際受惠的是國內研究單位。未來如能把館藏孫中山文獻，全部加以數位化，並且提供網際網路的學術服務，將可開創孫學研究的新境界。

㈡ 國家化

國家檔案係指具有永久保存價值而移歸中央主管機關管理的檔案。檔案典藏的目的在於提供全民原始且第一手的文獻，而將國家檔案數位化則有助於這些重要資料的長期保存和應用。黨史館檔案收藏涵蓋的時間相當完整，可以彌補國史館所藏的不足，應促成兩單位合作，由黨史館提供所藏，國史館負責調派人力及設備，將兩個單位個別典藏的檔案，匯集一處後以數位化的方式作整理。

黨史館在種種資源不足的同時，應可與國家單位合作，使所藏檔案能得到更有效的利用，如能將館藏孫中山文獻加以檔案數位化及國家化，則有助於這些重

要資料的長期保存和應用。當然，目前我國存在國家認同危機孫中山先生的「國父」稱號也曾受到質疑，黨史館也許在現階段對館藏文獻的「國家化」存有疑慮，這恐怕有待臺灣政黨競爭常態化之後，才有轉圜的空間吧！

五、結　論

孫中山研究的變動受到政治的牽引影響極大，1970 年代末期起，在民主化與本土化的聲浪下，加上 1980 年代的解嚴，隨後的總統直選，三民主義教育逐漸受到冷落、意識形態和黨國體制不再，對各單位所藏的中山文獻以及對民國的研究面臨前所未有的巨變及挑戰，挑戰來自國家認同不清及臺灣史研究的競起，近 20 年來臺灣本土化的走向明顯，民國史研究的危機來自於政治生態激烈變化，本土聲浪高漲，甚且有人主張把中國史定位為外國史，臺灣史自然就是本國史，另一種意識形態之手，似乎悄然上場。

每個時代變化時，歷史研究都會受到挑戰，孫中山研究亦然。孫中山為中華民國的國父，孫中山研究該何去何從，學術傳統的如何再建？亟待民國史學者的深思與熟慮。孫中山研究不是歷史學及社會科學研究中的新興領域，有研究上的便利，也有必然的限制，希望未來政治干擾因素能逐漸退出，政治意識形態鬆綁，讓中山研究更具「學術味」，中山文獻能受到良好的保存及使用，尤其需要年輕學者能夠薪火相傳，孫中山研究才能厚植學術發展基礎，建立自身的學術規範與地位，名實相符的孫學當可屹立於未來世界中。

參考書目

王乾任（2003），〈民國史學研究的重鎮——國民黨黨史館保存重要中國現代文學與史料文獻〉，《文訊》，頁 63－65。

何金銘（1994），〈一九○○年至一九八八年大陸出版的『孫中山研究』專著探析〉，中山社會科學學報（中山大學），八卷三期，頁 157－202。

李雲漢（2000），〈黨史會七十年〉，《近代中國》，頁 109－142。

楊日旭、何金銘（1988），〈對中共編纂的『孫中山全集』之初步評析〉，《中山社會科學譯粹季刊》，三卷二期，頁 116－127。

劉維開（1998），〈臺灣地區孫中山先生史料的典藏與運用〉，收入《孫中山與現代中國學術研討會論文集》，臺北：國立國父紀念館。

劉維開，〈中國國民黨中央文化傳播委員會黨史館藏外交史料介紹〉，載於近代中國外交網站。

中山人文思想實施現況評析
——臺灣高中職、國中、
小學教育部分之調查研究報告

孫劍秋

國立臺北教育大學語文與創作學系教授兼華語文中心主任

鄭淳恭

國立臺灣藝術大學工藝設計學系講師

吳怡欣

桃園同安國小教師

一、緒　論

　　本研究乃為推動「中山人文思想融入中小學教育計畫」之教學設計的現況問卷調查分析資料。在調查問卷的規劃上，主要考量了臺灣目前中小學現行之各學科課程，在《國民中小學九年一貫課程總綱》中所明列之〈基本能力〉、〈學習領域〉、〈重大議題〉等部份的課程內涵發展方向，做為融入方向的設計主軸。同時，在問卷調查所欲瞭解的現況上，則是以欲推動　孫中山先生著作中之人文思想精神融入中小學教育之教學計畫時，在必要性、可行性、實施方向……等面

向上，推估其可能面臨的困難或問題，以尋求並探討解決改進之道。

以下分就研究動機、研究目的、待答問題、研究方法與步驟、研究範圍與限制等章節加以說明。

㈠ 研究動機

「中山思想」是近代中國重要的思想之一，對於國人的影響力和重要性是絕對不容否定的。故在研究動機上，主要彰顯孫學人文思想為總綱領，並在立足於教育推廣的立場，著眼於現行教育政策的推動要點，予以考量如何進行融入教學的主要目標。

基於上述研究背景之說明，本研究在以教育政策推廣的層面上，有以下三點考量做為研究動機：

1.國民教育之課程「基本理念」具備培養人文思想之基礎理念

近年來教育部於國民教育階段所推動的「九年一貫課程」政策中，曾明確的在課程總綱的〈基本理念〉❶中提及五類重點：人本情懷、統整能力、民主素養、鄉土與國際意識與終身學習，此五項基本理念，無論是瞭解自我、尊重他人的人本精神，或是調合理性與感性、人文與科技的統整能力，理念上可說均含括了以培養人文思想為基礎的教育精神。

2.國民教育課程之「課程目標」與人文思想的培養與闡發精神相為符合

其次，〈課程目標〉❷中亦說明了十大目標：

⑴增進自我了解，發展個人潛能。

⑵培養欣賞、表現、審美及創作能力。

⑶提升生涯規劃與終身學習能力。

---

❶ 《國民中小學九年一貫課程總綱》之〈基本理念〉（中華民國 95 年 3 月 27 日臺國（二）字第 0950030367C 號令修正）。

❷ 《國民中小學九年一貫課程總綱》之〈課程目標〉（中華民國 95 年 3 月 27 日臺國（二）字第 0950030367C 號令修正）。

⑷培養表達、溝通和分享的知能。

⑸發展尊重他人、關懷社會、增進團隊合作。

⑹促進文化學習與國際了解。

⑺增進規劃、組織與實踐的知能。

⑻運用科技與資訊的能力。

⑼激發主動探索和研究的精神。

⑽培養獨立思考與解決問題的能力。

3.國民教育課程之「基本能力」符合發展人文思想的人文關懷理念

接下來教育部在十大基礎教育上的〈基本能力〉❸，包括：

⑴了解自我與發展潛能；⑵欣賞、表現與創新；⑶生涯規劃與終身學習；⑷表達、溝通與分享；⑸尊重、關懷與團隊合作；⑹文化學習與國際了解；⑺規劃、組織與實踐；⑻運用科技與資訊；⑼主動探索與研究；⑽獨立思考與解決問題。

上列之十大基本能力亦無一不是本著人文思想的理念而設計的，由此，也再次印證了前述所言的「各學科類門最終極的主旨，都應回歸到『對人的關懷』」上，也體現了人文思想的影響力與重要性。

為了宣揚中山人文思想的理念與理想，也希望能重新喚起世人的省思，更希望中小學教師能更深刻領會到中山人文思想的精要，進而瞭解其於現代的價值，並願意著手推動中山人文思想融入相關學科、領域的教育，以期待中山人文思想可以在中小學教育扎根，方與國父紀念館合作進行為期八個月的「中山人文思想融入中小學教育計畫」，於此計畫進行之初，即構思設計計畫執行之方向及後續推動工作的調查問卷，冀能參照實際從事教學工作之中小學教師的意見，歸納整理之後，能擬訂更周延有效的實施方案，俾使本計畫的推動能收事半功倍、立竿

---

❸ 《國民中小學九年一貫課程總綱》之〈基本能力〉（中華民國 92 年 1 月 15 日臺國字 0920006026 號公佈）。

見影之效。

(二) 研究目的

本研究在目的上約可分述如下列幾大項：

1. 瞭解過往所曾經實施過的中山人文思想的教育推展歷程中，教師對其融入教學的見解與看法。

2. 探討現行制度中，中小學教師對於中山人文思想融入教學的認知、看法、及對當前社會的影響。

3. 瞭解現前中小學教育的中山人文思想課程概況及實際授課之時數、人力情形……等課程中存在的可能概況。

4. 探討中山人文思想，較適合融入中小學課程中的哪幾個相關領域、相關議題、以及有助益於培養哪些基本能力。

5. 歸納中小學教師之意見，編整適合融入的議題、領域，探討規劃相關的研習課程及活動，供教師學習及推動融入的教學可行性意義。

(三) 待答問題

本問卷研究擬回答的問題可略分為下列幾項：

1. 不同背景變項（學校變項與個人背景變項）之國、高中與小學教師，對於中山人文思想的認知情形為何？

2. 中山人文思想於過去與現在，分別在中小學教育課程中的融入情形為何？

3. 當前中小學教育的課程概況及實際授課之時數、人力情形，是否容許實施中山人文思想的融入計畫？

4. 不同背景變項之中小學教師，對於中山人文思想較適合融入課程中的相關領域、議題及培養基本能力方面之意見為何？

5. 中小學教師對於本計畫後續將推展的研習活動意願及意見為何？

(四) 研究方法與步驟

1. 研究方法

本研究屬於探索性質的研究，做為瞭解現況、展望未來融入課程設計與推廣的研究目標，主要的研究方法以「問卷調查法」來進行，併針對教育領域中之第一線課程教授者——教師——為主要探索對象。在問卷的規劃上是先將研究過程所蒐羅的中山人文思想之相關文獻資料進行分析，再以所分析整理之結果作為調查問卷之設計基礎。問卷調查的主要目的在於瞭解國父　孫中山先生主所張之相關人文思想，在融入現今中小學教育上的相關情況與可行性，以作為瞭解日後推動中山人文思想融入中小學教育計畫的設計參考。

2.研究步驟

本研究之進行步驟說明如下：

⑴資料蒐集與分析

　①蒐集中山人文思想之相關文獻。

　②進行文獻整合與分析之作業。

⑵問卷設計與施測

　①訂定規劃問卷施測作業。

　②依據文獻分析結果，編製與設計問卷。

　③進行問卷施測作業、資料處理與分析統計作業。

⑶問題探討與結論

　①針對問卷分析結果，歸納整理研究發現之問題與現象。

　②探討相關問題、提出研究結果與建議。

㈤ 研究範圍與限制

1.研究範圍

⑴本研究中整編融入的中小學課程，乃以民國 92 年教育部所公佈的《九年一貫課程綱要》內容為準。

⑵研究樣本為臺灣地區北中南三區之中小學教師（教授人文學科之教師），預計500 人。

2.研究限制

(1)研究對象：本研究僅限於臺灣地區北中南三區之中小學教師，缺乏東部地區之樣本，因此結果的推論有其侷限性。

(2)研究方法：本研究採調查研究法之問卷調查方式，因此無法針對受試者的個別情況做更深入的探討、了解與分析。

(3)研究工具：本研究工具為自陳式量表，對於各個變項的測量，是藉由受試者的知覺反應所完成的；受試者在填答時，難免會受到當時情境、社會期待、情緒等等因素的影響，與實際狀況可能有所差異，對於問卷題目的解釋也有差異性，因此研究結果會有測量誤差的情形存在。

二、文獻探討

㈠ 研究範圍

本章旨在分析關於中山人文思想之前人研究成果，因本章之分析成果將作為中山人文思想融入中小學教育的研究基礎，故將擇取的文獻範圍界定為下列幾個方向：

1.文獻蒐集範圍定於近十年（1996－2005 年）相關研究中山人文思想之專書與論文。

2.蒐集資料之主題為相關民族主義、民權主義、民生主義及其他等四大領域並且與「教育思想」有關之文獻資料，詳細子題內容如下：

(1)民族主義：族群融合、社會和諧、國家發展、一統與自決。

(2)民權主義：主權在民、憲政體制、民主法治、地方自治、權能區分。

(3)民生主義：平均地權、節制資本、民主均富、服務互助、生命教育。

(4)其他：多元文化、道德教育、進化思想、知難行易、人生哲學。

㈡ 文獻概述及提要

本節整理近十年之中山人文思想之相關著作分專書、碩博士論文與一般論文

三大部分，附註相關之提要與說明。

1.專書

(1)《建國方略》 孫文著 劉明、沈潛評注 鄭州 中州古籍出版社 1998
年 9 月

評注《建國方略》原書，並詳盡敘述孫中山生平及其思想、《建國方略》
的寫作背景、主要內容概述、歷史地位及社會影響。

(2)《孫中山與日本關係研究》 俞辛焞 北京 人民出版社 1996 年 8 月

以政治外交為重點，系統的闡述了自 1894 年至 1925 年兩者間的複雜關係；
並對兩者關係中的一些重大專題，進行了深入的探討。

(3)《孫中山：越挫越勇的偉大先行者》 張磊 廣東人民出版社 1996年10月

本書綜合論述孫中山先生傳記、革命、思想等。

(4)《大道之行──孫中山思想發微》 姜義華 廣東人民出版社 1996年10月

本書主要敘述孫中山先生各方面思想的起源與結構，介紹分析各類思想的
關連性。

(5)《孫中山的治學方法》 張篤勤 臺北 新視野圖書出版有限公司 1998
年 11 月

本書分別論述孫中山先生於不同時期的讀書與治學情形，並詳細論述三民
主義等主要思想的演進與過程，及其主張的治學功夫與學養。

(6)《中山先生思想與中華道統》 周伯達 臺北 臺灣學生書局 1999年4月

本書論述三民主義與中華道統、道統內容之解析與哲學評估、中山哲學思
想與中華道統、中山思想之主要目的與中華道統等關係。

(7)《孫中山與香港》 劉家泉 北京 中央文獻出版社 2001 年 7 月

書中從孫中山青少年時代寫起到他逝世前半年歷程。表現了他一生摯愛祖
國和人民，一心為公，不謀私利的的高貴品德和為革命履危蹈險的大無畏
精神。

(8)《孫中山研究論集——紀念辛亥革命九十週年》　徐萬民　北京　北京圖書館出版社　2001 年 8 月

本書為二十三位學者分別撰述的論文所組成，重要內容包含：孫中山思想與現代中國、孫中山先生與中國之改造等。

(9)《孫中山對國內情勢的審視》　段云章　廣州　中山大學出版社　2001 年 10 月

本書探討了近代思想解放浪潮、近代化的理想、心性文明觀的民族化特色及對民國史的重視。

(10)《孫中山與近代中國民主革命》　周興樑　廣州　中山大學出版社　2001 年 10 月

本書分別說明孫中山與他領導的辛亥革命運動及國民革命鬥爭。

2.碩博士論文

(1)匡思聖《孫中山思想與當代中國文化轉型之研究》，透過本研究來了解近代至當代中國文化失調之原因，及因失調所導致的危機與挑戰為何，並提出回應之道。

(2)吳美雲《盧梭社會契約論中政治權力關係——兼述孫中山的政治權力學說》，探討盧梭的政治權力關係，並兼述孫中山的政治權力學說。

(3)盧欽山《孫中山與張君勱對我國中央政制之設計——分析與比較》，分析與比較孫中山、張君勱兩人的憲法思想，作為研究我國憲法史、《中華民國憲法》、臺灣當前憲政發展等議題之重要資料。

(4)晏楊清《洛克、孟德斯鳩、盧梭與孫中山政治思想之比較》，從思想家的基本觀點出發，探討其理論思想的具體內容及基於此而建構的制度，並切入政府、主權、人權與法律。

(5)匡思聖《孫中山文化思想與二十世紀中國文化變遷》，透過對文化哲學觀念的探析，以比附的方式從文化哲學觀點析論孫中山思想的文化意涵。

⑹洪大安《孫中山先生之人權思想及其在我國憲法之實踐》，我國憲法人權
思想之實踐，反映了孫中山先生的人權思想，展望出我國憲法人權之新方
向。

⑺陳沛郎《孫中山與梁啟超民族思想之比較研究》，主要研究之重點在於民
族思想。

⑻西村純《和平學初探——其理論、議題與展望》，本研究主要探討 Galtung
和平學理論與當代和平學主要議題以及和平學的展開，並試圖從和平學的
觀點，來論述孫中山的和平思想。

⑼熊家珮《孫中山發展理論與依賴理論之比較研究》，本研究係比較發展中
國家代表性的兩個發展理論：依賴理論與孫中山發展理論。研究兩者的內
容與特色，希冀能提供國家發展研究整合的新思維。

3.論文集論文

在此方面討論了第一至二屆由曾江源等人所主編的《孫中山與現代中國學術
研討會論文集》，以及第三至第八屆由張瑞濱等所主編的《孫中山與現代中國學
術研討會論文集》。

三、研究方法

㈠ 問卷調查規劃

1.問卷調查對象

本研究在問卷調查的施測對象選取（母群體）上，主要以臺灣目前在小學、國
中、高中職任教之種子教師為主，分別在北、中、南三區進行之，預計進行 500
份的問卷調查。

本研究限於經費、人物力等因素，並無法進行全國性的意見普查作業，因此
計畫酌議以「方便抽樣」的方式進行——即利用臺灣於北、中、南區各地所舉辦
的「中小學教師研習會」上進行問卷調查。至於在種子教師的專長領域上，也以

配適本研究之實際需求對象,以「語文領域」、「藝術與人文領域」、「社會領域」的種子教師為對象。由於教師研討會參與教師除了多屬自願性質之外,又具有作育英才之教師身份,對於推動中山人文思想所持之意見,本研究推估其應具有在調查樣本上的正面性意見作用,自然也相當符合本研究欲推廣中山人文思想融入教育課程之初衷。而為了鼓勵受測者耐心作答,以得到較為有效之問卷結果。

2.問卷設計與規劃

以下分為「問卷綱要設計」與「問題概念設定」等兩方面,來說明本次問卷調查施測計畫的架構與主張。

⑴問卷綱要架構

本研究整合了文獻探討所得之初步結果之後,即擬定問卷計畫,將問卷分為兩個主要的部份,包括「受測者基本資料」與「問卷內容」。其中,「受測者基本資料」包括性別、學歷、年齡、職務、教學年資、任教單位、任教地區、學校規模計 8 題;「問卷內容」部份,則是設定成①過去、②現在、③展望等三大問卷施測軸心來設計題目。最終問卷內容分成三大部份來提問,連接基本資料之後,成為第一部份至第四部份的整份問卷。在問卷內容的勾選上,是以李克氏五點量法(非常同意、同意、沒意見、不同意、非常不同意)為基準來進行施測,連同基本資料內容,預計有 50 道題目可以進行量化分析作業;另外,在質化意見上,則以受測者自行撰寫意見的方式列題,讓受測者可以自行條列、陳述文字看法。問卷綱要內容整理如下表 3-1 所示:

表 3-1:問卷綱要概念一覽表

問卷	綱 要 設 定
受測者 基本資料	第一部份:基本資料(8題) 受訪人基本資料,包括:性別、學歷、年齡、職務、教學年資、任教單位、任教地區、學校規模……等。

問卷內容	第二部份（20 題） 1.過去的課程是否能清楚介紹中山思想 2.過去這些介紹中山思想的課程是否能發揮影響 3.對中山思想是否瞭解並認同為合宜的思想 4.過去各類門融入的影響
	第三部份（20 題） 1.中山人文思想目前融入的情況（授課情形、時數、人力、科目） 2.是否認同融入 3.適宜融入的相關領域、議題、基本能力培養的助益
	第四部份（12 題） 1.希望開設相關研習的方向 2.希望融入的課程（感興趣的議題、領域） 3.如何推動 4.困難的克服

(2)問題概念設定架構

以下分別逐一說明本研究在問卷內容（第二—四部份）上的問題提問概念設定狀況：

①過去課程教育中所實施的「中山思想教育」情況（第二部份問題）

本部分問卷主要目的，在探討過去所實施之中山思想教育對個人及現今社會的影響。詳列表格說明如下：

I. 融入程度看法：問題概念、設定內容與代碼如下表所示。

表 3-2：「融入程度看法」之問題與概念設定表

問 題 概 念	
以過去學校實施的課程教育（國中小教育、大學教育、社會教育）而言，「中山人文思想」的融入程度看法	
問 題 內 容	代碼
1.您對中山人文思想的內容有基本的了解。	a1
2.從前學校課程中清楚介紹了中山人文思想的要義。	a2

3.從前國中、小學公民科的相關課程，融入了基礎的中山人文思想。	a3
4.從前高中三民主義課程，能讓人清楚了解中山人文思想的要義。	a4
5.從前大專國父思想課程，能讓人清楚了解中山人文思想的要義。	a5
6.從前學校教育融入的中山人文思想，對您個人的行為有影響。	a6
7.從前學校課程中的中山人文思想，對社會發揮積極正面的影響。	a7

②當前課程教育中所實施的「中山思想教育」情況（第三部份問題）

本部分問卷題目主要目的在探討當前中小學教育中之中山人文思想融入相關情況，以及中山思想是否適宜融入各領域、議題與基本能力養成等相關問題的調查。詳列表格說明如下：

I. 彰顯中山人文思想的程度：問題概念、設定內容與代碼如下表所示。

表 3-9：「彰顯中山人文思想的程度」之問題與概念設定表

問題概念	
現行所實施的「中山思想教育」，能夠彰顯「國父中山人文思想」的程度	
問題內容	代碼
1.目前學校課程中包含了部分中山人文思想的要義。	b1

③未來推動實施「中山思想教育」的大方向議題（第四部份問題）

本部分問卷題目內容主要目的在了解，未來推動中山人文思想融入中小學教育計畫之相關規劃、與教學活動之方向。詳列表格說明如下：

I. 推動時間上：問題概念、設定內容與代碼如下表所示。

表 3-15：「推動時間上」之問題與概念設定表

問題概念	
對於推動「中山思想教育」，在「時間」議題上的看法	
問題內容	代碼
1.「週一到週五」適合辦理中山人文思想融入教育的研習活動。	c1
2.「週六、日」適合辦理中山人文思想融入教育的研習活動。	c2

⑶問卷提問綱要小結

以上各部份之題目與提問內涵的列表與陳述，也是本次問卷施測後要針對統計資料進行的分析綱要，並藉以做為從統計結果中之說明依據（18項議題），進而探討相關的中山思想融入課程教育議題。整體提問綱要內容整合如下表所示：

表 3-20：中山思想教育問卷調查綱要與問題架構設定表

問卷施測主軸	問題綱要內容	細目／備註	題量
1.過去(7)	融入程度看法	—	7題
	整體融入程度看法	—	1題
	課程實施合宜與否	包括公民、三民主義、國父思想，三個科目	2題
	認同理由	社會需要、合理且有意義	2題
	民族觀念	族群融合道德教育、多元文化	3題
	民權觀念	憲政體制、主權在民、民主法治	3題
	民生觀念	平均地權、民主均富	2題
2.現在(6)	課程彰顯中山人文思想的程度	—	1題
	具備傳達中山人文思想的科目	（受測者自行撰寫質化意見）	2題
	執行中山人文思想課程之人力與能力	—	2題
	推動中山思想教育課程的意願	—	5題
	課程領域排序	社會、藝術與人文、性別、人權、生涯發展	5題
	能力培養議題之正面助益	瞭解自我與發展潛能、生涯規劃與終身學習、表達溝通與分享、尊重關懷與合作、文化學習與國際瞭解	5題
3.展望(5)	推動時間上	假日、一般上課時間	2題
	研習活動領域	社會、藝術與人文、生命教育	3題
	研習活動議題	性別、環境、人權	3題
	研發中山思想教育教材的意願	—	2題
	推廣中山思想教育是否有意義	—	2題

㈡ 問卷施測作業

1.問卷樣本結構說明

本研究採取方便抽樣調查方式為之，以語文領域、藝術與人文領域、社會領域的種子教師為調查對象，以民國 95 年 4－7 月間在臺灣北、中、南三區所舉辦之中小學教師研習會上的與會教師為問卷發放對象。總計在北部有四場、中部一場、南部一場，因此在樣本數量上是以北部區域的教師較多的。

2.問卷施測說明

本研究的問卷調查施測的作業時間，從民國 95 年 4 月－7 月，總計發放問卷 550 份，所回收之有效樣本共計 346 份，有效回收率為 63%。施測方式為現場發放問卷由教師填寫，填寫完畢後可領取精美紀念品一份。

㈢ 問卷調查結果

本研究此次問卷調查是一探索性之研究，主要分析方向擬針對兩個部分進行。第一，透過問卷的敘述性統計，先期解構研究調查的主題性輪廓，作為瞭解架構整體研究內涵的立論依據；第二，透過數據與預設的問題構面進行交叉比對分析，用以瞭解這些構面在受測者變項之間，是否具有較為強烈的差異性足以提出來做為問題探討之內容，以便進一步評估並尋找可行的對策。經過資料的輸入整理之後，以 SPSS 13.0 之統計軟體工具進行結果呈現分析作業，相關之詳細統計結果，配合圖、表分別說明如下：

1.受測者基本資料統計

包括：性別、學歷、年齡、職務、教學年資、任教單位、任教地區、學校規模⋯⋯等八個部份。以下分別列出其統計資料。

⑴性別：男性教師比例為 11%，女性教師為 89%。

⑵學歷：高中職比例為 1%，大學比例為 80%，碩士比例為 19%。

⑶年齡： 30 足歲以下比例為 23%，31～40 足歲比例為 43%，41～50 足歲比例為 29%，51 足歲以上比例為 4%。

⑷職務：教師兼行政人員比例為 19%，教師比例為 80%，行政人員比例為 1%。

⑸教學年資：5 年以下比例為 25%，6～15 年比例為 43%，16～25 年比例為 27%，26 年以上以上比例為 17%。

⑹任教單位：小學比例為 61%，國中比例為 28%，高中比例為 11%。

⑺任教地區：北部比例為 60%，中部比例為 23%，南部比例為 17%。

⑻學校規模：北部比例為 60%，中部比例為 23%，南部比例為 17%。

2.問卷內部信度檢定

檢定問卷內容二～四部份的問題施測結果，考驗問卷之「可靠性」與「有效性」稱為可信度檢定（內部信度檢定）。本問卷在三個部份答題的整體檢測結果之信度值均在 0.8 以上（Max＝1），顯示本次問卷之信度值均相當高，因此本次的問卷施測結果應該值得做為日後相關中山人文議題之參考。而推測問卷高信度之可能因素，應可歸於「樣本具高同質性」這一個因素上——因為受測者均是人文領域之種子教師。數據如下表 3-3-9～10 所示。

表 3-3-9：問卷「內部信度檢定」統計表

Reliability Statistics（第一部份——過去）		
Cronbach's Alpha	Cronbach's Alpha Based on Standardized Items	N of Items
.940	.941	20 題
Reliability Statistics（第二部份——現在）		
Cronbach's Alpha	Cronbach's Alpha Based on Standardized Items	N of Items
.872	.922	20 題
Reliability Statistics（第三部份——展望）		
Cronbach's Alpha	Cronbach's Alpha Based on Standardized Items	N of Items
.941	.941	12 題

㈡ 平均值與常態分佈檢定

本次問卷依據所欲瞭解的綱要進行五點量表形式之施測作業，從非常同意到

非常不同意間有五個階段性的強弱，透過將整體受測者的意見予以評分、加總、平均之後，即可得到對某一議題構面的整體「平均值（Mean 值）」。由這個數值即可瞭解施測者對議題答案的強弱傾向，例如對於「中山人文思想融入課程的程度」，是傾向於同意、不同意⋯⋯等看法。另外，再從「標準差（Std. Deviation）」的數字上，也可以看出受測者答題意見是否具一致性（數字變化越小越好）。以上兩者搭配「常態分佈曲線圖」，可觀看結果曲線是否兩邊對稱，越對稱者越呈現平均分佈。以下依據問卷設定之綱要，依次說明問卷三個部份（過去、現在、展望）上的受測者意見傾向。

1.過去施行中山人文思想之狀況

　⑴融入程度看法

　　如下圖所示，詢問過去課程是否有正面性的融入程度，平均值落點為 2.53，表示受測者較傾向「沒意見」（圖 3-3-10）。另外從「常態分佈曲線圖」來看其曲線對稱程度，呈現對稱狀態，顯示受測者答題意見具一致性（圖 3-3-11）。

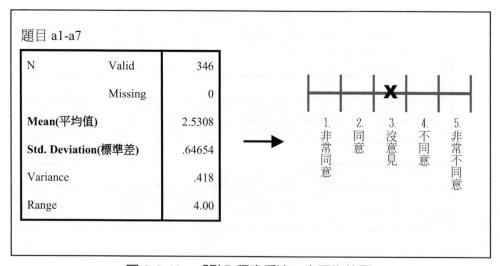

圖 3-3-10：「融入程度看法」之平均值圖

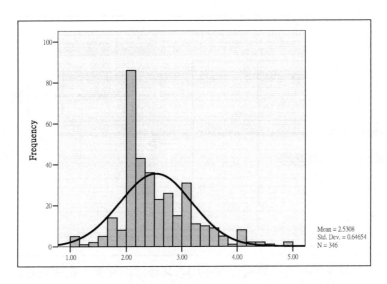

圖 3-3-11：「融入程度看法」之常態分佈曲線圖

2.現行施行中山人文思想之狀況

(1)課程彰顯中山人文思想的程度

如下圖所示，詢問現行所實施的「中山思想教育」，能夠彰顯「國父中山人文思想」的程度，平均值落點為 3.31，表示受測者較傾向「不同意」（圖 3-3-24、圖 3-3-25）。

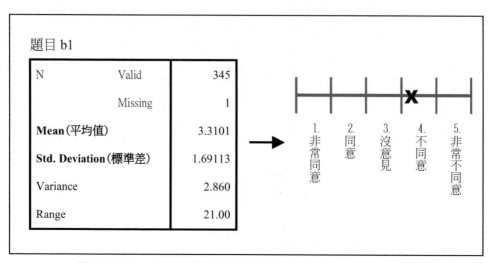

圖 3-3-24：「課程彰顯中山人文思想的程度」之平均值圖

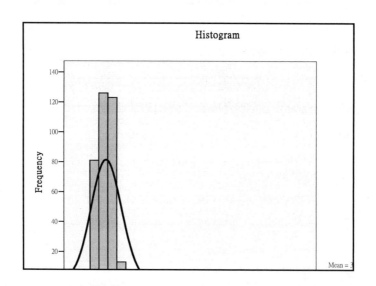

圖 3-3-25：「課程彰顯中山人文思想的程度」之常態分佈曲線圖

　　至於在議題分類上的排序，則如下表所示，其順序依序是：社會＞人權＞生涯發展＞性別＞藝術與人文。

表 3-3-11：議題適合融入中山人文思想之排序統計表

議　題	Mean
適合融入「社會」相關領域。	2.35
適合與「人權」議題相結合。	2.16
適合與「生涯發展」議題相結合。	2.76
適合與「性別」議題相結合。	2.9
適合融入「藝術與人文」相關領域。	3.08
議題適合融入中山人文思想之程度排序：社會＞人權＞生涯發展＞性別＞藝術與人文	

　　至於在能力培養議題上的排序，則如下表所示，其順序依序是：文化學習與國際瞭解＞尊重、關懷與合作＞表達、溝通與分享＞〔瞭解自我與發展潛能＝生涯規劃與終身學習〕。

表 3-3-12：能力培養議題之正面助益性排序統計表

議　題	Mean
對於「文化學習與國際瞭解」的能力培養有助益。	2.301449
對於「尊重、關懷與合作」的能力培養有助益。	2.318841
對於「表達、溝通與分享」的能力培養有助益。	2.602899
對於「瞭解自我與發展潛能」的能力培養有助益。	2.814493
對於「生涯規劃與終身學習」的能力培養有助益。	2.814493
能力培養議題之正面助益性排序： 文化學習與國際瞭解＞尊重、關懷與合作＞表達、溝通與分享 ＞〔瞭解自我與發展潛能＝生涯規劃與終身學習〕	

3.未來推動實施「中山思想教育」的大方向議題

(1)推動時間及議題

　　詢問對於推動「中山思想教育」，在「時間」議題上的看法，以平均值落點而言，表示受測者較傾向於一般上課時間「週一到週五」時段舉行（圖 3-3-36）。在「社會」、「藝術與人文」、「生命教育」三種領域中的研習參與意願排序上，

則如下表所示，其順序依序是：生命教育＞社會＞藝術與人文。

表 3-3-13：議題適合融入中山人文思想之排序統計表

議　題	Mean
參與「生命教育」領域研習活動。	2.80
參與「社會」領域研習活動。	2.81
參與「藝術與人文」領域研習活動。	3.08
研習參與意願排序：生命教育＞社會＞藝術與人文	

⑵研習活動議題

在「性別」、「環境」、「人權」三種議題中的研習參與意願排序上，則如下表所示，其順序依序是：人權＞環境＞性別。

表 3-3-14：議題適合融入中山人文思想之排序統計表

議　題	Mean
參與「人權」議題研習活動。	2.634783
參與「環境」領域研習活動。	2.930435
參與「性別」領域研習活動。	2.933333
研習參與意願排序：人權＞環境＞性別	

綜合以上問卷內容的平均值與常態分佈檢定結果（表 3-3-13），說明重點如下：

1. 過去：對於過去施行中山人文思想教育的「整體成效」面上，傾向於「無意見」，顯示受測者可能沒有感受到特別的成效。

2. 現在：目前在「中山人文思想教育融入課程」上，還沒有確切的合適（正式）推動中山人文思想教育的課程，因此受測者認為可能無相關的「執行中山人文思想課程之人力與能力」。至於受測者建議的可融入科目，依序有「公民」、「社會」、「綜合活動」、「國文」等四科的等第排序。

3. 展望：受測者認為如果未來推動中山人文思想教育的研習活動，以「生命

教育」活動以及「人權」議題等兩項，較有參加意願。

4. 受測者對於過去在中山人文思想教育的「民權觀念（憲政體制、主權在民、民主法治）」上的認同度較高，對照展望未來的研習活動議題構面也以「人權」為較有興趣的情形來看，推估受測者在中山人文思想課程議題上，對於權力、民主……等方面的內涵瞭解上顯然投入較多關注力。

5. 整體問卷欲探討的構面，在意見上均呈現無特別贊成或反對的結果，且多持中立答題態度，呈現「既不完全認同、也非完全反對」的觀望態度；再較諸「推廣中山思想教育是否有意義」的「傾向同意」結果而言，未來只要配合適當良善的推廣政策，應可予以提昇課程融入成效。

四、問題與討論

本章將依據「問卷內容綱要之平均值檢定結果」分別從「過去」、「現在」、「展望」三個面向評估，並且在必要性、可行性、實施方向……等問題討論中，推估其可能面臨的困難或問題，以尋求並探討解決改進之道。

㈠ 過去

本節著重於過去所實施之中山思想教育對個人及現今社會的影響，茲將問卷相應題號如下表所示。

1. 融入程度看法

從過去實施中山人文思想正面性融入程度來看，大多數的受試者皆傾向沒意見，表示大多數的受試者尚未表態，從受試結果「沒意見」來看，可將其分成兩種層面進行探討，一為受試者對與此份問卷設計之主題填寫興趣不高，此問卷之主題與教師實際教學情境不吻合，使之感觸不深；二為不了解題意，受試者不清楚題意加上無充足的時間進行思考，釐清題意，故採取較中庸的回答，不過於極端，但也無法顯示出受試者本身的意見為何。

2. 課程實施合宜與否

從過去實行「中山人文思想融入學校課程教育」的「合宜與否」來看，合宜性的問題，若單看思想本身，與現今學校課程有很大的出入，然而此項計畫推動的時間已有很長的一段時間，由於過去時代的變化不大，故在實施上並無顯著的問題或衝突產生。

3.認同理由

過去實施融入教學可能因為社會需要，在過去的社會中，由於，新國家建立之初，再加上時代動盪不安，為求統一治國、安定民心、建立新的制度，採用中山思想為建國之基礎，為推行中山思想，融入學校課程是必要的，「教育」是塑造人民朝向更先進、更具知識性的有效途徑之一，從教育中逐漸吸收中山思想，人民在無形中接受了中山思想的洗滌，就當時代的社會需求而言是合理且有其意義性的。

4.民族、民權、民生觀念

在民族觀念的延伸上，臺灣社會也是以漢民族為主體，當中含有客家民族、原住民、新住民等多種族群，共同生活在同一個社會當中，發揚漢文化並和其他文化兼容並蓄，相輔相成，不歧視少數民族的觀念，在現在的社會中也是相當重要的。民主國家中，人民基本的權利是存在的，例如：生存權、發言權、自由權……等是不能被剝奪的，除了己身之外，沒有人可以支配另一個人該怎麼做。

㈡ 現在

本節著重於當前中小學教育中之中山人文思想融入相關情況，以及中山思想是否適宜融入各領域、議題與基本能力養成，茲將問卷相應題號如下表所示。

1.課程彰顯中山人文思想的程度

對於課程彰顯中山人文思想的程度上，大多數的受試者傾向於不同意，由於科技的發展瞬息萬變，再加上網路資訊的快速發展，現代人受到巨大的影響，造成社會觀點、時局的劇烈變動，學校課程為符合時代需求做了更動，然而在中山人文思想上並未因時代演變加以更新及修改，以致於有許多觀點和現代社會價值

有所出入，在融入上產生些許困難點，導致彰顯不易。

2.具備傳達中山人文思想的科目

在實際推動中山人文思想的科目上，由於現在學科取向多以實用性為主，中山人文思想相較於現在思潮並不符合社會需求，故能夠確實傳達中山人文思想的科目不多，大多落於「公民」、「社會」、「綜合活動」、「國文」此四個科目，就單一科目而言，所涵蓋的範圍極為廣泛，想要教授給學生的知識過多，但由於篇幅受限，真正傳達中山人文思想的篇章相對的也減少許多。

3.執行中山人文思想課程之人力與能力

在執行中山人文思想課程中，人力有所缺乏，由於大學中並非一門專業的課程專門教授中山人文思想，故大多數的老師，即便擁有大學以上的學歷，對於中山人文思想的概念也是相當模糊的，若是要推動中山人文思想，需要先訓練老師具備基本的知識，可在大學設計相關選修或必修課程抑或舉辦研討會，可以增進中山人文思想在學校課程上的推動。

4.課程領域排序

在課程的安排方面，問卷上是以社會＞人權＞生涯發展＞性別＞藝術與人文為順序，會用這種順序主要是以與中山思想的相關性大小為參考依據，但實際上卻也可以隨機應變，比方說當課程上比較偏向於例如藝術與人文，就可以將重點放在此領域上，重點是中山精神的闡釋與發揚。

㈢ 展望

本節著重於未來推動中山人文思想融入中小學教育計劃之相關規劃、與教學活動之方向，以下就推動時間、研習活動領域、研習活動議題討論。

1.推動時間

在推動中山人文思想融入中小學教育計劃時間方面，傾向週一到週五的一般上課時間，並且以不影響週末假日休息時間為主。這裡呈現了一個問題，若要在週一至週五一般上課時間教學，則適必須利用週三下午或其他時間的「教師研習

活動」，並且需要一個主辦單位來推動。其目的為鼓勵教師進修研習，充實專業知能，提昇教學品質，而參加研習之教師，於返校後需進行研習心得分享與報告，以達到種子教師傳遞教育新知之義務。

2.研習活動領域

在推動領域上，呈現「生命教育」的議題是參與意願最高的，其次是「社會」與「藝術與人文」；常態分佈曲線圖也呈現正常標準的狀況。

顯現出「生命教育」的議題是眾人最關注的，同時發現在我們追求一個更好、更和平的世界旅程中，『教育』是一個有力的武器。而中山思想人文教育不僅限於知識與技能的傳遞，而是為了擴大孩童的視野，使他們認識到他人的需要與權益；無限相續的生命當中，最該學的、最該教的其實就是進一步能在生活中提升生命的內涵。其次也顯現出「生命教育」在今日中小學的課程中是益發顯得重要，故獲得大家一致的認同加強對此學問的專業能力。

在「社會」上，足見中山思想於辛亥命中，於中山先生一生為人民致力中，體現「歷史」對現代中小學的教育意義，除了歷史的事實之外，也必須培養中小學生對中山先生的感念之情。在「藝術與人文」中，中山先生指出：中華民族其實有不少珍貴的而外國所無，與及過去中國人是超越于西方各國的，例如：中國的文字及筆墨：中國方塊字，合象形、指示、形聲、會意、轉注及假借等創造與運用原則，成為世界上最優秀、美麗及富藝術性的文字，在書寫工具及書法上，都是一種偉大的發明和文明。

3.研習活動議題

在研習活動議題上，則呈現「人權」議題是參與意願最高的，其次則是「環境」與「性別」，同時常態分佈曲線圖也呈現正常標準的狀況。

中山先生認為，人民的一切權力的獲得，都是來自「革命」。所以，中山先生不認為「天賦人權」合乎歷史，相反的「革命民權」才是真正的人民的權力來源。「革命民權」是具有政治意義的，是在人民透過革命手段，取得一定的政治

權力，特別是參政權力。在中小學教育中，一直強調尊重每一個人的權力，並且透過學生自治市、學生會等投票活動來呈現「人權」的重要，因此，中山思想的「人權教育」在中小學教材中是「必須」且「應該」深入認識的。

在「環境」及「性別」中，則呈現相對下重要的情形。

五、結論與建議

孫中山先生是中國國民黨的創建者，受到國民黨當局所尊崇，並且被臺灣社會所尊崇為「國父」，中山先生在臺灣的人心中，在可見的將來，其被尊敬的情形，是不會有所改變的。中山先生的思想中，有繼承自中國傳統文化者，有考察西方近代思潮者，其主張及主張之基礎，有涉及民族文化者，有涉及政治、經濟者，故研讀中山思想，等如研究中國的文化，及現代各種社會科學的綜合學術。

此外，中山先生除闡揚本身的創見發明外，對不少西方思想家也進行批判，故研讀中山學說，無形中就等如間接涉獵及初步認識了這些思想家的主張。

以下分別就中山人文思想的課程設計、教師素養、問卷編製等提出建議。

㈠ 中山人文思想的課程設計

青少年是國家的寶貴資源，也是國家的未來棟樑。國家的前途與人類的未來，均有賴於青少年各種潛能的充分發展與發揮。教育的諸般施為與設施，應植基於兒童及青少年心身的需要以及由此而建立的學習需求。因此，中山人文思想的課程設計應該以兒童或青少年的需求了解為基礎，以期有助於青少年未來之發展。故以下條列出中山人文思想在課程設計中應注意的方向：

1.中山人文課程應適應兒童身心各方面之發展。

2.所有課程應依據兒童發展與生長及學習過程方面之有關人文知識。

3.應顧及每一年級不同兒童之需要。

4.教學時間之分配，必須考慮其對學生身心人格之影響。

課程設計的第一要務便是決定課程目標，其次決定課程內容，內容一經決定，

便可以組織課程，中山人文思想課程目標必須合邏輯性、科學性、教育性始不致於高懸而無法落實。目標是課程活動的導引，至為重要，而課程之組織要重視繼續性以求一貫，程序性以求簡繁有序；統整性以求統合而不支離破碎。課程內容要注意：

1.適切性以迎合當前社會需求。例如：「民生主義」的具體落實。

2.有效性以迎合青少年學習能力。例如：中山思想中對中國文化的人文關懷及其藝術之美。

3.生動性以迎合學習者之興趣。例如：中山思想中的「人權議題」，實際參與自治市及學生會選舉活動，以體驗其趣味性與重要性。

除了目標、內容、組織之外，課程設計最後要進行評鑑，以了解課程發展之結果及可能發生之問題，以尋求改進，一般而言課程評鑑可分為形成性、總結性兩種評鑑方式交互使用，以便獲得及時的回饋而得藉以肯定或調整課程目標。

總之，中山人文思想的課程設計要符合青少年之學習需求，亦即應強調學習者本位之觀念，參照其身心發展狀況及社會情境、文化條件來實施課程設計與評鑑，回饋於課程目標、內容與組織。畢竟，脫離學習者──青少年與兒童，便沒有教育、便沒有課程。杜威說過：「教育之目的無他，唯有協助兒童之生長與發展！」

㈡ 中山人文思想之教師素養

孔子是中華文化之集大成者，自孔子以後，儒家「有教無類」的教育道統，一脈相承，到了　國父孫中山先生，更重視教育機會的平等。因此，中華民國憲法第一五九條：「國民受教育之機會一律平等」。於是「有教無類」成為國家的教育政策。政府實施九年國民教育及延長以職業教育為主之國民教育，加強職業教育及補習教育，並且設置清寒獎學金，學生就學貸款，務使有志接受教育的國民，不因經濟上的原因，影響其接受教育的機會。

「有教無類」的精神，事實上，就是現代社會「教育機會均等」的精神，現

代社會比傳統社會更為複雜，為滿足不同社會需要，必須形成新的教育概念，建立新的教育制度，所謂「教育機會均等」的概念，也比過去「有教無類」的概念，更為分化而精密。

我們肯定我國國民教育的目標與方向——五育並進，有教無類，但是做法有待調整，期待能因材施教，適性發展。每個孩子都有其長處，都有他突出的方面，好好引導，都可成為人才，有教無類，是國民教育的起點，因材施教是其過程，而終點正是人盡其才。現在所缺的正是因材施教的措施，及適性發展的策略。

教育學家告訴我們，教養得法，每個孩子都是社會未來的人才。國父也說過教養有道，天無枉生之才。我們已經做到有教無類，剩下來便是如何因材施教，對國民教育來說，兩者有如人之兩腳，缺一不可。

㈢ 中山人文思想的問卷編製

本次問卷大多數的受試者皆傾向沒意見，表示大多數的受試者尚未表態。從受試結果「沒意見」來看，一為受試者對與此份問卷設計之主題填寫興趣不高，此問卷之主題與教師實際教學情境不吻合，使之感觸不深；二為不了解題意，受試者不清楚題意加上無充足的時間進行思考，故採取較中庸的回答，同時無法顯示出受試者本身的意見為何。

因此，建議日後在編寫中山人文思想的問卷時，應考量基層教師的實際教學情形，進而使受試者的意見真正彰顯出來。

中山人文思想的推動，透過〈基本能力〉、〈學習領域〉、〈重大議題〉等部分的課程內涵方向，發現是有其必要性的。我們這一代人很幸運，國父華盛頓總統給了我們「立人立國」的偉大遺產，國父孫中山先生給了我們「世界博愛」的精神財富。承前啟後，我們必須有所繼承，我們必須有所創造。一個民族祇有強大了，他的文化精神才會有影響力。孫中山先生的自助助人、具有博愛精神的民族主義將在未來，讓中小學的每一個孩子重新發現孫中山。

附表一、問卷調查內容

中山人文思想融入中小學教育調查問卷

首先感謝　您願意撥冗填寫這份問卷。本問卷的目的在了解　孫中山先生人文思想融入中小學教育的實施情況，以作為今後推動中山人文思想融入中小學教育計畫的設計參考。填答的結果僅進行整體分析，並不做個別探討，答案無所謂對錯，也不涉及個人隱私，請安心填答，本研究將因　您的熱忱參與而更具價值。再次感謝您的參與。

國立國父紀念館館長　張瑞濱　博士

國立　臺北教育大學　孫劍秋　博士　敬上

九十五年四月

【第一部份】

請依據　您個人的情況在適當選項的□方格內打「ˇ」。

1.性別：□(1)女　　□(2)男

2.學歷：□(1)高中職、專科　　□(2)大學　　□(3)碩士　　□(4)博士

3.年齡：□(1) 30 足歲以下　　□(2) 31～40 足歲　　□(3) 41～50 足歲
　　　　□(4) 51 足歲以上

4.職務：□(1)教師兼行政人員　　□(2)教師　　□(3)行政人員　　□(4)其他

5.教學年資：□(1) 5 年以下　　□(2) 6～15 年　　□(3) 16～25 年　　□(4) 26 年以上

6.任教單位：□(1)小學（幼稚園）　　□(2)國中　　□(3)高中　　□(4)大學

7.任教地區：□(1)北部　　□(2)中部　　□(3)南部　　□(4)東部

8.學校規模：□(1) 25 班以下　　□(2) 26～50 班　　□(3) 51～75 班　　□(4) 75 班以上

【第二部份】

本部分主要目的，在探討過去所實施之中山思想教育對個人及現今社會的影響。量表每題後面列有五個選項，依序由「非常同意」到「非常不同意」，請在閱讀過後，依據　您個人的認知情況，於適當選項的□方格內打「ˇ」。

	非常同意	同意	沒意見	不同意	非常不同意
1.您對中山人文思想的內容有基本的了解。	□	□	□	□	□
2.從前學校課程中清楚介紹了中山人文思想的要義。	□	□	□	□	□
3.從前國中、小學公民科的相關課程，融入了基礎的中山人文思想。	□	□	□	□	□
4.從前高中三民主義課程，能讓人清楚了解中山人文思想的要義。	□	□	□	□	□
5.從前大專國父思想課程，能讓人清楚了解中山人文思想的要義。	□	□	□	□	□
6.從前學校教育融入的中山人文思想，對您個人的行為有影響。	□	□	□	□	□
7.從前學校課程中的中山人文思想，對社會發揮積極正面的影響。	□	□	□	□	□
8.整體來說，您認同過去學校課程中的中山人文思想教育。	□	□	□	□	□
9.您認同過去中小學於道德、公民等課程中融入的中山人文思想。	□	□	□	□	□
10.您認同過去高中、大學所教授的公民、三民主義與國父思想。	□	□	□	□	□
11.過去中小學課程中融入中山思想是為因應當時社會需要。	□	□	□	□	□
12.過去中小學課程中融入的中山思想是合理且有意義的。	□	□	□	□	□
13.中山思想於「族群融合」等民族觀念方面發揮相當的影響。	□	□	□	□	□
14.中山思想於「道德教育」等民族觀念方面發揮了相當大的影響。	□	□	□	□	□
15.中山思想於「多元文化」等民族觀念方面發揮了相當大的影響。	□	□	□	□	□
16.中山思想於「憲政體制」等民權觀念方面發揮了相當大的影響。	□	□	□	□	□
17.中山思想於「主權在民」等民權觀念方面發揮了相當大的影響。	□	□	□	□	□
中山思想於「民主法治」等民權觀念方面發揮了相當大的影響。	□	□	□	□	□
中山思想於「平均地權」等民生問題方面發揮了相當大的影響。	□	□	□	□	□

中山思想於「民主均富」等民生問題方面發揮了相當大的影響。　□□□□□

【第三部分】

　　本部分主要目的在探討當前中小學教育中之中山人文思想融入相關情況，以及中山思想是否適宜融入各領域、議題與基本能力養成等相關問題的調查。量表每題後面列有五個選項，依序由「非常同意」到「非常不同意」，請在閱讀過後，依據　您個人的認知情況，於適當選項的□方格內打「ˇ」。

非　同　沒　不　非
常　　　　　　常
　　　意　同　不
同　　　　　　同
意　意　見　意　意

1.目前學校課程中包含了部分中山人文思想的要義。　　□□□□□

2.目前學校課程中有特定的科目可以傳達中山人文思想要旨。　□□□□□

3.目前學校課程中有適合的科目可用來規劃融入中山人文思想。　□□□□□

　若有，請舉例：_____

4.目前學校有足夠且適合的人力來教授中山人文思想相關課程。　□□□□□

5.目前學校課程容易推動中山人文思想融入相關科目或領域的教學。□□□□□

6.您贊成中山人文思想融入中小學教育的相關課程中。　　□□□□□

7.您認同中山人文思想有重新被世人認識的價值。　　□□□□□

8.您認同中山人文思想有融入中小學教育的必要。　　□□□□□

9.您有意願參加中山人文思想融入中小學教育的相關研習活動。　□□□□□

10.您願意參與推動中山人文思想融入中小學教育的教學活動。　□□□□□

11.您認為中山人文思想適合融入「社會」相關領域。　　□□□□□

12.您認為中山人文思想適合融入「藝術與人文」相關領域。　□□□□□

13.您認為中山人文思想適合與「性別」議題相結合。　　□□□□□

14.您認為中山人文思想適合與「人權」議題相結合。　　□□□□□

15.您認為中山人文思想適合與「生涯發展」議題相結合。　□□□□□

16.中山人文思想對於「瞭解自我與發展潛能」的能力培養有助益。　□□□□□

17.中山人文思想對於「生涯規劃與終身學習」的能力培養有助益。　□□□□□

　中山人文思想對於「表達、溝通與分享」的能力培養有助益。　□□□□□

　中山人文思想對於「尊重、關懷與合作」的能力培養有助益。　□□□□□

　中山人文思想對於「文化學習與國際瞭解」的能力培養有助益。　□□□□□

【第四部分】

　　本部分主要目的在了解，未來推動中山人文思想融入中小學教育計畫之相關規劃、與教學活動之方向。量表每題後面列有五個選項，依序由「非常同意」到「非常不同意」，請在閱讀過每個題目敘述後，依據您個人的認知情況，於適當選項的□方格內打「ˇ」。

非 同 沒 不 非
常 　 　 　 常
　 　 意 同 不
同 　 　 　 同
意 意 見 意 意

1.「週一到週五」適合辦理中山人文思想融入教育的研習活動。　□□□□□

2.「週六、日」適合辦理中山人文思想融入教育的研習活動。　□□□□□

3.您有興趣參與中山人文思想融入「社會」領域的研習活動。　□□□□□

4.您有興趣參與中山人文思想融入「藝術與人文」領域的研習活動。□□□□□

5.您有興趣參與中山人文思想融入「生命教育」領域的研習活動。　□□□□□

6.您有興趣參與中山人文思想與「性別」議題相結合的研習活動。　□□□□□

7.您有興趣參與中山人文思想與「環境」議題相結合的研習活動。　□□□□□

8.您有興趣參與中山人文思想與「人權」議題相結合的研習活動。　□□□□□

9.參與相關研習活動後，您願意自編教材作融入的教學活動。　□□□□□

10.若提供相關教材及教案，您願意於課堂中推動融入教學活動。　□□□□□

11.從事中山人文思想融入中小學教育有助於導正社會價值觀。　□□□□□

12.您認為參與相關研習並從事推廣融入教學的工作是有意義的。　□□□□□

　　本問卷到此結束，非常感謝您的協助！懇請　您再次檢查是否有遺漏，填完後請將問卷送交在場服務人員，俾便彙整。

　　　中山人文思想融入中小學教育專案計畫主持人　孫劍秋　敬謝　！

政治社會變遷與經典詮釋：以孫學研究為例

劉阿榮

元智大學社會學系教授

一、引　言

　　學術研究的旨趣，一方面反映了社會變遷的實質內涵；另一方面也主導該時代社會發展的趨向。例如「五四運動」以救亡圖存為目標，當時認為救亡圖存需揚棄傳統，衷心擁抱「德先生」（democracy）和賽先生（science），因而那個時代的學術發展，也圍繞在「傳統文化」與民主、科學的矛盾，及如何改造、創新傳統之上。

　　從「經典詮釋」的要義觀之，西方詮釋學（Hermeneutics，或譯解釋學、闡釋學）原本即以聖經或重要典籍研究為對象，後來才逐漸擴大並深化到哲學、語言學各門類，對「說明」和「解釋」的思辨；對方法論的探索乃至對意識型態的批判……等。詮釋學的詮釋方法，固然要依據「文本」，但也需考量時代政治社會環境所呈現的事實，尤其與政治思想愈相近的，就更須考慮其政治社會背景，而且其時代意義當然也和該時代社會的變遷息息相關。

　　以孫中山思想為例，在某些歷史時期，它曾經是主要的「黨國意識型態」，

例如北伐統一以後，國民政府於 1929 年（民國 18 年）頒佈「中華民國教育宗旨」，即以「三民主義」為依據。其後，中學公民課程將「修身」改為「黨義」；1949 年政府遷臺後，又將高中「三民主義」、大學「國父思想」列為必修課程，直到 1990 年代，「國父思想」課程才轉型由各校自行規定。不僅孫中山思想，在政治社會變遷中，其主導性曾出現變化，而「孫學研究」的詮釋方法也經歷不同時代的變遷。

本文之目的，即欲藉用政治社會學（political sociology）和詮釋學（hermeneutics）的概念，透過歷史社會變遷的過程，對孫學研究進行經典詮釋與歷史詮釋。由於「孫學研究」可追溯到大陸時期，1925 年孫中山逝世後，戴季陶即發表《孫文主義之哲學的基礎》一書（一文），試圖建立「民生哲學」的體系；胡漢民《三民主義的連環性》也是代表性的著作，其他還有豐富的研究資料及極具創見的研究成果。迨及 1949 年信奉三民主義的中國國民黨在大陸失利，將政府遷臺。經歷半個多世紀的執政（1949－2000 年），孫文研究也隨時代環境變遷而有不同的「語言表述」及「研究途徑」，例如孫中山當年以「日常語言」宣傳「三民主義」，尚未建構「學術語言」，而其後研究者則採「以經解經」方式詮釋，用孫中山言論去詮釋孫中山思想，一直到 1970 年代，國內社會科學研究強調「行為主義」及「後行為主義」，孫文研究也比較多運用社會科學的「學術語言」呈現。到了 1990 年代以後，孫學研究進入轉型衰退期，而研究著作較少，方法則多元紛歧，或採「綜合研究」之模式（劉阿榮，1989:8－19：2002:90－102），而兩岸交流較多，若干大陸學者的孫學研究也漸為本地學者所了解。

本文在研究概念上藉用詮釋學與政治社會學的若干理論；研究進程則大致劃分為三個時期：第一個時期是「以經解經」時期，涵蓋大陸時期及遷臺初期（1920 年代至 1960 年代）；第二個時期是社會科學學術探索時期（1970－90 年代）；第三個時期則為多元紛歧或綜合研究時期（1990 年代迄今）。至於本論文內容共分五節，除第一節前言之外，第二節從詮釋學觀點，對孫學進行詮釋；第三節為孫學研究

的政治社會學詮釋；第四節循著政治社會變遷的歷史脈絡，進行詮釋；第五節為結論及討論。

二、孫學研究的詮釋學詮釋

㈠ 孫中山思想的通俗性與日常語言化

孫中山先生是一個革命家、宣傳家，不是專業的學術研究者，因此，其著述或演講絕大多數是以通俗性的日常語言表述。1924年，中山先生所處的時代，中國的民智未開，教育尚未普及，因此，孫中山特別注重以通俗淺顯的文字或語言，來表達其革命救國與建設國家的基本原理。他認為：一方面要以革命武力以「掃除反革命之障礙」；另一方面更須「宣傳主義以開化人心。」（孫中山：〈建國大綱〉，1924年）在整個學說上，雖然中山思想自有理論體系，不過為了社會大眾的了解與接受，因應當時社會環境之需要，力求通俗化、一般化，使人民易於理解並信服於其主義下共同效命。根據當時擔任廣東高等師範學校校長，並負責「三民主義」演講之校讀工作者鄒魯（海濱）先生《回顧錄》所記（鄒魯，1976:151-152）：

> 有一次，總理講民權主義，裡面有一段，我看了很不明白，特意拿了原稿去見　總理。我報告來意之後就請他再講一遍。但是　總理拿了原稿，問我從什麼地方起，到什麼地方止。我指出之後，　總理不待思索，立刻把這一段全部塗掉。我不明白用意，惶急起來請示　總理。　總理說：「不要這一段」。我問：「為什麼不要？」　總理說：「三民主義的學理雖然非常深奧，卻要使凡識字的人，個個都能看得懂。這樣，我的主義才能普及民眾，然後始能望其實現。假如你都看不清楚，那麼看不懂的人，就不知要多少。所以全部刪去。」

從上述可知，中山思想的理解與詮釋，不僅可從其語言、文字的表面意義去理解，更應該從學術脈絡與時代意義去闡揚。換言之，吾人從日常語言、自然語言（nature language）加以「概念化」（conceptualization）為「建構語言」（construted language）或「學術語言」，通過學術研究的基本概念和架構，並把握其思想與精神人格，將中山思想做更深刻的論述和發揚。（周道濟，1980:83－85；劉阿榮，1986:13－17；1997:325－327）

(二) 詮釋學對經典的詮釋

詮釋學的最早起原可以追溯到古希臘，"Hermeneutics"一詞來自希臘的一個名叫「赫爾默斯」（Hermes）的神，相傳他是宙斯的信使，經常用詞所對應的事物來告訴人們詞的意義。在希臘教育體系中，對概念與判斷原意的「解釋」就是用一事物來說明另一事物，即用概念與判斷的客觀對象說明它們的意義。在中世紀，解釋學成為專門學科，是對《聖經》的詮釋的學問。（趙敦華，2002:114）

事實上，從詮釋學的開發歷史來看，大致可以分為早期（局部）詮釋學、一般詮釋學、哲學詮釋學三個階段或三種主要形式（鄭杭生主編，1990:253－254）：

> 迄今為止，解釋學大體已經經歷了三種主要形式：第一，早期解釋學或局部解釋學，它主要是對各具體領域如聖經、法典、寓言等文獻材料的文字和寓意的解釋。第二，一般解釋學，它不同於局部解釋學的地方在於：它已不侷限於具體文獻和經典的解釋方法和規則。而試圖提出適用於各個領域的普遍的理解方法和解釋規則。一般解釋學基本上是方法論的。一般解釋學的代表人物是施萊爾馬赫和狄爾泰。第三，哲學解釋學，它是對理解和解釋的各個方面的反思和對它們所出現的全部領域的反思。哲學解釋學不再宣揚方法論的意義，反而成為對方法論的批判、對理解中的意識型態作用的批判、對各種形式解釋的前提和限制的批判。

德國浪漫主義者及宗教哲學家施萊爾馬赫（F.E.D. Schleiermacher, 1768－1834）被視為詮釋學的重要奠基者，他認為：「說明」（Explication）與「解釋」（Interpretation）是不同的，前者更多地表明「說明者」的主觀認識，是對於其面臨的問題或事物的主觀認識的展示過程——這一過程雖然關係到「說明者」同「被說明者」的某種聯

繫，但它歸根結底只是一個「說明」而已；它在相當大的程度上可以不顧及說明者對於其說明對象的「責任」，即可以不顧及對說明對象的「忠實性」。而「理解」並不單純地可歸結為這種或那種「文本」（text）的「語法上的認識」；而是「構成一個總體」。換句話說，「理解」是一個「總體」，一種「包含一切」的事實或過程。因此，「理解」不只是一種「解釋的技術」；而且是同人的整個意識活動及其本質聯繫在一起的極其複雜的過程。解釋學的原則和方法只有同人的意識活動總體相適應，才真正稱得上是一種理論體系。（高宣揚，1988:15）

施萊爾馬赫反對把權威詮釋和《聖經》的真實內容混為一談。他提出，任何對文本的理解總是運用一定方法進行解釋的結果，方法不同則理解也不同；傳統的方法是以語法為方法進行字面上的解釋，而他主張的是心理學的方法，對原文作者的寫作動機進行揭示，正是寫作動機賦予文字以意義。（趙敦華，2002:114）換言之，如果僅從文字或權威者的解釋中去理解經典，還不能掌握真正意涵，還要從生命人格和心理去理解。因此有些學者認為施萊爾馬赫對於詮釋學的貢獻在於分析理解的過程：要理解的東西不僅僅是文字及其客觀的意義，而且包括作者的心理個性。他認為作者的思想能夠真正地被理解，只能回到作者思想的源頭。因此他創造性地指出，在字面的（語言的）解釋旁邊要放上心理學的（技術的）解釋。（鄭杭生主編，1990:258）

狄爾泰（W. Dilthey, 1833－1911）是德國的生命哲學家、精神哲學家、歷史學家，他提出詮釋學的三個基本原則是（鄭杭生主編，1990:260）：

　　㈠歷史知識是自我意識。本文的解釋處理被認為是全部歷史實在的理解樣
　　　式，過去的客觀文獻以及反映過去歷史時期生活的遺跡，如紀念碑、原始
　　　材料和著作等都能夠通過解釋而得到復原。

　　㈡理解與說明是有差別的。說明是指以自然科學為範例的說明；理解不是
　　　一種理性的作用，而是聚集了靈魂的所有情緒力量和全部感受能力。

㈢理解是從生命到生命的運動，因為實在本身就是生命。只有通過全部感
受能力的共同作用和在我之內的聯繫，我才能理解全部的聯繫。

總括而言，狄爾泰對解釋學所闡述的經典性定義，大致包含以下幾個思想（高宣揚，
1988:37）：

第一、「解釋」和「理解」乃是人的歷史性發展，或確切地說，人的精神
的歷史性展現和進步所要求的文明建設過程中的重要環節和必要手段。
第二、「解釋」和「理解」既是特定的歷史條件內人類內在精神活動能力
的表現，又是以往持續著並不斷地固定化的各種生活方式的結晶。因此「理
解」和「解釋」既是一種不斷發展的、有歷史特性的功能，又是人類文化
得以延續和不斷發展的重要關節點。
第三、「解釋」和「理解」永遠是暫時的、有限的、是有待後人加以豐富
的。

㈢ 孫學的詮釋——經典的時代意義與生命人格的把握

藉用施萊爾馬赫和狄爾泰的詮釋學觀念，對「孫學」進行詮釋，大致可以把
握兩個主要原則：1.從經典的時代意義去把握；2.從作者的生命人格（心理特性）
去把握；茲略陳如下：

1.從經典的時代意義去把握

前面引述鄒魯《回顧錄》所述，孫中山的思想言論，是為了革命宣傳，使大
多數民眾（當時教育未普及、民智未開）能理解及接受，因此，用通俗言語、日常生活
語言去表述，最容易令民眾了解，並且受到歡迎。例如他把民生主義比喻做「發
財主義」，因為大家希望能發財；他把民族主義與世界主義用「竹槓」和「彩票」
來比喻；他用「阿斗」和「諸葛亮」來比喻「權能區分」……，這些文字背後所
蘊含的是制度設計與生存發展的基礎，深具學術意義，今日對「孫學研究」顯然

必須把握時代環境背景，並根據時代意義進行詮釋。《文學詮釋學》主張對文獻學、文章學、相關學科的方法官典詮釋綜合運用，對孫學而言也頗有參考價值。（吳福助，1998:1−20）

2.從生命人格去把握

一個人的思想，除了顯現的語言文字表露外，還有潛存心靈深處的精神人格。而此精神人格常是更有力的意志表示。是故吾人研究　中山先生思想體系，對其人格，更須加以體察領悟；從其見到國家危亡、民生困苦的悲天憫人胸懷中，發展出救國救民的大志，這便是他「革命精神」之所在，然則，要如何去把握其精神人格呢？那就須從「文化背景」（cultrual back-ground）去探索了，林吞（Ralph Linton）教授說：「在人生歷程中，總不免放棄舊的、不適用的反應範型，並學習新的、有效的反應範型。從這個新陳代謝的過程中，文化總是他行動的指南。文化不只提供他變動中之角色的模式，並且保證那些模式能與根深蒂固的價值態度系統並存。」由此觀之，中山先生人格背景實乃他所繼承的文化遺產中，長久累積的經驗事件，形成的行為系列，並與文化範型內諸變異行為的輻合現象（covergent phenomena）鎔鑄而成的。（劉阿榮，1986:16−17）

三、孫學研究的政治社會學詮釋

如前所述，孫中山思想很重視反映政治社會的變遷，因而孫學研究採政治社會學的詮釋是很必要、也很可行的方法。

㈠ 政治社會學的意涵

史夸茲（Schwartz，1990）認為：「以日常社會的經驗來看待政治，無疑為政治的社會學觀。」（洪鎌德，1998:221）史丹默（Otto Stammer）稱「政治社會學所涉及的是政治行為的社會性或社會心理方面的前提，以及現世各國不同政治體制的結構與影響關係。」（引自洪鎌德，1998:222）。巴托謨（Tom Bottomore）則指稱「政治社會學是關涉到社會脈絡（social context）中的權力。」（Bottmore，1993:1）這些權力有來

自個人的，也有社會全體的行動，因此它是政治學與社會學共同關注的焦點。陳
秉璋（1984:36）認為：政治社會學是結合了政治學與社會學而成立的一門特殊社會
科學。其主要目標有二：第一、把傳統政治哲學的演繹與抽象理性，和現代科學
研究相結合；第二、把政治現象和社會整體相互聯結起來，並探討其互動關係與
解釋其因果可能性之存在。基於上述目標，政治社會學的研究對象有兩個不同的
看法：

　　1.政治社會學是以「國家」為研究對象的科學：從字源上"Polis"代表古代希
臘之「城邦」，相當於今天意義的「國家」，因此較極端者希望把政治學稱為「國
家學」（statologie），可見以「國家」為研究對象，是長期以來政治學的傳統。

　　2.政治社會學是以「權力」為研究對象的科學：所謂權力，包括了權威、統
治、政府……等三個不同層次的權力。權力的行使，有的界定在擁有公共力量與
主權持有者的國家（國家中心論）；也有認為應讓權力重新回到原先產生權力的人
群組織中（社會中心論），此二種爭議均有其立論根據，也為政治社會學帶來相當
有價值的啟示。（陳秉璋，1984:36－37）

　　如果深一層思考，「權力」既然是政治社會學重要的研究對象之一，則前述
「國家中心論」與「社會中心論」，正預示了晚近「國家與社會」的兩種學理分
野或分析架構：其一，是市民社會（civil society）先於或外於國家而存在。西方政
治自由主義的傳統，從古典民主的「社會契約論」中描述了 civil society 乃是從自
然狀態（nature state）中分衍而出的政治社會，為了避免「戰爭」的恐懼（如 Hobbes
所言），或洛克所稱：「舒適、安全及和平的生活」，「生命、財產、自由權利的
保障」，不論如何，國家的存在，只是為了社會和平秩序的工具性目的，不能反
過來控制著社會，因為國家權力源自人民，是市民社會決定了國家，國家機器是
人民為了保護自身利益，而通過多數同意的社會契約，讓渡給國家的只是人民「部
分的權力」而非全部，主權依然為民所擁有，如果國家違背契約而濫權，人民可
以依其主權而收回讓渡的權力，不再委託或另託更合適的政府。此一論點體現了

市民社會先於或外於國家而存在。

反之，黑格爾認為：市民社會所關注的是私領域（private sphere）的私利或個殊性問題，不能關照整個公共領域（public sphere）的群體公眾利益，因而市民社會的性質決定了他的盲目導向和機械導向：追求私立必然導致社會衝突與失衡，唯有透過理性、公正的「國家」才能融合特殊利益而提昇為普遍利益的共同體。因為黑格爾認為：「國家是倫理理念的實現」，「國家是絕對自在自為的理性東西，因為它是實體性意志的現實。」（范揚、張企泰譯，1985:295）由此可推衍出「國家」乃高於市民社會的存在。（鄧正來，1999:77-100；Carnoy，1984；Cohen and Aroto，1992）

㈡ 「政治社會學」從政治學、社會學的角度去分析

如果說「政治學」所關注的是國家、政府組織、政黨與利益團體、政治決策、政治行為……之研究。而「社會學」是涂爾幹所強調的「社會事實」（social facts）：這種社會事實可能產生在人們的社會互動裡，也可能記錄在社會風俗習慣及律法裡，它深深鑲嵌在個人的行為和心理之中，而產生約束力量，也就是個人的特質與行為，必須從整個社會脈絡中去理解。而韋伯的「社會行動」（social action）則是從社會和歷史架構中去了解個人在社會互動中的主觀意義，個人是有意義行為的承擔者，例如何種因素促進西方工業革命？何種社會因素將西方文明導向「合理化」？上述「社會事實」及「社會行動」的社會學關注，與政治學的國家、政府、權力、決策……等，共同交集關注，顯然使「政治社會學」充滿了跨學科整合的性質。

政治上「權力」結構的組成、取得與流失，是政治社會學關注的焦點，它不僅涉及政治團體的消長，也依賴社會群眾之支持與反對，因此社會變遷、社會動員、社會正義……等社會學的概念，也是用來分析政治現象的重要因素。而最基本的政治與社會學交集關注點，莫過於「政治社會化」（political socialization）與社會組織（如家庭、學校、政府、政黨）中的「政治分析」（權力與決策）。「政治社會化」概念是將社會學用來詮釋政治學的新途徑。其意涵乃指政治體系中的成員，藉由

種種方式或途徑，將某些政治價值（political values）或信念，傳播及影響其他成員。因此，政治社會化被視為一種「學習的過程」（learning process）。當一個政治體系的成員，由幼至長，耳濡目染，從父母、師長、同儕間的政治信念與價值觀，逐漸受其薰陶，而表現出相近的政治意識。例如，美國「共和黨」比較傾向資本家；「民主黨」則與中、下階層及勞工比較接近，其影響選民之信念亦如此。而臺灣之國民黨（泛藍）、民進黨（泛綠）的選民，也在多次的選舉活動及投票行為中，將其政黨理念「社會化」於民眾，再由這些選民因父母、師長、同儕關係，影響其子女或學生。因此，政治社會化是政治社會學中極重要的一環。

金耀基指出：「政治社會學是政治學與社會學之結合，其研究對象為社會與國家的關係。」因為單單以研究國家或政府之政治結構，對政治社會之現象的了解鮮有助益。從政治社會學的觀點來看：「國家」只是「政治體系」（political system，政治系統）的一環；而「政治系統」又是整個「社會系統」（social system）之一個次級系統。故而，「任何有意義之政治結構與過程之分析，必須探究其社會之基礎與條件。舉例而言，研究民主政治與極權政治，必研究其形成之社會原因，此則涉及社會價值、信仰系統、權力合法性、權威等問題。」（金耀基，1976:192）

由上可知，政治社會學是結合政治學與社會學的跨學科研究，而其核心議題為「政治社會化」。本文所論孫中山當年演講「三民主義」宣傳其革命思想，自然也是一種「政治社會化」的過程，今日研究孫學，一方面應傳承其革命、建國之精神；另一方面也應「與時俱進」的創新發展，使中山思想及國家建設更具時代的意義。

㈢ 孫學研究的政治社會觀

從政治社會的觀點去詮釋孫中山思想，至少可以提出兩項最重要的精義：1.孫中山認為人類政治社會是由衝突進化到互助的；2.孫中山體認政治是眾人之事，政治的核心雖然是「權力」，但他不認為「權力」的汲取是用來追求自己的利益，反而是轉化於「服務」，為大多數人服務的精神。茲略陳如下：

1.政治社會是合作互助而非衝突鬥爭

孫中山基本上是反對衝突性的社會秩序，吾人可以舉出若干言論以說明：如他反對馬克思的階級鬥爭。因為馬克思認為：一部歷史是一部階級鬥爭史。孫中山則認為：「物種以競爭為原則，人類則以互助為原則。社會國家者，互助之體也；道德仁義者，互助之用也。人類順此原則則昌，不順此原則則亡。」（1919年〈孫文學說〉）另外，1923年他在〈民生主義〉第一講特別提出：

> 社會之所以有進化，是由於社會上大多數的經濟利益相調和，不是由於社會上大多數的經濟利益有衝突。……社會上大多數的經濟利益之所以要調和的原因，就是因為要解決人類的生存問題。古今一切人類之所以要努力，就是因為要求生存；人類因為要有不間斷的生存，所以社會才有不停止的進化。所以社會進化的定律，是人類求生存。人類求生存，才是社會進化的原因。階級戰爭，不是社會進化的原因；階級戰爭，是社會當進化的時候，所發生的一種病症。……馬克思研究社會問題所有的心得，只見到社會進化的毛病，沒有見到社會進化的原理，所以馬克思只可說是一個社會病理家，不能說是一個社會生理家。

此外，他主張改良社會組織補救天演之缺憾。1912年他在〈社會主義之派別及方法〉的演講中提到：「組織之不善，雖限於天演，而改良社會之組織，或者人為之力尚可及乎？社會主義所以盡人所能，以挽救天演之缺憾也。」

2.以政治的「權利」轉化為服務人民的「能力」

孫中山將政府的權力視為一種「服務」：政府為人民服務；又將人民權力行使從消極的防範、排斥，轉化為積極的信任與合作。1924年他在〈民權主義〉第五講引了一位瑞士學者的話，「各國自實行了民權以後，政府的能力便行退化。這個理由，就是人民恐怕政府有了能力，人民不能管理。所以人民總是防範政府，不許政府有能力，不許政府是萬能。所以實行民治的國家，對於這個問題便應該

想方法去解決。」這個問題反映出孫中山為了改變人民對政府「不信任」的態度，而提出「權能區分」的道理，使人民有充分的「權」去管理政府，不怕政府專擅，能信任政府並放手讓政府發揮效能。另一層意思則是，孫中山最重視政府乃為「公僕」是為人民服務而存在的，他在〈孫文學說〉（1919 年）第七章說：「人民為一國之主，官吏不過為人民之公僕。」

如果「權力」在某種意義上隱含了「能力」的展現，則有能力（聰明才智愈大的人），可以運用其智慧、能力乃至財富，為其他弱勢者「服務」，這樣的社會不僅是一個和諧互助的社會（各階級、各族群互信互愛共同生活）更可達到所謂「平等的精義」──人類道德的最高目的。1924 年他在〈民權主義〉第三講分述了「兩種思想」與「三類人群」，最後提出了「服務的道德心」：

> 1.兩種思想：人類兩種思想來比對……一種就是利己，一種就是利人。重於利己者，每每出於害人，亦有所不惜。此種思想發達，則聰明才力之人，專用彼之才能去奪取人家之利益……重於利人者，每每到犧牲自己，亦樂而為之。此種思想發達，則聰明才力之人，專用彼之才能，以謀他人的幸福。
>
> 2.三類人群：人類稟賦受之天賦者，有三種不同的聰明才智：先知先覺者為發明家；後知後覺者為宣傳家；不知不覺者為實行家，此三種人各有其作用與貢獻，不可偏廢。
>
> 3.服務的道德心：要調和以上三種人，使之平等，則人人當以服務為目的，而不以奪取為目的。聰明才智愈大者，當盡其能力而服千萬人之務，造千萬人之福……雖天生人之聰明才力有不平等，而人之服務道德心發達，必可使之成為平等了，這就是平等之精義。而人類如能達到上述服務道德心之發揮，使之平等，「斯為道德上之最高目的。」（1924 年，〈民權主義〉第三講）

四、政治社會變遷下的孫學詮釋

　　孫學研究固然可以採詮釋學的詮釋、政治社會學的詮釋方式，但也必須思考不同時空背景、不同政治社會變遷下的孫學詮釋所展現的差異，概括言之，㈠ 1960年代以前，孫學所呈現的是「以經解經」的詮釋；㈡ 1970年代後採社會科學的詮釋方式；㈢ 1990年代迄今則為綜合研究之模式。茲分述如下：

㈠ 以經解經模式

　　從大陸時期到遷臺初期，孫學研究的最重要方式是「以經解經」模式，亦即引孫中山的言論，解釋孫中山思想。這時期的代表著作甚多：戴季陶的《孫文主義之哲學的基礎》，是將孫中山重要著作如三民主義、建國大綱、建國方略加以綜合，而提出「民生哲學系統表」來做總括。任卓宣（葉青）的《三民主義概論》更是自孫中山言論中抽繹若干主要概念，再以孫中山、蔣中正或其他革命先進的言論來詮釋。崔書琴《三民主義新論》雖撰寫於大陸時期，卻在臺灣風行歷數十年而不衰，主要是他以嚴謹的西方學術規格，對孫學做了非常深刻的經典詮釋。這時期的孫學詮釋都以孫文自己的言論去詮釋其學理，其優點是不致於逸出孫中山本人的思想，但缺點則比較少開創性，也不易和其他學術結合匯通。

㈡ 學術（社會科學）匯通模式

　　1960年代，臺灣學術界引入美國「行為科學」，成為國內社會科學研究的主流，而中國國民黨第十次全國代表大會（1969年十全大會）及第十一次全國代表大會（1976年十一全大會），特別強調「加強三民主義思想教育功能，因此設立許多三民主義研究所，在研究所方面著重「學術研究」，於是「三民主義學術化」（以社會科學）研究孫文思想成為新趨勢〈羅剛，1973〉。此一學術匯通時期，最有代表性的厥為程天放主編的《國父思想與近代學術》一巨冊（或分為五冊），分別為謝徵孚著：《從社會學看國父思想》；孫邦正：《從教育學看國父思想》；桂崇基：《從政治學看國父思想》；羅時實：《從經濟學看國父思想》；崔載揚：《國父

哲學思想體系》（以上均為臺北：正中書局出版）這些書的最大特色是把當時政治、經濟、社會、教育、哲學……各領域的學術概念與國父思想匯通。

另外，執政黨文工會及正中書局、國立編譯館，特別和中央研究院、臺大、政大、中山大學等相關研究所合作，推出許多三民主義的叢書，並且獎助出版各大學三民主義研究所出版博士、碩士論文等。

三民主義學術化問題，在當時國民黨所發行的《中央月刊》曾有若干文章討論，並集結出版（中央月刊社，1973），其後「文工會」更發行《中華學報》邀請當時頗具學術聲望的學者執筆撰稿，此一刊物在民國六○、七○年代，確屬學術水準頗高之學報，對三民主義學術化或孫學與社會科學之匯通，具有重大貢獻。當時幾所大學三民主義研究所的博、碩士論文及相關學報，如臺大之：《中山學術論叢》、政大之《政治文化》、師大之《三民主義學報》、中山大學之《中山社會科學季刊》、中研院之《人文及社會科學集刊》……等，都頗具學術性，這些刊物可視為孫學研究與學術結合的高峰時期。此一時期研究方法大多採新式的論文寫作方式，依一定規格，較少做「以經解經」式的詮釋，可能與指導教授本身在專業學術領域較熟，而對「孫文思想」涉獵較少有關，更與這些年輕研究生的學術背景（來自各大學不同科系）有直接關係。從好的方面來看，固然「學術性」增加了許多，「教條化」淡化了不少；但從另一方面來看，許多論文似乎已變成了「本末倒置」，學術概念一大堆，孫中山言論只成點綴，甚至變成「沒有孫中山思想」的「孫學」研究，這是比較奇特的現象也是值得反思的課題。

㈢ 綜合研究模式

1990 年代，國民黨由獨佔優勢政黨，逐漸變為與在野黨競爭的政黨，孫學研究也進入弱化消褪時期。尤其 2000 年大選後政黨輪替，孫學研究更陷低潮，此時期研究人員快速減少或轉行，研究出版更形稀少，反而是中國大陸許多設有孫中山研究的單位紛紛加入研究行列，而兩岸交流頻仍、雙方影響加深，孫學研究也逐漸受到臺灣學者的瞭解，此一時期孫學研究進入一個多元性、綜合性的研究階

段，但整體水準呈現停滯或下降趨勢。由此可見，經典詮釋與政治社會變遷有極顯著的關係：學術的盛衰起伏、研究的主題方法都受到政治變遷的影響。

五、結論與討論

本文論述經典詮釋與政治社會變遷，主要的觀點集中在一種政治氣氛極濃的意識形態或主義，即孫中山思想，在不同的政治社會背景下，如何詮釋？不同的詮釋對學術或政治社會有何影響？

經由上述各節的論述，本文認為綜合運用詮釋學的詮釋（第二節）、政治社會學的詮釋（第三節）、政治社會變遷的歷史詮釋（第四節），比較能把握到孫學或孫中山思想的核心議題與外在環境之變化。詮釋學的詮釋著重在「文本」、「文義」的理解及作者生命人格的把握。政治社會學詮釋著重在如何由政治權力的宰制支配，轉化為「為眾人服務」的能力；體認社會國家的本質是合作互助而不是衝突對立的。歷史變遷的詮釋，著重對不同階段的歷史時代任務，及學術脈絡的變化，進行思考與學術語言表述。

綜括以上所述，本文可以提出若干結論及討論：

第一、經典詮釋能賦予經典的不同時代意義，藉由詮釋學、政治社會學、歷史變遷的不同視角去觀照、去詮釋，能呈現不同的意義及產生不同的影響。

第二、詮釋模式是出於自然形成（亦即學術發展的自然趨勢）？或出於政治勢力的主導（亦即因應政治勢力之變遷而使詮釋方式改變）？抑或兩者（自然的、政治主導的）力量同時存在，共同作用？

第三、「孫學」作為顯耀一時的「黨國意識形態」，究竟是政治力量成就其「獨特的官定意識形態」？還是政治力量消退而牽連其「特定意識形態」必須退位？具體而論，凡特殊的際遇，是否也隱含著特殊的命運？

第四、平心而論，「孫學」本身具有豐富而深具價值的理念及內涵，並展現其價值體系、遠景體系、分析體系、策略體系，如果不是過分「神聖化」被推崇

到僵化的「教條」；或被過分「污名化」成為執政治者的「思想控制」。還其本來面目，它所呈現的平等、自由民主理想（價值體系）；分析民族地位低落、社會貧富不均的問題原因（分析體系）；採取民族復興、民權普及、平均地權、節制資本……等方法（策略體系）；由救國、建國到世界大同的理想（遠景體系）。這些思想，當可視為治國的寶典與經典。既因政治而顯耀，也因政治而廢退，不問學術價值及內容，只看政治興衰，豈不令人感慨！

　　總之，經典詮釋的意義除了文義、義理上的探求；也需深刻地透過文義背後的時代精神、政治社會環境變遷，做更寬廣、更深刻的視域理解，本文以孫學研究為例，做出了上述的探討，並得到若干初步的結論。

參考文獻

一、中文部分

中央月刊社（1973）：《三民主義思想論叢》，臺北：中央文物供應社經銷。

吳福助（1998）：〈「文學詮釋學」理論體系的建構〉，載東海大學中文系編：《傳統文學的現代詮釋》，臺北：文史哲出版，頁1－20。

周道濟（1980）：〈談國父學說的研究〉，載臺北：臺大《中山學術論叢》創刊號，臺大三民所印行。

金耀基（1976）：〈政治社會學〉辭條，羅志淵主編：《雲五社會科學大辭典》第三冊：《政治學》，臺北：商務，三版。

洪鎌德（1998）：《二十一世紀社會學》，臺北：揚智文化，初版一刷。

范揚、張企泰譯（1985），黑格爾著：《法哲學原理》，臺北：里仁書局出版。

高宣揚（1988）：《解釋學簡論》，臺北：遠流出版公司

陳秉璋（1984）：《政治社會學》，臺北：三民書局初版。

鄒　魯（1976）：《回顧錄》，臺北：國立中山大學校友會編印，三民書局，初版。

趙敦華（2002）：《現代西方哲學新編》，北京：北大出版社，一版四刷。

劉阿榮（1986）：《民生主義在臺灣經濟發展過程中扮演的角色》，臺北：正中書局，臺初版。

劉阿榮（1989）：〈歷年來「孫學思想」研究之評介（1949－今）——兼論應有的研究態度和取向〉，教育部主辦，清華大學承辦：《國父思想教育研討會論文集》，頁 8－19。

劉阿榮（2002）：《近三十年來國內孫學研究之變遷》，載《國父紀念館三十週年館慶特刊》，頁 90－103。

鄭杭生（1990）：《現代西方哲學主要流派》，北京：中國人民大學出版社，一版二刷。

鄧正來（1999）：〈市民社會與國家——學理上的分野與兩種架構〉編入鄧正來及 J. C. Alexander 編：《國家與市民社會：一種社會理論的研究架構》，北京：中央編譯出版社，一版一刷，頁 77－100。

羅　剛（1973）：〈三民主義學術體系〉，編入中央月刊社編輯：《三民主義學術思想論叢》，臺北：中央月刊社出版，頁 33－43。

二、英文部分

Bottomore, Tom (1993): *Political Sociology*. 2nd ed., London: Pluto Press.

Carnoy, Martin (1984): *The State and Political Theory*. Princeton University Press, New Jersey.

Cohen and Arato (1992): *Civil Society and Political Theory*. The MIT Press.

Gramsci, A (1971): *Selections from the Prison Notebooks*. London: Lawrence and Wishart. University Pres, New Jersey.

臺灣學術期刊中的
孫學研究發展歷程與趨勢

林國章

國立國父紀念館文化組主任

【摘　要】　中山學術研究的歷程，從 20 世紀初期的總理遺教、國父遺教，到戰後的中山思想、中山學術、以至於時下所謂的孫學研究，強調以學術匯通及科際整合的視野，將中山先生致力國家發展的思維與策略，從政治、經濟、社會、文化、哲學……各方面融入跨學科領域的學術研究範疇。孫學成為近現代國家邁入現代化過程中的一門極俱研究價值的論述典範。以往國人在這方面的研究，從文獻學的角度來看，其原典論述編列在於年譜、實錄、全集之中，包括：論著、談話、演講、宣言、文告、函電、公牘、命令、規章、題詞、遺墨……等諸多面向。但是學術價值的提升以及學術貢獻之是否被接受或重視，更重要的是存在於後續研究者的匡補與闡述，而學術期刊就是闡揚與恢弘孫學的最重要途徑之一。尤其近年來臺灣社會科學研究領域競相推崇以專業期刊納入國科會所建立之臺灣社會科學引文索引，做為提昇學術價值之指標，本文以文獻分析的角度，回顧臺灣專業性學術期刊中所見孫學研究期刊發行的歷程與特質，並從社會發展的觀點，論述其發展趨勢。

【關鍵詞】　孫學研究　中山思想　多元文化主義　社會科學本土化

一、前　言

　　回顧 20 世紀世界史的舞臺上，在反殖民、爭自由的時代浪潮中，以強烈的民族意識號召國民革命推動政體改造。並且從承襲先民之思想、融合近代西方學說思潮，進而規劃長遠的國家發展策略，開啟了深刻影響當代海峽兩岸政治、社會發展的契機，這是孫中山先生在歷史上享有的獨特定位。孫中山的歷史記憶，百餘年來留傳於海內外，不乏從歷史、社會、政治、經濟、文化、軍事、哲學……等各種不同的面向，論述其勳功事蹟、行誼思想。這些記載與論著，無論從量或質來看都足以說是多不勝數，燦然可觀。

　　值得重視的是孫中山研究的意義與重心究竟應該如何理性的呈現？考察近代我國教育發展的歷程，其最原始的功能與形式，結合中山先生奮鬥的過程與目標，強調黨化教育的色彩無疑是歷史的必然。因為 1927 年南京國民政府成立，宣告全國形式上的統一，為了鞏固統治，1928 年開始展開「以實現三民主義為目的的教育」。廣州國立中山大學特別成立專門研究所，由崔載陽先生為首，擬定三民主義化的課程設計，確定了三民主義結合民族中心教育的「體與用」和「形式與內容」。❶而 1947 年中華民國憲法頒佈施行，在憲法前言中明白揭示：「中華民國國民大會受全體國民之付託，依據孫中山先生創立中華民國之遺教，為鞏固國權，保障民權，奠定社會安寧，增進人民福利，制定本憲法，頒行全國，永矢咸遵」。三民主義和國父思想的意義與角色，因此具有了正統性與指導性的功能。其後伴隨臺灣自戰後光復以來長達半個世紀以上的發展軌跡，尤其在戒嚴時期更被賦予官方說法的特定意義。解嚴之後，學術社群在多元化主義與社會科學本土化的聲浪中，乃有諸多視其為官方意識形態的反省與批判。其實早在 1960 年代歷史學者

---

❶ 黃福慶，《近代中國高等教育研究：國立中山大學（1924－1937）》（臺北：中央研究院近代史研究所，1988 年），頁 146－148。另參閱何國華，《民國時期的教育》（廣州，廣東人民出版社，1999），頁 86。

史扶鄰 Harold Z. Schiffrin 研究《孫中山與中國革命的起源》即中肯地指出:「中山先生既不是什麼天生的聖人,也不是單憑個人意志隨意創造歷史的超人,而是一個使人感到親切,在現實生活中客觀形勢推動下,經過內心種種衝突,經過實踐的反覆探索才走上革命道路的。他取得成就的歷史意義,主要是中國知識分子組成政治運動的第一個非仕宦出身的領袖,其革命活動的開始,標誌著一種新興的社會力量開始登上中國的政治舞臺。」❷

其次為了避免中山思想成為政治服務的思維,站在學術研究的立場,更須關注的是如何有效彰顯中山先生在時間的過去與現代之間,到底客觀地表達過那些對現實生活具有提供方向感的功能?這是掌握其思想的主體性及評價其歷史定位的基礎。❸傳統儒家的歷史思維強調褒善貶惡、及經世致用的理想,現代性的社會科學典範(paradigm)則肯定所謂的科學社群(scientific community)的存在,並強調包括特定的先驗假設、概念、理論、分析技巧、分析模型、解決問題的能力特性。尤其論及社會科學的知識意涵,要求實證與科學的成份,特別重視經驗律的說明、命題之間的邏輯、知識體系的一致性和預測推論的能力。❹因此,中山學術的內涵及其在當代社會科學領域中的學術價值,不可忽略的是應該兼顧經驗研究及材料處理的科學性。

實際上從三民主義的原著深入探索,很明顯地中山先生的志業與論著篇幅基本上大多投注在具體的建設計劃上。臺灣發展經驗導引出各種豐富的實證性課題,足以印證中山學術的體系與價值,也提供了與其他世界思潮比較研究的絕佳題材。至於具有科學意義的材料處理,就文獻學的角度而言,除了一些基礎的工

---

❷ 史扶鄰 Harold Z. Schiffrin 原著,邱權政等譯,《孫中山與中國革命的起源》(臺北:谷風出版社,1988 年 3 版),頁 1—8。

❸ 參閱李椒珍,〈經學式、科學式與理學式的歷史詮釋學——近代中國/臺灣史學發展的三個面相〉,《當代》雜誌,第 178 期(臺北:當代雜誌出版社,2002 年 6 月),頁 32—55。

❹ 張家銘,〈理論化與形式動力——實證社會學的理論結構〉,《社會學理論的歷史反思——韋伯、布勞岱與米德》(臺北:圓神出版社,1987),頁 105—133。

具性目標，對於目錄、版本、校勘、輯佚、辨偽等方面的必要認知之外，真正重要的，還是要透過文獻資料，去研究學術理念甚或文化環境，使抽象的學術觀念或理論，和具體的文獻資料相互結合或印證。❺而文獻資料的類型，傳統上重視有關文物、典籍或著作、編述、鈔纂……。❻當代的學術社群隨著傳播技術的進步與資訊流通的快速和普及，相對重視專業性學術期刊的發展。

一般而言，期刊論文受限於篇幅有限、審查校勘、定期出版等因素，力求以簡明論述研究的精髓。強調重點呈現寫作的問題意識、研究主體、方法論、邏輯性及結論與建議。簡短、客觀、易於透過公開的論述與對話，達成表述觀點與客觀論辯的機會，使得專業性學術期刊成為確立這門學科的正當性，以及追求專業化和客觀化的關鍵。當一個學科領域的知識與理論基礎不斷累積愈發成熟時，其研究的量與質表現在文獻出版上必然相對增加，專業性學術期刊就是衡量其發展趨勢的重要指標。本文乃以文獻分析的途徑，從臺灣相關孫中山研究期刊所呈現的實質論題（substantive article）及其載體營運消長的情況，來看孫學研究風氣的變遷與發展。

二、光復至 1960 年代
臺灣中山學術研究機構與期刊體系的建立

就形式而言，學術期刊的種類涵蓋各種不同的樣式，諸如：專業學報（academic Journal）、雜誌（magazines）、集刊報告（bulletin）、時論通訊（newsletters）、譯述評論（translation commentary）、科學通訊（scientific communication）……等不一而足。

由於論述議題及呈現方式應具備較嚴謹的體例規範，有賴於足夠的撰述稿源，還要加上連續性定期出版。因此，學術期刊的經營除了出於為學術社群服務

---

❺ 周彥文、邱炯友主編，《（1950－2000）五十年來的圖書文獻學研究》（臺北：臺灣學生書局，2004），頁 IX。

❻ 參閱周彥文主編，《中國文獻學》（臺北：五南圖書出版，1993），頁 443－476。

的真摯熱忱，或是俱有特定的任務使命，否則常因經營成本或環境因素變遷而難以持續。而臺灣的中山學術研究發展方向，首先源自於中山先生遺教及三民主義憲政架構下的國政策略。其次光復之初為了掃除日本殖民統治遺留下的風氣，國民政府自 1947 年起確立在臺灣強力主導推行三民主義的學風與教育制度。[7] 1949年政府播遷臺灣之後，更以強化反共抗俄的備戰心理及光復大陸為目標，三民主義的思想體系與政務設計成為社會動員和國家發展的指導原則。在以黨領政的前提下，恢弘中山思想的策略與作法，乃隨中國國民黨的組織改造及社會變遷情勢而更迭。因此，臺灣光復以來，中山學術的研究機構以及期刊的發行主要可分三類：一為中國國民黨有關單位；二為公私大學及學術研究機構；三為民間團體。[8]

㈠ 中國國民黨及其相關社會團體發行之期刊

1949 年 3 月，蔣經國先生奉命研究黨務改進方針，同年 10 月 6 日設置「革命實踐研究院」做為中上級幹部的訓練機構，展開重建革命組織及精神的奠基工作。1950 年 8 月中國國民黨成立「中央改造委員會」，推動歷時二年又三個月的改造工作。迄 1952 年 10 月，先總統蔣中正先生發表《反共抗俄基本論》，指示以：「1.澄清黨內的思想——瞭解三民主義的思想，是民族精神；2.在臺灣建立復興革命的基礎——從民族、民權、民生，三方面加倍努力，為民服務，愛鄉愛國。從精神、行動和生活上樹立三民主義的楷模。」[9]

在這次改造過程中，尤其以重視對知識份子的瞭解與掌握為一項特色。中央改造委員會中，張其昀、陳雪屏、胡健中、崔書琴、曾虛白……等都是知名學者。

---

[7] 歐素瑛，〈戰後初期臺灣中等學校之學風與訓育（1945－1949）〉，《國史館學術集刊》第 2期（臺北：國史館印行，2002 年 12 月），頁 212－244。

[8] 李雲漢，〈臺灣地區孫中山研究之進展〉，《近代中國》雙月刊第 14 期（臺北：中國國民黨中央黨史委員會出版，1996 年 8 月），頁 129－145。

[9] 中國國民黨全球資訊網：http://www.kmt.org.tw/category_1。2007.4.8。

中央設計委員會及革命實踐研究院都重視研究工作。除了專研黨的主義和革命理論之外，對政黨政治、國際關係、大陸情勢……等學術領域也多方研究，並羅致了相當多的學者專家參與其事。尤其中央改造委員會第四組負責文化宣傳與理論闡揚工作，秘書長張其昀先生特別重視文化宣傳工作，成立「中華文化出版事業委員會」、「中央文物供應社」，分別負責編纂與發行。開啟了發行《學術季刊》、《新思潮》月刊，介紹長篇學術論著及西洋新書，並印行《總理全書》，成為備受重視的珍貴文獻。❿其次在中央改造委員會成立之後，由秘書處於 1950 年 9 月創刊《改造》半月刊做為機關刊物，1952 年 11 月改名《中央》半月刊，成為延續最久之黨辦期刊。「中央黨史史料編纂委員會」則自 1953 年起，編刊革命文獻，有系統的發表革命史料供應中外學術界參考，尤其對於《國父批牘墨蹟》、《國父年譜》……等專書的編纂更是深受中外學術界所歡迎。到了 1954 年起，中國國民黨設立「中央宣傳指導小組」統一策劃一切文化宣傳工作。黨營文化事業，如中央通訊社、中央日報、中華日報、香港時報、正中書局、中央文物供應社、中國廣播公司、中央電影公司……紛紛從各種不同的傳播領域，擴散文化宣傳。⓫其後中國國民黨及其扶持的相關社會機構與社團，在宣揚中山思想的研究與學術期刊發行方面，依出版先後，摘選目前在國家圖書館、之中華民國出版期刊指南系統，及中國國民黨文化傳播委員會黨史館所屬孫中山研究圖書館、國立國父紀念館所屬孫逸仙博士圖書館所收藏之重要期刊列舉如下：

1.《中央》月刊

1951 年 11 月，由《改造》半月刊改組而來，其後擴充為月刊，由中國國民黨中央委員會秘書處特設之中央月刊社辦理發行，1976 年以後改由中央文化工作會辦理。

---

❿ 李雲漢，《中國國民黨史述》第 4 編（臺北：中國國民黨中央委員會黨史委員會出版，1994），頁 61－105。

⓫ 李雲漢，前引書，頁 274－279。

2.《三民主義》半月刊

1953 年 5 月 1 日創刊，中國新聞出版公司出版，發行至第 40 期，於 1954 年 12 月 15 日停刊。

3.《主義與國策》半月刊

1955 年 1 月 1 日起，由原刊《三民主義》半月刊改名以第 41 期持續發行，至 1956 年 7 月 1 日停刊更改刊名。

4.《政論周刊》

1956 年 7 月 1 日，原刊為《主義與國策》，自第 77 期改版而來。

5.《學宗》季刊

1960 年 4 月，由陽明山，陽明山莊三民主義研究所出版。

(二) 公、私立大學社團出版之期刊

1.《革新》半年刊

國立臺灣師範大學三民主義研究會於 1962 年 6 月出版。❷

2.《先鋒》年刊（*Pioneer*）

1967 年 3 月，由中國文化大學前身中國文化學院之三民主義研究會出版。該校創立於 1962 年，並以三民主義研究所為創校之初最主要的學門之一。當時由羅時實教授主持三民主義研究所，第一屆研究生包括：周應龍、喬寶泰、譚光豫……等。❸

3.《法商論壇》

1961 年 1 月創刊，為中興大學法商學院三民主義研究社出版之不定期刊物。

(三) 黨部協助成立孫中山紀念機構與刊物

1.《革命思想》月刊（*The Journal of Revolutionary Thoughts*）

---

❷　http://opc.lib.ntnu.edu.tw/search*cht/t(215f7a).2007.4.5。

❸　〈華岡之校史〉，http://www.pccu.edu.tw/intro/intro_start.asp.2007.4.3。

1956 年 7 月，由民間社團「國父遺教研究會」所成立之革命思想雜誌社創刊發行。該研究會成員涵蓋黨、政重要名流及學術界知名教授，如鄭彥棻、任卓宣、崔載陽、李煥、周應龍、蔣一安……等，臺北會址與中央文物供應社同樓辦公，分支單位包括臺南、臺東等各地支會。除了發行革命思想月刊之外，更出版系列性國父學術研究叢書。❹

2.籌設「國父紀念館」、「中山學術文化基金會」並發行《中山學術文化集刊》

1963 年 8 月 14 日，總統蔣中正先生在中國國民黨第 8 屆中央常務委員會第 463 次會議中提示：「1966 年國父百年誕辰將屆，須著重以深入人心，足以承先啟後之設施，以為永恒紀念。」隨即成立紀念國父百年誕辰籌備小組，由黃季陸、張道藩為召集人，規劃建築永久性紀念館、籌募中山學術文化基金會、編印有關國父學說論著……等工作。其中硬體設施包括陽明山中山樓及國父紀念館之籌建，分別於 1966 年及 1972 年完工，並成為政府體系之社會教育機構。❺中山學術文化基金會則於 1966 年 4 月成立，其設置基金在黨部策動之下由各界捐款撥付。工作重點包括：⑴設置獎學金；⑵辦理講座；⑶獎助學術著作；⑷獎助文藝創作；⑸技術發明獎助；⑹出版「中山文庫」及「中山叢書」……。❻中山學術文化基金會首屆獲獎著作包括任卓宣之《三民主義新解》、傅啟學之《國父孫中山先生傳》、李雲漢之《從容共到清黨》等書，典禮於 1966 年 11 月 12 日舉行，此後每年選優頒獎，成為民間單位獎助中山學術著作出版之盛事。1968 年 3 月該會發行《中山學術文化集刊》（*Chung Shang Hsueh Shu Wen Hua Chi K'an*），內容涵蓋哲學、社會科學、文藝性文章，發行至 32 期（1985 年 3 月）停刊。

---

❹ 〈國父遺教研究會會務簡訊〉（77 第 5、6 號），《革命思想》第 64 卷第 5、6 期（臺北：革命思想月刊社，1988 年 6 月）。

❺ 《國立國父紀念館概況》（臺北：國立國父紀念館發行，1990），頁 12－49。

❻ 中山學術文化基金會網站：http://www.foundations.org.tw/list/show.asp。2007.4.6。

三、1970 年代開啓中山學術匯通的機構與期刊

劉阿榮教授在〈近六十年來三民主義學術研究之時代取向〉一文中指出：在過去的研究，吾人曾將 1949 年政府遷臺之後，三民主義研究的概況，大致分為兩個時期：一是民國 40－50 年代的「體系建立時期」；二是民國 60－70 年代的「學術匯通時期」。**⑰**民國 80 年代年以後，則因臺灣在國際社會中的處境愈形艱困，以及經濟持續成長帶來民主化運動浪潮，逼使三民主義隨著中國國民黨失去一黨獨大的優勢而面臨轉型與衰退。**⑱**

事實上經過了快速成長的 60 年代，政府在以國民黨所主導的發展過程中，到了 1970 年代外部環境面臨海外「釣魚臺事件」（1970）、「退出聯合國」（1971）、「美國總統尼克森訪問中國大陸」（1972）、「中日斷交」（1972）……等一連串的挑戰。國內的社會環境在歷經十年的高速出口擴張，臺灣已由農業為主的經濟型態過渡到工業社會，中產階級與由鄉村移居城市的社會流動也大幅增長，掀起要求制衡的民主聲浪，使得蔣經國先生在政制體系的核心啟動落實本土化政策。而中國國民黨的黨務革新，也在 1972 年 3 月第十屆三中全會中展開組織調整，任命李煥先生掌組織工作會、吳俊才先生負責文化工作會、邱創煥先生出任社會工作會主任…。並以革新自強、加強愛國教育、文化宣傳和青年工作為重心。弘揚三民主義與當代思潮的比較研究工作，成為鮮亮的社會使命與學術議題。**⑲**而西方學術思潮在 1960－1970 年代有關行為科學（behavioral science）研究的風潮普遍盛行，當時的人文以及社會科學各學門的科際整合（Interdisciplinary Integration）趨勢，強調動態、實證的行為科學研究新觀念，對臺灣的學術社群發揮了積極促進的影

---

⑰ 劉阿榮，〈近六十年來三民主義學術研究之時代取向〉，《中山學術論叢》（臺北：國立臺灣大學三民主義研究所，1989 年 6 月），頁 233－258。

⑱ 劉阿榮，〈近三十年來國內孫學研究之變遷──兼論國立國父紀念館未來的角色〉，《國立國父紀念館三十週年館慶特刊》（臺北：國立國父紀念館發行，2002 年 5 月），頁 90－102。

⑲ 李雲漢，前引書，頁 484－491。

響，中山學術研究仍結合學術期刊，轉型發展順勢登上高峰。

㈠ **中國國民黨經營之學術期刊**

1.《中華學報》（China Forum）

1974 年 1 月創刊，時任中國國民黨中央文化工作會主任吳俊才先生擔任發行人，他在〈發刊詞〉中揭示以⑴三民主義之學術探討；⑵三民主義與當代思潮研究；⑶先賢先烈事蹟；⑷中國國民黨黨史研究；⑸三民主義實行之具體事蹟，為立論主題。學報作者群包括：錢穆、吳經雄、陳立夫、崔載陽、羅剛、張劍寒、蔣永敬、羅香林……都是望重士林的學術名家。[20]使得中華學報成為研究三民主義與中國現代史料，備受推崇之純學術期刊。發行至 1981 年停刊，共出刊 10 期。

2.《近代中國》（Modern China）

1977 年 3 月創刊，為「中國國民黨中央黨史委員會」發行之專門性學術期刊。黨史會庋藏孫中山研究之原始檔案文獻，長期負責編印有關中國國民黨之史料、專輯、著作。該刊物創刊時期為季刊，1980 年 2 月第 9 期起改為雙月刊。2003年一度因政權轉移，期刊經營環境丕變面臨停刊，其後獲企業贊助得以持續經營，並回復為季刊發行。

3.《理論與政策》季刊（Theory and Policy）

1986 年 10 月，由中國國民黨最高教育訓練機構「革命實踐研究院」編輯，以理論與政策雜誌社名義發行。革命實踐研究院原設於臺北市陽明山，俗稱「陽明山莊」，1994 遷至臺北市木柵青邨，改稱「中興山莊」。這份季刊重視革命理論與公共政策，發行至總號 69 期，於 2005 年 11 月停刊，為查考中國國民黨對憲政、政治、經濟、社會、法律、教育等重要政策或問題之專論資料。

㈡ **政府研究機構及大學校院活絡中山學術研究風氣**

1.《人文及社會科學集刊》（Journal of Social Science and Philosophy）

---

[20] 吳俊才，〈發刊詞〉，《中華學報》創刊號（臺北：中華學報社，1974 年 1 月）。

　　「中央研究院中山人文社會科學研究所」始創於 1981 年，原名「三民主義研究所」，主要特色在於以多學科合作的方式，從事有關社會制度、政策、價值、特性與變遷之學術研究。《人文及社會科學集刊》是該所於 1988 年 11 月創刊，每年發行一期，1993 年 12 月改為半年刊，1997 年又增加為季刊發行。

2.《中山學術論叢》（*Journal of Sun Yat Senism*）

　　國立臺灣大學於 1974 年創設「三民主義研究所」，除了培育大專院校國父思想課程師資，並以致力社會科學相關學科的整合研究為目標。1980 年 8 月該所創刊《中山學術論叢》年刊，由姚淇清先生題〈發刊詞〉，收載論文包括：傅啟學先生〈科學的三民主義〉、秦孝儀先生〈中國儒家文化傳統在國父民族革命意識型態中所擔任的角色〉、任卓宣先生〈為何研究三民主義〉、林桂圃先生〈國父的民主憲政新圖案〉，及周道濟、鄔昆如、魏萼……等學術名家的專論。㉑內容涵蓋思潮、政治、社會、教育、哲學、經濟……等相關領域，為 1980 年代彰顯中山學術研究跨學科整合，備受學術界肯定與重視的學術期刊，共發行 18 期，至 2000 年 6 月隨三民主義研究所改名而變更為《國家發展研究》半年刊。

3.《政治文化》（*Political Culture*）

　　國立政治大學於 1974 年 8 月成立「三民主義研究所」碩士班、1984 年增設博士班，目標在培育科際整合、學術理論與政經政策分析人才。1985 年 4 月創刊出版《政治文化》，屬不定期出刊，共發行 6 期，迄 1987 年 6 月停刊。

4.《三民主義報》（*Journal of Institute of Dr. Sun Yat-Sen's Doctrine*）

　　國立臺灣師範大學於 1968 年創設「三民主義研究所」碩士班，1989 年增設博士班，自創所所長崔載陽教授開啟中山思想研究學風，歷年來開設各類型進修課程，為中學及大專校院三民主義學程師資之培訓園地。1977 年 6 月創刊出版《三民主義學報》年刊，共發行 25 期，迄 2002 年 12 月改名《政治學學報》。

㉑　參閱《中山學術論叢》第 1 期（臺北：臺灣大學法學院三民主義研究所出版，1980 年 8 月）。

5. 《中山社會科學譯粹》（*Journal of Sunology: A Social Science Translation & Critical Commentary*）

　　高雄國立中山大學於 1980 年在該校成立第一個研究所「中山學術研究所」，創所之初設定之教育目標為結合中山思想與當代政治學、經濟學、社會學的理論與研究方法，探討社會科學的思潮及國家社會發展的現象與議題。[22]分為政治組、經濟組、社會組三組召生，1985 年 12 月創刊《中山社會科學譯粹》，1988 年 10 月發行至第 3 卷 4 期停刊。

6. 《中山社會科學季刊》（*Journal of Sunology: A Science Quarterly*）

　　1989 年 3 月，由高雄中山大學中山學術研究所延續原發行之《中山社會科學譯粹》，自第 4 卷 1 期改名為本刊，持續發行至 1992 年 12 月第 7 卷 4 期停刊。

7. 《三民主義學報》（*Journal of Sunyatsenism*）

　　1977 年 5 月由「中國文化大學三民主義研究所」創刊，學報為年刊性質，共發行 9 期，迄 1985 年 6 月停刊。

8. 《三民主義研究學報》（*Journal of Sunyatsenism*）

　　1986 年 7 月創刊，為「中國文化大學三民主義研究所」延續《三民主義學報》，改版以第 10 期形式發行。屬於年刊性質，至 1989 年 1 月第 12 期出版後停刊，而後再改名為《中山學報》。

9. 《博愛雜誌》

　　1978 年 1 月，由「陸軍官校」政治系出版之雙月刊，2003 年 6 月第 26 卷第 1 期起改為半年刊。

㈢ 民間團體出版

1. 《中山學報》（*Dr. Sun Yat-Sen Academic Journal*）

　　1980 年 6 月創刊，由「高雄市中山學術研究會」一群在大專校院及高中學校

---

[22]　參閱：http://www2.nsysu.edu.tw/sis/intro2.htm。2007.4.6。

任教，對中山學術與人文社會科學有志研習之教師所組成。內容刊載以中山學術之理論與實際及其相關教學問題之論文為主。每年發行一期，已發行達 26 期。

四、1990 年代中山學術研究環境與期刊之轉型發展

分析臺灣的政治、社會發展情勢，整體而言，到 1980 年代中期，蔣經國的本土化政、經改革與國民黨所主導俱有行政權威（an executive authority）的國家機制，促成臺灣在「穩定中的成長」（growth with stability）與「均富中的成長」（growth with equity）同時併進。也在經濟自由化、社會多元化與文化活潑化的潮流中，陸續激發民間社會力刺激國家機構邁入威權轉型的階段。❸隨著 1987 年解除戒嚴，1990 年代臺灣的文化、教育政策鬆綁的腳步逐步展開，臺灣的自主文化體系（autonomous cultural system）表現在組織體系的運作愈加明顯，社會變革與調適的速度也更加快。❹而外在的環境從柏林圍牆倒塌(1989)、蘇聯解體(1991)，及中共深化改革開放……等一連串後共產主義化的轉變，所謂意識形之衰退或終結，成為 20 世紀後半葉熱門的學術性與政務性議題。以往被視為俱有黨國意識形態色彩的中山學術研究環境，乃隨著教育改革的步伐逐步轉形。相關之中山學術期刊發行狀況如下：

㈠ 黨營期刊維持對歷史與政策的關照

1.《近代中國》（Modern China）

中國國民黨在 2000 年總統民選失去執政優勢成為在野政黨，為了精實人事，樽節支用，曾一度有停刊《近代中國》之議，其後獲企業贊助於 2003 年改版以季刊形式持續發行。

2.《理論與政策》（Theory and Policy）

---

❸ 蕭全政，〈臺灣威權體制轉型中的國家機關與民間社會〉，《威權體制的變遷：解嚴後的臺灣》（臺北：中央研究院臺灣史研究所籌備處，2001 年），頁 63－85。

❹ 李喬，〈臺灣（國家）的認同結構〉，《國家認同學術研討會論文集》（臺北：現代學術研究基金會出版，1991 年），頁 201－222。

原由革命實踐研究院發行，迄 2005 年 11 月，總號 69 期出版後停刊。

㈡ 大學校院強調社會科學與國家發展研究

1. 《國家發展研究》 （Journal of National Development Studies）

原國立臺灣大學三民主義研究所於 1999 年改名為「國家發展研究所」，原出版之《中山學術論叢》繼之於 2001 年改以半年刊形式出版《國家發展研究》。

2. 《中山社會科學期刊》 （Journal of Social Sciences）

1990 年 6 月，國立政治大學三民主義研究所繼《政治文化》之後發行，本刊為半年刊，共發行 6 期，迄 1994 年 6 月停刊。

3. 《中山人文社會科學期刊》 （Journal of Social Sciences）

1994 年 11 月，國立政治大學三民主義研究所改名為「中山人文社會科學研究所」，並於同年 12 月，延續以半年刊形式將《中山社會科學期刊》改名為本刊發行。

4. 《中山社會科學學報》 （Journal of Sunology: A Social Science Quarterly）

1994 年 3 月，高雄中山大學中山學術研究所將原發行之《中山社會科學季刊》改名為本刊（季刊）繼續發行。

5. 《中山學報》 （Chung Shang Hsueh Pao）

中國文化大學三民主義研究所於 1992 年更名為「中山學術研究所」，原停刊之《三民主義研究學報》於 1994 年另創刊《中山學報》年刊。

㈢ 政府機構新增出版期刊

1. 《國立國父紀念館館訊》 （National Dr. Sun Yet-sen Memorial Hall）

1991 年 10 月，由國立國父紀念館創刊，原為不定期刊物，1994 年起改為季刊發行。內容包括與孫中山有關之史蹟史料、人文專訪、藝術介紹……等專欄，共出版 14 期。

2. 《國立國父紀念館館刊》 （Journal of National Dr. Sun Yat-Sen Memorial Hall）

1998 年 5 月，國立國父紀念館由館訊改版為館刊，每年 5 月、11 月出版二期，

內容以「孫學專論」、「藝文論壇」、「中山學訊」、「展演動態」為主，並每期做「孫中山紀念地巡禮」專題介紹，詳細登載世界各地有關紀念孫中山之紀念館、博物館之沿革及業務動態。

3.《孫學研究》（*Sunology Research*）

2006 年 11 月，由國立國父紀念館創刊發行，規劃為半年刊，內容收錄涵蓋政治、社會、經濟、文化、哲學……等跨學科領域之中山學術論文。其編輯顧問暨編輯委員網羅香港、日本、大陸、臺灣各地的人文與社會科學知名學者擔任，成為匯集海內外及兩岸中山學術研究與社會科學論述的重要平臺。

㈢ 民間團體以時事論壇抒發紀念情懷

1.《國家政策論壇》（*National Policy Forum*）

2001 年 1 月，由「財團法人國家政策研究基金會」發行之月刊，2002 年 10 月起改為季刊發行。該基金會董事長為曾任中國國民黨主席連戰先生，期刊收錄之論文內容集中於與時政有關之論述，也成為具有中山學術研究與推廣意涵之政論性學術期刊。㉕

2.《中山學術論壇》

1995 年 11 月 12 日起，由「中山學術文化基金會」策劃與「中央日報」合作，開闢此項論壇每兩週一期，迄 2006 年 6 月該報停刊。㉖中山學術文化基金會於 2007 年另尋求「臺灣新生報」合作並增加版面，每週出版一期。

五、中山學術研究的前景

㈠ 社會發展和教育改革影響中山學術究的環境

從結構與功能的觀點來看，社會體系（social system）包括政治系統、經濟系統、

㉕　http://www.npf.org.tw/。

㉖　http://2h.wikipedia.org/wiki%e4. 2007.4.18.。

文化系統及社會系統等四個次級系統。廣義的社會發展（social development）即指社會體系之政治、經濟、文化、社會各個層面的發展。臺灣自戰後光復以來的社會發展軌跡，在國民黨來臺之初所奠立的一黨獨大制（dominated one-party system）的治理結構之下，基本上呈現出「由經濟優先到政治優先」的社會發展策略與轉變。亦即從進口替代、出口擴張、第二次進口替代、產業結構升級……等一貫全力發展經濟的策略，締造改善民生、充實國防、維持外交及對外爭取人民支持統治的政績。但是憲政民主的實施則在「動員戡亂體制」與「戒嚴」的管制下，貫徹威權體制（authoritarian regimes）對於人民政治參與社會動員的縮限與壓抑。因此，到了1980年代社會動員與民間抗爭運動蜂起，強烈浮現出民間社會對政治體系改革的要求，也促使政府在1990年代暴露出策略轉向的回應。❷❼

　　回顧臺灣社會政治環境轉變的歷史，基本上呈現出從「環境壓力」→「制度調整」→「行為改變」→「新體系」的建立過程。❷❽ 1987年解嚴之後，李登輝先生於1988年出任中國國民黨黨主席，國家機關經過一場以漸進變革方式瓦解國民黨既有派系力量的寧靜革命（quiet revolution）。❷❾民主化的展開，促使國家統治機制在 1993 年起逐步強化下列各項新的認識與功能：1.向國際世界訴求認主權獨立；2.積極建立以臺灣和本土認同為基礎的主體意識；3.擴大政黨競爭與協商空間；4.弱化對社會團體的控制……。❸⓪校園民主與教育改造運動應時興盛，而以往被視為俱有黨國意識形態的校園三民主義、國父思想課程，也在1997以後改由各校自訂學程領域。孫學研究風氣退除政黨意識形態，學術期刊的發行呈現出以

❷❼　劉阿榮編著，〈兩岸社會發展的比較：政治優先與經濟優先的轉變〉，《社會學的親視野》（臺北：中央大學出版，2005年），頁330－359。

❷❽　劉義周，〈解嚴後臺灣政黨體系的發展〉，《威權體制的變遷：解嚴後的臺灣》（臺北：中研院臺灣史研究所籌備處，2001年），頁92。

❷❾　彭懷恩，《認識臺灣──臺灣政治變遷50年》（臺北：風雲論壇出版，1997年），頁137－143。

❸⓪　王振寰，〈邁向常態化政治：臺灣民主化中統理機制的轉變〉，《兩岸黨國體制與民主發展》（臺北：臺灣研究基金會，1999年），頁153－186。

大學及研究機構出版為主，並融入社會科學，重視理論方法與社會實證研究，及結合社會教育的現象。以下列舉臺灣發行的中山學術研究期刊一覽表以供參閱。

中山學術期刊彙總表						
編號	歷史分期	期刊名稱	出版單位	出版年月	單位屬性	備考
1	體系建立時期	中央月刊	中國國民黨	1951.11	黨營機構出版	
2		三民主義半月刊	中國新聞出版公司	1953.5	黨營機構出版	
3		主義與國策半月刊	中國新聞出版公司	1955.1	黨營機構出版	
4		政論週刊	中國新聞出版公司	1956.7	黨營機構出版	
5		革命思想	國父遺教研究會	1956.7	黨部扶持之民間社團	
6		學宗季刊	陽明山莊	1960.4	黨營機構出版	
7		法商論壇	中興大學法商學院三研社	1961.1	大學社團	
8		革新半年刊	師大三研會	1962.6	大學社團	
9		先鋒年刊	文大三研會	1967.3	大學社團	
10		中山學術文化集刊	中山學術文化基金會	1967.3	民間社團	
11	學術滙通時期	中華學報	中國國民黨文工會	1974.4	黨營機構出版	
12		近代中國	中國國民黨黨史會	1977.3	黨營機構出版	持續發行
13		三民主義學報	文大三研所	1977.5	大學研究所	
14		三民主義學報	師大三研所	1977.6	大學研究所	
15		三民主義教學研究叢刊	師大三民主義研究會	1977.11	大學社團	
16		博愛雜誌	陸軍官校政治系	1978.1	大學	持續發行
17		中山學報	高雄市中山學術研究會	1980.6	民間社團	持續發行
18		中山學術論叢	臺大三研所	1980.8	大學研究所	
19		政治文化	政大三研所	1985.4	大學研究所	

20		中山社會科學譯粹	中山大學中山所	1985.12	大學研究所	
21		三民主義研究學報	文大三研所	1986.7	大學研究所	
22		理論與政策季刊	革命實踐研究院	1986.10	黨營機構出版	持續發行,2003年入選國科會TSSCI 觀察名單
23		人文及社會科學集刊	中研院中山人文社科所	1988.11	國家研究機構	持續發行,2000年起,多次獲國科會 TSSCI 收錄
24		中山社會科學季刊	中山大學中山所	1989.3	大學研究所	
25		中山社會科學期刊	政大三研所	1990.6	大學研究所	
26	轉型發展時期	國立國父紀念館館訊	國立國父紀念館	1991.10	政府社教機構	持續發行
27		中山學報	文大中山所	1994	大學研究所	
28		中山社會科學學報	中山大學中山所	1994.3	大學研究所	持續發行
29		中山人文社會科學期刊	政大中山所	1994.11	大學研究所	持續發行
30		中山學術論壇	中山學術文化基金會	1995.11	民間社團	持續發行
31		國立國父紀念館館刊	國立國父紀念館	1998.5	政府社教機構	
32		國家發展研究	臺大國家發展研究所	2001	大學研究所	持續發行
33		國家政策論壇	國家政策研究基金會	2001.1	民間社團	持續發行
34		孫學研究	國立國父紀念館	2006.11	政府社教機構	持續發行

（資料來源：筆者繪製）

㈡ 孫學體系不應淪為意識形態終結的思考與辯證

　　張益弘教授在 1965 年為紀念國父百年誕辰，曾以《孫學體系新論》最早提出「孫學」做為學科名詞。[31] 1985 年 12 月，高雄中山大學中山學術研究所出版《中

---

[31]　張益弘，《孫學辨歧》（臺北：怡然書社，1992 年），頁 1－18。

山社會科學譯粹》，在新名詞介紹專欄中標示「Sunology」是該所新創之學術名詞，「Sun 為孫之譯音，ology 為學科之意，合指中山先生之學說思想自成一專門學科 discipline」。㉜

　　但是長期以來，中山思想在國民黨以黨領政的前提之下，透過憲法：「中華民國基於三民主義為民有、民治、民享之民主共和國」，賦予其做為我國的立國精神或基礎。而國民黨自 1949 年遷臺之後，強調三民主義及反共抗共的意識形態，並透過實施戒嚴，以所謂非常時期的法治體系，整合民間社會及政治社。無論社會、經濟、文化結構，在黨的勢力影響下，形成所謂「現代威權政治的傘狀理論」（the umbrella theory of modern authoritarian），及所謂「威權統合主義」（authoritarian corporatism）的政治治理機制。㉝三民主義的憲政制度及政策指導作為，雖然十足地促成了臺灣邁向現代化發展，卻也因為其與政黨的特殊淵源，建立了在社會上及學術上的合法性與保護傘，而被視為與國民黨執政之「黨國意識形態」劃上等號。因此，當 1986 年民進黨成立，1987 年解除戒嚴，1991 年終止動員戡亂時期，加上同一時期東歐共產主義國家的非共化（1989）和蘇聯解體（1991），帶動國際環境轉變。臺灣的政治環境走向競爭，由以往「黨－國－社會」（party-state-society）的組合主義關係轉變成多元主義（pluralism）的形勢。㉞三民主義的現實意義隨著政治環境而蛻變，中山思想的教學與研究也不乏出現所謂的意識形態終結的質疑與批判聲音。

　　事實上所謂「意識形態」（Ideology）的指涉，有認為其初衷指的是觀念的科學；其次是指一種群體意識；其三是代表一個階級、團體的思想方式。㉟也有將其定

㉜　參閱《中山社會科學譯粹》第 1 卷 1 期（高雄：中山大學中山學術研究所，1985 年 12 月）。

㉝　胡佛，《政治變遷與民主化》（臺北：三民書局，1998 年），頁 13－20。

㉞　吳文程，〈臺灣政治轉型理論的分析架構的探討〉，《東吳政治學報》第 4 期（臺北：東吳大學，1995 年 1 月），頁 135－183。

㉟　Henry D. Aiken 著，郭聞譯，《意識形態的時代——從康德到祁克果》（臺北：結構群出版，1980 年），頁 2－5。

義為：「政治上對現在情境和未來目標的見解，它是指引行動的方向和步驟，並標舉適切的口號呼籲民眾響應。」❸我們若從近代我國學術思想發展的宏觀面向來觀察，孫學體系涵蓋了民族主義、民主政治、中華文化傳統、社會主義……等社會科學，它是一種經驗性的思維，並無獨斷性的色彩，本質上其實俱足了開放的與科學的本質。❸以下表列比較大專校園中山學術教學課程的名稱與內容轉變的趨勢，從大學校園對孫學教育的轉化與延伸，可以印證孫學研究不必然完全建構在早期「以經解經」的途徑，而是可以，也已經透過結合對政策實務的檢證來做客觀的學術分析。

大專校園中山思想教學課程名稱及內容變遷概況表

分期 內容	體系建時期	學術匯通時期	轉型發展時期
時間	1950－1970	1971－1990	1991－
教學政策	1968 年以前課程由教師自編教材	1968-1992 年由教育部頒布共同課程大綱，中山學術研究所陸續成立	1993 轉為憲法與立國精神課程 1997 年起各校自訂學程成為通識教育領域之一
課程名稱	國父思想	國父思想	中華民國憲法與立國精神 臺灣政治經驗 民主政治與現代社會 憲法與人權 現代公民與經濟 政治變遷與國家發展 憲法與生活 國父思想 公民社會與民主行政發展 國家發展

---

❸ Leon P. Baradat, *Political Ideologies: Their Origins and Impact, second edition*, (Englewood Cliffs, New Jersey, Prentice-Hall, Inc, 1984), P.5-9.

❸ 沈宗瑞，〈論三民主義的前景──一個意識形態角度的省察〉，《孫逸仙思想與 21 世紀》論文集（臺北：臺灣師範大學三民主義研究所，1992 年），頁 327－342。

			臺灣的經社發展
			民主與憲政
			中山通識教育講座
			中國議題與兩岸關係
			現代國家與社會的形成
			中國大陸研究
			兩岸經貿關係

（資料來源：筆者繪製）

六、結　語

　　回顧臺灣自戰後光復以來，中山學術研究的歷程，緣起自 1950－1960 年代開始，當時基於反共心防及承襲中華文化傳統，學術體系的建立一方面肩負統合黨－國－社會意見，它是深俱實踐意義的立國精神；另一方面透過黨、政資源的有效運作，在社會上成為一門合理解釋法統傳承的論述和正當的學術研究課題。此時期，校園課程定為國父思想，學術、期刊的發行與經營主要集中於執政的中國國民黨及其附屬社團。少部份大學研究機構審視國家發展的需要，也開始擘劃中山學術研究的園地，為中山思想之學術化與研究人才之培訓奠立基礎。

　　1970 年代臺灣的發展體系依循三民主義，在致力國家經濟命脈獨立自主，加速發達生產以致富，建立政權穩固發揮大有為政府效能的國政策略之下，採取了由上而下的現代化模式。達成了由政府主導開發計畫，以政治威權動員社會與人力資源，而建立起脫離貧窮，避免依賴的臺灣發展經驗。中山學術研究的匯通，結合行為科學與科際整合之趨勢，在大學校園及國家研究機構中分別建置了三民主義研究所或中山學術研究所。學術期刊發行的量與質大幅度提升，這是中山學術或所謂孫學匯通與發展鼎盛的時期。

　　1990 年代以來隨著社會變遷與政黨競爭環境的確立，孫學研究在多元主義社會的氛圍中，面臨了來自公民社會對所謂文化霸權的強烈反省與批判。在教育體

制改革的呼聲中，大學校園的三民主義研究所逐步更名為中山學術研究所、國家
發展研究所或政治學研究所。國父思想教學課程也轉型為通識教育之一環，課程
內涵擴充為：臺灣政治經驗、政治變遷與國家發展、憲法與生活、兩岸關係……
等多樣化的題材。有關孫學體系是否淪為意識形態的終結，或是在典範轉移的理
性思考中，可能轉型發展出另外一番學術研究的光景，正待國內學術社群有識之
士的共同努力。但不可否認的事實則是，當代孫學期刊的發行並不中止。中央研
究院中山人文社會科學研究所確立了循歷史與思想、社會研究、政治、經濟、法
律等面向的研究重心，出版《人文及社會科學集刊》，曾多次被收錄為臺灣社會
科學引文索引 TSSCI 期刊。而國立國父紀念館出版了《孫學研究》純學術期刊，
更是為擴充社會教育途徑，恢宏孫中山思想展現另一新的契機。

孫中山文集整編之回顧與發展
——兼評介黃彥編《孫文選集》

劉維開

國立政治大學歷史學系教授

一、前　言

　　孫中山先生於一九二五年三月十二日病逝後，八十多年來各種不同版本、不同名稱的孫中山文集陸續出版，固然有政治因素存在，但是孫先生對於若干問題的主張隨著時間的推演，令人有「歷久彌新」的感覺，亦是使孫中山文集不斷出版的原因之一。二〇〇五年十一月，黃彥主編的《孫文選集》三冊由廣東人民出版社出版，作為紀念孫中山先生誕辰一百四十周年的獻禮。這部選集的出版，距離目前公認孫中山文集最完備之版本❶，即臺北近代中國出版社於一九八九年出版之秦孝儀主編的《國父全集》，達十七年；距離中國大陸北京中華書局於一九八六年出版中國社會科學院近代史研究所等合編之《孫中山全集》，則有二十年之久；對於「孫學」研究而言，自然是一件值得重視的大事。另一方面，《孫文選集》雖然名為「選集」，但是它實際上是建立在一套編輯時間長達十年，預計分

---

❶　秦孝儀，〈《國父全集》序〉，秦孝儀主編，《國父全集》第一冊（臺北：近代中國出版社，民國七十八年十一月），頁3。

為二十冊，約一千萬字的《孫文全集》出版計畫上，因此不宜完全以「選集」看待，而應該將其視為《孫文全集》的試印本。本文旨在藉由對《孫文選集》之評述，探討孫中山文集的整理與編輯。首先回顧孫中山文集整編的情形；其次就筆者檢閱《孫文選集》的發現，陳述該書的內容與特點；最後從《孫文選集》的編輯談孫中山文集整理與編輯之發展方向。

二、孫中山文集整編之回顧

孫中山的著述中，內容完備，自成系統者，如《會議通則》（後更名《民權初步》）、《孫文學說》、《實業計劃》、《三民主義》等，在其生前已有單行本的印行。至於其他著述如演講、談話、宣言、文電、函牘、規章、計劃等，則散見於報章雜誌或一般書籍中，亦有公私團體或個人收藏而未曾發表者。最先將孫先生相關文字彙集成編者，為甘乃光於一九二三年在所編《經濟之研究》月刊中刊行「單稅制與平均地權」專號二冊。甘氏時任廣州嶺南大學經濟系助教，一九二四年入陸軍軍官學校擔任政治教官等職，又繼續搜集各項文獻，於一九二五年由上海國民書局出版《孫中山文集》一冊，收入孫先生著作二百二十四篇，書後附錄〈孫中山先生著作及講演紀錄要目〉，此應為最早的一部孫先生文集。❷目前廣東省立中山圖書館所藏甘乃光編，一九二五年四月廣州孫文主義研究社出版之《孫中山先生文集》❸，當與此書有一定關連。

孫中山逝世後，其著述被收集編為「全書」或「全集」者，以吳拯寰編，一

---

❷ 蔣永敬，〈《國父全集》諸本的比較及新編本的介紹〉，中華民國史料研究中心編：《研究中山先生的史料與史學》（臺北：中華民國史料研究中心，民國 64 年 11 月），頁 125；蘇愛榮、劉永為編，《孫中山研究總目》（北京：團結出版社，1990 年 3 月），頁 8。

❸ 倪俊明，〈廣東省立中山圖書館館藏孫中山文獻和華僑文獻概述〉，《國父紀念館館刊》第十二期（中華民國 92 年 11 月 12 日出刊），http://www.yatsen.gov.tw/chinese/publication/show.php?url=%2Fchinese%2Fpublication%2Findex.php%3Fp_id%3D12%26PHPSESSID%3Df77fa2778460f63aefbf0a09df8bd3a7&id=326&PHPSESSID=f77fa2778460f63aefbf0a09df8bd3a7，2007 年 3 月 30 日。

九二五年十月上海三民圖書公司出版的《中山全書》（四冊）為最早。❹吳拯寰（1896－1984），上海嘉定人，出版家。曾於大、中小學執教，一九二五年創辦上海三民圖書公司，任總經理兼總編輯。繼《中山全書》之後，吳氏復於一九二七年編輯出版《孫中山全集》（四冊）、《孫中山全集續集》（四冊）等。❺而以「全書」或「全集」命名之孫中山文集，至一九三七年抗戰發生前，陸續有上海中山書局於一九二六年十二月編輯出版《中山全書》（五冊），上海明利書局於一九二七年出版《中山全書》（四冊），南京大華書局於一九二七年出版《中山全書》（四冊），上海大華書局於一九二七年七月出版《中山全書（增刊足本）》（四冊），上海全記書店於一九二七年出版《中山全書》（四冊），上海求古齋書局於一九二七年出版黃昌穀編《中山全書》（四冊），上海新文化書社於一九二七年四月出版《中山全書》（四冊），上海黨化書店於一九二七年五月出版《中山革命全書》（一冊），上海大中華書店於一九二八年出版《中山全書》（四冊），上海卿雲圖書公司於一九二八年出版陸友白編《孫文全集》（六冊），上海中山書店於一九二八年出版《孫總理全集》（四冊），上海廣益書局於一九二九年出版《孫中山全書》，上海中原書局於一九二九年出版《中山全書》，上海大一統書局於一九二九年十月出版《中山全書》（四冊），民國法政學會於一九二九年六月出版馮宗道編《中山全集》（一冊），上海民智書局於一九三〇年二月出版胡漢民編《總理全集》（五冊），上海大東書局於一九三四年十一月編輯出版《總理全書》（四冊）等十餘種。此外尚有以「叢書」為名者，內容與「全書」、「全集」接近，有上海三民公司於一九二六年出版《中山叢書》，上海太平洋書店在一九二六年五月出版《中山叢書》（四冊），上海民智書局於一九二七年出版《中山叢書》（四冊），上海大中書局於一

❹ 蔣永敬，〈「國父全集」諸本的比較及新編本的介紹〉，中華民國史料研究中心編：《研究中山先生的史料與史學》，頁125。

❺ 吳拯寰另編有《孫中山評論集》《孫逸仙傳記》（譯文）等，參見冉雲飛，〈文革告密個案研究：以吳大昌為例〉，http://www.jintian.net/306/ranyunfei.html，2007年3月29日。

九二七年四月出版《中山叢書》（四冊），上海新文化書社於一九二七年四月出版
《中山全書》（二冊），上海新民書局於一九二七年六月出版《中山叢書》（四冊），
廣東光東印書局於一九二八年出版《中山叢書》（四冊），上海求古齋書局於一九
二八年十月出版譚延闓編《中山叢書》（四冊），上海大一統書局於一九二八年編
輯出版《中山叢書》，上海廣益書局於一九二九年一月出版《孫中山叢書》（四冊）
等。❻學者表示各種「全書」、「全集」、「叢書」的內容及分量，均大致相同，
其中以胡漢民所編之《總理全集》較有系統而且完整，以後孫中山「全集」之編
輯，大多根據胡編全集的資料。❼

　　抗戰至戰後，除部份戰前出版之再版外，新出版且時間明確者有中央陸軍軍
官學校政訓處於一九四二年九月出版《總理全集》（二冊），中央書報發行所於一
九四二年十月出版中央宣傳部編《國父遺教》（四冊），軍事委員會政治部於一九
四三年編輯《總理遺教全集》（一冊），重慶眾志書局於一九四三年三月出版黃季
陸編《總理全集》（三冊）、成都近芬書屋於一九四四年七月出版黃季陸編《總理
全集》（三冊），國防部新聞局於一九四七年四月出版鄧文儀編《中山先生全集》
（一冊），臺灣省黨部於一九四九年二月編輯出版《國父全集》（四冊）等七種❽，
數量上較戰前大幅減少，內容上則有所增加，其中以黃季陸所編《總理全集》，
收入孫先生〈民國三年至五年批示〉二〇四件，為以往諸版「全書」或「全集」
所沒有者，被認為是「大陸時期最完整的全集」。❾

　　一九四九年以後，受到政治的影響，臺灣在一九八一年之前是出版孫中山全

---

❻　據蘇愛榮、劉永為編，《孫中山研究總目》，頁 3－10。

❼　蔣永敬，〈《國父全集》諸本的比較及新編本的介紹〉，中華民國史料研究中心編：《研究中
　　山先生的史料與史學》，頁 125。

❽　蔣永敬，〈《國父全集》諸本的比較及新編本的介紹〉，中華民國史料研究中心編：《研究中
　　山先生的史料與史學》，頁 126－127；蘇愛榮、劉永為編，《孫中山研究總目》，頁 4－10。

❾　蔣永敬，〈《國父全集》諸本的比較及新編本的介紹〉，中華民國史料研究中心編：《研究中
　　山先生的史料與史學》，頁 126。

集的唯一地點，且幾乎由中國國民黨中央黨史史料編纂委員會（一九七二年五月更名為「黨史委員會」，以下均簡稱「黨史會」）主持其事。中國國民黨中央改造委員會於一九五〇年至一九五二年間陸續出版黨史史料編纂委員會主編之《總理全書》十二冊，是為在臺灣最早編印之孫中山全集；一九五七年五月，復就前書改版，正名為「國父全集」。❿一九六一年十月，黨史會以前書為基礎，增訂出版《國父全集》六冊（中央文物供應社出版）；一九六五年十一月，為紀念孫中山百年誕辰組織「全國各界慶祝國父百年誕辰籌備委員會」，以前述《國父全集》為基礎，增補出版《國父全集》三冊；其間有國防研究院於一九六〇年三月出版張其昀主編之《國父全書》一冊（1975 年 11 月，中華學術院出版張其昀主編《國父全書補編》一冊）。一九七三年六月，黨史會復據前此出版之全集、全書，及早年出版之「全書」、「全集」、「叢書」等，重新編訂《國父全集》六冊，為當時海內外最完善之版本。一九八一年八月再版，以第四冊篇幅過多，分為上下兩冊，全書遂成七冊。一九八四年，黨史會為紀念孫中山建黨革命九十週年，特就往日闕遺之庫藏資料及一九七三年後陸續徵集之著述與文件，輯為《國父全集補編》一冊，於一九八五年六月出版，全書合成八冊。⓫

大陸方面，雖然稱呼孫中山為「偉大的革命先行者」，但是對於孫中山相關文集的編集，長期以來只有為紀念孫中山誕辰九十週年，由北京人民出版社於一九五六年十一月出版之《孫中山選集》。⓬至一九七八年中國共產黨十一屆三中全會之後，實行改革開放，孫中山全集的編印工作亦隨之展開。一九八一年八月，

---

❿　秦孝儀，〈《國父全集》序〉，秦孝儀主編，《國父全集》第一冊，頁 1。

⓫　秦孝儀，〈《國父全集》序〉，秦孝儀主編，《國父全集》第一冊，頁 1－2。

⓬　該書於 1981 年 10 月再版時，經廣東社會科學院黃彥校訂，根據原文恢復了若干被刪略了的段落和詞句；編排次序、篇目標題、標點和分段等作了一些調整；選擇較好底本重新進行校訂，增添了一些題注、註腳和底本注。再版較初版更完整、更準確。參見蘇愛榮、劉永為編，《孫中山研究總目》，頁 8；蔡樂蘇，〈孫中山選集〉，http://rwxy.tsinghua.edu.cn/rwfg/ydsm2/smjj/0020.htm，2007 年 3 月 30 日。

由廣東省社會科學院歷史研究室、中國社會科學院近代史研究所中華民國史研究
室及中山大學歷史系孫中山研究室合編之《孫中山全集》第一卷由北京中華書局
出版，至一九八六年七月，第十一卷出版，全書出齊。該書出版時間遲於前述黨
史會一九八一年再版之《國父全集》，基本上收錄了《國父全集》大部份的內容，
成為當時海內外最完整的一部孫中山全集，「頗行銷大陸及海外，一時詡為佳
本」。⓭亦有研究者指出，《孫中山全集》雖然較《國父全集》條目為多，但是
比對相關資料，仍有一千二百餘件文件未收錄在內，加上黨史委員會於一九八五
年出版之《國父全集補編》中有三百四十一篇新收入文件，總計有一千五百餘件
未載佚文。⓮一九九〇年七月，上海人民出版社出版陳旭麓、郝盛潮主編，王耿
雄等編《孫中山集外集》；一九九四年七月，該社繼續出版郝盛潮主編，王耿雄
等編《孫中山集外集補編》，兩書共輯錄《孫中山全集》未收錄之文獻資料二千
一百餘件。⓯二〇〇六年十一月，北京中華書局重新印行十一卷本的《孫中山全
集》，但是在內容上並未進行增補。

　　隨著《孫中山全集》十一卷本的出版，孫中山相關文集的編印不再是臺灣的
專利，大陸方面實有後來居上的趨勢。在此情況下，黨史會一方面因政府的大陸
政策已有所轉變，相關資料較以往便於蒐集；一方面則為《孫中山全集》十一卷
本出版後，各界十分期待該會能編印一部新的「國父全集」以相抗衡，爰於一九
八八年九月，組織「國父全集編輯委員會」，以一九八一年之《國父全集》及一
九八五年之《國父全集補編》為底本，增補多年來徵集而為以往未收錄之資料，
於一九八九年十一月出版《國父全集》十二冊。全書分為三民主義、革命方略、

⓭　秦孝儀，〈《國父全集》序〉，秦孝儀主編，《國父全集》第一冊，頁 2。

⓮　王耿雄，〈後記〉，陳旭麓、郝盛潮主編，《孫中山集外集》（上海：上海人民出版社，1990
　　年 7 月），頁 898。

⓯　《孫中山集外集補編》收錄文獻資料六百餘件，參見郝盛潮，〈「補編」補語〉，郝盛潮主編，
　　《孫中山集外集補編》（上海：上海人民出版社，1994 年 7 月），頁 1。

建國方略、建國大綱、宣言及文告、論著、談話、演講、函電、公牘、人事命令、規章、譯著、雜文、遺囑等十五類，其資料來源於「凡例」中有明確說明：「本全集之編輯，以黨史會庫藏史料為主，近年來在海內外發現之史料，莫不盡量收集、考訂、分類編入。大陸出版之《孫中山全集》所載有關單位典藏或陳列及其他出版品刊載之國父史料，而為黨史會庫藏所缺者，皆考證納入，以求其全，惟部分存疑文件，不予錄入。」❶所收文件數量較一九七三年出版之《國父全集》增加甚多，較大陸之《孫中山全集》十一卷本亦多出不少，研究者稱其「收羅宏富，整理縝密，超邁前人，嘉惠學林」。❷

三、黃彥編《孫文選集》之內容與特點

孫中山的著述除了被收集編為「全集」、「全書」或「叢書」外，尚有「選集」，最早是一九二五年四月廣州孫文主義研究社出版的《孫中山先生文集》，收二十四篇，共六萬字。❸此後陸續有出版，但是較不若「全集」、「全書」受到注意，據《孫中山研究總目》記載，在一九四九年之前有江西省三民主義委員會於一九四一年十月出版葉青選編《國父全集選本》，分為哲學、主義、政治、經濟、社會五編，收入孫先生著作三十篇；新華書店出版《孫中山先生選集》，內分六輯，收入孫先生著作五十篇。❹一九四九年後，大陸方面有上述北京人民出版社於一九五六年十一月出版之《孫中山選集》一冊，內分上下兩卷，上卷為孫先生在一九二三年進行改組中國國民黨以前的著作，計三十篇；下卷為孫先生

❶ 〈《國父全集》凡例〉，秦孝儀主編，《國父全集》第一冊，凡例頁 5。

❷ 劉路生，〈《孫中山全集》《國父全集》1912 年佚文異文考略──以《申報》《大公報》為據〉，《中山大學學報論叢（社會科學版）》2000 年第 3 期，頁 15。

❸ 黃彥，〈新編《孫文選集》的五大特色〉，廣州羊城晚報，金羊網 2007-03-10，http://www.ycwb.com/big5/ycwb/2007-03/10/content_1409733.htm，2007 年 4 月 1 日。

❹ 蘇愛榮、劉永為編，《孫中山研究總目》，頁 7─8。

在中國國民黨改組時期及改組以後的著作，計三十九篇，總共六十九篇。❷該書於一九八一年十月再版時，收入著作數量未作增減，內容方面作了一些調整。校訂工作由廣東省社會科學院黃彥負責，重新選擇底本，並根據原文恢復了若干初版被刪節的段落和詞句，使再版本的字數較初版本增加了三萬七千字；此外，在編排次序、篇目標題、標點和分段等亦作了一些調整；在註釋方面，除初版原有的題注外，增加了腳注和底本注。❷臺灣方面，有帕米爾書店於一九八四年一月出版王曉波編《孫中山選集》，內容完全取自《國父全集》，依孫先生思想體系發展，分為「中華文化之危機」、「救亡運動與三民主義」、「民族解放與民族主義」、「帝國主義與不平等條約」、「中國之和平統一」、「世界潮流浩浩蕩蕩」、「民主為中國必然之道」、「社會主義與聯俄容共」、「資本與土地」、「以民生主義建設新中國」十卷，選錄相關文字輯入，與一般選錄各篇文章編成的「選集」不同，具有強烈的編者個人風格。

　　二○○六年十一月，廣東人民出版社出版由黃彥主編的《孫文選集》，分為上、中、下三冊，成為大陸方面在《孫中山選集》出版五十年後，另一部孫中山著作的選集。黃彥曾任廣東省社會科學院孫中山研究所所長、孫中山基金會秘書長，現任孫中山基金會副理事長。他於一九九五年起，即致力於新編一部完整的《孫文全集》，曾於二○○一年五月率現任廣東省社會科學院研究員兼歷史與孫中山研究所所長王杰及廣東省社會科學院研究員劉路生來臺，於中國國民黨中央文化傳播委員會黨史館查閱孫中山相關資料達一個半月，校訂《國父全集》，作為編輯《孫文全集》的底本。黃氏並撰有〈關於《孫文全集》的編輯構想〉一文，長達六萬餘字，闡釋他對於新編《孫文全集》的構想與意見。❷《孫文全集》的

❷　蘇愛榮、劉永為編，《孫中山研究總目》，頁8。

❷　黃彥，〈介紹《孫中山選集》校訂本〉，黃彥，《孫中山研究和史料編纂》（廣州：廣東人民出版社，1996年10月），頁300－308。

❷　黃彥，〈關於《孫文全集》的編輯構想〉，黃彥，《孫中山研究和史料編纂》，頁309－399。

編輯工作係由孫中山基金會與廣東省社會科學院孫中山研究所合作，至今已長達十年，據了解該書已列入廣東省圖書重點出版項目，預計分為二十冊，約一千萬字，將於二○○八年由廣東人民出版社發行。❷《孫文選集》即是在《孫文全集》的基礎上進行的工作，黃彥表示：「近十多年來，出於編纂《孫文全集》（尚未出版）和研究工作的需要，陸續從國內外搜集到不少新資料。這部《孫文選集》便是在前人編集成果的基礎上，利用部分更具價值的新資料並根據筆者的研究心得編輯而成。」❷

《孫文選集》共收錄二百三十八篇，數量為一九五六年版之《孫中山選集》的三倍強，共分為三冊，上冊為孫先生在遺囑中所提到的四種著作：《建國方略》、《國民政府建國大綱》、《三民主義》及《中國國民黨第一次全國代表大會宣言》；中冊與下冊則按各篇著述時間先後順序編排，中冊為一八八九年至一九二○年之著述一百二十一篇，下冊為一九二一年至一九二五年之著述一百一十三篇。黃彥指出該書具有下列五項特色：❷

一、歷來出版的選集篇幅最大：本書收輯孫中山著述共二三八篇，是歷來出版的選集篇幅最大者。

二、有六十一篇文章改用新的底本：以往各全集本已收的著述，在輯入本書時共有六十一篇改用新的底本。

三、有三十八篇文章更改著述時間：以往各全集本已收的著述，共有三十八篇更改著述時間。其中一部分是由於調換底本，新底本對於著述時間有更為確切的說明；另一部分則是通過查閱可靠記載或進行考證而加以訂正。

---

❷　〈編纂《孫文全集》〉，http://www.sunyat-sen.org/jijinhui/news.php?id=96，2007 年 4 月 1 日。

❷　黃彥，〈新編《孫文選集》的五大特色〉，廣州羊城晚報，金羊網 2007-03-10，http://www.ycwb.com/big5/ycwb/2007-03/10/content_1409733.htm，2007 年 4 月 1 日。

❷　黃彥，〈新編《孫文選集》的五大特色〉，廣州羊城晚報，金羊網 2007-03-10，http://www.ycwb.com/big5/ycwb/2007-03/10/content_1409733.htm，2007 年 4 月 1 日。

　　四、選擇若干較佳版本參校：本書校勘文字以各篇底本為依據，並選擇若干較佳版本參校。

　　五、各篇標題多為筆者新擬：各篇標題除極少數為孫中山自定或文件原有外，皆為新擬，通常以內容提要標示。新擬的標題和副標題力求準確，以期糾正過去某種程度存在的「文不對題」以及與相關史實不符的毛病。為了提高閱讀效果，本書比以往全集本或選集本都更加重視注釋，全書共有腳註一千四百多條。

　　對於黃彥提出的五項特色，除新擬標題一項，為見仁見智外，其餘四項，筆者大致認同。筆者曾就《孫文選集》（以下簡稱「選集」）中冊及下冊所收錄著述，與黨史會之一九八九年版《國父全集》（以下簡稱「全集」）相互對照，認為編者在相關資料的處理上確實十分用心，因此雖然是部「選集」，但與《國父全集》或《孫中山全集》參看，實際上可以發揮增補校訂的作用。即就與《國父全集》對照而言，筆者以為該書在下列幾個方面，值得注意：

　　第一、全書有二十二篇為《國父全集》未收錄之文件：計《孫文選集》中冊十一篇、下冊十一篇，分別如下表：

　　《孫文選集》（中冊）十一篇：

篇名	時間	資料來源	備註
中國法制改革（英譯中）	1897 年 7 月	譯自 Sun Yat Sen and Edwin Collins, "Judicial Reform in China", East Asia (London), Vol. 1, No.1 (July 1897)（該文載倫敦《東亞》季刊第 1 卷第 1 期，1897 年 7 月出版）（黃宇和譯）	本文與〈中國的現在和未來——革新黨呼籲英國保持善意的中立〉同為孫中山與英國記者柯林斯（Edwin Collins）合著專書的一部份，1897 年 7 月在倫敦《東亞》季刊發表時，由孫中山與柯林斯共同署名。
我們的計劃與目標——在東京遞交法國駐日公使	1901 年 3 月 25 日	譯自法國外交部檔案：孫逸仙《我們的計劃與目標》，許文堂譯、陳三井校。	孫中山曾於 1900 年 6 月在東京走訪法國駐日公使阿爾芒（Francois Jules Harmand），提

阿爾芒的意見書 (法譯中)			出援助武器及派遣軍事顧問的請求。1901 年 1 月 4 日再次會晤阿爾芒，為重組起義軍提出類似要求。3 月 25 日又訪問法國使館，將這份意見書遞交阿爾芒。原文為英文，由阿爾芒譯成法文，於 5 月 30 日在巴黎將法譯文送交法國外交部政務司。
數年內將推翻滿清建立共和政體——與檀香山《太平洋商業廣告報》記者的談話 (英譯中)	1910 年 4 月 20 日	譯自〈頭顱標有賞格的檀香山人〉，載 1910 年 4 月 21 日檀香山正埠《太平洋商業廣告報》。此為日本外務省檔案中日本駐檀香山總領事上野專一致外務大臣小村壽太郎的報告所附剪報，東京，日本外務省外交史料館藏，楊天石譯、習五一校。	
民生主義即國家社會主義——在上海同盟會員歡迎茶會的演說	1912 年 4 月 16 日	據天仇(戴季陶)筆述：〈孫中山演說詞〉，載 1912 年 4 月 17 日上海《民權報》第二版。	
實行稅契及平均地權之法——在廣州報界歡迎宴會的演說和答問	1912 年 5 月 4 日		《選集》在此篇演講末，編者引據上海《社會世界》第 3 期(1912 年 6 月 15 日出版)刊載〈孫先生之民生主義談〉，增加「席間答問」部份，為《全集》第 3 冊，頁 45－47 同篇演講所未有。
復蔡鍔告建築滇桂粵鐵路計畫函	1913 年 2 月上旬	據《雲南省議會第一屆報告書》，載《雲南省議會報告書》第 1 卷，昆明，雲南省議會，1913 年印行，雲南電氣印刷公司代印。	

望日本大力幫助中國發展實業——在京都各界歡迎宴會的演說（日譯中）	1913 年 3 月 9 日	譯自《孫氏の演說》，載 1913 年 3 月 10 日《大阪朝日新聞》第二面，蔣海波譯、石川禎浩、陳來幸校。	《國父年譜》（上冊增訂本）無三月九日抵京都之記事；陳錫祺主編《孫中山年譜長編》（上冊）1913 年 3 月 9 日記事：「自名古屋到京都。」但沒有在京都發表演講之記載。（頁 783－784）
為實現世界和平而努力——在長崎基督教青年會歡迎會的演說（日譯中）	1913 年 3 月 22 日	譯自《世界の平和と基督教》，載 1913 年 3 月 23 日長崎《東洋日の出新聞》第一面，蔣海波譯、陳來幸校。	《國父年譜》（上冊增訂本）3 月 21 日記事：「抵長崎，分析中日關係。」謂：「翌日，赴基督教青年會演講『世界和平與基督教』。」（頁 557）陳錫祺主編《孫中山年譜長編》（上冊）1913 年 3 月 22 日記事：「在基督教青年會上，先生作『世界和平與基督教』演講。」均沒有演講內容。（頁 790）
中國人痛恨日本政府的侵華政策——答《東京朝日新聞》記者書	1919 年 6 月 22 日報載	據《孫中山先生答〈朝日新聞〉記者書》，載 1919 年 6 月 24 日上海《民國日報》第二版。	
中國實業當如何發展	1919 年 10 月 10 日	據孫文：《中國實業當如何發展》，載 1919 年 10 月 10 日上海《民國日報》附刊《星期評論紀念號》（一）（二）	
日本應歸還中國權利並承認朝鮮獨立——在上海與東京《大正日日新聞》記者大江卓的談話（日譯中）	1920 年 1 月 1 日報載	據《中國前大總統孫逸仙氏對日本談》，載上海《新韓青年》創刊號，1920 年 3 月 1 日出版，譯自《大正日日新聞》所記「孫逸仙氏之日本觀」。	

《孫文選集》（下冊）十一篇：

篇名	時間	資料來源	備註
內政方針	1921 年 1 月 4 日報載	據《孫總裁之內政大方針》，載 1921 年 1 月四日上海《民國日報》第三版。	
聯省自治與分縣自治之利弊——在「俄國皇后號」郵船與蔣中正等的談話	1922 年 8 月 12 日	據蔣介石記錄：《孫大總統廣州蒙難記》，「八月十二日，聯省自治與分縣自治之利弊」，上海民智書局，1922 年 10 月出版。	
期望蘇俄為統一中國提供幫助——海與俄人格克爾等的談話（俄譯中）	1922 年 9 月 26 日	據《聯共(布)、共產國際與中國國民革命運動》第 1 卷(1920－1925)，第三十九號文件「馬林記錄格克爾與孫逸仙的談話」，莫斯科，1994 年俄文版。（李玉貞譯）	
復蘇俄代表越飛勸勿援助吳佩孚函（俄譯中）	1922 年 11 月 2 日	據《聯共(布)、共產國際與中國國民革命運動》第一卷(1920－1925)，第四十三號文件「孫逸仙致越飛函」。（李玉貞譯）	
致列寧勸勿派兵佔領北滿及與北京政府談判函(俄譯中)	1922 年 12 月 6 日	據《聯共(布)、共產國際與中國國民革命運動》第一卷(1920－1925)，第五十號文件「孫逸仙致越飛函」。（李玉貞譯）	
就關餘問題致北京外交使團函(英譯中)	1923 年 11 月 5 日	據《粵海關事件之外交文書——孫中山與外交團往來函電》，連載 1923 年 12 月 18 日上海《申報》(六)、19 日該報(七)。	
要取法俄國注重黨的紀律——在廣州與清華大學學生施滉等的談話	1924 年 2 月 9 日	據徐永煐：《見孫中山先生記》，載北京《清華週刊》第三〇八期，一九二四年四月四日出版。	
農民協會章程	1924 年 6 月 24 日	據《大本營秘書處公函第三四四號》附件，載廣州《陸海軍大元帥大本營公報》第 18 號，1928 年 6 月 30 日。	
只有組織和武裝農民	1924 年 6、7 月間	據《聯共(布)、共產國際與中國國民	

才能解決土地問題 ——在廣州與蘇聯顧問的談話(俄譯中)		革命運動》第一卷(1920－1925)，第一二三號文件「就中國農民問題同孫逸仙和廖仲愷的談話」。(李玉貞譯)	
中國革命雖遭列強阻撓但必能成功——與廣州嶺南大學美籍教授布里格姆女士的談話(英譯中)	1924 年 10 月 20 日報載	譯自"Sun Yat-sen Blames Powers for Plight", *New York Times*, October 20, 1924, page19(《孫逸仙就時局指摘列強》，載 1924 年 10 月 20 日《紐約時報》第 19 頁)(陳學章、程懷、張金超譯)	
致蘇聯遺書(英譯中)	1925 年 3 月 11 日	據《孫中山致蘇俄遺書》，載杭州《嚮導周報》第 108 期，1925 年 3 月 28 日出版。	

　　第二、修正《國父全集》所記文件日期十七篇：計中冊六篇、下冊十一篇，分別說明如下：

㈠ **《孫文選集》**（中冊）**六篇**

　　1.〈民生主義與社會革命〉——在南京同盟會員餞別會的演說（1912 年 3 月 31 日）：《選集》據一九一二年四月一日上海《民立報》第三頁「南京電報」及四月三日上海《申報》第三版「專電」確定；《全集》之同題演講（第 3 冊，頁 26－31）時間為「四月一日臨時總統解職後在南京同盟會會員餞別會」，資料來源為「中國同盟會總理孫中山先生演說詞」（民國元年南京臨時政府印鑄局工廠代印），兩者相較，《選集》之依據至為明確。另據中國國民黨中央委員會黨史委員會出版《國父年譜》（增訂本上冊）民國元年三月三十一日條：「出席同盟會餞別會，演講『民生主義與社會革命』。」❷❻據此，《全集》所記時間應為錯誤。

　　2.〈社會革命與社會主義〉——在武漢各界歡迎會的演說（1912 年 4 月 11 日）：

---

❷❻　羅家倫主編，黃季陸、秦孝儀增訂，《國父年譜》（增訂本上冊），（臺北：中國國民黨中央委員會黨史委員會，民國 74 年 11 月第三次增訂），頁 507。按：因民國 83 年第四次增訂本之出版時間，晚於《國父全集》十二冊本，未採用。

本文在《全集》中標題為〈社會革命談〉（第 3 冊，頁 35），謂：「四月十日在武昌十三團體聯合歡迎會演講」，來源為《民立報》（民國元年 4 月 16 日）之〈孫前總統社會革命談〉。《選集》所據底本與《全集》相同，但《選集》據上海四月發行的十五日《申報》、十六日《時事新報》、十九日《時報》及鄂軍印刷廠同年印行的陳霽雲記《中山先生五日駐鄂記》等，認為《民立報》所記歡迎會之時間及地點均錯誤，演講時間應為「十一日」，演講場合為「武漢各界歡迎會」。

　　3.〈論社會主義〉——在上海中國社會黨黨員大會的演說（1912 年 10 月 14 日至 16 日）：《全集》收錄之〈社會主義之派別及方法〉（第 3 冊，頁 97－112）為同一演講，記為「十月十一日至十三日在中國社會黨演講」。據黨史會出版之《國父年譜》（增訂本上冊）民國元年十月十四日條：「開始演講『社會主義之派別及方法』」，謂：「是日起至十六日止，先生應中國社會黨江亢虎邀請，於每日午後三時至五時，假上海英租界三馬路中華大戲院，演講『社會主義之派別及方法』。」❷❼據此，《選集》之時間應為正確。

　　4.〈救亡策〉——倡行錢幣革命抗俄通電（1912 年 12 月 3 日）：《選集》底本一九一二年十二月五日至七日上海《天鐸報》第二版「孫中山之救亡策」，未說明時間，據孫中山於本月四日致梁士詒電：「昨電救亡策一道」而定。❷❽《全集》標題為〈錢幣革命〉（第 2 冊，頁 280－284），時間作「十二月六日」，係根據底本《民立報》「孫中山之救亡策」刊出時間而定，亦非錯誤。但孫中山致梁士詒電中既已言明「昨電救亡策一道」，自宜以《選集》之「三日」為妥。

　　5.〈除盡假共和才有真共和〉——在汕頭各界歡迎會的演說（1917 年 7 月 12 日）：《選集》據一九一七年七月二十日上海《民國日報》第六版載〈汕頭歡迎孫先生紀盛〉「孫先生演說詞」而定。本文於《全集》之標題為〈除盡假共和纔有真共

---

❷❼　　羅家倫主編，黃季陸、秦孝儀增訂，《國父年譜》（增訂本上冊），頁 535－536。

❷❽　　黃彥編，《孫文選集》（中冊），頁 375。

和〉（第3冊，頁181－183），演講時間為「七月十三日」。《全集》資料來源為是年七月二十一日《中華新報》之「孫中山先生在汕頭歡迎會之演說詞」，然該篇報導並未註明演說日期❷，應係根據《國父年譜》（增訂本下冊）是年七月十三日條：「抵汕頭。」而定。❸據陳錫祺主編：《孫中山年譜長編》（上冊），是年七月十二日條：「是日，汕頭紳商學報各界假座陶陶戲院開會，歡迎先生一行，……先生發表護法演說。」同條並引用七月二十五日上海《民國日報》報導孫先生在汕頭活動情形，是《民國日報》之報導應較為確實，應以「十二日」為妥。❸

6.〈平白的話（英譯中）〉（1920年4月3日）：《全集》中該文日期為：「民國八年（1919年）五月下旬」（第2冊，頁330－332）《選集》則係根據刊載該文之紐約《獨立》雜誌第一○二卷第三七一六期的出版時間「一九二○年四月三日」而定；並於註中說明該文早年譯文見一九二○年四月三十日上海《時報》（三）所載周由廑譯《孫中山之借款意見》。❸據此，《選集》之時間應較《全集》為妥適。

㈡ **《孫文選集》**（下冊）**十一篇**

1.〈深切同情朝鮮復國運動〉——在廣州與大韓民國臨時政府專使申圭植的談話（1921年9月）：本文於《全集》第二冊「談話」，標題〈北伐完成後中國當全力援助韓國復國運動〉，時間為「民國十年十一月三日」。《國父年譜》（增訂本下冊）相關記事，已指出十一月三日之日期，「似有誤」。因十一月三日孫先生應在梧州，據《東方雜誌》十八卷二十三號「大事記」：十月四日廣州發起中韓協會，正式成立。因此申圭植之晉謁日期，「似在十月三日」。❸《選集》則認為孫中山於十月十五日啟程赴廣西，「此期間不在廣州」，而此次談話在廣州進

❷ 見《中華新報》第六冊（臺北：中國國民黨中央委員會黨史史料編纂委員會，民國59年10月影印初版），中華民國六年七月念一日，第二張第二版。

❸ 羅家倫主編，黃季陸、秦孝儀增訂，《國父年譜》（增訂本下冊），頁761－762。

❸ 陳錫祺主編：《孫中山年譜長編》（上冊），頁1036－1037。

❸ 黃彥編，《孫文選集》（中冊），頁674。

❸ 羅家倫主編，黃季陸、秦孝儀增訂，《國父年譜》（增訂本下冊），頁933。

行，因此應在赴廣西前，而中韓協會於十月四日成立，此事與申圭植抵廣州有關，所以將談話時間暫訂為九月，確切時間仍待考證。❸

2.〈黨員須宣傳革命主義〉——在梧州對國民黨員的演說（1921 年 10 月 29 日至 11 月 15 日間）：底本未說明確切演講時間，《全集》同題演講（第 3 冊，頁 269）將時間訂為一九二一年十一月，《選集》則根據孫中山於是年十月二十九日自南寧抵梧州，至十一月十五日晚乘輪前往桂林，而將演講訂在此期間內，較《全集》明確。

3.〈宜以筆墨之力專作裁軍鼓吹〉——宴請上海新聞界的演說（1923 年 1 月 25 日）：《選集》據一九二三年一月二十六日上海《民國日報》第十版載「孫中山先生勸各報鼓吹裁兵－昨晚招待新聞界之演說辭」而定。本文於《全集》之標題為〈發揮筆墨之威權以與軍閥搏戰〉（第 3 冊，頁 321－323），演講時間作「民國十二年（1923 年）一月二十六日」，但是資料來源之《民信日刊》亦為「民國十二年一月二十六日」，以二十六日演講應該不可能刊登於二十六日出版之日刊，日期應為《選集》之「二十五日」。

4.〈應約束士兵切實保護商民〉——宴請廣州滇桂粵軍將佐的演說（1923 年 2 月 25 日）：《全集》標題為〈勉勵各軍維持秩序進謀國家統一〉（第 3 冊，頁 329－330），資料出處與《選集》相同，均為一九二三年三月五日上海《民國日報》第二、三版之「孫總理歡嘛各將領記」，但時間為「民國十二年（1923 年）三月五日」。按「三月五日」應為演講見報之時間，《選集》中雖未註明演講時間之來源，但就當日演講不可能見諸當日日報，《全集》所註之時間應為誤。

5.〈全國學生要擔當革命的重任〉——在廣州全國學生聯合會總會第五次評議會開幕禮的演說（1923 年 8 月 15 日）：《全集》標題為〈學生要努力宣傳擔當革

---

❸ 黃彥編，《孫文選集》（下冊），頁 70。按：孫中山致梁士詒電，參見《國父全集》第四冊，頁 273，全句為：「昨電救亡策一道，望竭力提倡，以速進行，幸甚。」

命重任〉，並附錄該演講之另一記錄〈學生要努力宣傳擔當革命重任〉（第 3 冊，頁 336－344），前篇之來源與《選集》相同，為《國民》第一卷第十三號（1923 年 9 月發行）之「孫先生在全國學生評議會之演說」，後篇之來源為《新民國》第一卷第一號（民國 12 年 11 月 15 日北京出版），但《全集》以該演講為「民國十二年八月十九日在廣州全國學生聯合會總會評議會演講」，《選集》則標明為「八月十五日」在廣州全國學生聯合會總會第五次評議會「開幕禮」的演說。按《國民》刊登此演講之原標題為「孫先生在全國學生評議會之演說」，並未標明「開幕禮」，依據《新民國》第一卷第一號所刊演講詞首句：「今天是全國學生總會到廣州舉行第五屆評議會的開幕禮」，應為「開幕禮的演講」，《選集》以「第五次評議會於八月十五日下午在廣東高等師範學校開幕」，並依據八月十六日《廣州民國日報》（六）所載「全國學生總會開幕紀盛」，確定演講時間為「八月十五日」。❸❺

6. 〈檢討黨務不振之因欲效法俄人以黨治國〉——對廣州中國國民黨黨務討論會代表的演說（1923 年 10 月 16 日）：《全集》標題為〈過去黨務失敗之原因〉（第 3 冊，頁 344－346），演講時間及場合為「民國十二年（1923 年）十月十一日在廣州中國國民黨黨務討論會訓詞」，註釋說明：「據黨史會藏《總理訓詞》鉛印單頁。……原文末印註：『右為孫總理於閉會前一日，討論會員晉謁時面受之訓詞。……』」❸❻ 所謂「閉會」應為懇親會閉會。按中國國民黨於一九二三年十月十日起舉行懇親大會，為時七日，孫中山並令懇親會另設黨務討論會，共商黨務興革之進行。據陳錫祺主編：《孫中山年譜長編（下冊）》一九二三年十月十六日條：「在黨務會議演說民國以後國民黨日見退步之原因，指出『今後欲以黨治國，當效法俄人』。」曰：「是日中午十二時，先生召集出席黨務會議代表百餘人，在廣州帥府右側大

---

❸❺　黃彥編，《孫文選集》（下冊），頁 256。

❸❻　《國父全集》第三冊，頁 346。

草地演說。」❸⓻其資料來源為《廣州民國日報》民國十三年十月十八、二十二、二十四日，《選集》之時間當係照此而定，而《全集》之時間「十月十一日」應誤。

7.〈人格救國與地方自治〉——在廣州歡迎中華基督教青年會第九次全國大會代表的演說（1923 年 10 月 20 日）：《全集》標題為〈國民以人格救國〉（第 3 冊，頁 352-361），演講時間記為「民國十二年（1923 年）十月二十一日」。對此，陳錫祺主編之《孫中山年譜長編（下冊）》於一九二三年十月二十日條：「在歡迎全國青年聯合會大會上演說『要以人格救國』。」指出二十一日孫先生已赴虎門，不可能再赴廣州之歡迎會，根據《廣州民國日報》相關報導，演講時間應為二十日。❸⓼《選集》則依據中華基督教青年會全國協會主辦的上海《青年進步》第六十七冊（1923 年 11 月出版）所載《第九次青年會全國大會志略》確定演講時間為「十月二十日」。❸⓽

8.〈學習七十二烈士舍身救國的志氣〉——在廣州嶺南大學紀念黃花崗起義宴會的演說（1924 年 5 月 1 日）：《全集》標題為〈世界道德之新潮流〉（第 3 冊，頁 467-469），演講時間記為「民國十三年（1924 年）五月二日」，係依據當年舊曆三月二十九日為五月二日而定。《選集》則據廣州《南大青年》第十三卷第二十六號（1924 年 5 月 11 日出版）所載《南大紀念黃紅兩岡烈士詳志》及廣州《南大與華僑》第二卷第二號（1924 年 6 月出版）所載《黃花岡七十二烈士紀念日今宴》兩文確定紀念宴會於紀念日前夕舉行，演講時間應為「五月一日」。❹⓪

9.〈致英國首相麥克唐納嚴重抗議干涉中國內政電（英譯中）〉（1924 年 9 月 1 日）：《全集》標題為〈致英國麥唐納爾政府為駐粵英領事哀的美敦書抗議電〉（第

---

❸⓻ 陳錫祺主編：《孫中山年譜長編》（下冊），頁 1707。
❸⓼ 陳錫祺主編：《孫中山年譜長編》（下冊），頁 1079。
❸⓽ 黃彥編，《孫文選集》（下冊），頁 288。
❹⓪ 黃彥編，《孫文選集》（下冊），頁 465。

5 冊，頁 525－526），時間為「民國十三年（1924 年）九月三日」，其資料來源為一九二四年九月十日上海《民國日報》。《選集》底本為一九二四年九月四日《廣州民國日報》（三）載《大元帥致英國首相電》，該報導未註明電報時間，《選集》另依據一九二四年九月二十六日香港《孖剌西報》載，九月二十四日孫中山致日內瓦國際聯盟第五屆大會主席馬塔（Matta）的英文電：「我於九月一日致麥克唐納先生抗議電」而定。❹按：陳錫祺主編：《孫中山年譜長編（下冊）》一九二四年九月一日項下，已有：「致電英國麥克唐納爾首相，對英國政府支持商團謀叛提出強烈抗議。」❷其資料來源為一九二四年九月四日《廣州民國日報》，與《選集》相同，依《選集》「底本未說明致電時間」，則《孫中山年譜長編》應另有資料來源，而未註明。

　　10.〈復旅滬廣東各團體說明商團叛亂真相電〉（1924 年 10 月 23 日）：《全集》標題為〈復上海各粵僑團體述廣州商團叛變經過電〉（第 5 冊，頁 558－559），復電時間為一九二四年十月三十日，但是電文末沒有發表時間，「十月三十日」，係依據吳拯寰編《孫中山全集》及一九二四年十一月一日之上海《民國日報》而定。而《選集》所依據一九二四年十月二十七日《廣州民國日報》（三）「大元帥詳述粵商團謀叛經過－致旅滬粵省同鄉電」，電文末有發電時間之韻目代碼「梗」，據此可以確定發電時間為「梗」日，即二十三日，非《全集》之三十日。

　　11.〈關於中國國民黨最小綱領及提議召集國民會議之宣言〉（1924 年 12 月 7 日）：《全集》標題為〈國民黨最小綱領宣言〉（第 2 冊，頁 176－178），時間為「一九二四年十二月二十二日」，係依據一九二四年十二月二十二日長沙《大公報》之「孫中山在津之宣言」而定；《選集》所依據之一九二四年十二月八、九日天津《益世報》（十）連載「孫中山到津後之宣言」，則早於長沙《大公報》近兩個星期，

---

❹　黃彥編，《孫文選集》（下冊），頁 547。

❷　陳錫祺主編：《孫中山年譜長編》（下冊），頁 1991。

因此宣言應該不可能在八日後公佈，「二十二日」應為誤。但是據陳錫祺主編《孫中山年譜長編（下冊）》一九二四年十二月八日：「發表重要言論，說明國民黨的三民主義及目前之具體政綱。」謂此宣言發表於十二月八日，其資料來源與《選集》相同，亦為一九二四年十二月八、九日天津《益世報》。**⑱**《選集》未說明「七日」之依據，因此七日或八日發表，仍需進一步查證。

第三、重新選擇文件之底本以取代原有版本或豐富孫先生著述內容：前述黃彥說明《孫文選集》的特色之一，即是有六十一篇改用新的底本。他表示書中採用的新底本大致可分為四類：「第一是盡可能使用原件；第二是選用初刊本或具有權威性的早期印本；第三是採用今已罕見的當年報刊和官方公報；第四是對多種早期報紙進行比較選擇。」**⑭**筆者在逐篇比對《孫文選集》與《國父全集》之資料來源後，發現其中有五十餘篇為重新改用底本，因篇幅限制，除去部份只是選用底本不同，內容並無差異的著述外，僅就《孫文選集》所選用之底本與《國父全集》差異較大，可以發揮校補作用者，簡要說明如下：

㈠ **《孫文選集》**（中冊）**部份**

1.〈築鐵路可強國但宜利用外資〉——在上海中華民國鐵道協會歡迎大會的演說（1912 年 7 月 22 日）：據《孫中山先生赴本會歡迎會之演說詞》，載上海《鐵道》（又名《鐵道雜誌》）第一卷第一號，一九一二年十月十日出版。《全集》之〈築路與借債〉（第 3 冊，頁 53－54）為同一演講，資料來源為「中宣新編」**⑮**，兩者內容差異甚大，《選集》較為詳盡。

2.〈釋借款築路主張並答詰難者〉——招待北京報界茶話會的演說和答問（1912

---

⑱ 陳錫祺主編：《孫中山年譜長編》（下冊），頁 2092。

⑭ 黃彥，〈新編《孫文選集》的五大特色〉，廣州羊城晚報，金羊網 2007-03-10，http://www.ycwb.com/big5/ycwb/2007-03/10/content_1409733.htm，2007 年 4 月 1 日。

⑮ 《國父全集》中對於底本為中宣部編《總理演講新編》（民國 19 年 3 月 12 日出版）均簡稱「中宣新編」。

年 9 月 14 日）：據一九一二年九月二十至二十四日《天鐸報》第二版連載「孫先生全國鐵道計畫之大表示」。《全集》之〈修築全國鐵路乃中華民國存亡之大問題〉及附錄〈鐵路為我國存亡大問題〉（第 3 冊，頁 78-85）收錄「中宣新編」及上海《民立報》兩個資料來源的同一演講，與《選集》內容上有相當差異，可以參看。

3.〈中國鐵路計畫與社會主義（英譯中）〉（1912 年 10 月 10 日）：據張藹雲譯：〈孫逸仙縱論中國鐵道暨社會主義〉，載一九一二年十月十日上海《大陸報》（*The China Press* 中文版）「共和紀念冊」第五、六頁。《全集》之〈中國鐵路計畫與民生主義〉（第 2 冊，頁 275-280）為同一演講，據陸達節編《孫中山先生外集》（民國 21 年中華書局發行），兩者內容頗有差異，可以參看。

4.〈中日合作與協力保障亞洲和平（日譯中）〉——在東京東亞同文會歡迎宴會的演說（1913 年 2 月 15 日）：譯自孫逸仙氏：〈論東亞中日兩國的關係〉，載東京《支那》第四卷第五號（1913 年 3 月 1 日發行，李吉奎譯、黃卓漢校）。《全集》錄有同一演講的兩篇報導，一為〈中日兩國應攜手進步〉（第 3 冊，頁 137），據《民誼》第六號〈孫中山先生日本游記〉，一為〈望中日友誼長存〉（第 3 冊，頁 138），據品川仁三郎《孫文先生東游紀念寫真帖》（日本神戶日華新報社 1913 年出版），兩篇均為摘錄，《選集》則為演講全文。

5.〈為反對北京政府非法借款致各國政府和人民書（英譯中）〉（1913 年 5 月 2 日）：據〈孫中山先生為大借款致各國電〉，載一九一三年五月二十三日上海《中華民報》，係譯自《民國西報》（*The China Republican*），但《民國西報》之原文未見。《全集》之〈為宋案告外國政府與人民書〉（譯文）（第 2 冊，頁 43）為同文，譯自 Neil Cantlie and George Seaver, *Sir James Cantlie*, pp.111-112。兩者文字表達不同，《選集》為文言文，《全集》為白話文，意思亦有所出入，如《選集》謂：「革命以來，商業凋敝，國人已受種種損失。目下正在漸就恢復，若再興兵戎，勢必貽國人以莫大之害。」（頁 415）《全集》為：「中國在此際假若陷於戰爭，勢必將可怕的災難與痛苦加諸人民，何況中國人民目前正在開始恢復他們因革命

而造成的商業脫節與其他各項之損失。」（頁 43）

6.〈國會之地位與責任〉——在上海名流歡送國會議員宴會的演說（1916 年 7 月 13 日）：據一九一六年七月十四日上海《神州日報》（二）載「孫中山之國會主權論」。《全集》標題為〈國會主權論〉（第 3 冊，頁 159–161），據一九一六年七月十四日之《民國日報》。兩者內容大致相同，但最後一句，《選集》為：「法良意美，而執行者又得其人，則以中國之地位，政治日良，進至為世界最富強之國不難也。」（頁 545）《全集》為：「法良意美，而執行者又得其人，則以中國之地位、政治，為世界最富強之國不難也。」（頁 161）略有出入。

7.〈人人須謀公共權利〉——在旅滬粵籍國會議員茶話會的演說（1916 年 7 月 15 日）：據一九一六年七月十六、十七日上海《新聞報》第三張第一版連載之「孫中山先生發表政見記」。《全集》標題為〈中華民國之意義〉（第 3 冊，頁 161–164），資源來源為「中宣新編」。兩者之內容文字出入甚大。

8.〈地方自治為民國之礎石〉——在上海召開演說大會發表政見（1916 年 7 月 17 日）：據一九一六年七月十八日上海《民國日報》第三版載〈記孫中山先生之政見演說會〉。《全集》標題為〈自治制度為建設之礎石〉（第 3 冊，頁 164–169），據《大中華雜誌》。兩者內容大致相同，僅《選集》最後一段之首句：「吾國商人鮮留心政治，孳孳營業」，《全集》則為：「吾國商人鮮留心政治，孳孳營業」，應以《全集》為正確。

9.〈救國之急務〉——在上海寰球中國學生會的演說（1919 年 10 月 18 日）：據《孫中山先生在寰球學生會演說辭》，上海，一九一九年鉛印本。《全集》同題（第 3 冊，頁 200–202），據「胡本」。❻其中《全集》有「爾時革命黨人物資望缺乏」一句（頁 202），註釋說明「『會本』為『物質缺乏』，今仍原文。」❼據《選

---

❻　《國父全集》中對胡漢民編《總理全集》（民國 19 年，上海民智書局出版）之簡稱。

❼　《國父全集》中對黨史會編《國父全集》（民國 54 年 11 月，紀念國父百年誕辰籌備委員會出版）之簡稱。

集》，該句為「爾時革命黨人物資缺乏」，文意較通。

㈡ **《孫文選集》（下冊）部份**

1.〈為陳炯明兵變及和平統一主張之對外宣言（英譯中）〉（1922年8月17日）：
據一九二二年八月二十日上海《商報》第一張第三版載「孫中山之對外宣言」，
譯自十八日英文《大陸報》。《全集》〈宣布和平統一主張之對外宣言〉（第2冊，
頁100－101，據重慶《國民公報》）及附錄：〈宣布和平統一英文宣言（譯文）〉（第2
冊，頁101－103，馬寧自英文原稿譯出），與《選集》之底本均不同，文字亦有出入，
可以參看。

2.〈檢討黨務不振之因欲效法俄人以黨治國〉——對廣州中國國民黨黨務討
論會代表的演說（1923年10月16日）：據一九二三年十月二十二、二十四日《廣州
民國日報》（三）連載之「大元帥黨務進行之訓示」。《全集》之〈過去黨務失敗
之原因〉（第3冊，頁344－346），據黨史會藏「總理訓詞」鉛印單頁。兩者之內容
文字略有差異，兩處最主要之差異，一在演講之首句：《全集》為「自民國成立
以前，本黨時有進步，此無可諱言」（頁344），《選集》為「自民國成立以前，
本黨時有進步，民國成立以後反日見退步，此無可諱言」（頁273）；一為結尾：
《全集》為「現既覺悟前此種種之失，今後應振刷精神，實行奮鬥」（頁346），
《選集》為「現既覺悟前此種種之失，今後益當振刷精神，實行奮鬥，一味向上
發展，從此一步一步做去，前途實有無窮之希望也」（頁276），整體而言，《選
集》較《全集》內容完整。

3.〈要用三民主義打破舊思想恢復革命朝氣〉——歡宴廣州各軍將領的演說
（1923年12月2日）：據黃昌穀記：《孫大元帥歡迎聯軍各將領宴會演說詞》，鉛
印本（非賣品）。《全集》之〈打破舊思想要用三民主義〉（第3冊，頁371－379），
據一九二三年十二月二十三日出版之《國民黨週刊》第五期。《選集》在註釋中
說明黃昌穀所記之《孫大元帥歡迎聯軍各將領宴會演說詞》為在廣州印行的初刊
本，《國民黨週刊》第五期刊登之講詞，雖然同為黃昌穀所記，但錯字較多，故

採用初刊本。❹❽

　　4.〈入京宣言〉（1924 年 12 月 31 日）：據一九二五年一月一日北京《益世報》載第一版《孫文昨日抵京盛況》「對於時局之主張」，全文如下：「中華民國主人諸君：兄弟此來，承諸君歡迎，實為感激。兄弟此來不是為爭地位，不是為爭權利，是特為來與諸君救國的。十三年前，兄弟與諸君推倒滿洲政府，為的是求中國人的自由平等。然而中國人的自由平等已被滿洲政府從不平等條約裡賣與各國了，以致我們仍然處於次殖民地之地位，所以我們必要救國。關於救國的道理很長，方法也很多，成功也很易，兄弟本想和諸君詳細的說，如今因為抱病，只好留待病好再說。如今先謝諸君的盛意。中華民國十三年十二月三十一日。孫文。」（頁 639）《全集》之〈入京宣言〉，據「黃本」❹❾，全文如下：「文此次來京，曾有宣言；非爭地位權利，乃為救國。十三年前，余負推倒滿洲政府，使國民得享自由平等之責任。惟滿清雖倒，而國民之自由平等早被其售與各國，故吾人今日仍處帝國主義各國殖民地之地位。因而吾人救國之責，尤不容緩。至於救國之道多端，當向諸君縷述；惟今以抱恙，不得不稍俟異日。中華民國十三年十二月三十一日。孫文。」（第 2 冊，頁 178－179）。兩者文體不同，《全集》為文言文，《選集》為白話文，所欲傳達訊息的對象亦不相同。《選集》之宣言當時曾印成傳單，孫先生抵北京時，在車站發布❺❶，對象應該是一般民眾。

　　這些增補、修正日期或重新選擇底本的孫中山著作，充實了孫中山文集的內容，提供了對孫中山年譜相關記事的補充或修正，擴大了對孫先生行誼的理解；對於孫中山相關研究而言，這些資料也可以發揮一定的參考價值。此外，《孫文選集》並將若干已經收錄在《全集》中的外文資料，重新翻譯，使內容更加準

---

❹❽　黃彥編，《孫文選集》（下冊），頁 336。
❹❾　《國父全集》中對黃季陸主編《總理全集》（民國 33 年，成都近芬書屋印行）之簡稱。
❺❶　黃彥編，《孫文選集》（下冊），頁 639。

確❺，如〈復拉錫爾論歐美資本主義世界反對中國進步獨立函（俄譯中）〉（1906年11月26日）、〈復社會黨國際執行局請協助中國實現社會主義函（英譯中）〉（1915年11月10日）、〈復蘇俄外交人民委員契切林介紹中國政情並望建立個人接觸函（俄譯中）〉（1921年8月28日）等。亦有對《全集》所收錄文件內容提出修正，如一九二一年九月五日發布之〈關於華盛頓會議之對外宣言（英譯中）〉，《選集》認為《全集》第二冊〈宣言〉類，同日錄有兩份宣言：一份是與《選集》同一資料來源的〈關於中國出席華盛頓會議代表資格之宣言〉，均依據一九二一年九月二十六日廣州《廣東群報》第三頁載「大總統否認偽廷對外資格宣言」；一份為〈為解決遠東問題之前提宣言〉，係依據一九二一年九月九日上海《民國日報》引日人通信社廣東電載。❺但是《選集》認為上海《民國日報》所載日人通信社電訊，與《廣東群報》所載，實際上為「內容文字有異」的同一份宣言。❺

然而亦有部份文件，《孫文選集》所作之變更是否準確，需要再審慎的探討。如下冊之〈無政府主義不能行於今日〉，副題為「批菲律賓孔立波函」（頁572）；該文件亦見於《全集》第六冊，標題為〈批加拿大某君函論無政府主義不適用於中國〉（頁137）。「菲律賓」與「加拿大」相去甚遠，據《選集》註釋稱：「此係孫中山親筆批語。所批來函信封上署為 Kong Li Po 寄自菲律賓馬尼拉，寄信人中文姓名不詳，『孔立波』為譯音。」❺該文件之原件現藏中國國民黨中央文化傳播委員會黨史館，《選編》之底本即是原件，但是就原件來看，信封上發信人的地址是「New Westminster, B.C.」，五枚郵票均為「CANADA POSTAGE」，七個郵戳，六個地名為「NEW WESTMINSTER」，一個為「VANCOUVER」❺，

❺ 黃彥，〈新編《孫文選集》的五大特色〉，廣州羊城晚報，金羊網 2007-03-10，http://www.ycwb.com/big5/ycwb/2007-03/10/content_1409733.htm，2007 年 4 月 1 日。

❺ 《國父全集》第二冊，頁 90－91。

❺ 黃彥編，《孫文選集》（下冊），頁 65。

❺ 黃彥編，《孫文選集》（下冊），頁 572。

❺ 參見《國父全集》第六冊「史料圖片」，頁 4－5，原件放大彩色製版。

凡此均足以顯示該信由加拿大 British Columbia 的 New Westminster 寄出,《全集》所稱「加拿大」應無疑問。而《選集》稱寄信人為「Kong Li Po」,亦有疑問,就原件顯示,寄信人名字雖為孫先生批示所遮蓋,但仍可看出有「beg」及「re」等字樣,與「Kong Li Po」並不相同。因此《選集》之副題「批菲律賓孔立波函」並非正確,是否為編者整理資料時,誤將其他孫先生批件混入,抑或就原件上另有所見,不得而知。再如下冊中有幾篇更改著述時間的文件,亦有商榷之餘地,分述如下:

1.〈勉中國基督教青年〉──中國基督教青年會成立二十五周年祝詞（1921年）:本件原稿藏黨史會,未署時間,《全集》之〈勉中國基督教青年書〉（第9冊,頁 626−627）,時間為一九二四年,如何訂定,不得而知。《選集》則以中國基督教青年會成立於一八九六年十一月,據文中「是會之設於中國至今二十有五年」,認為此文似為應中國基督教青年會全國協會某出版物之約,為該會成立二十五周年而寫,其時間應為一九二一年十一月,故將此文時間暫訂為一九二一年。❺❻而據中國基督教青年會之資料,其在華工作二十五年的時間,是從一八九五年中國青年會第一位外國幹事來華算起,並非依該會前身「中國學塾基督幼徒會」於一八九六年十一月開始計算,至一九二○年為二十五年。❺❼因此孫先生撰寫該文如係為中國基督教青年會成立二十五周年而寫,則撰稿的時間應該在一九二○年之前,而非一九二一年。

2.〈中華民國建設之基礎〉──為上海《新聞報》三十周年紀念而作（1923年2月）:《選集》依《新聞報》創刊於一八九三年二月十七日,此文乃為該報創

---

❺❻ 黃彥編,《孫文選集》（下冊）,頁 129。

❺❼ 參見邢軍著、趙曉陽譯,《革命之火的洗禮:美國社會福音和中國基督教青年會,1919−1937》（上海,上海古籍出版社,2006年9月）,頁 37−39。第一位來華的青年會幹事來會理（David Willard Lyon）撰有《中國基督教青年會二十五年史,1895−1920》（*The First Quarter Century of the YMCA in China, 1895-1920*）一書。

刊三十週年而作，遂將此文之時間訂為「一九二三年二月」。《全集》之同題著述（第2冊，頁351-354），所標之時間為「民國十一年（1922年）為上海新聞報三十週年紀念而作」，雖未說明其依據，但由文中「十一年飄搖風雨」、「積十一年來之亂離與痛苦為教訓」等字句來看，《全集》應是根據內容標註時間，或者較為正確。

3.〈民生主義與共產主義實無別〉——批鄧澤如等抨擊中國共產黨密函（1923年12月3日收到）：《選集》之時間，係根據中國國民黨廣東支部信封上登記收到孫中山批復的日期而定；《全集》為〈批廣東支部鄧澤如等彈劾共產黨文〉（第6冊，頁481-482），時間為「民國十二年（1923年）十一月二十九日」，係依據〈廣東支部彈劾共產黨文〉原呈日期而定。兩日期均未盡準確，孫先生批復的時間，當在十一月二十九日至十二月三日之間，將時間訂在此期間較妥。

四、從《孫文選集》談孫中山文集整編之發展方向

《孫文選集》雖然是一本孫中山著作選集，但是前已述及它是編者黃彥在編輯《孫文全集》的基礎上進行的工作。該書與《國父全集》或《孫中山全集》等比較，具有兩個值得稱道的地方，一是資料搜集範圍包括大陸、臺灣、香港三地及孫中山致力革命曾經到過或有密切關係國家的檔案館、圖書館；一是資料來源除了檔案、書籍外，注意到以往較少徵引的報紙、期刊等資料。

早年編輯孫中山著作的書籍，大多是在檔案館庋藏原始檔案，以及前人編輯「全書」、「全集」等的基礎上完成。在黨史會工作多年、並負責一九七三年版《國父全集》編輯工作的蔣永敬列表統計該版收錄五六一九件文件來源，分別為㈠國父手訂之版本二十件、㈡國父手書或簽署發布之文件一四二四件、㈢同時期黨或政府報刊及會議錄中刊登之文件二六三六件、㈣文件之原稿或底稿八五三件、㈤國父生前一般報刊登載之文件二二六件、㈥國父生前一般書籍收錄之文件八十五件、㈦各本全集或文集收輯之文件三九八件、㈧其他一七七件，指出：「新

編全集文件，實以原始文件、直接資料及早期印本為主，即表列第一至第六項的文件來源，計為五〇四四件，約全部文件的百分之九十。表列第七、八兩項文件來源為後期印本或轉手文件，計五七五件，占全部文件的百分之十。換言之，這百分之十的原件或早期印本，已不可見了。」❺❽而這些原始文件、直接資料及早期印本，大多是庋藏在中央黨史委員會史庫的檔案、圖書等，在編輯上，資料運用沒有什麼問題，至一九八一年八月大陸的《孫中山全集》第一卷出版後，情況有了變化，參閱大陸相關資料成為一個新的重點。一九八四年，筆者負責編輯《國父全集補編》時，除了重行檢視黨史會史庫的資料外，還必須就所能搜集到的大陸出版品，包括當時已出版的《孫中山全集》第一、第二卷，及《歷史檔案》等進行增補。一九八九年版《國父全集》在編輯過程中，所需要查閱的資料更為廣泛，除了大陸相關出版品，如《孫中山全集》、《歷史檔案》、《民國檔案》等之外，還包括影印的舊報刊在內，特別是廣州《民國日報》及上海《民國日報》上關於孫中山的報導。但是當時受到經費及政策的限制，編輯人員無法到海外及大陸收集資料，雖然該書迄今仍是最完整的一部孫中山著述全集，但是難免有錯誤及疏漏之處。

　　一九九七年十一月，國立國父紀念館邀請海峽兩岸典藏孫中山文物之機構，包括臺灣的國立故宮博物院、中國國民黨中央黨史委員會，及大陸的中國近現代史博物館（中國革命博物館）、南京博物院等，舉辦一項「中山真蹟文物大展」，展出檔案、文物近三百件。筆者曾根據展出內容，撰寫〈中山文物真蹟大展所見《國父全集》未刊文件〉一文，陳述展品中未收入一九八九年版《國父全集》的文件，以及比對原件後，所發現《國父全集》之失誤。並表示：

　　就上述這些錯漏情形的發生來看，均在於所引用資料並非原件之故。而展

---

❺❽　蔣永敬，〈「國父全集」諸本的比較及新編本的介紹〉，中華民國史料研究中心編：《研究中山先生的史料與史學》，頁147—148。

覽所見未刊於《全集》的文件，亦為無法檢視大陸地區資料所致。對於海峽兩岸共同欽敬的孫中山先生而言，一部集合兩岸力量編輯的「全集」是必要的。因此筆者認為海峽兩岸各相關機構應就本身所典藏之孫中山先生史料公開或製作詳細的目錄，由學者專家就現有《國父全集》、《孫中山全集》等內容，逐一比對，遺漏者增補，錯誤者校正，重新編印一部完備的、集中海峽兩岸相關資料的「孫中山先生全集」。[59]

而從《孫文選集》所選錄的文件，以及黃彥在〈後記〉中列舉對於該書編輯工作予以幫助的機構名單來看，可以理解《孫文選集》在編輯的過程中，不再限於以往編輯的方式，而是更直接的尋求檔案館、圖書館協助，進行核對、增補。根據〈後記〉，編輯過程中曾經尋求過兩岸三地及日、英、美、俄等國的檔案館、圖書館，包括大陸的廣東省立中山圖書館、廣東省社會科學院圖書館、中山大學圖書館、廣州博物館、孫中山故居紀念館（中山翠亨）、上海宋慶齡故居紀念館、中國第二歷史檔案館、中國國家圖書館、中國國家博物館、中國社會科學院近代史研究所、北京大學圖書館、華中師範大學中國近代史研究所、雲南省檔案館；香港的香港大學孔安道紀念圖書館、香港歷史博物館；臺灣的中國國民黨文化傳播委員會黨史館、中央研究院近代史研究所、國史館、故宮博物院；日本的外務省外交史料館、東洋文庫、早稻田大學圖書館、京都大學人文科學研究所、神戶孫文紀念館、日本孫文研究會、犬養木堂紀念館；以及新加坡大學圖書館、英國國家檔案館、美國國會圖書館、俄羅斯國家社會政治歷史檔案館等。[60]其中中國國民黨文化傳播委員會黨史館所庋藏的《總理檔案》及相關資料，黃彥等更是逐件調閱，與《國父全集》一一核對，對於《孫文選集》或日後《孫文全集》的編

[59] 劉維開，〈中山文物真蹟大展所見《國父全集》未刊文件〉，《近代中國》雙月刊第 125 期（臺北：近代中國雜誌社，民國 87 年 6 月），頁 205。

[60] 黃彥編，《孫文選集》（下冊），頁 647－648。

輯，應該有相當助益。

　　資料來源方面，由蔣永敬之統計來看，一九七三年版《國父全集》的各類文件中，最多的是「同時期黨或政府報刊及會議錄中刊登之文件」，其次則是「國父手書或簽署發布之文件」，第三是「文件之原稿或底稿」，三類合計四九一三件，占全部文件的百分之八十七；「國父生前一般報刊登載之文件」、「國父生前一般書籍收錄之文件」兩類合計三一一件，僅占全部文件的百分之六。對比之下，可以發現早年對於孫中山全集的編輯著重於原始文件及直接資料，報刊資料及其他來源所占比例較低。而以孫中山的名望與地位，當時報刊的報導，絕對是編輯「全集」過程中的重要來源，之所以較其他來源比例低的原因，應該與早期因環境限制，僅能以黨史會庫藏的《民立報》、《民主報》、《天鐸報》等為主有關。一九八九年版《國父全集》編輯時，即特別注意當時已有復刻本的廣州《民國日報》及上海《民國日報》等，為該版增加數量頗多的文件。**❻❶**但是除了這些之外，尚有其他報紙，如當時在國內具有相當影響的《申報》、《大公報》，甚至國外報紙如《紐約時報》等，均可能有孫中山的相關報導。**❻❷**劉路生曾經考察一九一二年的《申報》、《大公報》，指出其中有《國父全集》未錄之佚文二十二篇、同題異文三十篇，共五十二篇，計《申報》四十一篇、《大公報》十一篇。而在同題異文中，可以分為兩類，一類是其質量和內容明顯優於《全集》所據版本，可以取代現有版本；一類是演說、答問或譯文，記者、譯者文筆不同、取捨不同，可以相互參看或校證。此外，兩報所刊登關於孫中山之報導，至少還有十

---

❻❶　筆者曾參與該次增訂工作，根據個人經驗的了解。

❻❷　如鄭曦原編《帝國的回憶：《紐約時報》晚清觀察記》（北京：生活・讀書・新知三聯書店，2001 年 5 月）中，有三封刊登在《紐約時報》上的孫中山致倫敦金融家函（pp.387－392），經查證未收錄於「全集」。參見邵雍，〈孫中山海外借款的三封重要信函〉，《歷史教學》2001年第 11 期，頁 52－54。

餘篇，可以訂正《國父全集》所收錄文件日期或文字之錯誤。❻對此，她表示：
「歷來各種版本孫中山全集的編者，對於辛亥革命時期的報紙，均著意於采錄《民
立報》的刊載，這亦是理所當然的。然而，倘因過份強調它的革命派立場，而過
份重視它在刊登孫中山著述、言論的特殊地位，並從而忽視了對其他報紙所登載
孫中山著述的采錄，則就未免失之偏頗。《申報》和《大公報》的情形就是不容
置疑的例證。」❻建議：「辛亥革命以後十餘年間，孫中山在全國具有特殊地位、
特殊能量，他的言論與主張，除專門的著述以外，最大量的則應是刊登於各地各
種報紙的報導。……從就任臨時大總統至逝世的十餘年間，孫中山絕大部分時間
都在國內活動，全國各地報紙上的大量刊登，乃是孫氏著述言論最豐富的寶庫。
投入相應的人力，花上相應的時間，認真而細緻的爬梳，相信必有不可估量的豐
碩成果。」❻

　　在這一方面，《孫文選集》有相當程度的突破，不只是報紙，還包括相關刊
物的蒐羅，以及國外相關文件的翻譯等，使該書能有新資料出現，或修訂原有資
料的日期、文字等。以未收錄於《國父全集》的二十二件文件為例，其中十一件
來自報紙及相關刊物，十一件為翻譯外文文件，包括英文、法文、日文及俄文等；
而在修正《國父全集》文件日期的十七篇中，亦有十二篇的資料來自於上海《民
國日報》、《申報》等報紙及相關刊物，約占百分之七十。至於重新選定底本方
面，報紙所占的比例更大，特別是上海發行的報紙，據筆者檢視，除《民國日報》、
《申報》外，採用了《天鐸報》、《大陸報》、《中華新報》、《神州日報》、
《新聞報》、《時報》、《商報》等，亦足以顯示編者在資料方面的用心。

---

❻　劉路生，〈《孫中山全集》《國父全集》1912 年佚文異文考略──以《申報》《大公報》為據〉，
　　《中山大學學報論叢（社會科學版）》2000 年第 3 期，頁 15－24。

❻　劉路生，〈《孫中山全集》《國父全集》1912 年佚文異文考略──以《申報》《大公報》為據〉，
　　《中山大學學報論叢（社會科學版）》2000 年第 3 期，頁 24。

❻　劉路生，〈《孫中山全集》《國父全集》1912 年佚文異文考略──以《申報》《大公報》為據〉，
　　《中山大學學報論叢（社會科學版）》2000 年第 3 期，頁 24。

　　因此從《孫文選集》的資料搜集範圍及資料來源兩方面來看，尚未出版的《孫文全集》應該可以期待。不過隨著數位化時代的來臨，一部二十冊的《孫文全集》是否符合未來使用者的需求？編輯一部完善的孫中山文集需要投入相當可觀的人力、物力，但是由於資料的搜集難以達到「全」的目標，所謂「全集」，實際上仍有闕遺之處，當新資料出現時，是否又要編一部新的孫中山全集？筆者曾以「孫中山著作」為關鍵詞，透過 Google 進行搜尋，發現下列數個網站有「孫中山著作」的網頁：

　　1.南方網－新聞－社會－社會專題－紀念孫中山－孫中山著作選載

　　　http://www.southcn.com/news/community/shzt/sunys/paper/

　　2.中山文化信息網－香山博覽－孫中山著作文獻

　　　http://www.wh3351.com/ssbl/whb-w/sun/zuzo.htm

　　3.中山大學－孫中山紀念館－孫中山著作選讀

　　　http://www.sysu.edu.cn/sun/YFhall/work_cont.html

　　4.孫中山紀念館

　　　http://szs.chinaspirit.net.cn/

　　5.孫中山故居紀念館－孫中山著述

　　　http://www.sunyat-sen.org/sun/zhushu.php

所收錄著作內容及數量各有不同，最多者為孫中山紀念館（共青團中央、中央黨史研究室、國家檔案局主辦）的八十九件，其次為南方網的七十五件；最少者為中山文化信息網（中山市文化廣電新聞出版局主辦）的二十八件，但是大致上包括《三民主義》、《建國方略》、《國民政府建國大綱》、《中國國民黨第一次全國代表大會宣言》等主要著作在內。而在二○○六年十月正式開通的「孫中山宋慶齡資訊網」http://www.sszx.org.cn/index.asp，則是將中華書局出版的《孫中山全集》十一卷本全部放在網上提供讀者使用。顧名思義，「孫中山宋慶齡資訊網」是一個以紀念孫中山與宋慶齡為主的網站，在「常用專題」項下有關於孫、宋的十二個專題，

分別為：孫中山年譜、宋慶齡年譜、孫中山全文庫、宋慶齡全文庫、孫中山藏書
目錄、宋慶齡藏書目錄、孫中山宋慶齡圖庫、歷年孫中山研究論文全文庫、歷年
孫中山研究著作全文庫、歷年宋慶齡研究論文全文庫、歷年宋慶齡研究著作全文
庫、相關文章全文庫，其中「孫中山全文庫」即是《孫中山全集》十一卷本的全
文資料庫，使用上沒有建置關鍵字檢索的功能，但是經由「發表時間」及「類別」
兩項要件的交叉檢索，尚稱便利。而這類的網站，雖然只是就已經編成的孫中山
相關著作進行數位化，但是為日後孫中山全集的編輯工作提供了一個發展的方
向，即是建置一個「孫中山全集」的網站，以「電子書」取代傳統的「紙本」。
因此筆者建議日後《孫文全集》出版後，能將紙本進行數位化，建置相關網站，
日後只要有新資料出現，就可以進行增補、修正、校勘等工作，如此一來，不僅
對研究者有其便利性，而且可以畢其功於一役，隨時保持最新情況，避免日後重
複孫中山全集的編輯工作。

五、結　語

　　二〇〇五年十一月出版的黃彥主編《孫文選集》，全書共收錄二百三十八篇
孫先生著作，分為三冊，上冊為孫先生在遺囑中所提到的四種著作：《建國方略》、
《國民政府建國大綱》、《三民主義》及《中國國民黨第一次全國代表大會宣言》；
中冊與下冊則按各篇著述時間先後順序編排，中冊為一八八九年至一九二〇年之
著述一百二十一篇，下冊為一九二一年至一九二五年之著述一百一十三篇。該書
距離一九八六年由中國社會科學院近代史研究所等合編、北京中華書局出版的《孫
中山全集》，及一九八九年秦孝儀主編、臺北近代中國出版社的《國父全集》，
均有相當長的一段時間，對於「孫學」研究而言，是一件值得重視的大事。而該
書與前此之前最完備的一九八九年版《國父全集》相較，在二百三十八篇中有《國
父全集》所未收錄文件二十二篇；修正《國父全集》所記文件日期十七篇；重新
選擇文件之底本以取代原有版本或豐富孫先生著作內容者五十餘篇；總計約九十

篇，占全書的三分之一強。此外，《孫文選集》並將若干已經收錄在《全集》中的外文資料，重新翻譯，使內容更加準確；亦有對《全集》所收錄文件內容提出修正。當然亦有部份文件，《孫文選集》所作之變更是否準確，需要再加斟酌。不過瑕不掩瑜，整體而言，該書編輯的用心應該肯定。《孫文選集》是在編者黃彥進行編輯《孫文全集》的基礎上進行的工作，與先前出版的《國父全集》或《孫中山全集》比較，有兩個值得稱道的地方，一是資料搜集範圍包括大陸、臺灣、香港三地及孫中山致力革命曾經到過或有密切關係國家的檔案館、圖書館；一是資料來源除了檔案、書籍外，注意到以往較少徵引的報紙、期刊等資料。就此而言，尚未出版的《孫文全集》應該可以期待。不過編輯一部完備孫中山全集需要投入相當可觀的人力、物力，隨著數位化時代的來臨，一部《孫文全集》是否符合未來使用者的需求？當新資料繼續出現時，是否又要編一部新的孫中山全集？筆者建議日後《孫文全集》出版後，能將紙本進行數位化，建置相關網站，日後只要有新資料出現，就可以進行增補、修正、校勘等工作，如此一來，不僅對研究者有其便利性，而且可以隨時保持孫中山全集的最新情況，避免日後重複的編輯工作。

臺灣地區近十年（1998－2007）
文獻學專著出版述評

丁原基

東吳大學中國文學系教授兼圖書館館長

一、引　言

　　文獻學是一門既傳統又新型的學科，在 20 世紀得到長足的發展，其特色之一就是文獻學論著的大量出現。1930 年商務印書館出版鄭鶴聲、鄭鶴春著的《中國文獻學概要》，是第一個以「文獻學」命名的專著，惟該書闡述結集、審訂、講習、翻譯、編纂、刻印諸端，文獻的觀念，有別於古典文獻的範圍。

　　1982 年張舜徽的《中國文獻學》出版，此編研究我國古代文獻的分類、目錄、版本、校勘、辨偽、注釋、編纂與印刷源流等知識。90 年代程千帆、徐有富的《校讎廣義》（齊魯書社，1988－1998 年陸續出版），分「版本編」、「校勘編」、「目錄編」和「典藏編」，概括論述了文獻典籍的版本、校勘、目錄、編輯使用、流傳和保存的全過程及其主要環節、理論和方法。此外，如趙振鐸的《古代文獻知識》、吳楓的《中國古典文獻學》、王欣夫的《文獻學講義》、張三夕的《中國古典文獻學》、洪湛侯的《中國文獻學新編》、杜澤遜的《文獻學概要》以及黃永年的《古文獻學四講》等大陸地區出版專著，陳列於臺灣各學術殿堂，在在影響到臺

灣學界對文獻學的認知。

有關大陸地區在文獻學方面發展的情況，可以參考蔣宗福撰〈新時期中國文獻學研究綜述（1978－2005）〉（《綿陽師範學院學報》25 卷 4 期，2006.8，頁 1－9），本文廣引前賢論作，分成「文獻學通論著作」、「文獻學主要分支學科研究」、「文獻學史研究」、「文獻學理論研究」及「對學科的發展與展望」五部分，加上「目錄學研究」、「版本學研究」、「校勘學研究」、「辨偽學研究」、「輯佚學研究」、「文獻出版史及藏書史研究」等分支學科，總計十類，將各領域有開創性的論著予以綱要說明。藉此綜述，則大陸地區在文獻學方面發展的情況，約可獲得較全面的認識。此篇〈綜述〉，間有論及臺灣學者的相關著述，筆者閱讀所見，依序有：

周彥文主編《中國文獻學》（五南圖書出版有限公司，1993）

李曰剛《中國目錄學》（臺灣明文書局，1983）

昌彼得等《中國目錄學》（臺灣文史哲，1986）

鄭阿財與朱鳳玉編《敦煌學研究論著目錄》（臺北漢學研究中心，1987）

黃永武《敦煌遺書最新目錄》（臺北新文豐出版公司，1986）

周彥文《中國目錄學理論》（臺灣學生書局，1995）

許世瑛《中國目錄學史》（臺灣中國文化大學出版部，1986 新一版）

屈萬里、昌彼得等《圖書版本學要略》（臺灣中國文化大學出版部，1989）

李清志《圖書版本鑒定研究》（臺灣文史哲，1980）

鄭良樹《古籍辨偽學理論》（臺灣學生書局，1986）

鄭良樹《續偽書通考》（臺灣學生書局，1984）

林慶彰《清初的群經辨偽學》（臺北文津，1990）

以上資料，顯然不足以呈現臺灣地區在文獻學範疇的研究成果。

二、臺灣地區文獻學研究概況

近年論述或檢討，50 年代以來臺灣地區在文獻學方面研究現況的文章並不多，較具體的有：

1. 〈三十年來臺灣學術界對於版本目錄學之研究概況〉，胡楚生撰，載《書目季刊》三十卷二期，1997.8。（收入《圖書文獻學論集》，2002.4，頁 15－44）

   此文分析 1967－1996 年間臺灣地區，版本目錄學之研究成果。

2. 〈四十年來臺灣地區子部古籍校釋整理之成果及其檢討〉，胡楚生撰，載《書目季刊》三十卷四期，1997.10。（收入《圖書文獻學論集》，2002.4，頁 45－65）

   此文分析 1951 至 1990 年間臺灣地區，子部古籍校釋整理之成果。

3. 《五十年（1950－2000）來的圖書文獻學研究》，邱炯友、周彥文主編，臺灣學生書局，2004 年。本書第二編「文獻學學門」，內收六文：

   〈臺灣公藏善本古籍的蒐集與運用〉（盧錦堂撰）

   〈五十年來中文參考書的編輯出版與發展方向〉（丁原基撰）

   〈五十年來版本學的研究與著作〉（趙飛鵬撰）

   〈五十年來目錄學的發展與著作〉（周彥文撰）

   〈五十年來臺灣「四庫學」之研究〉（陳仕華撰）

   〈臺灣地區中國古籍文獻資料數位化的過程與未來的發展方向〉（羅鳳珠撰）

4. 〈近五十年（1951－2000）臺灣地區整理文獻的成果〉，劉兆祐撰，見《校讎學》（三民書局，2007 年）第四章。

近十年來臺灣地區的文獻學者多處於獨立治學的狀況，隨著近年文史類的學術發展經費的縮減，不似多年前尚有像國家圖書館、國立編譯館領銜結合群力，作具規模的整理文獻的計畫；加上設置專業系所的大學不多；以及舉辦專業性強的研討會次數有限；還有，此方面的人才，在臺灣的就業職場，未有明確定位或

方向，種種客觀因素，並不利於文獻學的深耕發展。幸好，尚有一群不計名利的執著人士，堅持著文獻學研究與培養後進的理想。以下簡述在推動文獻學研究風氣，值得稱許的學術機構或出版單位。

(一) **學術機構**

臺灣地區文獻學發展的重鎮，仍以各大學文史研究所為主。東吳大學中國文學系與歷史學系是較早重視文獻學基礎知識的。東吳中文系所先後延攬屈萬里、于大成、昌彼得、劉兆祐、張錦郎、鄭恆雄、吳哲夫、胡楚生等專家授課，培養出王國良、林慶彰、周彥文、陳仕華、陳恆嵩、張曉生等文獻學專長的博士生。東吳大學歷史系則定期舉辦「史學與文獻學學術研討會」，強化專業領域的素養。潘美月教授，多年來指導各校中文系所及臺灣大學圖書館學研究生撰寫系列藏書家與藏書樓的論文，成績粲然可觀。2002 年臺北大學古典文獻學研究所招生，2003年淡江大學漢語文化暨文獻資源研究所招生，象徵文獻研究邁向宏觀與專業，不再附庸於中國文學系。淡江大學近年主動與海峽兩岸具文獻研究特色的學術機構合作，定期舉辦「中國文獻學學術研討會」，已辦過「兩岸四庫學」、「海峽兩岸古典文獻學」、「文獻學的研究與展望」、「紀念章學誠逝世兩百周年」、「文獻資源的研究利用」五屆，專書次第出版，在建立文獻學理論架構，和講究整理文獻的技術與方法上，展現出旺盛的學術前瞻性。

(二) **出版社──學生書局、花木蘭文化出版社**

臺灣地區近年出版社，有意願支持出版文獻學專業博碩士論文，或相關研討會論文集的屈指可數。90 年代初，漢美圖書有限公司，出版了由昌彼得、胡述兆兩位教授所主編的「圖書館學與資訊科學研究論文叢刊」，在兩輯中計印行十部版本目錄學之碩士論文，對推動版本目錄學之研究，作用極大，可惜未能繼續。其目如下：

《范氏天一閣藏書研究》蔡佩玲著

《晚清藏書家繆荃孫研究》張碧惠著

《錢謙益藏書研究》簡秀娟著

《從四庫全書探究明清間輸入之西學》計文德著

《清丁丙及其善本書室藏書志研究》沈新民著

《清初藏書家錢曾研究》湯絢著

《焦竑及其國史經籍志》李文琪著

《祁承㸁及澹生堂藏書研究》嚴倚帆著

《鐵琴銅劍樓藏書研究》藍文欽著

《觀海堂藏書研究》趙飛鵬著

　　近年臺灣學生書局在鮑邦瑞總經理主持下，承繼發揚中華文化為目的的企業理念，除持續發行《書目季刊》；書局的出版方向，在語言文字學、經學、文學、哲學、宗教外，並支持史料及圖書文獻學論著刊行。臺灣學生書局已將性質相近各書，彙為《文獻學叢刊》，陸續印行，已出版 15 種：

序號	作者／主編	書　　名
1	周彥文	中國目錄學理論
2	林慶彰	明代考據學研究
3	洪湛侯	中國文獻學新探
4	鄭良樹	古籍辨偽學
5	淡大中文系	兩岸四庫學：第一屆中國文獻學學術研討會論文集
6	傅榮賢	中國古代圖書分類學研究
7	蘇　精	馬禮遜與中文印刷出版
8	來新夏	來新夏書話
9	吳銘能	梁啟超研究叢稿
10	林慶彰	專科目錄的編輯方法
11	周彥文	文獻學研究的回顧與展望：第二屆中國文獻學學術研討會論文集
12	張舜徽	四庫提要敘講疏
13	胡楚生	圖書文獻學論集
14	淡大中文系	書林攬勝：臺灣與美國存藏中國典籍文獻概況——吳文金先生講座演講錄
15	陳仕華	章學誠研究論叢：第四屆中國文獻學學術研討會論文集

　　2005 年歲末花木蘭文化出版社，在杜潔祥與潘美月兩位教授策劃下，將臺灣地區歷年與文獻相關之博碩士論文或專著，匯集為《古典文獻研究輯刊》，所收除近年研究生論文，亦溯及前未刊行的文獻學相關論著。此編分成：「四庫學」、「叢書」、「類書」、「圖書館史」、「藏書史」、「歷代出版」、「古代印刷」、「歷代書目」、「專題書目」、「輯佚學」、「辨偽學」、「考據學」、「校勘學」、「版本學」、「傳注學」、「方志學」、「金石學」、「經學文獻」、「史學文獻」、「諸子學文獻」、「文學文獻」、「文字學文獻」、「語言學文獻」、「文獻學史」、「佛教文獻」、「道教文獻」、「專題文獻」、「出土文獻」、「出土古籍」等研究主題，目前已發行四輯，計 110 冊。發行速度之快，近年少見。許多研究論文藉此得以公開檢閱，不僅實踐保存「文獻」之功，復提供學術研究者豐富之學術資料，將可激勵文獻學的研究風潮。但由於收書範圍甚多樣性，則對『古典文獻』的界定，仍有必要予以理性之釐清。《古典文獻研究輯刊》已出版書目，請參附件一。

三、臺灣地區近十年文獻學專著出版述評

　　總體而言，臺灣地區先是在屈萬里、王叔岷、周法高、高明、蔣復璁、楊家駱、嚴靈峰、潘重規、昌彼得先生帶領下，指導研究生撰寫論文，於古籍校釋整理及目錄版本理論建構，都有豐碩的成果。八〇年代以後，在昌彼得、喬衍琯、劉兆祐、吳哲夫、潘美月、何廣棪、胡楚生等多位教授指導下，不僅培養出一群優秀的文獻學者，如盧錦堂、王國良、林慶彰、周彥文、趙飛鵬、陳仕華、陳恆嵩、張曉生，且正以運動家的精神，接續指導青年學子鑽研與文獻學有關的基礎學識：目錄學、版本學、校讎學、辨偽學、輯佚學、文獻出版史及藏書史研究等，撰寫出質量皆可觀的專書論著，此可預期毋庸置疑。

　　相對地，臺灣方面自 1949 年以來，像張舜徽氏《中國文獻學》的專著則罕見。1993 年五南書局出版周彥文著《中國文獻學》，應是首冊「文獻學」，該書重點

敘述了民國以前的中國文學文獻的產生、發展及整理情況，較接近「文學文獻史」。其後不少學者將與文獻學相關論文結集成冊，如胡楚生教授的《圖書文獻學論集》（臺灣學生書局，2002 年）、趙飛鵬教授的《圖書文獻學考論》（里仁書局，2005 年），皆為作者多年的研究論文，結集成書，並不符合學科體系結構的準則，只能算是文獻學門的「別集類」著作。

2007 年 3 月三民書局出版劉兆祐教授著的《文獻學》，是一部具有鮮明特色通論性質的文獻學專著。以下較深入探討此書編纂的特色。

劉教授於書首〈自序〉言：「修讀『文獻學』的目的與功用有四：一是可以懂得如何掌握文獻，包括圖書文獻及非圖書文獻，以充實研究內容及提升研究品質。二是熟悉蘊藏文獻最豐富的圖書，如類書、叢書、方志、政書、雜著筆記等，並確知其資料來源及流變，俾能左右逢源，享受研究之樂趣。三是能分辨文獻的真偽、完整與否，並善於甄擇直接材料，以免誤用文獻，損及研究成果的價值。四是能以科學方法，有系統的整理文獻，俾學者能更正確、更方便的運用文獻。」這是作者蓄積多年之學術研究及教學經驗的心得，提供研習文獻學者要能廣度與深度兼具外，更要推陳出新、靈活運用「文獻」。

本書認為「文獻學」，就是「將文獻從事有系統研究的一門學科」。這們學科的內涵包括：一是研究文獻的內容；二是研究文獻流傳的經過；三是研究文獻亡佚、殘缺的原因及存佚的情形；四是研究說解及整理文獻的方法；五是研究與利用文獻及整理文獻相關的學識；六是研究歷代重要文獻學家的文獻理論集成就。由於此書出版受到篇幅的限制（書首作者〈自序〉言），因而跳脫兩岸眾多的文獻學著述，不用大篇幅闡述目錄學、版本學、校勘（校讎）學、輯佚學、辨偽學等研究文獻的基礎課題，而是從實用的角度引領讀者在前人的基礎上，能「發明更有效的方法」來整理繁夥的文獻。因此，研讀此書若先具備基礎的目錄學、版本學、校勘（校讎）學、輯佚學、辨偽學等常識，必會獲得深切地啟發。

筆者綜覽全書，發現茲編不囿於傳統，充分展現兆祐教授治學的獨特性。以

下試從：一理論知識與具體實踐相結合；二擴大文獻探討與利用之範圍；三闡揚屈萬里先生之文獻學精神；四呈現臺灣地區的文獻學成果等方面述論之。

㈠ 理論知識與具體實踐相結合

劉教授師承國學大師屈萬里先生（1907－1979），早年曾任職於中央圖書館（今稱國家圖書館）特藏組，有機緣接觸大量文獻典籍，屈萬里先生擔任中央圖書館館長期間，曾助編《明代史籍彙刊初輯》、《明代史籍彙刊二輯》、《雜著秘笈叢刊》，並為各書撰寫敘錄；1978 年出版《四庫著錄元人別集提要補正》，廣查國內善本圖書，「參稽史傳及歷代藏書目錄，復詳閱今存諸善本」，既正訛又補缺，對元人別集的補正，頗能補余嘉錫、胡玉縉二人所未提及。凡此，得知劉教授具備圖書館專家熟諳目錄、提要、版本及文獻收集、編纂諸端堅實的文獻素養。

四十年來在東吳大學、中國文化大學、政治大學等校中國文學研究所，及臺北市立教育大學應用語言文學研究所、國立臺北大學古典文獻研究所等講授「文史資料討論」、「中國文獻學」、「中國目錄版本學」、「校讎學」等「文獻學」的相關課程，則又是以教學、研究為主的文獻學者，因此，本書雖是結集於為應教學之需所作的講義，但可以清楚感受到兆祐教授力圖達到理論知識與具體實踐相結合的特色。

如書中說明「筆記雜著」不僅載有大量文獻，並具有「可資輯佚」、「多存佚聞」、「可資校勘」、「方便檢索文獻」等文獻價值，但雜著筆記的價值雖多，研究者在運用時必須注意到：「資料出處」，是否是後人轉引、改寫的資料？內容是否經過「改編竄匿」？以及「傳本的優劣」等情況。

在闡述筆記雜著有否改編竄匿，劉教授舉 1972 年屈萬里先生主編《雜著祕笈叢刊》，其中有臺北國家圖書館所藏《授書隨筆》（十七卷）一書為例。此書舊題清黃宗羲撰。惟此書歷來書目罕見著錄。宗羲有關傳記，亦不云有此著作。此書不詳分類目，大抵卷一至卷十論經史，卷十一、卷十二曆象，卷十三地理，卷十四醫學，卷十五文學，卷十六聲韻，卷十七算學。卷首有萬斯大所撰〈黃氏世譜〉，

謂作以冠於《南雷集》的前面。又有所謂黃氏自撰〈凡例〉六則。劉教授撰〈敘錄〉之際，以各家書目罕見著錄，全謝山所撰碑文中雖謂宗羲撰有《授書隨筆》一卷，惟全氏所稱《授書隨筆》一書，其內容「則閻徵君問《尚書》而告之者」，與此編通考經史禮樂天地人身及律曆音韻書數不同，終不能定其為黃氏之書，乃署「題清黃宗羲撰」以俟考。

其後，余英時先生見此書，乃謂此書實為方中履《古今釋疑》（十八卷）一書。方書因書中有逆犯戴移孝序文而遭禁燬。考孫殿起《清代禁書知見錄》云：「《古今釋疑》十八卷，桐城方中履撰，康熙二十一年（1682）汗青閣刊。此書內有逆犯戴移孝序文一應抽燬。」余先生即據此以為「《授書隨筆》之名，當是書估妄改，假梨洲之名以索善價者也。」

在「注意傳本的優劣」部分，劉教授舉宋王楙撰《野客叢書》（三十卷）為例。明萬曆年間，陳繼儒彙編《寶顏堂秘笈》刊行。其中所收《野客叢書》，只有十二卷，比原本三十卷少了十八卷，王氏不少考證精審的資料，因此遭到刪除。而目前臺北國家圖書館典藏明嘉靖四十一年（1582）王穀祥刊本，可以說是《野客叢書》所傳各本中之最佳者。似此舉例，不僅加深研讀者對文獻的認知，亦是引領嚴謹治學的態度與方法。

〔二〕 擴大文獻範圍

本書區分文獻為「圖書文獻」和「非圖書文獻」。「圖書」的範圍很廣，本書因控制篇幅，界定論述「載有大量文獻」、「域外所刊中國古籍」、「域外地圖」等部分。大量文獻指「叢書」、「類書」、「政書」、「筆記雜著」等四類。比較突出的是「域外所刊中國古籍」、「域外地圖」兩類，這是文獻學者很少討論到的課題。

劉教授特別指出歷來外國刊刻中國古籍的，以日本及韓國為最。這些刊本，大部分是依據中國的鈔本、刊本而刊刻的。他們所依據的鈔本和刊本，不少是唐代以前的鈔本和宋代的刊本，因而和明代以後的刊本有很多不同的地方。從文獻

的角度觀察，這些域外刊本的文獻價值是很高的。作者分別從「留存中國古籍之異本」、「留存中國已失傳之古籍」、「留存中國古籍罕見之完本」舉例說明；並附錄〈國家圖書館所藏日本刊善本書目〉，提供讀者清楚此項文獻訊息。

重視圖譜文獻，是鄭樵《通志》首先提出，鄭樵在〈圖譜略·明用〉中列舉圖譜文獻十六項具體功用，為了落實此種圖譜文獻的理念，在《通志·藝文略》及〈圖譜略·天文類〉都著錄了許多圖譜。劉教授秉承鄭樵主張，提出重視圖譜文獻。談到古籍刊本中的「域外地圖」，特舉：明蕭崇業、謝杰同撰的《使琉球錄》（二卷）、明羅洪先的《廣輿圖》（二卷）及清徐繼畬的《瀛寰志略》（十卷）三書，說明這些地圖，是研究中國人認識西方世界過程的重要文獻，同時也是研究地理版刻的重要文獻。重視筆記雜著、域外所刊中國古籍及古籍中的域外地圖，開拓研讀者認識與利用文獻的視野，是此本文獻學的一特色。

㈢ 闡揚屈萬里先生之文獻學精神

本書介紹重要的文獻學家五人，分別是：劉向、劉歆、鄭樵、王國維和屈萬里。兆祐教授追隨屈萬里先生多年，曾於 2004 年發表〈屈萬里先生之文獻學〉一文。歸納屈先生在文獻學方面之成就與貢獻有三：一是文獻之整理與保存；二是提出運用文獻方法的理論；三是強調非圖書資料的重要。今觀此編的撰述，不啻是此種精神的展現。

本書在「非圖書文獻」，有專篇論述甲骨文、金器、石刻三項，闡述各類文獻考訂，多引董作賓、屈萬里的論著。對具有文獻價值，然散漫未有系統的典籍，劉教授並提出整理方法。如前言「雜著筆記」，各書所載內容，天文、地理、人事、經籍、動植物、典章制度等，無所不包，且多隨筆記錄，沒有固定的編纂方式，讀者檢索其中文獻，每多不便。劉教授提出整理之策，如首先將海內外所見存的雜著筆記，彙編一本「雜著筆記的專門書目」，每一書著錄書名、卷數、作者、版本、所藏地點，並編製書名及人名索引，俾便檢索。其次，編纂「雜著筆記的專門叢書」，但要慎擇善本、兼事校勘。三是編纂「雜著筆記綜合索引」，

不僅方便檢索，各雜著筆記輾轉因襲的現象，也得以一覽無遺。另外將國家圖書館所藏明清人稿本整理刊行，供學者有效利用，亦是文獻學者的使命與職責。

文獻學最基本的研究方法，就是無徵不信，實事求是，這是治學的優良傳統。所謂無徵不信，其要在一個「徵」字，即充分地占有材料，切實地運用材料，以進行實事求是的文獻研究、文本研究。本書所引例證，多係兆祐教授治學心得，舉凡考訂文字，辨証文獻，皆承襲屈萬里先生的文獻學精神，議論精嚴，啟迪治學。

(四) 呈現臺灣地區的文獻學成果

俗有貴遠賤近之語，惟本書述論每到列舉版本異同時，多採錄臺北國家圖書館、國立故宮博物院所藏珍本以對照。蓋因劉教授於臺灣學壇耕耘半世紀，對臺灣地區公藏書籍文物情況，及文獻整理工作方面，甚是熟稔。

本書闢有專篇敘述「近五十年（1941－2000）臺灣地區整理文獻的成果」，分別析評各大學文史哲研究所及圖書館學研究所的研究生撰寫與整理古籍有關的論文；及各出版社、研究機構或學者從事文獻的整理編輯與出版工作。前者分成「注釋」、「校勘」、「校注」、「敘錄」、「佚書考」、「辨偽」、「引書考」、「版本的考訂」、「考釋一書的凡例」、「書目的整理與研究」、「一書的綜合研究」等十一類。

在檢討臺灣地區（1945－2000）各機構整理中國文學文獻的成果，劉教授云：「回顧臺灣地區自1945年以來，整理中國文學方面的文獻，在編輯目錄及纂輯叢書方面，成果較為顯著；在輯佚方面，則幾乎付之闕如。」本篇分成「目錄」、「索引」、「叢書」、「總集」、「年鑑（大事記）」等五項論述。以叢書言，早期所編輯的叢書，比較偏重於古籍的整理和輯印。近年，由於本土意識興起，輯印不少近代文學作品的叢書及臺灣文學的叢書。如《臺灣文獻叢刊》，收錄出版三百零九種。《臺灣先賢詩文集彙刊》，收錄自清代迄近世臺灣人士所撰詩文集。其他如余光中主編《現代文學大系》（臺北：九歌，1989）、林黛嫚主編《中副五十年精選》（臺北：中央日報社，1999），及《臺灣文學年鑑》等等。一編在手，亦是瞭

解近五十年臺灣地區整理文獻的成果的最佳「工具書」。

　　一本好教材的形成是編著者心力所注，往往需要經過千錘百煉。近年劉教授逐步將授課講義整理出版，已出版者有《治學方法》、《中國目錄學》，《國學導讀》、《歷代藏書家及版刻》等等，讀者如果全面覽閱，可以更全面地掌握劉教授在導引莘莘學子「整理文獻」與「利用文獻」，金針度人之心志。

四、餘 論

　　廿一世紀在文獻學的研究，必然會繼續昌盛發展，對於探討文獻學科體系構建的論著，臺灣地區近年雖罕見，但淡江大學周彥文教授在其主編的《中國文獻學·序》及《五十年來的圖書文獻學研究·文獻學序》，殷切提出嘗試給這門新興的學科下一個「傳世的定義」，可惜關注者稀。臺灣地區的文獻學研究多停留在「目錄學研究」、「版本學研究」、「校勘學研究」、「辨偽學研究」、「輯佚學研究」、「文獻出版史及藏書史研究」等方面。今有劉兆祐教授的《文獻學》出版，雖是一部「具體而微」之作，相信在海峽兩岸眾多的文獻學專著，應是一部具有「文獻」特色的《文獻學》。

參考文獻

劉兆祐《文獻學》（臺北：三民書局，2007 年 3 月）

胡楚生〈三十年來臺灣學術界對於版本目錄學之研究概況〉（《書目季刊》三十
　　卷二期，1997.8；《圖書文獻學論集》，2002.4，頁 15－44）

胡楚生〈四十年來臺灣地區子部古籍校釋整理之成果及其檢討〉（《書目季刊》
　　三十卷四期，1997.10；《圖書文獻學論集》，2002.4，頁 45－65）

明海，羅德勇〈20 世紀 90 年代的中國文獻學研究〉（《現代情報》，2003 年 5
　　月第 5 期）

邱炯友、周彥文主編《五十年（1950－2000）來的圖書文獻學研究》（臺灣學生
　　書局，2004 年）

劉兆祐〈屈萬里先生之文獻學〉（《國家圖書館館刊》93 年第 2 期，2004.12，頁
　　1－25）

王余光〈略論 20 世紀中國文獻學家〉（《圖書情報工作》第 50 卷第 2 期，2006.2
　　頁 5－6）

蔣宗福〈新時期中國文獻學研究綜述（1978-2005）〉（《綿陽師範學院學報》25
　　卷 4 期，2006.8，頁 1－9）

附錄一

古典文獻研究輯刊（花木蘭文化出版社）

範圍	領域	冊數	作者	書　名
初編	四庫學	第一冊	編輯部	《初編》總目
		第一冊	龔詩堯	《四庫全書總目》之文學批評研究
		第二冊	莊清輝	《四庫全書總目・經部》研究
		第三冊	曾紀剛	《四庫全書》之纂修與清初崇實思潮之關係研究——以經史二部為主的觀察
	叢書	第四冊	徐小燕	張壽鏞及其《四明叢書》研究
		第五冊	張圍東	宋代類書之研究著
	圖書館史	第六冊	李家駒	中國古代藏書管理
		第六冊	李健祥	南宋館閣典籍考
	藏書史	第七冊	蔡文晉	宋代藏書家尤袤研究
		第八冊	嚴倚帆	祁承㸁澹生堂藏書研究
		第九冊	趙飛鵬	黃丕烈及其《百宋一廛賦注》研究
		第十冊	趙飛鵬	觀海堂藏書研究
		第十冊	蔡芳定	葉德輝觀古堂藏書研究
	歷代出版	第十一冊	吳瑞秀	清末各省官書局之研究
		第十二冊	劉曾兆	清末民初的商務印書館：以編譯所為中心之研究（1902－1932）
		第十二冊	韓錦勤	王雲五與臺灣商務印書館
	古代印刷	第十三冊	李貴豐	從傳統到現代：中國圖像版印技術之演變（1600－1900）
	歷代書目	第十四冊	楊果霖	新舊唐書藝文志研究
	專題書目	第十五冊	張圍東	宋代《崇文總目》之研究
		第十六冊	楊果霖	朱彝尊《經義考》研究（上）
		第十七冊	楊果霖	朱彝尊《經義考》研究（下）
		第十八冊	王鵬凱	歷代論語著述綜錄
		第十九冊	陳文采	兩宋詩經著述考
	辨偽學	第二十冊	劉人鵬	閻若璩與《古文尚書》辨偽：一個學術史的個案研究
		第二一冊	許華峰	閻若璩《尚書古文疏證》的辨偽方法
		第二一冊	吳銘能	梁啟超的古書辨偽學
	考據學	第二二冊	張惠貞	王鳴盛《十七史商榷》研究（上）
		第二三冊	張惠貞	王鳴盛《十七史商榷》研究（下）

	版本學	第二四冊	林淑玲	陸心源及其《皕宋樓藏書志》史部宋刊本研究（上）
		第二五冊	林淑玲	陸心源及其《皕宋樓藏書志》史部宋刊本研究（下）
		第二六冊	薛雅文	莫友芝之目錄版本學研究
	傳注學	第二七冊	呂珍玉	高本漢詩經注釋研究
	方志學	第二八冊	宋天瀚	論章學誠的方志理論與方志學
		第二八冊	劉廷祥	我國方志地圖的研究：以明代方志地圖為例
		第二九冊	蔡清和	歐陽脩集古錄跋尾之研究：以書學、佛老學、史學為主
	金石學	第二九冊	熊道麟	羅振玉金文學著述
		第三十冊	沈寶春	商周金文錄遺考釋（上）
		第三一冊	沈寶春	商周金文錄遺考釋（中）
		第三二冊	沈寶春	商周金文錄遺考釋（下）
	史學文獻	第三三冊	李伯華	正史源流考
		第三三冊	廖正雄	杜佑《通典》的編纂創新及其史學思想
	文學文獻	第三四冊	呂光華	今存十種唐人選唐詩考
	專題文獻	第三五冊	曾陽晴	唐朝漢語景教文獻研究
		第三六冊	林珊妏	《三教開迷歸正演義》研究
		第三七冊	吳蕙芳	《萬寶全書》：明清時期的民間生活實錄（上）
		第三八冊	吳蕙芳	《萬寶全書》：明清時期的民間生活實錄（下）
		第三九冊	徐世珍	張岱夜航船研究：兼論晚明文人知識體系與審美意識
		第四十冊	陳淑卿	徐霞客遊記研究：以文獻觀察為重點
二編		第一冊		《總目》
	圖書館史	第一冊	宋建成	清代圖書館事業發展史
	歷代出版	第二冊	黃韻靜	南宋出版家陳起研究
		第三冊	張　璉	明代中央政府出版與文化政策之研究
	專題書目	第四冊	何廣棪	陳振孫之經學及其《直齋書錄解題》經錄考證（上）
		第五冊	何廣棪	陳振孫之經學及其《直齋書錄解題》經錄考證（下）
	輯佚學	第六冊	江秀梅	《初學記》徵引集部典籍考（上）
		第七冊	江秀梅	《初學記》徵引集部典籍考（上）
	傳注學	第八冊	簡逸光	《穀梁傳》解經方法研究
		第九冊	劉文清	《墨子閒詁》訓詁研究
	經學文獻	第十冊	林葉連	中國歷代詩經學
	史學文獻	第十一冊	林珊湘	《史記》「太史公曰」之義法研究
		第十二冊	高禎霙	《史》《漢》論贊之研究

	諸子學文獻	第十三冊	戴美芝	老子學考
		第十四冊	黃聖旻	王先謙《荀子集解》研究
	文字學文獻	第十五冊	陳紹慈	徐灝《說文解字注箋》研究
	佛教文獻	第十六冊	王晴慧	六朝漢譯佛典偈頌與詩歌之研究（上）
		第十七冊	王晴慧	六朝漢譯佛典偈頌與詩歌之研究（下）
		第十八冊	蕭文真	宗密禪源諸詮集都序研究
	道教文獻	第十九冊	洪嘉琳	唐玄宗《道德真經注疏》之研究
	出土文獻	第二十冊	鄒濬智	《上海博物館藏戰國楚竹書（一）》〈緇衣〉研究
三編	版本學	第一冊	周彥文	毛晉汲古閣刻書考
	輯佚學	第二冊	盧錦堂	《太平廣記》引書考
		第三冊	王書輝	兩晉南北朝《爾雅》著述佚籍輯考（上）
		第四冊	王書輝	兩晉南北朝《爾雅》著述佚籍輯考（中）
		第五冊	王書輝	兩晉南北朝《爾雅》著述佚籍輯考（下）
	藏書史	第六冊	陳冠至	明代的江南藏書：五府藏書家的藏書活動與藏書生活
	專題書目	第七冊	何廣棪	陳振孫之史學及其《直齋書錄解題》史錄考證（上）
		第八冊	何廣棪	陳振孫之史學及其《直齋書錄解題》史錄考證（中）
		第九冊	何廣棪	陳振孫之史學及其《直齋書錄解題》史錄考證（下）
	經學文獻	第十冊	楊　菁	劉寶楠《論語正義》研究著
		第十一冊	蔡根祥	宋代尚書學案（上）
		第十二冊	蔡根祥	宋代尚書學案（中）
		第十三冊	蔡根祥	宋代尚書學案（下）
		第十四冊	張成秋	詩序闡微
	史學文獻	第十五冊	李興寧	魏晉時期別傳研究
		第十六冊	郝至祥	兩《唐書》書法暨筆法比較研究：兼論《新唐書》闕佛刪史
		第十七冊	吳宗儒	清儒與元史
		第十八冊	潘秀玲	《詩經》存古史考辨：《詩經》與《史記》所載史事之比較
	諸經學文獻	第十九冊	施錫美	焦竑《莊子翼》研究
		第二十冊	鄭柏彰	錢穆先生《莊子纂箋》及其莊子學研究
		第二一冊	周淑媚	劉熙載《藝概》研究
	文學文獻	第二一冊	李四珍	明清文話敘訴錄
		第二二冊	王熙銓	賀裳《載酒園詩話》研究

		第二二冊	江惜美	《烏臺詩案》研究
	文字學文獻	第二三冊	翁敏修	唐五代韻書引《說文》考.
	語言學文獻	第二四冊	李淑萍	《康熙字典》及其引用《說文》與歸部之探究（上）
		第二五冊	李淑萍	《康熙字典》及其引用《說文》與歸部之探究（下）
	佛教文獻	第二六冊	徐燕玲	慧皎《高僧傳》及其分科之研究
	專題文獻	第二七冊	黃志盛	新編校本劉邵及其《人物志》研究
		第二八冊	吳德玲	洪亮吉《意言》研究
	出土古籍	第二九冊	蘇建洲	《上海博物館藏戰國楚竹書(二)》校釋（上）
		第三十冊	蘇建洲	《上海博物館藏戰國楚竹書(二)》校釋（下）
四編	辨偽學	第一冊	林清科	宋代偽撰別集考辨
	叢書	第二冊	黃慶雄	阮元輯書刻書考
	類書	第三冊	孫永忠	類書淵源與體例形成之研究
	藏書史	第四冊	陳冠至	明代的蘇州藏書——藏書家的藏書活動與藏書生活
	專題書目	第五冊	何廣棪	陳振孫之子學及其《直齋書錄解題》子錄考證（上）
		第六冊	何廣棪	陳振孫之子學及其《直齋書錄解題》子錄考證（中）
		第七冊	何廣棪	陳振孫之子學及其《直齋書錄解題》子錄考證（下）
	輯佚學	第八冊	康世昌	孔衍《春秋後語》研究
	傳注學	第九冊	車行健	毛鄭《詩經》解經學研究
		第九冊	王淑蕙	董仲舒《春秋》解經方法探究
	方志學	第十冊	曾鼎甲	論《臺灣省通志稿》之纂修——以革命、學藝、人物三志為例
	經學文獻	第十一冊	黃復山	漢代《尚書》讖緯學述
		第十二冊	周少豪	《漢書》引《尚書》研究
		第十三冊	蔡根祥	《後漢書》引《尚書》考辨
		第十四冊	賴溫如	清代《論語》述何學考
	史學文獻	第十五冊	張立平	司馬溫公《通鑑》「臣光曰」研究
		第十六冊	黃文榮	論清代《三國志》之研究——以校勘、評論、補注為例
		第十七冊	康全誠	《史記·五帝本紀》輯證
		第十七冊	曾慶生	荀悅《漢紀》之研究
	諸子學文獻	第十八冊	張博勳	魏源《老子本義》研究
		第十九冊	蘇美文	章太炎《齊物論釋》之研究
	文學文獻	第二十冊	張蜀蕙	文學觀念的因襲與轉變——從《文苑英華》到《唐文粹》
		第二十冊	許蔓玲	錢謙益《列朝詩集》文學史觀研究

		第二一冊	游秀雲	元明短篇傳奇小說研究
		第二二冊	游秀雲	宋代傳奇小說研究
		第二二冊	陳大道	《檮杌閒評》研究——魏忠賢時事小說
		第二三冊	張繼光	《霓裳續譜》研究
文字學文獻		第二四冊	柯明傑	《說文解字釋義》析論
		第二五冊	巫俊勳	《字彙》編纂理論研究
		第二六冊	葉純芳	孫詒讓《名原》研究
佛教文獻		第二七冊	黃怡婷	釋智旭及其《閱藏知津》之研究
		第二八冊	羅永吉	《四書蕅益解》研究
		第二八冊	簡瑞銓	《四書蕅益解》研究
道教文獻		第二九冊	張美櫻	《列仙、神仙、洞仙》三仙傳之敘述形式與主題
專題文獻		第三十冊	呂迺基	何良俊《四友齋叢說》之研究
		第三十冊	官廷森	晚明世說體著作研究

「中山文化暨古典文獻國際學術研討會」會議綜述

徐小燕

東吳大學中國文學研究所碩士；物理系秘書

　　由國立國父紀念館、國家圖書館漢學研究中心、臺北市立教育大學人文藝術學院、臺北大學古典文獻學研究所、東吳大學人文社會學院合辦，東吳大學圖書館所承辦之「中山文化暨古典文獻國際學術研討會」，於 96 年 4 月 27－28 日假國父紀念館中山講堂舉行。中山先生為中華文化精神之實踐者，亦是引領二十世紀的中國人走向民主法治的一位偉大導師，於新舊交替，國脈如縷的時代，中山先生以一介書生的理念，鍥而不捨的開創新中國的藍圖，構建了二十世紀發揚倫理、民主、科學的中山文化；二十世紀也是古典文獻學蓬勃發展的時期，隨著中山先生提倡「主權在民」的民主精神，過去典藏於公家私人的文化遺產，已屬全民共用，因而新文物出土，開拓研究材料，擴張研究工具，在傳承傳統文獻重目錄、版本、校讎、辨偽諸學問外，兼及類書、叢書與方志的研究與利用；學者以科學態度與嚴謹的治學方法，開啟中華文化的深層意涵。

　　臺灣地區在古典文獻研究方面成果卓著。其中劉兆祐先生無論是在教學或是古文獻研究上，深得學子敬仰。近年在臺灣地區於文獻學領域，卓然有成之學者，多受先生指導或提攜。先生師承國學大師屈萬里先生，著述等身，於《宋史‧藝

文志》考證綦詳，深受海內外推崇；服務教育界逾半世紀，任職大學四十年，培育莘莘學子無計，先後專任於北一女中、中央（國家）圖書館特藏組、東吳大學、臺北市立教育大學、文化大學，並兼任政治大學、臺北大學、員警大學等校教授。凡沾溉先生教誨者，服務各界，無論治學治事，皆蔚為可觀。此次會議係相關單位感念兆祐先生在教研上奉獻心力，因此共襄盛舉，合辦研討會。由於研討會會場在「中山講堂」，意義非凡，因此，設定研討會議題有兩主軸：一是表彰中山思想對近代社會之貢獻，重點則是闡述中山文獻研究現況；一是邀集國內外於古典文獻研究卓有成就的學者，而與會學者中近半數受業於兆祐先生，藉研討學問表達師友間篤志向學的熱忱與師道倫理的融洽。

本次會議以表現「整理過去成就，瞻望未來發展」為理念，包括中山學術、經學、文字學、文獻學、方志學、叢書學、四庫全書及文史資料等議題。特邀請劉兆祐先生以「百年來圖書文獻整理之回顧與展望」進行專題演講，先生重點分析百年來整理圖書文獻的重要成果及特色，強調近百年來學者前仆後繼，致力於文獻的整理與保存，抗戰時期更不忍文獻淩替，組成「文獻保存同志會」肆力搜訪，搶救文獻。時至今日，許多新出土文獻資料之輔翼，更有助於學術研究能量之提昇。先生在展望未來圖書文獻的整理，提出「編纂全世界漢籍總目」、「影印海外佚存的圖書文獻」、「加強古籍的標點、注釋及校勘工作」、「利用新出土資料以整理圖書文獻」、「加強輯佚工作」、「加強本土圖書文獻之整理」、「加強文獻教育工作」等七項，作為整理文獻的重要指標。

在古典文獻部分，上海復旦大學吳格教授以〈《四庫提要分纂稿》之輯錄及其意義〉為題，提出《四庫提要》分纂稿之收集及整理，對於《四庫全書》、《四庫提要》編纂之研究，揭示大量可供深入探討之史料；甘肅省立圖書館館長郭向東教授以其庋藏文溯閣《四庫全書》，撰寫〈文溯閣《四庫全書》研究〉一文，提供「四庫學」研究之新資訊。而有關版本學方面的論文，日本奈良女子大學橫山弘教授提出〈和刻本在版本學上的地位〉、韓國崇實大學吳淳邦教授的〈基督

教文言筆記小說《喻道要旨》的版本及其譯法研究〉、順天鄉大學朴現圭教授的
〈由文獻、遺物資料探討慧超人物〉以及國家圖書館盧錦堂教授的〈元刊朱墨雙
色印本《金剛般若波羅密經》為同版分次印刷考〉，均提供學者對於版本鑑定的
知識與新的思維。

對於文獻學宏觀研究方面，廣州中山大學駱偉教授撰〈中國文獻學之發展趨
向〉一文提到：「文獻學是一門長期實踐中產生的學科，但我國的文獻學研究，
與其他學科相比，尚有一定差距，最主要的原因是長期把研究範圍定位在古典文
獻上，而忽略了文獻學應與時俱進，拓展研究領域。創新，是任何學科與科學技
術的永恆主題。」引導學者在面對文獻學研究時，應進入不同層面的思考。東吳
大學丁原基教授的〈臺灣地區近十年文獻學專著出版述評〉，簡介臺灣近十年來
有關文獻學著作出版的概況，並評論劉兆祐先生於 2007 年 3 月由三民書局出版的
《文獻學》一書，是一部具有「理論知識與具體實踐相結合」、「擴大文獻探討
與利用之範圍」、「闡揚屈萬里先生之文獻學精神」、「呈現臺灣地區的文獻學
成果」等特色的通論性專著。

有關中山文獻的論述，此次會議發表的論文有：前國父紀念館館長，現任彰
化縣副縣長張瑞濱教授所撰寫之〈編輯「孫學研究論著目錄」暨建置「篇目影像
索引系統」之方法及學術價值〉，希望透過編輯「孫學研究論著目錄」，並建置
「篇目影像索引系統」，以紙本與電子資料庫並存形式典藏傳播，不但能使孫學
文獻長久保存，更能積極推動研究風氣，成為極具意義的學術事業；國父紀念館
文教組林國章教授的〈臺灣專業學術期刊中的孫學研究軌跡及其發展趨勢〉，以
歷史回顧及社會發展的觀點，分析孫學研究在臺灣專業性學術期刊中所呈現的研
究題材、論述重點及其發展趨勢；政治大學劉維開教授〈從黃編《孫文選集》談
孫中山文集的整理與編輯〉一文，探討由廣東人民出版社新出版之黃彥主編《孫
文選集》，與相關文集的編輯及出版情形，並論黃編《孫文選集》與前此出版之
孫中山選集之比較；元智大學劉阿榮教授〈政治社會變遷與經典詮釋：以孫學研

究為例〉，乃從政治社會變遷的歷程，論述不同時期「孫學研究」的詮釋模式。

學術研究因時代因素而必須做不同的調整，臺灣師範大學黃城教授與研究生廖箴共同提出〈中山學術文獻研究之危機與轉機〉，談及面對出版科技的發展趨勢，以及當代學術、政治的變遷，孫學文獻能有什麼新作為？探討孫學研究的危機，與其未來展望；對於提升孫學研究在學術上的價值，提出深刻的見解。而近年來為順應時勢所趨，已有學者致力推廣使中山思想融入中小學教育中，因此臺北教育大學孫劍秋教授提出「2006 年臺灣區中小學中山人文思想教育實施現況調查研究」報告，針對中山人文思想在高中小學實施之現況做深入之評析。

此次會議的各場主持人林慶彰、王國良、黃文吉、張錦郎諸教授等，均為文獻學領域中一時之選，所收論文廿餘篇，發表者更可見老中青三代學者，前輩如淡江大學吳哲夫教授所發表〈宋代刻書事業的行銷策略〉，指出宋代處於雕版印刷術發明使用並進入成熟階段的關口，而宋代出版業者行銷出版品所做的努力對後世出版社有師範之作用，影響深遠；臺北市立教育大學古國順教授之〈談方言詞典編纂的幾個問題〉要引起國人重視方言詞典之編纂；而巴黎國家科技研究中心陳慶浩教授之〈越南革命家潘佩珠及其漢文著作〉，使人注意到潘佩珠與孫中山的關係，進一步提供後學研究的途徑。後起之秀，東吳大學沈心慧教授〈《胡樸安日記》的文獻價值〉，所論均為第一手資料，除瞭解胡樸安個人的學問思想外，更可補民國初年人物傳記之不足，彌具學術價值；文化大學林文慶教授就新出土文獻所撰寫之〈秦簡《法律答問》所見「盜」罪考論〉，言雲夢秦簡雖未見完整之〈盜律〉條文，然根據自《法律答問》裡，仍可找出不少針對盜罪條文所進行之解說，則不僅秦盜罪之成立及其類型，又盜贓計算及犯者所須承擔之罪責規範等均可考論而知，對秦盜罪規範於漢制定〈盜律〉所起之作用，可致一定程度之認識。

陳恆嵩教授以近年來鑽研於經學研究目錄所得提出〈經學文獻整理與治學的關係〉，以為探究經學發展的軌跡，即是瞭解傳統文化最直接的途徑；臺北市立

教育大學張曉生教授發表〈朱子「經」「權」思想析論——以《朱子語類》為例〉，歸納儒家「經權」論述在先秦及漢宋儒者間的發展及朱子的觀點；嘉義大學馮曉庭教授以為「劉敞的《春秋》學」的確表現出相當的整體性，其中詮釋系統脈絡分明，「《春秋》學」確實可以說是劉敞經學研究成果中的最重要環節，提出〈劉敞對《公羊傳》的批駁初探〉一文；臺北大學劉寧慧教授論及〈顧脩《彙刻書目》及其所體現之古籍叢書概念〉，解說顧脩《彙刻書目》是中國第一部「叢書」專門目錄，不論形式或體例，都為中國叢書專目的奠基之作，故藉由《彙刻書目》原編分冊不分類及收錄內容等特點，觀察清代中期「叢書」概念的形成與情況，希望從一部工具書編輯與發展的角度來體現文獻體裁概念的產生及反省；樹人醫專陳惠美教授的〈袁鈞輯佚成就述評〉用以敘述袁鈞在清代輯《鄭氏佚書》的翔實完備，為集鄭學之大成等，此些發表均可見學者對於文獻整理及鑽研學術的努力。

最後一場次為綜合座談，座談內容除以中山文化與文獻學之未來發展為本次研討會做一總結外，另一目的在於表彰劉兆祐先生實事求是，一以貫徹的治學態度及其嘉惠學子，啟牖後學之用心。座談會由劉教授門生林慶彰、陳仕華、張雙英教授及張錦郎教授共同主持，並分別由林慶彰、王國良、陳恆嵩、黃智明、黃智信教授說明「劉兆祐先生的文獻學」成就，尤指先生對宋代文獻的整理，如《晁公武及其郡齋讀書志》、《宋史藝文志史部佚籍考》、《鄭樵之文獻學》，是目前影響學術最為深遠的著作。（2007 年 3 月號《國文天地》有淡江大學漢語文化暨文獻資源研究所陳仕華所長所撰〈劉兆祐教授與圖書文獻學研究〉一文可資參考。）

張雙英、黃文吉、馮曉庭、葉純芳教授以敘述「劉兆祐先生與語文教學、現代文學」的灌溉，特別指出先生對小學教育的重視，曾以〈救救孩子們——一個小學教師的呼籲〉，希望發展出兒童特有的健康讀物，而東吳大學「雙溪文學獎」的創辦、成長與茁壯，又是一先生對現代文學挹注心力的最佳見證；丁原基、陳仕華、陳惠美教授則以「劉兆祐先生與大學中文系、學生書局」與與會學者分享

先生在各大學中文系所及學生書局擔任總編輯時對教育、出版事業的用心經營，而臺北市立教育大學劉源俊校長更以「正本清源千萬冊，春風化雨五十年」對聯相贈，表揚先生奉獻教育，老而彌堅的精神。

此次「中山文化暨古典文獻國際學術研討會」在多方合作下順利進行，除切磋學術研究心得，洞悉文獻整理之功，亦具體呈現文獻學在當代承先啟後的蓬勃發展；益以此次會議由社教單位、大學、圖書館共同舉辦，建立起一座溝通的平臺，利於學術研究及其傳播，誠可謂收穫豐碩！

慶賀劉兆祐教授
春風化雨五十年晚宴花絮

孫秀玲

國家圖書館閱覽組助理編輯

　　20 世紀以後，我國文獻學也跟著走向多樣化、系統化之境地。在傳承傳統文獻，重目錄、版本、校讎、辨偽諸學問外，兼及類書、叢書與方志的研究與利用。近年在文獻學領域研究，卓有成就之學者，多受劉兆祐教授指導或提攜。

　　劉教授係本校中文系 51 級校友，獲國家文學博士。師承國學大師屈萬里先生，著述等身，於《宋史·藝文志》考證綦詳，深受海內外推崇；服務教育界逾半世紀，先後專任於北一女中、國家圖書館、臺北市立教育大學、文化大學。尤其在本校服務近三十年，並擔任文學院端木愷講座教授三年。

　　2006 年 8 月劉教授多位高足倡議，獲當時國父紀念館張瑞濱館長（現任彰化縣副縣長，本校中文系 63 級畢業）支持，乃聯合國家圖書館、臺北大學、臺北市立教育大學、東吳大學等學術單位，共同於 2007 年 4 月 27、28 兩日，假臺北市國父紀念館舉辦「中山文化暨古典文獻國際學術研討會」。邀請國內外文獻學同好，以文聚會，劉教授專題演講「百年來圖書文獻整理之回顧與展望」，其門生亦於會中發表多篇論文，藉以賀兆祐教授春風化雨五十年，功在教育。

　　學生們為表達對老師的教誨之恩，特於 4 月 28 日晚上假玉喜餐廳舉辦「感恩

謝師晚宴」，藉此為老師的七旬壽誕暖壽。席開 7 桌，座上嘉賓除劉老師、師母伉儷，還包括了共事的知交，如金榮華、傅錫王、張錦郎、賴明德、吳哲夫、鄭恆雄、古國順、施隆民、陳正治、何淑貞、葉鍵得等教授，本校前校長、現任市立教育大學校長劉源俊教授，發展處陳立剛處長與人文社會學院黃兆強院長皆出席晚宴。

參加晚宴的學生，有劉兆祐教授指導的碩博士研究生，主持本校中文系務期間的助教，以及歷屆中文系學會會長，約七十餘人。目前有擔任民意代表、有經商、有服務教育界、有服務政府機關，亦有跟隨劉教授的腳步，在文獻學領域裡鑽研。現場「老師」呼聲不絕，呈現本校中文系師、徒、孫三代齊聚的熱鬧！

師生們一起重溫在外雙溪畔的點點滴滴，與會來賓也熱情地分享他們和劉老師幾十載的共事情誼。劉教授指導的第一位博士生、現任中研院文哲所研究員的林慶彰教授，代表同學們致謝師詞，慶彰先生簡述老師五十年的學術研究成果與文藝創作，竟超過 900 餘篇。並感性的說：他是因為景仰老師，所以走上文獻學的研究之路，三十年來不停地在老師後面苦苦追趕，希望有朝一日能如老師有所成就，但內心深覺力猶未逮。最後，甚至語帶悠悠地勸諫老師「不要再寫了！」此話一出，引來滿室的笑聲及其他學生們知音般的掌聲。

筵席間老師與師母接受學生們準備的賀禮——「金瓜雙結福祿聚」琉璃藝品；老師回贈來賓一本親自簽名、雅俗共賞的專著——《認識古籍版刻與藏書家》。

餐會壓軸由任職新聞局的宋泮萍、任教經國管理學院的沈惠如，清唱崑曲。在掌聲笑聲及合影後，感恩餐敘圓滿落幕。眾人都不約而同提出「年年相聚」，為老師高唱——「生日快樂」！

國家圖書館出版品預行編目資料

劉兆祐教授春風化雨五十年紀念文集

劉兆祐教授春風化雨五十年紀念文集編委會編. – 初版. – 臺北
市：臺灣學生，2010.09
面；公分
ISBN 978-957-15-1501-4（精裝）
1. 文獻學　2. 文集

011.07　　　　　　　　　　　　　　　　　　　99017942

劉兆祐教授春風化雨五十年紀念文集

主　編　者：劉兆祐教授春風化雨五十年紀念文集編委會
出　版　者：臺　灣　學　生　書　局　有　限　公　司
發　行　人：楊　　　　　雲　　　　　龍
發　行　所：臺　灣　學　生　書　局　有　限　公　司
　　　　　　臺北市和平東路一段七十五巷十一號
　　　　　　郵　政　劃　撥　帳　號：00024668
　　　　　　電　話：（02）23928185
　　　　　　傳　眞：（02）23928105
　　　　　　E-mail : student.book@msa.hinet.net
　　　　　　http : //www.studentbooks.com.tw

本書局登
記證字號：行政院新聞局局版北市業字第玖捌壹號

印　刷　所：長　欣　彩　色　印　刷　公　司
　　　　　　中和市永和路三六三巷四二號
　　　　　　電　話：（02）22268853

定價：精裝新臺幣一〇〇〇元

西　元　二　〇　一　〇　年　九　月　初　版